TEACHER'S EDITION

HOLT McDOUGAL

2 dos ¡Avancemos!

AUTHORS

Estella Gahala | Patricia Hamilton Carlin

Audrey L. Heining-Boynton | Ricardo Otheguy | Barbara Rupert Mondloch

HOLT McDOUGAL

 HOUGHTON MIFFLIN HARCOURT

Cover Photography
Front cover Cibeles Fountain and Palacio de Comunicaciones at night, Madrid, Spain, Doug Armand/Getty Images; Inset: Horseback rider alongside racing in the Vuelta a España, Associated Press/Denis Doyle
Back cover
Level 1a: View toward La Fortaleza, San Juan, Puerto Rico, Steve Dunwell/The Image Bank/Getty Images
Level 1b: View of Buenos Aires through the Puente de la Mujer, Joseph Rodriguez/Gallery Stock Limited
Level 1: Palacio Nacional at night, Mexico City, Mexico ©2010 Nino H. Photography/Getty Images
Level 2: Cibeles Fountain and Palacio de Comunicaciones at night, Madrid, Spain, Doug Armand/Getty Images
Level 3: Plaza de la Constitución at night, Santiago, Chile, David Noton Photography
Level 4: Antigua, Guatemala ©Michel Renaudeau/age fotostock/Robert Harding Photo Library

Photography
Title page Denis Doyle/AP Images; **T3** *teens* Jorge Albán/Holt McDougal/Houghton Mifflin Harcourt; *cart* Philip Coblentz/Brand X Pictures/Getty Images; **T12** *top right* ©Hemis/Alamy Images; *top center* ©Images & Stories/Alamy Images; *left* ©National Geographic Image Collection/Alamy Images; *bottom right* Houghton Mifflin Harcourt; **T13-T15** *all* Houghton Mifflin Harcourt; **T30** *clay pig* Allan Penn/Holt McDougal/Houghton Mifflin Harcourt; *the rest* Jorge Albán/Holt McDougal/Houghton Mifflin Harcourt; **T31** *sun stone* National Museum of Anthropology; *maracas* Jim Jurica/ShutterStock; *the rest* Jorge Albán/Holt McDougal/Houghton Mifflin Harcourt; **T32** *both* Jay Penni/Holt McDougal/Houghton Mifflin Harcourt; **31a** Tom Boyden/Lonely Planet Images/Holt McDougal/Houghton Mifflin Harcourt; **85b, 193a** *bottom* Kenneth Garrett/National Geographic/Getty Images; *top* National Museum of Anthropology; **249a, 305a, 361a** Jorge Albán/Holt McDougal/Houghton Mifflin Harcourt; **417a** ©Kevin Schafer/NHPA/Photoshot USA/Canada.

Contents

Teacher Reviewers

Teacher's Edition

Sue Arandjelovic
Dobson High School
Mesa, AZ

Shaun A. Bauer
Olympia High School, *retired*
Orlando, FL

Hercilia Bretón
Highlands High School
San Antonio, TX

Maria Fleming Alvarez
The Park School
Brookline, MA

Fatima Hicks
Suncoast High School, *retired*
Riviera Beach, FL

Robin C. Hill
Warrensville Heights High School
Warrensville Heights, OH

Pam Johnson
Stevensville High School
Stevensville, MT

Kristen M. Lombardi
Shenendehowa High School
Clifton Park, NY

Debbe Tomkinson
Madison Middle School
Titusville, FL

Ronie R. Webster
Monson Junior/Senior High School
Monson, MA

Student Text

Susan K. Arbuckle
Mahomet-Seymour High School
Mahomet, IL

Kristi Ashe
Amador Valley High School
Pleasanton, CA

Sheila Bayles
Rogers High School
Rogers, AR

Robert L. Bowbeer
Detroit Country Day Upper School
Beverly Hills, MI

Hercilia Bretón
Highlands High School
San Antonio, TX

Adrienne Chamberlain-Parris
Mariner High School
Everett, WA

Mike Cooperider
Truman High School
Independence, MO

Susan B. Cress
Sheridan High School
Sheridan, IN

Michèle S. de Cruz-Sáenz, Ph.D.
Strath Haven High School
Wallingford, PA

Lizveth Dague
Park Vista Community
   High School
Lake Worth, FL

Parthena Draggett
Jackson High School
Massillon, OH

Rubén D. Elías
Roosevelt High School
Fresno, CA

Phillip Elkins
Lane Tech College Prep High School
Chicago, IL

Michael Garber
Boston Latin Academy
Boston, MA

Marco García
Derry University Advantage Academy
Chicago, IL

David Gonzalez
Hollywood Hills High School
Hollywood, FL

Raquel R. González
Odessa Senior High School
Odessa, TX

Neyda Gonzalez-Droz
Ridge Community High School
Davenport, FL

Becky Hay de García
James Madison Memorial
   High School
Madison, WI

Robin C. Hill
Warrensville Heights High School
Warrensville Heights, OH

Gladys V. Horford
William T. Dwyer High School
Palm Beach Gardens, FL

Richard Ladd
Ipswich High School
Ipswich, MA

Patsy Lanigan
Hume Fogg Academic Magnet
   High School
Nashville, TN

Kris Laws
Palm Bay High School
Melbourne, FL

Elizabeth Lupafya
North High School
Worcester, MA

David Malatesta
Niles West High School
Skokie, IL

Patrick Malloy
James B. Conant High School
Hoffman Estates, IL

Brandi Meeks
Starr's Mill High School
Fayetteville, GA

Kathleen L. Michaels
Palm Harbor University High School
Palm Harbor, FL

Linda Nanos
Brook Farm Business Academy
West Roxbury, MA

Nadine F. Olson
School of Teaching and
   Curriculum Leadership
Stillwater, OK

Pam Osthoff
Lakeland Senior High School
Lakeland, FL

Nicholas Patterson
Davenport Central High School
Davenport, IA

Carolyn A. Peck
Genesee Community College
Lakeville, NY

Daniel N. Richardson
Concord High School, *retired*
Concord, NH

Rita E. Risco
Palm Harbor University High School
Palm Harbor, FL

Miguel Roma
Boston Latin Academy
Boston, MA

Nona M. Seaver
New Berlin West Middle/
   High School
New Berlin, WI

Susan Seraphine-Kimel
Astronaut High School
Titusville, FL

Mary Severo
Thomas Hart Middle School
Pleasanton, CA

Clarette Shelton
WT Woodson High School, *retired*
Fairfax, VA

Maureen Shiland
Saratoga Springs High School
Saratoga Springs, NY

Lauren Schultz
Dover High School
Dover, NH

Irma Sprague
Countryside High School
Clearwater, FL

Mary A. Stimmel
Lincoln High School
Des Moines, IA

Karen Tharrington
Wakefield High School
Raleigh, NC

Alicia Turnier
Countryside High School
Clearwater, FL

Roberto E. del Valle
The Overlake School
Redmond, WA

Todd Wagner
Upper Darby High School, *retired*
Drexel Hill, PA

Ronie R. Webster
Monson Junior/Senior High School
Monson, MA

Cheryl Wellman
Bloomingdale High School
Valrico, FL

Thomasina White
School District of Philadelphia
Philadelphia, PA

Jena Williams
Jonesboro High School
Jonesboro, AR

❖ Program Advisory Council

Louis G. Baskinger
New Hartford High School
New Hartford, NY

Linda M. Bigler
James Madison University
Harrisonburg, VA

Jacquelyn Cinotti-Dirmann
Duval County Public Schools
Jacksonville, FL

Flora Maria Ciccone-Quintanilla
Holly Senior High School
Holly, MI

Desa Dawson
Del City High School
Del City, OK

Robin C. Hill
Warrensville Heights High School
Warrensville Heights, OH

Barbara M. Johnson
Gordon Tech High School, *retired*
Chicago, IL

Ray Maldonado
Houston Independent School
   District, *retired*
Houston, TX

Karen S. Miller
Friends School of Baltimore
Baltimore, MD

Dr. Robert A. Miller
Woodcreek High School
   Roseville Joint Union High
   School District
Roseville, CA

Debra M. Morris
Wellington Landings Middle School
Wellington, FL

Maria Nieto Zezas
West Morris Central High School
Chester, NJ

Rita Oleksak
Glastonbury Public Schools
Glastonbury, CT

Sandra Rosenstiel
University of Dallas, *retired*
Grapevine, TX

Emily Serafa Manschot
Northville High School
Northville, MI

¡Avancemos! Levels 1a & 1b — Scope and Sequence

1a

	Theme	Vocabulary	Grammar	♻ Recycling
Preliminar	**¡Hola!**	**Nueva York**		
		Greetings; Introductions; Saying where you are from; Numbers from 1 to 10; Exchanging phone numbers; Days of the week; The weather; Classroom phrases	The Spanish alphabet	
Unidad 1	**Un rato con los amigos**	**Estados Unidos**		
	1 ¿Qué te gusta hacer?	After-school activities; Snack foods and beverages	Subject pronouns and **ser**; **Gustar** with an infinitive	Weather expressions
	2 Mis amigos y yo	Describing yourself and others	Definite and indefinite articles; Noun-adjective agreement	**Ser**; Snack foods; **Gustar** with an infinitive; After-school activities
Unidad 2	**¡Vamos a la escuela!**	**México**		
	1 Somos estudiantes	Daily schedules; Telling time; Numbers from 11 to 100	The verb **tener**; Present tense of **-ar** verbs	After-school activities
	2 En la escuela	Describing classes; Describing location; Expressing feelings	The verb **estar**; The verb **ir**	Class subjects; Adjective agreement; Telling time
Unidad 3	**Comer en familia**	**Puerto Rico**		
	1 Mi comida favorita	Meals and food; Asking questions	**Gustar** with nouns; Present tense of **-er** and **-ir** verbs	**Gustar** with an infinitive; Snack foods; The verb **estar**; Telling time
	2 En mi familia	Family; Giving dates; Numbers from 200 to 1,000,000	Possessive adjectives; Comparatives	The verb **tener**; Numbers from 11 to 100; After-school activities; Describing others
Unidad 4	**En el centro**	**España**		
	1 ¡Vamos de compras!	Clothing; Shopping	Stem-changing verbs: **e → ie**; Direct object pronouns	Numbers from 11 to 100; The verb **tener**; After-school activities
	2 ¿Qué hacemos esta noche?	Places and events; Getting around town; In a restaurant	Stem-changing verbs: **o → ue**; Stem-changing verbs: **e → i**	Present tense of **-er** verbs; The verb **ir**; Direct object pronouns; **Tener** expressions

1b

	Theme	Vocabulary	Grammar	♻ Recycling
	Repaso	**Antes de Avanzar**		
		♻ This unit reviews most of the vocabulary in Units 1–4.	♻ This unit reviews most of the grammar in units 1–4.	♻ This unit recycles most of the vocabulary and grammar in units 1–4.
Unidad 5	**Bienvenido a nuestra casa**	**Ecuador**		
	1 Vivimos aquí	Describing a house; Household items; Furniture	**Ser** or **estar**; Ordinal numbers	Stem-changing verbs: **o → ue**; Location words; Colors; Clothing
	2 Una fiesta en casa	Planning a party; Chores	More irregular verbs; Affirmative **tú** commands	**Tener que**; Interrogative words; Expressions of frequency; Direct object pronouns
Unidad 6	**Mantener un cuerpo sano**	**República Dominicana**		
	1 ¿Cuál es tu deporte favorito?	Sports	The verb **jugar**; **Saber** and **conocer**; The personal **a**	Numbers from 200 to 1,000,000; **Gustar** with nouns; Comparatives
	2 La salud	Staying healthy; Parts of the body	Preterite of regular **-ar** verbs; Preterite of **-car**, **-gar**, **-zar** verbs	**Gustar** with nouns; Stem-changing verbs: **o → ue**; Telling time
Unidad 7	**¡Una semana fenomenal!**	**Argentina**		
	1 En el cibercafé	Sending e-mails; Talking about when events occur	Preterite of regular **-er** and **-ir** verbs; Affirmative and negative words	Affirmative **tú** commands; Telling time; Foods and beverages; Preterite of regular **-ar** verbs;
	2 Un día en el parque de diversiones	Making a phone call; Places of interest	Preterite of **ir**, **ser**, and **hacer**; Pronouns after prepositions	Noun-adjective agreement; Places around town; Stem-changing verbs: **o → ue**
Unidad 8	**Una rutina diferente**	**Costa Rica**		
	1 Pensando en las vacaciones	Daily routines; Vacation plans	Reflexive verbs; Present progressive	Preterite of **hacer**; Direct object pronouns; Parts of the body; Chores; Houses; Telling time
	2 ¡Vamos de vacaciones!	Discussing vacation and leisure activities	Indirect object pronouns; Demonstrative adjectives	Family; Numbers from 200 to 1,000,000; **Gustar** with an infinitive; Present progressive; Classroom objects

T6 Levels 1a & 1b Scope and Sequence

Theme	Vocabulary	Grammar	♻ Recycling
¡Hola!	**Nueva York**		
Preliminar	Greetings; Introductions; Saying where you are from; Numbers from 1 to 10; Exchanging phone numbers; Days of the week; The weather; Classroom phrases	The Spanish alphabet	
Un rato con los amigos	**Estados Unidos**		
1 ¿Qué te gusta hacer?	After-school activities; Snack foods and beverages	Subject pronouns and **ser**; **Gustar** with an infinitive	Weather expressions
2 Mis amigos y yo	Describing yourself and others	Definite and indefinite articles; Noun-adjective agreement	**Ser**; Snack foods; **Gustar** with an infinitive; After-school activities
¡Vamos a la escuela!	**México**		
1 Somos estudiantes	Daily schedules; Telling time; Numbers from 11 to 100	The verb **tener**; Present tense of **-ar** verbs	After-school activities
2 En la escuela	Describing classes; Describing location; Expressing feelings	The verb **estar**; The verb **ir**	Class subjects; Adjective agreement; Telling time
Comer en familia	**Puerto Rico**		
1 Mi comida favorita	Meals and food; Asking questions	**Gustar** with nouns; Present tense of **-er** and **-ir** verbs	**Gustar** with an infinitive; Snack foods; The verb **estar**; Telling time
2 En mi familia	Family; Giving dates; Numbers from 200 to 1,000,000	Possessive adjectives; Comparatives	The verb **tener**; Numbers from 11 to 100; After-school activities; Describing others
En el centro	**España**		
1 ¡Vamos de compras!	Clothing; Shopping	Stem-changing verbs: e → ie; Direct object pronouns	Numbers from 11 to 100; The verb **tener**; After-school activities
2 ¿Qué hacemos esta noche?	Places and events; Getting around town; In a restaurant	Stem-changing verbs: o → ue; Stem-changing verbs: e → i	Present tense of **-er** verbs; The verb **ir**; Direct object pronouns; **Tener** expressions
Bienvenido a nuestra casa	**Ecuador**		
1 Vivimos aquí	Describing a house; Household items; Furniture	**Ser** or **estar**; Ordinal numbers	Stem-changing verbs: o → ue; Location words; Colors; Clothing
2 Una fiesta en casa	Planning a party; Chores	More irregular verbs; Affirmative **tú** commands	**Tener que**; Interrogative words; Expressions of frequency; Direct object pronouns
Mantener un cuerpo sano	**República Dominicana**		
1 ¿Cuál es tu deporte favorito?	Sports	The verb **jugar**; **Saber** and **conocer**; The personal **a**	Numbers from 200 to 1,000,000; **Gustar** with nouns; Comparatives
2 La salud	Staying healthy; Parts of the body	Preterite of regular **-ar** verbs; Preterite of **-car**, **-gar**, **-zar** verbs	**Gustar** with nouns; Stem-changing verbs: o → ue; Telling time
¡Una semana fenomenal!	**Argentina**		
1 En el cibercafé	Sending e-mails; Talking about when events occur	Preterite of regular **-er** and **-ir** verbs; Affirmative and negative words	Affirmative **tú** commands; Telling time; Foods and beverages; Preterite of regular **-ar** verbs;
2 Un día en el parque de diversiones	Making a phone call; Places of interest	Preterite of **ir**, **ser**, and **hacer**; Pronouns after prepositions	Noun-adjective agreement; Places around town; Stem-changing verbs: o → ue
Una rutina diferente	**Costa Rica**		
1 Pensando en las vacaciones	Daily routines; Vacation plans	Reflexive verbs; Present progressive	Preterite of **hacer**; Direct object pronouns; Parts of the body; Chores; Houses; Telling time
2 ¡Vamos de vacaciones!	Discussing vacation and leisure activities	Indirect object pronouns; Demonstrative adjectives	Family; Numbers from 200 to 1,000,000; **Gustar** with an infinitive; Present progressive; Classroom objects

	Theme	Vocabulary	Grammar	♻ Recycling
Preliminar	**Mis amigos y yo** — Florida	♻ Saying who you are; Personality characteristics; Daily activities and food; Places in school and around town; Saying how you feel; Daily routine; Making plans	♻ Definite and indefinite articles; Subject pronouns and **ser**; Adjectives; The verb **tener**; The verb **gustar**; **Ir + a +** place; **Ser** or **estar**; Regular present-tense verbs; Stem-changing verbs	
Unidad 1	**¡A conocer nuevos lugares!** — Costa Rica			
	1 **¡Vamos de viaje!**	Going on a trip	Direct object pronouns; Indirect object pronouns	Possessions; Prepositions of location; Places around town; Daily activities
	2 **Cuéntame de tus vacaciones**	On vacation	Preterite of -ar verbs; Preterite of **ir, ser, hacer, ver, dar**	Interrogatives; Food; Days of the week; Parties
Unidad 2	**¡Somos saludables!** — Argentina			
	1 **La Copa Mundial**	Sports and health	Preterite of **-er** and **-ir** verbs; Demonstrative adjectives and pronouns	Food; Sports equipment; Colors; Clothing; Classroom objects
	2 **¿Qué vamos a hacer?**	Daily routines	Reflexive verbs; Present progressive	**Pensar**; Parts of the body; Telling time; Places in school and around town
Unidad 3	**¡Vamos de compras!** — Puerto Rico			
	1 **¿Cómo me queda?**	Clothes and shopping	Present tense of irregular **yo** verbs; Pronouns after prepositions	**Gustar**; Clothing; Expressions of frequency
	2 **¿Filmamos en el mercado?**	At the market	Preterite of -ir stem-changing verbs; Irregular preterite verbs	Family; Chores; Food
Unidad 4	**Cultura antigua, ciudad moderna** — México			
	1 **Una leyenda mexicana**	Legends and stories	The Imperfect tense; Preterite and imperfect	Expressions of frequency; Weather expressions; Daily activities
	2 **México antiguo y moderno**	Past and present	Preterite of **-car, -gar, -zar** verbs; More verbs with irregular preterite stems	Daily activities; Arts and crafts
Unidad 5	**¡A comer!** — España			
	1 **¡Qué rico!**	Preparing and describing food	**Usted/ustedes** commands; Pronoun placement with commands	Staying healthy; Chores
	2 **¡Buen provecho!**	Ordering meals in a restaurant	Affirmative and negative words; Double object pronouns	Prepositions of location; Pronoun placement with commands
Unidad 6	**¿Te gusta el cine?** — Estados Unidos			
	1 **¡Luces, cámara, acción!**	Making movies	Affirmative **tú** commands; Negative **tú** commands	Daily routines; Telling time
	2 **¡Somos estrellas!**	Invitations to a premiere	Present subjunctive with **ojalá**; More subjunctive verbs with **ojalá**	Spelling changes in the preterite; School subjects; Vacation activities; Sports
Unidad 7	**Soy periodista** — República Dominicana			
	1 **Nuestro periódico escolar**	The school newspaper	Subjunctive with impersonal expressions; **Por** and **para**	Present subjunctive; Events around town
	2 **Somos familia**	Family and relationships	Comparatives; Superlatives	Clothing; Family; Classroom objects
Unidad 8	**Nuestro futuro** — Ecuador			
	1 **El mundo de hoy**	The environment and conservation	Other impersonal expressions; Future tense of regular verbs	Expressions of frequency; Vacation activities
	2 **En el futuro...**	Careers and professions	Future tense of irregular verbs	Clothing; Telling time; Daily routine

Theme	Vocabulary	Grammar	♻ Recycling
Una vida ocupada	**Estados Unidos**		
Preliminar	♻ Talking about yourself and your friends; Saying what you know how to do; Talking about people and places you know; Describing your daily routine; Making comparisons	♻ Verbs like **gustar**; Present tense of regular verbs; Present tense of irregular verbs; Present tense of **yo** verbs; Stem-changing verbs; The verbs **decir, tener,** and **venir; Saber** or **conocer; Ser** or **estar;** Reflexive verbs	
Nos divertimos al aire libre	**México**		
1 Vamos a acampar	Camping; Nature	Preterite tense of regular verbs; Irregular preterites	Irregular present tense
2 Vamos a la playa	Family relationships; At the beach	Imperfect tense; Preterite vs. imperfect	**Saber** and **conocer**
¡Es hora de ayudar!	**Estados Unidos**		
1 ¡Todos para uno y uno para todos!	Volunteer activities and projects	**Tú** commands; Other command forms	Irregular preterite; Family relationships; Describing a camping trip; Beach activities; **Ir a** + infinitive
2 ¿Cómo nos organizamos?	Requests and recommendations; Media	Pronouns with commands; Impersonal expressions + infinitive	Preterite vs. imperfect; Beach activities; Volunteer activities
¡El futuro de nuestro planeta!	**Centroamérica**		
1 ¿Cómo será el futuro?	Environmental concerns	Future tense; **Por** and **para**	**Ustedes** commands; **Ir a** + infinitive; Media vocabulary
2 Por un futuro mejor	Social awareness; Presenting and supporting opinions	Present subjunctive of regular verbs; More subjunctive verb forms	**Ustedes** commands; Impersonal expressions; Future tense
Así quiero ser	**El Caribe**		
1 ¿Quién te inspira?	Describing others; Professions	Future tense; Subjunctive with verbs of influence	**Ser** vs. **estar**; Future tense
2 ¿Quiénes son los héroes?	Expressing positive and negative emotions; More professions; Supporting opinions	Subjunctive with doubt; Subjunctive with emotion	Describing people; Superlatives; Family relationships; **-ísimo**
¿Cómo te entretienes?	**Los países andinos**		
1 Comuniquémonos entre naciones	Travel preparations; Computers; Requirements and conditions	Subjunctive with conjunctions; Subjunctive with the unknown	Commands with **tú**; Professions vocabulary
2 Nuevos amigos, nuevas oportunidades	Participating in a group discussion; Leisure activities	Conditional tense; Reported speech	Preterite; Computer vocabulary
¿Dónde vivimos?	**España**		
1 La vida en la ciudad	Around the neighborhood; An apartment in the city	Past participle as adjectives; Present perfect tense	Preterite; Direct object pronouns
2 Fuera de la ciudad	Traveling by train; Describing a cultural excursion	Past perfect tense; Future perfect tense	Present perfect; **Tú** commands; Places in the neighborhood; Past participles as adjectives
Tu pasado y tu futuro	**Venezuela y Colombia**		
1 Recuerdos	Planning for the future; School activities and events; Part-time jobs	Imperfect subjunctive; Subjunctive of perfect tenses	Present perfect; Subjunctive with doubt; Impersonal expressions
2 Nuevos principios	Pursuing a career	**Si** clauses; Sequence of tenses	Subjunctive with impersonal expressions; Conditional future; Architectural structures
Hablemos de literatura	**Cono Sur**		
1 Cuentos y poesía	Discussing and critiquing literature	Past progressive; Conjunctions	Preterite vs. imperfect; Professions
2 El drama	Reading and interpreting plays	**Se** for unintentional occurrences; Uses of the subjunctive	**Si** clauses; Literary vocabulary

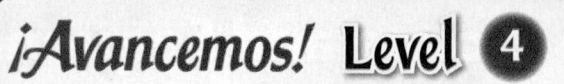
	Theme	Vocabulary	Grammar	♻ Recycling
Unidad 1	**El mundo del trabajo**			
	1 En busca de trabajo	Job searches and different jobs	**Ser** vs. **estar**; Direct and indirect object pronouns	Demonstrative adjectives; Preterite vs. imperfect
	2 Comunicándose en el trabajo	Workplace communication and tasks	Reflexive pronouns; Verbs with prepositions	Conditional; Preterite; Present perfect
Unidad 2	**Ejercicio y diversión**			
	1 Ejercicio al aire libre	Outdoor sports	Preterite vs. imperfect; Verbs that change meaning in the preterite	Adverbs; Reflexive pronouns
	2 Diversión bajo techo	Indoor sports and games	Comparatives; The gerund	**Ir a** + infinitive
Unidad 3	**La aventura de viajar**			
	1 ¿Adónde vamos de vacaciones?	Vacation plans and hotels	Past participle; Present perfect and past perfect	Preterite vs. imperfect; Preterite
	2 Viajemos en avión	Airplane travel	Future and conditional; Future and conditional of probability	**Ir a** + infinitive
Unidad 4	**¿Cómo es nuestra sociedad?**			
	1 Familia, sociedad y problemas sociales	Family, society, and social problems	Present subjunctive in noun and adjective clauses; Present subjunctive in adverbial clauses	Verbs with prepositions; Present progressive; Future
	2 Educación universitaria y finanzas	College education and finances	Present perfect subjunctive; Imperfect subjunctive	Direct and indirect object pronouns
Unidad 5	**¡Hablemos de arte!**			
	1 Arte a tu propio ritmo	Painting and music	Future perfect and conditional perfect; Relative pronouns	Present perfect
	2 A crear con manos y palabras	Sculpture and literature	Passive voice, passive **se** and impersonal **se**; **Se** for unintentional occurrences	Future tense; Imperfect
Unidad 6	**Ver, divertirse e informarse**			
	1 ¿Qué hay en la tele?	Television programming and advertising	Imperfect subjunctive in adverbial clauses; More uses of the imperfect subjunctive	Comparatives; Preterite vs. imperfect
	2 El mundo de las noticias	News coverage, media, and current events	Past perfect subjunctive; Sequence of tense	Past perfect indicative

Easy Articulation

One complete program for middle school through Level 4

or

Levels 1a & 1b are designed with middle school learners in mind. They include more practice, more games and more appropriate visuals for your middle school students. These books prepare students for *¡Avancemos!* level 2.

Level 1 introduces students to the culture and language of the Spanish-speaking world in eight manageable units. To provide flexibility and pacing options, the material taught in units 7 and 8 is fully spiraled in level 2.

Level 2 begins with a thorough review of core level 1 content. Seamless articulation continues, as material taught in units 7 and 8 of level 2 is spiraled into level 3.

Level 3 reviews core content from levels 1 and 2 before students move on to more advanced language skills.

Level 4 reviews and expands upon the content from the first three levels, as students go on to master more advanced language skills.

¡Avancemos!

¡Avancemos! transports students beyond the classroom on an exciting journey through the diverse Spanish-speaking world. The perfect blend of culture, instruction and interaction enables and motivates students to succeed.

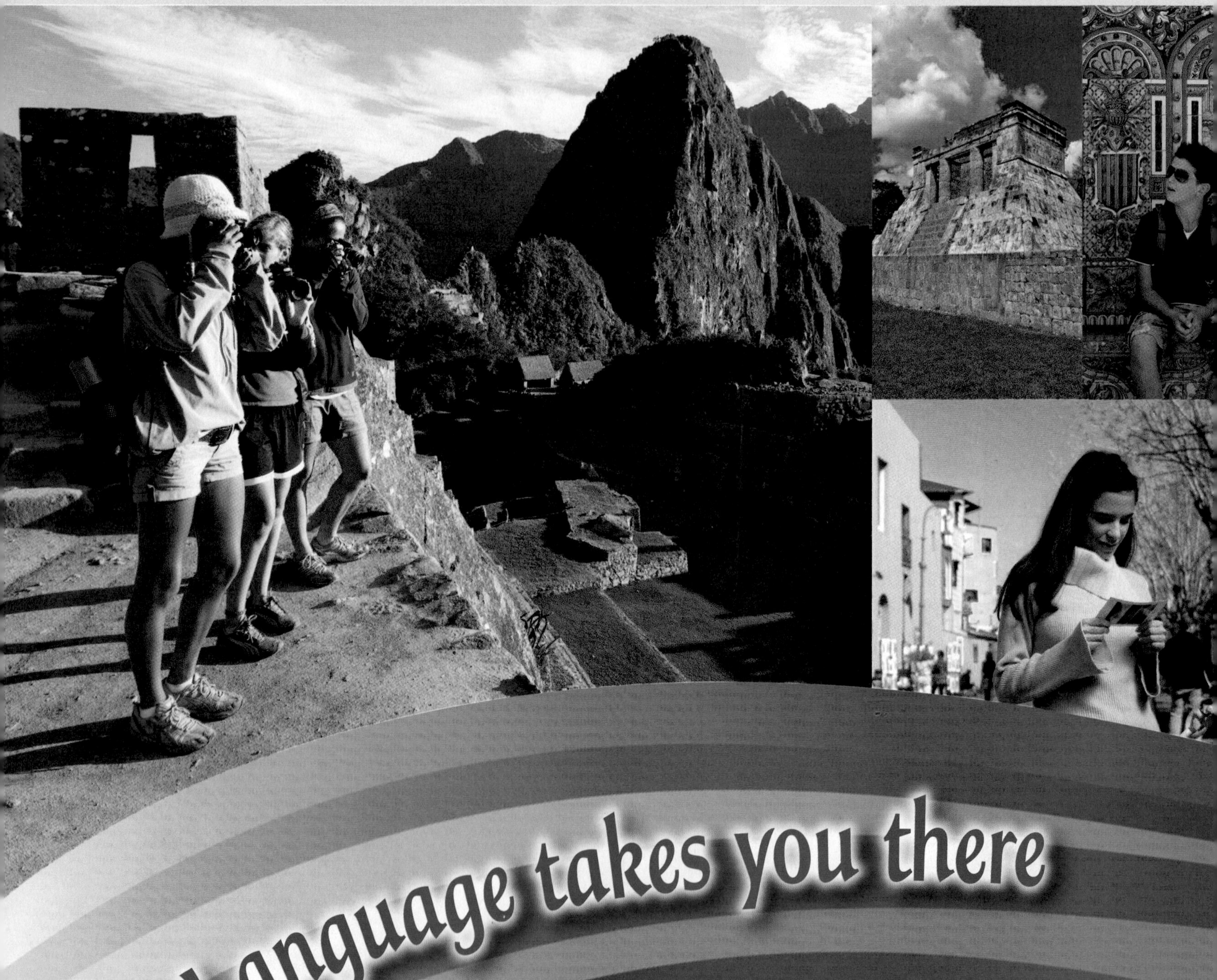

Language takes you there

Remarkable Culture

Vivid, inspiring, and focused culture goes beyond the textbook with on-site videos, Cultura interactiva, **News** + Networking and more!

Relevant Instruction

Multi-tiered differentiation in presentation, practice, assessments, and in **SPANISH InterActive Reader** create a truly personalized learning environment.

Real Interaction

Students show what they know with **performance)) space**, a virtual one-to-one environment that allows students to record spoken and written responses.

Digital Resources

❖ For the Teacher

Teacher One Stop
Resources available on DVD and at my.hrw.com
· All Print Resources
· Interactive Teacher Edition
· Calendar Planner
· Projectable Transparencies
· Lesson Plans
· TPRS

Interactive Whiteboard Lessons
· Ready-made presentations
· Interactive practice and games for the whole class

Online Assessment
Robust differentiated assessment
· ExamView® on Teacher One Stop
· HOAP Assessment
· Generate Success Rubric Generator

❖ For the Student

eEdition Online
Fully interactive student edition
· Scorable activities
· Performance Space
· Audio and Video

eTextbook
Available for delivery on a variety of devices

Virtual Culture
· *Cultura interactiva*
· *WebQuests*

Online Practice
· @Home Tutor
· Animated Grammar
· Online Review

Conjuguemos.com

Holt McDougal Spanish Apps

Digital performance))space

*Practice and Assess Performance
In this Virtual Environment!*

- Teacher Dashboard to Manage Student Responses
- Student Dashboards to Track Completion and Feedback

News ⊕ Networking

- High-interest articles at appropriate levels of difficulty
- Current cultural and newsworthy videos
- Monitored blogs

SPANISH InterActive Reader

- Authentic texts
- Reading in the Content Areas
- Leveled for Difficulty

Video and Audio

Downloads available at my.hrw.com

- *AvanzaRap* Video (Animations of songs with Karaoke track, Teaching Suggestions, Activity Masters, Video Scripts and Answers)
- *¡Avancemos!* Video Program (Vocabulary, *Telehistoria,* Cultural Comparison)
- Audio Program (Student Text, Workbook, Assessment, Heritage Learners, *Lecturas para todos*)

For the Student

Cuaderno: práctica por niveles

- 3 levels of practice: A, B, C
- Vocabulary, Grammar
- Integrated skills
- Listening, Reading, Writing
- Culture

AvanzaCómics
High-interest stories with vocabulary students will know. Create-your-own version available.

Lecturas para todos
Encourages development of strong reading skills and strategies. Audio CD available.

For the Teacher

Unit Resource Books

- Reteaching & Practice Copymasters
- Practice Games
- Video Activities
- Video Scripts
- Audio Scripts
- Map/Culture Activities
- Fine Art Activities
- Family Letters
- Family Involvement Activities
- Absent Student Copymasters

Especially for Heritage Learners

Cuaderno para hispanohablantes

Heritage Learners Assessment

Lecturas para hispanohablantes

Differentiated Assessment Program

On-level, Modified, Pre-AP and Heritage Learner Assessments

- Vocabulary, Grammar, and Culture quizzes (on-level only)
- Lesson tests
- Unit tests
- Midterm Exam
- Final Exam

Best Practices Toolkit

- Strategies for Effective Teaching including Pre-AP and International Baccalaureate *

*International Baccalaureate is a registered trademark of the International Baccalaureate Organization.

Celebrate Culture!

The *Música* section of *¡Avancemos!* includes twelve mini cultural lessons about music, one for each month of the year.

News + Networking
my.hrw.com

provides high-interest articles, cultural videos and monitored blog!

Cultura Interactiva
my.hrw.com — *See these pages come alive!*

News + Networking

Rock Latino

El rock latino tiene tres fases: 1) imitación, 2) evolución con características distintas y 3) experimentación y fusión. Durante la primera fase—los años cincuenta y sesenta—la influencia del rock de Inglaterra (*England*) y Estados Unidos es obvia. Los cantantes latinoamericanos simplemente cantan en inglés o traducen (*translate*) la letra del inglés al español. Durante la segunda fase—los años sesenta a ochenta—los músicos hispanos escriben música original. Los artistas también adaptan nuevos estilos del rock como el punk, heavy metal y pop. Desde los años ochenta hasta ahora, hay más experimentación y fusión del rock con música tradicional, como la salsa, el tejano, el merengue y el vallenato (de Colombia).

México

Rubén «Nru» Albarrán es el vocalista de Café Tacuba, una banda mexicana de rock fusión.

Vocabulario para el rock latino
la canción *song*
el (la) cantante *singer*
la letra *lyrics*
el (la) músico(a) *musician*

Argentina

Charly García es uno de los compositores y músicos más importantes del rock latino.

México

Aquí vemos a la cantante mexicana *Julieta Venegas* en un concierto en Argentina.

Colombia

Juanes es una estrella del rock latino. Es ganador de muchos premios, incluso doce premios Grammy Latino.

España

Amaya Montero, la vocalista y líder del grupo español La Oreja de Van Gogh, canta durante un concierto en Ecuador.

Comparación cultural

1. ¿Cuáles son las influencias en el rock latino?
2. ¿Qué grupos o cantantes de rock latino conoces?

C18   Música

Música   **C19**

● *Cultura Interactiva* features can be viewed in English or Spanish online!

● The *Música* mini cultural lessons are also available online with the added benefit of *Cultura Interactiva*. Click on the photos to watch culture come to life!

¡Cultura auténtica!

Each unit includes two thematic lessons that present a manageable amount of material.

Each unit is set in a location that provides the **cultural backdrop** for real-life themes.

Experience authentic **culture** online at my.hrw.com!

CULTURA Interactiva
my.hrw.com
See these pages come alive!

◀ **El estado de Oaxaca** En México las artesanías, los bailes folklóricos y las comidas típicas reflejan la influencia indígena sobre la cultura. El estado de Oaxaca, donde un 50 por ciento de la población habla un idioma indígena, es conocido por sus importantes sitios arqueológicos, su cerámica, sus telas *(fabrics)* y su famoso chocolate hecho a mano. *¿Qué cosas son típicas de tu estado?*

Bailarina folklórica bailando durante un desfile en Oaxaca

«¡Viva México!» La Plaza de la Constitución, o el Zócalo, es la plaza principal de la Ciudad de México. Hace 500 años, era el centro de Tenochtitlán, la capital del imperio azteca. Hoy es el corazón del centro histórico y el lugar donde se celebra el Grito *(shout)* de la Independencia cada 15 de septiembre. *¿Cómo celebras el cuatro de julio, el Día de la Independencia de Estados Unidos?* ▶

UNIDAD **4**

México
Cultura antigua, ciudad moderna

Lección 1
Tema: **Una leyenda mexicana**

Lección 2
Tema: **México antiguo y moderno**

Estados Unidos

Ciudad Juárez

Chihuahua

Golfo de México

Monterrey

BAJA CALIFORNIA

Golfo de California

México

Bahía de Campeche

PENÍNSULA DE YUCATÁN

Guadalajara
Tula
México, D.F.
Parícutin
Teotihuacán
Puebla
Veracruz

Popocatépetl e Ixtaccihuatl
Monte Albán
Oaxaca

Océano Pacífico

Guatemala

El Salvador

«¡Hola!
Nosotros somos Jorge y Sandra. Somos de México.»**

Población: 109.955.400

Área: 761.606 millas cuadradas, un poco menos del triple de Texas

Capital: México, D.F. (Ciudad de México)

Moneda: el peso mexicano

Idiomas: español, maya y otras lenguas indígenas

Comida típica: tamales, enchiladas, tacos

Tamales

Gente famosa: Alfonso Cuarón (director), Salma Hayek (actriz), Octavio Paz (escritor), Laura Esquivel (escritora)

Celebrando el Día de la Independencia

Diego Rivera y Frida Kahlo, Ciudad de México, 1939

◀ **Frida y Diego** Dos artistas famosos de México son Frida Kahlo (1907–1954) y Diego Rivera (1886–1957). Frida pintó muchos autorretratos *(self-portraits)* con elementos surrealistas y fantásticos. Diego pintó varios murales y pinturas famosos con temas políticos y culturales. Los dos usaban temas folklóricos para afirmar su identidad mexicana. *¿Qué artistas conoces? ¿Cómo pintan?*

Students get a quick look at important **facts and figures** about the target country.

Meet the *Telehistoria* characters who will accompany you and your students through the unit.

● *¡Avanza!* lets your students know what they will learn and why.

● **Lessons** are based on themes that are relevant to students.

● **Digital Spanish** delivers what your students need to be engaged and successful.

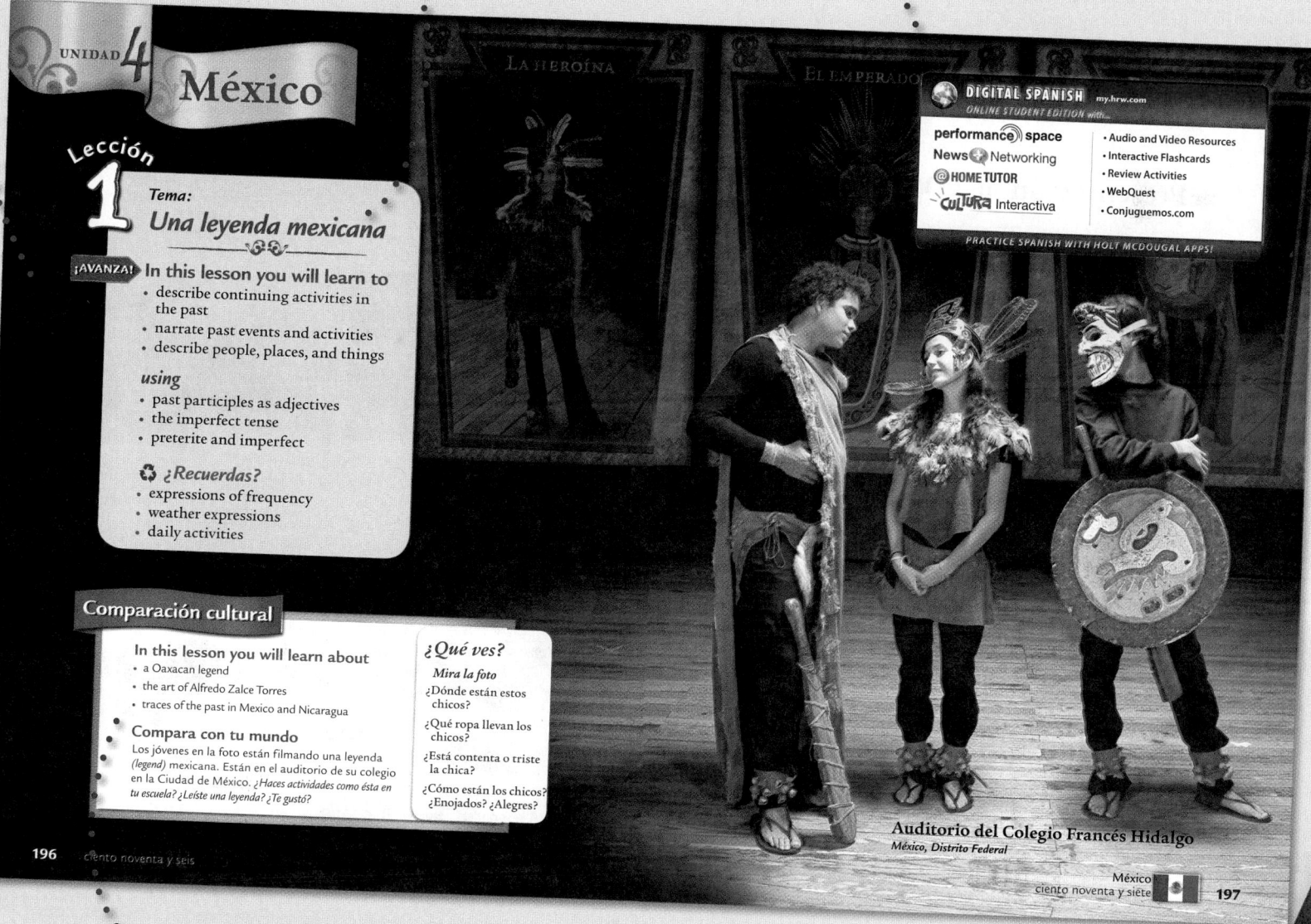

UNIDAD 4

México

Lección 1

Tema:
Una leyenda mexicana

¡AVANZA! In this lesson you will learn to
- describe continuing activities in the past
- narrate past events and activities
- describe people, places, and things

using
- past participles as adjectives
- the imperfect tense
- preterite and imperfect

♻ **¿Recuerdas?**
- expressions of frequency
- weather expressions
- daily activities

Comparación cultural

In this lesson you will learn about
- a Oaxacan legend
- the art of Alfredo Zalce Torres
- traces of the past in Mexico and Nicaragua

Compara con tu mundo
Los jóvenes en la foto están filmando una leyenda (legend) mexicana. Están en el auditorio de su colegio en la Ciudad de México. ¿Haces actividades como ésta en tu escuela? ¿Leíste una leyenda? ¿Te gustó?

¿Qué ves?

Mira la foto
¿Dónde están estos chicos?

¿Qué ropa llevan los chicos?

¿Está contenta o triste la chica?

¿Cómo están los chicos? ¿Enojados? ¿Alegres?

LA HEROÍNA

EL EMPERADO

🌐 **DIGITAL SPANISH** my.hrw.com
ONLINE STUDENT EDITION with...

performance) space
News 🌐 Networking
@ HOME TUTOR
CULTURA Interactiva

- Audio and Video Resources
- Interactive Flashcards
- Review Activities
- WebQuest
- Conjuguemos.com

PRACTICE SPANISH WITH HOLT MCDOUGAL APPS!

Auditorio del Colegio Francés Hidalgo
México, Distrito Federal

196 ciento noventa y seis

México
ciento noventa y siéte 197

● *Compara con tu mundo* helps students see the relevance of cultural information by asking them to compare the target culture with their own. Look for this feature throughout the unit.

Remarkable Culture. Relevant Instruction. Real Interaction.

Presentación de vocabulario

Vocabulary is presented in context;
Interactive Whiteboard activities provide
a great way to get the whole class involved.

● *¡Avanza!* provides a clear goal
to let students know what is
new and what is review.

● Look for the green recycling sign
and *¿Recuerdas?* throughout the
unit to see the wealth of review.

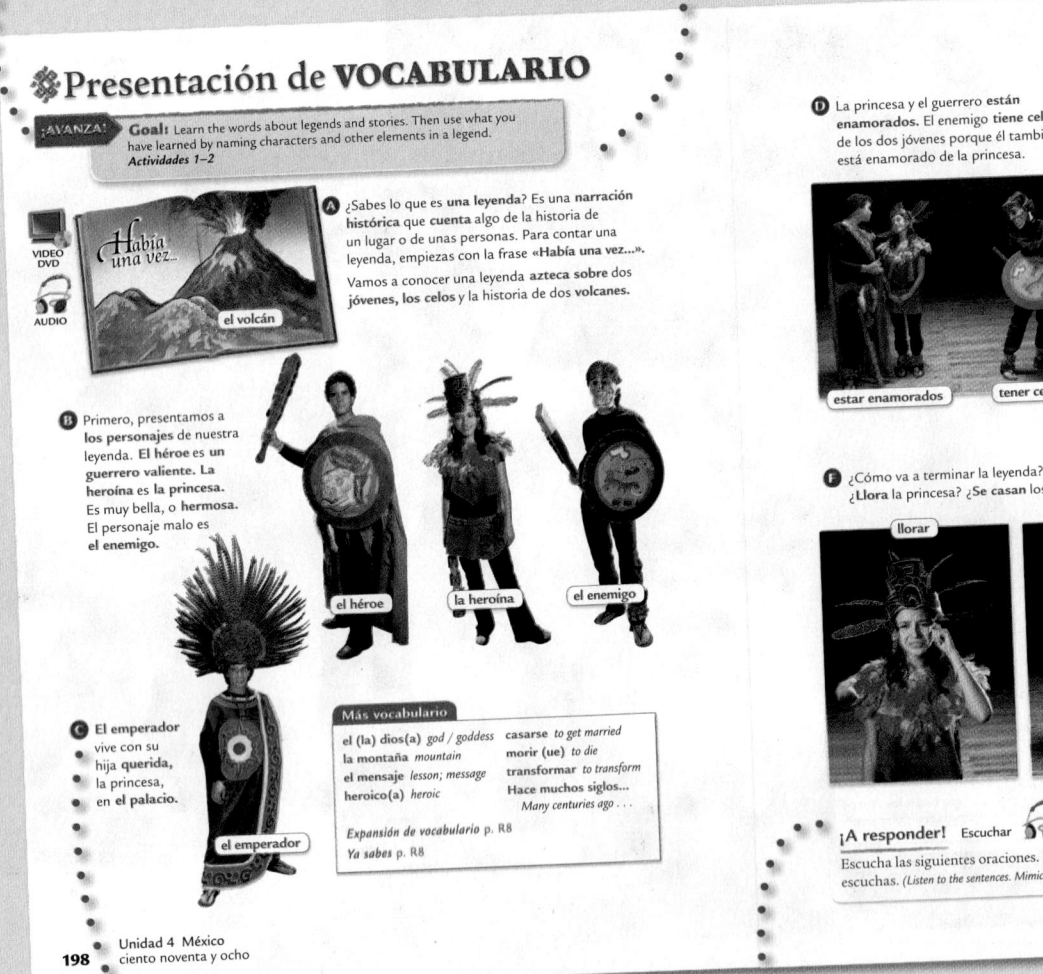

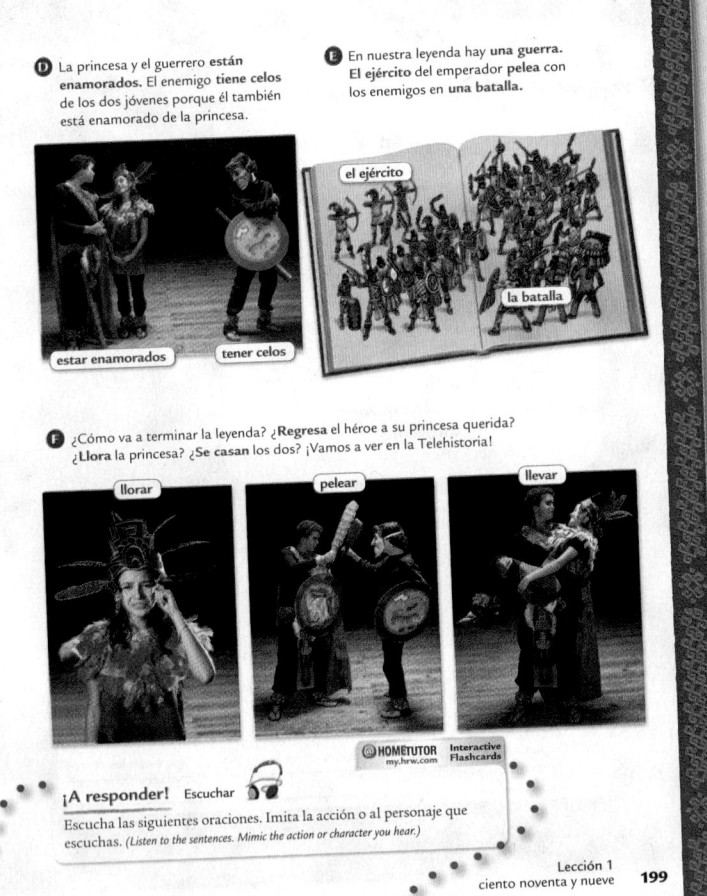

● Blue words help students
know what to study.

● A listening activity provides a
quick comprehension check.

● Students practice online
at their own level and their
own pace.

Fun and visually engaging activities provide meaningful **practice**.

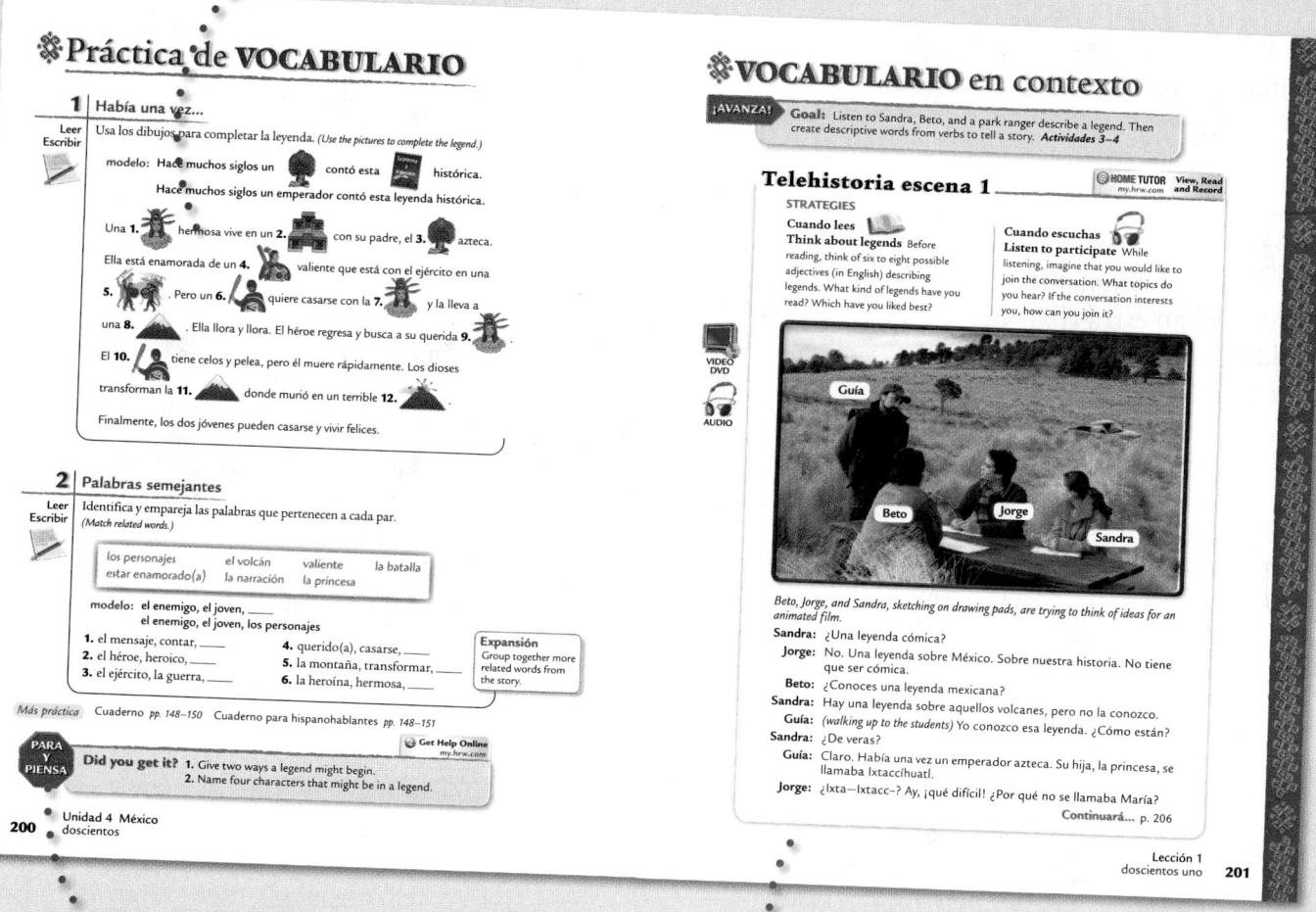

Práctica de VOCABULARIO

1 | Había una vez...

Leer
Escribir

Usa los dibujos para completar la leyenda. *(Use the pictures to complete the legend.)*

modelo: Hace muchos siglos un [ ] contó esta [ ] histórica.
Hace muchos siglos un emperador contó esta leyenda histórica.

Una **1.** [ ] hermosa vive en un **2.** [ ] con su padre, el **3.** [ ] azteca.

Ella está enamorada de un **4.** [ ] valiente que está con el ejército en una

5. [ ] . Pero un **6.** [ ] quiere casarse con la **7.** [ ] y la lleva a

una **8.** [ ] . Ella llora y llora. El héroe regresa y busca a su querida **9.** [ ] .

El **10.** [ ] tiene celos y pelea, pero él muere rápidamente. Los dioses

transforman la **11.** [ ] donde murió en un terrible **12.** [ ] .

Finalmente, los dos jóvenes pueden casarse y vivir felices.

2 | Palabras semejantes

Leer
Escribir

Identifica y empareja las palabras que pertenecen a cada par.
(Match related words.)

| los personajes | el volcán | valiente | la batalla |
| estar enamorado(a) | la narración | la princesa |

modelo: el enemigo, el joven, _____
el enemigo, el joven, los personajes

1. el mensaje, contar, _____
2. el héroe, heroico, _____
3. el ejército, la guerra, _____
4. querido(a), casarse, _____
5. la montaña, transformar, _____
6. la heroína, hermosa, _____

Expansión
Group together more related words from the story.

Más práctica Cuaderno pp. 148–150 Cuaderno para hispanohablantes pp. 148–151

PARA Y PIENSA

Did you get it? **1.** Give two ways a legend might begin.
2. Name four characters that might be in a legend.

Get Help Online
my.hrw.com

200 Unidad 4 México
doscientos

VOCABULARIO en contexto

¡AVANZA! **Goal:** Listen to Sandra, Beto, and a park ranger describe a legend. Then create descriptive words from verbs to tell a story. **Actividades 3–4**

Telehistoria escena 1

HOME TUTOR View, Read
my.hrw.com and Record

STRATEGIES

Cuando lees
Think about legends Before reading, think of six to eight possible adjectives (in English) describing legends. What kind of legends have you read? Which have you liked best?

Cuando escuchas
Listen to participate While listening, imagine that you would like to join the conversation. What topics do you hear? If the conversation interests you, how can you join it?

VIDEO
DVD

AUDIO

Beto, Jorge, and Sandra, sketching on drawing pads, are trying to think of ideas for an animated film.

Sandra: ¿Una leyenda cómica?

Jorge: No. Una leyenda sobre México. Sobre nuestra historia. No tiene que ser cómica.

Beto: ¿Conoces una leyenda mexicana?

Sandra: Hay una leyenda sobre aquellos volcanes, pero no la conozco.

Guía: *(walking up to the students)* Yo conozco esa leyenda. ¿Cómo están?

Sandra: ¿De veras?

Guía: Claro. Había una vez un emperador azteca. Su hija, la princesa, se llamaba Ixtaccíhuatl.

Jorge: ¿Ixta–Ixtacc–? Ay, ¡qué difícil! ¿Por qué no se llamaba María?

Continuará... p. 206

Lección 1
doscientos uno **201**

Para y piensa helps students know if they "got it."

High interest **storyline video** incorporates new vocabulary and motivates students to keep watching to see what happens next.

Remarkable Culture. Relevant Instruction. Real Interaction.

Presentación de gramática

A wide *variety* of practice activities keeps students interested. Careful sequencing builds success.

Expansión provides enrichment for the students who need an extra challenge. There are additional *Expansión* options for many activities in the Teacher's Edition.

● **English Grammar Connection** helps students make the link between Spanish and English.

● *Comparaciones culturales* highlight the variety of cultures within the Spanish-speaking world.

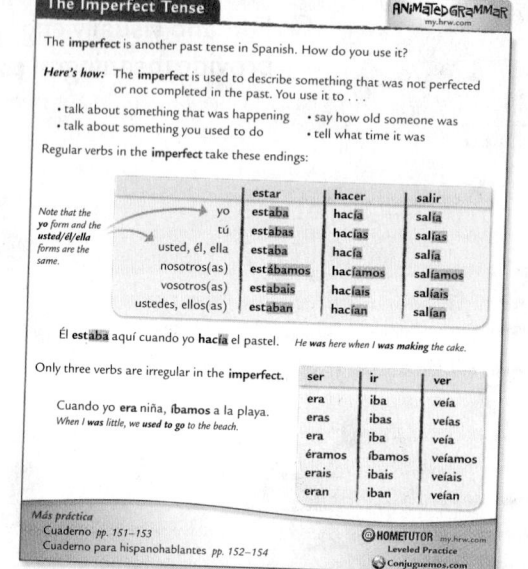

✿ Presentación de GRAMÁTICA

¡AVANZA! **Goal:** Learn how to form the imperfect tense. Then use the imperfect to describe continuing activities in the past. **Actividades 5–8**

♻ **¿Recuerdas?** Expressions of frequency p. R8

English Grammar Connection: There are ways other than the simple past tense (*I studied*) to say that something happened. You can also say *I used to study* or *I was studying.* In Spanish, these ideas are expressed by the **imperfect tense.**

The Imperfect Tense

ANIMATED GRAMMAR
my.hrw.com

The **imperfect** is another past tense in Spanish. How do you use it?

Here's how: The **imperfect** is used to describe something that was not perfected or not completed in the past. You use it to . . .

- talk about something that was happening
- talk about something you used to do
- say how old someone was
- tell what time it was

Regular verbs in the **imperfect** take these endings:

	estar	hacer	salir
yo	estaba	hacía	salía
tú	estabas	hacías	salías
usted, él, ella	estaba	hacía	salía
nosotros(as)	estábamos	hacíamos	salíamos
vosotros(as)	estabais	hacíais	salíais
ustedes, ellos(as)	estaban	hacían	salían

*Note that the **yo** form and the **usted/él/ella** forms are the same.*

Él **estaba** aquí cuando yo **hacía** el pastel. *He was here when I was making the cake.*

Only three verbs are irregular in the **imperfect.**

ser	ir	ver
era	iba	veía
eras	ibas	veías
era	iba	veía
éramos	íbamos	veíamos
erais	ibais	veíais
eran	iban	veían

Cuando yo **era** niña, **íbamos** a la playa. *When I was little, we used to go to the beach.*

Más práctica
Cuaderno pp. 151–153
Cuaderno para hispanohablantes pp. 152–154

HOMETUTOR my.hrw.com
Leveled Practice
Conjuguemos.com

Lección 1
doscientos tres **203**

✿ Práctica de GRAMÁTICA

5 En el pasado ♻ **¿Recuerdas?** Expressions of frequency p. R8

Hablar | Habla de lo que hacías cuando tenías ocho años. *(Talk about your childhood activities.)*

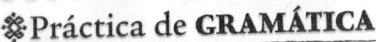

0% — nunca — de vez en cuando — mucho — todos los días/siempre — 100%

modelo: hablar

A ¿Hablabas mucho cuando tenías ocho años?

B Sí, hablaba siempre. (No, nunca hablaba.) ¿Y tú?

1. llorar
2. jugar
3. pelear
4. dormir
5. salir con amigos
6. ver películas
7. comer verduras

6 Mis libros favoritos

Leer Escribir | Jorge habla de su niñez. Completa el párrafo con el imperfecto de los verbos. *(Complete the story about Jorge's childhood with the imperfect tense.)*

ser	ver	preferir
ir	estar	querer
sacar	contar	regresar
	tener	

Cuando yo **1.** cinco años, mi madre me **2.** muchas leyendas. Mis favoritas **3.** las leyendas aztecas porque yo **4.** ser un guerrero valiente. Todos los sábados mi madre, mis hermanos y yo **5.** a la biblioteca para sacar libros. Ellos **6.** los libros cortos y fáciles pero yo siempre **7.** las leyendas. A las seis, nosotros siempre **8.** a casa. Mi madre siempre **9.** contenta cuando nos **10.** con muchos libros.

Comparación cultural

La preservación del pasado

¿Qué podemos aprender de los sitios arqueológicos? En San Juan Parangaricutiro, **México,** hay sólo (*only*) las ruinas de una iglesia porque el volcán Paricutín destruyó (*destroyed*) la ciudad. La erupción duró nueve años pero todos pudieron escapar. Un sitio importante en **Nicaragua** es las Huellas de Acahualinca. Allí puedes ver huellas (*footprints*) de más de 6000 años de un grupo de adultos y niños que caminaba a un lago. Las huellas fueron preservadas en barro (*mud*) y cenizas (*ashes*) volcánicas después de la erupción de un volcán.

Compara con tu mundo ¿Por qué son importantes los sitios arqueológicos? ¿Hay algunos en tu región?

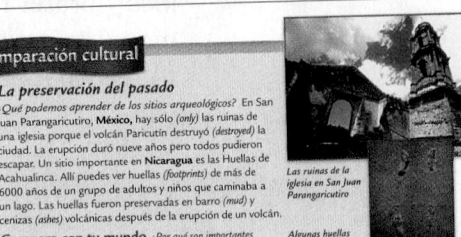

Las ruinas de la iglesia en San Juan Parangaricutiro

Algunas huellas de Acahualinca

Unidad 4 México
204 doscientos cuatro

7 Una leyenda

Escuchar Escribir | Escucha la leyenda y contesta las preguntas. *(Listen and answer the questions.)*

1. ¿Dónde vivía la princesa?
2. ¿De quién estaba enamorada?
3. ¿Por qué no podían casarse?
4. ¿Cómo eran las batallas?
5. ¿Por qué lloraba la princesa?
6. ¿Adónde iba la princesa?
7. ¿Con quién hablaba allí? ¿Para qué?
8. ¿Qué pasó después de la guerra?

8 Así era mi vida

Hablar Escribir | Imagina que ya eres abuelo(a). Contesta las preguntas de tus nietos. *(Imagine that you are a grandparent. Answer your grandchildren's questions.)*

1. ¿Dónde vivías cuando eras joven?
2. ¿Cómo era tu casa o apartamento?
3. ¿A qué hora te levantabas los días de clase?
4. ¿Qué hacías después de las clases? ¿Estudiabas mucho?
5. ¿Qué música escuchabas? ¿Qué deportes practicabas?
6. ¿Qué hacías los fines de semana? ¿Durante las vacaciones?

Expansión
Prepare three more questions your grandchildren might ask you, and answer them.

Pronunciación El sonido r y rr

AUDIO

The Spanish **r** in the middle or at the end of a word is pronounced with a single tap of the tongue against the roof of your mouth. It sounds similar to the *d* of the English word *buddy.* Listen to and repeat these words.

emperador hermoso morir heroína querido pero

The letter **r** at the beginning of a word and the double **rr** within a word is pronounced with several rapid taps of the tongue, or a trill. Listen and repeat.

guerra narración pizarrón Ramón rayas perro

Los guerreros no quieren pelear en esta batalla.
El emperador está enamorado de la princesa Rafaela.

Más práctica Cuaderno pp. 151–153 Cuaderno para hispanohablantes pp. 152–154

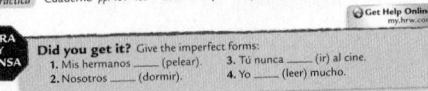

Get Help Online my.hrw.com

PARA Y PIENSA **Did you get it?** Give the imperfect forms:
1. Mis hermanos _____ (pelear).
2. Nosotros _____ (dormir).
3. Tú nunca _____ (ir) al cine.
4. Yo _____ (leer) mucho.

Lección 1
doscientos cinco **205**

New language skills are practiced in a wide variety of contexts.

● **Strategies** for reading and listening give you options for presenting the *Telehistoria* and strengthen your students' skills.

✿ GRAMÁTICA en contexto

¡AVANZA!

Goal: Listen to the park ranger describe the characters in a legend that happened long ago. Then describe events and people in the past. **Actividades 9–11**

♻ **¿Recuerdas?** Weather expressions p. R8

Telehistoria escena 2

HOMETUTOR my.hrw.com — View, Read and Record

STRATEGIES

Cuando lees
Compare expectations As you read, compare Jorge's expectations about Popo's future with the emperor's. How do they compare with yours?

Cuando escuchas
Listen for tenses Listen to the park ranger. Which tenses does he use? When does he change tenses? Consider whether you change tenses when telling stories in English.

VIDEO DVD

AUDIO

Guía: La princesa Ixtaccíhuatl—bueno, mejor vamos a llamarla Ixta—era muy hermosa, y muchos hombres estaban enamorados de ella.

Sandra: Ixta, la heroína.

Guía: Popocatépetl—bueno, mejor vamos a llamarlo Popo.

Sandra: Ah...sí...¡los nombres de los volcanes!

Guía: ¡Exactamente! Popo era un guerrero valiente del emperador y un día llevó a su ejército a una guerra contra el enemigo.

Beto: ¿Cómo? ¿El emperador no era valiente? ¿Por qué no quería pelear él?

Guía: Él peleó en muchas batallas, pero ya era muy viejo. El emperador le dijo: «Para casarte con mi hija, debes ser valiente en la batalla y ganar la guerra».

Jorge: ¿Qué? ¿Casarse así? ¿Sin dinero? ¿Sin oro?

Guía: Popocatépetl estaba enamorado de Ixtaccíhuatl, y ella estaba enamorada de él. Cuando Popo se fue a la batalla, la princesa Ixta estaba triste y lloró. Popo tenía que regresar para casarse con ella.

Jorge: ¡Ay! ¡Mujeres!

Continuará... p. 211

206 Unidad 4 México
doscientos seis

● The continuing *Telehistoria* motivates students to find out what happens next and reinforces the grammar they have just learned.

● Students **activate** newly learned language to talk about culture.

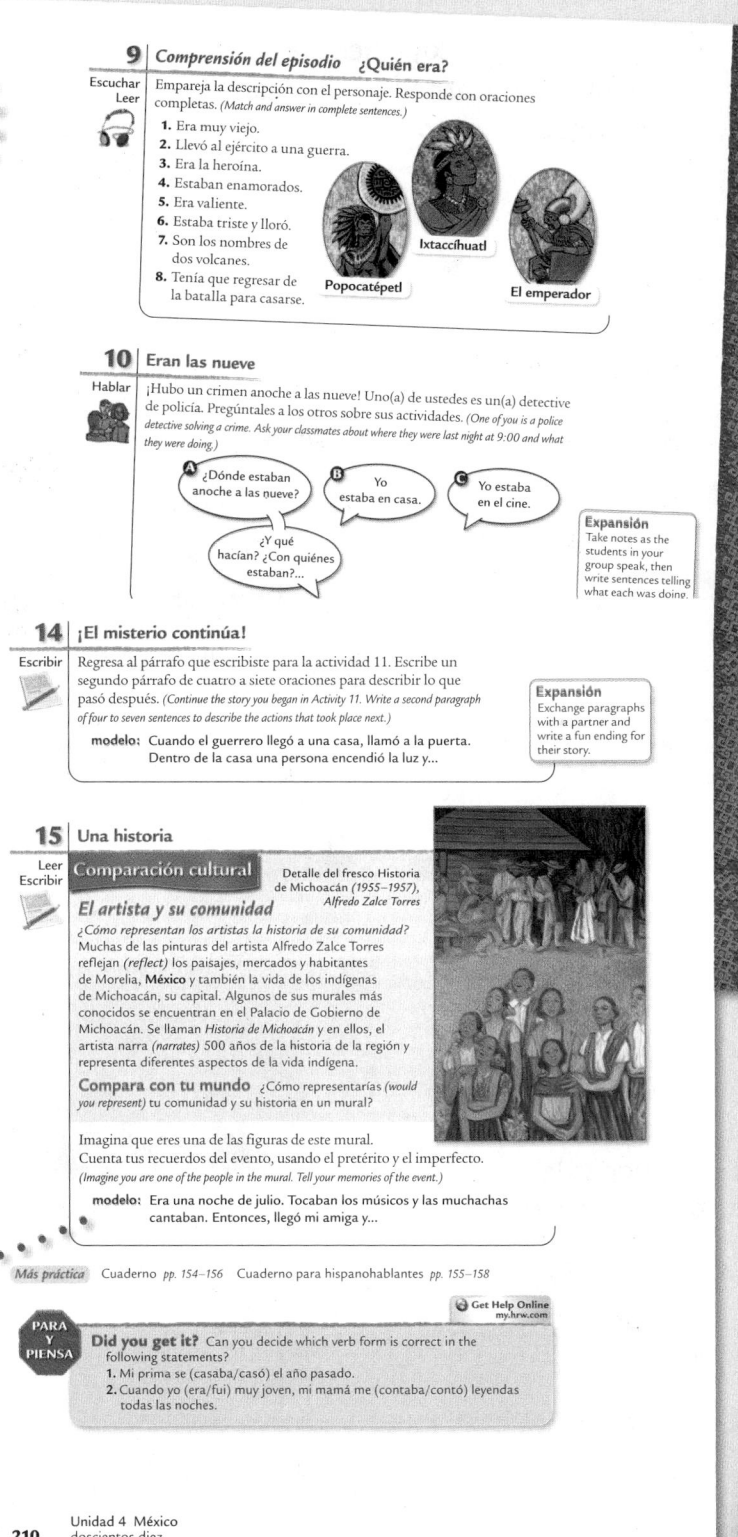

9 | **Comprensión del episodio** ¿Quién era?

Escuchar Leer

Empareja la descripción con el personaje. Responde con oraciones completas. *(Match and answer in complete sentences.)*

1. Era muy viejo.
2. Llevó al ejército a una guerra.
3. Era la heroína.
4. Estaban enamorados.
5. Era valiente.
6. Estaba triste y lloró.
7. Son los nombres de dos volcanes.
8. Tenía que regresar de la batalla para casarse.

Popocatépetl
Ixtaccíhuatl
El emperador

10 | **Eran las nueve**

Hablar

¡Hubo un crimen anoche a las nueve! Uno(a) de ustedes es un(a) detective de policía. Pregúntales a los otros sobre sus actividades. *(One of you is a police detective solving a crime. Ask your classmates about where they were last night at 9:00 and what they were doing.)*

A ¿Dónde estaban anoche a las nueve?

B Yo estaba en casa.

C Yo estaba en el cine.

¿Y qué hacían? ¿Con quiénes estaban?...

Expansión
Take notes as the students in your group speak, then write sentences telling what each was doing.

14 | **¡El misterio continúa!**

Escribir

Regresa al párrafo que escribiste para la actividad 11. Escribe un segundo párrafo de cuatro a siete oraciones para describir lo que pasó después. *(Continue the story you began in Activity 11. Write a second paragraph of four to seven sentences to describe the actions that took place next.)*

modelo: Cuando el guerrero llegó a una casa, llamó a la puerta. Dentro de la casa una persona encendió la luz y...

Expansión
Exchange paragraphs with a partner and write a fun ending for their story.

15 | **Una historia**

Leer Escribir

Comparación cultural

Detalle del fresco Historia de Michoacán (1955–1957), Alfredo Zalce Torres

El artista y su comunidad

¿Cómo representan los artistas la historia de su comunidad? Muchas de las pinturas del artista Alfredo Zalce Torres reflejan (*reflect*) los paisajes, mercados y habitantes de Morelia, **México**, y también la vida de los indígenas de Michoacán, su capital. Algunos de sus murales más conocidos se encuentran en el Palacio de Gobierno de Michoacán. Se llaman *Historia de Michoacán* y en ellos, el artista narra (*narrates*) 500 años de la historia de la región y representa diferentes aspectos de la vida indígena.

Compara con tu mundo ¿Cómo representarías (*would you represent*) tu comunidad y su historia en un mural?

Imagina que eres una de las figuras de este mural. Cuenta tus recuerdos del evento, usando el pretérito y el imperfecto. *(Imagine you are one of the people in the mural. Tell your memories of the event.)*

modelo: Era una noche de julio. Tocaban los músicos y las muchachas cantaban. Entonces, llegó mi amiga y...

Más práctica Cuaderno pp. 154–156 Cuaderno para hispanohablantes pp. 155–158

PARA Y PIENSA

Get Help Online my.hrw.com

Did you get it? Can you decide which verb form is correct in the following statements?

1. Mi prima se (casaba/casó) el año pasado.
2. Cuando yo (era/fui) muy joven, mi mamá me (contaba/contó) leyendas todas las noches.

210 Unidad 4 México
doscientos diez

Remarkable Culture. Relevant Instruction. Real Interaction.

¡Todo junto!

Todo junto brings together everything students have learned so they can show what they know.

performance))space

Helps students prove their capabilities.

Students can view and respond to video independently with **@HOMETUTOR** my.hrw.com

---

✿ Todo junto

¡AVANZA! **Goal:** *Show what you know* Listen to the ending of the legend and to Sandra and Jorge's reactions. Then retell a story from your past and create a legend of your own. *Actividades 16–20*

Telehistoria completa

@HOMETUTOR my.hrw.com **View, Read and Record**

STRATEGIES

Cuando lees
Connect with the emotions As you read, connect with the emotions of the warriors and princess. Also connect with Jorge's reactions. List at least five expressions that reveal emotions.

Cuando escuchas
Make two kinds of pictures While listening, make a mental picture of all the characters in the legend. Afterwards draw or sketch these characters to use to write a description.

Escena 1 *Resumen*
Sandra, Jorge y Beto piensan en unas leyendas para su película. Un guía del parque empieza a contarles una leyenda sobre dos volcanes.

Escena 2 *Resumen*
El guía habla de la princesa Ixtaccíhuatl y Popocatépetl. Popo quería casarse con Ixta, pero primero tenía que ganar la guerra para el padre de Ixta, el emperador.

VIDEO DVD
AUDIO

Escena 3

Guía: Popo fue muy valiente y ganó la guerra. Pero otro guerrero tenía celos de Popo y regresó al palacio primero diciendo que Popo murió en la guerra.

Jorge: ¿Por qué hizo eso?

Guía: Porque él también estaba enamorado de la princesa.

Jorge: ¡Qué horror!

Guía: La princesa Ixta estaba tan triste que murió.

Jorge: ¡No puede ser!

Guía: Cuando Popo volvió al palacio encontró a la princesa. La llevó a la montaña más alta, donde los dioses transformaron al guerrero y a su princesa en dos volcanes, uno al lado del otro. Ixta está tranquila pero a menudo Popo se despierta y llora por ella. Y ésa es la leyenda de estos dos volcanes.

Sandra: ¡Qué hermosa leyenda!

Jorge: *(wiping his eyes)* Creo que debemos hacer una leyenda cómica.

Lección 1
doscientos once **211**

The ¡Avancemos! Video Program includes Vocabulary Presentation videos, Ongoing *Telehistoria*, and *Comparación cultural* videos. Optional Spanish captions.

Show the whole *Telehistoria* or simply view scene three!

Each activity is labeled so you and your students know exactly which **skill** to focus on.

Students read, listen, and speak using theme-related prompts. *Integración* prepares students for the AP® Language test.

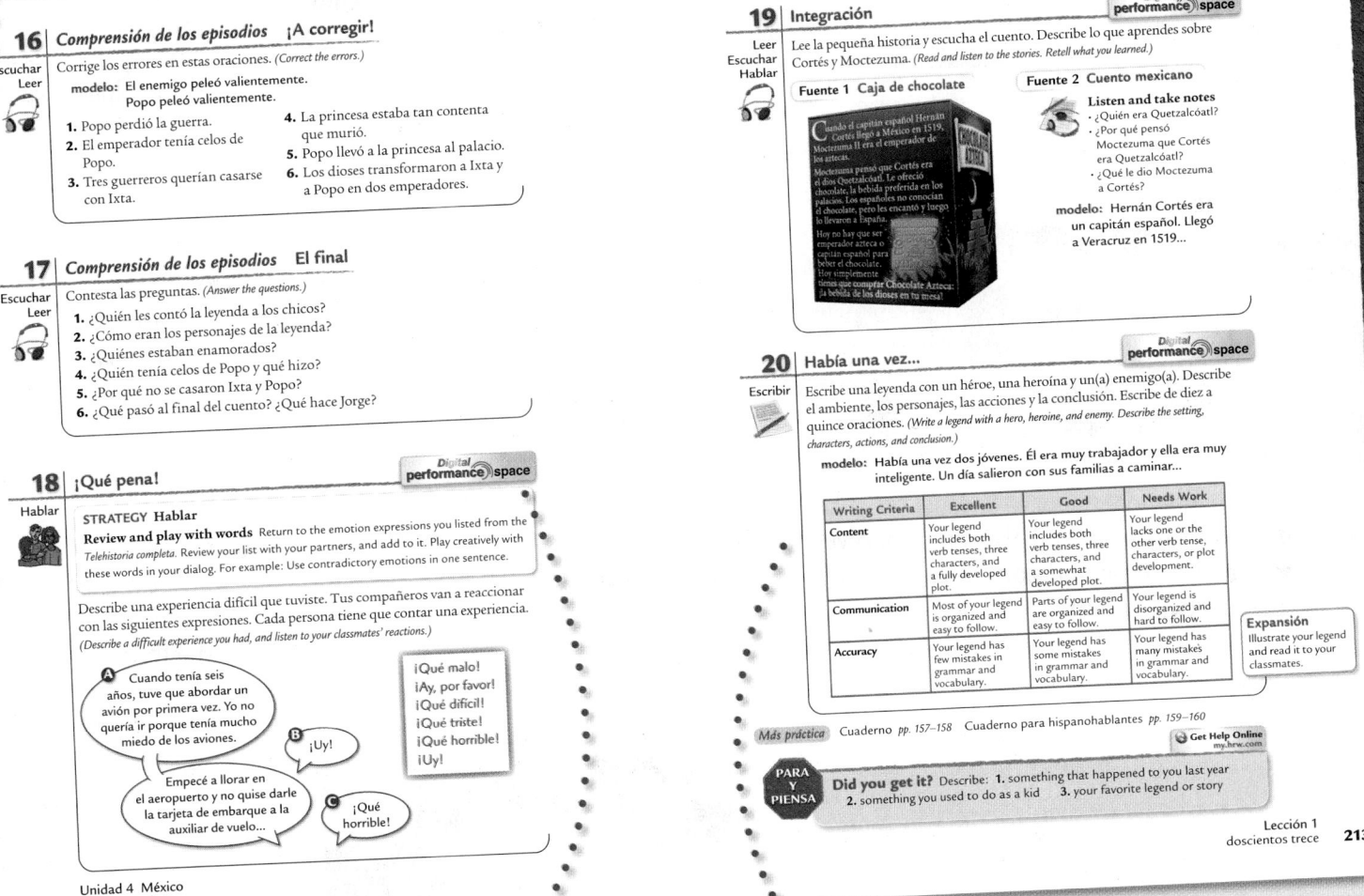

16 *Comprensión de los episodios* **¡A corregir!**

Escuchar Leer

Corrige los errores en estas oraciones. *(Correct the errors.)*

modelo: El enemigo peleó valientemente.
Popo peleó valientemente.

1. Popo perdió la guerra.
2. El emperador tenía celos de Popo.
3. Tres guerreros querían casarse con Ixta.
4. La princesa estaba tan contenta que murió.
5. Popo llevó a la princesa al palacio.
6. Los dioses transformaron a Ixta y a Popo en dos emperadores.

17 *Comprensión de los episodios* **El final**

Escuchar Leer

Contesta las preguntas. *(Answer the questions.)*

1. ¿Quién les contó la leyenda a los chicos?
2. ¿Cómo eran los personajes de la leyenda?
3. ¿Quiénes estaban enamorados?
4. ¿Quién tenía celos de Popo y qué hizo?
5. ¿Por qué no se casaron Ixta y Popo?
6. ¿Qué pasó al final del cuento? ¿Qué hace Jorge?

18 **¡Qué pena!**

Digital performance space

Hablar

STRATEGY Hablar
Review and play with words Return to the emotion expressions you listed from the *Telehistoria completa*. Review your list with your partners, and add to it. Play creatively with these words in your dialog. For example: Use contradictory emotions in one sentence.

Describe una experiencia difícil que tuviste. Tus compañeros van a reaccionar con las siguientes expresiones. Cada persona tiene que contar una experiencia. *(Describe a difficult experience you had, and listen to your classmates' reactions.)*

A Cuando tenía seis años, tuve que abordar un avión por primera vez. Yo no quería ir porque tenía mucho miedo de los aviones.

¡Qué malo!
¡Ay, por favor!
¡Qué difícil!
¡Qué triste!
¡Qué horrible!
¡Uy!

B ¡Uy!

Empecé a llorar en el aeropuerto y no quise darle la tarjeta de embarque a la auxiliar de vuelo...

C ¡Qué horrible!

19 **Integración**

Digital performance space

Leer Escuchar Hablar

Lee la pequeña historia y escucha el cuento. Describe lo que aprendes sobre Cortés y Moctezuma. *(Read and listen to the stories. Retell what you learned.)*

Fuente 1 Caja de chocolate

Cuando el capitán español Hernán Cortés llegó a México en 1519, Moctezuma II era el emperador de los aztecas.
Moctezuma pensó que Cortés era el dios Quetzalcóatl. Le ofreció chocolate, la bebida preferida en los palacios. Los españoles no conocían el chocolate, pero les encantó y luego lo llevaron a España.
Hoy no hay que ser emperador azteca o capitán español para beber el chocolate.
Hoy simplemente tienes que comprar Chocolate Azteca: ¡la bebida de los dioses en tu mesa!

Fuente 2 Cuento mexicano

Listen and take notes
• ¿Quién era Quetzalcóatl?
• ¿Por qué pensó Moctezuma que Cortés era Quetzalcóatl?
• ¿Qué le dio Moctezuma a Cortés?

modelo: Hernán Cortés era un capitán español. Llegó a Veracruz en 1519...

20 **Había una vez...**

Digital performance space

Escribir

Escribe una leyenda con un héroe, una heroína y un(a) enemigo(a). Describe el ambiente, los personajes, las acciones y la conclusión. Escribe de diez a quince oraciones. *(Write a legend with a hero, heroine, and enemy. Describe the setting, characters, actions, and conclusion.)*

modelo: Había una vez dos jóvenes. Él era muy trabajador y ella era muy inteligente. Un día salieron con sus familias a caminar...

Writing Criteria	Excellent	Good	Needs Work
Content	Your legend includes both verb tenses, three characters, and a fully developed plot.	Your legend includes both verb tenses, three characters, and a somewhat developed plot.	Your legend lacks one or the other verb tense, characters, or plot development.
Communication	Most of your legend is organized and easy to follow.	Parts of your legend are organized and easy to follow.	Your legend is disorganized and hard to follow.
Accuracy	Your legend has few mistakes in grammar and vocabulary.	Your legend has some mistakes in grammar and vocabulary.	Your legend has many mistakes in grammar and vocabulary.

Expansión
Illustrate your legend and read it to your classmates.

Más práctica Cuaderno pp. 157–158 Cuaderno para hispanohablantes pp. 159–160

Get Help Online
my.hrw.com

PARA Y PIENSA
Did you get it? Describe: 1. something that happened to you last year 2. something you used to do as a kid 3. your favorite legend or story

Lección 1
doscientos trece 213

Unidad 4 México
212 doscientos doce

Performance Space allows students to record spoken and written responses online.

An open-ended writing activity provides a model and a rubric so students know exactly what they have to do to succeed. Teachers may use Generate Success to customize their rubrics.

¡Lecturas auténticas y culturales!

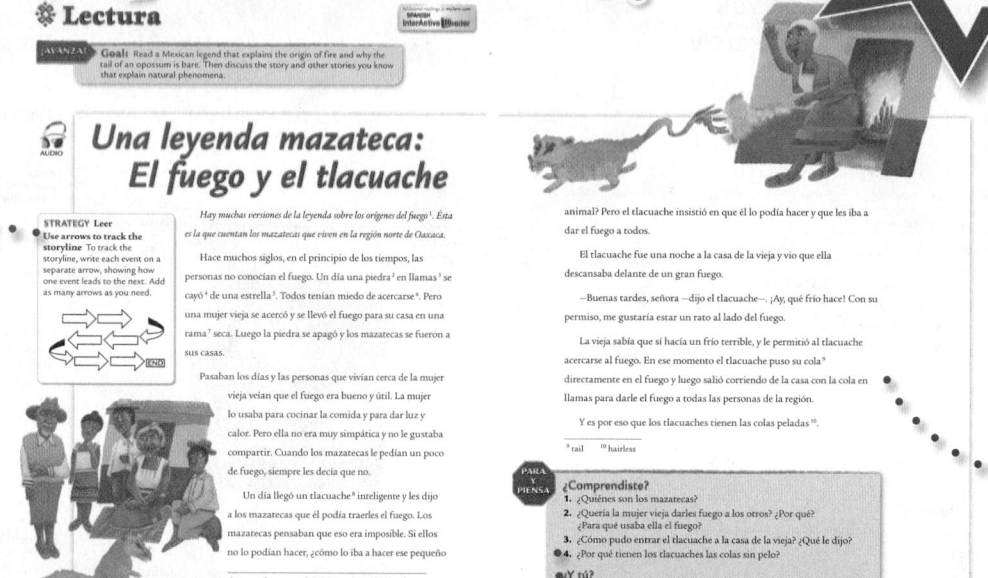

● **Reading strategies** help students become successful readers.

This online reader provides *additional* authentic and content-area readings at a variety of levels of difficulties. Available at my.hrw.com

● **Authentic readings** spark students' interest!

Lectura cultural highlights cultural diversity. Each reading presents a topic and compares how practices, products, and perspectives are the same or different in two countries.

● **Comprehension** questions encourage students to apply the information they have learned from the reading.

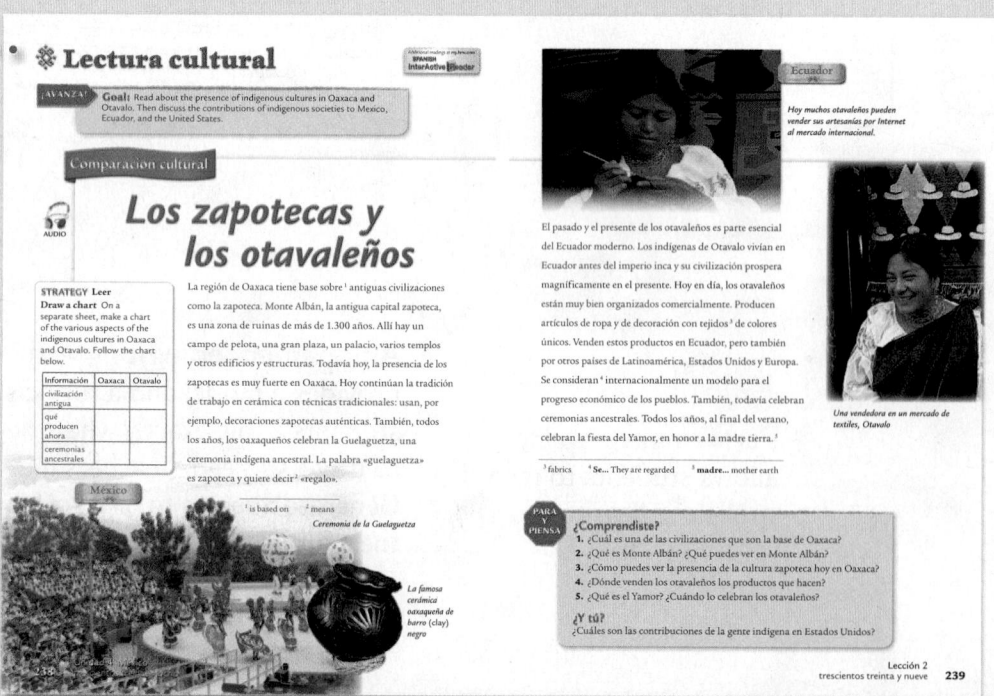

¡Conexiones y Proyectos!

● Students use Spanish to learn more about other disciplines in *Conexiones*.

● Fun projects offer a variety of opportunities for students to explore new topics.

✳ Conexiones *Las ciencias sociales*

La bandera mexicana

El símbolo en el centro de la bandera *(flag)* mexicana ilustra *(illustrates)* una leyenda sobre los orígenes de Tenochtitlán, la capital de la civilización azteca. Dice la leyenda que los aztecas debían construir una gran ciudad donde vieran *(they saw)* un águila *(eagle)* que comía una serpiente *(snake)* encima de un nopal *(prickly pear cactus)*. Cuando los aztecas llegaron al lago *(lake)* Texcoco, vieron ese símbolo y decidieron *(they decided)* construir Tenochtitlán sobre el lago.

Escribe una composición sobre este símbolo. ¿Qué piensas de las imágenes *(images)*? Compara el águila de la bandera mexicana al águila de Estados Unidos. ¿Qué tipos de águilas son? ¿Qué calidades o ideas representan? ¿Cómo son similares o diferentes?

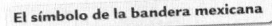

El símbolo de la bandera mexicana

Un águila
Una serpiente
Un nopal
Un lago

Proyecto ① *El lenguaje*

Muchos lugares en México todavía tienen nombres en nahuatl (el lenguaje de los aztecas). Combina estas palabras con el sufijo *(suffix)* **-tlán,** que quiere decir **lugar de,** para escribir nombres de lugares: coatl *(snake)*, cihuatl *(woman)*, mazatl *(deer)* y tototl *(bird)*. Luego, escribe el significado de los lugares. Sigue el modelo:

acatl *(reed)* + **-tlán** = Acatlán *(place of reeds)*

Proyecto ② *Las ciencias*

Los aztecas llegaron al lago Texcoco en 1325. Cuando los españoles llegaron en 1519, 400.000 personas vivían en Tenochtitlán. Investiga y escribe sobre los métodos que usaron los aztecas para construir una ciudad sobre un lago y cómo ha cambiado *(has changed)* el lago con el tiempo.

Proyecto ③ *La salud*

Cuando México ganó la independencia de España en 1821, unas monjas *(nuns)* inventaron los chiles en nogada. Los ingredientes del plato representan los colores de la bandera: el chile y el perejil *(parsley)* son verdes, la salsa es blanca y las semillas de granada *(pomegranate seeds)* son rojas. Busca una receta *(recipe)* para este plato. Escribe una composición sobre los ingredientes y cómo afectan a la salud.

Los chiles en nogada

✳ Proyectos culturales

Comparación cultural

Canciones tradicionales de México y Ecuador

¿Por qué a veces varían de un país a otro las canciones tradicionales de los países hispanohablantes? Hay canciones que puedes escuchar en todos los países hispanohablantes. Muchas de estas canciones llegaron de España; otras empezaron en América y se extendieron por todo el continente. Hay otras canciones que son de una región o país específico. Estas canciones son productos de una cultura local y no se extienden más allá *(beyond)* de su región de origen.

Proyecto ① *Allá en el Rancho Grande*

México Una categoría de canción regional es **la ranchera.** Es típica de México. Aquí tenemos una de las rancheras más famosas.

Allá en el rancho grande

Allá en el rancho *(ranch)* grande,
Allá donde vivía,
Había una rancherita *(ranch girl)*,
Que alegre me decía,
Que alegre me decía:

Te voy a hacer los calzones *(riding pants)*
Como los usa el ranchero *(rancher)*.
Te los comienzo de lana *(wool)*
Te los acabo *(finish)* de cuero.

ALLÁ EN EL RANCHO GRANDE

A - llá en el rancho gran - de,

a - llá don - de vi - ví - a,

Proyecto ② *Que llueva*

Ecuador Esta canción para niños tiene sus orígenes en España. Los niños de Ecuador y de otros países de Latinoamérica la cantan con versos diferentes de los originales.

Que llueva *(Let it rain)*
Que llueva, que llueva,
El quetzal está en
la cueva *(cave)*,
Los pajaritos *(birds)* cantan,
Las nubes *(clouds)* se levantan.
Que sí, que no,
que caiga un chaparrón
(let it pour).

Repite y sustituye **el quetzal** con:
· el cóndor
· la tortuga
· la serpiente
· el jaguar

En tu comunidad

Hay canciones en español que cantamos en Estados Unidos. ¿Cuáles son las canciones en español que conoces?

● *En tu comunidad* opens the door for students to use Spanish in their community.

Remarkable Culture. Relevant Instruction. Real Interaction.

¡Repaso!

The **all-inclusive review** page highlights essential vocabulary and grammar from the lesson.

Review with Online Interactive Flashcards and Holt McDougal Spanish Apps!

¡Llegada! reminds students exactly what they have accomplished in the lesson.

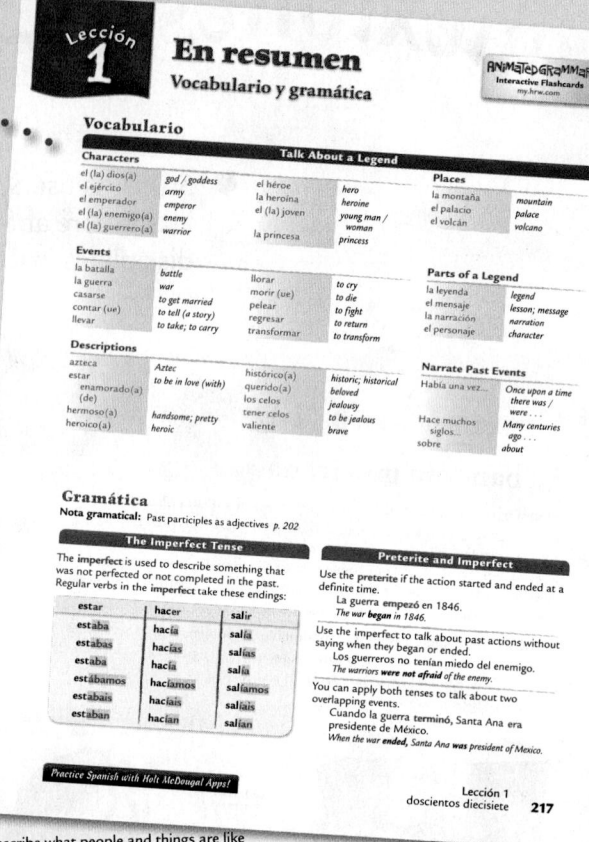

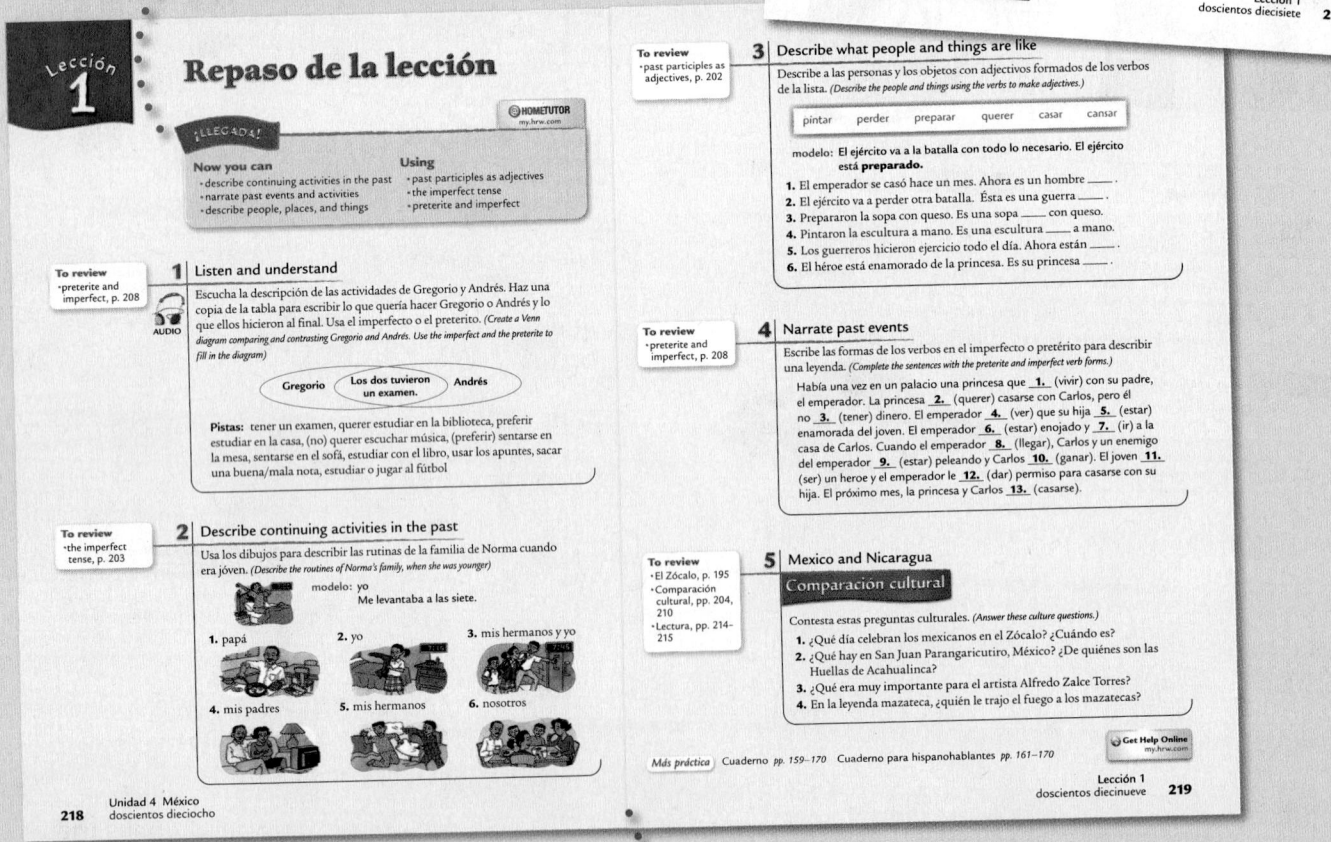

Diagnostic review helps students prepare for the test.

Generate Success

Create rubrics to evaluate students' performance with this online rubric generator.

Comparación cultural integrates reading and writing skills with cultural information.

Writing strategies help students organize their ideas.

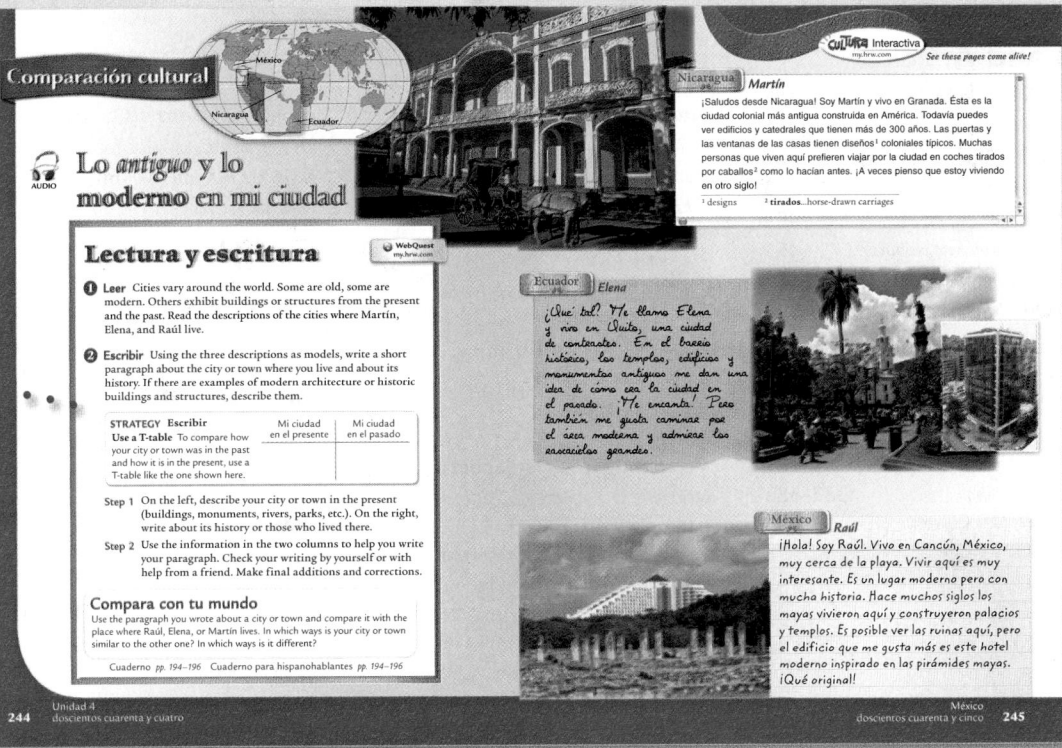

Repaso inclusivo provides options for cumulative review.

performance space

Performance Space and ¡AvanzaRap! give sudents opportunities to show off their skills.

Activities focus on integrating language taught in previous units.

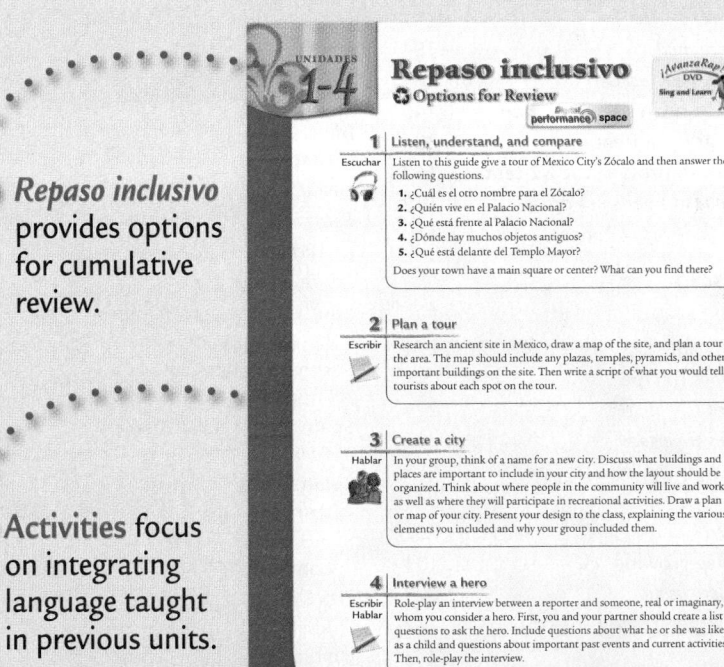

Cultural References

HOLT McDOUGAL

2
dos

¡Avancemos!

AUTHORS

Estella Gahala | Patricia Hamilton Carlin

Audrey L. Heining-Boynton | Ricardo Otheguy | Barbara Rupert Mondloch

HOLT McDOUGAL

HOUGHTON MIFFLIN HARCOURT

Cover Photography

Front cover

Cibeles Fountain and Palacio de Comunicaciones at night, Madrid, Spain, Doug Armand/ Getty Images
Inset: Horseback rider alongside cyclists racing in the Vuelta a España, Associated Press/Denis Doyle

Back cover

Level 1a: View toward La Fortaleza, San Juan, Puerto Rico, Steve Dunwell/The Image Bank/ Getty Images
Level 1b: View of Buenos Aires through the Puente de la Mujer, Joseph Rodriguez/Gallery Stock Limited
Level 1: Palacio Nacional at night, Mexico City, Mexico ©2010 Nino H. Photography/ Getty Images
Level 2: Cibeles Fountain and Palacio de Comunicaciones at night, Madrid, Spain, Doug Armand/Getty Images
Level 3: Plaza de la Constitución at night, Santiago, Chile, David Noton Photography
Level 4: Antigua, Guatemala ©Michel Renaudeau/age fotostock/Robert Harding Photo Library

Printed in the U.S.A.

ISBN 978-0-547-87193-6

1 2 3 4 5 6 7 8 9 10 0914 21 20 19 18 17 16 15 14 13 12

4500352135 A B C D E F G

¡Avancemos!

HOLT McDOUGAL

2
dos

Música

CULTURA Interactiva Explora la música del mundo hispano

Buena Vista Social Club

Marc Antho

 DIGITAL SPANISH my.hrw.com

CULTURA Interactiva *pp. C2–C3, C4–C5, C6–C7, C8–C9, C10–C11, C12–C13, C14–C15, C16–C17, C18–C19, C20–C21, C22–C23, C24–C25*

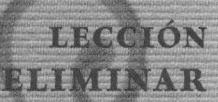

Florida

Mis amigos y yo

Cultura
• **La calle Ocho** *p. 13*

 PARA Y PIENSA

Did you get it?
Student Self-Check
pp. 5, 9, 13, 17, 21, 25, 28

Carnaval Miami en la calle Ocho

UNIDAD 1 Costa Rica

¡A conocer nuevos lugares!

DIGITAL SPANISH my.hrw.com

CuLTuRa Interactiva	**ANiMaTeD GRaMMaR**	**@ HOMETUTOR VideoPlus**
pp. 32–33 82–83	*pp. 41, 46, 55 65, 70, 79*	*pp. 39, 44, 49 63, 68, 73*

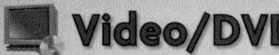

Video/DVD

Vocabulario *pp. 36–37, 60–61*
Telehistoria *pp. 39, 44, 49 63, 68, 73*

La agencia de viajes Melytour, San José,
Costa Rica

El Hotel Rodes Paradise, Playa Hermosa,
Guanacaste, Costa Rica

cción

2

¡AvanzaRap!
DVD
Sing and Learn

UNIDAD 2 Argentina

¡Somos saludables!

 DIGITAL SPANISH my.hrw.com

CULTURA Interactiva	ANIMATED GRAMMAR	@HOMETUTOR VideoPlus
pp. 86–87 136–137	*pp. 95, 100, 109 119, 124, 133*	*pp. 93, 98, 103 117, 122, 127*

 **Video/DVD**

Vocabulario
pp. 90–91, 114–115
Telehistoria
pp. 93, 98, 103 117, 122, 127

Un partido de fútbol, Buenos Aires, Argentina

Puerto Madero, Buenos Aires, Argentina

cción

2

Tema: ¿Qué vamos a hacer? 112

Cultura
- **El arte abstracto**
  p. 120
- **Las tiras cómicas**
  p. 126
- **Vivir de la tierra**
  p. 130
- **Los gestos** *p. 132*
- **Rutinas del deporte**
  p. 136

 ¿Recuerdas?
- pensar *p.118*
- parts of the body
  p. 120
- telling time *p. 123*
- places in school and
  around town *p. 128*

PARA Y PIENSA **Did you get it?**
Student Self-Check
*pp. 116, 118, 121, 123,
126, 129*

¡AvanzaRap!
DVD
Sing and Learn

UNIDAD 3 Puerto Rico

¡Vamos de compras!

CULTURA Interactiva Explora la cultura de Puerto Rico . . 140

Lección 1

Tema: ¿Cómo me queda? 142

Cultura

 ¿Recuerdas?

PARA Y PIENSA **Did you get it?**

 DIGITAL SPANISH my.hrw.com

CULTURA Interactiva	**ANiMaTeD GRaMMaR**	**@ HOMETUTOR** VideoPlus
pp. 140–141 190–191	*pp. 149, 154, 163 173, 178, 187*	*pp. 147, 152, 157 171, 176, 181*

 **Video/DVD**

Vocabulario
pp. 144–145, 168–169
Telehistoria
*pp. 147, 152, 157
171, 176, 181*

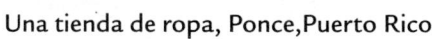

Una tienda de ropa, Ponce,Puerto Rico

El Parque de Bombas, Ponce,Puerto Rico

Cultura
- Los vejigantes *p. 174*
- Las parrandas *p. 180*
- Las artesanías *p. 184*
- Máscaras *p. 186*
- ¡Me encanta ir de compras! *p. 190*

¿Recuerdas?
- family *p. 175*
- chores *p. 175*
- food *p. 179*

PARA Y PIENSA **Did you get it?**
Student Self-Check
pp. 170, 172, 175, 177, 180, 183

¡AvanzaRap!
DVD
Sing and Learn

UNIDAD 4

México

Cultura antigua, ciudad moderna

Cultura

- **Explora México**
  p. 194
- **La preservación del pasado** *p. 204*
- **El artista y su comunidad** *p. 210*
- **Una leyenda mazateca: El fuego el tlacuache** *p. 214*

 ¿Recuerdas?

- expressions of frequency *p. 204*
- weather expressions *p. 207*
- daily activities *p. 209*

PARA Y PIENSA **Did you get it?**

Student Self-Check
pp. 200, 202, 205, 207, 210, 213

 DIGITAL SPANISH my.hrw.com

CULTURA Interactiva	ANIMATED GRAMMAR	@HOMETUTOR VideoPlus
pp. 194–195 *244–245*	*pp. 203, 208, 217* *227, 232, 241*	*pp. 201, 206, 211* *225, 230, 235*

 **Video/DVD**

Vocabulario
pp. 198-199, 222–223
Telehistoria
pp. 201, 206, 211,
225, 230, 235

Auditorio del Colegio Francés Hidalgo,
México, Distrito Federal

El Museo Nacional de Antropología,
México, Distrito Federal

Cultura

- **Palabras indígenas** *p. 229*
- **Un deporte antiguo** *p. 234*
- **Los zapotecas y los otavaleños** *p. 238*
- **Canciones tradicionales de México y Ecuador** *p. 240*
- **Lo antiguo y lo moderno en mi ciudad** *p. 244*

 ¿Recuerdas?
- daily activities *p. 229*
- arts and crafts *p. 233*

 Did you get it?
Student Self-Check
pp. 224, 226, 229, 231, 234, 237

¡AvanzaRap!
DVD
Sing and Learn

UNIDAD 5

España
¡A comer!

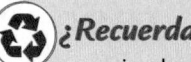

 DIGITAL SPANISH my.hrw.com

CULTURA Interactiva	ANIMATED GRAMMAR	@HOMETUTOR VideoPlus
pp. 250–251 300–301	pp. 259, 264, 273 283, 288, 297	pp. 257, 262, 267 281, 286, 291

Video/DVD

Vocabulario
pp. 254–255, 278–279
Telehistoria
pp. 257, 262, 267, 281, 286, 291
El Gran Desafío p. 302

Plaza Zocodover, Toledo, España

Un restaurante al aire libre,
Toledo, España

Cultura

- **La inspiración
  artística** *p. 284*
- **Las horas de comer**
  p. 290
- **Dos tradiciones
  culinarias** *p. 294*
- **Comida en España y
  El Salvador** *p. 296*
- **¡Qué delicioso!**
  p. 300

 ¿Recuerdas?
- prepositions of
  location *p. 282*
- pronoun placement
  with commands
  p. 289

 ¿Comprendiste?
Student Self-Check
*pp. 280, 282, 285, 287,
290, 293*

¡AvanzaRap!
DVD
Sing and Learn

UNIDAD 6 Estados Unidos

¿Te gusta el cine?

Cultura
- Explora Los Ángeles *p. 306*
- El arte chicano *p. 31*
- Festivales internacionales de cine *p. 322*
- *La casa de los espíritus p. 326*

¿Recuerdas?
- daily routines *p. 317*
- telling time *p. 317*

PARA Y PIENSA ¿Comprendiste?
Student Self-Check
pp. 312, 314, 317, 319, 322, 325

DIGITAL SPANISH my.hrw.com

CULTURA Interactiva	**ANIMATED GRAMMAR**	**@HOMETUTOR** VideoPlus
pp. 306–307 356–357	pp. 315, 320, 329 339, 344, 353	pp. 313, 318, 323 337, 342, 347

Video/DVD

Vocabulario
pp. 310–311, 334–335
Telehistoria
pp. 313, 318, 323, 337, 342, 347
El Gran Desafío *p. 358*

Un estudio de cine, Los Ángeles, California

Grauman's Chinese Theater,
Hollywood, California

Lección
2

Tema: ¡Somos estrellas!

Cultura
- **Medios artísticos**
  p. 340
- **Los actores hispanos
  en Hollywood** *p. 346*
- **El Óscar y el Ariel:
  dos premios
  prestigiosos** *p. 350*
- **Viajes y turismo**
  p. 352
- **Aficionados al cine y
  a la televisión** *p. 356*

♻ *¿Recuerdas?*
- spelling changes in
  the preterite *p. 341*
- school subjects *p. 343*
- vacation activities
  p. 343
- sports *p. 343*

 PARA Y PIENSA **¿Comprendiste?**
Student Self-Check
*pp. 336, 338, 341, 343,
346, 349*

¡AvanzaRap!
DVD
Sing and Learn

UNIDAD 7 República Dominicana

Soy periodista

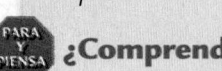

DIGITAL SPANISH my.hrw.com

CULTURA Interactiva

pp. 362–363
412–413

ANiMATeD GRaMMaR

pp. 371, 376, 385
395, 400, 409

@HOMETUTOR
VideoPlus

pp. 369, 374, 379
393, 398, 403

Video/DVD

Vocabulario
pp. 366–367, 390–391
Telehistoria
pp. 369, 374, 379, 393, 398, 403
El Gran Desafío *p. 414*

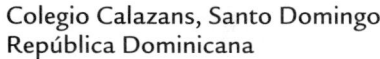
Colegio Calazans, Santo Domingo,
República Dominicana

Jardín Botánico Nacional de Santo Domingo,
Santo Domingo, República Dominicana

cción

2

Tema: **Somos familia**. **388**

Cultura
- **Una universidad antigua** *p. 399*
- **Las ilustraciones** *p. 402*
- **Los padrinos** *p. 406*
- **Jugando con palabras** *p. 408*
- **Una persona importante para mí** *p. 412*

 ¿Recuerdas?
- clothing *p. 394*
- family *p. 396*
- classroom objects *p. 397*

 ¿Comprendiste?
Student Self-Check
pp. 392, 394, 397, 399, 402, 405

¡AvanzaRap!
DVD
Sing and Learn

UNIDAD 8

Ecuador
Nuestro futuro

DIGITAL SPANISH my.hrw.com

CULTURA Interactiva	ANIMATED GRAMMAR	@HOMETUTOR VideoPlus
pp. 418–419 468–469	pp. 427, 432, 441 451, 456, 465	pp. 425, 430, 435 449, 454, 459

 **Video/DVD**

Vocabulario
pp. 422–423, 446–447
Telehistoria
pp. 425, 430, 435, 449, 454, 459
El Gran Desafío *p. 470*

El Parque Suecia, Quito, Ecuador

Una estación de bomberos,
Quito, Ecuador

Cultura

- **El artista y su comunidad** *p. 453*
- **Los concursos intercolegiales** *p. 458*
- **Dos profesiones únicas** *p. 462*
- **Noticias de Ecuador y Venezuela** *p. 464*
- **Las profesiones y el mundo de hoy** *p. 468*

 ¿Recuerdas?
- clothing *p. 457*
- telling time *p. 458*
- daily routines, *p. 458*

 ¿Comprendiste?
Student Self-Check
pp. 448, 450, 453, 455, 458, 461

¡*AvanzaRap!*
DVD
Sing and Learn

Ecuador
Contenido   **xxi**

Recursos

¡Avancemos!

❈ About the Authors

Estella Gahala

Estella Gahala received degrees in Spanish from Wichita State University, French from Middlebury College, and a Ph.D. in Educational Administration and Curriculum from Northwestern University. A career teacher of Spanish and French, she has worked with a wide variety of students at the secondar level. She has also served as foreign language department chair and district director of curriculum and instruction. Her workshops and publications focus on research and practice in a wide range of topics, including culture and language learning, learning strategies, assessment, and the impact of current brain research on curriculum and instruction. She has coauthored twelve basal textbooks. Honors include the Chevalier dans l'Ordre des Palmes Académiques and listings in *Who's Who of American Wom Who's Who in America,* and *Who's Who in the World.*

Patricia Hamilton Carlin

Patricia Hamilton Carlin completed her M.A. in Spanish at the University of California, Davis, where she also taught as a lecturer. Previously she earned a Master of Secondary Education with specializatio in foreign languages from the University of Arkansas and taught Spanish and French at the K–12 level. Patricia currently teaches Spanish and foreign language/ESL methodology at the University of Central Arkansas, where she coordinates the second language teacher education program. In addition, Patricia is a frequent presenter at local, regional, and national foreign language conferences. In 2005, she was awarded the Southern Conference on Language Teaching's Outstanding Teaching Award: Pos Secondary. Her professional service has included the presidency of the Arkansas Foreign Language Teachers Association and the presidency of Arkansas's DeSoto Chapter of the AATSP.

Audrey L. Heining-Boynton

Audrey L. Heining-Boynton received her Ph.D. in Curriculum and Instruction from Michigan State University. She is a professor of Education and Romance Languages at The University of North Caroli at Chapel Hill, where she teaches educational methodology classes and Spanish. She has also taught Spanish, French, and ESL at the K–12 level. Dr. Heining-Boynton served as the president of ACTFL and the National Network for Early Language Learning. She has been involved with AATSP, Phi Delta Kappa, and state foreign language associations. In addition, she has presented both nationally and internationally and has published over forty books, articles, and curricula.

Ricardo Otheguy

Ricardo Otheguy received his Ph.D. in Linguistics from the City University of New York, where he is currently professor of Linguistics at the Graduate Center. He is also director of the Research Institute for the Study of Language in Urban Society (RISLUS) and coeditor of the research journal *Spanish in Context.* He has extensive experience with school-based research and has written on topics related to Spanish grammar, bilingual education, and Spanish in the United States. His work has been supporte by private and government foundations, including the Rockefeller Brothers Fund and the National Science Foundation. He is coauthor of *Tu mundo: Curso para hispanohablantes,* and *Prueba de ubicación pa hispanohablantes.*

Barbara Rupert Mondloch

Barbara Rupert Mondloch completed her M.A. at Pacific Lutheran University. She has taught Level 1 through A.P. Spanish and has implemented a FLES program in her district. Barbara is the author of CD-ROM activities for the *¡Bravo!* series. She has presented at many local, regional, and national foreig language conferences. She has served as president of both the Pacific Northwest Council for Language (PNCFL) and the Washington Association for Language Teaching, and was the PNCFL representative to ACTFL. In 1996, Barbara received the Christa McAuliffe Award for Excellence in Education, and in 1999, she was selected Washington's "Spanish Teacher of the Year" by the Juan de Fuca Chapter of the AATSP.

John DeMado, Creative Consultant

John DeMado has been a vocal advocate for second-language acquisition in the United States for many years. He started his career as a middle/high school French and Spanish teacher, before entering the educational publishing profession. Since 1993, Mr. DeMado has directed his own business, John DeMado Language Seminars Inc., a company devoted exclusively to language acquisition issues. He has authored numerous books in both French and Spanish that span the K–12 curriculum. Mr. DeMado wrote and performed the *¡AvanzaRap!* songs for Levels 1 and 2

Carl Johnson, Senior Program Advisor

Carl Johnson received degrees from Marietta College (OH), the University of Illinois, Université Laval, and a Ph.D. in Foreign Language Education from The Ohio State University, during which time he studied French, German, Spanish, and Russian. He has been a lifelong foreign language educator, retiring in 2003 after 27 years as a language teacher (secondary and university level), consultant, and Director of Languages Other Than English for the Texas Department of Education. He has completed many publications relating to student and teacher language proficiency development, language textbooks, and nationwide textbook adoption practices. He also served as president of the Texas Foreign Language Association, Chair of the Board of the Southwest Conference on Language Teaching, and president of the National Council of State Supervisors of Foreign Languages. In addition, he was named Chevalier dans l'Ordre des Palmes Académiques by the French government.

Rebecca L. Oxford, Learning Strategy Specialist

Rebecca L. Oxford received her Ph.D. in educational psychology from The University of North Carolina. She also holds two degrees in foreign language from Vanderbilt University and Yale University, and a degree in educational psychology from Boston University. She leads the Second Language Education and Culture Program and is a professor at the University of Maryland. She has directed programs at Teachers College, Columbia University; the University of Alabama; and the Pennsylvania State University. In addition, she initiated and edited *Tapestry*, a series of student textbooks used around the world. Dr. Oxford specializes in language learning strategies and styles.

Contributing Writers

Louis G. Baskinger
New Hartford High School
New Hartford, NY

Jacquelyn Cinotti-Dirmann
Duval County Public Schools
Jacksonville, FL

Annamarie Cairo-Tijerino
P.K. Yonge Developmental Research School
Gainesville, FL

Teacher Reviewers

Sue Arandjelovic
Dobson High School
Mesa, AZ

Susan K. Arbuckle
Mahomet-Seymour High School
Mahomet, IL

Kristi Ashe
Amador Valley High School
Pleasanton, CA

Shaun A. Bauer
Olympia High School, *retired*
Orlando, FL

Sheila Bayles
Rogers High School
Rogers, AR

Robert L. Bowbeer
Detroit Country Day Upper School
Beverly Hills, MI

Hercilia Bretón
Highlands High School
San Antonio, TX

Adrienne Chamberlain-Parris
Mariner High School
Everett, WA

Mike Cooperider
Truman High School
Independence, MO

Susan B. Cress
Sheridan High School
Sheridan, IN

Michèle S. de Cruz-Sáenz, Ph.D.
Strath Haven High School
Wallingford, PA

Lizveth Dague
Park Vista Community High School
Lake Worth, FL

Parthena Draggett
Jackson High School
Massillon, OH

Rubén D. Elías
Roosevelt High School
Fresno, CA

Phillip Elkins
Lane Tech College Prep High School
Chicago, IL

Maria Fleming Alvarez
The Park School
Brookline, MA

Michael Garber
Boston Latin Academy
Boston, MA

Marco García
Derry University Advantage Academy
Chicago, IL

David Gonzalez
Hollywood Hills High School
Hollywood, FL

Raquel R. González
Odessa Senior High School
Odessa, TX

Neyda Gonzalez-Droz
Ridge Community High School
Davenport, FL

Becky Hay de García
James Madison Memorial
 High School
Madison, WI

Fatima Hicks
Suncoast High School, *retired*
Riviera Beach, FL

Gladys V. Horford
William T. Dwyer High School
Palm Beach Gardens, FL

Pam Johnson
Stevensville High School
Stevensville, MT

Richard Ladd
Ipswich High School
Ipswich, MA

Patsy Lanigan
Hume Fogg Academic Magnet
 High School
Nashville, TN

Kris Laws
Palm Bay High School
Melbourne, FL

Kristen M. Lombardi
Shenendehowa High School
Clifton Park, NY

Elizabeth Lupafya
North High School
Worcester, MA

David Malatesta
Niles West High School
Skokie, IL

Patrick Malloy
James B. Conant High School
Hoffman Estates, IL

Brandi Meeks
Starr's Mill High School
Fayetteville, GA

Kathleen L. Michaels
Palm Harbor University High Scho
Palm Harbor, FL

Linda Nanos
Brook Farm Business Academy
West Roxbury, MA

Nadine F. Olson
School of Teaching and Curriculum
 Leadership
Stillwater, OK

Pam Osthoff
Lakeland Senior High School
Lakeland, FL

Nicholas Patterson
Davenport Central High School
Davenport, IA

Carolyn A. Peck
Genesee Community College
Lakeville, NY

Daniel N. Richardson
Concord High School, *retired*
Concord, NH

Rita E. Risco
Palm Harbor University High Scho
Palm Harbor, FL

Miguel Roma
Boston Latin Academy
West Roxbury, MA

Nona M. Seaver
New Berlin West Middle/High Scho
New Berlin, WI

rogram Advisory Council

La Telehistoria

VIDEO
DVD

Teenagers from around the Spanish-speaking world are getting ready for next summer's Hispanic youth film festival in California. The festival will feature a short film contest. Participants must submit an original Spanish language film or video, between five and twenty minutes in length, in any genre they choose. The actors can be of any age, but the director must be between 14 and 18 years old. The grand prize, awarded to the most original and creative movie or video, will be $5,000 and a screening of the video at the Los Angeles Latino International Film Festival.

Follow along in the ¡Avancemos! Telehistoria to see how these students create movies for the contest.

Festival Internacional de
**CINE y VIDEO de
JÓVENES HISPANOS**

**CONCURSO de
PELÍCULAS CORTAS**

Para entrar:
· Hay que tener de 14 a 18 años.
· Tu película tiene que ser
  de 5 a 20 minutos de duración.
· Tu película debe ser en español.

GRAN
PREMIO

$5000 USD
y estrenan tu película en el
FESTIVAL INTERNACIONAL DE CINE DE LOS ÁNGELES

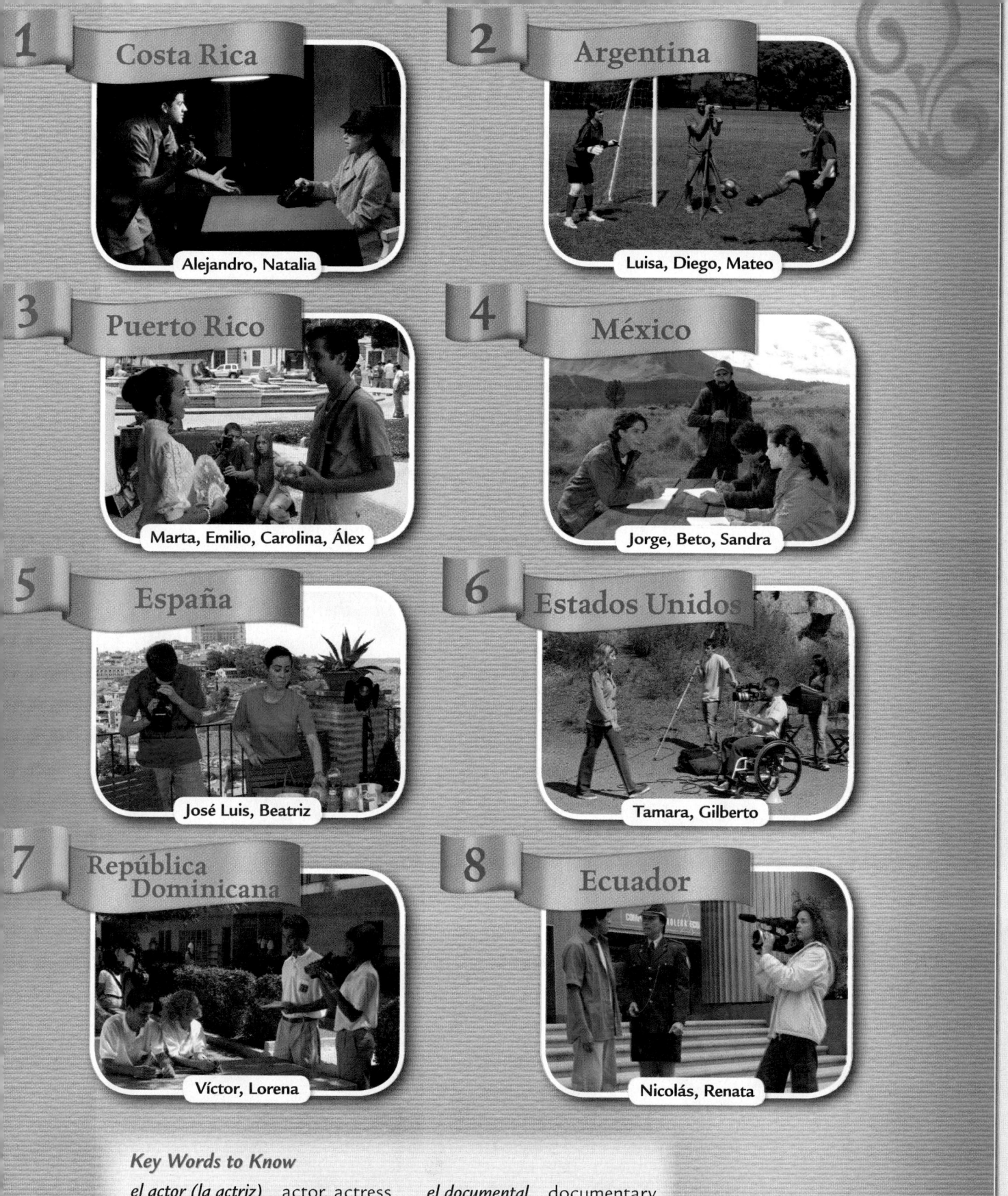

1 Costa Rica
Alejandro, Natalia

2 Argentina
Luisa, Diego, Mateo

3 Puerto Rico
Marta, Emilio, Carolina, Álex

4 México
Jorge, Beto, Sandra

5 España
José Luis, Beatriz

6 Estados Unidos
Tamara, Gilberto

7 República Dominicana
Víctor, Lorena

8 Ecuador
Nicolás, Renata

Key Words to Know

el actor (la actriz) actor, actress
la cámara camera
el director (la directora) director

el documental documentary
filmar to film
sobre about

Why Study Spanish?

Discover the world

Deciding to learn Spanish is one of the best decisions you can make if you want to travel and see the world.

More than 400 million people around the globe speak Spanish. After Chinese, English and Spanish are tied as the two most frequently spoken languages worldwide. Spanish is now the third most-used language on the Internet. In Europe, Spanish is the most popular foreign language after English. People who speak both Spanish and English can communicate with people from all around the globe, no matter where they find themselves.

Explore your community

Inside the United States, Spanish is by far the most widely spoken language after English.

There are currently about 30 million Spanish speakers in the U.S. When you start to look and listen for it, you will quickly realize that Spanish is all around you—on the television, on the radio, and in magazines and newspapers. You may even hear your neighbors speaking it. Learning Spanish will help you communicate and interact with the rapidly growing communities of Spanish speakers around you.

Experience a new perspective

Learning a language is more than just memorizing words and structures.

When you study Spanish, you learn how the people who speak it think, feel, work, and live. Learning a language can open your eyes to a whole new world of ideas and insights. And as you learn about other cultures, you gain a better perspective on your own.

Create career possibilities

Knowing Spanish opens many doors.

If you speak Spanish fluently, you can work for international and multinational companies anywhere in the Spanish-speaking world. You can create a career working as a translator, an interpreter, or a teacher of Spanish. And because the number of Spanish speakers in the U.S. is growing so rapidly, being able to communicate in Spanish is becoming important in almost every career.

What is Vocabulary?

Building Your Spanish Vocabulary

Vocabulary is a basic building block for learning a foreign language. By learning just a few words, you can start to communicate in Spanish right away! You will probably find that it is easier to understand words you hear or read than it is to use them yourself. But with a little practice, you will start to produce the right words in the right context. Soon you will be able to carry on conversations with other Spanish speakers.

How Do I Study Vocabulary?

First Steps

· Read all of the new words in **blue** on the Vocabulary presentation page in your textbook.

· Point to each word as you say it out loud.

Be Creative

· Make flashcards with your new vocabulary words. You could also draw pictures of the words on the back of the flashcards.

· Group vocabulary words by theme. Add other words that fit the categories you've learned.

· Imagine a picture of the word.

· Create a rhyme or song to help you remember the words.

Make It Personal

· Use vocabulary words to write original sentences. Make them funny so you'll be sure to remember!

· Label everyday items in Spanish.

· Create reminders for difficult words. Put note cards inside your locker door, or on your mirror at home.

· See it, and say it to yourself! For example, if you are learning colors and clothing words, think of the Spanish word to describe what your friends are wearing.

Practice Makes Perfect

· Say your vocabulary words out loud and repeat each word several times.

· Write each word five times, keeping its meaning in mind.

· Use Spanish words with your classmates outside of class—if you're having lunch in the cafeteria, use the words you know for food. Greet your classmates in the hallway in Spanish!

Create Your Own System

· Practice a little bit every day. Many short sessions are better than one long one.

· Focus on the words that are the hardest for you.

· Find a buddy. Quiz one another on the vocabulary words.

· Keep a vocabulary notebook and update it regularly.

· Use the study sheets in the back of your workbook to review vocabulary.

What is Grammar?

Some people think of grammar as the rules of a language, rules that tell you the "correct" way to speak a language. For instance, why do you say *big red house*, not *red big house*? Why do you say *how much money do you have* instead of *how many money*? If English is your first language, you probably don't think about the rule. You make the correct choice instinctively because it *sounds right*. Non-native speakers of English have to learn the rules. As you begin your study of Spanish, you will need to learn the grammar rules of Spanish.

Why Should I Study Grammar?

Grammar helps you to communicate.

For instance, using the past tense or future tense makes it clear when something happens. (*I did my homework* versus *I will do my homework.*) Using subject pronouns lets you know who is performing the action. (*I gave the book to her* versus *She gave the book to me.*) Using correct grammar when speaking Spanish will help you communicate successfully with native speakers of Spanish.

How Do I Study Grammar?

Read the English Grammar Connection before each grammar explanation.

Think about how you use the same type of grammar in English. Understanding your own language will help you to better understand Spanish.

> **English Grammar Connection:** Tense refers to when an action takes place. Many verbs are spelled differently in the past tense than they are in the present tense. For regular verbs, the endings change.
>
>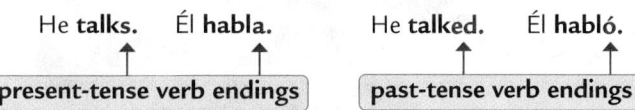
>
> He **talks.**   Él **habla.**   He **talked.**   Él **habló.**
>
> present-tense verb endings   past-tense verb endings

Practice the new forms that you are learning.

Completing the practice activities in your student book and workbook will help you to learn the correct way to say things.

Use the Spanish you know as often as you can.

After all, that's how you learned to speak English, by hearing and speaking it every day.

What Is Culture?

To communicate with people from Spanish-speaking countries in a meaningful way, you need to know something about their culture. Vocabulary and grammar will help you learn what words to say and how to put them together, but culture will give you a better understanding of "how, when, and why to say what to whom."

What exactly is culture?

Culture includes . . .

Art

History

Traditions

Relationships

Music

Holidays

Food

Architecture

Pastimes

and more!

How can I learn about another culture?

- Read the **Comparación cultural** information to find out more about the cultures that you are studying.
- Think about the answers to the questions in the **Comparación cultural.**
- Think about the perspectives and practices that shape and influence the culture.
- Compare your own culture with the cultures you are studying.

El mundo

OCÉANO ÁRTICO

Mar de Siberia Oriental

Mar de Beaufort

Bahía de Baffin

GROENLAN (DINAMARC

RUSIA

Alaska (EE.UU.)

Mar de Bering

Bahía de Hudson

Mar del Labrador

CANADÁ

ESTADOS UNIDOS

OCÉANO ATLÁN

REP. DOMINICANA

Golfo de México

ISLAS BAHAMAS

PUERTO RICO (EE.UU.)

SAN CRISTÓBAL Y NE

Islas Hawai (EE.UU.)

CUBA

HAITÍ

ANTIGUA Y BARBUD

MÉXICO

JAMAICA

GUADALUPE (FRANCI

DOMINICA

BELICE

Mar Caribe

MARTINICA (FRANCIA)

SANTA LUCÍA

SAN VICENTE Y GRAN

ISLAS MARSHALL

OCÉANO PACÍFICO

GUATEMALA
EL SALVADOR
HONDURAS
NICARAGUA

PANAMÁ

GRANADA

BARBADOS

TRINIDAD Y TOBAGO

VENEZUELA

COSTA
RICA

COLOMBIA

GUAYANA
FRANCESA
(FRANCIA)

NAURU

KIRIBATI

Islas Galápagos (Ecuador)

ECUADOR

GUYANA

SURINAM

ISLAS
SALOMÓN

ISLAS
TUVALU

PERÚ

BRASIL

VANUATÚ

SAMOA

Samoa
Americana
(EE.UU.)

BOLIVIA

FIDJI

TONGA

NUEVA
CALEDONIA
(FRANCIA)

PARAGUAY

CHILE

URUGUAY

NUEVA
ZELANDA

ARGENTINA

Islas Malvinas
(R.U.)

OCÉANO ÁRTICO

Mar de Kara

Mar de Laptev

Mar de Barents

Mar de Noruega

1	DINAMARCA	9	ESLOVENIA
2	HOLANDA	10	CROACIA
3	BÉLGICA	11	BOSNIA Y HERZEGOVINA
4	LUXEMBURGO	12	SERBIA Y MONTENEGRO
5	SUIZA	13	ALBANIA
6	REPÚBLICA CHECA	14	MACEDONIA
7	ESLOVAQUIA	15	BULGARIA
8	HUNGRÍA		

RUSIA

SUECIA FINLANDIA

NORUEGA

Mar del Norte

ESTONIA
LETONIA
LITUANIA
BIELORRUSIA

60°N

Mar de Ojotsk

REINO UNIDO

NDA

ALEMANIA POLONIA

UCRANIA

MOLDAVIA

KAZAKSTÁN

MONGOLIA

Lago Baikal

FRANCIA AUSTRIA

ANDORRA

RUMANIA

Mar Negro

GEORGIA

Mar de Aral

UZBEKISTÁN

KIRGUISTÁN

COREA DEL NORTE

Mar de Japón

ESPAÑA

ITALIA

GRECIA

TURQUÍA

ARMENIA

Mar Caspio

TURKMENISTÁN

TADJIKISTÁN

CHINA

COREA DEL SUR

JAPÓN

JGAL

MALTA

CHIPRE

SIRIA

AZERBAIYÁN

IRÁN

AFGANISTÁN

RRUECOS

TÚNEZ

Mar Mediterráneo

LÍBANO

IRAQ

BHUTÁN

ARGELIA

LIBIA

ISRAEL

EGIPTO

JORDANIA

BAHREIN

KUWAIT
QATAR

E.A.U

PAQUISTÁN

NEPAL

BANGLADESH

MYANMAR

TAIWÁN

30°N

Trópico de Cáncer

OCÉANO PACÍFICO

TANIA

MALÍ

NÍGER

CHAD

ARABIA SAUDITA

OMÁN

INDIA

LAOS

TAILANDIA

VIETNAM

FILIPINAS

GUAM (EE.UU.)

Mar Arábigo

Golfo de Bengala

BURKINA FASO

BENIN

NIGERIA

SUDÁN

ERITREA

YEMEN

CAMBOYA

Mar de China

MICRONESIA

NEA

COSTA DE MARFIL

TOGO

JIBUTI

ETIOPÍA

BRUNEI

PALAÚ

BERIA

GHANA

CAMERÚN

REP. CENTRO-AFRICANA

ISLAS MALDIVAS

SRI LANKA

MALAYSIA

GUINEA ECUATORIAL

CONGO

GABÓN

UGANDA

KENIA

Ecuador 0°

ANTO TOMÉ Y PRÍNCIPE

CABINDA (ANGOLA)

REP. DEM. DEL CONGO

RUANDA

SOMALIA

SINGAPUR

INDONESIA

PAPUASIA NUEVA GUINEA

BURUNDI

TANZANÍA

SEYCHELLES

ANGOLA

ZAMBIA

MALAWI

COMORES

TIMOR ORIENTAL

NAMIBIA

ZIMBABWE

MOZAMBIQUE

MADAGASCAR

MAURICIO

OCÉANO ÍNDICO

BOTSWANA

Trópico de Capricornio

AUSTRALIA

SUAZILANDIA

SUDÁFRICA

LESOTHO

30°S

0   1,000   2,000 millas

0   1,000   2,000 kilómetros

N
O   E
S

60°S

ANTÁRTIDA

México y Centroamérica

Washington, D.C.

ESTADOS UNIDOS

Tijuana
Mexicali
Ciudad Juárez
Hermosillo
Chihuahua
Nuevo Laredo

SIERRA MADRE OCCIDENTAL
SIERRA MADRE ORIENTAL

MÉXICO
Monterrey
Durango
San Luis Potosí
Guadalajara
Tampico
México, D.F.
Puebla
Veracruz
Oaxaca
Acapulco

Golfo de México

Mérida

La Habana

CUBA

Trópico de Cán

OCÉANO
ATLÁNTIC

**ISLAS
BAHAMA**

Nassau

JAMAICA   Kingst

Belice
BELICE
Belmopan
HONDURAS
Guatemala
GUATEMALA
Tegucigalpa
San Salvador
EL SALVADOR
NICARAGUA
Managua

Mar Caribe

San José
COSTA RICA
Colón
Panamá
PANAMÁ

COLOMB

**OCÉANO
PACÍFICO**

N
O   E
S

Ecuador

Quito
ECUADOR

PERÚ

0	250	500 millas
0	250	500 kilómetros

Baja California

110°O   100°O   90°O   80°O

40

30

30

20

20

10

El Caribe

ESTADOS
UNIDOS

OCÉANO ATLÁNTICO

Estrecho de Florida

Nassau

ISLAS BAHAMAS

25°N

Trópico de Cáncer

La Habana

Santa Clara

Nueva Gerona

CUBA

Camagüey

Holguín

Manzanillo

Guantánamo

Santiago
de Cuba

ISLAS DE TURCOS
Y CAICOS (R.U.)

REPÚBLICA
DOMINICANA

20°N

HAITÍ

La Española

Arecibo   San Juan

Mayagüez

A N T I L L A S

Puerto
Príncipe

Santo
Domingo

Ponce   Humacao

JAMAICA   Kingston

M A Y O R E S

PUERTO
RICO

ONDURAS

Mar Caribe

15°N

ICARAGUA

Aruba (Hol.)   Curaçao (Hol.)

Bonaire (Hol.)

San José

Caracas

10°N

COSTA
RICA   PANAMÁ

Panamá

VENEZUELA

Golfo
de
Panamá

OCÉANO
PACÍFICO

N
O   E
S

5°N

Bogotá

0   150   300 millas

0   150   300 kilómetros

COLOMBIA

Sudamérica

Mar Caribe

Barranquilla
Cartagena
Maracaibo
TRINIDAD Y TOBAGO
Puerto España
Caracas
Lago Maracaibo
Río Orinoco
VENEZUELA
Georgetown
Paramaribo
Medellín
GUYANA
Cayena
Manizales
Bogotá
SURINAM
GUAYANA FRANCESA (FRANCIA)
Cali
COLOMBIA
OCÉANO ATLÁNTICO

Otavalo
Quito
ECUADOR
Río Negro
Ecuador 0°
Guayaquil
Cuenca
Río Amazonas
PERÚ
Río Madeira
Río Tapajoz
Río Xingú
Río Tocantins
BRASIL
10°N
Trujillo
CORDILLERA
10°S
Río São Francisco
Callao
Lima
Lago Titicaca
BOLIVIA
Brasilia
La Paz
Cochabamba
Santa Cruz
Sucre

OCÉANO PACÍFICO
Bogotá
COLOMBIA
Islas Galápagos (Ecuador)
Quito
ECUADOR
PERÚ
0   200   400 millas
0   200   400 kilómetros

GRAN CHACO
PARAGUAY
20°S
Salta
Asunción
CHILE
San Miguel de Tucumán
Trópico de Capricornio
Resistencia

Córdoba
30°S
Valparaíso
Mendoza
Rosario
URUGUAY
Santiago
Buenos Aires
OCÉANO ATLÁNTICO
ARGENTINA
La Plata
Montevideo
Concepción
Mar del Plata
OCÉANO PACÍFICO
PAMPAS
Temuco
Bahía Blanca
40°S

PATAGONIA
ANDES

N
O   E
S

0   250   500 millas
0   250   500 kilómetros

Estrecho de Magallanes
Islas Malvinas (R.U.)
50°S
Tierra del Fuego
70°O   Cabo de Hornos

100°O   90°O   80°O   70°O   50°O   40°O   30°O   20

España

OCÉANO ATLÁNTICO

MAR CANTÁBRICO

FRANCIA

46°N

44°N

La Coruña

ASTURIAS
CANTABRIA
Bilbao
PAÍS VASCO

LOS PIRINEOS

ANDORRA

GALICIA

CORDILLERA CANTÁBRICA

León

Pamplona

42°N

CASTILLA-LEÓN

NAVARRA

LA RIOJA

CATALUÑA

Valladolid

Río Duero

Zaragoza

Río Ebro

Barcelona

E S P A Ñ A

Salamanca

ARAGÓN

SIERRA DE GUADARRAMA

MADRID
★ Madrid

ISLAS BALEARES

Menorca

Palma

PORTUGAL

Río Tajo

Mallorca

EXTREMADURA

CASTILLA-LA MANCHA

Valencia

Ibiza

Río Guadiana

COMUNIDAD VALENCIANA

38°N

Córdoba

Río Guadalquivir

MURCIA

MAR MEDITERRÁNEO

Sevilla

ANDALUCÍA

Granada

SIERRA NEVADA

36°N

N
O   E
S

Málaga

Gibraltar (R.U.)

Estrecho de Gibraltar

Ceuta (España)

Melilla (España)

OCÉANO ATLÁNTICO

MARRUECOS

ÁFRICA

CAMERÚN

Malabo ★

GUINEA ECUATORIAL

2°N

Golfo de Guinea

Bata

ISLAS CANARIAS (España)

OCÉANO ATLÁNTICO

La Palma

Santa Cruz de Tenerife

Las Palmas

Tenerife

Gran Canaria

0   25   50 millas
0   25   50 kilómetros

ÁFRICA

18°O   16°O   14°O

0   50   100 millas
0   50   100 kilómetros

GABÓN

Ecuador   0°

10°E   12°E   14°E

0   50   100 millas
0   50   100 kilómetros

Lisboa ★

28°N

La música

The following enrichment music lessons are provided for your personal knowledge and enjoyment. You may choose to read them on your own, or your teacher may present them throughout the year.

The music of the Spanish-speaking world carries a long, rich legacy of rhythms and dances. It is a fusion of many cultures and traditions, principally European, Arabic, Gypsy, Jewish, African, and indigenous American. Today, Spanish and Latin American music and artists enjoy a worldwide following. Many crossover artists, who sing in both Spanish and English, achieve widespread success in the United States. You can often hear a Latin influence in the beats and melodies of today's popular music.

Contenido

MÚSICA

Objectives
- To familiarize students with salsa music and dance, as well as the instruments used to perform it.
- To make students aware of the historical and geographical connections between the countries where salsa is popular.

Presentation Strategies
20-minute lesson
- Have students read the two pages about **salsa**.
- Discuss the Comparación cultural questions as a group.
- Play a **salsa** song for the class.

50-minute lesson
- Complete 20-minute lesson.
- Have students scan the two pages to identify the countries represented in the text and photos.
- Show students a map of the Caribbean and have them identify the countries mentioned in the mini-lesson.
- Ask students what these countries have in common. (They are all Spanish-speaking countries in or bordering the Caribbean.)
- Model the pronunciation of the words in Vocabulario para la salsa.
- Bring in a CD by one of the artists shown in the mini-lesson and play one of the songs for the students. Give them a photocopy of the lyrics and have them read along as they listen.

STANDARDS
2.2 Products and perspectives
3.1 Knowledge of other disciplines
4.2 Compare cultures
5.2 Life-long learners

Culture

About the Photos
Point out that salsa is both sung and danced. Have students look at the photos and identify the four famous salsa singers (Marc Anthony, Jéssica Rodríguez, Gilberto Santa Rosa, Rubén Blades) and the dance troupe featured (Nueva Juventud).

News Networking

SALSA

LA SALSA nace *(is born)* en los años sesenta en «El Barrio» de Nueva York. La salsa tiene mucha influencia del son cubano y es una mezcla de ritmos de Colombia, Venezuela, Panamá, la República Dominicana y Puerto Rico. También tiene influencias del rock y del jazz. Los instrumentos de la salsa incluyen la sección de metales, el bajo y el piano. Pero el elemento esencial de la música es el ritmo, marcado *(marked)* por la percusión: maracas, congas, bongoes, timbales, claves y más. El baile de la salsa es en parejas *(couples)*, y los pasos *(steps)* son pequeños y rápidos. Hoy, la música y el baile de la salsa son populares en muchos países.

Vocabulario para la salsa

el bajo *bass guitar*
las claves *percussion sticks*
el metal *brass section*
el ritmo *rhythm*
los timbales *typical salsa drum set*

Marc Anthony, un artista popular de salsa, canta en los Premios Grammy Latino en Miami.

La salsa es música para bailar. Los eventos y las competencias de salsa atraen *(attract)* a participantes de mucho talento.

C2 Música

Bridging Cultures

Heritage Language Learners

Regional Variations Have students bring in salsa music or videos by other performers. Guide them to describe the music to the class and to explain why they like these particular musicians or dancers. Have them give specific details related to voices, instruments, and/or choreography.

Writing Skills Have students work in small groups, with a heritage speaker in each group, if possible. Provide samples of salsa lyrics for each group and have students work together to write their own lyrics for a salsa song. Encourage students who are musically inclined to create a melody to accompany their group's lyrics.

Gilberto Santa Rosa (Puerto Rico) y *Rubén Blades* (Panamá) son dos grandes de la música salsa.

...ca Rodríguez canta con una ...esta típica de salsa. Este ...cierto es un tributo a Celia ...z, un ídolo de la música salsa.

En los *festivales de salsa,* se presentan grupos con una coreografía dinámica como el grupo *Nueva Juventud.*

...mparación cultural

. La música popular de este país tiene mucha influencia de la salsa. ¿Qué artistas o canciones conoces que tienen influencia de la salsa?

. Marc Anthony es un artista *crossover* que canta en inglés y en español. ¿Qué otros artistas *crossover* de origen hispano conoces? ¿Te gusta su música?

Música   **C3**

Pacing Suggestions

Puerto Rico

This lesson links well with the Puerto Rico location of Unit 3.

Link to Unit Vocabulary

· Review the photos with students and discuss the clothing the singers and dancers are wearing. Ask questions like **¿Qué ropa lleva Marc Anthony? ¿Cómo le queda?**

· Have students list the different instruments that are used in salsa and discuss with them the materials used to make each one: **Las maracas son de madera; están hechas a mano.** Or you may want to have students research an instrument and write a brief description of the instrument, adding photos or illustrations.

· Play some samples of salsa for your students, then have them write a paragraph giving their opinions of the music. Have them use vocabulary from Unit 3, Lesson 1, such as **en mi opinión, me parece que, encantar, recomendar.**

Link to Unit Grammar

· To practice the unit's grammar focus (the preterite), have them choose a salsa performer and write a short biography of his or her life, using verbs in the preterite.

Long-term Retention

Pre-AP Integration

Summarize Have students work in groups to write three statements that sumarize the text. Call on groups to read their statements to the class and compile a complete list of statements about salsa.

Enrichment

Arts and Crafts

Musical Instruments Have students work in groups to find a photo of one of the following percussion instruments used to play salsa: **maracas, congas, bongoes, timbales** or **claves.** Each group should make a replica of that instrument and bring it to class. Have one member of each group play the group's instrument along with a salsa recording.

Connections

Social Studies Have students work in groups, choosing one of the following countries where salsa is popular: the U.S., Colombia, Venezuela, Panama, the Dominican Republic, or Puerto Rico. Each group should research the impact of salsa in the targeted country, reporting on who the most popular salsa singers are and what regional variations exist.

Comparación cultural

Possible Answers

1. Gloria Estefan, Ricky Martin.
2. Gloria Estefan, Jennifer López, Selena, Ricky Martin, Enrique Iglesias, Shakira, Thalia, Juanes y Celia Cruz, entre muchos otros.

Objectives

- To familiarize students with the tango, its history, its musical instruments, and some of its most well-known performers.
- To make students aware of the fusion of cultures that formed the tango and the tango's role in Argentine popular culture.

Presentation Strategies
20-minute lesson

- Have students read the two pages about the tango, including the photos and captions.
- Discuss the Comparación cultural questions as a group.
- Play a video of tango dancers for the class and discuss their reactions. (Carlos Saura's film *Tango* provides many good options, as do ballroom dancing instructional videos.)

50-minute lesson

- Complete 20-minute lesson.
- Activate students' background knowledge by asking them if they have ever seen tango dancers, and if so, what the dance is like.
- Ask students what country is most strongly associated with the tango. (Argentina)
- Give students a KWL chart. Have them fill in the first part with what they already Know about the tango, as well as what they Want to know. After reading the selection, students should return to complete the chart with what they Learned.

STANDARDS

- **2.1** Practice and perspectives
- **2.2** Products and perspectives
- **3.1** Knowledge of other disciplines
- **4.2** Compare cultures

Culture

Expanded Information

Originally, the tango was associated with the working class in Buenos Aires. Because this music originated outside of mainstream Argentine society and because its lyrics were sung in **lunfardo,** a form of street slang, many members of Argentine high society refused to recognize it.

News + Networking

Tango

El Tango empieza en Buenos Aires, Argentina con la clase obrera *(working class)* en el siglo *(century)* XIX. Tiene elementos de tradiciones diversas, principalmente de la cultura afro-argentina del campo *(countryside)* y de las culturas de los muchos grupos europeos que inmigran a la ciudad. Originalmente el tango es un estilo instrumental de música. Cuando los músicos empiezan a escribir letras, usan el lunfardo. Sobre todo *(Above all)* el tango es música para bailar. El baile típico del tango, realizado *(carried out)* con las melodías del bandoneón, tiene pasos grandes y dramáticos.

Vocabulario para el tango

el bandoneón *a type of accordion*
la letra *lyrics*
el lunfardo *an Argentine slang*
los músicos *musicians*
el paso *step*

El tango es música para bailar en parejas.

Astor Piazzolla, un compositor y bandoneonista famoso, combinó el tango con la música clásica.

Carlos Gardel es posiblemente el intérprete más famoso del tango. Fue cantante y actor.

C4   Música

Bridging Cultures

Heritage Learners

Support What They Know Play a tango for students that features the **bandoneón.** Encourage heritage speakers to talk about music they may have heard from other Spanish-speaking countries which also features the accordion (**vallenato, tejano**). Have them compare it with the tango.

Writing Skills Have students work in groups with a heritage learner in each group. Have groups research the tango and present a poster that focuses on one aspect of the style: the music or dance steps, dance costumes, a famous performer or types of **bandoneones.** Students should write descriptive captions to explain each image.

CULTURA Interactiva
my.hrw.com *See these pages come alive!*

Argentina

This mini-lesson links well with the Argentina location of Unit 2.

Link to Unit Vocabulary

· Ask students what adjectives from this unit they would use to describe the tango and its dancers (**musculoso, lento**). Recycle related **Lección preliminar** vocabulary: **atlético, bonito.**

Link to Unit Grammar

· To practice adverbs with **-mente,** write the following words on the board and ask students to come up with related adverbs that describe how the tango is danced: **dramático, artístico, atlético.**

· To practice the preterite, have students rewrite the following sentences in the past.

1. Cuando los músicos escriben las letras de los tangos, usan el lunfardo.
2. El tango recibe las influencias de las varias culturas que inmigran a Buenos Aires.
3. Originalmente, los artistas del tango sólo cantan la música, no bailan.

En Buenos Aires, muchas personas bailan y cantan tango en las calles durante celebraciones y festivales.

Martín Ferres acompaña al Bajofondo Tango Club en sus discos compactos. En esta foto toca el bandoneón.

paración cultural

El bandoneón es un tipo de acordeón. ¿Qué otros estilos de música usan el acordeón?

La música de «Bajofondo Tango Club» es una fusión de tango y música contemporánea, como el pop y el jazz. ¿Qué grupos conoces que tienen música que es una fusión de música tradicional y música contemporánea?

Música **C5**

Enrichment

Connections

Music Ask students to describe any examples of tango music or dance they remember from television shows or movies. Explain that the tango is sometimes used to increase the drama of a scene or for comic effect. Then play examples of instrumental tango for the class and have students imagine a movie scene or story with the music as a background.

Music

Community Tango is currently experiencing a rise in popularity in many U.S. cities. Have students find out if their community has a school or community center that offers tango lessons. Are classes available through local dance or music schools? If possible, encourage students to try taking a tango lesson so that they can talk about their experiences in class.

Comparación cultural

Possible Answers

1. El acordeón se usa en la música de México, Francia, Alemania e Italia, entre muchos otros países.
2. Answers will vary, but should include groups and artists such as the Rolling Stones (rock/blues), Beck (many different forms), and Johnny Cash (country, folk).

Objectives

- To familiarize students with mariachi music, its origins, and some of its most well-known performers.
- To make students aware of the unique musical instruments and costumes associated with mariachi music.

Presentation Strategies
20-minute lesson

- Have students work in pairs to read the two pages about mariachi music, including the photo captions.
- Discuss the Comparación cultural questions as a group.
- Play several different types of mariachi music for the students. Some traditional mariachi songs include "Cielito lindo" and "Las golondrinas." (Many CDs are available in music stores and online; a good choice to begin with is *Aniversario 100: Canciones mexicanos que canta el mundo/Mariachi Vargas de Tecalitlán*.)

50-minute lesson

- Complete 20-minute lesson.
- Have students look at the photos and discuss as a class the different kinds of performers, costumes, and instruments shown.
- Write the following words on the board: **guitarra, trompeta, violín, vihuela, guitarrón, arpa folklórica mexicana, ranchera, corrido, zapateado, zapatazos.**
- Draw a chart on the board with four columns: **Instrumentos europeos, Instrumentos indígenas, Canciones, Baile.** Tell students to write the words that relate to each heading in the correct column as they work in pairs to read the text and photo captions.

STANDARDS

2.1 Practices and perspectives
2.2 Products and perspectives
3.1 Knowledge of other disciplines
4.2 Compare cultures

Mariachi

La música mariachi se origina *(originates)* en Jalisco, México, en el siglo *(century)* XIX. Los mariachis usan instrumentos europeos como el violín, la trompeta y la guitarra. También tocan la vihuela, el guitarrón y el arpa folklórica mexicana. Las canciones *(songs)* típicas de los mariachis son las rancheras y los corridos. Un corrido muy conocido es «La cucaracha». El baile más asociado con el mariachi se llama el zapateado. Hay muchas variaciones del zapateado, pero todas incluyen zapatazos *(foot stomps)* fuertes. Hoy los mariachis son populares en muchas partes de Estados Unidos, especialmente en California y Texas.

Vicente Fernández es un artista popular del mariachi. Aquí lleva la ropa característica del mariachi.

Vocabulario para el mariachi

el arpa folklórica *folk harp*
el corrido *Mexican ballad*
el guitarrón *acoustic bass guitar*
la ranchera *Mexican "country" music*
la vihuela *small guitar with five strings*
el zapateado *a type of tap dancing*

México

Muchos grupos de mariachi tocan en plazas y otros lugares públicos.

C6 Música

Bridging Cultures

Heritage Language Learners

Support What They Know Mariachi music is popular in many Spanish-speaking countries, not just in Mexico. Have the heritage speakers in your class tell about when they have heard mariachi music. Has it been on any special occasions? Is anyone they know a fan of mariachi music. Do they have any special memories of that person or the music?

English Learners

Build Background Many U.S. students are familiar with mariachi music because of its popularity in this country, especially in Texas, the American southwest, and California. Ask students if they have ever been to a Mexican restaurant that had a mariachi band serenading the diners, or if they have seen a mariachi band somewhere else.

CULTURA Interactiva
my.hrw.com
See these pages come alive!

La Fiesta del Mariachi es un festival mexicano que ocurre todos los meses de junio en la Mariachi Plaza de Los Ángeles.

Los Ángeles

El guitarrón es un instrumento típico del mariachi.

Un maestro de mariachi enseña una clase de música en Los Ángeles. En California hay clases de mariachi en algunas escuelas.

mparación cultural

. En este país es común escuchar grupos de mariachi en restaurantes mexicanos. ¿Qué otros tipos de restaurantes típicamente tienen músicos?

. Compara la ropa y los instrumentos de la música mariachi con los de otro estilo de música que conoces. ¿Qué tienen en común? ¿Cómo son diferentes?

Música   **C7**

Enrichment

Communication

Humor/Creativity Divide students into groups of 5 to 6. Have them create a skit set in a Mexican restaurant about a couple having a conversation that keeps getting interrupted by the mariachi singers. Students should try to use as much humor as possible when creating the situation and the dialogue.

Projects

Musical Instruments Have students form groups to research some of the instruments used by mariachi bands: **la trompeta, la vihuela, el guitarrón** and **el arpa folklórica mexicana.** Students should gather photos or make drawings of the instruments and present a brief history of their use in mariachi music.

Pacing Suggestions

Mexico

This mini-lesson links well with the Mexico location of Unit 4.

Link to Unit Vocabulary

· Tell students that outdoor mariachi groups are a staple of city life in Mexico City in the tourist and nightlife zones. Ask students to describe places where they think they might encounter mariachi bands in the city (**avenida, acera, barrio, plaza, restaurante**).

Link to Unit Grammar

· Have students choose a famous mariachi singer or group (Vicente Fernández, Mariachi Vargas de Tecalitlán, Lola Beltrán, Lucha Villa, Pedro Infante, Jorge Negrete and Mariachi Sol de México, among many others). Students can work in pairs or groups to research the artist's or group's history, then write a brief career summary, using the preterite to describe completed past actions and the imperfect for description in the past.

Culture

About the Photos

Tell students that the traditional costumes shown in the photos are most frequently worn at formal events such as weddings and funerals. The typical male costume includes suits with close-fitting pants and jacket lapels with designs in silver or gold embroidery. The men's costumes are usually black, but also appear in vivid colors such as bright red or pale blue, and they are accompanied by matching sombreros. The women always appear in long skirts.

Comparación cultural

Possible Answers

1. Muchos restaurantes italianos, griegos, alemanes, indios y árabes tienen música folklórica.
2. En la música country también usan la guitarra y el violín pero normalmente no usan la trompeta.

Objectives

· To familiarize students with the merengue, its elements, and some of its most well-known performers.
· To make students aware of the unique musical instruments and dance steps associated with the merengue.

Presentation Strategies
20-minute lesson

· Have students work in small groups to read the two pages about the merengue, including the photo captions.
· Discuss the Comparación cultural questions as a class.
· Show students a video clip of people dancing to merengue music. (A fun movie to feature is *Mad Hot Ballroom*, which shows school children learning ballroom dances, including the merengue.)

50-minute lesson

· Complete 20-minute lesson.
· Organize a jigsaw activity to familiarize students with the reading. Divide the students into three base groups: those covering the main text, those working with the glossed words and specialized vocabulary, and those working with the photos and captions. Members of each base group become an expert on their section; groups then redivide into groups of three that contain a member of each original group. Each expert shares his or her information with the rest of the group. After discussing in smaller groups, members return to base groups to share what they learned about the other sections.
· Show students video clips of people dancing the merengue. (Look for videos in your local library or online.) Have students watch the dance steps carefully, and to pay attention to the rhythms and instruments used in the music.

✿ STANDARDS

2.2 Products and perspectives
3.1 Knowledge of other disciplines
4.2 Compare cultures
5.2 Life-long learners

Merengue

El Merengue es la música y el baile nacional de la República Dominicana. Tiene influencias europeas (la danza) y africanas (el ritmo). Los instrumentos típicos del merengue son las maracas, el güiro, el acordeón y el saxofón. El ritmo de la música es alegre y animado *(lively)*. El baile tiene muchas variaciones regionales, pero todas las versiones incluyen un paso especial: el arrastre *(dragging)* de una pierna. En junio, los dominicanos celebran el Festival del Merengue, en honor al baile. Muchos artistas todavía escriben y cantan merengue tradicional, y otros combinan el merengue con diferentes estilos de música como el rap y el hip hop.

Milly Quezada de la República Dominicana ganó el Grammy Latino *Best Merengue Album.*

Vocabulario para el merengue

el güiro *a scored gourd-like instrument played with a music fork or a percussion stick*
el paso *step*
el ritmo *rhythm*

La música del grupo Merenglass de México es una fusión del merengue y música mexicana. Se dice que su música es el merengue azteca.

C8   Música

Bridging Cultures

Heritage Language Learners

Support What They Know Encourage students to organize a merengue workshop. Have them invite other students to work with them to become instructors. The instructors will practice their teaching techniques, then hold a workshop to teach the rest of the class how to dance the merengue, providing appropriate music.

English Learners

Provide Comprehensible Input Have different students model movements to insure comprehension of the new merengue vocabula▮ To learn the **paso** and **ritmo** of the merengue, ▮ students imagine they are moving sideways between two rows of seats in an auditorium. H▮ them repeat the sideways movement a few tim▮ (**paso**), then have them do the same movemen▮ the 1-2-3-4 merengue beat (**ritmo**).

Olga Tañón canta merengue en el *Billboard Latin Music Awards* de Miami. Esta artista puertorriqueña ganó el Grammy Latino *Best Merengue Album*.

Juan Luis Guerra es el artista más importante del merengue. Guerra es purista, es decir que prefiere un estilo puro del merengue.

El merengue es una música y un baile muy animado.

Comparación cultural

1. Olga Tañón y Milly Quezada son muy populares entre *(among)* los hispanos de los Estados Unidos. ¿Dónde puedes escuchar la música de artistas como Olga y Milly?

2. Juan Luis Guerra es purista y Merenglass es un grupo innovador. Describe tu preferencia. ¿Prefieres un estilo puro de la música o prefieres la innovación y la fusión de estilos?

Música   **C9**

Pacing Suggestions

The Dominican Republic

This mini-lesson links well with the Dominican Republic location of Unit 7.

Link to Unit Vocabulary
· Have students work in small groups to write an article (**artículo**) or advertisement (**anuncio**) for their school newspaper about the merengue. Students in each group should take on one of the following roles — **editor(a), periodista,** or **fotógrafo(a)** — and talk about what each one needs to do to produce the end product (**investigar, entrevistar, explicar, describir, presentar**).

Link to Unit Grammar
· Lead a class discussion encouraging students to compare the merengue with the other dance forms and music using comparisons and superlatives: **es más/ menos que, es tan ... como, es el (la) más ... de todos,** etc.

Culture

Teaching with Maps

Tell students that merengue is strongly associated with Caribbean cultures and that of the Dominican Republic in particular. Share with students that while the exact origins of the merengue are not certain, it was first identified in this region in the mid-1800s. Its roots and some of the instruments used to play it are African.

Comparación cultural

Possible Answers

1. Es posible escuchar su música en programas como los Latin Grammys, MTV, en Univisión, en Internet y en tiendas de música que tienen música latina.

2. Answers will vary. Sample answer: Prefiero la fusión de estilos porque es más emocionante.

Enrichment

Role-play

Television Interview Students work in pairs and choose one of the artists shown on this spread. Have students create a mock interview for an entertainment program in which one student plays the role of the host or hostess and the other plays the role of the artist. The interview should last five minutes and contain information about the performer's recent awards, CDs, or movies.

Presentation

Humor/Creativity Have students work in small groups to create a television ad for a local dance academy that wants to attract people to study the merengue. Encourage students to be creative, to include merengue music, and to videotape the ad if possible. Students should include at least three reasons why a viewer might want to learn to dance the merengue.

MÚSICA

Objectives

· To familiarize students with flamenco, its mixture of culture, and some of its most well-known performers.
· To teach students aboout the costumes and music associated with dancing and singing flamenco.

Presentation Strategies
20-minute lesson

· Have students work in pairs to read the two pages about flamenco, including the photo captions.
· Discuss the Comparación cultural questions as a class.
· Show students a video clip of people singing and dancing flamenco.

50-minute lesson

· Complete 20-minute lesson.
· Have students in groups of three create a chart with three columns: **cantantes, bailaores, músicos.** Each student is responsible for filling in one column of the chart.
· Have the class participate in a round robin reading of the selection with each student called upon reading a sentence or a photo caption. The rest of the students take notes in their groups, each student filling in information into his or her column.
· Discuss each column as a class, with students from each group adding the information they collected.
· Show students video clips featuring flamenco. Try to show a variety of clips that focus on dance, the guitar and musicians, and the singers. (Your local library or regional library system may have videos on flamenco.)

✿ STANDARDS

2.2 Products and perspectives
3.1 Knowledge of other disciplines
4.2 Compare cultures
5.2 Life-long learners

Flamenco

Sara Baras y José Serrano son bailaores famosos del flamenco.

El flamenco es la música más asociada con España. La música y el baile tienen influencias de muchas culturas: de los gitanos *(gypsies)* de Andalucía y de las culturas árabe y judía *(Jewish)*. El flamenco es una colaboración de cantantes, bailaores y músicos. Los cantantes y músicos acompañan a los bailaores con guitarras y palmas. Los bailaores también marcan el ritmo *(keep the beat)* con palmas y el zapateo. Frecuentemente, los bailaores usan castañuelas. El canto, la danza y la música del flamenco forman junto un arte muy dramático.

Vocabulario para el flamenco

los bailaores *Flamenco dancers*
el cantante *singer*
el canto *song*
las castañuelas *castanets*
las palmas *handclapping*
el zapateo *footwork; dance performed with high heels*

Paco de Lucía toca la guitarra flamenca. Él es un artista muy importante.

C10   Música

Bridging Cultures

Heritage Language Learners

Regional Variations Flamenco guitar is famous worldwide. The guitar is also common in other genres of Latin music, but in some countries guitars are different sizes, made of different materials, and are used to play a music very different from flamenco. Have heritage learners explain traditional guitars in their country of origin, what they look like, and the types of music played.

English Learners

Provide Comprehensible Input Review the glossed English terms as well as the ones listed as Vocabulario to help clarify meaning. If possible, show students a picture of castanets and demonstrate how they are used. Similarly, write the terms *handclapping* and *footwork,* model them for students, then review the terms, pointing out key word parts such as *hand, clap,* and *foot.*

CuLTuRa Interactiva
my.hrw.com
See these pages come alive!

MÚSICA

La familia Montoya
La música flamenca es para compartir en familia. Juan Manuel Fernández Montoya «Farruquito» baila con su tía, Pilar Montoya, la «Faraona».

Juan Manuel Fernández Montoya «Farruquito» baila flamenco.

En festivales como la Feria de Abril en Sevilla, los hombres y las mujeres llevan ropa flamenca tradicional.

mparación cultural

1. Hay muchas semejanzas *(similarities)* entre el flamenco y las danzas de países como India y Egipto. Según la historia del flamenco, ¿por qué piensas que hay semejanzas?
2. La familia Montoya canta y baila la danza tradicional de su país. ¿Qué familias musicales conoces? ¿Qué tipo de música bailan o cantan?

Música **C11**

Pacing Suggestions

Spain

This mini-lesson links well with the Spain location of Unit 5.

Link to Unit Vocabulary
· Have students create an ad for a new restaurant that features Spanish food with flamenco entertainment. They should research some typical Spanish dishes and make sure the ad features them. The ad should also include a description of the evening's entertainment.

Link to Unit Grammar
· To practice Ud. commands, have several students play the role of flamenco instructors teaching a class of beginners how to use castanets or clap their hands.
· Have students create a list of adjectives they can use to describe flamenco, then change them to **-ísimo** forms.

Communication
Interpretive Mode

Have students write the following vocabulary words, each on a separate index card: **gitanos, ritmo, bailaores, cantantes, palmas, castañuelas,** and **zapateo.** Then give a description of each item and have students hold up the correct card. Some examples:
1. Se asocia el flamenco con este grupo de Andalucía. (**gitanos**)
2. Es un instrumento que se usa para marcar el ritmo. (**castañuelas**)
3. Es lo que hacen los bailaores con los pies. (**zapateo**)

Enrichment

Bulletin Boards

History Divide students into groups and have them research three different eras of flamenco: 1850s through 1900, 1900 through 1950s, and 1950 through the present. Have them create a three-part bulletin board showing flamenco costumes and performances from their era. Students should label the images to show how flamenco has changed.

Presentation

Musical Performance Students work in small groups or pairs practicing hand claps or playing castanets along with a flamenco recording. If students do not have access to castanets, they can make them from the metal lids to food jars. Students should perform their song for the entire class, encouraging other students to clap hands along with the music.

Comparación cultural

Possible Answers

1. El flamenco es una mezcla de elementos gitanos, árabes y judíos.
2. Answers will vary. Sample answer: La familia Carter canta música country.

Objectives

- To familiarize students with son cubano, its mixture of cultures, and some of its most well-known performers.
- To make students aware of the instruments used to perform son cubano.

Presentation Strategies
20-minute lesson

- Have students take turns reading aloud the two pages about son cubano, including the photo captions.
- Discuss the Comparación cultural questions as a class.
- Bring in a recording of son cubano to play for the students.

50-minute lesson

- Complete 20-minute lesson.
- Have pairs read the lesson on son cubano and complete a QDCP chart.
  For example:
  —qué: **son cubano**
  —dónde: **el este de Cuba**
  —cuándo: **al principio del siglo XX**
  —por qué: **¡para bailar!**
  Discuss the information in the chart.
  As a follow-up ask students, **¿Quiénes?**
  Answer: **los españoles y los africanos.**
- Play some examples of son cubano for students. If possible, play songs that are rendered traditionally (accompanied by just the **marímbula**) and more contemporary versions with more instrumentation. If time permits, play examples of some related musical genres, such as mambo, cha-cha-cha, and salsa.

STANDARDS

2.2 Products and perspectives
3.1 Knowledge of other disciplines
4.2 Compare cultures
5.2 Life-long learners

News ⊕ Networking

Son Cubano

Vocabulario para el son cubano

la clave *rhythm sticks*
el contrabajo *double bass*
la marímbula *wooden box with metal keys*
el ritmo *rhythm*
el tres *small guitar*

El son es un tipo de música para bailar y la base de muchos otros estilos, como el mambo, el chachachá y la salsa. Viene del este *(east)* de Cuba y llegó a ser muy popular en los primeros años del siglo *(century)* XX. La fusión de culturas es notable en los instrumentos típicos de esta música. El tres fue una adaptación rústica de la guitarra española. Los bongoes, la clave, las maracas y la marímbula vienen de África. La marímbula fue por muchos años el único *(only)* instrumento bajo *(bass)* de los músicos del son. Luego empezaron a usar el contrabajo y el bajo eléctrico.

José Conde, de la banda **José Conde y Ola Fresca,** toca el güiro durante un concierto en West Palm Beach, Florida.

Albita fue la Reina del Carnaval de la Calle Ocho en Miami.

C12 Música

Bridging Cultures

Heritage Language Learners

Support What They Know Have students discuss any music from their country of origin that is a fusion of different cultures. What cultures have contributed to that music? Is it popular in just one region or just in their country? Are there any traditional songs in another language? Is there a traditional dance also associated with the music?

English Learners

Increase Interaction Have students talk about percussion and rhythm instruments in their countries of origin. Also supply them with pictures of a **marímbula, claves,** and **maracas.** Have students work in groups to experiment by building simple rhythm instruments. Different students should bring in supplies: a shoebox, scissors, tape, marbles, strips of thin metal, small pieces of wood.

See these pages come alive!
my.hrw.com

MÚSICA

n esta foto podemos ver instrumentos de ercusión y cuerda **típicos del son cubano.**

El güiro y *el tres* son dos instrumentos típicos del son cubano. El güiro es un instrumento de percusión y el tres es más pequeño que una guitarra acústica normal.

Comparación cultural

1. La palabra **son** quiere decir **sonido** o *sound.* En el son cubano hay instrumentos que vienen de otros países y culturas. ¿Cuáles? ¿Cómo piensas que éstos influyeron en el sonido del son cubano?

2. El son es la «madre» de muchos estilos de música hispana, especialmente la salsa. ¿Cuáles son los estilos de música que sirven como «madre» de la música que tú escuchas?

Música   **C13**

Pacing Suggestions

Florida

This mini-lesson links well with the Lección preliminar.

Link to Unit Vocabulary
· Ask the class to use the Lección preliminar to brainstorm places they might hear son cubano: **café, centro comercial, clase, concierto, fiesta, parque, restaurante, teatro, tienda.**

Link to Unit Grammar
· To practice the present tense, ask students what kind of music they listen to when they do the following activities: **escuchar un disco compacto, estudiar,** and **pasar un rato con los amigos.**
· Have students use **ser, estar,** and **gustar** to discuss son cubano, focusing on adjective agreement (**alegre, artístico, bonito, interesante**).

Culture

Regional Information

The **marímbula** comes in many shapes and sizes and is also called a **marímbola** (Puerto Rico) and a **caja de rumba** (Jamaica). This was the bass instrument for early **sonero** groups, who generally could not afford upright bass instruments.

Enrichment

Presentation

Musical Groups Encourage students to rent the film *Buena Vista Social Club* and watch it in pairs or groups. Then have them create a presentation on a performer or on an aspect of Cuban music that they learned about in the film. Students should end their presentations with a critical evaluation of the music or performer: Did they like it? Why or why not?

Projects

Dances Have students research the role that son cubano has played in the development of other musical genres, such as the mambo, the salsa and the cha-cha-cha. Have students investigate the steps involved in one of those three dances. Then organize a class dance where you play mambo, salsa, and cha-cha-cha music and encourage students to try out the different dance steps.

Comparación cultural

Possible Answers

1. Answers will vary. Sample answer: El tres viene de la cultura española. Los bongoes, la clave, las maracas y la marímbula vienen de Africa.

2. Answers will vary. Sample answer: La música blues es la «madre» de la música rock.

MÚSICA

Objectives

- To familiarize students with Andean music, its mixture of cultures, and some of its most well-known performers.
- To make students aware of the many unique musical instruments used to perform Andean music and of the traditional costumes of its performers.

Presentation Strategies
20-minute lesson

- Have students work in pairs to read the two pages about Andean music, including the photo captions.
- Discuss the Comparación cultural questions as a class.
- Bring in several recordings of Andean music by different performers to play for the class. Some easy-to-find artists and groups include Inti-Illimani, Inti Raymi and Quilapayún.

50-minute lesson

- Complete 20-minute lesson.
- Have students answer **sí** or **no** to the following statements to activate background knowledge about the topic.
  1. La música andina se origina en Perú, Bolivia, Colombia y Venezuela. (**no**)
  2. La música andina es muy moderna. (**no**)
  3. La música andina tiene muchos instrumentos indígenas. (**sí**)
  4. La música andina es una combinación de la cultura andina y la cultura africana. (**no**)
- Have students work in pairs to read the text and photo captions. Afterwards, read the **no** statements from above and have them correct them as a class.
- Play some examples of Andean music for students. If possible, show them a video segment of Andean musicians so that students can see the traditional costumes and musical instruments that the performers use.

✿ STANDARDS

2.2 Products and perspectives
3.1 Knowledge of other disciplines
4.2 Compare cultures
5.2 Life-long learners

Música andina

La música tradicional de la región de los Andes de Perú, Bolivia, Ecuador y Chile se llama música andina. Es una combinación de la cultura andina y la cultura europea. Las raíces *(roots)* de esta música son muy antiguas *(ancient)*. Los instrumentos de viento y percusión encontrados en excavaciones de tumbas de los Andes revelan la importancia de la música en la cultura prehispánica. Dos instrumentos típicos, la zampoña y la quena, vienen de la gente indígena *(indigenous)*. Un tercero, el charango, tiene influencia de las guitarras españolas. Hoy, éstos son los instrumentos más asociados con la música andina. Ahora es muy popular en muchos países, pero todavía es una parte integral de la cultura andina.

> **Vocabulario para la música andina**
> el charango *small guitar-like instrument*
> los instrumentos de viento *wind instruments*
> la quena *Andean flute*
> la zampoña *Andean panpipe*

La música andina es un aspecto esencial de *los rituales andinos.* Aquí un hombre toca la quena durante un baile folklórico.

La ropa y los vestidos tradicionales son componentes importantes de las fiestas y los rituales andinos.

C14 Música

Bridging Cultures

Heritage Language Learners

Regional Variations Even if heritage language learners do not come from the Andean region, they may have seen Andean street performers in Spanish-speaking cities, due to their popularity around the world. Have them discuss similarities between the Andean instruments (the **quena,** the **zampoña** and the **charango**) and indigenous musical instruments in their own cultures.

Writing Skills Team heritage language learners in groups with other students. Have groups investigate one of the following topics related to Andean music: its history, the traditional clothing associated with it, its unique instruments and origins, or festivals and gatherings where it is played. Each group should prepare a written report on that topic.

tocan zampoñas durante una
...ración en **Lima, Perú.**

Dos instrumentos típicos
de la música andina son
el charango (izquierda) **y la
zampoña** (arriba).

Comparación cultural

1. La música andina tiene un aire misterioso y espiritual. Unas personas usan esta música
para descansar. ¿Qué música escuchas para estar tranquilo(a)?

2. Los instrumentos de viento son importantes para diferentes estilos de música. Compara
la zampoña y la quena que ves en las fotos con los instrumentos de viento que conoces.

Música **C15**

CULTURA Interactiva
my.hrw.com
See these pages come alive!

MÚSICA

Pacing Suggestions

Ecuador

This mini-lesson links well with the Unit 8
location of Ecuador.

Link to Unit Vocabulary

· Ask students what Unit 8 vocabulary words
they associate with the Andean region: **los
árboles, el aire puro, el bosque, la
naturaleza, el (la) alpinista, escalar
montañas.** Have them use these words and
others they know to create an ad designed
to attract tourists to the area.

Link to Unit Grammar

· Have students work in pairs. Each student
should write a list of six statements about
Andean music, half of which are true and
half of which are false. Students exchange
lists and take turns reacting to their
partner's statements using **Es cierto/verdad
que...** and **No es cierto/verdad que...** with
the indicative or the subjunctive.

Connections

La música

If you are using this mini-lesson with Unit 8,
it's likely that students have been exposed to
some of the different musical styles covered
in the other mini-lessons. Ask students to
create a culture journal, where they contrast
and compare some of the different types of
Latin music they have heard. Which did they
like best and why? Which would they like to
learn more about? Which has similarities to
music they know from other cultures?

Enrichment

Presentation

Culture Have students investigate the
Andean region. What is the ethnic
background of the people who live there?
What is their history? What crops or livestock
do they raise? What languages do they speak?
Direct students to write a 2 to 3 paragraph
report on the Andean region to enrich their
understanding of Andean music, traditional
clothing, and musical instruments.

Project

Concert Ads Have groups of students
create an ad for an Andean music group. They
can research on the Internet possible names
for their group and images for their ad.

Comparación cultural

Possible Answers

1. Answers will vary. Sample answer:
Escucho música clásica para descansar.

2. La zampoña y la quena son muy similares
a la flauta (flute), el pícolo (piccolo), el
oboe (oboe), y el clarinete (clarinet).

MÚSICA

Objectives
- To familiarize students with bolero and some of its most well-known composers and performers.
- To make students aware of bolero's variations across Latin America.
- To introduce students to how bolero is danced.

Presentation Strategies
20-minute lesson
- Have students work in groups to read the two pages about the bolero, including the photo captions.
- Discuss the Comparación cultural questions in groups.
- Bring in several recordings of boleros from different countries and performers to play for the students. (There are many recordings to choose from, since most Latin American countries have a version of this type of ballad.)

50-minute lesson
- Complete 20-minute lesson.
- Have students do a Four Corners activity to read the selection and the captions. Designate the following "four corners" of the classroom by topic: **Historia del bolero, Cantantes del bolero, Bailar el bolero** and **Elementos del bolero.** Students go to the corner with the topic that interests them most. Students in each corner discuss why they chose that topic and create a poster that highlights information about it. Regroup as a class and have students present and describe their posters.
- Play several recordings of boleros by different performers from a variety of countries.

STANDARDS
- **2.2** Products and perspectives
- **3.1** Knowledge of other disciplines
- **4.2** Compare cultures
- **5.2** Life-long learners

News Networking

Bolero

El bolero es una balada sentimental y sofisticada. La letra con frecuencia es de poetas conocidos. Tiene su origen en una forma musical y de baile español también llamado bolero. Al llegar a Cuba, el bolero incorpora ritmos africanos. La canción «Tristezas» es el «primer» bolero, escrito *(written)* en 1885 en Cuba por Pepe Sánchez. Ahora el bolero es popular en toda Latinoamérica, y existen muchas variaciones. La danza del bolero americano es de tres pasos (lento-rápido-rápido) y es más lento y suave que otros bailes latinos.

Vocabulario para el bolero
el baile *dance*
la canción *song*
la letra *lyrics*
el paso *step*
el ritmo *rhythm*

México
Guadalupe Pineda es una de las grandes cantantes de bolero.

Puerto Rico
Gilberto Santa Rosa es «el Caballero de la Salsa», pero también interpreta boleros.

Perú
Tania Libertad canta boleros cubanos, rancheras mexicanas y canciones afro-peruanas.

C16   Música

Bridging Cultures

Heritage Language Learners
Regional Variations Have heritage speakers name boleros or other romantic music that has been popular in their country of origin. What are the titles of romantic songs they know? What other music style, besides bolero, is considered romantic and/or sentimental in their country? Have them name some famous singers of that style.

English Learners
Build Background Have groups find the lyrics to a famous bolero in Spanish, such as "Bésame mucho", "Quizás, quizás, quizás" or "Voy." Students should read the lyrics and try to imagine the situation that led to the song's composer writing them. English Learners should discuss whether similar situations would inspire romantic songs in their culture. Compare the romantic songs they know with the bolero.

Cultura Interactiva
my.hrw.com
See these pages come alive!

Colombia

Los Tri-O interpretan el bolero para un público contemporáneo.

México

Eugenia León canta un bolero durante un concierto en un *Hard Rock Café* de México.

México

María interpreta boleros en un teatro de México.

Comparación cultural

1. Músicos de muchos países interpretan el bolero. ¿De dónde vienen los grupos o artistas que interpretan la música que tú prefieres?
2. Hay muchos tipos de baladas. Pueden ser románticas, históricas, folklóricas y más. ¿Quiénes son algunos artistas populares que cantan baladas?

Música   **C17**

Pacing Suggestions

Costa Rica

This mini-lesson links well with the Costa Rica location of Unit 1.

Link to Unit Vocabulary

· Tell students that boleros are emotional ballads that usually describe the singer's sorrows, hopes, or dreams. As a class, generate a list of adjectives to describe a bolero: **artístico, bonito, serio, emocionado, triste** (from Lección preliminar); **bello** (Unidad 1). Play a bolero recording and have students react using *¡Qué + adjective!*

Link to Unit Grammar

· Have students work in pairs and imagine that they are going to interview one of the bolero singers or groups shown on these two pages. Students should generate a list of questions to ask during the interview, making sure they use a variety of interrogatives.

· For a follow-up, have students investigate the history of the person or group they chose, and write the answers to as many of their questions as they can, focusing in particular on past events using the preterite.

Enrichment

Performance

Humor/Creativity Have students work in groups to write their own bolero. Give them the lyrics to *Tristezas* as a model and remind them that a bolero should be extremely emotional and expose the composer's innermost feelings. Encourage students to be as creative as possible and to incorporate exaggeration and humor into their compositions.

Role-play

Dance Lessons Divide the class into two-groups: "instructors" and "dancers." Instructors should research how to dance the bolero, creating a diagram of the steps that can be used to teach the dance. (Latin Ballroom DVDs have examples of the bolero.) Dancers should bring a CD with bolero music to class. Students then role-play a dance lesson, using the music brought in by the dancers.

Comparación cultural

Possible Answers

1. Sample answer: Me gusta la música hip-hop. Los artistas vienen de Los Angeles, St. Louis, y otras ciudades.
2. Sample answer: Algunos artistas que cantan baladas son Bob Dylan, Gloria Estefan, Celine Dion, Barbra Streisand, Beck y Johnny Cash.

MÚSICA

Objectives

- To familiarize students with the evolution of rock music in Spanish-speaking countries.
- To make students aware of some of the leading contemporary Spanish-speaking rock performers.

Presentation Strategies
20-minute lesson

- Have individual students take turns reading the two pages aloud, including the photo captions.
- Discuss the Comparación cultural questions as a class.
- Play some video clips of Spanish-speaking rock performers; if possible show a wide variety. Video clips from the Latin Grammys are available online.

50-minute lesson

- Complete 20-minute lesson.
- Activate students' background knowledge about the history of rock in the U.S. by drawing a timeline on the board. Show three eras: 1950–1969, 1970–1979, 1980–present. Have students volunteer the names of influential rockers from these periods.
- Organize a Round Robin reading by having different students read aloud sentences from the text as well as photo captions. As students read the captions, have them take notes on the performers mentioned and add them to the timeline.
- Play video or audio of Spanish-speaking rock performers from a variety of countries. Have students discuss the different categories they seem to fit, such as hard rock, punk, pop, and so on.

STANDARDS

2.2 Products and perspectives
3.1 Knowledge of other disciplines
4.2 Compare cultures
5.2 Life-long learners

Rock Latino

El rock latino tiene tres fases: 1) imitación, 2) evolución con características distintas y 3) experimentación y fusión. Durante la primera fase—los años cincuenta y sesenta—la influencia del rock de Inglaterra *(England)* y Estados Unidos es obvia. Los cantantes latinoamericanos simplemente cantan en inglés o traducen *(translate)* la letra del inglés al español. Durante la segunda fase—los años sesenta a ochenta—los músicos hispanos escriben música original. Los artistas también adaptan nuevos estilos del rock como el punk, heavy metal y pop. Desde los años ochenta hasta ahora, hay más experimentación y fusión del rock con música tradicional, como la salsa, el tejano, el merengue y el vallenato (de Colombia).

México

Rubén «Nru» Albarrán es el vocalista de Café Tacuba, una banda mexicana de rock fusión.

Vocabulario para el rock latino

la canción *song*
el (la) cantante *singer*
la letra *lyrics*
el (la) músico(a) *musician*

España

Amaya Montero, la vocalista y líder del grupo español La Oreja de Van Gogh, canta durante un concierto en Ecuador.

C18 Música

Bridging Cultures

Heritage Language Learners

Show What They Know Have students think of a Spanish-speaking rock performer they would like to present to the class. They can then lead a group in researching the performer and writing a report about his or her life, music, and an analysis of why this performer is popular. Students should bring in any music they might have to play when the group presents its report.

English Learners

Build Background Have English learners describe rock musicians that are popular in their culture. What languages do they sing in? Has rock in their country had a similar evolution to that of rock latino? Have them bring in any music they might have to compare with rock latino.

CULTURA Interactiva
my.hrw.com
See these pages come alive!

México

Aquí vemos a la cantante mexicana *Julieta Venegas* en un concierto en Argentina.

Argentina

Charly García es uno de los compositores y músicos más importantes del rock latino.

Colombia

Juanes es una estrella del rock latino. Es ganador de muchos premios, incluso doce premios Grammy Latino.

Comparación cultural

1. ¿Cuáles son las influencias en el rock latino?
2. ¿Qué grupos o cantantes de rock latino conoces?

Música   **C19**

MÚSICA

Pacing Suggestions

Los Angeles

This mini-lesson links well with the Los Angeles location of Unit 6.

Link to Unit Vocabulary and Grammar

· Have students work in small groups to imagine they are filming a rock video for one of the artists shown here, or another Spanish-speaking rock performer they know. Students should focus on using the Lección 1 vocabulary for filming along with **tú** commands and **Vamos a** + *infinitive*.

· Afterwards, have students role play an interview with a news station at the premiere of the video on MTV. Encourage students to use Lección 2 vocabulary with **Ojalá** and the subjunctive to discuss their hopes about the video's success.

Culture

Teaching with Maps

Have students work in small groups to draw a map of Latin America and an inset with Spain and Equatorial Guinea. Have students label all the countries, then put in labels to show where the performers shown on this spread are from. After completing the map, have each student in the group choose a country that does not have a performer shown and do research on the Internet to find the name of a rock performer associated with that country. Have students regroup to add those names to their map, then compare maps with those of other groups.

Enrichment

Project

Rock Stars Have students research information on a contemporary Spanish-speaking rock performer. Have each student create a "rock star baseball card" that shows a photo of the singer or group, and a brief list of facts about the performer(s). Have students bring in their card and organize a card swap. Students look at the other students' cards and trade for their favorite performers.

Presentation

Lip-synch Have students work in pairs or groups to research songs by some of the Spanish-speaking rock performers shown here or others they may know. Students should choose a song; write down the lyrics; then play the song for the whole class while lip-synching the lyrics. Students who are talented musically can learn to play and sing the song and perform it themselves.

Comparación cultural

Possible Answers

1. Originalmente había una influencia del rock de Inglaterra y Estados Unidos. Más tarde, los grupos de rock latino experimentaron con la fusión del rock con la música tradicional como la salsa, el tejano, el merengue y el vallenato.
2. Conozco a Jennifer López, Juanes, Shakira, Thalia, Ricky Martin y otros.

C19

Objectives

- To familiarize students with the cumbia and some of its best-known singers and performers.
- To make students aware of the fusion of cultures that formed the cumbia.
- To present information about traditional clothing and dance associated with the cumbia.

Presentation Strategies
20-minute lesson

- Have students read the text and photo captions silently, then follow up with comprehension questions to check understanding.
- Discuss the Comparación cultural questions as a class.
- Bring in several recordings of cumbias from different countries. (Popular groups and performers include Medardo Guzmán, Efraín Mejía, Pedro Beltrán, Beranoero, Lucho Bermúdez, Pacho Galán, Mario Gareña, and los Corraleros de Majagual.)

50-minute lesson

- Complete 20-minute lesson.
- Have students read the text and photo captions silently.
- Test students' understanding of the material by doing a TPR activity with books closed. Say the names of the following instruments associated with the cumbia and have students mime playing them (**acordeón, flauta, tambor, guitarra**).
- Play several different recordings of cumbia from different countries, or cumbias that showcase different instruments (such as the accordion, the flute, or orchestral instruments).

STANDARDS

2.2 Products and perspectives
3.1 Knowledge of other disciplines
4.2 Compare cultures
5.2 Life-long learners

Cumbia

La cumbia es una música folklórica y la danza nacional de Colombia. Tiene sus orígenes en las partes rurales del norte *(north)* de Colombia. Es una síntesis de las tradiciones de tres culturas: la percusión africana, las flautas de los indígenas andinos y las melodías europeas. Hoy, la instrumentación incluye estos elementos originales junto con *(along with)* el acordeón y los instrumentos de orquesta. La danza de la cumbia y su ropa típica son de origen europeo. Tradicionalmente es un baile de parejas que representa el cortejo. Los hombres usan ropa blanca y un pañuelo *(kerchief)* rojo y las mujeres faldas sueltas *(flowing)*. Hoy en día, la cumbia es una forma musical muy popular en toda Latinoamérica.

Vocabulario para la cumbia

el baile *dance*
el cortejo *courtship*
la flauta *flute*
la pareja *couple*
el tambor *drum*

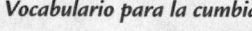

Celso Piña (México) es un compositor y acordeonista que toca la música cumbia.

El grupo Kumbia Kings canta en el primer festival Premios Juventud en Miami.

C20   Música

Bridging Cultures

Heritage Language Learners

Support What They Know Because of cumbia's popularity, many students will be familiar with it. Have them share the names of performers that they know. Encourage them to discuss contemporary fusions of cumbia with other Latin musical forms. If they know how to dance the cumbia, encourage them to demonstrate it.

Writing Skills Create small groups of students, each with a heritage language learner. Tell students that the word **cumbia** comes from the African word **cumbé** (party, celebration). It is strongly associated with the Colombian coastal town of Barranquilla. Have students report on the cumbia and Barranquilla, how this dance form grew out of the celebrations there, and when it is danced there today.

CULTURA Interactiva
my.hrw.com

See these pages come alive!

Margarita, una cantante colombiana muy popular, es «la diosa de la cumbia».

...ta fiesta de San Antonio, Texas, bailan la cumbia. La cumbia ...pular en las fiestas hispanas de muchos países.

Cantan y bailan la cumbia para promocionar el carnaval colombiano de Barranquilla. Se ve la ropa tradicional de la cumbia: el blanco y rojo de los hombres y las faldas sueltas de las mujeres.

Comparación cultural

1. La música de la cumbia tiene canciones, bailes y ropa tradicionales. ¿Qué estilo de música en Estados Unidos también tiene un baile y/o ropa tradicional?

2. En tu opinión, ¿hay una música o un baile nacional en Estados Unidos? ¿Cuál es? ¿Qué elementos tradicionales tiene?

Música   **C21**

Pacing Suggestions

Mexico

This mini-lesson links well with the Mexico location of Unit 4.

Link to Unit Vocabulary and Grammar
Have students research the history of the cumbia in greater detail. Tell them to begin by looking into the history of the northern region of Colombia. What indigenous people lived there originally? What European groups settled there? What African influences affected the region? Then have students use the preterite and the imperfect to describe the area and the birth of the cumbia. Students may work in pairs or small groups, breaking the topic into smaller pieces to research, and then pooling their efforts to create a longer report.

Culture

About the Photos

Read aloud the description of typical cumbia clothing from the text, while having students follow along by examining the photos. Give them further information about this traditional costume: The women's blouses are usually three-quarter-length sleeves tucked into long flowing skirts that are belted in at the waist. They often wear flowers in their hair, along with necklaces and earrings. The men traditionally wear white pants, a white shirt with a round collar, pleated front and long sleeves. They also wear hats and kerchiefs tied at the neck.

Comparación cultural

Possible Answers

1. Sample answer: Los estilos de música que tienen ropa tradicional en Estados Unidos son country/western...
2. Sample answer: La música nacional de Estados Unidos es... porque...

Enrichment

Presentation

Posters Have students create posters of male and female cumbia dancers. They should show the traditional clothing in detail and include labels for the different pieces. Have students bring the posters to class and present them with a brief description of the various pieces of clothing and accessories. Display the posters on the classroom bulletin board.

Role-play

Dance Class Have students create cumbia dance costumes with clothing and other accessories. Have them change into their costumes and play an instructional dance video that teaches the cumbia. Encourage students to try dancing the cumbia in pairs and/or in groups.

MÚSICA

Objectives

- To familiarize students with hip-hop latino and some of its best-known performers.
- To encourage students to make comparisons between American hip-hop and hip-hop latino.
- To make students aware of the fusion of cultures and musical styles associated with hip-hop latino.

Presentation Strategies
20-minute lesson

- Have students read the text and photo captions in pairs.
- Discuss the Comparación cultural questions as a class.
- Show students video clips of Latin hip-hop performers at the Latin Grammys. (In addition to the performers shown here, possible performers include Emigrante y Juan Gotti.)

Presentation Strategies
50-minute lesson

- Complete 20-minute lesson.
- Have students take a "pre-reading quiz" about hip-hop latino. Give them true/false statements such as the ones that follow, then have them read the text and captions in pairs. Compare their pre-reading answers with their reactions to the same statements after the reading.

Sample statements:

1. El hip-hop latino no tiene muchos elementos en común con el hip-hop americano. (**falso**)
2. Muchos artistas latinos de hip-hop llevan ropa atlética. (**cierto**)
3. El hip-hop latino se mezcla con otros tipos de música como el reggae y el merengue. (**cierto**)
4. El hip-hop latino no es muy popular en los Estados Unidos. (**falso**)

- Play video clips of Latin hip-hop performers at the Latin Grammys or other televised Latin music events.

✿ STANDARDS

- **2.2** Products and perspectives
- **3.1** Knowledge of other disciplines
- **4.2** Compare cultures
- **5.2** Life-long learners

HIP-HOP LATINO

LA MÚSICA HIP-HOP es un fenómeno que originó con la cultura afroamericana de Estados Unidos en los años setenta y ochenta. La popularidad del hip-hop se extendió rápidamente a otros países y al mundo hispano. Tres aspectos del hip-hop son el *rapping* (las letras), el *DJing* (el ritmo y la música) y la ropa. Como los artistas estadounidenses *(U.S.)*, muchos raperos hispanos llevan ropa deportiva *(sportswear)* y marcas *(brands)* especiales de zapatos. La letra del hip-hop latino combina el español y el inglés. El elemento que más define *(most defines)* el hip-hop latino es la fusión con otros géneros: el reggaetón (hip-hop y reggae), el merenrap (hip-hop y merengue) y el cumbia rap (hip-hop y cumbia).

Vico C popularizó el rap en Puerto Rico y es uno de los originadores del reggaetón.

Vocabulario para el hip-hop

el género *genre*
las letras *lyrics*
el (la) rapero(a) *rapper*
el ritmo *beat*

El hip-hop latino es popular en *Estados Unidos.* Estos aficionados en Nueva York llevan ropa típica hip-hop.

Puerto Rico

Nueva York

C22 Música

Bridging Cultures

Heritage Language Learners

Regional Variations Discuss with heritage speakers whether there are hip-hop and rap artists creating music in their heritage country. Talk about whether hip-hop Latino varies from country to country, and if so why.

English Learners

Increase Interaction Pair a non-English speaker with another student and supply pairs with the lyrics to a hip-hop latino song. Each pair should create their own lyrics to a song. Remind them that hip-hop involves rapping, which emphasizes clever use of words to express personal reactions to the situations of daily life. Have pairs perform their rap to the class.

CULTURA Interactiva *See these pages come alive!*
my.hrw.com

México

El dúo Akwid canta en el festival Premios Juventud. Su música es una fusión del hip-hop y la música regional mexicana.

California

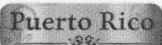

Flakiss (Yahira Araceli García) de California es una cantante del hip-hop latino que canta de los problemas de la mujer. Su música es una fusión de música regional mexicana y el hip-hop.

Puerto Rico

Ivy Queen es considerada «la reina (queen) del reggaetón». Aquí canta en el festival Premios Juventud en Miami.

Comparación cultural

1. El nombre del rapero Vico C viene de un filósofo (Giambattista Vico) y de su apellido materno (Cruz). ¿Qué significan los nombres artísticos de raperos que conoces?
2. La fusión del hip-hop con otros géneros es muy común. ¿Qué artistas conoces que fusionan el hip-hop con otros géneros? ¿Quiénes son los más interesantes?

Música **C23**

Pacing Suggestions

Los Angeles

This mini-lesson links well with the Los Angeles location of Unit 6.
Link to Unit Vocabulary and Grammar
Have students imagine that they are part of the marketing group at a small Los Angeles recording company that has a new latino hip-hop act they want to promote. Have students work in small groups to discuss how to advertise and promote this new act. They should focus on unit vocabulary for technology, invitations, and influencing and convincing others, as well as unit grammar of **tú** commands and the subjunctive with **ojalá.** Have students prepare a promotional marketing plan they can share with the rest of the class.

Communication

Interpretive Mode

Use the following words, phrases, and names to create a word search for students to do in pairs or outside of class in order to reinforce the lesson content: **ropa deportiva, marcas especiales, reggaetón, merenrap, cumbia rap, género, letras, rapero, ritmo, reina, Vico C, Flakiss, Akwid, Ivy Queen.**

Enrichment

Presentation

Favorite Artists Have students investigate one of the artists mentioned in the mini-lesson or in the margin notes. Have them make a presentation about the artist and play some of their music. Presentations should include detailed information, including biographical details, an analysis of the artist's music and some facts about CD sales and popularity.

Role-play

Musical Performance Have students role-play an all hip-hop latino competition. Students work in small groups to create their name, image, costumes, and a song to perform in Spanish. Have the class elect three students to serve as judges of the groups' performances. Judges must select the winners and explain why they chose the group they did.

Comparación cultural

Possible Answers

1. Sample answer: El nombre de... significa...
2. Algunos artistas que fusionan el hip-hop con otros géneros son Beck, Chemical Brothers, Black-Eyed Peas, Mos Def, A Tribe Called Quest y De La Soul.

MÚSICA

Objectives
- To familiarize students with bachata and some of its best-known performers.
- To make students aware of the fusion of cultures present in bachata, as well as of the musical instruments used to play it.

Presentation Strategies
20-minute lesson
- Have students read the text and photo captions in small groups.
- Discuss the Comparación cultural questions as a class.
  Play students several different kinds of bachatas.

50-minute lesson
- Complete 20-minute lesson.
- Have students work in groups, reading the text and the photo captions carefully in preparation for a follow-up comprehension activity. After they have read and taken notes, have students close their books. Write a list of topics on the board, such as **origen, fusión, instrumentos, baile.** Read statements to students about the reading and captions and have them identify what topic it relates to.
- Play different kinds of bachatas for the class. If possible, play some traditional bachatas, then play some examples of the bachata fusing with other musical styles, such as rancheras, corridos mexicanos, plena, jíbaro and guajira.

⚘ STANDARDS
2.2 Products and perspectives
3.1 Knowledge of other disciplines
4.2 Compare cultures
5.2 Life-long learners

Interpretive Mode

Draw one big circle with the words **Instrumentos musicales** inside. Then inside that circle have two smaller circles labeled **Cuerdas, Percusión.** Have students work in pairs to fill in the diagram with the names of the instruments mentioned in the text (**Cuerdas: requinto; Percusión: maracas, marímbula, bongoes, cucharas**).

News ➕ Networking

Bachata

La música bachata data de *(dates from)* la década de 1960 en la República Dominicana. Es basada en el bolero cubano, pero el ritmo es más rápido. La bachata también usa elementos de otros géneros de música: rancheras y corridos mexicanos, plena y música jíbara puertorriqueñas, y guajira cubana. El instrumento típico de la bachata es el requinto, un tipo de guitarra. Los instrumentos de percusión varían. Incluyen las maracas, la marímbula, los bongoes y las cucharas. Las canciones típicamente son románticas y pueden ser alegres o tristes. Después de unos años, un paso de baile se desarrolló *(developed)* para la bachata. Ahora las competencias de baile de la bachata son populares en la República Dominicana y otros países hispanos.

Los dominicanos Monchy y Alexandra mezclan la bachata con elementos románticos.

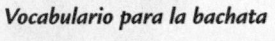

Vocabulario para la bachata

la canción *song*
las cucharas *spoons*
el género *genre*
el paso de baile *dance step*
el ritmo *rhythm*

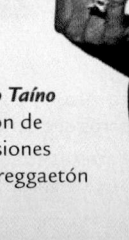

Algunas canciones del **rapero Taíno** de Puerto Rico son una fusión de hip-hop y bachata. Otras fusiones en sus canciones incluyen el reggaetón y la cumbia.

Bridging Cultures

Heritage Language Learners

Regional Variations Because bachata has fused with so many other musical genres, it has many regional variations. Ask students what they know about related forms, such as **plena** and **jíbaro** from Puerto Rico and **guajira** from Cuba. Encourage them to find examples of these musical forms and to research their history, then play representative songs and share information.

English Learners

Build Background If students have already studied the bolero mini-lesson, have them summarize what they remember from that lesson as a refresher for the rest of the class. Reinforce the connection between bolero and bachata outlined in the reading. Play examples of both bolero and bachata for students, then have them work with heritage language learners to compare the styles.

CULTURA Interactiva
my.hrw.com
See these pages come alive!

Aventura es un grupo dominicano de Nueva York. Su música es una fusión de la bachata con hip-hop, reggae, pop, *R and B*, rock clásico y más. El grupo recibe un premio en el festival Premio Lo Nuestro en Miami.

aficionados jóvenes esperan
entrar a un concierto del
o Aventura.

Aventura en concierto

mparación cultural

1. La música de Aventura es una fusión de varios estilos de música. ¿Cuáles de estos estilos te gustan? ¿Por qué?
2. Las competencias de baile bachata promueven *(promote)* la popularidad de la música. ¿Cuáles son algunas competencias de baile y de música populares que conoces?

Música **C25**

Pacing Suggestions

The Dominican Republic

This mini-lesson links well with the Dominican Republic location of Unit 7.

Link to Unit Vocabulary

Have students work in small groups to role play the following situation: they are organizing a bachata concert as a fundraiser for the school government and want to put an ad promoting it in the school newspaper. Have groups write their ad and then compare it with those of other groups, making sure to use Lección 1 vocabulary.

Link to Unit Grammar

· Have students respond to the photos and the text with statements of opinion using **Es bueno/malo/preferible/necesario/ importante que...** and the subjunctive.
· Have other students react to these statements by saying whether or not they agree with them: **Estoy/No estoy de acuerdo con...**
· Have students express different opinions using **por un lado/por el otro lado, sin embargo, por eso,** and **no sólo... sino también,** and the subjunctive or indicative.

Culture

Expanded Information

Bring in photos of the requinto to show to students. Tell them that the requinto is a six-stringed guitar that is about 18 percent smaller than a regular guitar. There are several variations. The requintos made in Mexico tend to have a deeper body than the standard classical guitar, while those made in Spain are usually the same depth as the classical version.

Enrichment

Role-play

Game Show If students have learned about other musical mini-lessons, encourage them to bring in different types of Latin music that you have studied. Organize students into groups and role play a game show where students play different types of Latin music and groups must identify what kind it is: son cubano, tango, bolero, salsa, mariachi, and so on.

Projects

Timelines Assign different types of Latin music to pairs and have them research three key dates or periods associated with that kind of music. Have students share their information to create one master timeline for the class bulletin board showing key dates for a wide variety of Latin musical forms. Decorate it with images of performers, instruments, and dances.

Comparación cultural

Possible Answers

1. Me gusta el reggae porque...
2. Algunas competencias de baile y música son *Dancing with the Stars, American Idol* y en español los programas *Bailando por un sueño* y *Objetivo fama.*

Lesson Overview

Culture at a Glance ❖

Topic & Activity	Essential Question
Florida, p. 0	¿Cuál es la influencia de la comunidad hispana en Estados Unidos?
El arte de la calle Ocho, p. 13	¿Cómo pueden participar los artistas en su comunidad?

Practice at a Glance ❖

	Objective	Activity & Skill
Vocabulary	Descriptions of people	1: Reading/Writing; 2: Speaking; 3: Reading/Speaking; 4: Speaking/Writing; 5: Reading/Writing; 6: Reading/Writing; Repaso 1: Listening; Repaso 4: Writing
	Activities	9: Reading/Speaking; 10: Speaking/Writing; 22: Speaking/Writing; 23: Speaking; 25: Speaking/Writing; 26: Listening/Reading; 27: Writing; Repaso 2: Writing
	Places	12: Reading/Speaking/Writing; 14: Speaking; 15: Speaking; 16: Writing; 23: Speaking; Repaso 3: Speaking/Writing
	Emotions	17: Writing; 18: Speaking/Writing; 19: Speaking; Repaso 4: Writing
	Food	11: Speaking; 25: Speaking/Writing
Grammar	Definite and indefinite articles	1: Reading/Writing; 2: Speaking
	Subject pronouns and **ser**	3: Reading/Speaking; 4: Speaking/Writing; Repaso 1: Listening
	Adjectives	5: Reading/Writing; 6: Reading/Writing; Repaso 1: Listening
	The verb **tener**	7: Speaking/Writing; 8: Speaking; 17: Writing; Repaso 4: Writing
	The verb **gustar**	9: Reading/Speaking; 10: Speaking/Writing; 11: Speaking; Repaso 2: Writing
	Ir + **a** + place	12: Reading/Speaking/Writing; 13: Writing; 14: Speaking; 15: Speaking; 16: Writing; Repaso 3: Speaking/Writing
	Ser or **estar**	20: Reading/Writing; 21: Speaking; Repaso 4: Writing
	Regular present-tense verbs	22: Speaking/Writing; 23: Speaking; Repaso 5: Writing
	Stem-changing verbs	24: Reading/Writing; 25: Speaking/Writing; Repaso 5: Writing
	Ir a + infinitive	26: Listening/Reading; 27: Writing; Repaso 6: Writing
Communication	Identify and describe people	2: Speaking; 4: Speaking/Writing; 5: Reading/Writing; 6: Reading/Writing; 21: Speaking
	Talk about likes and dislikes	10: Speaking/Writing; 11: Speaking; Repaso 2: Writing
	Say where you and your friends go	14: Speaking; 15: Speaking; 16: Writing
	Describe how you and others feel	18: Speaking/Writing; 19: Speaking
	Talk about what you and your friends do	23: Speaking; 25: Speaking/Writing; 27: Writing; 28: Speaking; Repaso 6: Writing

The following presentations are recorded in the
Audio Program for *¡Avancemos!*

- **¡A responder!** *pages 3, 7, 11, 15, 19, 23, 27*
- **26: Los planes de Zulaya** *page 28*
- **Repaso de la lección** *page 30*
  - **1: Listen and match**

¡A responder! TXT CD 1 track 2

1. Es la maestra de español.
2. Es el mejor amigo de Sergio.
3. Es una nueva estudiante de Ecuador.
4. Es un jugador de fútbol americano.
5. Es el director de la escuela.
6. Son jugadoras de básquetbol.
7. Es el amigo de Carlos.
8. Es una aficionada de básquetbol.

¡A responder! TXT CD 1 track 4

1. Los estudiantes son simpáticos.
2. Carlos es muy atlético.
3. Sergio es artístico.
4. Sergio es muy serio.
5. Silvina es alta y rubia.
6. Silvina es pelirroja.
7. Silvina tiene diecisiete años.

¡A responder! TXT CD 1 track 6

1. Le gusta leer.
2. Le gusta comer sándwiches de pollo.
3. Les gusta escuchar música.
4. Le gusta comer postre.
5. Les gusta jugar al fútbol.
6. Le gusta escribir correos electrónicos.
7. Les gusta comer la pizza de verduras.
8. Les gusta beber agua.

¡A responder! TXT CD 1 track 8

1. Va a la bibioteca.
2. Va a la oficina.
3. Van al cine.
4. Van a la escuela.
5. Va al gimnasio.
6. Van al parque.

¡A responder! TXT CD 1 track 10

1. Carmen está enferma.
2. Silvina está muy deprimida.
3. Carmen está triste porque su familia está lejos.
4. Carmen y Silvina tienen hambre.
5. Cuando Silvina tiene miedo, ella escucha música.
6. En el concierto, Carmen está alegre.

¡A responder! TXT CD 1 track 12

1. Pasea por la calle con Silvina después de las clases.
2. Carmen hace la tarea por la noche.
3. Toma apuntes en las clases.
4. Va a la escuela a pie.
5. Almuerza en la cafetería con los amigos.
6. Come el desayuno todos los días a las siete.

¡A responder! TXT CD 1 track 14

1. Carlos va a trabajar esta noche.
2. Carlos no quiere ir a la fiesta porque no le gusta bailar.
3. Carlos va a jugar al básquetbol.
4. Sergio también habla con Carmen por teléfono.
5. Carmen va a ver a Silvina esta noche.
6. Carmen no quiere ir a la fiesta.
7. Carmen quiere hablar con Carlos.
8. Sergio y Carlos van a llegar a la casa de Carmen.

26 | Los planes de Zulaya TXT CD 1 track 15

Voy a estar muy ocupada. El sábado por la mañana, mi hermana y yo vamos a jugar al tenis. Luego vamos a almorzar en la casa de tía Silvia. Después del almuerzo, mis amigas y yo vamos al centro comercial. Allí vamos a comprar ropa para la fiesta. La fiesta va a ser el sábado por la noche. El domingo, voy a dormir toda la mañana. Y por la tarde, voy a estudiar.

Repaso de la lección TXT CD 1 track 16

1 Listen and match

1. Es baja y pelirroja.
2. Tiene el pelo castaño.
3. Es desorganizada.
4. Es joven y cómico.
5. Es muy atlética.
6. Es alto y organizado.
7. Es rubio.
8. Es muy estudioso.

Everything you need to ...

Plan
TEACHER ONE STOP

✓ Lesson Plans
✓ Teacher Resources
✓ Audio and Video

Present
INTERACTIVE WHITEBOARD LESSONS

TEACHER ONE STOP WITH PROJECTABLE TRANSPARENCIES

POWER PRESENTATIONS

ANiMaTEDGRaMMaR

Assess

ONLINE ASSESSMENT

✓ Assessments for on-level, modified, pre-AP, and heritage learners
✓ Create customized tests with **Examview Assessment Suite**
✓ **performance))space**
✓ *Generate Success* Rubric Generator

Print

Plan	Practice
Best Practices Toolkit	**Differentiated Assessment Program** • *¡AvanzaCómics!, El misterio de Tikal*, Episodio 1 **URB 1** • Back-to-School Resources pp. 1–24

Projectable Transparencies (Teacher One Stop, my.hrw.com)

Culture	Classroom Management
• Atlas Maps pp. 1–6	• Warm up Transparencies 22–25 • Student Book Answer Transparencies 34–45

Audio and Video

Audio	Video
• Student Book Audio CD 1 Tracks 1–16 • Assessment Audio CD 1 Tracks 1–2 • Heritage Learners Audio CD 3 Tracks 1–2 • Sing-along Songs Audio CD	• *El Gran Desafío: Prólogo*

Online and Media Resources

Student	Teacher
Available online at my.hrw.com • Online Student Edition • **News** Networking • **performance space** • **@HOMETUTOR** • **CuÍTuRa** Interactiva • WebQuests • Interactive Flashcards • Review Games • Self-Check Quiz **Student One Stop** **Holt McDougal Spanish Apps**	**Teacher One Stop (also available at my.hrw.com)** • Interactive Teacher's Edition • All print, audio, and video resources • Projectable Transparencies • Lesson Plans • TPRS • Examview Assessment Suite **Available online at my.hrw.com** *Generate Success* Rubric Generator and Graphic Organizers **Power Presentations**

Differentiated Assessment

On-level	Modified	Pre-AP	Heritage Learners
• Diagnostic Test pp. 1–6 • On-level Preliminary Lesson Test pp. 7–12	• Modified Preliminary Lesson Test pp. 1–6	• Pre-AP Preliminary Lesson Test pp. 1–6	• Heritage Learners Diagnostic Test pp. 1–6 • Heritage Learners Preliminary Lesson Test pp. 7–12

	Objectives/Focus	Teach	Practice	Assess/HW Options
DAY 1	**Culture:** Learn about the culture of Spanish-speaking people in Florida **Review:** Identifying people • Warm Up OHT 22 **5 min**	Lesson Opener pp. 0–1 **¿Quiénes son?** pp. 2–5 • Read A–F • Play audio TXT CD 1 track 1 • *¡A responder!* TXT CD 1 track 2 • *Repaso:* Definite and Indefinite Articles • *Repaso:* Subject Pronouns and **ser** **25 min**	**¿Quiénes son?** pp. 2–5 • Acts. 1, 2, 3, 4 **15 min**	**Assess:** *Para y piensa* p. 5 **5 min**
DAY 2	**Review:** Describing people • Warm Up OHT 22 **5 min**	**¿Cómo son?** pp. 6–9 • Read A–D • Play audio TXT CD 1 track 3 • *¡A responder!* TXT CD 1 track 4 • *Repaso:* Adjectives • *Repaso:* The Verb **tener** **20 min**	**¿Cómo son?** pp. 6–9 • Acts. 5, 6, 7, 8 **20 min**	**Assess:** *Para y piensa* p. 9 **5 min**
DAY 3	**Review:** Talking about likes and dislikes • Warm Up OHT 23 **5 min**	**¿Qué te gusta?** pp. 10–13 • Read A–F • Play audio TXT CD 1 track 5 • *¡A responder!* TXT CD 1 track 6 • *Repaso:* The Verb **gustar** • **Culture:** *El arte de la calle Ocho* **20 min**	**¿Qué te gusta?** pp. 10–13 • Acts. 9, 10, 11 **20 min**	**Assess:** *Para y piensa* p. 13 **5 min**
DAY 4	**Review:** Talking about where you go to do different activities • Warm Up OHT 23 **5 min**	**¿Adónde van?** pp. 14–17 • Read A–F • Play audio TXT CD 1 track 7 • *¡A responder!* TXT CD 1 track 8 • *Repaso:* **Ir + a** + place **15 min**	**¿Adónde van?** pp. 14–17 • Acts. 12, 13, 14, 15, 16 **20 min**	**Assess:** *Para y piensa* p. 17 **10 min**
DAY 5	**Review:** Describing people and how they feel • Warm Up OHT 24 **5 min**	**¿Cómo estás?** pp. 18–21 • Read A–E • Play audio TXT CD 1 track 9 • *¡A responder!* TXT CD 1 track 10 • *Repaso:* **Ser** or **estar** **20 min**	**¿Cómo estás?** pp. 18–21 • Acts. 17, 18, 19, 20, 21 **20 min**	**Assess:** *Para y piensa* p. 21 **5 min**
DAY 6	**Review:** Talking about what people do • Warm Up OHT 24 **5 min**	**¿Qué haces?** pp. 22–25 • Read A–H • Play audio TXT CD 1 track 11 • *¡A responder!* TXT CD 1 track 12 • *Repaso:* Regular Present-tense Verbs • *Repaso:* Stem-changing Verbs **20 min**	**¿Qué haces?** pp. 22–25 • Acts. 22, 23, 24, 25 **20 min**	**Assess:** *Para y piensa* p. 25 **5 min**
DAY 7	**Review:** Talking about plans and what people are going to do • Warm Up OHT 25 **5 min**	**¿Qué vas a hacer?** pp. 26–28 • Read A–D • Play audio TXT CD 1 track 13 • *¡A responder!* TXT CD 1 track 14 • *Nota gramatical:* **Ir a** + infinitive **20 min**	**¿Qué vas a hacer?** pp. 26–28 • Act. 26 TXT CD 1 track 15 • Acts. 27, 28 **20 min**	**Assess:** *Para y piensa* p. 28 **5 min**
DAY 8	**Review:** Lesson review • Warm Up OHT 25 **5 min**	Repaso de la lección pp. 30–31 **5 min**	Repaso de la lección pp. 30–31 • Act. 1 TXT CD 1 track 16 • Acts. 2, 3, 4, 5, 6 **30 min**	**Assess:** *Repaso de la lección* pp. 30–31 **10 min** **Homework:** *En resumen* p. 29
DAY 9	**Assessment**			**Assess:** *Preliminary lesson test* **50 min**

	Objectives/Focus	Teach	Practice	Assess/HW Options
DAY 1	**Culture:** Learn about the culture of Spanish-speaking people in Florida **Review:** Identifying people • Warm Up OHT 22 **5 min**	Lesson Opener pp. 0–1 **¿Quiénes son?** pp. 2–5 • Read A–F • Play audio TXT CD 1 track 1 • *¡A responder!* TXT CD 1 track 2 • *Repaso:* Definite and Indefinite Articles • Subject Pronouns and **ser** **20 min**	**¿Quiénes son?** pp. 2–5 • Acts. 1, 2, 3, 4 **15 min**	**Assess:** *Para y piensa* p. 5 **5 min**
	Review: Describing people **5 min**	**¿Cómo son?** pp. 6–9 • Read A–D • Play audio TXT CD 1 track 3 • *¡A responder!* TXT CD 1 track 4 • *Repaso:* Adjectives • *Repaso:* The Verb **tener** **20 min**	**¿Cómo son?** pp. 6–9 • Acts. 5, 6, 7, 8 **15 min**	**Assess:** *Para y piensa* p. 9 **5 min**
DAY 2	**Review:** Talking about likes and dislikes • Warm Up OHT 23 **5 min**	**¿Qué te gusta?** pp. 10–13 • Read A–F • Play audio TXT CD 1 track 5 • *¡A responder!* TXT CD 1 track 6 • *Repaso:* The Verb **gustar** • **Culture:** *El arte de la calle Ocho* **20 min**	**¿Qué te gusta?** pp. 10–13 • Acts. 9, 10, 11	**Assess:** *Para y piensa* p. 13 **5 min**
	Review: Talking about where you go to do different activities **5 min**	**¿Adónde van?** pp. 14–17 • Read A–F • Play audio TXT CD 1 track 7 • *¡A responder!* TXT CD 1 track 8 • *Repaso:* **Ir + a** + place **20 min**	**¿Adónde van?** pp. 14–17 • Acts. 12, 13, 14, 15, 16 **15 min**	**Assess:** *Para y piensa* p. 17 **5 min**
DAY 3	**Review:** Describing people and how they feel • Warm Up OHT 24 **5 min**	**¿Cómo estás?** pp. 18–21 • Read A–E • Play audio TXT CD 1 track 9 • *¡A responder!* TXT CD 1 track 10 • *Repaso:* **Ser** or **estar** **20 min**	**¿Cómo estás?** pp. 18–21 • Acts. 17, 18, 19, 20, 21 **15 min**	**Assess:** *Para y piensa* p. 21 **5 min**
	Review: Talking about what people do **5 min**	**¿Qué haces?** pp. 22–25 • Read A–H • Play audio TXT CD 1 track 11 • *¡A responder!* TXT CD 1 track 12 • *Repaso:* Regular Present-tense Verbs • *Repaso:* Stem-changing Verbs **20 min**	**¿Qué haces?** pp. 22–25 • Acts. 22, 23, 24, 25 **15 min**	**Assess:** *Para y piensa* p. 25 **5 min**
DAY 4	**Review:** Talking about plans and what people are going to do • Warm Up OHT 25 **5 min**	**¿Qué vas a hacer?** pp. 26–28 • Read A–D • Play audio TXT CD 1 track 13 • *¡A responder!* TXT CD 1 track 14 • *Nota gramatical:* **Ir a** + infinitive **20 min**	**¿Qué vas a hacer?** pp. 26–28 • Act. 26 TXT CD 1 track 15 • Acts. 27, 28 **15 min**	**Assess:** *Para y piensa* p. 28 **5 min**

	Review: Lesson review
	
	   5 min
		Repaso de la lección pp. 30–31
		
		   5 min
			Repaso de la lección pp. 30–31
			• Act. 1 TXT CD 1 track 16
			• Acts. 2, 3, 4 **25 min**
				Assess: Repaso de la lección pp. 30–31 **10 min**
				
				Homework: *En resumen* p. 29

DAY 5	**Review:** Lesson review **5 min**	**Repaso de la lección** pp. 30–31 **5 min**	**Repaso de la lección** pp. 30–31 • Acts. 5, 6 **20 min**	**Assess:** *Repaso de la lección* pp. 30–31 **10 min**
	Assessment			**Assess:** Preliminary lesson test **50 min**

¡AVANZA!
Objectives
· Introduce lesson theme: **Mis amigos y yo.**
· **Culture:** Florida.

Presentation Strategies
· Have students look at the opening photograph and describe what they see.
· Discuss the Latino population in your state. Ask students: How large is it? How have they influenced the culture in your community? Have them think about foods, music, and media.

STANDARDS
1.2 Understand language
2.1 Practices and perspectives
4.2 Compare cultures

Culture

Exploring the Theme
Ask the following:
1. What do you and your friends like to do?
2. Where do you like to hang out?
3. How would you describe your closest friend?

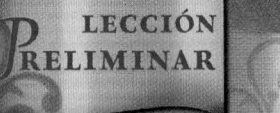
LECCIÓN PRELIMINAR
Florida

Tema:
Mis amigos y yo

¡AVANZA! ♻ **¿Recuerdas?**
- identify and describe people
- talk about likes and dislikes
- say where you and your friends go
- describe how you and others feel
- talk about what you and your friends do

Carnaval Miami en la calle Ocho

Florida Hay una gran población de latinos en Florida. En Miami, un 66 por ciento de la población es hispana, lo cual es evidente en sus estaciones de radio en español, sus restaurantes y cafés latinoamericanos y sus festivales latinos. Un festival muy grande es Carnaval Miami en la calle Ocho de La Pequeña Habana, donde viven muchas personas de origen cubano. *¿Hay programas de televisión o de radio en español donde vives? ¿Qué tiendas o restaurantes latinos hay?*

Lección preliminar

Differentiating Instruction

Heritage Language Learners
Support What They Know Heritage learners are students who are raised in a Spanish-speaking home. Encourage these students to add to discussions by talking about their native country and by sharing what they know about the language and culture. Ask students what Spanish television programs, radio stations, and/or newspapers their family members watch, listen, and read.

English Learners
Provide Comprehensible Input English learners are not only non-native Spanish speakers but also new to the United States and the English language. Make sure to speak appropriately and accommodate students' proficiency levels. Use a variety of techniques to make concepts clear, such as using visuals, writing numbers on the board, using gestures, and modeling.

DIGITAL SPANISH my.hrw.com
ONLINE STUDENT EDITION with...

News + Networking
@HOMETUTOR

- Audio and Video Resources
- Interactive Flashcards
- Review Activities
- WebQuest
- Conjuguemos.com

PRACTICE SPANISH WITH HOLT MCDOUGAL APPS!

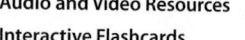

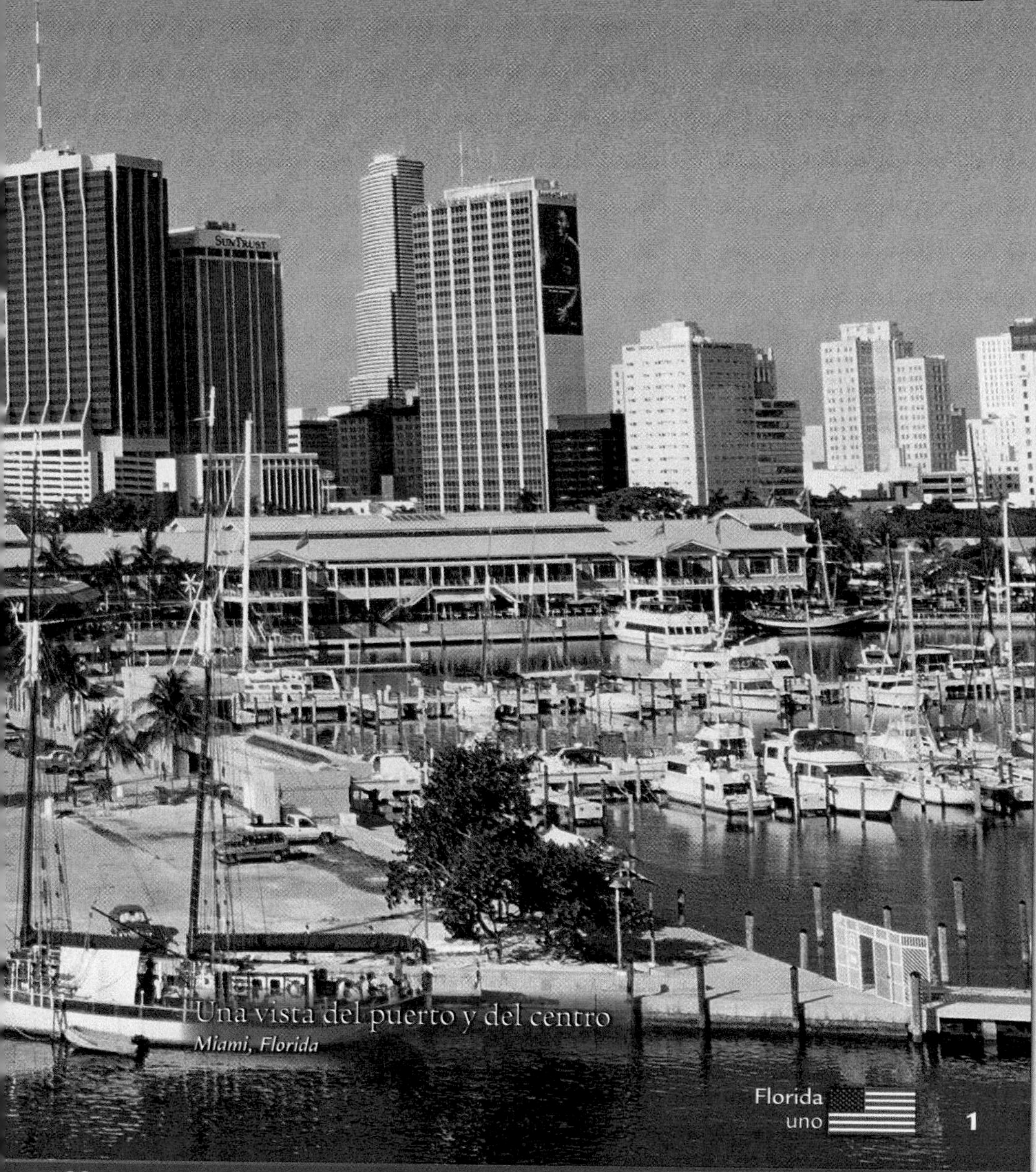

Una vista del puerto y del centro
Miami, Florida

Differentiating Instruction

Inclusion

Cumulative Instruction At-risk language learners have difficulties understanding and using the rule systems of language. Begin with a review of what an article is, what an adjective is, what gender and number refer to, and how verbs are conjugated.

Pre-AP*

Persuade Pre-AP students are generally more motivated to learn. It is important to keep them challenged. Ask students to prepare a brochure persuading companies to relocate to Miami. Encourage them to use three different sources of information to support their arguments.

*Pre-AP is a registered trademark of the College Entrance Examination Board, which was not involved in the production of and does not endorse this product.

DIGITAL SPANISH

TEACHER TOOLS

- Interactive Whiteboard Lessons
- Generate Success!

ALSO AVAILABLE...

- Online Workbook
- Spanish InterActive Reader

SPANISH ON THE GO!

- Performance Space
- Holt McDougal Spanish Apps
- ¡Avancemos! eTextbook

Culture

About the Photo

Port of Miami The Port of Miami is the busiest passenger cruise port in the world and one of the busiest container ports in the nation. More than half the cargo from Latin America and the Caribbean flows through this port, making Miami an important center of international trade.

Expanded Information

Latino Population Two out of three people in Miami are Latino. About half the Latino population is Cuban. In more recent years, Central and South Americans have settled in Miami. There are now significant numbers of Colombians, Nicaraguans, and Puerto Ricans residing in the Miami-Dade County area.

Long-term Retention

Recycle

The **Lección preliminar** recycles vocabulary from Level 1. Review vocabulary students already know to describe people, things to do, and places to go by asking individual students, **¿Cómo eres? ¿Eres alto o bajo? ¿A qué hora desayunas? ¿Qué comes? ¿Dónde practicas deportes? ¿Vas mucho al cine? ¿al teatro? ¿a las tiendas?**

¡AVANZA! Objectives

- Review vocabulary: greetings, how to identify people.
- Check for recognition.

Core Resource

- Audio Program: TXT CD 1 Tracks 1, 2

Presentation Strategies

- Tell students that the ¡Avanza! sets the goals for this segment and that the Para y piensa is a self-check to see if they have accomplished those goals.
- Have students look at each photograph and imagine what the people in it are saying. You might want to write the students' ideas on the board or overhead transparency and then see how closely they resemble the written dialog.
- Play the audio as students read A–F.

❂ STANDARD

1.2 Understand language

🖥 Warm Up Projectable Transparencies, P-22

Vocabulary Choose a sentence from the box to complete the following conversation.

| a. Mucho gusto, Fernando. |
| b. Soy estudiante. |
| c. ¡Hola! |
| d. Es la señorita Vargas. |

1. – _____
2. –Hola, Ramona. Te presento a Fernando.
3. – _____ .
4. –¿Eres la maestra de español?
5. –¡No! _____ .
6. –¿Quién es la maestra de español?
7. – _____ .

Answers: 1. c; 2. a; 3. b; 4. d

Regionalisms Communication

There are many expressions used to ask **¿Qué pasa?** (What's up?) depending on where the speaker lives. In Mexico, many speakers use the expression **¿Qué onda?** and in Colombia, speakers say **¿Qué hubo?** Ask your students, including heritage language learners, if they know any other expressions that can be used instead of **¿Qué pasa?**

2

❂ ¿Quiénes son?

¡AVANZA! **Goal:** Sergio is a high school student in Tampa, Florida. Find out who some of the people in his school are. Then use the review words to identify people in your school. *Actividades 1–4*

AUDIO

A ¡Hola! Me llamo Sergio. Vivo en Tampa, Florida. Soy estudiante. El chico aquí es mi amigo. Se llama Carlos. Pero, ¿quién es la chica?

Sergio

Carlos

B Carlos: Hola, Sergio.
Sergio: ¿Qué pasa, Carlos?

Carmen

C Carlos: Te presento a Carmen. Es una estudiante nueva de Ecuador.
Sergio: Mucho gusto, Carmen. Yo soy Sergio, un amigo de Carlos.

2 Lección preliminar
dos

Differentiating Instruction

Inclusion

Clear Structure Help students to organize the vocabulary into clear categories, such as words related to people (**estudiante, chico, amigo, chica, hombre, director, señor, mujer, señorita, maestra, personas, jugadores, aficionada**), question words (**quién, qué, quiénes**), and descriptive words (**nueva, azul, americano**).

Multiple Intelligences

Kinesthetic Students with kinesthetic intelligence learn best through movement and touch. Throughout the year, provide plenty of hands-on activities for these students, such as building a model of a Mayan pyramid, or sewing vocabulary words onto a quilt. For this section, have students act out **¿Quiénes son?** as a play.

D Carmen: ¿Quién es el hombre de la camisa azul?

Sergio: Es el director de la escuela, el señor Brown.

Carmen: ¿Y la mujer?

Sergio: Ella es la señorita Romero. Es la maestra de español.

Srta. Romero
Sr. Brown

E Carmen: ¿Quiénes son las personas de allí?

Carlos: Son unos jugadores del equipo de fútbol americano.

F Sergio: Ellas son jugadoras de básquetbol.

Carmen: ¡Yo soy una aficionada al básquetbol!

Carlos: ¡Nosotros también!

¡A responder! Escuchar

Escucha las descripciones de las personas. Indica a la persona en las fotos que corresponde a la descripción. *(Point to the person in the photo who is being described.)*

LECCIÓN PRELIMINAR

Communication
TPR Activity

Make statements that identify people, similar to the ones found in the dialog. (**Es el chico de la camisa azul. Son unos jugadores de básquetbol. Son aficionados al fútbol americano. Es una estudiante nueva.**) Ask students to stand up when the statement refers to them.

Communication
Group Work

In order for students to learn each others' names, have them stand in a large circle and toss each other a foam ball or other soft object. The person who has the ball introduces her- or himself (**Hola, me llamo David.**) and then tosses the ball to another student. Continue until everyone has had at least one turn.

Connections
Geography

Have students locate Tampa on a map of Florida. Encourage students who have been to Tampa to share their impressions of the city. Tell students that approximately 20% of Tampa's population is Hispanic or Latino and that it is home to the oldest restaurant in Florida and the largest Spanish restaurant in the world: The Columbia Restaurant. It covers a whole city block and can seat up to 1,660 people.

Differentiating Instruction

Multiple Intelligences

Musical/Rhythmic Musical learners are discriminate listeners and are usually quite aware of sounds. To appeal to these students, make sure to incorporate music, recordings, and other auditory input into the lessons. For this section, ask students to pay attention to the characters' voices. Who has the lowest voice? Who speaks the fastest? Do they all have the same regional accents?

Slower-paced Learners

Sentence Completion To help students with comprehension, give them sentences which they need to complete with a word from this lesson. (**Sergio vive en... El amigo de Sergio se llama... El señor Brown lleva una camisa... La señorita Romera es la maestra de... Carmen es una aficionada al...**) Encourage students to use their books to find the missing words.

3

Objectives
· Practice definite and indefinite articles; subject pronouns and **ser** in the present.
· Review lesson vocabulary in context.

Review Sequence
· **Activity 1:** Controlled practice: definite articles
· **Activity 2:** Controlled practice: indefinite articles
· **Activity 3:** Controlled practice: subject pronouns
· **Activity 4:** Transitional practice: subject pronouns and **ser**

STANDARDS
1.1 Engage in conversation, Acts. 2, 4
1.2 Understand language, Act. 3
1.3 Present information, Act. 1
4.1 Compare languages, Repaso

♻ REPASO   Definite and Indefinite Articles

In Spanish, articles match nouns in gender and number.

		Definite Article	Noun	Indefinite Article	Noun
Masculine	Singular	el *the*	chico *boy*	un *a*	chico *boy*
	Plural	los *the*	chicos *boys*	unos *some*	chicos *boys*
Feminine	Singular	la *the*	chica *girl*	una *a*	chica *girl*
	Plural	las *the*	chicas *girls*	unas *some*	chicas *girls*

---

1 | Las personas

Leer Escribir

Identifica a las personas en la escuela de Sergio. Completa las oraciones con **el, la, los** o **las.** *(Write the correct definite article.)*

1. _____ chicos son jugadores de fútbol americano.
2. _____ amigo de Sergio se llama Carlos.
3. _____ jugadoras de básquetbol son atléticas.
4. _____ director de la escuela es serio.
5. _____ chica de Ecuador se llama Carmen.
6. _____ señorita Romero es maestra de español.

Expansión
Write three more sentences about th[e] people in Sergio's school.

---

2 | ¿Quién?

Hablar

Pregúntale a tu compañero(a) quién en la escuela corresponde a cada categoría. *(Ask each other to name someone at school who fits each category.)*

modelo: jugador(a) de fútbol americano

Ⓐ ¿Quién es un jugador de fútbol americano?

Ⓑ David Acosta es un jugador de fútbol americano.

1. maestro(a) de español
2. maestro(a) de matemáticas
3. jugador(a) de básquetbol
4. aficionado(a) al béisbol
5. mujer atlética
6. persona artística

💻 Answers   Projectable Transparencies, P-34

Activity 1
1. Los	3. Las	5. La
2. El	4. El	6. La

Activity 2
1. —¿Quién es un(a) maestro(a) de español?/
   —[name] es un(a) maestro(a) de español.
2. —¿Quién es un(a) maestro(a) de matemáticas?/
   —[name] es un(a) maestro(a) de matemáticas.
3. —¿Quién es un(a) jugador(a) de básquetbol?/
   —[name] es un(a) jugador(a) de básquetbol.
4. —¿Quién es un(a) aficionado(a) al béisbol?/
   —[name] es un(a) aficionado(a) de béisbol.
5. —¿Quién es una mujer atlética?
   —[name] es una mujer atlética.
6. —¿Quién es una persona artística?
   —[name] es una persona artística.

Differentiating Instruction

English Learners
Build Background Explain to students whose native languages do not have articles at all—e.g., Russian, Japanese, and Thai—that an article is a word that goes before a noun. Definite articles correspond to a specific thing and indefinite articles correspond to things that are nonspecific.

Inclusion
Multisensory Input/Output Whenever possible, present grammar points both orally and visually. For this lesson, have students write each definite article on an index card or piece of paper. Call out a noun as you write it on the board or overhead (**señoras**). Students then need to raise the card or paper with the correct corresponding article while saying it along with the noun (**las señoras**).

REPASO Subject Pronouns and ser

Singular			Plural			
	yo	**soy**	*I am*	nosotros(as)	**somos**	*we are*
familiar	tú	**eres**	*you are*	vosotros(as)	**sois**	*you are*	*familiar*
formal	usted	**es**	*you are*	ustedes	**son**	*you are*	*formal*
	él, ella	**es**	*he, she is*	ellos(as)	**son**	*they are*	

Remember, you do not always need to use the **subject pronoun** in Spanish. The verb form alone usually indicates the subject.

3 ¿Quiénes?

Identifica el sujeto de cada oración. *(What is the subject pronoun?)*

> **modelo:** Soy estudiante.
> El sujeto: yo

1. ¡Eres un buen amigo!
2. Somos de Miami.
3. Soy jugadora de béisbol.
4. ¿Son estudiantes nuevas?
5. Eres una aficionada.
6. No es mi maestro.

4 ¿Quiénes son?

Identifica a las personas en las fotos. *(Identify the people.)*

> **modelo:** ella
> Ella es maestra.

1. ustedes  **2.** nosotros  **3.** tú  **4.** usted

Get Help Online
my.hrw.com

Did you get it? Complete the sentences.
1. _____ es _____ amiga de Miguel.
2. _____ eres _____ estudiante nuevo de Guatemala.
3. _____ no somos _____ estudiantes del señor Vargas.

Lección preliminar
cinco **5**

Differentiating Instruction

Inclusion

Sequential Organization Have students follow these steps in order to complete Activity 3: 1) Identify the verb. 2) Find the verb form in the grammar box and its corresponding pronoun. 3) If there is more than one possible pronoun, look at the sentence and find a word with a feminine or masculine ending. This will indicate which pronouns are appropriate.

Pre-AP

Expand and Elaborate Encourage students to expand their answers to Activity 4 so their answers are at least two sentences long. For example, the **modelo** could say, **Ella es maestra. Se llama Flor Alvarado y vive en Miami. Es aficionada a la música clásica.**

LECCIÓN PRELIMINAR

Communication
Humor/Creativity

Play the fly swatter game to practice the verb **ser.** Divide the class in two teams, each team standing in line in front of a board or a large piece of paper with the verb forms written on it. The two students in front of the lines are each given a fly swatter, and when you call out a subject pronoun (**nosotros**), the first student that swats the correct verb form (**somos**) wins a point for his or her team. Both students then sit down and the game continues until everyone is seated. The team with the most points wins.

✓ Ongoing Assessment

PARA Y PIENSA Quick Check The Para y piensa is a quick self-assessment tool in which students can evaluate their understanding of the section's topic. In this Para y piensa, students need to provide the correct subject pronouns and definite articles. For additional review, have students write their own fill-in-the-blank sentences (in which either the article, subject pronoun or verb **ser** is missing), and exchange them with a partner.

Answers Projectable Transparencies, P-35

Activity 3
1. tú
2. nosotros/nosotras
3. yo
4. ellas/ustedes
5. tú
6. él/usted

Activity 4
1. Ustedes son jugadores de béisbol.
2. Nosotros somos estudiantes.
3. Tú eres jugadora de básquetbol.
4. Usted es maestro de español.

Para y piensa
1. Ella; una (la)
2. Tú; el
3. Nosotros; los

5

- Review vocabulary used to describe people.
- Check for recognition.

Core Resource

- Audio Program: TXT CD 1 Tracks 3, 4

Presentation Strategies

- Read aloud A–D. Ask students to raise their hands whenever you say a descriptive word.
- Play the audio as students read A–D.
- Check for comprehension by asking, **¿Cómo son todos los estudiantes? ¿Es Carlos bajo? ¿Es Sergio cómico? ¿Cuántos años tiene Sergio? ¿Cómo se llama la nueva amiga de Carmen?**

STANDARD

1.2 Understand language

 Warm Up Projectable Transparencies, P-22

Grammar Combine elements from each column to write four logical sentences.

El maestro	eres	las estudiantes nuevas
Nosotras	son	un aficionado al béisbol
Los chicos	es	mi amiga
Tú	somos	unos jugadores de básquetbol

Answers: El maestro es un aficionado al béisbol. Nosotras somos las estudiantes nuevas. Los chicos son unos jugadores de básquetbol. Tú eres mi amiga.

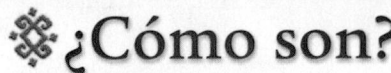

¿Cómo son?

¡AVANZA! **Goal:** Carmen is making a video to send to Ecuador. Review the words that she uses to describe people. Then use the words to describe yourself and others. *Actividades 5–8*

AUDIO

A Todos los estudiantes de la escuela son muy simpáticos. El chico alto se llama Carlos. Es muy atlético.

B Él es Sergio. Es simpático pero un poco desorganizado.

¿Desorganizado? ¿Yo? ¡No! Yo soy un chico muy estudioso.

6 Lección preliminar
seis

Differentiating Instruction

Multiple Intelligences

Visual Learners Visual learners think in pictures and spend their free time drawing or building. Encourage these learners to design their own vocabulary lists. They can draw a picture to accompany each word, make a collage with magazine cutouts, or even typeset the words using different fonts and colors.

Multiple Intelligences

Intrapersonal Intrapersonal learners are very aware of their own feelings. They are self-motivated and tend to think and learn independently. This type of student might enjoy keeping a journal throughout the year. For this lesson, and as the first entry in their journals, have students create a list of adjectives that describe them.

C Sergio es muy artístico y cómico también.

Tengo dieciséis años, soy cubano y me gusta escribir y recibir correos electrónicos.

D Les presento a mi nueva amiga. Se llama Silvina y tiene quince años. Es baja, inteligente, bonita...

¡Ay, Carmen, por favor!

Silvina

Más vocabulario

organizado(a) *organized*
pelirrojo(a) *red-haired*
perezoso(a) *lazy*
serio(a) *serious*
trabajador(a) *hard-working*
tener pelo castaño *to have brown hair*
tener pelo rubio *to have blond hair*

¡A responder! Escuchar

Escribe la letra C en un papel y la letra F en otro papel. Luego, escucha cada descripción. Si es cierto, levanta la C. Si es falso, levanta la F. *(True or false?)*

Lección preliminar
siete **7**

Differentiating Instruction

Heritage Language Learners

Increase Accuracy For native or heritage speakers of Spanish, the vocabulary presentations tend to be easily understood. To keep these students engaged, have them focus their attention on spelling. In this lesson, for instance, have them create three lists: words spelled with "s" (**serio, estudioso**), words spelled with "c" (**recibir, quince**), and words spelled with "z" (**perezoso**).

Multiple Intelligences

Linguistic/Verbal Students with linguistic/verbal intelligence enjoy writing, reading, storytelling, or doing crossword puzzles. Have them create word searches with the unit's vocabulary and exchange them with a classmate.

LECCIÓN PRELIMINAR

Long-term Retention

Personalize It

Ask students to rewrite **¿Cómo son?** so they are talking instead of Carmen. Have them include names of actual friends and change their descriptions accordingly. Encourage students to videotape their scripts for a class viewing.

Communication

Regionalisms

The word **rubio** has several regional variations. A blonde person in México is referred to as **güero(a)**; in Costa Rica as **macho(a)**; in Colombia as **mono(a)**; in Bolivia as **gringo(a)**.

Comparisons

English Language Connection

Cognates Cognates are words from two languages that look similar and share the same meaning, such as **mapa** and map. Ask students to find the cognates of these words on pp. 6 and 7: athletic, disorganized, artistic, intelligent, electronic (**atlético, desorganizado, artístico, inteligente, electrónico**). Remind students that some words may look alike but have different meanings. These are called false cognates.

Answers Projectable Transparencies, P-35

¡A responder! Audio Script, TE p. C25B
Students should hold up C for numbers 1, 2, 3 and F for numbers 4, 5, 6, 7.

7

LECCIÓN PRELIMINAR

Objectives
- Practice adjective agreement and the verb **tener** in the present.
- Review lesson vocabulary in context.

Review Sequence
- **Activity 5:** Controlled practice: adjectives
- **Activity 6:** Controlled practice: adjectives, ser
- **Activity 7:** Transitional practice: **tener**
- **Activity 8:** Transitional practice: **tener**

STANDARDS
1.1 Engage in conversation, Acts. 7, 8
1.2 Understand language, Act. 6
1.3 Present information, Acts. 5, 6

Long-term Retention

Critical Thinking

Ask students to analyze the similarities and differences between adjectives in English and in Spanish using a Venn diagram. In the English circle, students should write the fact that adjectives have only one form, and that they appear before a noun. In the Spanish circle, students should write the fact that adjectives have different endings depending on the gender and number of the noun they modify, and that the adjectives generally appear after the noun. In the overlapping area students should write the fact that adjectives modify nouns.

Activity 5
1. simpáticos
2. desorganizado
3. trabajadoras
4. cómica
5. artística
6. estudiosos

Activity 6
1. Nosotros somos organizados.
2. Mis amigas son artísticas.
3. Lorena es muy atlética.
4. Javier es muy perezoso.
5. La directora es simpática.
6. Ellas son altas.

♻ REPASO Adjectives

In Spanish, adjectives match the gender and number of the nouns they describe.

Adjectives		Masculine	Feminine
Ending in **-o**	Singular	el chico alto	la chica alta
	Plural	los chicos altos	las chicas altas
Ending in **-e**	Singular	el maestro inteligente	la maestra inteligente
	Plural	los maestros inteligentes	las maestras inteligentes
Ending in a **consonant**	Singular	el amigo joven	la amiga joven
	Plural	los amigos jóvenes	las amigas jóvenes

Some adjectives that end in a consonant add **-a** to form the feminine.
el hombre trabajado**r**   la mujer trabajado**ra**

---

5 | Descripciones

Leer
Escribir

¿Cómo son estas personas? Completa las oraciones con los adjetivos correctos. *(Choose the correct word.)*

1. Mis amigos son muy _____. (simpático)
2. Héctor es un poco _____. (desorganizado)
3. Patricia y Marta son _____. (trabajador)
4. Eres una persona _____. (cómico)
5. La maestra de arte es muy _____. (artístico)
6. Todos mis compañeros son _____. (estudioso)

---

6 | Ellos también

Leer
Escribir

Lee las oraciones y decide quién es el sujeto. Escribe las oraciones y reemplaza los sujetos por los sujetos entre paréntesis. Haz todos los cambios necesarios. *(Rewrite the sentences with the subjects in parentheses. Change the verbs and adjectives as necessary.)*

modelo: El director es inteligente. (los estudiantes)
Los estudiantes son inteligentes.

1. La maestra es organizada. (nosotros)
2. El hombre es artístico. (mis amigas)
3. Los jugadores son muy atléticos. (Lorena)
4. Yo soy muy perezosa. (Javier)
5. Rodrigo y Víctor son simpáticos. (la directora)
6. Mi amigo y yo somos altos. (ellas)

Differentiating Instruction

Inclusion

Frequent Review/Repetition Since adjective-noun agreement is a new concept for English speakers, provide practice and review. Have students change sentences you say from masculine to feminine or from singular to plural. (**El chico es cubano. —> La chica es cubana. El maestro es mexicano. —> Los maestros son mexicanos.**)

Multiple Intelligences

Naturalist Naturalist students are environmentally conscious. Allow these students the opportunities to photograph nature scenes, make scientific drawings, or collect objects found in nature. For this lesson, write on the board: **bonito, alto, cómico, trabajador, pelirrojo, perezoso.** Ask students to name an animal that fits each adjective.

🔄 REPASO The Verb

In Spanish, the verb **tener** is used to talk about what you have. You also use it to say how old a person is.

Tienen un radio.
They have a radio.

Tengo quince años.
I'm fifteen years old.

tener *to have*			
yo	tengo	nosotros(as)	tenemos
tú	tienes	vosotros(as)	tenéis
usted, él, ella	tiene	ustedes, ellos(as)	tienen

7 | ¿Qué tienen?

Habla con tu compañero(a) sobre lo que ustedes y otras personas tienen. *(Talk about what you and other people have.)*

modelo: tú: ¿un perro?

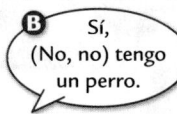

A ¿Tienes un perro?

B Sí, (No, no) tengo un perro.

1. el (la) maestro(a) de español: ¿estudiantes serios?
2. tú: ¿una bicicleta?
3. tu amigo(a): ¿el pelo castaño?
4. tú: ¿hermanos o hermanas?
5. tú y tus amigos: ¿mucha tarea todos los días?
6. tus amigos: ¿una computadora en casa?

8 | ¿Cuántos años tiene?

Pregúntale a tu compañero(a) cuántos años tienen estas personas. Contesta según la fecha de nacimiento. *(Take turns answering how old each person is based on the given birthyear.)*

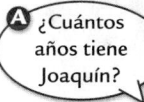

A ¿Cuántos años tiene Joaquín?

B Tiene veinte años.

1. Roberto / 1991
2. el señor Robles / 1956
3. Fabiola / 1984
4. Magdalena y Lola / 1976
5. Gustavo / 1988
6. los señores López / 1940

Expansión
Continue this activity with people that you know: yourself, your friend, a family member.

🌐 **Get Help Online**
my.hrw.com

Did you get it? Complete the sentences logically.

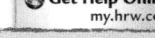

1. Tengo _____.
2. Mi amigo es _____.
3. La maestra es _____.

a. pelirroja
b. 16 años
c. cómico

Differentiating Instruction

Slower-paced Learners

Personalize It Ask students to bring a photograph of their family or group of friends and describe the people in it. Prompt them with questions such as, **¿Quién es el señor? ¿Cuántos años tiene? ¿Es serio o cómico?**

Multiple Intelligences

Logical/Mathematical Students with logical/mathematical intelligence are interested in patterns, categories, and relationships. They enjoy arithmetic problems and strategy games. Encourage them to find patterns in verb paradigms and to present the information in a reading as a chart or graph. For this lesson, ask students to create and solve six more items for Activity 8.

LECCIÓN PRELIMINAR

Communication

Grammar Activity

Have students write the forms of **tener** on index cards or pieces of paper. Then call out a name (**Joaquín y yo**) and have students hold up the correct verb form (**tenemos**) and say it out loud. Continue until the class is almost error-free.

✓ Ongoing Assessment

PARA Y PIENSA **Quick Check** Have partners check each other's answers to Para y piensa. Encourage them to change the sentences completions so the statements are true for themselves.

📖 **Answers** Projectable Transparencies, P-36

Activity 7
1. ¿Tiene el (la) maestro(a) de español estudiantes serios?/Sí, (No, no) tiene estudiantes serios.
2. ¿Tienes una bicicleta?/Sí, (No, no) tengo una bicicleta.
3. ¿Tiene tu amigo(a) pelo castaño?/Sí, (No, no) tiene pelo castaño.
4. ¿Tienes hermanos o hermanas?/Sí, (No, no) tengo hermanos(as).
5. ¿Tienen tú y tus amigos mucha tarea todos los días?/Sí, (No, no) tenemos mucha tarea todos los días.
6. ¿Tienen tus amigos una computadora en casa?/Sí, (No, no) tienen una computadora en casa.

Activity 8 The answers will vary according to the present year, but will follow the pattern: name(s) + tiene(n) + number + años.

Para y piensa
1. b
2. c
3. a

9

¡AVANZA! **Goal:** Find out what Silvina and her friends like to do and what they like to eat. Then talk about what you and others like and dislike. *Actividades 9–11*

- Review vocabulary: activities, food.
- Check for recognition.

Core Resource

- Audio Program: TXT CD 1 Tracks 5, 6

Presentation Strategies

- Ask students to name as many food items in Spanish as they can remember. Write the vocabulary on the board or overhead. After reading pp. 10 and 11, allow students to add more items to the list.
- Ask a volunteer to name the people in photograh B. (Carmen, Carlos, Sergio, Silvina)
- Play the audio as students read A–F.

 STANDARD

1.2 Understand language

A ¡Hola! Me llamo Silvina. Soy de Tampa, Florida. A mí me gusta much pasar un rato con mis amigos. Hoy estamos en un parque cerca de la casa de Carlos. A Carlos y a Carmen les gusta jugar al fútbol.

🖥 **Warm Up** Projectable Transparencies, P-23

Descriptions Fill in the blanks with a logical word.

1. Humberto _____ dieciocho años.
2. Mi tía tiene _____ rubio.
3. Fabiola no es baja; ella es _____.
4. Mis padres no son perezosos; son muy _____.
5. Yo _____ pelo castaño.
6. Tú tienes un perro y nosotros _____ un gato.

Answers: 1. tiene; 2. pelo; 3. alta; 4. trabajadores; 5. tengo; 6. tenemos

Más vocabulario

el almuerzo *lunch*
la carne *meat*
la cena *dinner*
la comida *food; meal*
el desayuno *breakfast*
la hamburguesa *hamburger*
el pescado *fish*
estudiar *to study*
ir de compras *to go shopping*
mirar la televisión *to watch television*
practicar deportes *to practice/play sport*

B A Sergio y a mí nos gusta escuchar música. A Sergio también le gusta escribir correos electrónicos. A mí me gusta leer libros cómicos. No me gustan los libros tristes.

10 Lección preliminar
diez

Communication

Humor/Creativity

Have the class sit in a large circle or in smaller group circles. One student says a short sentence with **me gusta. (Me gusta el pescado.)** The student to his or her right repeats the sentence and adds another thing. **(Me gustan el pescado y la televisión.)** Students continue repeating and adding to what has been said until everyone has spoken. If a student forgets an item, he or she must ask the appropriate student: **¿Qué te gusta?**

Differentiating Instruction

Multiple Intelligences

Interpersonal These students enjoy interacting with people and seem to understand others' feelings and motives. Allow interpersonal learners to lead discussions, engage in role-playing, and organize group projects throughout the year. For this lesson, ask students to conduct a survey to find out how many classmates share Silvina's likes.

Slower-paced Learners

Memory Aids Have students draw or cut out magazine pictures to illustrate the vocabulary words from this lesson. (You can refer them to the list of Activities and Food on p. 29.) Make sure they label the pictures correctly. Encourage them to do the same with other lessons' vocabulary and to spend a few minutes every day reviewing the image-word pairs they will collect throughout the year.

C A todos nosotros nos gusta comer. No nos gusta mucho beber refrescos. Nos gusta más el agua.

D A Carlos le gustan los sándwiches de pollo. También le gustan las frutas como las naranjas, las bananas y las manzanas.

E A Carmen y a mí nos gustan mucho la pizza de verduras y la ensalada de frijoles.

F ¡Y a Sergio le gusta mucho el postre!

¡A responder! Escuchar

Escribe los nombres Silvina, Carmen, Carlos y Sergio en cuatro hojas de papel separadas. Levanta el papel con el nombre de la persona a quien le gusta cada actividad. *(Raise a piece of paper with the name of the person who likes the activity you hear.)*

Differentiating Instruction

Heritage Language Learners

Support What They Know Encourage native speakers to share with the class names of fruits commonly found in their native country. Ask them also what ingredients are typically used to make sandwiches. Have them bring photographs, recipes, or actual food to share with everyone.

Multiple Intelligences

Linguistic/Verbal Choose a word from pp. 10 and 11 (for example, **comida**) and write it on the board or overhead. Ask students to think of words that begin with each letter of the word. (**cómico, organizado, manzana, inteligente, deportes, almuerzo**)

Communication
TPR Activity

Have students stand up and act out the actions you name: **jugar al fútbol, escuchar música, escribir, leer libros cómicos, estudiar, mirar la televisión.** You might want to continue this activity with more action words found on pp. 10 and 11.

Communication
Interpersonal Mode

Prepare in advance enough cards with the characters' names—Silvina, Carmen, Carlos, Sergio—so that each student will have one. Divide students into groups of five. Tape a card on each student's back without them seeing the name. Ask students to discover which character they are by asking other classmates yes/no questions. They can only ask about their likes and dislikes, not what their name is. An example would be, **¿Me gusta la pizza? ¿Me gusta escuchar música?** Allow them to refer to pp. 10 and 11 to formulate questions and to answer correctly. At the end, have each student announce their character's name and verify it by removing their card.

Communication
Regionalisms

· In other Spanish-speaking regions, **las bananas** are called **los bananos, los plátanos,** or **los guineos.**
· **Sándwiches** are referred to as **emparedados** in many South American countries. In Spain, they are called **bocadillos,** and in Mexico they are **tortas.**
· Instead of **el refresco,** some Spanish speakers say **la gaseosa.**

Answers Projectable Transparencies, P-37

¡A responder! Audio Script, TE p. C25B
1. Silvina
2. Carlos
3. Sergio and Silvina
4. Sergio
5. Carlos and Carmen
6. Sergio
7. Carmen and Silvina
8. Silvina, Carmen, Sergio and Carlos

LECCIÓN PRELIMINAR

Objectives
· Practice the verb **gustar**.
· Review lesson vocabulary in context.
· **Culture:** Learn about the art of Calle Ocho in Miami.

Review Sequence
· **Activity 9:** Controlled practice: vocabulary recognition
· **Activity 10:** Controlled practice: **gustar**
· **Activity 11:** Transitional practice: **gustar** with food vocabulary

STANDARDS
1.1 Engage in conversation, Acts. 10, 11
1.2 Understand language, Acts. 9, CC
2.2 Products and perspectives, CC
4.2 Compare cultures, CC

Long-term Retention
Interest Inventory

After students complete Activity 9, find out which students like the activities mentioned by asking, **¿A quién le gusta mirar mucha televisión?** Have students raise their hands for activities they like. Make a note of which students have similar interests for future pair and group work activities.

Communication
Presentational Mode

Encourage students to interview a teacher about his or her likes and dislikes and present their findings as an oral report.

Answers Projectable Transparencies, P-37

Activity 9
1. b   **4.** c
2. d   **5.** f
3. a   **6.** e

Activity 10
1. A Enrique le gusta leer libros.
2. A ti te gusta escribir correos electrónicos.
3. A nosotros nos gusta comer pizza.
4. A ustedes les gusta escuchar música.
5. A mí me gusta practicar deportes.
6. A mis amigos les gusta ir de compras.

12

REPASO The Verb

To talk about things people like, use a form of **gustar** + **noun**.

If the noun is singular, use **gusta**.   If the noun is plural, use **gustan**.
Me gusta la clase de español.   **¿Te gustan tus clases?**

Me gusta la música.	**Nos gusta** la música.
Te gusta la música.	**Os gusta** la música.
Le gusta la música.	**Les gusta** la música.

To talk about what people like to do, use **gusta** + **infinitive**.
Me gusta leer.   **¿Qué te gusta hacer?**

To emphasize the person you are talking about, add **a** + **noun/pronoun**.
A Rafael y **a mí nos gusta** escuchar música.

9 | Personalidades y gustos

Leer
Hablar

Empareja la descripción de la persona con lo que le gusta hacer. *(Match the descriptions of people with what they like to do.)*

1. Fernando es estudioso.   **a.** Le gusta mirar mucha televisión.
2. Vero es atlética.   **b.** Le gusta estudiar.
3. Olga es perezosa.   **c.** Le gusta dibujar.
4. Ramón es artístico.   **d.** Le gusta practicar deportes.
5. Daniela es simpática.   **e.** Le gusta hacer la tarea.
6. Hugo es trabajador.   **f.** Le gusta pasar un rato con los amigos.

10 | ¿Qué les gusta hacer?

Hablar
Escribir

Usa las pistas para decir qué les gusta hacer a estas personas. *(Say what these people like to do.)*

> **modelo:** yo / mirar la televisión
>   A mí me gusta mirar la televisión.

1. Enrique / leer libros
2. tú / escribir correos electrónicos
3. nosotros / comer pizza
4. ustedes / escuchar música
5. yo / practicar deportes
6. mis amigos / ir de compras

Expansión
Write four senten[c]
describing what yo[u]
like to do.

Lección preliminar
12 doce

Differentiating Instruction

Slower-paced Learners

Memory Aids Prepare or have students make four sets of strips of paper, each set using a different color paper. Write **A mí, A ti, A Rafael, A nosotros, A mis amigos** on the first set; **me, te, le, nos, les** on the second set; **gusta** and **gustan** on the third set; and **la música, los deportes, las frutas, leer** on the fourth set. Have students form as many sentence variations as they can.

Multiple Intelligences

Kinesthetic Bring uncooked alphabet pasta to class and divide it among students. Have students work in pairs to write a sentence using the verb **gustar**. Challenge them to make the sentence as long as they can. Award extra credit points to the pair with the most complex and grammatically correct sentence.

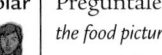

11 | La comida

Pregúntale a tu compañero(a) si le gustan estas comidas. *(Ask each other if you like the food pictured.)*

modelo:

A ¿Te gusta la pizza?

B Sí, (No, no) me gusta la pizza.

1.

2.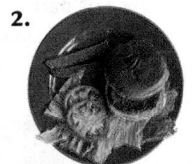

3.

4.

5.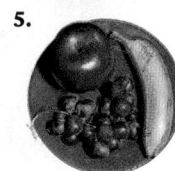

6.

Connections

Health

Have students look at the food items in Activity 11 and compare how healthy they are. Students can make comparisons using the phrases they learned in Level 1: **... es más sano que...** For example, **El pescado es más sano que la carne.** Encourage them to support their opinions with facts they have learned in Health class.

Comparación cultural

El arte de la calle Ocho

¿Cómo pueden participar los artistas en su comunidad? La comunidad de la Pequeña Habana, **Miami**, es conocida *(is known)* por sus actividades culturales y artísticas. En la calle Ocho, una calle famosa en el barrio *(neighborhood)* de la Pequeña Habana, hay varios murales de colores vivos, que representan diversos aspectos de la historia y cultura cubanas y latinas. Los muchos artistas que tienen galerías en la calle Ocho también contribuyen al ambiente pintoresco *(picturesque)* de la zona. Al final de cada mes, los artistas de la calle Ocho abren sus talleres al público para el *viernes cultural.* Durante el evento, otros artistas vienen para presentar y vender su arte. También hay comida, bailes y música en la calle.

Mural en la calle Ocho, Miami

Compara con tu mundo *¿Cómo son los barrios en tu ciudad? ¿Tienen eventos especiales?*

🌐 **Get Help Online**
my.hrw.com

Did you get it? Name three things that your friend likes. Then say which of those things and activities you also like and which you dislike.

Comparación cultural

Essential Question

Suggested Answer Los artistas pueden participar en su comunidad abriendo sus talleres al público y organizando eventos culturales.

Expanded Information

Calle Ocho, which stretches along thirty blocks, is the heart of Little Havana, a Miami neighborhood first created by nostalgic Cubans who fled their island in the 60s. It is now home to many residents from other Latin American nations. In recent years, **Calle Ocho** has become even more vibrant thanks to **Viernes Culturales.** It was Pedro Pablo Peña, director of the Miami Hispanic Ballet, who launched the **Viernes Culturales** idea as a "popular showcase for our culture."

🖥️ **Answers** Projectable Transparencies, P-38

Activity 11

1. ¿Te gustan las bananas?/Sí, (No, no) me gustan las bananas.
2. ¿Te gustan las hamburguesas?/Sí, (No, no) me gustan las hamburguesas.
3. ¿Te gustan los refrescos?/Sí, (No, no) me gustan los refrescos.
4. ¿Te gusta la carne?/Sí, (No, no) me gusta la carne.
5. ¿Te gustan las frutas?/Sí, (No, no) me gustan las frutas.
6. ¿Te gusta el pescado?/Sí, (No, no) me gusta el pescado.

Para y piensa

Answers will vary. Sample answer: A mi amiga Sandra le gusta escuchar música, le gustan los deportes y le gusta el pescado. A mí también me gusta escuchar música y me gustan los deportes, pero no me gusta el pescado.

Differentiating Instruction

Pre-AP

Persuade Adapt Activity 11 to make it more challenging. Rather than just saying whether they like the food item or not, students should persuade their partner to adopt their same point of view. Encourage them to use specific details supporting their likes and dislikes. **Las bananas son ricas y muy nutritivas.**

Multiple Intelligences

Visual Learners Have students research an artist who lives in Miami and share their findings with the class. If they wish, students can paint or draw a scene from their own neighborhood.

13

14

¡AVANZA! Objectives
· Review vocabulary: places where you go.
· Check for recognition.

Core Resource
· Audio Program: TXT CD 1 Tracks 7, 8

Presentation Strategies
· Play the audio as students read A–F.
· Ask the following comprehension questions: **¿Con quién va Carlos a la escuela?** (con su hermano Antonio) **¿Por qué va el padre de Carlos a la escuela?** (porque es maestro) **¿Qué hace Carlos en el gimnasio?** (nada y juega al básquetbol) **¿Adónde va Antonio para estudiar?** (a la biblioteca) **¿Cuándo van Carlos y su familia al parque?** (los domingos)

STANDARD
1.2 Understand language

Warm Up Projectable Transparencies, P-23

The verb gustar Write four sentences summarizing what everyone likes according to what they order in a restaurant.

Ana: pizza
Paco: ensalada
Tú: tacos de pollo
Memo: sándwich de carne
Rosa: ensalada
Yo: sándwich de carne

Answers: A Ana le gusta la pizza. A Paco y a Rosa les gusta la ensalada. A ti te gustan los tacos de pollo. A Memo y a mí nos gusta el sándwich de carne.

Communication
TPR Activity

Tell students that you will call out a place from pp. 14 and 15 and they need to act out an action they would do in that place. For example, if you say **piscina,** students can move their arms as if they were swimming. If you say **estadio,** students can pretend to cheer their team.

❊ ¿Adónde van?

¡AVANZA! **Goal:** Find out where Carlos and his family usually go. Then talk about where you, your friends, and others go to do different activities. *Actividades 12–16*

A Todas las mañanas, Carlos y su hermano Antonio van a la escuela.

B Sus padres van a trabajar. Su madre va a la oficina y su padre va a la escuela. Él es maestro.

AUDIO

C Después de la escuela, Carlos va al gimnasio. Allí, él va a la piscina. Le gusta nadar. También le gusta jugar al básquetbol.

D Antonio va a la biblioteca. Es muy estudioso.

Differentiating Instruction

Slower-paced Learners

Personalize It Make the reading more personal by having students compare Carlos's life with their own. Read each photograph caption on pp. 14 and 15. After each one, ask **¿Y tú?** (**¿Y tus padres? ¿Y tu familia? ¿Y tú y tu amigo?**)

Multiple Intelligences

Musical/Rhythmic Encourage students interested in hip-hop music to make a rap about where Carlos and his family go, or about where they themselves go and what they do there. They can either work individually, in pairs, or in small groups. Set aside some class time for the performances.

E Los domingos, Carlos y su familia van al parque o a la casa de la abuela.

Más vocabulario

la cafetería *cafeteria*
el centro *center, downtown*
el concierto *concert*
el estadio *stadium*
el partido *game*
la sala de clase *classroom*
el teatro *theater*

F Hoy es sábado. Carlos y Sergio van al centro comercial, pero no van a las tiendas. Van al cine.

¡A responder! Escuchar 🎧

Escucha adónde van las personas. Indica a la persona en las fotos que va a ese lugar. *(Point to the person in the photo who goes to the place you hear.)*

Long-term Retention

♻️ **Recycle**

Remind students that they have learned all the words in this lesson in Level 1. Other places in school that they know are: **el baño** (bathroom), **la oficina del (de la) director(a)** (principal's office), **el pasillo** (hallway), and **el patio** (courtyard).

Communication

Reluctant Speakers

Read aloud A–F as a class. (Make sure students are pronouncing the *v* in **van** as a *b*.) Then have students read aloud again, this time each student should read one sentence at a time.

Differentiating Instruction

Inclusion

Metacognitive Support Have students review the vocabulary presented on pp. 14–15. Ask them to come up with a strategy to help them remember the meanings of the words. For example: Look at the word (e.g., **biblioteca**) and think of another word that sounds like it (e.g., **bibliography**). Then put the two words into one idea (When I need a **bibliography**, I go to the library, or **biblioteca**).

Pre-AP

Draw Conclusions Ask students to draw conclusions about Carlos's family based on the reading and the photographs. Who does Carlos live with? How do they know? Do they think Carlos and Antonio get along well? Why or why not? How are the two brothers alike? How are they different? Is family important for Carlos? What supporting evidence is there?

💻 **Answers** Projectable Transparencies, P-38

¡A responder! Audio Script, TE p. C25B
Students should point to the following people.
1. Antonio
2. Carlos' mother
3. Carlos and Sergio
4. Carlos, Antonio, and their father
5. Carlos
6. Carlos, his brother, and their parents

15

Objectives
· Practice **ir** + **a** + place.
· Review lesson vocabulary in context.

Review Sequence
· **Activity 12:** Controlled practice: places
· **Activity 13:** Controlled practice: present forms of the verb **ir**
· **Activity 14:** Controlled practice: **ir** + **a** + place
· **Activity 15:** Transitional practice: **ir** + **a** + place
· **Activity 16:** Open-ended practice: **ir** + **a** + place and telling time

STANDARDS
1.1 Engage in conversation, Acts. 12, 14–16
1.2 Understand language, Act. 12
1.3 Present information, Acts. 13, 14
4.1 Compare languages, Repaso

Communication
Humor/Creativity

Practice the forms of **ir** by playing tic-tac-toe. Draw a large tic-tac-toe grid on the board and divide the class into team X and team O. After team X chooses a square, call out a subject pronoun. If team X writes the correct form of **ir,** they get to write an X over it. If they write it incorrectly, team O has the chance to give the correct answer and put an O in the square. Just as in a regular game of tic-tac-toe, 3 X's or 3 O's in a vertical, horizontal, or diagonal row wins.

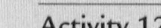

Answers Projectable Transparencies, P-38 and P-39

Activity 12
1. Elisa va al café el jueves.
2. Elisa va al cine con Eva.
3. Elisa va al teatro el viernes.
4. Elisa va al parque el domingo.
5. Elisa va a la biblioteca el lunes.
6. Elisa va a la piscina el martes.
7. Elisa va al estadio el sábado.
8. Elisa va a la casa de Eva el jueves.

Activity 13
1. vamos
2. voy
3. van
4. va
5. vamos
6. van
7. vamos
8. vas

♻ REPASO ir + a + place

To talk about where someone is going, use **ir** + **a**.

Los estudiantes van a la biblioteca.
*The students **are going to** the library.*

		ir *to go*	
yo	voy	nosotros(as)	vamos
tú	vas	vosotros(as)	vais
usted, él, ella	va	ustedes, ellos(as)	van

12 | El horario de Elisa

Leer
Hablar
Escribir

Estas oraciones son falsas. Mira el horario de Elisa y di lo que es cierto. *(Correct these false statements.)*

modelo: Elisa va al gimnasio el viernes.
Elisa va al gimnasio el jueves.

1. Elisa va al café el sábado.
2. Elisa va al cine con Julio.
3. Elisa va al teatro el domingo.
4. Elisa va al parque el miércoles.
5. Elisa va a la biblioteca el martes.
6. Elisa va a la piscina el jueves.
7. Elisa va al estadio el lunes.
8. Elisa va a la casa de Eva el domingo.

LUNES 4 p.m.: biblioteca

MARTES 5 p.m.: piscina (nadar una hora)
7 p.m.: estudiar con Eva

MIÉRCOLES 6 p.m.: practicar el piano
8 p.m.: estudiar

JUEVES 10 a.m.: gimnasio con mi clase
5 p.m.: Café Cardoza
8 p.m.: casa de Eva para estudiar

VIERNES 7 p.m.: teatro (La vida es sueño)

SÁBADO 11 a.m.: estadio-partido de fútbol
8 p.m.: cine con Eva

DOMINGO 10 a.m.: parque-correr con Julio
1 p.m.: casa de los tíos

13 | Los sábados

Escribir

Completa el párrafo con la forma correcta del verbo **ir.** *(Complete with the correct form of* **ir.***)*

Todos los sábados, mi familia y yo __1.__ a la casa de mis tíos. Después, yo __2.__ a la piscina. Mis padres __3.__ al gimnasio y mi hermano __4.__ al parque para correr. A veces, nosotros __5.__ a un restaurante para almorzar. Por la noche, mis padres __6.__ al teatro con mis tíos y mis primos y yo siempre __7.__ al cine. ¡Nos gustan las películas! ¿Y tú? ¿Adónde __8.__ los sábados?

Differentiating Instruction

Multiple Intelligences

Logical/Mathematical Ask students to convert the times in Elisa's weekly planner to the 24-hour clock, which is generally used in Spain and South America. For example, instead of 4 p.m., students write 16 hrs. or 16,00.

Pre-AP

Expand and Elaborate After students complete Activity 12, have them work in pairs to ask each other why Elisa goes to the different places: **¿Por qué va Elisa al café?** Students can answer based on the information in the agenda or imagine a reason: **Elisa va al café para tomar un refresco.**

4 ¿Adónde van?

Pregúntale a tu compañero(a) adónde van las personas. Contesta según las fotos. *(Ask each other where the people go. Answer based on the photo.)*

modelo: los señores Álvarez

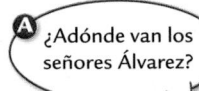
A ¿Adónde van los señores Álvarez?

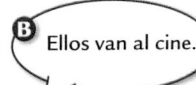
B Ellos van al cine.

1. el señor Copa

2. los amigos

3. nosotros

4. yo

5. Rodrigo

6. Ana

5 Diferentes lugares

Pregúntale a tu compañero(a) adónde va para hacer estas actividades. *(Ask each other where you go for these activities.)*

A ¿Adónde vas para estudiar?

B Voy a la biblioteca.

modelo: estudiar

1. nadar
2. comer
3. practicar deportes
4. ir de compras
5. ver un partido de fútbol
6. pasar un rato con los amigos

6 Un día típico para ti

¿Adónde vas todos los días? Escribe cuatro oraciones para explicar a qué hora vas y adónde vas. *(Write four sentences to explain at what time you typically go to various places.)*

modelo: A las ocho de la mañana, voy a la escuela...

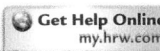
Get Help Online
my.hrw.com

Did you get it? Complete the sentences logically.

1. A veces yo _____ .
2. Tú nunca _____ .
3. Mis amigos _____ .

a. voy a la biblioteca
b. van al gimnasio
c. vas a la cafetería

Lección preliminar
diecisiete **17**

Differentiating Instruction

Multiple Intelligences

Visual Learners Write names of places on cards (**teatro, estadio, piscina,** etc.) and have students take turns picking a card and drawing that place on the board for other students to guess what it is. The student that guesses correctly draws next.

Slower-paced Learners

Peer-study Support Team up student pairs of varying ability to complete Activity 16. Once they complete the four sentences, have them exchange papers with another team for peer-editing. Students should circle any errors they find. Tell them to correct for spelling, punctuation, verb forms, and word choices.

✓ **Ongoing Assessment**

Alternative Strategy You may want to ask students to write their answers to Activity 14 so you can verify that students are not forgetting to use the preposition **a** and that they are using the contraction **al** before masculine nouns.

Answers Projectable Transparencies, P-39 and P-40

Activity 14

1. ¿Adónde va el señor Copa?/Él va al teatro.
2. ¿Adónde van los amigos?/Ellos van al restaurante.
3. ¿Adónde vamos nosotros?/Nosotros vamos a la piscina.
4. ¿Adónde voy yo?/Tú vas a la biblioteca.
5. ¿Adónde va Rodrigo?/Él va a la escuela.
6. ¿Adónde va Ana?/Ella va a la oficina.

Activity 15

1. ¿Adónde vas para nadar?/Voy a la piscina.
2. ¿Adónde vas para comer?/Voy a la cafetería.
3. ¿Adónde vas para practicar deportes?/Voy al parque.
4. ¿Adónde vas para ir de compras?/Voy al centro comercial.
5. ¿Adónde vas para ver un partido de fútbol?/Voy al estadio.
6. ¿Adónde vas para pasar un rato con los amigos?/Voy al café.

Activity 16

Answers will vary. Sample answer: A las ocho de la mañana, voy a la escuela. A las once y media, voy a la cafetería. A las tres de la tarde voy a la casa de mi amigo. A las cinco de la tarde voy al parque para jugar al fútbol.

Para y piensa

1. a
2. c
3. b

- Practice using **tener, ser,** and **estar** to describe people.
- Review vocabulary used to describe how you feel.
- Check for recognition.

Core Resource

- Audio Program: TXT CD 1 Tracks 9, 10

Presentation Strategies

- Have students compare Carmen in photographs B and E. How do they think she is feeling at the beginning? And at the end? What might have changed her mood?
- Play the audio as students read A–E.
- Read the list of words in the **Más vocabulario** box as you act each one out with exaggerated facial expressions. Read it again, but this time have students do the acting.

STANDARD

1.2 Understand language

💻 **Warm Up** Projectable Transparencies, P-24

Ir Write sentences to tell where the following people go.

1. el señor Peña/la oficina
2. Josefina y yo/el gimnasio
3. ustedes/la escuela
4. tú y tus amigos/el centro
5. yo/la piscina
6. tú/el teatro

Answers: 1. El señor Peña va a la oficina. 2. Josefina y yo vamos al gimnasio. 3. Ustedes van a la escuela. 4. Tú y tus amigos van al centro. 5. Yo voy a la piscina. 6. Tú vas al teatro.

18

 # ¿Cómo estás?

¡AVANZA! **Goal:** Notice how Carmen and Silvina talk about their feelings. Then use **tener, ser,** and **estar** to describe people and how they feel. *Actividades 17–21*

🎧 AUDIO

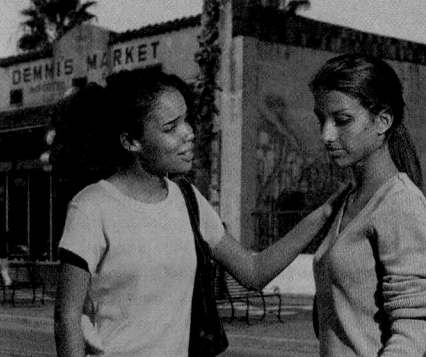

A **Carmen:** Hola, Silvina. ¿Cómo estás?
Silvina: Bien, gracias. ¿Y tú?
Carmen: Más o menos.

B **Silvina:** ¿Estás mal? ¿Estás enferma?
Carmen: No, no. Estoy un poco triste porque yo estoy aquí y mi familia está lejos en Ecuador.
Silvina: Cuando yo estoy deprimida, me gusta escuchar música.

C **Silvina:** A las ocho hay un concierto fantástico en el estadio. ¿Por qué no vamos?
Carmen: No sé.
Silvina: ¿Estás ocupada?
Carmen: No.
Silvina: Entonces, ¡vamos!
Carmen: No sé. Estoy cansada y tengo hambre.

Lección preliminar
18 dieciocho

Más vocabulario

estar... *to be . . .*
 alegre *happy*
 enojado(a) *angry*
 nervioso(a) *nervous*
 regular *okay*
 tranquilo(a) *calm*
tener calor *to be hot*
tener frío *to be cold*
tener miedo *to be scared*
tener sed *to be thirsty*

Differentiating Instruction

Heritage Language Learners

Support What They Know Encourage native speakers to create a larger vocabulary list of words to describe emotions. They might include such words as **afligido(a)** (distressed), **avergonzado(a)** (ashamed), **decepcionado(a)** (disillusioned), **dolido(a)** (hurt), **enamorado(a)** (in love).

Multiple Intelligences

Visual Learners Ask volunteers to create a poster with faces showing different emotions and feelings. They should label each face with the appropriate Spanish word. Display the poster on the classroom wall or a hallway bulletin board.

Silvina: Yo también tengo hambre. Vamos a mi casa para comer y después vamos al concierto.

Carmen: Está bien.

E **Carmen:** Estoy emocionada, Silvina. La música va a ser fantástica.

Silvina: Carmen, ¡mira quiénes están aquí! *(Carmen notices Sergio and Carlos who are also standing in line.)* ¿Estás contenta?

Carmen: ¡Sí!

¡A responder! Escuchar

Escribe la letra C en un papel y la letra F en otro papel. Luego, escucha cada oración sobre la conversación de Silvina y Carmen. Si es cierto, levanta la C; si es falso, levanta la F. *(True or false?)*

Lección preliminar
diecinueve **19**

Differentiating Instruction

Pre-AP

Summarize Have students write a summary of the storyline in **¿Cómo estás?** Encourage them to describe how Silvina and Carmen feel in the beginning and at the end using **antes de** and **después de.**

Multiple Intelligences

Intrapersonal Ask students to write in their journal how they feel during the course of a given day. Encourage them to express their feelings in a poem or rating scale of their own.

Communication
Role-Playing and Skits

Have students work in small groups to write a skit similar to **¿Cómo estás?** One student should talk about how he or she feels and the other students should sympathize and offer suggestions. Have the group present their skits in front of the class. Have the class vote on the skit best acted, the skit with the best script, and the most humorous skit.

Long-term Retention
Critical Thinking

Synthesis Ask students to make inferences and hypotheses. While reading **¿Cómo estás?** ask students why Carmen is in Florida and her family is in Ecuador (she is probably an exchange student), why Carmen is happy to see Sergio and Carlos (she probably likes them), and if they think Carmen will stay happy after the concert (she might think again of her family and feel sad).

Answers Projectable Transparencies, P-40

¡A responder! Audio Script, TE p. C25B
Students should hold up C for numbers 3, 4, 6 and F for numbers 1, 2, 5.

Objectives

· Practice vocabulary: describing how you feel.
· Practice **ser** and **estar**.

Review Sequence

· **Activity 17:** Controlled practice: expressions to describe how people feel
· **Activity 18:** Transitional practice: describe how situations make you feel
· **Activity 19:** Open-ended practice: feelings and emotions
· **Activity 20:** Controlled practice: **ser** and **estar**
· **Activity 21:** Open-ended practice: **ser** and **estar**

STANDARDS

1.1 Engage in conversation, Acts. 19, 21
1.2 Understand language, Act. 20
1.3 Present information, Acts. 17, 18, 20

Communication

Group Work

Classroom management can be more tricky during group work activities. Use proximity control for Activity 19. Be nearby, walk around the groups, and stand next to restless students. You may also adapt the activity so it's a non-verbal one. Instead of asking questions aloud, students write the questions on paper and show it to the student doing pantomime who then nods yes or shakes his or her head no.

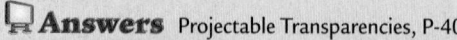

Answers Projectable Transparencies, P-40

Activity 17
1. Está triste.
2. Está enojado.
3. Está cansada.
4. Está alegre.
5. Tiene calor.
6. Tiene miedo.

Answers continue on p. 21.

---

17 | Emociones

Escribir — Para cada dibujo, escribe una oración que describe a la persona. Usa las siguientes expresiones. *(Use these expressions to describe the people.)*

estar alegre	tener calor
estar cansado(a)	tener hambre
estar enojado(a)	tener miedo
estar triste	

modelo: Tiene hambre.

1.    **2.**   **3.**

4.    **5.**   **6.**

---

18 | Situaciones

Hablar Escribir — Completa las oraciones diciendo cómo te sientes en cada situación. *(Tell how you feel in each situation.)*

modelo: Cuando leo un libro...
Cuando leo un libro, estoy tranquilo.

1. Cuando tengo un examen...
2. Cuando es mi cumpleaños...
3. Cuando voy de compras...
4. Cuando escucho música...
5. Cuando voy a una fiesta...
6. Cuando tengo hambre...

Expansión
Write two more sentences describ[ing] your own situation[s] and how it makes [you] feel.

---

19 | ¿Cómo estoy o qué tengo?

Hablar — Usa gestos y expresiones faciales para expresar una emoción o una condición (por ejemplo, **tener hambre, tener miedo, estar enfermo, estar deprimido**). Tus compañeros(as) adivinan cómo estás o qué tienes. *(Take turns using pantomime and facial expressions to express a feeling which others try to guess.)*

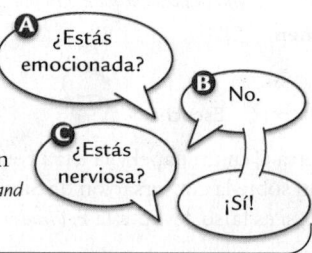

Ⓐ ¿Estás emocionada?
Ⓑ No.
Ⓒ ¿Estás nerviosa?
¡Sí!

Differentiating Instruction

Pre-AP

Support Ideas with Details Ask students to supply additional information to their answers to Activity 17. They should explain why that person is feeling that way with one or more additional sentences. **Ella está triste porque no está con su familia.**

Multiple Intelligences

Interpersonal Distribute magazines that are age and content appropriate and have many photographs of people. Have students work in pairs to describe how the people in the photographs probably feel. They should then discuss when they also feel that way. For example, a student can say, **La señorita está muy alegre. Yo estoy alegre cuando paso un rato con mis amigos. ¿Y tú?**

Ser and **estar** both mean *to be,* but they have very different uses.

• Use **ser** to describe professions, origin, personal traits, and physical characteristics.

Manuel **es** maestro. Él **es** de España. **Es** pelirrojo y muy simpático.

• Also use **ser** to express identity and to give the time and date.

Tina **es** mi amiga.　　**Son** las dos y media.

• Use **estar** to indicate location, and to describe how someone feels.

Paulina **está** en la piscina. **Está** muy contenta.

For the present-tense verb forms of **ser,** see p. 5.
For the present-tense verb forms of **estar,** see p. R34.

20 | Miel y Juanito

Leer
ribir

Describe a Miel y a Juanito. Completa el párrafo con las formas correctas de ser o estar. *(Complete with **ser** or **estar**.)*

Miel __1.__ el perro de Juanito. Miel tiene tres años y __2.__ un perro muy bonito e inteligente. Miel y Juanito __3.__ buenos amigos y les gusta jugar mucho. Hoy, Miel __4.__ triste porque Juanito __5.__ muy ocupado y no puede jugar. Juanito __6.__ estudiante de la escuela San Francisco. Él __7.__ nervioso porque mañana tiene exámenes finales. __8.__ las nueve de la noche y tiene que estudiar mucho. ¡Guau, guau! Miel __9.__ enojado porque tiene hambre. __10.__ en la cocina pero Juanito no lo escucha.

21 | ¡A jugar! Adivina quién es

blar

Piensa en una persona que todos conozcan. Tus compañeros(as) te hacen preguntas con **ser** y **estar** para adivinar quién es. *(Take turns thinking of a person you all know and asking questions to guess who that person is.)*

A ¿De dónde es la persona?
B Es de Nueva York.
¿Es mujer?
No. Es hombre.
C ¿Es Jamal?
¡Sí!

Get Help Online my.hrw.com

ARA Y ENSA

Did you get it? Complete the sentences with **es** or **está**.
1. El señor Vela _____ director de escuela.　3. Él no _____ en la oficina hoy.
2. Él _____ muy trabajador.　4. Él _____ enfermo.

Differentiating Instruction

English Learners

Increase Interaction Give ample opportunities for clarification of the concepts presented in the Repaso box. Students can use a bilingual dictionary to look up words or talk to the bilingual students to help explain some concepts.

Multiple Intelligences

Linguistic/Verbal Have students stand up. Start by saying a word from this lesson (for example, **hambre**). Students need to think of a word that starts with the ending letter of the word you said (for example, **enojado**). The first student who calls out a correct word sits down. Students then need to say a word with the last word's ending letter (for example, **organizado**).

LECCIÓN PRELIMINAR

Long-term Retention
Critical Thinking

Evaluation Ask students to explain why they chose **ser** or **estar** for each item in Activity 20. Help them figure out that **ser** is used more for inherent qualities, and **estar** is used for states or conditions that can change.

✓ Ongoing Assessment

Peer Assessment After students complete Activity 20, have them work in pairs to compare answers. If they have come up with a different answer, encourage them to figure out which one is the correct one by referring to the grammar notes on pp. 5, 21, and R34.

💻 **Answers** Projectable Transparencies, P-41

Answers continued from p. 20.

Activity 18 Answers will vary. Sample answers:
　1. Cuando tengo un examen, estoy nervioso.
　2. Cuando es mi cumpleaños, estoy alegre.
　3. Cuando voy de compras, estoy cansado.
　4. Cuando escucho música, estoy tranquilo.
　5. Cuando voy a una fiesta, estoy emocionado.
　6. Cuando tengo hambre, estoy enojado.

Activity 19 Answers will vary, but may include: ¿**Tienes miedo? ¿Estás deprimido?**

Activity 20
　1. es
　2. es
　3. son
　4. está
　5. está
　6. es
　7. está
　8. Son
　9. está
　10. Está

Activity 21 Answers will vary, but may include: ¿**Cuántos años tiene la persona?** ¿**Es alta o baja?**

Para y piensa
　1. es
　2. es
　3. está
　4. está

21

Warm Up
Projectable Transparencies, P-24

Ser and estar Complete the sentences with **ser** or **estar**.

1. Mi madre _____ maestra en una escuela grande.
2. Humberto _____ cómico y siempre _____ alegre.
3. _____ las once de la noche y tengo sueño.
4. ¿Dónde _____ los libros de español?
5. Tú _____ una persona tranquila y nunca _____ enojado.
6. Nosotros _____ de Paraguay pero ahora _____ en Tampa.

Answers: 1. es; 2. es, está; 3. Son; 4. están; 5. eres, estás; 6. somos, estamos

⬡ ¿Qué haces?

AUDIO

A ¡Hola! Soy Carmen y soy de Ecuador. Voy a pasar el año en Florida con la familia Costa. ¿Qué hago todos los días?

B A las siete de la mañana, como el desayuno.

C Siempre voy a la escuela a pie.

D En la escuela tomo muchos apuntes. Aprendo palabras nuevas en inglés, y las escribo en un cuaderno para estudiarlas por la noche.

E Casi siempre almuerzo en la cafetería con mis amigos Carlos, Sergio y Silvina.

Lección preliminar
veintidós
22

Differentiating Instruction

Inclusion

Frequent Review/Repetition Play the audio for **¿Qué haces?** several times. Have students listen to how words are pronounced the first time; have them figure out which of the actions Carmen mentions are depicted in the photographs the second time; then have them read aloud along with the audio.

Multiple Intelligences

Kinesthetic Have students read the photo captions on pp. 22 and 23 while acting out the actions with their hands. For example, while they read **Siempre voy a la escuela a pie,** students can move their index and middle fingers in a walking motion. When they read **miro la televisión,** they can make a square shape with their hands.

Después de las clases, Silvina y yo paseamos por «La Sétima». Vamos a las tiendas y luego bebemos un refresco.

G Como la cena con la familia Costa a las seis y media.

Por la noche, hago mi tarea y estudio. A veces hablo por teléfono con Silvina o miro la televisión.

¡A responder! Escuchar

Escucha las oraciones sobre las actividades de Carmen. Indica la foto donde Carmen hace la actividad. *(Point to the photo where Carmen does these activities.)*

Lección preliminar
veintitrés **23**

Differentiating Instruction

Slower-paced Learners

Yes/No Questions Ask the following yes/no questions to gauge comprehension of the reading: **¿Vive Carmen con sus padres? ¿Desayuna Carmen a las siete de la mañana? ¿Va Carmen a la escuela en autobús? ¿Toma Carmen muchos apuntes? ¿Almuerza Carmen en «La Sétima»? ¿Hace Carmen la tarea por la mañana?**

Pre-AP

Circumlocution Explain to students that circumlocution is the ability to express a concept without knowing the exact vocabulary term. Encourage them to use this strategy as they describe what they usually do on weekends. For example, if a student forgets how to say **tomar apuntes,** she or he might say **escribir mucho sobre la lección del maestro.**

Culture

Expanded Information

"La Sétima," from the Spanish word **séptima,** is what the locals of Tampa call 7th Ave, the main street in Ybor City. Ybor City was named after Vicente Martínez Ybor, who fled the Spanish colonialism of Cuba in the 19th century. Today, beside the brick buildings, wrought-iron balconies, and globe street lamps of Ybor's era, «La Sétima» is filled with specialty shops, hip cafés, and open-air nightclubs.

Long-term Retention
Personalize It

Ask students to compare Carmen's day with their own. Students should write a statement about what Carmen does and follow it by either stating that they also do that or stating what they do instead. For example, students can write, **Carmen come el desayuno a las siete de la mañana, pero yo como el desayuno a las seis y media.** Challenge them to write at least six comparisons.

Answers Projectable Transparencies, P-41

¡A responder! Audio Script, TE p. C25B
Students should point to the photos corresponding to the following letters.
1. F
2. H
3. D
4. C
5. E
6. B

LECCIÓN PRELIMINAR

Objectives
- Practice the regular present-tense verb forms.
- Practice the present-tense of stem-changing verbs.

Review Sequence
- **Activity 22:** Transitional practice: regular present-tense verbs
- **Activity 23:** Transitional practice: regular present-tense verbs
- **Activity 24:** Controlled practice: stem-changing verbs
- **Activity 25:** Open-ended practice: stem-changing verbs

STANDARDS
1.1 Engage in conversation, Act. 23
1.2 Understand language, Act. 24
1.3 Present information, Acts. 24, 25

Communication

Grammar Activity

Play a version of concentration to practice the conjugations of regular present-tense verbs. Have students sit in a circle. You start by naming an infinitive of a regular verb while clapping your hands twice (**mirar**), saying a subject pronoun while snapping your fingers twice (**tú**), and calling out a student's name (**Emily**) while tapping your feet twice. The student named then says the verb in its correct form (**miras**), names another infinitive while clapping, says a subject pronoun while snapping, and calls out another student's name while tapping.

💻 **Answers** Projectable Transparencies, P-42

Activity 22 Answers will vary. Sample answers:
1. La maestra lee un libro.
2. Nosotras practicamos deportes.
3. Enrique y Diana miran la televisión.
4. Mis amigos y yo estudiamos para el examen.
5. Tú bebes un refresco.
6. Yo hablo por teléfono.
7. Tus amigos escriben unos correos electrónicos.

Answers continue on p. 25.

24

♻ REPASO Regular Present-tense Verbs

	-ar hablar	-er comer	-ir escribir
yo	hablo	como	escribo
tú	hablas	comes	escribes
usted, él, ella	habla	come	escribe
nosotros(as)	hablamos	comemos	escribimos
vosotros(as)	habláis	coméis	escribís
ustedes, ellos(as)	hablan	comen	escriben

22 | Después de las clases

Hablar
Escribir

Di qué hacen las personas después de las clases. Forma oraciones completas.
(Say what people do after class, using complete sentences.)

modelo: Manolo practica deportes.

la maestra	practicar	música
nosotras	escribir	para el examen
Enrique y Diana	mirar	por teléfono
mis amigos y yo	leer	un refresco
tú	estudiar	la televisión
yo	beber	unos correos electrónicos
tus amigos	escuchar	deportes
Manolo	hablar	un libro

23 | ¿Qué hacen?

Hablar

Pregúntale a tu compañero(a) qué hace en estos lugares. *(Ask each other what you do in the following places.)*

Ⓐ ¿Qué haces en el estadio?

Ⓑ Miro el partido de fútbol.

modelo: el estadio
1. la piscina
2. la biblioteca
3. la cafetería
4. el parque
5. el centro comercial
6. la casa de tu amigo(a)

Expansión
Write three senter▮ summarizing wha▮ your classmate sa▮

Differentiating Instruction

Multiple Intelligences

Musical/Rhythmic Encourage students to create their own rhymes or chants to help them remember the present-tense verb endings. Ask them to share their chants with the rest of the class. If they wish, they can bring music to class for accompaniment.

Inclusion

Synthetic/Analytic Support After presenting the Repaso above, have students write the different verb endings on one set of colored note cards, the verb stems on another color card, and the subject pronouns on a third set of cards. With the verb stem as a base, they can then practice different combinations of subject pronouns and corresponding endings.

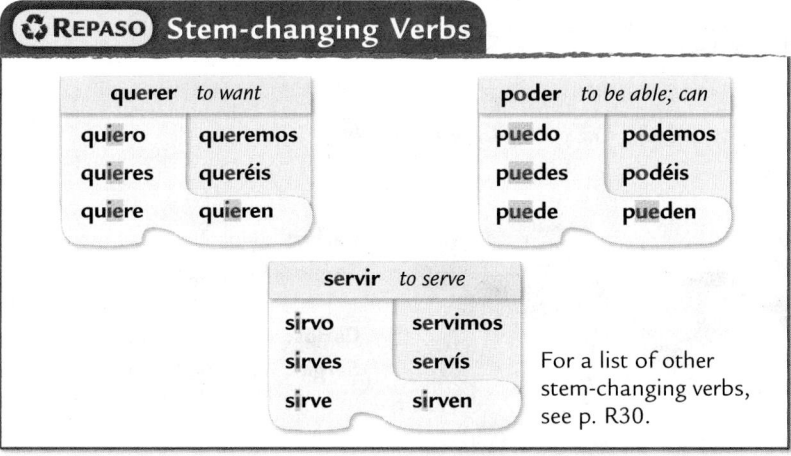

REPASO Stem-changing Verbs

querer	to want
quiero	queremos
quieres	queréis
quiere	quieren

poder	to be able; can
puedo	podemos
puedes	podéis
puede	pueden

servir	to serve
sirvo	servimos
sirves	servís
sirve	sirven

For a list of other stem-changing verbs, see p. R30.

24 El concierto

Leer
ribir

Completa el mensaje con la forma correcta de los verbos. Se usa un verbo dos veces. *(Complete the e-mail. One verb is used twice.)*

almorzar   pensar   querer
costar   poder   volver

```
Hola, Roberto.
¿Vas al concierto? Yo  1.  ir, pero no  2. . Mi hermano
tiene el coche y él no  3.  hasta mañana. Catalina  4.
que el concierto va a ser fantástico, pero ella no
 5.  ir tampoco. ¡Las entradas  6.  $50! Con $50, mi
familia y yo  7.  en el restaurante Samba.
—Eduardo
```

25 ¿Y tú?

blar
ribir

Contesta las preguntas. *(Answer the questions.)*

1. ¿Cuántas horas duermes?
2. ¿A qué deportes juegas?
3. ¿Dónde almuerzas?
4. ¿Qué sirven en la cafetería?
5. ¿Prefieres las manzanas o las bananas?
6. ¿Cuándo vuelves a la escuela?

🌐 **Get Help Online**
my.hrw.com

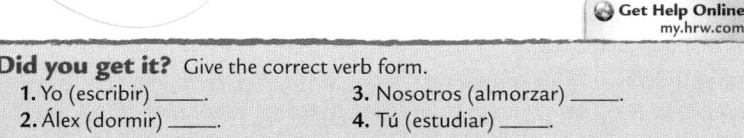

Did you get it? Give the correct verb form.
1. Yo (escribir) _____.
2. Álex (dormir) _____.
3. Nosotros (almorzar) _____.
4. Tú (estudiar) _____.

Lección preliminar
veinticinco   **25**

Differentiating Instruction

Slower-paced Learners

Memory Aids Point out the shoe pattern in the conjugations of the stem-changing verbs. For visual reinforcement, have students draw shoe shapes that they then fill in with the verbs from Activities 24 and 25.

Pre-AP

Timed Answer Challenge students to write the answers for Para y piensa in under 15 seconds. Continue with this challenge by giving a series of pronouns and infinitive forms and having students race to be the first one to write the correct present-tense forms.

Nota gramatical

Remind students that some verbs change their stem vowels when they are conjugated in the present tense. The stem vowels can change from **e** to **ie**, **e** to **i**, or **o** to **ue**. These stem-changing verbs have regular endings, and the stem doesn't change for the **nosotros(as)** or **vosotros(as)** form.

✓ Ongoing Assessment

Alternative Strategy Activity 25 can be done as a pair activity. Students ask each other the questions and then write a summary of their partner's responses.

🖥 **Answers** Projectable Transparencies, P-42 and P-43

Answers continued from p. 24.

Activity 23 Answers will vary. Sample answers:
1. ¿Qué haces en la piscina?/Nado.
2. ¿Qué haces en la biblioteca?/Leo.
3. ¿Qué haces en la cafetería?/Como.
4. ¿Qué haces en el parque?/Corro.
5. ¿Qué haces en el centro comercial?/Compro ropa.
6. ¿Qué haces en la casa de tu amigo(a)?/Escucho música.

Activity 24
1. quiero
2. puedo
3. vuelve
4. piensa
5. puede
6. cuestan
7. almorzamos

Activity 25 Answers will vary. Sample answers:
1. Duermo ocho horas.
2. Juego al básquetbol y al fútbol.
3. Almuerzo en la cafetería.
4. Sirven hamburguesas y papas fritas.
5. Prefiero las bananas.
6. Vuelvo en septiembre.

Para y piensa
1. escribo
2. duerme
3. almorzamos
4. estudias

¡AVANZA! Objectives
- Review vocabulary to talk about friends' plans.
- Check for recognition.

Core Resource
- Audio Program: TXT CD 1 Tracks 13, 14

Presentation Strategies
- Have students look at the photographs. What friends are talking? (Carlos, Sergio, and Carmen) Where does the dialog take place? (over the phone) What do they think they talk about? (answers will vary) Play the audio as students read A–D. Based on the text, ask students to predict what verb form will be reviewed in the Nota gramatical.

❀ STANDARD
1.2 Understand language

Warm Up Projectable Transparencies, P-25

Present Tense Write complete sentences in the present tense using the parts listed.
1. Yo/nunca/mirar/la televisión.
2. Mis amigos/querer/ir al teatro.
3. Nosotros/almorzar/al mediodía.
4. Tú/leer/muchos libros tristes.
5. La camisa/costar/20 dólares.

Answers: 1. Yo nunca miro la televisión. 2. Mis amigos quieren ir al teatro. 3. Nosotros almorzamos al mediodía. 4. Tú lees muchos libros tristes. 5. La camisa cuesta 20 dólares.

Communication
Regionalisms

Telephone greetings vary from region to region. Many Mexicans answer with **¿Bueno?** Spaniards may say **¿Diga?** or **¿Dígame?** Costa Ricans say **¿alo?** with the stress on the first syllable.

❀ ¿Qué vas a hacer?

¡AVANZA! **Goal:** Find out about the friends' plans for tonight. Then talk about what you and others are going to do. *Actividades 26–28*

A **Carlos:** ¿Hola?

Sergio: Hola, Carlos. Soy Sergio. ¿Qué vas a hacer después de la cena?

Carlos: Voy a trabajar. ¿Por qué?

Sergio: Hay una fiesta en la casa de Eduardo. ¿Puedes ir después?

Carlos: Tal vez. Mañana voy a jugar al básquetbol y no quiero estar cansado. ¿Está bien si hablamos más tarde?

Sergio: Está bien. Voy a hablar con Carmen ahora. Hasta luego.

Carlos: Adiós.

B **Carmen:** ¿Aló?

Sergio: ¡Hola, Carmen! Soy Sergio. ¿Qué vas a hacer más tarde?

Carmen: Voy a alquilar unos DVDs.

Sergio: ¿No quieres ir a una fiesta? Va a ser en la casa de un amigo muy simpático. Se llama Eduardo y sus fiestas siempre son muy divertidas.

Carmen: ¿Quién más va a la fiesta?

Sergio: No sé si Carlos va también. Vamos a hablar más tarde.

Carmen: Voy a hablar con él ahora. Un momento, Sergio.

Lección preliminar
26 veintiséis

Differentiating Instruction

Heritage Language Learners

Standard Spanish A common Spanglish phrase used in telephone conversations is **llamar p'atrás,** which is a direct translation from the English *to call back.* The standard phrase is **devolver la llamada, regresar la llamada,** or **volver a llamar.**

Inclusion

Alphabetic/Phonetic Awareness Use this reading to practice the silent **h** in Spanish. Photocopy the pages so students can highlight each time the letter **h** is used. Then have students take turns reading aloud, paying special attention that the **h** is silent.

C Carlos: ¿Aló?

Carmen: ¿Carlos? Sergio y yo vamos a la fiesta de Eduardo. ¿Quieres venir?

Carlos: ¿Tú vas también? No sé...

Carmen: ¡Vamos! La fiesta va a ser muy divertida.

Carlos: Bueno. Tal vez puedo ir.

Carmen: ¡Fantástico! ¿Puedes venir a mi casa a las nueve?

Carlos: Está bien. ¡A las nueve!

Carmen: Perfecto. Un momento, Carlos.

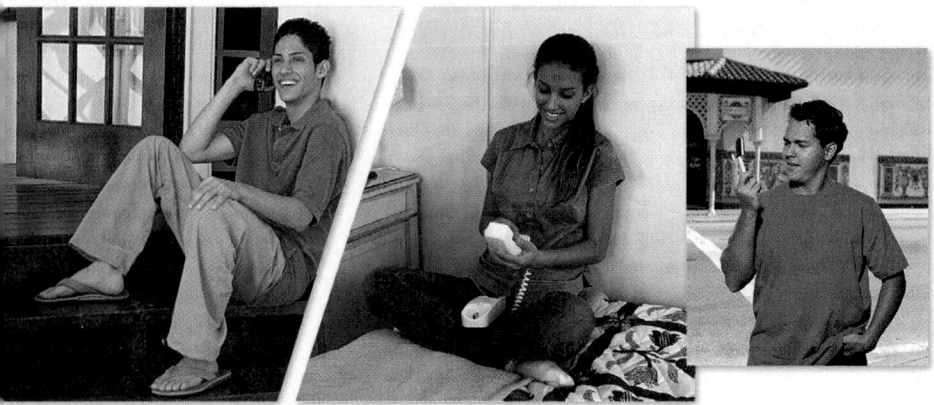

D Carmen: ¿Sergio? Sí, Carlos quiere ir y yo también. ¿Puedes venir a las nueve?

Sergio: Muy bien. Voy a llegar a tu casa a las nueve. ¡Hasta luego!

Carmen: Chau.

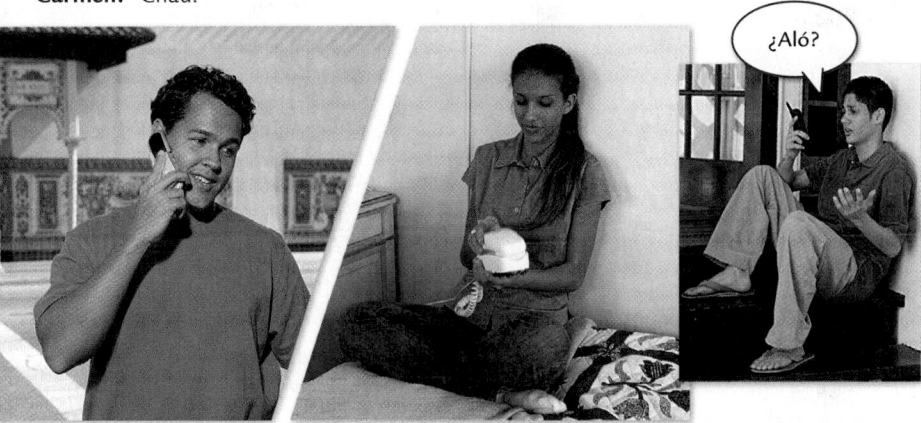

¿Aló?

¡A responder! Escuchar 🎧

Escribe la letra C en un papel y la letra F en otro papel. Luego, escucha cada oración sobre las conversaciones por teléfono. Si es cierto, levanta la C; si es falso, levanta la F. *(True or false?)*

Lección preliminar
veintisiete **27**

Differentiating Instruction

Pre-AP

Identify Main Idea Ask students to write a paragraph summarizing the reading. The topic sentence should be the main idea and the remaining sentences should explain what happened in chronological order.

Multiple Intelligences

Interpersonal Have students work in groups of three to role-play a telephone conversation in which one student calls another person to invite him or her to a party and that person calls the third student to find out if he or she is also going. Volunteers can re-enact their telephone conversations in front of the class.

Communication
Grammar Activity

Use this reading to review stem-changing verbs. Have students write **e→ie, o→ue,** and **e→i** on three separate cards or sheets of paper. As they listen to the audio, ask them to hold up the appropriate stem change when they hear a verb that contains it.

Long-term Retention
Critical Thinking

Analysis Ask students to explain the last photograph. What happened and what led to it?

Communication
Interpersonal Mode

Discuss with students other possible activities to do with friends. After listing these on the board, have students work in pairs to role-play different telephone conversations to invite each other out using **¿Qué vas a hacer?** as a guide.

📘 **Answers** Projectable Transparencies, P-43

¡A responder! Audio Script, TE p. C25B
Students should hold up C for numbers 1, 3, 4, 7, 8 and F for numbers 2, 5, 6.

Objective
· Practice **ir a** + infinitive using lesson vocabulary

Core Resource
Audio Program: TXT CD 1 Track 15

Review Sequence
· **Activity 26:** Controlled practice: listening comprehension
· **Activity 27:** Transitional practice: **ir a** + infinitive
· **Activity 28:** Open-ended practice: **ir a** + infinitive

STANDARDS
1.1 Engage in conversation, Act. 28
1.2 Understand language, Act. 26
1.3 Present information, Act. 27

✓ Ongoing Assessment

PARA Y PIENSA **Intervention** If a student has trouble completing more than one Para y piensa question, refer him or her to the verb paradigm of **ir** on p. 16. Then ask the student to make up three more sentences with **ir a** + infinitive.

🖥 Answers Projectable Transparencies, P-43 and P-44

Activity 26
1. b   **3.** c   **5.** d
2. e   **4.** f   **6.** a

Activity 27 Answers will vary. Sample answers:
1. Yo voy a pasar un rato con los amigos.
2. Tú vas a mirar la televisión.
3. Mis amigos van a jugar al béisbol.
4. Mi primo va a leer un libro.
5. Mi familia y yo vamos a alquilar unos DVDs.

Activity 28 Answers will vary. Sample answers: ¿Qué vas a hacer este fin de semana? Voy a practicar béisbol.

Para y piensa
1. vamos a   **3.** voy a
2. va a   **4.** Van a

Nota gramatical
To talk about what you are going to do, use a form of **ir a** + infinitive.

¿Qué ~~van~~ a hacer ustedes?	~~Vamos~~ a mirar una película.
*What **are you going to do**?*	*We're going to watch a movie.*

26 Los planes de Zulaya

Escuchar Leer

Escucha los planes de Zulaya. Luego pon las oraciones en el orden correcto. *(Put the sentences in the order that Zulaya says she will do them.)*

a. Zulaya va a estudiar.
b. Zulaya y su hermana van a jugar al tenis.
c. Zulaya y sus amigas van a comprar ropa.
d. Zulaya va a dormir toda la mañana.
e. Zulaya va a almorzar en la casa de su tía Silvia.
f. Zulaya y sus amigas van a una fiesta.

🎧 **Audio Program**
TXT CD 1 Track 15
Audio Script,
TE p. C25B

27 ¿Qué van a hacer?

Escribir

¿Qué van a hacer las siguientes personas? Escribe cinco oraciones combinando las palabras y cambiando los verbos. *(Make up sentences saying what everyone is going to do.)*

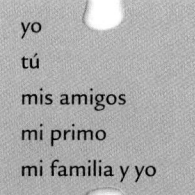

yo	jugar	la televisión
tú	mirar	un libro
mis amigos	alquilar	al béisbol
mi primo	leer	unos DVDs
mi familia y yo	pasar un rato	con los amigos

28 ¿Qué vas a hacer el fin de semana?

Hablar

Pregúntale a tres compañeros qué van a hacer este fin de semana. *(Find out what three classmates are going to do this weekend.)*

Expansión
Write the results of your interview.

🌐 **Get Help Online**
my.hrw.com

PARA Y PIENSA **Did you get it?** Complete the sentences about these people's weekend plans.
1. Nosotros _____ descansar.   **3.** Yo no _____ comer postre.
2. Diego _____ hacer la tarea.   **4.** ¿ _____ venir ustedes a mi casa?

Differentiating Instruction

English Learners

Build Background Explain to students that the form of **ir a** + infinitive is used to talk about an action or event that will happen in the near future. You can explain this concept by drawing a timeline and showing where on the timeline you would use this form. Offer as many examples as necessary.

Slower-paced Learners

Read Before Listening Provide students with the script for Activity 26. Have them identify all the forms of **ir a** + infinitive. Then ask them comprehension questions, such as **¿Qué día va a jugar al tenis? ¿Qué va a hacer después del almuerzo? ¿Cuándo es la fiesta? ¿Qué día va a estudiar?**

En resumen
Vocabulario

Identify and Describe People

People

el (la) director(a) de la escuela	school principal
el hombre	man
el (la) maestro(a)	teacher
la mujer	woman

Appearances

alto(a)	tall
bajo(a)	short
pelirrojo(a)	red-haired
rubio(a)	blond

Qualities

artístico(a)	artistic
atlético(a)	athletic
bonito(a)	handsome / pretty
cómico(a)	funny
desorganizado(a)	disorganized
estudioso(a)	studious
organizado(a)	organized
perezoso(a)	lazy
serio(a)	serious
simpático(a)	nice
trabajador(a)	hardworking

Say Where You Go

la biblioteca	library	la fiesta	party
el café	café	el gimnasio	gymnasium
la cafetería	cafeteria	la oficina	office
la casa del amigo	friend's house	el parque	park
el centro	center; downtown	el partido	. . . game
el centro comercial	shopping center; mall	de básquetbol	basketball . . .
		de béisbol	baseball . . .
el cine	movie theater; the movies	de fútbol	soccer . . .
la clase	class; classroom	la piscina	pool
el concierto	concert	el restaurante	restaurant
la escuela	school	el teatro	theater
el estadio	stadium	la tienda	store

Describe How You Feel

estar...	to be . . .	tener ...	to be . . .
alegre	happy	calor	hot
bien	well; fine	frío	cold
cansado(a)	tired	hambre	hungry
contento(a)	happy	miedo	scared
deprimido(a)	depressed	razón	right
emocionado(a)	excited	sed	thirsty
enfermo(a)	sick		
enojado(a)	angry		
mal	bad		
más o menos	so-so		
nervioso(a)	nervous		
ocupado(a)	busy		
regular	okay		
tranquilo(a)	calm		
triste	sad		

Activities

almorzar	to eat lunch
beber refrescos	to have soft drinks
escribir correos electrónicos	to write e-mails
escuchar música	to listen to music
estudiar	to study
ir de compras	to go shopping
jugar al fútbol	to play soccer
leer un libro	to read a book
mirar la televisión	to watch television
pasar un rato con los amigos	to spend time with friends
practicar deportes	to practice / play sports

Food

el almuerzo	lunch
la carne	meat
la cena	dinner
la comida	food
el desayuno	breakfast
la ensalada	salad
los frijoles	beans
la fruta	fruit
la hamburguesa	hamburger
la manzana	apple
la naranja	orange
el pescado	fish
el pollo	chicken
el postre	dessert
el sándwich	sandwich
las verduras	vegetables

Practice Spanish with Holt McDougal Apps!

Objective
· Review lesson vocabulary.

 ## DIGITAL SPANISH

Interactive Flashcards Students can hear every target vocabulary word pronounced in authentic Spanish. Flashcards have Spanish on one side, and a picture or a translation on the other.

Review Games Matching, concentration, hangman, and word search are just a sampling of the fun, interactive games students can play to review for the test.

performance space	• Audio and Video Resources
News Networking	• Interactive Flashcards
@HOMETUTOR	• Review Activities
Cultura Interactiva	• WebQuest
	• Conjuguemos.com

Connections
Language Arts

Explain to students that antonyms are words with opposite meanings like night and day. Ask a volunteer to find a pair of antonyms in the vocabulary list. Then call out a word from the list and have students name the antonym of it. **(mujer/hombre, alto/bajo, perezoso/ trabajador, serio/cómico, alegre/triste, mal/ bien, nervioso/tranquilo, calor/frío)**

Communication
Humor/Creativity

Write the vocabulary words on individual cards (or photocopy the page and cut out the blue words). Divide the class into groups of five or six and distribute the words. Students then take turns picking a card and telling clues so the rest can guess what the word is. For example, if a student picks the word **manzana**, he or she can say **Es una fruta roja.**

Differentiating Instruction

Multiple Intelligences

Linguistic/Verbal Ask students to make a crossword puzzle using at least ten words from the vocabulary list. Tell them that the words for horizontal and vertical are the same in Spanish and English. Have students exchange crossword puzzles twice: once to complete them and another time to correct them.

Slower-paced Learners

Memory Aids Have students make flashcards with the lesson vocabulary. They should write the Spanish word on one side and either the English equivalent or a picture on the other side. Have students work in pairs with the flashcards to test each other.

Objective
· Review lesson grammar and vocabulary.

Core Resource
· Audio Program: TXT CD 1 Track 16

Review Sequence
· **Activity 1:** Controlled practice: listening comprehension
· **Activity 2:** Open-ended practice: **gustar**
· **Activity 3:** Transitional practice: **ir**
· **Activity 4:** Controlled practice: **ser, estar, tener**
· **Activity 5:** Controlled practice: regular and stem-changing present-tense verbs
· **Activity 6:** Open-ended practice: **ir a** + infinitive

STANDARDS
1.1 Engage in conversation, Act. 2
1.2 Understand language, Acts. 1, 5
1.3 Present information, Acts. 2–6

Warm Up Projectable Transparencies, P-25

Vocabulario Match the activities with the places where you might do them.

1. almorzar
2. ir de compras
3. escuchar música
4. estudiar
5. jugar al fútbol

a. el concierto
b. el estadio
c. la biblioteca
d. la cafetería
e. el centro comercial

Answers: 1. d; 2. e; 3. a; 4. c; 5. b

✓Ongoing Assessment

Alternative Strategy Instead of doing Activity 1 as a listening activity, assign it as a writing activity. Have students write a sentence describing each person illustrated. Check for word choice and adjective agreement.

Answers Projectable Transparencies, P-44

Activity 1
1. b
2. a, c
3. b
4. d
5. c
6. a
7. d
8. a

Activity 2 Answers will vary. Sample answer: A mi hermano le gusta jugar al fútbol, pero a mí me gusta tocar la guitarra.

Repaso de la lección

¡LLEGADA!

Now you can
· identify and describe people
· talk about likes and dislikes
· say where you and your friends go
· describe how you and others feel
· talk about what you and your friends do

Using
· articles, subject pronouns, and adjectives
· regular and stem-changing present-tense verbs
· the verbs **gustar, ser, estar, tener,** and **ir**

@HOMETUTOR
my.hrw.com

🎧 **Audio Program**
TXT CD 1 Track 16
Audio Script,
TE p. C25B

To review
· **ser,** p. 5
· adjectives, p. 8

AUDIO

1 Listen and match

Escucha las siguientes descripciones. Escribe la letra de la persona que corresponde. *(Match the pictures with the descriptions you hear.)*

a. b. c. d.

To review
· **gustar,** p. 12

2 Talk about likes and dislikes

Describe qué les gusta a dos personas, tus amigos o de tu familia. Luego, escribe si te gusta lo mismo. *(Describe what two friends or family members like, and write if you like the same things.)*

jugar al fútbol   las naranja
beber refrescos   los frijoles
leer libros   el pescado

modelo: A Amanda le gustan las naranjas, pero a Luis no le gustan.
A mí me gustan las naranjas también.

30 Lección preliminar
treinta

Differentiating Instruction

Inclusion

Cumulative Instruction Before doing Activity 2, review the verb **gustar.** Ask students when they use **gusta** and when they use **gustan.** Then ask them to name the indirect object pronoun that would go in front of the verb **gusta** for different phrases, such as **A mí, A mi madre, A mis amigos.**

Pre-AP

Expand and Elaborate Ask students who successfully complete the Repaso activites, to pick a character from Activity 1 and write a description of the character based on the illustration. They should use the verbs from the lesson to describe the person, say what they like or dislike, imagine where they are going, and what they are going to do there.

3 Say where you and your friends go

review
a + place, p. 16
m-changing
bs, p. 25

Di adónde van las personas. *(Say where everyone is going.)*

> **modelo:** Yo quiero ver una película.
> Voy al cine.

1. Manolo quiere sacar un libro.
2. Tú quieres practicar deportes.
3. Dora y Bárbara quieren comer.
4. Yo quiero ir de compras.
5. Nosotros queremos nadar.
6. Teresa quiere ver una película.

4 Describe yourself and others

review
er, p. 9
or **estar**, p. 21

Completa las oraciones con las formas correctas de **ser, estar** o **tener**.
*(Fill in the blanks with the correct forms of **ser, estar** or **tener**.)*

1. ¿Por qué _____ ella triste?
2. Francisco _____ muy estudioso.
3. Yo no _____ enojada.
4. Ustedes _____ razón.
5. ¿ _____ (tú) hambre?
6. Los jugadores _____ cansados.
7. Pilar y Lupe _____ simpáticas.
8. ¡Yo _____ miedo!

5 Talk about what you and your friends do

review
ular present-
se verbs, p. 24
m-changing
bs, p. 25

Usa las formas correctas de los verbos entre paréntesis para completar el
correo electrónico de Alejandro. *(Complete the e-mail with the correct verb forms.)*

> Todos los domingos, nosotros **1.** (almorzar) en el
> restaurante de mi tío. Después, mis abuelos **2.** (escuchar)
> música. Mi padre **3.** (mirar) la televisión y mi madre **4.**
> (leer) un libro. Mis hermanos **5.** (jugar) al fútbol y yo
> **6.** (escribir) correos electrónicos. Este domingo yo **7.**
> (querer) hacer otra cosa más divertida. ¿Qué **8.** (hacer)
> tú y tu familia los domingos?
>
> —Alejandro

6 Talk about what you are going to do

review
. 16
+ infinitive, p.

Contesta el correo electrónico de Alejandro. Escribe cuatro oraciones
diciendo lo que tú y tu familia (o tus amigos) van a hacer este domingo.
Usa **ir a** + infinitivo. *(Write four sentences telling Alejandro what you and your family (or friends) are going to do this Sunday. Use the construction **ir a** + infinitive.)*

Get Help Online
my.hrw.com

Differentiating Instruction

Multiple Intelligences

Interpersonal Have students find two
students in the classroom that fit each of the
following categories: **Le gusta jugar al
béisbol. No le gustan las bananas. Tiene
miedo cuando hay un examen. Mira la
televisión todas las noches. Va a comer en
un restaurante este sábado. Escribe correos
electrónicos todos los días.**

Slower-paced Learners

Peer-study Support Team students up in
pairs to complete Activity 6. First, students
should help each other brainstorm a list of
verbs they might use. Then, after they write
the four sentences, have them exchange
papers and circle any words that might be
used incorrectly. Students can then revise
their written work before handing it in.

Get Help Online
More Practice
my.hrw.com

✓ Ongoing Assessment

Intervention and Remediation Have
students correct any mistakes they make in
these activities. For each mistake, they should
write a sentence explaining why they got it
wrong and what the correct answer is.
If students need further review, refer them to
pp. 5, 8–9, 12, 16, 21, 24–25, 28.

Answers Projectable Transparencies, P-44 and P-45

Activity 3 Answers will vary. Possible answers:
1. Manolo va a la biblioteca.
2. Tú vas al gimnasio.
3. Dora y Bárbara van al restaurante.
4. Yo voy al centro comercial.
5. Nosotros vamos a la piscina.
6. Teresa va al cine.

Activity 4
1. está
2. es
3. estoy
4. tienen
5. Tienes
6. están
7. son
8. tengo

Activity 5
1. almorzamos
2. escuchan
3. mira
4. lee
5. juegan
6. escribo
7. quiero
8. hacen

Activity 6 Answers will vary. Sample answer:
Mi familia y yo vamos a comer en un
restaurante a las once. Vamos a pasar un rato
en el parque a las doce...

Proyectos adicionales

❖ Art Project

Biodiversity Explain to students that Costa Rica is known for its biodiversity. In fact, it is one of the twenty countries with the greatest number of plant and animal species in the world. More than 500,000 species can be found in Costa Rica, representing nearly 5% of the total species estimated worldwide. Over 25% of Costa Rica's land is protected, more than any other country on earth. Many of these protected areas have been established as National Parks, Reserves and Wildlife Refuges, attracting visitors from all over the world with a curiosity about its unique and varied flora and fauna.

Have students choose one of Costa Rica's National Parks or Reserves and make a poster that illustrates a variety of plants and animals that can be found there.

1. Have students work in pairs.
2. Allow students time to conduct research in the library, using books and online resources to find information about the area they have chosen and what type of unique plant and animal life can be found there.
3. Have students design a poster that includes the name of the area they have chosen, a map of where it is located in Costa Rica and photos or drawings of several species, as well as their names in Spanish.
4. Have each pair choose one or two species from their posters and share their information with the class. Hang the posters up around the classroom.

PACING SUGGESTION: Two 50-minute class periods (one for research and one for putting posters together) after Lección 1.

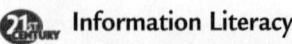 Information Literacy

❖ Web Research

Transportation in Costa Rica Have students go online to research different aspects of transportation in Costa Rica. Guide their research by asking these questions:

- Where are Costa Rica's airports located? What are the options for air travel within Costa Rica?
- By what means do most people get around in Costa Rica?
- What is Costa Rica's road system like?
- What is the bus system like? Are taxis a popular means of transportation?
- What are other options for travel within Costa Rica? How would your mode of transportation differ depending on your destination?

Have students take notes on their findings. Have a class discussion about transportation in Costa Rica. Create columns on the board: "air travel", "roads", "buses", "taxis", "other", and record what students have learned. As a follow-up, discuss how transportation in Costa Rica differs from transportation in the United States.

Search Key Words: "transportation in Costa Rica", "air travel in Costa Rica", "buses in Costa Rica", "taxis in Costa Rica"

PACING SUGGESTION: One 90-minute class period at the end of Lección 1.

 Technology Literacy

❖ Careers

Rainforest Preservation Due to factors such as logging, deforestation, overconsumption, and development, the biodiversity and natural resources of Costa Rica's rainforests are being increasingly threatened. There are many groups and organizations working to save the rainforests and preserve their bountiful resources. In what ways are these groups and organizations working to save the rainforests? What career opportunities are available for those with an interest in rainforest preservation? Have students research these organizations and look at internship and job opportunities available in Costa Rica's rainforests. What skills and education are required for these jobs? Conduct a class discussion based on their findings. What jobs seem interesting to them and why?

PACING SUGGESTION: One 90-minute class period after Lección 1 for research and discussion.

 Information Literacy

❊ Storytelling

¡De vacaciones! After reviewing the vocabulary from Lección 1, model a mini-story. Later, students will revise, retell and expand it.

¡Mi familia y yo **vamos de vacaciones** a Costa Rica! Estoy muy emocionado porque me encanta **viajar**. Salimos de la casa y **tomamos un taxi** al **aeropuerto**. Cuando llegamos, tenemos que **hacer cola** para **facturar el equipaje** y recibir **la tarjeta de embarque**. Mi hermana y yo **miramos las pantallas** y vemos que nuestro **vuelo** llega tarde porque hace mucho viento. Comemos en un restaurante muy bueno y vamos de compras en las tiendas. Después de una hora, llega el momento de **pasar por seguridad** y **abordar el vuelo**. ¡A Costa Rica!

As you tell the story, be sure to pause so that students can fill in words and act out gestures. You may also want to write the vocabulary words on cards and hand them out to students. As you tell the story, have students hold up the appropriate card. Ask students to retell the story, expanding on it by adding more details. After Lección 2, have students write a second paragraph, using the lesson vocabulary to tell about their trip to Costa Rica and the activities they did there.

PACING SUGGESTION: 30 minutes of class time after Lección 1.

❊ Music

Marimba The marimba is a percussion instrument related to the xylophone, while marimba itself is a style of music developed hundreds of years ago in West Africa and Costa Rica. Today, marimba is played in marching bands, jazz groups, and orchestras. Play a recording of some marimba music. Afterward, ask students these questions:

- How did the music make you feel?
- Did the music remind you of anything you have heard before?
- What other instruments did you hear besides the marimba?

PACING SUGGESTION: 20–30 minutes of class time at the end of Lección 2.

❊ Recipe

Salsa de mango y frijoles negros The typical diet of Costa Rica consists of tortillas, rice, beans, tropical fruit and bread. Mangos, papayas, and bananas are found throughout the country. This easy to make dip can be served with tortilla chips.

Sopa Negra

Ingredientes
1 lata de frijoles negros
1 lata de maíz
1 taza de mango, cortado en pedazos pequeños
1/3 taza de cilantro
1/3 taza de cebolla roja, picada
1/4 taza de jugo de limón verde
1/2 taza de pimiento rojo, cortado en pedazos pequeños

Instrucciones
Mezcle todos los ingredientes en una cacerola grande. Póngala en el refrigerador por lo menos una hora. Sirva la salsa con tortillas o con galletas. También se puede servir con pollo asado o con arroz.

Tiempo de preparación: 30 minutos
Tiempo total: 1 hora y media

¡AvanzaRap! DVD
- Video animations of all ¡AvanzaRap! songs (with Karaoke track)
- Teaching Suggestions
- ¡AvanzaRap! Activity Masters
- ¡AvanzaRap! Video Scripts and Answers

Also available on the **Teacher One Stop**

UNIT THEME
Getting to know new places

UNIT STANDARDS

COMMUNICATION
· Discuss travel preparations
· Talk about things you do at an airport
· Ask how to get around town
· Say where you went and what you did on vacation
· Ask information questions
· Talk about buying gifts and souvenirs

CULTURES
· **Pura vida** and the art of Adrián Gómez
· Nature and adventure parks in Costa Rica
· Playa Hermosa, Costa Rica
· Costa Rican painter Jeannette Carballo
· National parks in Costa Rica and Chile
· **Batidos de fruta** and **chocolate con leche**
· Vacation destinations in Costa Rica, Chile, and Puerto Rico

CONNECTIONS
· Mathematics: Graph the slope of the Pacuare River
· Science: Create a weather report for Costa Rica
· Art: Make a drawing of the river showing the animals of the jungle
· Social Studies: Write about the preservation of the Pacuare River

COMPARISONS
· Travel to other countries
· Cultural values and customs represented in art
· The Spanish **l** and **ll** and the English *l* and *y*
· Ways of preserving nature
· Vacation destinations
· The Spanish **h** and **ch** and the English *h* and *ch*
· National parks and their benefits
· Climate and geography in Costa Rica and Chile
· Traditional dishes in Costa Rica and Chile
· Vacation destinations in Costa Rica, Chile, and Puerto Rico

COMMUNITIES
· Local restaurants that serve food from Spanish-speaking countries

UNIDAD 1
Costa Rica
¡A conocer nuevos lugares!

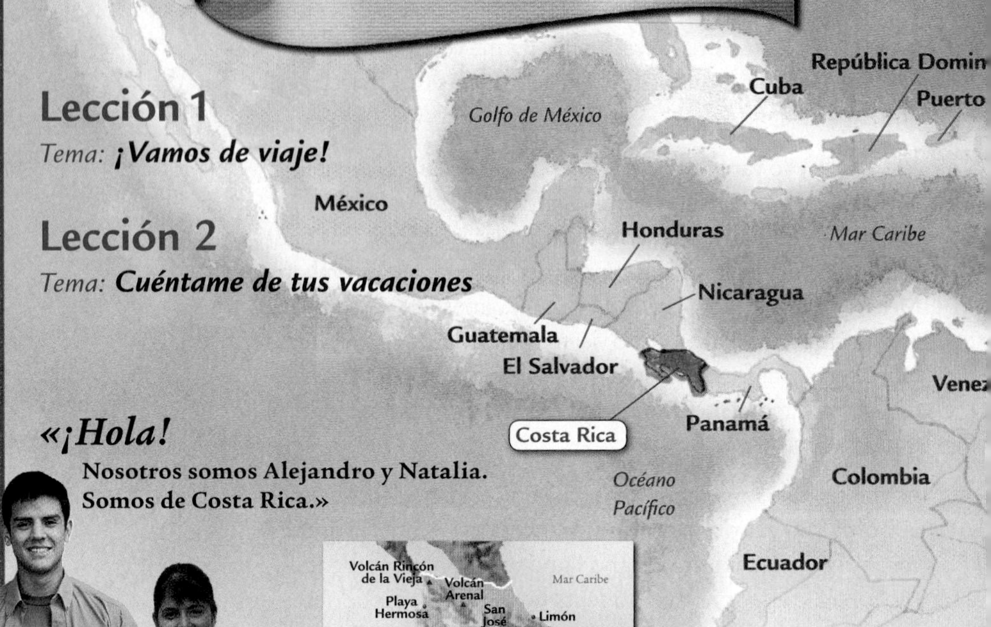

Lección 1
Tema: **¡Vamos de viaje!**

Lección 2
Tema: **Cuéntame de tus vacaciones**

«¡*Hola!*
Nosotros somos Alejandro y Natalia. Somos de Costa Rica.»

Océano Atlántico

República Domin
Cuba
Puerto
Golfo de México
México
Honduras
Mar Caribe
Nicaragua
Guatemala
El Salvador
Costa Rica
Panamá
Venez
Océano Pacífico
Colombia
Ecuador

Volcán Rincón de la Vieja
Volcán Arenal
Playa Hermosa
San José
Limón
Puntarenas
Costa Rica
Jacó
Océano Pacífico
PENÍNSULA DE OSA
Mar Caribe

Población: 4.195.914

Área: 19.730 millas cuadradas

Capital: San José

Moneda: el colón

Idioma: español

Comida típica: casado, gallo pinto, sopa negra

Gallo pinto

Gente famosa: Óscar Arias Sánchez (político), Claudia Poll (atleta), Francisco Zúñiga (artista), Eunice Odio (poeta)

32 treinta y dos

Cultural Geography

Setting the Scene
· ¿Te gusta viajar? (Sí, (No, no) me gusta viajar.)
· ¿De dónde son las personas en la foto? (de Costa Rica)
· ¿Cómo se llaman? (Alejandro y Natalia)
· ¿Piensas que hay lugares para pasar las vacaciones en Costa Rica? (Sí, hay playas, volcanes y aguas termales.)

Teaching with Maps
· ¿Qué países están al lado de Costa Rica? (Panamá, Nicaragua)
· ¿Qué otros países están cerca de Costa Rica? (Honduras, El Salvador, Colombia, Guatemala)
· ¿Cuántos lados de Costa Rica tiene costa? (dos)

CuLTuRa Interactiva
my.hrw.com

See these pages come alive!

Aficionados de fútbol celebrando

◀ **Nos llamamos «ticos».** **Tico** es otra palabra para decir costarricense. Se refiere a la tendencia de los costarricenses de poner un **-tico** al final de sus palabras (por ejemplo, **gato: gatico**). Por eso, el equipo nacional de fútbol de Costa Rica se llama «Los Ticos». *¿Tienen un nombre especial las personas de tu región de Estados Unidos?*

Las aguas termales En Costa Rica hay muchos lugares bonitos donde las personas pueden pasar un rato en la naturaleza. En el resorte de Tabacón en Arenal, Alajuela, uno puede caminar por jardines tropicales, observar el volcán activo de Arenal y jugar en las aguas termales *(hot springs)*. *¿Adónde van los turistas en la región donde vives?* ▶

Las aguas termales

Artista pintando una carreta

◀ **Las carretas de Costa Rica** La artesanía más conocida de Costa Rica es la carreta de madera *(wood)*. Los artesanos pintan las carretas con diseños tradicionales de muchos colores. Antes las carretas se usaban *(were used)* para transportar el café, pero hoy la mayoría son decorativas. *¿Qué cosas especiales hacen donde vives?*

Costa Rica
treinta y tres   **33**

CuLTuRa Interactiva
my.hrw.com

Cultura Interactiva Send your students to my.hrw.com to explore authentic Costa Rican culture. Tell them to click Cultura interactiva to see these pages come alive!

Culture

About the Photos

· **Hot springs** The hot springs of Tabacón are due to the volcano, Arenal which is three quarters of a mile away. A major volcano in Costa Rica, Arenal lay dormant for 400 years—then erupted in 1968. Today, visitors can float in the warm waters near its base while watching giant fiery boulders tumble down its sides.

· **Carretas** Sarchi is considered the home of the painted oxcarts. Use of the carts dates back to the late 1800s when they were used to transport coffee beans before the railroads were built. Originally the carts were plain wood.

Expanded Information

· **Las costas y montañas** Costa Rica lies at the intersection of two continents and two oceans. A backbone of volcanoes and mountains divides the country. Costa Rica has extensive coastlines and river systems, and a remarkable variety of landscapes, including an abundance of ecosystems and micro-climates.

· **La naturaleza** Costa Rica's rich volcanic soil and temperate climate support some of the densest, most diversified forests in the world. These forests, in turn, support many species of animals, birds and insects. Approximately 75 percent of all Costa Rica's species of flora and fauna can be found in the protected lands of the many national parks and nature reserves.

Bridging Cultures

Heritage Language Learners

Support What They Know Ask students from Spanish-speaking countries to describe travel in their country, including: what to pack for a trip there, what transportation is available (air, trains, buses, cars), and what are some fun things to do there.

English Learners

Build Background Have students think about why Costa Rica attracts so many tourists each year. Have them choose a place in Costa Rica they would like to visit, and compare its attractions with those of a location from their country of origin.

Video Character Guide

Alejandro and Natalia are siblings from Costa Rica. They are getting ready for their family vacation.

▶∥ ∥

Lesson Overview

Culture at a Glance

Topic & Activity	Essential Question
The Melytour Travel Agency, pp. 34–35	¿Conoces otros países? ¿Adónde quieres viajar?
Pura vida and the art of Adrián Gómez, p. 42	¿Cómo refleja el arte la vida y los valores de un país?
A nature preserve in Costa Rica, p. 48	¿Por qué debe un país preservar su naturaleza?
Eco-adventure activities in Costa Rica, pp. 52–53	¿Qué actividades puedes hacer en los parques ecológicos?
Culture review, p. 57	¿Cómo es la cultura costarricense?

COMPARISON COUNTRIES Costa Rica Chile Puerto Rico

Practice at a Glance

	Objective	Activity & Skill
Vocabulary	Travel preparations	1: Speaking/Writing; 2: Speaking; 3: Speaking/Writing; 4: Listening/Reading; 6: Speaking/Writing; 7: Reading/Writing; 9: Speaking/Writing; 10: Listening/Reading; 12: Speaking/Writing; 15: Reading/Writing; 20: Reading/Listening/Speaking; 21: Writing; Repaso 1: Listening/Writing; Repaso 3: Writing
Vocabulary	At the airport	1: Speaking/Writing; 5: Speaking/Writing; 10: Listening/Reading; 13: Listening/Writing; Repaso 3: Writing; Repaso 4: Writing
Vocabulary	Around town	3: Speaking/Writing; 4: Listening/Reading; 8: Speaking/Writing; Repaso 2: Writing
Grammar	Using personal **a**	5: Speaking/Writing; 12: Speaking/Writing; 13: Listening/Writing; 14: Speaking/Writing; 16: Reading/Writing/Speaking; Repaso 2: Writing
Grammar	Using direct object pronouns	6: Speaking/Writing; 7: Reading/Writing; 8: Speaking/Writing; 9: Speaking/Writing; 10: Listening/Reading; 11: Speaking; Repaso 1: Listening/Writing; Repaso 3: Writing
Grammar	Using indirect object pronouns	12: Speaking/Writing; 13: Listening/Writing; 14: Speaking/Writing; 15 Reading/Writing; 16: Reading/Writing/Speaking; Repaso 4: Writing
Communication	Discuss travel preparations	1: Speaking/Writing; 2: Speaking; 3: Speaking/Writing; 6: Speaking/Writing; 9: Speaking/Writing; 10: Listening/Reading; 12: Speaking/Writing; 15: Reading/Writing; 17: Listening/Reading; 18: Listening/Reading; 19: Speaking; 20: Reading/Listening/Speaking; 21: Writing
Communication	Talk about things you do at an airport	1: Speaking/Writing; 5: Speaking/Writing; 10: Listening/Reading; 11: Speaking; 13: Listening/Writing
Communication	Ask how to get around town	3: Speaking/Writing; 8: Speaking/Writing
Communication	Pronunciation: The sound of **L** and **LL**	*Pronunciación: El sonido L y LL,* p. 45: Listening/Speaking
Recycle	Possessions	6: Speaking/Writing
Recycle	Prepositions of location	8: Speaking/Writing
Recycle	Places around town	8: Speaking/Writing
Recycle	Daily activities	11: Speaking

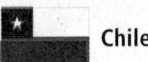

The following presentations are recorded in the Audio Program for *¡Avancemos!*

- *¡A responder!* page 37
- **13: En el aeropuerto** page 47
- **20: Integración** page 51
- **Repaso de la lección** page 56
  1: Listen and understand

For **¡AvanzaRap!** scripts, see the **¡AvanzaRap!** DVD.

¡A responder! TXT CD 2 track 2

1. Tienes que mirar la pantalla.
2. Vamos a facturar el equipaje.
3. Necesitas todo el día para hacer las maletas.
4. ¡No me gusta hacer cola!
5. La agente de viajes es muy simpática
6. Vamos a tomar un taxi.

13 | En el aeropuerto TXT CD 2 track 6

Estamos en el aeropuerto, esperando el vuelo. ¡Qué aburrido! Los pasajeros les hablan a los auxiliares de vuelo. Un señor le quiere dar un refresco a su esposa, pero ella no lo quiere. Una madre le canta a su hijo pequeño porque está triste. A ver... También veo a un pasajero que le pregunta la hora a la auxiliar de vuelo. Creo que la auxiliar va a hacer un anuncio. Sí. Nos dice unas palabras que no comprendo bien. Ahora los pasajeros caminan a la puerta y les dan las tarjetas de embarque a los dos auxiliares de vuelo. Un momento. Mamá me quiere hablar. ¡Ay! Tengo que abordar el avión. Les hablo más tarde. ¡Adiós!

20 | Integración TXT CD 2 tracks 8, 9

Fuente 2 Mensaje por teléfono

Buenos días. Habla el señor Aguilar de la Agencia Sol y Mar. Llamo para confirmar el itinerario para sus vacaciones en San José. No necesitan boletos; todo está en la computadora. Pueden darle el itinerario y su identificación a un auxiliar de vuelo en el aeropuerto y él o ella les va a dar sus tarjetas de embarque. Pero deben confirmar el vuelo antes de ir al aeropuerto. <pause> Después de llegar a San José, pueden tomar un taxi al hotel Doral, donde ya tienen una reservación. Si tienen preguntas me pueden llamar. ¡Hasta luego y buen viaje!

Repaso de la lección TXT CD 2 track 11

1 Listen and understand

Madre: Ay, Natalia, haces un viaje y yo no voy contigo. Estoy muy nerviosa. ¿Tienes todo? ¿Tienes tu dinero?

Natalia: Sí, mamá. Tengo mi dinero y mi boleto aquí.

Madre: Muy bien, pero...el itinerario... ¿Lo tienes?

Natalia: Sí, claro, lo tengo en mi mochila con mi identificación y mi pasaporte.

Madre: ¿A qué hora es la llegada de tu vuelo? La quiero escribir.

Natalia: No la tengo aquí. Está en mi mochila, mamá. No te preocupes. Papá tiene una copia de mi itinerario. Vámonos mamá... ya es tarde.

Madre: ¿No tienes la tarjeta de embarque, verdad?

Natalia: No, me la van a dar en el aeropuerto.

Madre: Está bien. Está bien. Va a hacer calor, ¿Tienes tu traje de baño?

Natalia: <exasperated / exasperada>

¡Sí! Tengo mi traje de baño, tengo todo, ya es tarde. Tenemos que salir. ¡Por favor!

Madre: Bueno, ¡Al carro!

Natalia: <relieved / aliviada>

Gracias, mamá. Vamos.

Madre: ¿Natalia?

Natalia: ¿Sí?

Madre: ¡Necesitas tus maletas!

Natalia: ¡Ah! ¡Caramba! No las tengo conmigo. Gracias, mamá.

Everything you need to ...

Plan
TEACHER ONE STOP

✓ Lesson Plans
✓ Teacher Resources
✓ Audio and Video

Present
INTERACTIVE WHITEBOARD LESSONS

TEACHER ONE STOP WITH PROJECTABLE TRANSPARENCIES

POWER PRESENTATIONS

ANIMATED GRAMMAR

Assess
 ONLINE ASSESSMENT

✓ Assessments for on-level, modified, pre-AP, and heritage learners
✓ Create customized tests with **Examview Assessment Suite**
✓ **performance space**
✓ *Generate Success* Rubric Generator

 ## Print

Plan	Present	Practice	Assess
URB 1 • Video Scripts pp. 97–98 • Family Letter p. 121 • Absent Student Copymasters pp. 123–130 **Best Practices Toolkit**	**URB 1** • Video Activities pp. 79–86	• *Cuaderno* pp. 1–23 • *Cuaderno para hispanohablantes* pp. 1–23 • *Lecturas para todos* pp. 2–6 • *Lecturas para hispanohablantes* • *!AvanzaCómics! El misterio de Tikal*, Episodio 1 **URB 1** • Practice Games pp. 59–66 • Audio Scripts pp. 104–106 • Map/Culture Activities pp. 111–112 • Fine Art Activities pp. 115–116	**Differentiated Assessment Program** **URB 1** • Did you get it? Reteaching and Practice Copymasters pp. 29–40

 ## Projectable Transparencies (Teacher One Stop, my.hrw.com)

Culture	Presentation and Practice	Classroom Management
• Atlas Maps 1–6 • Map: Costa Rica 7 • Fine Art Transparencies 8, 9	• Vocabulary Transparencies 12, 13 • Grammar Presentation Transparencies 16, 17	• Warm Up Transparencies 26–29 • Student Book Answer Transparencies 46–49

Audio and Video

Audio	Video	¡AvanzaRap! DVD
• Student Book Audio CD 2 Tracks 1–11 • Workbook Audio CD 1 Tracks 1–10 • Assessment Audio CD 1 Tracks 3–4 • Heritage Learners Audio CD 1 Tracks 1–4, CD 3 Tracks 3–4 • *Lecturas para todos* Audio CD 1 Track 1, CD 2 Tracks 1–7 • Sing-along Songs Audio CD	• Vocabulary Video DVD 1 • *Telehistoria* DVD 1 • *Telehistoria, Escena 1* • *Telehistoria, Escena 2* • *Telehistoria, Escena 3* • *Telehistoria, Completa*	• Video animations of all **¡AvanzaRap!** songs (with Karaoke track) • Interactive DVD Activities • Teaching Suggestions • **¡AvanzaRap!** Activity Masters • **¡AvanzaRap!** video scripts and answers

Online and Media Resources

Student	Teacher
Available online at my.hrw.com • Online Student Edition • **News** Networking • **performance space** • **@HOMETUTOR** • **CULTURA** Interactiva • WebQuests • Interactive Flashcards • Review Games • Self-Check Quiz **Student One Stop** **Holt McDougal Spanish Apps**	**Teacher One Stop (also available at my.hrw.com)** • Interactive Teacher's Edition • All print, audio, and video resources • Projectable Transparencies • Lesson Plans • TPRS • Examview Assessment Suite **Available online at my.hrw.com** *Generate Success* Rubric Generator and Graphic Organizers **Power Presentations**

Differentiated Assessment

On-level	Modified	Pre-AP	Heritage Learners
• Vocabulary Recognition Quiz p. 17 • Vocabulary Production Quiz p. 18 • Grammar Quizzes pp. 19–20 • Culture Quiz p. 21 • On-level Lesson Test pp. 22–28	• Modified Lesson Test pp. 11–17	• Pre-AP Lesson Test pp. 11–17	• Heritage Learners Lesson Test pp. 17–23

Core Pacing Guide

50 Minute (9 Day)

	Objectives/Focus	Teach	Practice	Assess/HW Options
DAY 1	**Culture:** learn about new places **Vocabulary:** travel preparations, getting around in an airport • Warm Up OHT 26 **5 min**	Unit Opener pp. 32–33 Lesson Opener pp. 34–35 **Presentación de vocabulario** pp. 36–37 • Read A–E • View video DVD 1 • Play audio TXT CD 2 track 1 • *¡A responder!* TXT CD 2 track 2 **25 min**	Lesson Opener pp. 34–35 **Práctica de vocabulario** p. 38 • Acts. 1, 2, 3 **15 min**	**Assess:** *Para y piensa* p. 38 **5 min** **Homework:** *Cuaderno* pp. 1–3 @HomeTutor
DAY 2	**Communication:** talking about people and things in an aiport • Warm Up OHT 26 • Check Homework **5 min**	**Vocabulario en contexto** pp. 39–40 • *Telehistoria escena 1* DVD 1 • *Nota gramatical:* personal **a** **20 min**	**Vocabulario en contexto** pp. 39–40 • Act. 4 TXT CD 2 track 3 • Act. 5 **20 min**	**Assess:** *Para y piensa* p. 40 **5 min** **Homework:** *Cuaderno* pp. 1–3 @HomeTutor
DAY 3	**Grammar:** review direct object pronouns • Warm Up OHT 27 • Check Homework **5 min**	**Presentación de gramática** p. 41 • Direct object pronouns **Práctica de gramática** pp. 42–43 **Culture:** *Pura vida* **20 min**	**Práctica de gramática** pp. 42–43 • Acts. 6, 7, 8, 9 **20 min**	**Assess:** *Para y piensa* p. 43 **5 min** **Homework:** *Cuaderno* pp. 4–6 @HomeTutor
DAY 4	**Communication:** use direct object pronouns to talk to your classmates about vacation activities • Warm Up OHT 27 • Check Homework **5 min**	**Gramática en contexto** pp. 44–45 • *Telehistoria escena 2* DVD 1 • *Pronunciación* TXT CD 2 track 5 **15 min**	**Gramática en contexto** pp. 44–45 • Act. 10 TXT CD 2 track 4 • Act. 11 **25 min**	**Assess:** *Para y piensa* p. 45 **5 min** **Homework:** *Cuaderno* pp. 4–6 @HomeTutor
DAY 5	**Grammar:** learn the indirect object pronouns • Warm Up OHT 28 • Check Homework **5 min**	**Presentación de gramática** p. 46 • Indirect object pronouns **15 min**	**Práctica de gramática** pp. 47–48 • Act. 12 • Act. 13 TXT CD 2 track 6 • Acts. 14, 15, 16 **25 min**	**Assess:** *Para y piensa* p. 48 **5 min** **Homework:** *Cuaderno* pp. 7–9 @HomeTutor
DAY 6	**Communication:** Culmination: talk about a real or imaginary trip • Warm Up OHT 28 • Check Homework **5 min**	**Todo junto** pp. 49–51 • *Escenas 1, 2: Resumen* • *Telehistoria completa* DVD 1 **15 min**	**Todo junto** pp. 49–51 • Acts. 17, 18 TXT CD 2 tracks 3, 4, 7 • Act. 19 • Act. 20 TXT CD 2 tracks 8, 9 • Act. 21 **25 min**	**Assess:** *Para y piensa* p. 51 **5 min** **Homework:** *Cuaderno* pp. 10–11 @HomeTutor
DAY 7	**Reading:** An eco-adventure park **Connections:** Mathematics • Warm Up OHT 29 • Check Homework **5 min**	**Lectura** pp. 52–53 • *Un parque tropical de Costa Rica* TXT CD 2 track 10 **Conexiones** p. 54 • *Las matemáticas* **20 min**	**Lectura** pp. 52–53 • *Un parque tropical de Costa Rica* **Conexiones** p. 54 • *Proyectos 1, 2, 3* **20 min**	**Assess:** *Para y piensa* p. 53 **5 min** **Homework:** *Cuaderno* pp. 15–17 @HomeTutor
DAY 8	**Review:** Lesson review • Warm Up OHT 29 **5 min**	**Repaso de la lección** pp. 56–57 **15 min**	**Repaso de la lección** pp. 56–57 • Act. 1 TXT CD 2 track 11 • Acts. 2, 3, 4, 5 **25 min**	**Assess:** *Repaso de la lección* **5 min** pp. 56–57 **Homework:** *En resumen* p. 55; *Cuaderno* pp. 12–14, 18–23 (optional) Review Games Online; @HomeTutor
DAY 9	**Assessment**			**Assess:** Lesson 1 test **50 min**

	Objectives/Focus	Teach	Practice	Assess/HW Options
DAY 1	**Culture:** learn about new places **Vocabulary:** travel preparations, getting around in an airport • Warm Up OHT 26 **5 min**	Unit Opener pp. 32–33 Lesson Opener pp. 34–35 **Presentación de vocabulario** pp. 36–37 • Read A–E • View video DVD 1 • Play audio TXT CD 2 track 1 • *¡A responder!* TXT CD 2 track 2 **15 min**	Lesson Opener pp. 34–35 **Práctica de vocabulario** p. 38 • Acts. 1, 2, 3 **20 min**	**Assess:** *Para y piensa* p. 38 **5 min**
	Communication: talking about people and things in an airport **5 min**	**Vocabulario en contexto** pp. 39–40 • *Telehistoria escena 1* DVD 1 • *Nota gramatical:* personal **a** **15 min**	**Vocabulario en contexto** pp. 39–40 • Act. 4 TXT CD 2 track 3 • Act. 5 **20 min**	**Assess:** *Para y piensa* p. 40 **5 min** **Homework:** *Cuaderno* pp. 1–3 @HomeTutor
DAY 2	**Grammar:** review direct object pronouns • Warm Up OHT 27 • Check Homework **5 min**	**Presentación de gramática** p. 41 • Direct object pronouns **Práctica de gramática** pp. 42–43 **Culture:** *Pura vida* **15 min**	**Práctica de gramática** pp. 42–43 • Acts. 6, 7, 8, 9 **20 min**	**Assess:** *Para y piensa* p. 43 **5 min**
	Communication: use direct object pronouns to talk to your classmates about vacation activities **5 min**	**Gramática en contexto** pp. 44–45 • *Telehistoria escena 2* DVD 1 • *Pronunciación* TXT CD 2 track 5 **15 min**	**Gramática en contexto** pp. 44–45 • Act. 10 TXT CD 2 track 4 • Act. 11 **20 min**	**Assess:** *Para y piensa* p. 45 **5 min** **Homework:** *Cuaderno* pp. 4–6 @HomeTutor
DAY 3	**Grammar:** indirect object pronouns • Warm Up OHT 28 • Check Homework **5 min**	**Presentación de gramática** p. 46 • Indirect object pronouns **15 min**	**Práctica de gramática** pp. 47–48 • Act. 12 • Act. 13 TXT CD 2 track 6 • Acts. 14, 15, 16 **20 min**	**Assess:** *Para y piensa* p. 48 **5 min**
	Communication: Culmination: talk about a real or imaginary trip **5 min**	**Todo junto** pp. 49–51 • *Escenas 1, 2: Resumen* • *Telehistoria completa* DVD 1 **15 min**	**Todo junto** pp. 49–51 • Acts. 17, 18 TXT CD 2 tracks 3, 4, 7 • Act. 19 • Act. 20 TXT CD 2 tracks 8, 9 • Act. 21 **20 min**	**Assess:** *Para y piensa* p. 51 **5 min** **Homework:** *Cuaderno* pp. 7–11 @HomeTutor
DAY 4	**Reading:** An eco-adventure park • Warm Up OHT 29 • Check Homework **5 min**	**Lectura** pp. 52–53 • *Un parque tropical de Costa Rica* TXT CD 2 track 10 **15 min**	**Lectura** pp. 52–53 • *Un parque tropical de Costa Rica* **20 min**	**Assess:** *Para y piensa* p. 53 **5 min**
	Review: Lesson review **5 min**	**Repaso de la lección** pp. 56–57 **15 min**	**Repaso de la lección** pp. 56–57 • Act. 1 TXT CD 2 track 11 • Acts. 2, 3, 4, 5 **20 min**	**Assess:** *Repaso de la lección* **5 min** pp. 56–57 **Homework:** *En resumen* pp. 55; *Cuaderno* pp. 12–23 (optional) Review Games Online; @HomeTutor
DAY 5	**Assessment**			**Assess:** Lesson 1 test **45 min**
	Connections: Mathematics	**Conexiones** p. 54 • *Las matemáticas* **20 min**	**Conexiones** p. 54 • *Proyectos 1, 2, 3* **25 min**	

CULTURA

¡AVANZA! Objectives

- Introduce lesson theme: **¡Vamos de viaje!**
- **Culture:** Plan a trip to a foreign country.

Presentation Strategies

- Introduce video characters: Natalia and Alejandro
- Discuss students' travel experiences: where they've gone, how they've gotten there, how they've prepared for the trip, and what they liked and disliked about their trip(s).

STANDARDS

1.1 Engage in conversation
1.3 Present information

21st CENTURY Communication, Compara con tu mundo

Warm Up Projectable Transparencies, 1-26

Ir a Tell what these people are going to do. Use a form of **ir a.**
1. Los chicos _____ hablar con la señora.
2. La señora _____ ayudar a ellos.
3. Tú _____ aprender de los viajes.
4. Nosotros _____ conocer Costa Rica.
5. Yo _____ ir a la playa.

Answers: 1. van a; **2.** va a; **3.** vas a; **4.** vamos a; **5.** voy a

Comparación cultural

Exploring the Theme

Ask the following:
1. Look at the photos on the wall of the travel agency. What do you think might be some of Costa Rica's main tourist attractions?
2. What do you notice about the way this office looks? Do you think it is similar to or different from travel agencies in the U.S.?

¿Qué ves? Possible answers include:
- Están alegres. Son simpáticos.
- La mujer usa la computadora.
- Los chicos están contentos.

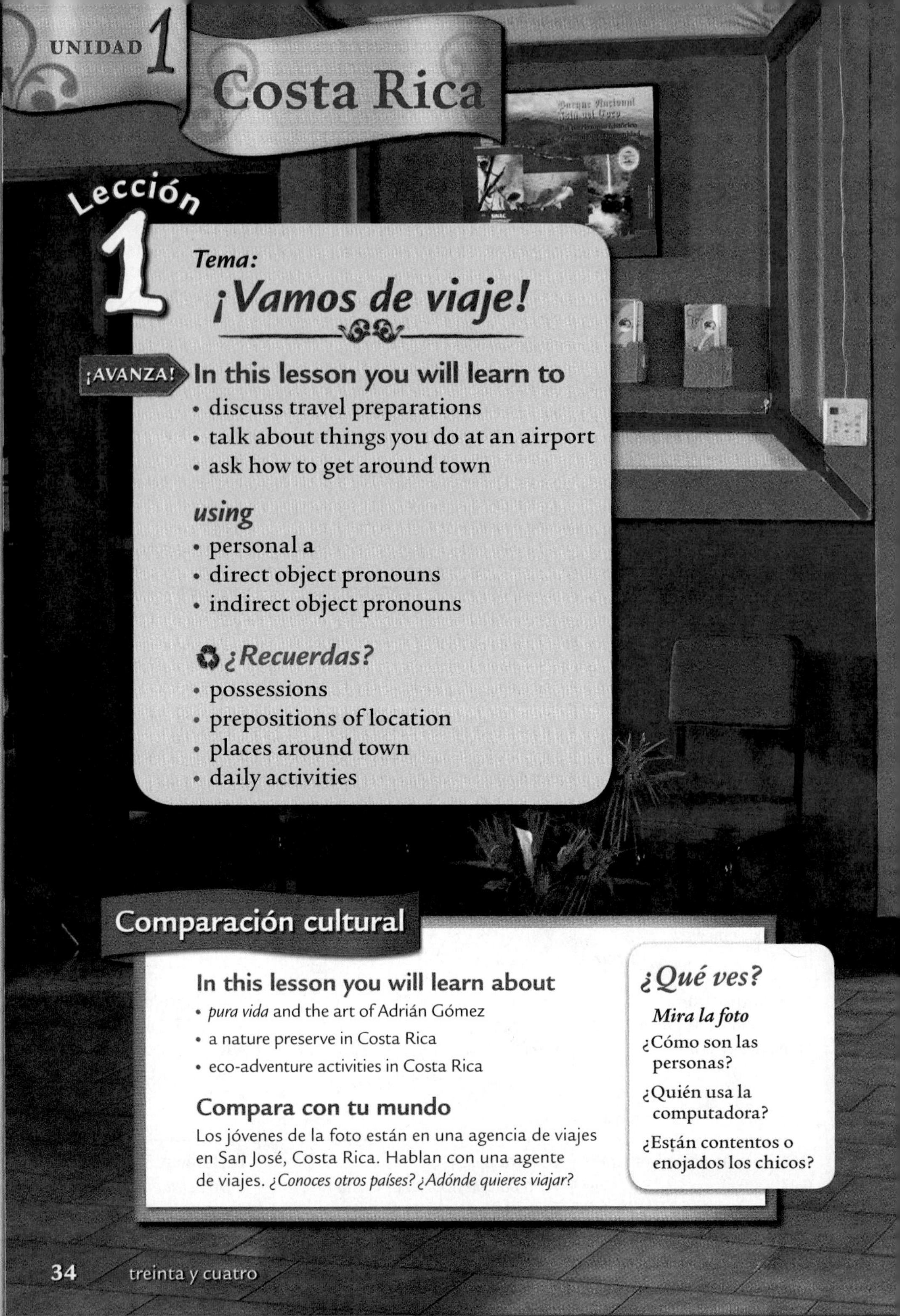

UNIDAD 1

Costa Rica

Lección 1

Tema:
¡Vamos de viaje!

¡AVANZA! **In this lesson you will learn to**
- discuss travel preparations
- talk about things you do at an airport
- ask how to get around town

using
- personal **a**
- direct object pronouns
- indirect object pronouns

♻ *¿Recuerdas?*
- possessions
- prepositions of location
- places around town
- daily activities

Comparación cultural

In this lesson you will learn about
- *pura vida* and the art of Adrián Gómez
- a nature preserve in Costa Rica
- eco-adventure activities in Costa Rica

Compara con tu mundo
Los jóvenes de la foto están en una agencia de viajes en San José, Costa Rica. Hablan con una agente de viajes. *¿Conoces otros países? ¿Adónde quieres viajar?*

¿Qué ves?
Mira la foto
¿Cómo son las personas?
¿Quién usa la computadora?
¿Están contentos o enojados los chicos?

34 treinta y cuatro

Differentiating Instruction

Multiple Intelligences

Linguistic/Verbal Have students tell a story about the two teens in the picture. Who are they? Why are they talking to the woman? They should use their imagination to describe the personalities of the people in the picture and to talk about what they are going to do.

Pre-AP

Expand and Elaborate Ask students to name countries they want to visit and give reasons for their choice. What do they want to see or to do there? What is a good amount of time to spend there? When is a good time to go?

DIGITAL SPANISH my.hrw.com
ONLINE STUDENT EDITION with...

performance space
News Networking
@ HOMETUTOR
CULTURA Interactiva

• Audio and Video Resources
• Interactive Flashcards
• Review Activities
• WebQuest
• Conjuguemos.com

PRACTICE SPANISH WITH HOLT MCDOUGAL APPS!

DIGITAL SPANISH

TEACHER TOOLS
• Interactive Whiteboard Lessons
• Generate Success!

ALSO AVAILABLE...
• Online Workbook
• Spanish InterActive Reader

SPANISH ON THE GO!
• Performance Space
• Holt McDougal Spanish Apps
• ¡Avancemos! eTextbook

La agencia de viajes Melytour
San José, Costa Rica

Costa Rica
treinta y cinco   35

Using the Photo

Location Information
San José, the capital of Costa Rica and Central America's most cosmopolitan city, has a population of approximately 278,000 people, many of whom speak English as a second language. Also known as "Chepe," an endearing nickname for the name José, the city houses attractions like the **Museo de Oro Precolombino** (Pre-Columbian Gold Museum) and the Belgian-designed **Teatro Nacional,** which opened in 1897. Local diners and coffee shops are popularly called **"sodas."**

Expanded Information
Los costarricenses Costa Rica has one of the highest literacy rates in the world: 96%. Its native population includes 40,000 people who belong to eight different cultural groups.
Joya de Centroamérica Costa Rica, often called the "jewel of Central America," has a rich ecosystem, sheltering 4% of the world's biological diversity and environmentally protecting 25% of the territory as National Parks or reserves.
Clima tropical A tropical country, Costa Rica has only two seasons, dry and wet. The dry season stretches from late December to April, and the wet season from April to December.

Differentiating Instruction

Heritage Language Learners
Support What They Know Have students discuss whether or not they travel to their country of origin, and if so how often do they go. What is the most common way to travel there? How long does the trip take? Are there any special preparations someone would need to make before traveling there?

English Learners
Build Background Ask students if their country of origin is a tropical country. Have they seen a rainforest or volcanoes? Are there beaches? Do many tourists travel there? If so, what do they go to see or do?

¡AVANZA! Objectives

- Present vocabulary: items needed for travel, airport terms, and language for getting around town.
- Check for recognition.

Core Resources
- Video Program: DVD 1
- Audio Program: TXT CD 2 Tracks 1, 2

Presentation Strategies
- Point out the objectives in the ¡Avanza! section at the beginning of this vocabulary presentation as well as the summary of skills in the Para y piensa section at the end.
- Play the audio as students read A–E.
- Show the video.

✿ STANDARD
1.2 Understand language

Comparisons
English Language Connection

Have students describe their experiences with travel in U.S. cities and/or abroad. Have they traveled by plane, bus, or train? Have they traveled themselves or met someone who traveled to visit them? How was arrival and departure information displayed? Did they carry their baggage with them or did they check it? Have students compare the images and vocabulary here with their experiences.

Comparisons
English Language Connection

Cognates Ask students to scan the new vocabulary for cognates, any words that are similar to English words. Point out the words ending in **-ción** and their connection to the *-tion* ending in English: **identificación** = *identification*.

✿ Presentación de VOCABULARIO

¡AVANZA! **Goal:** Learn words for making travel preparations and getting around in an airport. Then use these words to talk about travel and transportation in your community. *Actividades 1–3*

VIDEO DVD

AUDIO

A Alejandro y Natalia **van de vacaciones** y quieren **hacer un viaje** en avión. Van a Miami por una semana y después vuelven a San José. Necesitan **un boleto de ida y vuelta.** Hablan con **la agente de viajes** para comprar el boleto y hacer **el itinerario.** En el itinerario leen el día y las horas del **vuelo.**

la agencia de viajes
la agente de viajes
el itinerario

B Dos días antes del viaje, Natalia **confirma el vuelo** y Alejandro **hace las maletas.** Él pone **el traje de baño** en su maleta porque quiere nadar durante las vacaciones.

hacer la maleta
la maleta

el pasaporte

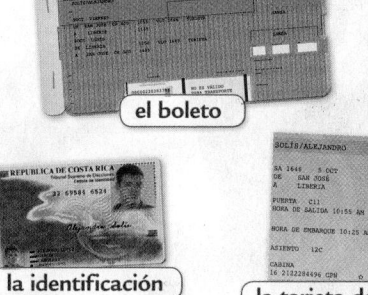
el boleto
la identificación
la tarjeta de embarque

Más vocabulario

el (la) auxiliar de vuelo *flight attendant*

la estación de tren *train station*

llamar a *to call someone (by phone)*

la puerta *gate*

viajar *to travel*

Expansión de vocabulario p. R2

Ya sabes p. R2

36 Unidad 1 Costa Rica
treinta y seis

Differentiating Instruction

Multiple Intelligences

Visual Learners In pairs, have each student draw five items they would pack to take on a trip. Then have them exchange drawings. Have them take turns asking **¿Qué pones en tu maleta?** and respond by using the other person's drawing.

Slower-Paced Learners

Yes/No Questions Point to a picture and ask students yes/no questions to reinforce new vocabulary. Tell them that they may answer with a simple **sí** or **no,** or in full sentences. Model: **¿Están Alejandro y Natalia en la agencia de viajes?/Sí, están en la agencia de viajes.**

Cuando Natalia y Alejandro llegan al **aeropuerto** con su familia, **hacen cola** para **facturar el equipaje** y recibir **la tarjeta de embarque.** En **las pantallas** ven cuándo salen los vuelos, o **la salida,** y cuándo llegan los vuelos, o **la llegada.** Antes de subir al avión, o **abordar, pasan por seguridad.**

el aeropuerto

el pasajero

hacer cola

facturar el equipaje

la pantalla

pasar por seguridad

Después del vuelo, la familia busca sus maletas en **el reclamo de equipaje.** Luego ellos **pasan por la aduana** donde los agentes miran las maletas y el pasaporte.

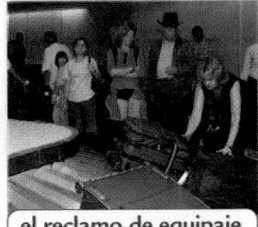
el reclamo de equipaje

la oficina de turismo

Piden direcciones: «**Por favor, ¿dónde queda la parada de autobús?**»

tomar un taxi

la parada de autobús

@**HOMETUTOR** my.hrw.com **Interactive Flashcards**

¡A responder! Escuchar

Escucha estas oraciones. Indica la foto que corresponde a la descripción. *(Listen to the sentences. Point to the picture being described.)*

Differentiating Instruction

Heritage Language Learners

Literacy Skills Ask students that are familiar with the vocabulary to practice reading text aloud and to model pronunciation.

Pre-AP

Summarize Have students organize the vocabulary into four categories using a chart or separate lists: **En la agencia/En la casa/Antes del vuelo en el aeropuerto/Después del vuelo en el aeropuerto.**

TEACHER to TEACHER

Zahava Frymerman
Hollywood, Florida

Tips for Practicing Vocabulary and Grammar

"I write ten of the vocabulary words or phrases on the board. I divide the class into groups and give a number to each student in the group. The first group is given a word to begin a sentence, for example "yo". Then student number one says "yo" plus a word from the vocabulary on the board using the correct agreement: **Yo hago la maleta.** *Student number two continues the sentence, using the vocabulary: ...y tomo un taxi. Each person in the group has to use a word from the vocabulary and, if needed, a connector (y, luego, etc.) to continue the sentence. Once the first group makes an error, the next group starts a new sentence. The group that makes the longest sentence without any errors is the winner."*

Go online for more tips!

Communication
Common Error Alert

There are two new uses of **hacer** in this vocabulary: **hacer un viaje** and **hacer cola.** Contrast these with their English equivalents: *to go on a trip* and *to stand in line.*

Communication
Regionalisms

Share with the class the following regional terms. These expressions highlight a special Costa Rican spirit: **maje** (pal or buddy); **mala nota** (to denote something that is not acceptable or "cool"); **tuanis** (okay); and **pulpería** (a corner store).

Answers Projectable Transparencies, 1-46

¡A responder! Audio Script, TE p. 33B
Students point to the photos as they are described on the audio.
1. photo of arrival and departure screens, **la pantalla**
2. photo of people checking bags, **facturar el equipaje**
3. photo of teen packing suitcase, **hacer la maleta**
4. photo of people waiting in line, **hacer cola**
5. photo of two teens with travel agent, **la agente de viajes**
6. photo of taxi, **tomar un taxi**

Objectives
- Practice vocabulary: items needed for travel, airport terms and routines.
- Talk about travel and different means of transportation.

Core Resource
- *Cuaderno,* pp. 1–3

Practice Sequence
- **Activity 1:** Vocabulary recognition: travel terminology
- **Activity 2:** Vocabulary recognition: items needed for travel
- **Activity 3:** Vocabulary production: travel preferences

STANDARDS
1.1 Engage in conversation, Acts. 1, 2, 3
1.2 Understand language, Acts. 1, 2, 3
1.3 Present information, Act. 3
21st CENTURY Flexibility and Adaptability, Pre-AP

Get Help Online
More Practice
my.hrw.com

✓ Ongoing Assessment

PARA Y PIENSA **Quick Check** Remind students that Para y piensa sections are quick self-checks showing them what they've learned so far. For additional practice, use Reteaching & Practice Copymasters URB 1 pp. 29, 30.

Answers Projectable Transparencies, 1-46

Activity 1
1. antes de la salida
2. antes de la salida
3. después de la llegada
4. antes de la salida
5. antes de la salida
6. antes de la salida
7. después de la llegada
8. antes de la salida
9. antes de la salida

Activity 2 Answers will vary. Students have two of the same items, and two that are different. Sample answers: A: Tengo mi tarjeta de embarque. ¿Tienes tu tarjeta de embarque? B: Sí, tengo mi tarjeta de embarque.

Activity 3 Answers will vary. Sample answers:
1. Sí, (No, no) me gusta viajar.
2. Sí, (No, no) hay una agencia de viajes en mi comunidad.
3. Sí, (No, no) hay una oficina de turismo.
4. Necesito (…) maletas.
5. Un aeropuerto queda…
6. Sí, (No, no) hay una estación de tren y una parada de autobús.
7. Prefiero viajar por (avión/tren), porque…

Para y piensa Answers will vary. Sample answers: hacer la maleta; comprar los boletos…

38

🟥 Práctica de VOCABULARIO

1 | ¿Cuándo?

Hablar Escribir ¿Cuándo haces estas actividades: antes de la salida del vuelo o después de la llegada? *(Tell when you do these things.)*

1. pasar por seguridad
2. facturar el equipaje
3. pasar por la aduana
4. hacer cola para abordar
5. confirmar el vuelo
6. comprar el boleto de ida y vuelta
7. buscar las maletas en el reclamo de equipaje
8. hacer las maletas
9. dar la tarjeta de embarque

Expansión:
Teacher Edition Only
Have students make a second list of the tasks to do before arriving at the airport.

2 | ¿Qué tienes?

Hablar Pregúntale a un(a) compañero(a) si tiene estas cosas. Cambien de papel. *(Ask if your classmate has the travel item shown. Change roles.)*

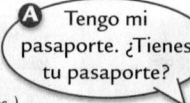 **A** Tengo mi pasaporte. ¿Tienes tu pasaporte?
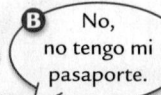 **B** No, no tengo mi pasaporte.

Estudiante A
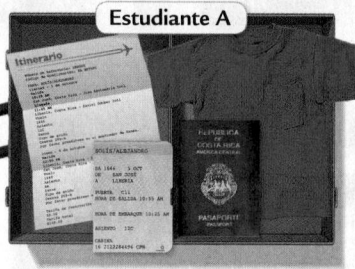

Estudiante B
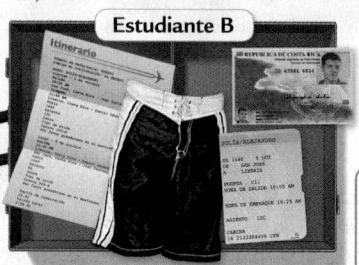

Expansión
Write a list of the items in each suitcase.

3 | ¿Y tú?

Hablar Escribir Contesta con oraciones completas. *(Answer in complete sentences.)*

1. ¿Te gusta viajar?
2. ¿Hay una agencia de viajes en tu comunidad?
3. ¿Hay una oficina de turismo?
4. ¿Cuántas maletas necesitas cuando vas de vacaciones?
5. ¿Dónde queda un aeropuerto cerca de tu comunidad?
6. ¿Hay una estación de tren o una parada de autobús?
7. ¿Prefieres viajar en avión o en tren? ¿Por qué?

Expansión:
Teacher Edition Only
After doing the activity as a class, have students repeat the questions with a partner.

Más práctica Cuaderno *pp. 1–3* Cuaderno para hispanohablantes *pp. 1–4*

Get Help Online
my.hrw.com

 PARA Y PIENSA **Did you get it?** Can you name three things in Spanish you would need to do before traveling by plane?

Differentiating Instruction

Inclusion

Frequent Review/Repetition As an extension to Activity 1, have students work in pairs and turn items 1–9 into complete questions and answers. Model: Student A: **¿Cuándo pasas por seguridad, antes de la salida del vuelo o después de la llegada?** Student B: **Paso por seguridad antes de la salida del vuelo.**

Pre-AP

Sequence information Divide students into groups of three, and have them choose a country they would like to visit. Then have them role-play a couple visiting a travel agent and arranging an itinerary for the trip. They should discuss the order of their plans.

VOCABULARIO en contexto

¡AVANZA! **Goal:** Listen to Natalia and her family discuss preparations for their trip. Then use what you've learned to describe people and things you see in an airport. *Actividades 4–5*

Telehistoria escena 1

 **@HOMETUTOR** my.hrw.com **View, Read and Record**

STRATEGIES

Cuando lees
Separate fact from fiction You can't immediately tell fact from fiction in every scene. Use your knowledge of the situation and your good sense to decide when Natalia is telling a story.

Cuando escuchas
Use questions to focus your attention Ask and answer these questions: What are the characters saying and doing? Are they equally involved? Does any character stand out?

VIDEO DVD

AUDIO

Madre

Natalia

Alejandro

Natalia is in a darkened room, talking secretively on the telephone.

Natalia: Sí, ya tengo el boleto... y la identificación falsa... Viajo a Miami hoy... ¿Nerviosa? No. Pasar por seguridad y aduanas es fácil. Hago viajes peligrosos todos los días... Adiós.

A woman enters the room.

Natalia: ¡Mamá! ¿Qué haces?

Madre: ¿Dónde está mi maleta? ¿Dónde está todo el equipaje?

Alejandro: Aquí está. Lo necesitamos para nuestra película.

Madre: Pero yo lo necesito para el viaje. Y ustedes tienen que hacer sus maletas. Nos vamos de vacaciones en una hora.

Continuará... p. 44

Continuará... p. 44

Lección 1
treinta y nueve **39**

Differentiating Instruction

Slower-paced Learners

Yes/No Questions Ask students simple yes/no questions to check their comprehension of the first scene of the Telehistoria. Examples: **¿Natalia está nerviosa? ¿Necesita la madre el equipaje para la película?**

Heritage Language Learners

Writing Skills Ask students to write a different dialog based on the secret telephone conversation Natalia is having when this scene opens. Ask students to consider questions such as: **¿Con quién habla Natalia? ¿Cómo va a continuar la Telehistoria?** Call on student volunteers to act out the new scene.

¡AVANZA! ### Objective
· Understand active vocabulary in context.

Core Resources
· Video Program: DVD 1
· Audio Program: TXT CD 2 Track 3

Presentation Strategies
· Have students look at the ¡Avanza! picture. Does it look as though Alejandro and Natalia are preparing for a trip? What do they seem to be doing? Does their mother look pleased?
· Show the video and/or play the audio.

STANDARD
1.2 Understand language

Warm Up Projectable Transparencies, 1-26

Vocabulary Put the following actions in the order in which you would do them when taking a trip. Number from 1–8.

_____ recibir la tarjeta de embarque
_____ llegar al aeropuerto
_____ comprar el boleto
_____ abordar el avión
_____ confirmar el vuelo

Answers: 1. comprar el boleto; **2.** confirmar el vuelo; **3.** llegar al aeropuerto; **4.** recibir la tarjeta de embarque; **5.** abordar el avión

Communication

Humor/Creativity

Telehistoria Have students think of how Alejandro and Natalia might make their mother part of their video. Might she also have a secret identity?

 **@HOMETUTOR** VideoPlus my.hrw.com

Video Summary

Alejandro, Natalia, and their mother are leaving for their vacation to Miami in one hour. Alejandro and Natalia should be packing their bags but they are busy filming their video. Their mother walks in and wants to know where her suitcase is.

VOCABULARIO

Objectives
- Practice using vocabulary in context.
- Practice the personal **a** using **ver** with people and things.

Core Resource
- Audio Program: TXT CD 2 Track 3

Practice Sequence
- **Activity 4:** Telehistoria comprehension
- **Activity 5:** Vocabulary production: use of the personal **a** with **ver**

STANDARDS
- **1.1** Engage in conversation, Act. 5
- **1.2** Understand language, Act. 4
- **1.3** Present information, Act. 5
- **21ST CENTURY** Communication, Para y piensa

Communication
Common Error Alert

Personal *a* Remind students with a visual on the board: **a + el = al; a + la = a la**

Long-term Retention
Connect to Previous Learning

Activity 5 Before proceeding with the activity, generate a list of vocabulary students will need on the board.

Get Help Online
More Practice
my.hrw.com

✓ Ongoing Assessment

PARA Y PIENSA **Intervention** Students that have difficulty completing the sentences will need further vocabulary review. For additional practice, use Reteaching & Practice Copymasters URB 1 pp. 29, 31.

🛒 Answers Projectable Transparencies, 1-46

Activity 4
1. c; 2. b; 3. c; 4. a

Activity 5 Answers will vary. Sample answers:
1. Veo a una chica (Natalia).
2. Veo las pantallas.
3. Veo a un hombre.
4. Veo unas maletas.
5. Veo el reclamo de equipaje.
6. Veo al auxiliar de vuelo.

Para y piensa Answers will vary. Sample answers: **1.** Tengo que ir al reclamo de equipaje. Tengo que pasar por la aduana. **2.** Veo a la (al) auxiliar de vuelo.

40

---

4 | Comprensión del episodio Para el viaje

Escuchar Leer

Completa las oraciones. *(Complete the sentences.)*

1. Natalia dice que todos los días _____ .
   a. hace películas
   b. espera en la puerta
   c. hace viajes peligrosos
2. Mamá no sabe _____ .
   a. adónde van de vacaciones
   b. dónde está su maleta
   c. cómo hacer su maleta
3. Natalia y Alejandro tienen que _____ .
   a. hablar con su padre
   b. tomar un taxi
   c. hacer sus maletas
4. Mamá dice que en una hora van _____ .
   a. de vacaciones
   b. al cine
   c. a la escuela

Expansión:
Teacher Edition Only
Have students write original sentences based on Escena 1 with the unused answers.

Nota gramatical

Unlike English, whenever a person is the object of a **verb** in Spanish, the **personal a** must be used after the **verb** and before the person that is the object.

¿**Conoce** usted **a la profesora** de ciencias?   No **veo al auxiliar de vuelo.**

In general, the verb **tener** does not take the **personal a.**

Tengo un hermano.

5 | ¡A jugar! ¿Qué ves?

Hablar Escribir

Identifica las cosas y a las personas que ves. *(Tell what you see.)*

modelo: Veo a una mujer. Veo la puerta nueve.

Expansión
Write three sentences telling about other people and things you see at the airport.

Get Help Online
my.hrw.com

PARA Y PIENSA
Did you get it? Can you describe in complete sentences . . . ?
1. two things you need to do in the airport after an international flight
2. someone you see before or during your flight

Differentiating Instruction

Pre-AP

Support Ideas with Details Ask students to write a detailed description of what they see in the illustration. They should include details like who and what they see, their clothes (items and color), what they are doing, and imaginary details such as where they are going, with whom, and for how long. Have students present their descriptions to the class.

Slower-paced Learners

Yes/No questions For students having difficulty, model the use of the personal **a** in yes/no questions such as: **¿Ves a la mujer? ¿Ves la pantalla? ¿Ves al señor que pasa por seguridad?**

✣ Presentación de GRAMÁTICA

¡AVANZA! **Goal:** Review the direct object pronouns. Then use them to describe travel plans and trips. *Actividades 6–9*

♻ *¿Recuerdas?* Possessions p. R2, prepositions p. R9, places p. 14

English Grammar Connection: Direct objects receive the action of the verb in a sentence. They answer the question *whom?* or *what?* about the verb. **Direct object pronouns** take the place of **direct object nouns.**

I have the **passport.** I have **it.**

| noun | pronoun |

Tengo el **pasaporte. Lo** tengo.

| noun | pronoun |

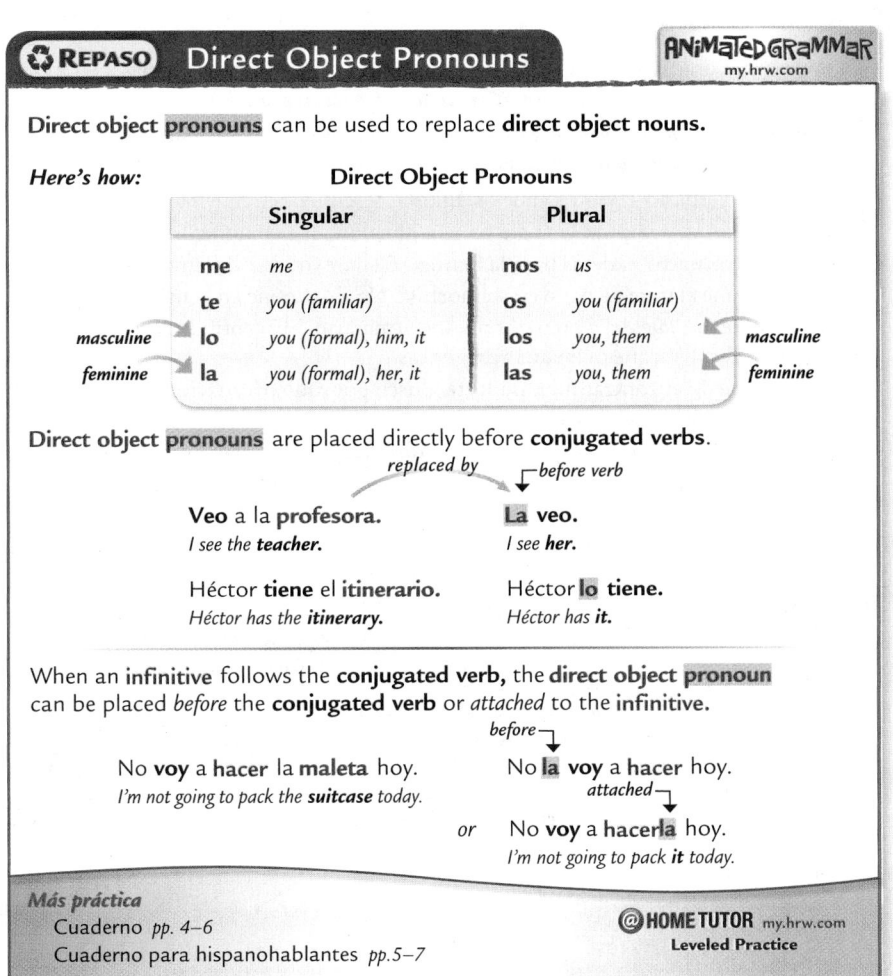

♻ REPASO Direct Object Pronouns

ANIMATED GRAMMAR my.hrw.com

Direct object **pronouns** can be used to replace **direct object nouns.**

Here's how: **Direct Object Pronouns**

	Singular		Plural	
	me	*me*	**nos**	*us*
	te	*you (familiar)*	**os**	*you (familiar)*
masculine	**lo**	*you (formal), him, it*	**los**	*you, them*	*masculine*
feminine	**la**	*you (formal), her, it*	**las**	*you, them*	*feminine*

Direct object **pronouns** are placed directly before **conjugated verbs.**

replaced by ⟶ *before verb*

Veo a la **profesora.**
*I see the **teacher.***

La veo.
*I see **her.***

Héctor **tiene** el **itinerario.**
*Héctor has the **itinerary.***

Héctor **lo** tiene.
*Héctor has **it.***

When an **infinitive** follows the **conjugated verb,** the **direct object pronoun** can be placed *before* the **conjugated verb** or *attached* to the **infinitive.**

before ⟶

No **voy** a **hacer** la **maleta** hoy.
*I'm not going to pack the **suitcase** today.*

No **la voy** a **hacer** hoy.

attached ⟶

or No **voy** a **hacerla** hoy.
*I'm not going to pack **it** today.*

Más práctica
Cuaderno pp. 4–6
Cuaderno para hispanohablantes pp.5–7

@HOME TUTOR my.hrw.com
Leveled Practice

Differentiating Instruction

Multiple Intelligences

Kinesthetic Write on the board a list of common objects that students generally own and bring to the classroom: **el libro, la pluma, el cuaderno, la mochila.** Have students, in pairs, take turns asking if the other has an object and answering, showing the other that object: **Estudiante A: ¿Tienes el libro? Estudiante B: Sí, lo tengo.**

Inclusion

Metacognitive Support Have students think of ways they can remember that, in Spanish, a direct object precedes a conjugated verb. Ask them to share their strategies with the class.

¡AVANZA! **Objectives**
- Review direct object pronouns and their use
- Practice using direct object pronouns to describe travel plans and trips

Core Resource
- *Cuaderno,* pp. 4-6

Presentation Strategies
- Remind students that direct object pronouns receive the action of the verb in a sentence. Give examples, using travel vocabulary: **Hago la maleta hoy. La hago hoy.**
- Remind students that direct object pronouns can appear in two places: before a conjugated verb, or at the end of an infinitive: **Voy a hacer la maleta. La voy a hacer./Voy a hacerla.**

✿ STANDARD
4.1 Compare languages

🖥 **Warm Up** Projectable Transparencies, 1-27

Vocabulary Have students indicate whether the following statements about the Telehistoria are true or false. Use **C** for **cierto,** **F** for **falso.**
1. _____ Mamá tiene todo el equipaje.
2. _____ Natalia dice que ya tiene el boleto.
3. _____ Alejandro es un director famoso.
Answers: 1. F; 2. C; 3. F

Comparisons
English Grammar Connection

- Pronouns agree in number and gender with the words they replace. In English we do this for people (*him, her, them*), and we distinguish between singular and plural objects (*it/them*), but in Spanish objects also have gender.
- The direct object pronouns **los** and **las** are used in place of **ustedes.**
- Point out that the personal **a** is dropped when the object is substituted with a direct object pronoun.

Objectives

- Practice using direct object pronouns when talking about vacations.
- Practice using direct object pronouns when preparing for a trip.
- **Culture:** Costa Rican artist Adrián Gómez
- **Recycle:** possessions, prepositions, places

Core Resource

- *Cuaderno,* pp. 4–6

Practice Sequence

- **Activity 6:** Controlled practice: direct object pronouns; Recycle: possessions
- **Activity 7:** Controlled practice: direct object pronouns
- **Activity 8:** Transitional practice: direct object pronouns; Recycle: prepositions, places
- **Activity 9:** Open-ended practice: vocabulary, direct object pronouns

STANDARDS

1.1 Engage in conversation, Acts. 6, 8, 9
1.2 Understand language, Act. 7, CC
1.3 Present information, Act. 7
2.1 Practices and perspectives, CC
2.2 Products and perspectives, CC
4.2 Compare cultures, CC

21st CENTURY Communication, Pre-AP; **Flexibility and Adaptability,** Multiple Intelligences

Comparación cultural

Essential Question

Suggested Answer Los artistas pintan y dibujan actividades de su vida. Muchas veces pintan actividades tradicionales de su país que reflejan los valores del país.

About the Artist

Adrián Gómez, born in Cartago, Costa Rica, has been painting for more than 20 years. Gómez began integrating **columpios** as one of his artistic motifs in 1997. His **columpios** illustrate Afro-Caribbean children and are a tribute to the diversity of Costa Rica's rich cultural heritage.

Answers for Activities 6–7 on p. 43.

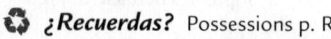

❊ Práctica de GRAMÁTICA

6 | **Para abordar**   ♻ **¿Recuerdas?** Possessions p. R2

Hablar Escribir

Di si tienes estas cosas cuando vas de vacaciones. *(Discuss what you take on vacation.)*

A ¿Tienes el pasaporte?

B Sí, (No, no) **lo** tengo.

modelo: el pasaporte

1. los videojuegos
2. el lector DVD
3. el libro
4. la identificación
5. el radio
6. el tocadiscos compactos
7. las tarjetas postales
8. los discos compactos
9. el televisor

7 | **¿Quién lo hace?**

Leer Escribir

Completa las oraciones con el pronombre de objeto directo para describir cómo se prepara la familia Ramos. *(Complete using direct object pronouns.)*

modelo: En el verano vamos a Costa Rica. Mis abuelos ____ invitan.
Mis abuelos **nos** invitan.

1. Hablo en español con mis abuelos. Ellos ____ entienden muy bien.
2. Mis papás no compran los boletos. Mis abuelos ____ compran.
3. Hacemos cuatro maletas para la familia. Elena y yo ____ hacemos.
4. Elena tiene el traje de baño en su mochila. No ____ pone en la maleta.
5. El agente de viajes va a preparar nuestro itinerario. El agente ____ llama por teléfono porque tiene unas preguntas.
6. Yo no puedo encontrar mi pasaporte. Busco por todo mi cuarto y ____ encuentro debajo de la cama.
7. Tomamos un taxi al aeropuerto. Mi madre ____ llama un día antes.
8. Esta es mi dirección electrónica. Te ____ anoto en este papel.

Expansión:
Teacher Edition On[...]
Ask students to write three more sentences with direct objects, the[n] rewrite them usin[g] the direct object pronoun.

Comparación cultural

Surcando aires (2002),
Adrián Gómez

Pura vida

¿**Cómo refleja** (reflect) *el arte la vida* (life) *y los valores* (values) *de un país?* Un tema frecuente del artista Adrián Gómez son los niños *(children)* y los columpios *(swings).* Estas pinturas reflejan la esencia de *pura vida,* una frase popular en **Costa Rica.** La frase expresa la identidad de los costarricenses: su optimismo, tranquilidad y felicidad *(happiness)* en la vida. Dicen «pura vida» para saludar *(greet)* a amigos, dar gracias y responder a «¿Cómo estás?».

Compara con tu mundo *¿Cómo muestra* (show) *pura vida* el niño en el columpio? ¿Cuál es un momento de **pura vida** para ti?

Differentiating Instruction

Inclusion

Clear Structure Before doing Activity 7, have students identify the direct object noun in the first sentence of each item. Ask them whether the noun is plural or singular and masculine or feminine. Then ask them what direct object pronoun they would use to replace that noun. Have students work in pairs to complete the activity.

Pre-AP

Expand and Elaborate Have students work in pairs to write 5–6 sentences describing what they did on a recent trip, using direct object pronouns—but the sentences should not be in chronological order. Have them exchange papers and order each other's sentences, then read them aloud to each other.

8 ¿Dónde queda...? ♻ ¿Recuerdas? Prepositions p. R9, places p. 14

Hablar Escribir

Tu compañero(a) trabaja en la oficina de turismo. Pregúntale dónde quedan los lugares en el mapa. *(Discuss where the places on the map are located.)*

al lado de	detrás de
cerca de	en el centro
delante de	lejos de

modelo: el centro comercial: lejos de aquí

A Perdón. ¿Dónde queda el centro comercial? No puedo encontrar**lo.**

B Mira. ¿**Lo** ves en el mapa? El centro comercial queda lejos de aquí.

Centro de San José

AEROPUERTO INTERNACIONAL
PARQUE METROPOLITANO LA SABANA
CENTRO COLÓN
PASEO COLÓN
HOTEL CARTAGO
RESTAURANTE EL PASEO
ESTADIO
HOTEL GRANO DE ORO
RESTAURANTE LIMÓN
PARADA DE AUTOBÚS
AV CENTRAL
CALLE CENTRAL
CENTRO COMERCIAL EL PUEBLO
AGENCIA DE VIAJES
TEATRO NACIONAL
Estás aquí ✗
ESTACIÓN DE TREN
OFICINA DE TURISMO

Expansión:
Teacher Edition Only
Have students draw and label maps of local areas. Then, in pairs, they can ask and answer questions about locations using Act. 8 as a model.

9 ¿Quién lo va a hacer?

Hablar Escribir

Tú y tus compañeros van a hacer un viaje. Divide las responsabilidades. *(Discuss who will do what to prepare for a trip.)*

A ¿Quién quiere llamar a la agente de viajes?

B Yo quiero llamar**la.**

C ¿Cuándo vas a llamar**la?**

La voy a llamar el lunes. ¿Quién quiere...?

llamar a la agente de viajes
preparar el itinerario
comprar los boletos
confirmar el vuelo
buscar los pasaportes
llamar el taxi

Expansión
Write a list of each student's responsibilities and share them with the class.

Más práctica Cuaderno *pp. 4–6* Cuaderno para hispanohablantes *pp. 5–7*

🌐 **Get Help Online** my.hrw.com

PARA Y PIENSA

Did you get it? Answer with direct object pronouns.
1. ¿Vas a preparar el itinerario? Sí, voy a _____ .
2. ¿Ves a los pasajeros? Sí, _____ _____ .

Lección 1
cuarenta y tres **43**

Differentiating Instruction

Slower-paced Learners

Peer-study Support For Activity 8, pair slower-paced learners with stronger students. Before asking them to do the exercise, have them look at the map and write the definite article for each place, and its corresponding direct object pronoun:
Aeropuerto Internacional/el/lo.

Multiple Intelligences

Interpersonal Divide students into small groups. Have them role-play being a flight attendant serving passengers during a flight. Students should recycle food vocabulary from the Lección preliminar and use direct object pronouns. For example: **¿Quiere un refresco? Sí, (No, no) lo quiero.**

Connections

Geography

Costa Rica Have students turn to the Unit Opener map on p. 32 and use **¿Dónde queda...?** to ask and answer questions about locations on the map. Refer to Activity 8 as a model.

Communication

Common Error Alert

When writing, some students will leave a space between an infinitive and a direct object. Point out that there is no space between the two words.

🌐 **Get Help Online** More Practice my.hrw.com

✓ Ongoing Assessment

Quick Check Review answers to Para y Piensa questions. For additional practice, use Reteaching & Practice Copymasters URB 1 pp. 32, 33, 38, 39.

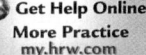**Answers** Projectable Transparencies, 1-46 and 1-47

Answers for Activities 6–7 from p. 42.

Activity 6
1. Sí, (No, no) los tengo.
2. ...lo tengo.
3. ...lo tengo.
4. ...la tengo.
5. ...lo tengo.
6. ...lo tengo.
7. ...las tengo.
8. ...los tengo.
9. ...lo tengo.

Activity 7

1. me	3. las	5. nos	7. lo
2. los	4. lo	6. lo	8. Te

Activity 8 Answers will vary. Sample answers:
A: Perdón. ¿Dónde queda la parada de autobús? No puedo encontrarla.
B: Mira. ¿La ves en el mapa? La parada de autobús queda al lado del restaurante Limón.

Activity 9 Answers will vary. Sample answers:
A: ¿Quién quiere preparar el itinerario?
B: Yo quiero prepararlo.
C: ¿Cuándo vas a prepalarlo?
B: Lo voy a preparar el lunes. ¿Quién prefiere...?

Para y piensa
1. prepararlo; 2. los veo

43

44

Objectives

- Practice direct object pronouns in context.
- Practice direct object pronouns; Recycle daily activity vocabulary.
- Compare pronunciation of the Spanish **l** and **ll**.

Core Resources

- Video Program: DVD 1
- Audio Program: TXT CD 2 Tracks 4, 5

Presentation Strategies

- Have students preview the Telehistoria script before watching the video.
- Have students look at the picture and analyze the three characters' body language. Are they getting along?
- Show the video and/or play the audio.

Practice Sequence

- **Activity 10:** Telehistoria comprehension
- **Activity 11:** Open-ended practice: direct object pronouns; Recycle: daily activities

STANDARDS

1.1 Engage in conversation, Act. 11
1.2 Understand language, Act. 10

Communication, Slower-paced Learners: Personalize It

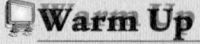 **Warm Up** Projectable Transparencies, 1-27

Direct Object Pronouns Write the letter of the direct object pronoun on the right that corresponds to each noun on the left.

1. Mamá _____	**a.** las
2. los pasaportes _____	**b.** nos
3. el equipaje _____	**c.** te
4. las maletas _____	**d.** la
5. tú y yo _____	**e.** me
6. yo _____	**f.** lo
7. tú _____	**g.** los

Answers: 1. d; 2. g; 3. f; 4. a; 5. b; 6. e; 7. c

Video Summary

Alejandro and Natalia continue to film their video when their mother enters the room. She informs them that they are not going to Miami, but to Playa Hermosa, a beach in Costa Rica.

 # GRAMÁTICA en contexto

¡AVANZA! **Goal:** Listen to Alejandro, Natalia, and their mother talk about the items needed on their trip. Then continue using direct object pronouns to talk to your classmates about vacation activities. *Actividades 10–11*

♻ **¿Recuerdas?** Daily activities p. 10

Telehistoria escena 2

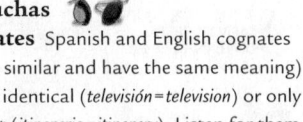 **HOMETUTOR** View, Read and Record my.hrw.com

STRATEGIES

Cuando lees
Identify conflicts To understand the situation, identify conflicts. What is the conflict in this scene? Who is involved? Who, if anyone, is likely to win?

Cuando escuchas
Notice cognates Spanish and English cognates (words that are similar and have the same meaning) can be virtually identical (*televisión=television*) or only slightly different (*itinerario=itinerary*). Listen for them in this scene.

 VIDEO DVD

AUDIO

Alejandro films Natalia on the set of a fake airplane.

Alejandro: Tú vas a tomar un vuelo a Miami. Haces cola para abordar el avión. Esperas en la puerta y miras tu tarjeta de embarque. Se la das al auxiliar de vuelo. Abordas el avión.

Madre: ¿Tienen sus trajes de baño?

Natalia: Sí, los tenemos.

Alejandro: Y tenemos nuestros pasaportes. Y el itinerario.

Madre: ¿Pasaportes? No los necesitan.

Natalia: Pero en la agencia de viajes dicen...

Madre: Pero no vamos a viajar a Miami. Vamos de vacaciones aquí en Costa Rica. ¡A Playa Hermosa!

Natalia y Alejandro: ¿A la playa? ¡NO!

Continuará... p. 49

También se dice

Costa Rica The mother asks if the kids have their bathing suits, or **trajes de baño.** In other Spanish-speaking countries:
- **Argentina, Uruguay** la malla
- **Cuba** la trusa
- **Colombia** el vestido de baño
- **Ecuador** el terno de baño
- **España** el bañador
- **Perú** la ropa de baño

Differentiating Instruction

Multiple Intelligences

Linguistic/Verbal Have students rewrite the video dialog, adding a second character (besides Natalia) to the video Alejandro is making. Have them create new travel items for mamá to ask about and a new vacation spot that they will be visiting.

Slower-paced Learners

Memory Aids Have students draw a series of pictures illustrating each of the actions Alejandro tells Natalia to do in the film they are making. Then have them share these drawings with the class, explaining what happens in each picture: **Natalia hace cola para abordar el avión.**

10 | Comprensión del episodio ¿A la playa?

scuchar
Leer

Contesta con la respuesta correcta. Usa el pronombre de objeto directo.
(Give the correct answer. Use the direct object pronoun.)

modelo: Antes de abordar el avión, ¿los pasajeros hacen cola?
Sí, la hacen.

1. Cuando los pasajeros esperan en la puerta, ¿miran su tarjeta de embarque?
2. ¿Alejandro y Natalia tienen sus trajes de baño?
3. ¿Ellos tienen el itinerario?
4. ¿Ellos van a necesitar los pasaportes?

Expansión:
Teacher Edition Only
Have students find all the direct object pronouns in the Telehistoria script.

11 | De vacaciones ♻ ¿Recuerdas? Daily activities p. 10

Hablar

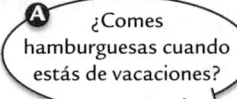

Pregúntale a tu compañero(a) si hace estas actividades cuando está de vacaciones. *(Ask your partner if he or she does these activities while on vacation.)*

modelo: comer hamburguesas

A ¿Comes hamburguesas cuando estás de vacaciones?

B Sí, las como. (No, no las como.) ¿Y tú?

1. beber refrescos
2. escuchar música clásica
3. leer libros
4. mirar la televisión
5. practicar deportes
6. pedir pizza
7. estudiar matemáticas
8. hacer la tarea

Expansión
List three activities you and your partner both do. Then write them in sentences using direct object pronouns.

Pronunciación El sonido L y LL

AUDIO

The Spanish **l** is similar to the English *l*, but **ll** sounds like the *y* of the English word *yes*. Listen to and repeat these words and phrases.

la	sala	lla	pantalla
le	maleta	lle	llegada
li	salida	lli	apellido
lo	vuelo	llo	ellos
lu	Luisa	llu	lluvia

Luisa hace las maletas para su vuelo a Costa Rica.
Miramos la pantalla para ver las horas de salida y de llegada.

 **Get Help Online**
my.hrw.com

PARA
Y
PIENSA

Did you get it? Answer with the correct direct object pronoun.
1. ¿Tienes el pasaporte?
2. ¿Necesito la identificación?
3. ¿Vamos a comprar los boletos?
4. ¿Él llama a Natalia?

Differentiating Instruction

Inclusion

Alphabetic/Phonetic Awareness Have students repeat the different pronunciations of **l** and **ll** and point out the different position of the tongue and lips as they say these sounds. Model the sounds, exaggerating them out loud.

Slower-paced Learners

Personalize It Before doing Activity 11, have students, in pairs, take turns identifying one activity they like to do and one they do not like to do: **Me gusta leer novelas. No me gusta hacer la tarea. ¿Y tú?** Encourage them to refer to Activity 11 for ideas.

 Communication

Regionalisms

The pronunciation of **ll** can differ regionally. For example in Chile, the **ll** sounds like the English *y* in *yellow*. In parts of Colombia, you will hear the **ll** pronounced as *j* as in the English word *job*. In Argentina and Uruguay, the **ll** is pronounced as a /sh/ sound similar to the *s* in the English word *vision*. In Ecuador and central Spain, the **ll** is pronounced like the *lli* in the English *billion*.

 **Get Help Online**
More Practice
my.hrw.com

✓ Ongoing Assessment

PARA
Y
PIENSA

Intervention For students who are having difficulties mastering direct object pronouns, use Reteaching & Practice Copymasters URB 1, pp. 32, 34, 40.

🛒 **Answers** Projectable Transparencies, 1-46 and 1-47

Activity 10
1. Sí, la miran.
2. Sí, los tienen.
3. Sí, lo tienen.
4. No, no los van a necesitar.

Activity 11
Answers will vary. Sample answers:
1. **A:** ¿Bebes refrescos...?
   B: Sí, (No, no) los bebo.
2. **A:** ¿Escuchas música...?
   B: Sí, (No, no) la escucho.
3. **A:** ¿Lees libros...?
   B: Sí, (No, no) los leo.
4. **A:** ¿Miras la televisión...?
   B: Sí, (No, no) la miro.
5. **A:** ¿Practicas deportes...?
   B: Sí, (No, no) los practico.
6. **A:** ¿Pides pizza...?
   B: Sí, (No, no) la pido.
7. **A:** ¿Estudias matemáticas...?
   B: Sí, (No, no) las estudio.
8. **A:** ¿Haces la tarea...?
   B: Sí, (No, no) la hago.

Para y piensa
1. Sí, (No, no) lo tengo.
2. Sí, (No, no) la necesitas.
3. Sí, (No, no) los vamos a comprar./ Sí, (No, no) vamos a comprarlos.
4. Sí, (No, no) la llama.

· Present indirect object pronouns.

Core Resource
· *Cuaderno,* pp. 7–9

Presentation Strategies
· Point out that only the third-person indirect object pronouns are different than the direct object pronouns.
· Explain that **le** and **les** apply to both genders.

STANDARD
4.1 Compare languages

🖥 **Warm Up**   Projectable Transparencies, 1–28

Las vacaciones Complete the sentences with the correct third-person direct object pronoun.

1. Primero, vamos a visitar el museo.
   Vamos a visitar _____ .
2. Vemos el arte.
   _____ vemos.
3. Entonces, comemos unos sandwiches.
   Entonces, _____ comemos.
4. Luego, compramos regalos.
   Luego, _____ compramos.
5. Después, hay que leer los correos electrónicos.
   Después, hay que leer _____ .
6. Por fin, regresamos al hotel para ver la televisión.
   Por fin, regresamos al hotel para ver _____ .

Answers: 1. visitarlo; **2.** Lo; **3.** los; **4.** los; **5.** leerlos; **6.** verla

Comparisons
English Grammar Connection

· To help students distinguish between direct and indirect object pronouns, reinforce that direct object pronouns answer the questions *who? what?* and indirect object pronouns answer the questions *to whom? for whom?*
· Explain that, unlike in English, a sentence with an indirect object noun may contain an indirect object pronoun. ***Le das un regalo a tu amigo.***

❖ Presentación de GRAMÁTICA

¡AVANZA! **Goal:** Learn the indirect object pronouns. Then use them to refer to people involved in travel plans and other activities. *Actividades 12–16*

English Grammar Connection: Indirect objects are nouns that answer the questions *to whom?* or *for whom?* about the verb. **Indirect object pronouns** take the place of indirect object nouns.

Rosa gives **her** a ticket.   Rosa **le** da un boleto.

Indirect Object Pronouns   ANIMATEDGRAMMAR
                                            my.hrw.com

In Spanish, **indirect object pronouns** are used to accompany or replace **nouns** that act as **indirect objects.**

Here's how: The indirect object pronouns **me, te, nos,** and **os** are the same as the direct object pronouns. Only the **usted/él/ella** and **ustedes/ellos/ellas** forms are different.

Indirect Object Pronouns

Singular		Plural	
me	*me*	nos	*us*
te	*you (familiar)*	os	*you (familiar)*
le	*you (formal), him, her*	les	*you, them*

In Spanish, you must use the **indirect object pronoun** to *accompany* the **noun** it modifies or to *replace* the **noun.** The pronoun appears before **conjugated verbs.**

accompanies   *replaces*

Mamá **les da** el dinero a **José y Ana.**   Mamá **les da** el dinero.
*Mom gives **José and Ana** the money.*   *Mom gives **them** the money.*

When an **infinitive** follows the **conjugated verb,** the **indirect object pronoun** can be placed *before* the **conjugated verb** or *attached* to the **infinitive.**

before

Le voy a **vender** mi coche a **Sara.**   *becomes*   **Le voy** a **vender** mi coche.
*I'm going to sell **Sara** my car.*

attached

or   **Voy** a **venderle** mi coche.
*I'm going to sell **her** my car.*

Más práctica
Cuaderno *pp. 7–9*
Cuaderno para hispanohablantes *pp. 8–11*

@HOMETUTOR my.hrw.com
Leveled Practice

Differentiating Instruction

Inclusion
Clear Structure Create a 4-column chart on the board and write a sample sentence underneath:

Subject	Action	What?	To/For whom?
Ana	da	un regalo	a su amiga.

Restate the sentence, using the indirect object pronoun: **Le da un regalo.** Continue with other verbs (**dar, comprar, mandar, escribir**).

Multiple Intelligences
Interpersonal In pairs, have students make lists of gifts they would like to give to two good friends. Then have them take turns saying what they are giving and to whom:
A: Le doy un video a Raúl.
B: ¡Qué bien! Les doy una cámara a Katarina y Miguel.

Práctica de GRAMÁTICA

12 | Preparaciones

Hablar
Escribir

Completa las oraciones cambiando el objeto indirecto a **me, te, le, nos** o **les**.
(Complete the sentences with the correct indirect object pronouns.)

> **modelo:** el agente / vender / los boletos de ida y vuelta / a nosotros
> El agente **nos** vende los boletos de ida y vuelta.

1. el agente / dar / el itinerario / a mis padres
2. mi padre / paga / cuatrocientos dólares / a la agente de viajes
3. mis abuelos / dar / equipaje nuevo / a mí y a mi hermano
4. mi madre / regalar / un nuevo traje de baño / a mí / para el viaje
5. yo / dar / mi perro / a ti / cuando voy de vacaciones
6. nosotros / dar / el equipaje / al auxiliar de vuelo

> **Expansión:**
> **Teacher Edition Only**
> Check comprehension by asking students to whom each action is directed.

13 | En el aeropuerto

Escuchar
Escribir

Alejandro describe lo que ve mientras espera el avión. Escucha lo que dice y completa las oraciones con **me, te, le, nos** o **les**. *(Listen to Alejandro, and complete the sentences with the appropriate indirect object pronouns.)*

> 🎧 **Audio Program**
> TXT CD 2 Track 6
> Audio Script, TE
> p. 33B

1. Los pasajeros _____ hablan a los auxiliares de vuelo.
2. Un señor _____ quiere dar un refresco a su esposa.
3. Un pasajero _____ pregunta la hora a la auxiliar de vuelo.
4. La auxiliar _____ dice unas palabras.
5. Los pasajeros _____ dan las tarjetas de embarque.
6. Mamá _____ quiere hablar.
7. _____ hablo más tarde.

> **Expansión:**
> **Teacher Edition Only**
> Have students use indirect object pronouns to write more details for each item. For example: 1. Ellos **les** hablan del vuelo.

14 | ¿Y tú?

Hablar
Escribir

Contesta las preguntas con un(a) compañero(a). *(Answer the questions with a classmate.)*

> **modelo:** ¿A quién le preguntas cuando quieres ayuda con la tarea de español, al (a la) profesor(a) o a tu amigo(a)?

1. ¿A quién le preguntas cuando quieres salir con los amigos, a tu madre o a tu padre?
2. ¿Quién te da el dinero para comprar los discos compactos, tu madre, tu padre o tus abuelos?
3. ¿Quién les da más problemas a tus padres, tú o tu hermano(a)?
4. ¿Quién me va a dar más tarea, el (la) profesor(a) de español o de matemáticas?
5. ¿A quién le escribes correos electrónicos, a tu mejor amigo(a) o a todos tus amigos?

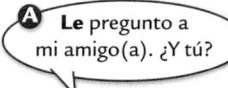
A Le pregunto a mi amigo(a). ¿Y tú?

B Le pregunto al profesor.

> **Expansión**
> Create three similar questions to ask your partner.

Lección 1
cuarenta y siete **47**

Differentiating Instruction

Pre-AP

Use Transitions Have students use the completed sentences from Activity 12 and write a paragraph using appropriate transition words such as **primero, y, luego, entonces,** to link the ideas.

Slower-paced Learners

Read Before Listening Tell students to read Activity 13 before listening to the audio. As they read each item, they should think about which indirect object pronouns are possible options for completing the sentences.

Objective
· Practice using indirect object pronouns.

Core Resource
· Audio Program: TXT CD 2 Track 6

Practice Sequence
· **Activity 12:** Controlled practice: indirect object pronouns
· **Activity 13:** Transitional practice: indirect object pronouns
· **Activity 14:** Transitional practice: questions with indirect object pronouns.

STANDARDS
1.1 Engage in conversation, Act. 14
1.2 Understand language, Acts. 12, 13
1.3 Present information, Acts. 12, 14

Communication
Common Error Alert

Object Pronouns Some students may use the direct object pronouns (**la, lo, las, los**) in place of the indirect object pronouns. Alert students that communicative verbs (**hablar, leer**) often take an indirect object. Tell them to think of the words spoken as the direct object, and the person they are spoken to as the indirect object (**Le leo el libro.** *I read the book to her*).

🖥 **Answers** Projectable Transparencies, 1-46 and 1-47

Activity 12
1. El agente les da el itinerario (a mis padres).
2. Mi padre le paga cuatrocientos dólares (a la agente de viajes).
3. Mis abuelos nos dan equipaje nuevo.
4. Mi madre me regala un nuevo traje de baño para el viaje.
5. Yo te doy mi perro cuando voy de vacaciones.
6. Nosotros le damos el equipaje (al auxiliar de vuelo).

Activity 13
1. les	3. le	5. les	7. les
2. le	4. nos	6. me	

Activity 14 Answers will vary. Sample answers:
1. Le pregunto a mi madre/padre.
2. Mi padre/madre me da dinero./Mis abuelos me dan...
3. Yo les doy más problemas./Mi hermano les da...
4. El profesor de español/matemáticas te va a dar más tarea. (va a darte)
5. Le escribo a mi mejor amigo./Les escribo a todos mis amigos.

47

Objectives
· Practice using indirect object pronouns.
· **Culture:** nature in Costa Rica

Core Resource
· *Cuaderno,* pp. 7–9

Practice Sequence
· **Activity 15:** Transitional practice: indirect object pronouns
· **Activity 16:** Open-ended: indirect object pronouns

STANDARDS
1.3 Present information, Act. 15
2.2 Products and perspectives, Act. 16
4.2 Compare cultures, Act. 16
21st CENTURY Communication, Compara con tu mundo

Comparación cultural

Essential Question
Suggested Answer Un país debe preservar la naturaleza para todas las personas. Si no la preservamos, no vamos a tener la variación de plantas y animales para nuestros hijos.

About the Photos
El Jardín de Cataratas La Paz is approximately an hour and forty-five minutes from San José. Highlights of the park include two miles of walking trails and five waterfalls formed by the La Paz River along its natural route.

✓ Ongoing Assessment

> **Get Help Online**
> **More Practice**
> my.hrw.com

PARA Y PIENSA **Quick Check** Review answers to Para y piensa questions. For additional practice, use Reteaching & Practice Copymasters URB 1, pp. 35, 36.

📺 **Answers** Projectable Transparencies, 1-47

Activity 15
1. nos	**3.** le	**5.** les	**7.** te
2. le	**4.** nos	**6.** me	

Activity 16
Answers will vary. Sample answers:
A: Voy a dibujar los colibríes. Les voy a dar el dibujo a mis abuelos.
B: Voy a dibujar el jardín. Te voy a dar el dibujo a ti.

Para y piensa
1. me   **2.** les

48

Leer
Escribir

¿Qué le dice Natalia a su amiga sobre su viaje? Completa el párrafo con **me, te, le, nos** o **les.** *(Complete the paragraph with the appropriate indirect object pronouns.)*

> Estamos tan contentos. Papá __1.__ dice que vamos a hacer un viaje magnífico. Primero, él __2.__ habla al agente de viajes por teléfono. Luego todos vamos a la agencia de viajes. El agente __3.__ da los boletos a Papá y entonces __4.__ dice (a nosotros) que todos tenemos que tener identificación. Más tarde Mamá __5.__ pide más información a las personas en la oficina de turismo. Vamos a un lugar con playa. Por eso, Mamá __6.__ dice a mí que necesito llevar el traje de baño. ¡Qué divertido! En el viaje __7.__ voy a comprar algo que te va a gustar.

16 | ¡Vamos a dibujar!

Leer
Escribir
Hablar

Comparación cultural

Observatorio de mariposas, Costa Rica, y la mariposa morfo azul.

La naturaleza de Costa Rica
¿Por qué debe un país preservar su naturaleza (nature)? **Costa Rica** es un país pequeño, pero la variedad de flora y fauna es enorme. Hay muchos jardines y reservas en donde la naturaleza está protegida *(protected)* y donde puedes observar las especies *(species)* nativas del país. En el Jardín de Cataratas La Paz puedes caminar entre miles de mariposas *(butterflies)* en un gran observatorio. La especie más famosa de Costa Rica es la morfo azul, con su color especial. Este parque también tiene un jardín de colibríes *(hummingbirds)*, un jardín de orquídeas *(orchids)*, cinco cataratas *(waterfalls)* y muchas plantas tropicales.

Compara con tu mundo ¿Hay mucha naturaleza donde vives? Descríbela. ¿Es importante preservarla? ¿Por qué?

Estás en el Jardín de Cataratas con un(a) compañero(a) y ustedes quieren dibujar muchas cosas. Di a quiénes les van a dar cada dibujo. Usa **me, te, le, nos** y **les.** *(Talk about the drawings you do in the garden and to whom you are going to give them.)*

> **A** Voy a dibujar la mariposa azul. **Le** voy a dar el dibujo a mi mamá. ¿Y tú? ¿Qué vas a dibujar?

> **B** Voy a dibujar las cataratas. Voy a dar**te** el dibujo.

Más práctica   Cuaderno *pp. 7–9*   Cuaderno para hispanohablantes *pp. 8–11*

> **Get Help Online**
> my.hrw.com

PARA Y PIENSA **Did you get it?** Use indirect object pronouns to complete the following:
1. No tengo traje de baño, pero mi mamá _____ va a comprar uno.
2. ¿Y para ustedes? Ella _____ va a traer un recuerdo de Costa Rica.

Differentiating Instruction

Pre-AP
Vary Vocabulary For Activity 16, encourage students to vary the language they use by recycling words they know and by looking up new terms in the dictionary.

Multiple Intelligences
Naturalist Have students do sketches of the items they name in Activity 16. They can then write a sentence describing to whom they are going to give the drawing and attach it to their art.

Todo junto

¡AVANZA! **Goal:** *Show what you know* Listen to Natalia's family discuss the final plans for their upcoming trip. Then use the language you have learned to talk about real and imaginary travel experiences. *Actividades 17–21*

Telehistoria completa

 @HOMETUTOR my.hrw.com **View, Read and Record**

STRATEGIES

Cuando lees
Identify irony Irony is used to express something other than the literal meaning. Find the ironic statements as you read, and notice who says them.

Cuando escuchas
Listen for irony Irony is expressed in various ways: speaking with a higher or lower pitch, talking loudly, or laughing. Some irony is delivered in a "deadpan" way. Can you tell who uses ironic statements?

Escena 1 *Resumen*
Natalia y Alejandro hacen una película sobre un viaje a Miami. Su madre les dice que necesitan hacer sus maletas para las vacaciones.

Escena 2 *Resumen*
Natalia y Alejandro hicieron las maletas y tienen sus pasaportes. Su madre les dice que no los necesitan porque la familia no va a Miami.

VIDEO DVD

AUDIO

Escena 3

Alejandro: ¿Por qué no vamos a Miami?

Madre: La agente de viajes dice que va a llover toda la semana en Miami.

Natalia: Pero estamos haciendo una película sobre un vuelo peligroso a Miami. Necesitamos filmar en el aeropuerto.

Padre: ¿Y por qué no hacen una película sobre un viaje peligroso a la playa?

Alejandro: ¿La playa? ¿Peligrosa?

Natalia: Sí, claro. Vamos a un restaurante y nos sirven una comida horrible. ¡Qué peligroso!

Alejandro: O, encontramos al profesor Chávez allí. Me habla de matemáticas. ¡Qué aburrido! ¡Qué miedo!

Natalia: O, Mamá quiere ver una película vieja y mala. Le compramos el tiquete y ella dice: «¡Tienen que ir conmigo!»

Padre: Yo tengo una película de miedo: se llama «ir de vacaciones con nuestros hijos».

Lección 1
cuarenta y nueve **49**

Differentiating Instruction

Multiple Intelligences

Linguistic/Verbal In groups of four, have students act out the parts from Escena 3. Tell students they can expand on the dialog if they would like. Groups should practice together, then present their version to the class.

Heritage Language Learners

Writing Skills Have students write new dialog for Alejandro and Natalia that mentions other scary ideas for a film about the beach. Have them act them out for the class.

TODO JUNTO

Objective

· Practice using and integrating lesson vocabulary and grammar.

Core Resources

· *Cuaderno*, pp. 10–11
· Audio Program: TXT CD 2 Tracks 7, 8, 9

Practice Sequence

· **Activity 17:** Telehistoria comprehension
· **Activity 18:** Transitional practice: reading, writing
· **Activity 19:** Open-ended practice: speaking
· **Activity 20:** Open-ended practice: reading, listening, and speaking
· **Activity 21:** Open-ended practice: writing

STANDARDS

1.1 Engage in conversation, Act. 19
1.2 Understand language, Acts. 17, 18
1.3 Present information, Acts. 19–21

21st CENTURY Communication, Acts. 20, 21/ Multiple Intelligences; **Flexibility and Adaptability,** Act. 19; **Initiative and Self-Direction,** Inclusion

---

Communication

Interpersonal Mode

Activity 19 Brainstorm a list of information students will need to get from the travel agent and what information they will need to give him/her. Provide guidelines for how many questions each student (the traveler and the agent) will need to ask.

🖵 **Answers** Projectable Transparencies, 1-47 and 1-48

Activity 17
  1. b   **2.** c   **3.** a   **4.** c

Activity 18
1. Natalia y Alejandro hacen una película sobre un viaje a Miami.
2. Ellos no necesitan sus pasaportes para viajar.
3. Va a llover (No va a hacer sol) toda la semana en Miami.
4. Los padres no quieren viajar a Miami.
5. Los hijos necesitan filmar en un aeropuerto.
6. Natalia dice que les sirven una comida horrible en el restaurante.
7. El profesor Chávez le habla a Alejandro de matemáticas.
8. Natalia dice que le compran a mamá un tiquete para ver una película vieja y mala.

Answers continue on p. 51.

---

17   *Comprensión de los episodios*   ¡Qué miedo!

Escuchar Leer

Completa las oraciones. *(Complete the statements.)*

1. Alejandro y Natalia quieren
  a. ir a la playa.
  b. filmar en un aeropuerto.
  c. hablar con la agente de viajes.

2. No van a Miami porque
  a. no hay aeropuerto.
  b. es muy peligroso.
  c. va a llover.

3. Alejandro habla de
  a. su profesor de matemáticas.
  b. la agente de viajes.
  c. un restaurante horrible.

4. Papá dice que
  a. prefiere ir a Miami.
  b. quiere ver una película vieja.
  c. tiene una película de miedo.

---

18   *Comprensión de los episodios*   ¡A corregir!

Escuchar Leer

Corrige los errores en estas oraciones. *(Correct the errors.)*

  modelo: La familia va a Miami.
           La familia va a la playa.

1. Natalia y Alejandro hacen una película sobre un viaje a Costa Rica.
2. Ellos necesitan sus pasaportes para viajar.
3. Va a hacer sol toda la semana en Miami.
4. Los padres quieren viajar a Miami.
5. Los hijos necesitan filmar en una estación de tren.
6. Natalia dice que les sirven una comida rica en el restaurante.
7. El profesor Chávez le habla a Alejandro de ciencias.
8. Natalia dice que le compran a mamá un tiquete para ver una película buena.

> **Expansión:**
> Teacher Edition Only
> After completing the activity, have students write a summary of the entire story.

---

19   En la agencia de viajes

Digital performance)space

Hablar

STRATEGY Hablar
Consider what is appropriate Before speaking, consider questions or statements that are appropriate in a given situation. In the following activity, decide the most appropriate form of address, **tú** or **usted.** Think about these things in advance and apply them as you speak.

Hablas con un(a) agente de viajes sobre tus planes para ir de vacaciones. Hazle preguntas y escucha sus respuestas. *(Role-play asking questions to a travel agent.)*

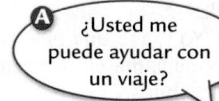

A ¿Usted me puede ayudar con un viaje?

B Sí. ¿Adónde quiere ir?

> **Expansión**
> Present your role-play to another pair of students.

Differentiating Instruction

Multiple Intelligences

Speaking Skills As they do Activity 19, encourage more fluent speakers to vary the language they use to respond and to include direct and indirect objects whenever possible: **¿Necesitamos pasaportes para viajar? No, no los necesitan porque no van a otro país.**

Slower-paced Learners

Peer-study Support In Activity 19, pair strong students with weak students. Have them write down a few questions before role-playing their dialog. Have them exchange papers and write answers to each others' questions, then act out their dialog.

20 Integración

Digital **Performance) space**

Leer
cuchar
Hablar

Lee el itinerario y escucha el mensaje. Luego, explícale a tu familia qué tienen que hacer el día del viaje. *(Tell your family what they have to do the day of the trip.)*

Fuente 1 Itinerario

Agente: Fernando
Aguilar Furcal
Agencia Sol y Mar
ITINERARIO
Domingo 13 de agosto
Vuelo: 544 AeroTico
de: San José (SJO) Salida 12:00 pm
a: Miami (MIA) Llegada 2:50 pm
Distancia: 1807 km
Duración del vuelo: 2 horas 50 minutos
AVISOS
  * Favor de llegar al aeropuerto dos
    horas antes de su vuelo.
 ** Hay que tener el pasaporte para
    todos los vuelos internacionales.

Fuente 2 Mensaje por teléfono

Listen and take notes
· ¿Quién habla y por qué?
· Escribe todos los datos
  (facts) y números.

modelo: Antes de ir al
aeropuerto, tenemos
que confirmar la hora
de salida. Tenemos que
llegar a las 10:00 de la
mañana...

 Audio Program
TXT CD
2 Tracks 8, 9
Audio Script, TE
p. 33B

21 El primer vuelo

Digital **Performance) space**

scribir

Tu amigo(a) va a hacer un viaje en avión y quiere saber qué va a pasar antes, después y durante el vuelo. Escríbele un correo electrónico. *(Help your friend know what to expect before, after, and during a flight.)*

A: amigo@mail.com

Tu primer vuelo va a ser muy divertido. Antes del vuelo
tienes que facturar el equipaje. Hay que tener...

Writing Criteria	Excellent	Good	Needs Work
Content	Your e-mail includes many new travel terms.	Your e-mail includes some new travel terms.	Your e-mail includes few new travel terms.
Communication	Your e-mail is organized and easy to follow.	Parts of your e-mail are organized and easy to follow.	Your e-mail is disorganized and hard to follow.
Accuracy	Your e-mail has few mistakes in grammar and vocabulary.	Your e-mail has some mistakes in grammar and vocabulary.	Your e-mail has many mistakes in grammar and vocabulary.

Expansión
Compare your e-mail to a classmate's e-mail. How do they differ? How are they the same?

lás práctica Cuaderno *pp. 10–11* Cuaderno para hispanohablantes *pp. 12–13*

Get Help Online
my.hrw.com

PARA Y PIENSA

Did you get it? Write three sentences about air travel. Describe an activity for: the travel agent, the passenger, and the flight attendant.

Lección 1
cincuenta y uno **51**

Differentiating Instruction

Multiple Intelligences

Logical/Mathematical Ask students to create a three-column chart before writing their response to Activity 21. Label the columns: **Antes del vuelo, Durante el vuelo,** and **Después del vuelo.** Have them write suggestions to their friend for each column and put their ideas in sequential order. They can then use the chart to organize their e-mail.

Inclusion

Cumulative Instruction Have students write a list of things they have learned in this lesson. Ask them to think of strategies for remembering where direct and indirect objects go in a sentence, and to write these down, then to share them with the class.

Long-term Retention

Pre-AP Integration

Activity 20 Direct student to take notes as they listen to the recorded message. Advise them to listen for the main intent of the message and to write down key words and phrases such as, **confirmar, darle el itinerario.** They will need to use these words in their response.

✓ Ongoing Assessment

Rubric Activity 20

Listening/Speaking

Proficient	Not There Yet
Student takes detailed notes and names most or all of the activities that señor Aquilar mentions.	Student takes few notes and only names some of the activities that señor Aquilar mentions.

To customize your own rubrics, use the *Generate Success* Rubric Generator and Graphic Organizers.

✓ Ongoing Assessment

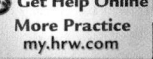 **Get Help Online**
More Practice
my.hrw.com

PARA Y PIENSA **Quick Check** Review answers to Para y piensa questions. For additional practice, use Reteaching & Practice Copymasters URB 1 pp. 35, 37.

Answers Projectable Transparencies, 1-48

Answers continued from p. 50.

Activity 19 Questions and answers will vary. They should include travel vocabulary such as: **hacer un viaje, ir de vacaciones, comprar un boleto de ida y vuelta, hacer el itinerario, el día y las horas del vuelo.**

Activity 20 Answers will vary. Sample answer: **Tenemos que darle el itinerario y nuestra identificación al auxiliar de vuelo...**

Activity 21 Answers will vary. Sample answer: **Antes del vuelo, tienes que comprar el boleto, facturar el equipaje y pasar por seguridad. Durante el vuelo, puedes leer, hablar a otros pasajeros o dormir. Después del vuelo, tienes que buscar tus maletas en el reclamo de equipaje, pasar por la aduana e ir a tu hotel.**

Para y piensa Answers will vary. Sample answers: **El agente de viajes nos hace un itinerario. Los pasajeros hacen cola en el aeropuerto para facturar el equipaje...**

51

 **Lectura**

¡AVANZA! **Objectives**

· Read about an eco-adventure park in Costa Rica.
· Discuss the activities offered there.
· Compare to other parks.

Core Resource

· Audio Program: TXT CD 2 Track 10

Presentation Strategies

· Have students read aloud in groups of three and agree on a main idea for each paragraph on page 52.
· Have each student use the Strategy to chart his/her opinions.
· Conduct a whole-class reading/discussion of the text.
· Have students answer Para y piensa questions in groups of three (formed for reading, above).

STANDARDS

1.2 Understand language
4.2 Compare cultures
🕑 **Creativity and Innovation,** Multiple Intelligences; **Social and Cross-Cultural Skills,** Slower-paced Learners (Financial Literacy)

Warm Up Projectable Transparencies, 1-29

Object Pronouns Choose the restatement of each sentence that shows the correct use of the direct or indirect object pronoun.
1. Dan la tarjeta de embarque a ti.
   a. Te dan la tarjeta de embarque.
   b. Les dan la tarjeta de embarque.
2. Envían los boletos a mí.
   a. Les envío los boletos.
   b. Me envían los boletos.
3. Buscamos a Eduardo y Luz en el reclamo de equipaje.
   a. Los buscamos en el reclamo de equipaje.
   b. Nos buscan en el reclamo de equipaje.
4. Mamá ayuda a nosotros con las maletas.
   a. Mamá nos ayuda con las maletas.
   b. Le ayudamos con las maletas.
5. Yo llamo a Carolina por teléfono antes de salir para el aeropuerto.
   a. Carolina me llama por teléfono.
   b. Le llamo a Carolina por teléfono.

Answers: 1. a; 2. b; 3. a; 4. a; 5. b

¡AVANZA! Goal: Read about an eco-adventure park in Costa Rica, then answer questions about what you can do there. Compare the park to others you know and talk about the park activities you like to do.

 AUDIO

Un parque tropical de Costa Rica

STRATEGY Leer

Chart your preferences Keep track of what interests you in a chart. In the first column, list the park attractions. In the second, rate each one, from 1 (not interesting) to 3 (very interesting). In the third column, write the reason for your rating.

Atracciones de Buru Ri Ri	Me gusta (1–3)	¿Por qué?

Bienvenidos a Buru Ri Ri

Un día de aventura[1] en la naturaleza[2] costarricense

Actividades

Teleférico Viaja en cabinas que cuelgan[3] de un cable a una altura[4] de 265 pies. Seis personas viajan en cada cabina donde tienen vistas panorámicas del parque.

Jardín de mariposas[5] Visita nuestra estructura dedicada a cientos de mariposas. Aprende del ciclo de vida[6] de estos insectos.

Jardines tropicales Conoce la naturaleza de Costa Rica. En los jardines encuentras zonas dedicadas a diferentes plantas como orquídeas[7], bromelias[8] y los árboles de nuestros bosques lluviosos[9]. También puedes ver los pájaros[10] coloridos de los bosques.

Aventuras Actividades para el aventurero incluyen montar a caballo[11] o deslizarse[12]

en el Cable Fantástico, un cable donde viajas en el aire a una velocidad de casi 80 kilómetros por hora. También puedes viajar por encima del parque en nuestro sistema de plataformas y cables. Es el sistema más grande del país.

Restaurantes Tenemos dos restaurantes que sirven auténtica comida costarricense.

[1] adventure	[2] nature	[3] hang	[4] height	[5] butterflies	[6] **ciclo...** life cycle
[7] orchids	[8] bromeliads	[9] **bosques...** rain forests	[10] birds	[11] horse	[12] slide

Differentiating Instruction

Pre-AP

Persuade Invite students to share with the class their opinions on the different activities listed under **Aventuras.** Then have them each attempt to verbally convince a partner to opt for the same activity: horseback riding, the zip line, or the ropes course.

Multiple Intelligences

Visual Learners Have students create a poster for a travel agency that advertises trips to Buru Ri Ri. Posters should include colorful illustrations and informative captions for each of the adventure activities.

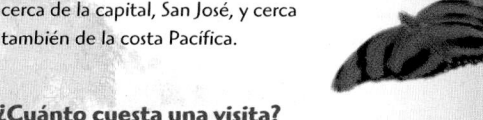

Buru Ri Ri

¿Dónde queda el parque Buru Ri Ri?

Queda en el valle central de Costa Rica. Está cerca de la capital, San José, y cerca también de la costa Pacífica.

¿Cuánto cuesta una visita?

Precios de entrada*	Adultos	Estudiantes**	Niños†
Tour básico del parque Buru Ri Ri	$45	$40	$35
Tour de aventura (Selecciona uno: Montar a caballo, Cable fantástico o Tour de plataformas)	$45	$40	$35
Tour extremo (Dos horas en las plataformas más otra actividad de aventura)	$60	$55	$50

* Los precios del tour incluyen: viaje en autobús de San José, comida, un viaje en Teleférico y un(a) guía bilingüe.

**Precio de estudiante: es necesario presentar la identificación de estudiante.

† (de 3 a 11 años)

Sugerencias para tu visita

Habla con tu agente de viajes para incluir una visita al Parque Tropical BURU RI RI en tu itinerario.

Para más información:
Parque Tropical BURU RI RI
Apdo. 571-2100
Tel: (591) – 280-1234
www.bururiri.com

PARA Y PIENSA

¿Comprendiste?

1. ¿Cuáles son las actividades que puedes hacer en el Parque Buru Ri Ri?
2. ¿Dónde queda el parque?
3. ¿Por qué cuesta más el tour extremo?
4. ¿Qué tienes que hacer para pagar la entrada de $40?

¿Y tú?

¿Conoces un lugar como el Parque Buru Ri Ri? ¿Qué puedes hacer o ver en ese lugar? ¿Qué actividad te gusta hacer en un parque como Buru Ri Ri?

Lección 1
cincuenta y tres **53**

Objective
· Learn about the Pacuare River in Costa Rica.

Presentation Strategies
· Have pairs of students read the text and discuss the main idea.
· Ask student pairs to create a graph together as specified in the text. Avoid specifying the format of the graph, encouraging varied representation of the information.
· Have each student individually complete the **proyecto** of his/her choice for homework, and share it in a small group the following day before submitting it.

STANDARDS
1.3 Present information
3.1 Knowledge of other disciplines
5.1 Spanish in the community
5.2 Life-long learners
21st **Information Literacy,** Proyectos 1, 3

Connections

El lenguaje

Discuss the names of the various points along the course of the Pacuare River and have students guess at how they came to be.

Long-term Retention

Recycle

After looking at some students' reports on weather conditions throughout Costa Rica in Proyecto 1, review clothing vocabulary by having the class discuss what they would pack for a rafting trip in a particular season.

Answers

El río Pacuare The y axis (vertical) of the graph should be the measurement of altitude in meters. The x axis (horizontal) should be the distance between the points in kilometers. The first point, which should be along the y axis, is the source of the river. The other points should be in sequence traveling down the river until the final point at the mouth (altitude 0 meters). All labels on the graph should be in Spanish: **eje y, altitud en metros, eje x, distancia en kilómetros, nacimiento del río, desembocadura del río.**
Proyectos 1, 2, 3 Answers will vary.

54

Conexiones *Las matemáticas*

El río Pacuare

Muchas personas viajan a Costa Rica para navegar por rápidos *(to go whitewater rafting)* en el río Pacuare. El río empieza en la Cordillera de Talamanca, en el centro de Costa Rica. En las montañas y en la selva *(jungle)*, el Pacuare baja muy rápidamente porque llueve mucho y la pendiente *(slope)* es grande. El río va más lentamente al pie de las montañas *(foothills)* hasta *(until)* que llega al mar Caribe.

Dibuja una gráfica *(graph)* de la pendiente del río Pacuare usando *(using)* los siete puntos del mapa y las distancias estimadas entre los puntos.

El río Pacuare

Desde *(from)*	Hasta *(to)*	Distancia
la fuente *(source)*	Porvenir	15 kilómetros
Porvenir	Bajo Pacuare	15 kilómetros
Bajo Pacuare	Tres Equis	20 kilómetros
Tres Equis	Siquirres	18 kilómetros
Siquirres	Manila	10 kilómetros
Manila	la boca	15 kilómetros

Proyecto 1 *Las ciencias*
El tiempo de las montañas de Costa Rica es muy distinto al tiempo de las costas. Usa Internet o una enciclopedia para investigar sobre estas diferencias. Después, crea un reportaje *(report)* del tiempo de Costa Rica para una estación específica. Incluye un mapa con información sobre las temperaturas, el sol, la lluvia y el viento.

Proyecto 2 *El arte*
En las selvas por donde pasa el río Pacuare hay muchos animales exóticos como monos *(monkeys)*, tucanes y jaguares. Dibuja una escena del río que ilustra los animales de la selva. Escribe los nombres de los animales en español en el dibujo.

Proyecto 3 *Las ciencias sociales*
Hay muchos grupos dedicados a la conservación del río Pacuare. Investiga sobre el río Pacuare y escribe un párrafo sobre su importancia. ¿Cómo es el río? ¿Por qué es importante para la economí de Costa Rica?

Unos jóvenes navegan por rápidos en el río Pacuare.

Differentiating Instruction

Inclusion
Multisensory Input/Output When discussing the changes in the slope of the riverbed at points in the Pacuare's trajectory, demonstrate the different degrees of incline by placing blocks beneath one end of a desk and observing the speed of a pencil rolling from one end to the other. Transfer this concept to the intensity of rafting at different points along the river.

Heritage Language Learners
Support What They Know Allow native speakers of Spanish to complete any of the three **Proyectos** with regard to an important riverbed in their heritage country instead of the Pacuare region.

En resumen
Vocabulario y gramática

ANiMATeD GRaMMaR
Interactive Flashcards
my.hrw.com

Vocabulario

Discuss Travel Preparations			
Planning		**Items**	
la agencia de viajes	travel agency	el boleto	ticket
el (la) agente de viajes	travel agent	el boleto de ida y vuelta	roundtrip ticket
confirmar el vuelo	to confirm a flight	el equipaje	luggage
hacer la maleta	to pack a suitcase	la identificación	identification
hacer un viaje	to take a trip	el itinerario	itinerary
ir de vacaciones	to go on vacation	la maleta	suitcase
llamar a	to call someone (by phone)	el pasaporte	passport
		la tarjeta de embarque	boarding pass
viajar	to travel	el traje de baño	bathing suit

Ask For Information	
Por favor, ¿dónde queda...?	Can you please tell me where . . . is?

Around Town	
la estación de tren	train station
la oficina de turismo	tourist office
la parada de autobús	bus stop
tomar un taxi	to take a taxi

At the Airport	
Before Departure	
abordar	to board
el aeropuerto	airport
el (la) auxiliar de vuelo	flight attendant
facturar el equipaje	to check one's luggage
hacer cola	to get in line
la pantalla	monitor; screen
el (la) pasajero(a)	passenger
pasar por seguridad	to go through security
la puerta	gate
la salida	departure
el vuelo	flight

After Arrival	
la llegada	arrival
pasar por la aduana	to go through customs
el reclamo de equipaje	baggage claim

Gramática

Nota gramatical: Personal **a** p. 40

REPASO **Direct Object Pronouns**

Direct object pronouns can be used to replace **direct object nouns.**

Singular		Plural	
me	me	**nos**	us
te	you (familiar)	**os**	you (familiar)
lo	you (formal), him, it	**los**	you, them
la	you (formal), her, it	**las**	you, them

Indirect Object Pronouns

Indirect object pronouns are used to accompany or replace **nouns** that act as **indirect objects.**

Singular		Plural	
me	me	**nos**	us
te	you (familiar)	**os**	you (familiar)
le	you (formal), him, her	**les**	you, them

Practice Spanish with Holt McDougal Apps!

Lección 1
cincuenta y cinco **55**

Objective
· Review lesson vocabulary and grammar.

 DIGITAL SPANISH

Interactive Flashcards Students can hear every target vocabulary word pronounced in authentic Spanish. Flashcards have Spanish on one side, and a picture or a translation on the other.

Review Games Matching, concentration, hangman, and word search are just a sampling of the fun, interactive games students can play to review for the test.

performance)space

News + Networking

@HOMETUTOR

CULTURA Interactiva

- **Audio and Video Resources**
- **Interactive Flashcards**
- **Review Activities**
- **WebQuest**
- **Conjuguemos.com**

Communication
Pair Work

Have students recreate the vocabulary summary in their notebooks without using any English. Instead, have them draw a small symbol or picture next to each term. Then have them show only the symbols to a partner who will guess what each one stands for. Partners can reverse roles until all the terms have been reviewed.

Long-term Retention
Critical Thinking

Categorize State a series of items from the vocabulary and have students (without looking at their books) list them either under the heading **Cosas que debo tener** (**el boleto, la identificación, el pasaporte,** etc.) or **Cosas en el aeropuerto** (**la aduana, la puerta de salida,** etc.)

Differentiating Instruction

Pre-AP

Summarize Have small groups of students act out assigned travel vignettes, written on slips of paper. Then have the class describe the situation. Ask questions to elicit use of indirect object pronouns, such as **¿A quién le das el dinero?**

Multiple Intelligences

Musical/Rhythmic Have small groups of students invent song or rap lyrics to remember direct and indirect object pronouns. Have them present their compositions to the class.

REPASO DE LA LECCIÓN

Lección 1

Repaso de la lección

Objective
· Review lesson grammar and vocabulary.

Core Resources
· *Cuaderno* pp. 12–23
· Audio Program: TXT CD 2 Track 11

Presentation Strategies
· Draw students attention to the benchmarks listed under the ¡Llegada! banner.
· Complete review activities.

STANDARDS
1.2 Understand language, Act. 1
1.3 Present information, Acts. 1, 2

¡LLEGADA!

@HOMETUTOR
my.hrw.com

Now you can
· discuss travel preparations
· talk about things you do at an airport
· talk about how to get around town

Using
· personal **a**
· direct object pronouns
· indirect object pronouns

Audio Pro
TXT CD 2 Tra
Audio Script,
p. 33B

To review
· direct object pronouns, p. 41

AUDIO

1 Listen and understand

Escucha la conversación entre Natalia y su mamá e indica si Natalia tiene las siguientes cosas. Luego, escribe una oración según el modelo. *(Decide whether or not Natalia has the following items. Then explain that she does or doesn't have it.)*

modelo: el dinero   Sí, lo tiene.

1. el boleto   **4.** el pasaporte   **7.** la hora de la llegada
2. el itinerario   **5.** el traje de baño   del vuelo
3. la identificación **6.** las maletas   **8.** la tarjeta de embarque

---

To review
· personal **a**, p. 40

2 Talk about how to get around town

Explica qué vas a hacer en estos lugares en tu comunidad. *(Say what you will do at these places.)*

modelo: encontrar/mis primos
Voy al aeropuerto para encontrar a mis primos.

1. ver/una película   **2.** buscar/unos amigos   **3.** ver/unos mapas

4. buscar/un horario   **5.** ver/la agente de viajes   **6.** encontrar/mi amiga

Warm Up   Projectable Transparencies, 1-29

Vocabulary Correct the following statements by changing the underlined words.
1. Es necesario tener <u>un traje de baño</u> para vuelos internacionales.
2. <u>La agente de viajes</u> sirve refrescos en el vuelo.
3. <u>La maleta</u> dice las horas de las llegadas y las salidas de los vuelos.
4. Le das <u>el itinerario</u> al auxiliar de vuelo antes de abordar.
5. <u>El taxi</u> viene a la parada cada veinte minutos.

Answers: 1. un pasaporte; 2. La auxiliar de vuelo; 3. La pantalla; 4. la tarjeta de embarque; 5. El autobús

✓ Ongoing Assessment

**Get Help Online
More Practice**
my.hrw.com

Intervention and Remediation
If students achieve less than 80% accuracy in these activities direct them to review the indicated pages in the text, and to my.hrw.com for online help.

Answers   Projectable Transparencies, 1-48 and 1-49

Activity 1
1. Sí, lo tiene.   5. Sí, lo tiene.
2. Sí, lo tiene.   6. No, no las tiene.
3. Sí, la tiene.   7. No, no la tiene.
4. Sí, lo tiene.   8. No, no la tiene.

Activity 2
1. Voy al cine para ver una película.
2. Voy a la estación de tren para buscar a unos amigos.

Answers continue on p. 57.

Differentiating Instruction

Slower-paced Learners

Read before Listening Allow students to read the questions for Activity 1 before listening to the audio. Students may also wish to number their papers from 1 to 8 before the audio begins. They can then mark each number with a check or an *x* to indicate whether Natalia has each item as they listen, and then write sentences after listening to the segment.

Inclusion

Metacognitive Support Coach at-risk students to prepare for Activity 2 by numbering their paper from 1 to 6 and circling the number of each item that has a person as an object. After completing the activity, remind students to check their work by looking for a personal **a** in each of the circled numbers.

eview
ect object
onouns, p. 41

3 Discuss travel preparations

El primo de Alejandro le hace muchas preguntas sobre su viaje. ¿Cómo contesta Alejandro? *(Tell how Alejandro answers his cousin's questions.)*

> **modelo:** ¿Tomas las maletas del reclamo de equipaje?
> Sí, las tomo del reclamo de equipaje.

1. ¿El agente de viajes ayuda a ustedes con los boletos?
2. ¿Haces las maletas?
3. ¿Tienes tu traje de baño?
4. ¿Tus padres te acompañan al aeropuerto?
5. ¿Ves a los otros pasajeros cuando haces cola?
6. ¿Facturas el equipaje?
7. ¿Recibes tu tarjeta de embarque antes de abordar?
8. ¿Necesitas tu pasaporte para abordar el vuelo?

eview
irect object
onouns, p. 46

4 Talk about things you do at an airport

Un grupo de estudiantes viaja a Costa Rica con su profesor de español. Completa las oraciones sobre su viaje. *(Complete the sentences.)*

> **modelo:** yo/dar/la identificación/a la agente de viajes
> Yo le doy la identificación.

1. la agente de viajes/vender/los boletos/a ti
2. la agente/confirmar/el vuelo/para mí
3. el profesor /enseñar /la pantalla de los vuelos/a Luisa
4. nosotros/dar/la tarjeta de embarque/a los auxiliares de vuelo
5. los auxiliares de vuelo/servir/la comida/a nosotros
6. mis amigas/dar/su pasaporte/al agente de la aduana

eview
tarricenses,
3
mparación
tural, pp. 42,

5 Costa Rica

Comparación cultural

Contesta estas preguntas culturales. *(Answer these culture questions.)*

1. ¿Cuál es otro nombre para los costarricenses?
2. ¿Cuál es una artesanía típica de Costa Rica? ¿Cómo es?
3. ¿Por qué dicen **pura vida** los costarricenses?
4. ¿Qué puedes ver en el Jardín de Cataratas La Paz?

práctica Cuaderno *pp. 12–23* Cuaderno para hispanohablantes *pp. 14–23*

Get Help Online
my.hrw.com

Differentiating Instruction

Pre-AP

Use Transitions Give advanced students transitional phrases and their definitions to use in connecting their answers in Activity 4 to form a paragraph telling about their class's trip. Useful words might include the following: **primero, antes del viaje/en el día del viaje, entonces, luego, mientras, al llegar, por fin.**

Heritage Language Learners

Writing Skills Emphasize to native speakers the need to include a synthesis of the question posed in an open-ended response, such as in Activity 5. For instance, a response to Item 3 should not begin with **Porque...**, but rather **Los costarricenses dicen «pura vida» porque...**

✓ **Ongoing Assessment**

Peer Assessment As a class, brainstorm people you would encounter in travel situations: **la agente de viajes, el/la turista, el auxiliar de vuelo...** List them on the board and have students pair up and ask **¿Dónde encuentras a...?** Remind students to use the personal **a** in their questions and object pronouns in their answers. (**La encuentro en la estación de autobús.**)

✓ **Ongoing Assessment**

Quick Check Throw a ball or another soft object to a student, asking **¿A quién le paso la pelota?** Have students respond each time with a sentence using an object pronoun, such as **Usted le pasa la pelota a Rubén,** or **La pasa a Marisol.** Continue until all students have had a turn.

📺 **Answers** Projectable Transparencies, 1-49

Answers continued from p. 56.
3. Voy a la oficina de turismo para ver unos mapas.
4. Voy a la parada de autobús para buscar un horario.
5. Voy a la agencia de viajes para ver a la agente de viajes.
6. Voy al parque para encontrar a mi amiga.

Activity 3
1. Sí (No), el agente (no) nos ayuda con los boletos.
2. Sí, (No, no) las hago.
3. Sí, (No, no) lo tengo.
4. Sí (No), mis padres (no) me acompañan al aeropuerto.
5. Sí, (No, no) los veo.
6. Sí, (No, no) lo facturo.
7. Sí, (No, no) la recibo.
8. Sí, (No, no) lo necesito para abordar.

Activity 4
1. La agente de viajes te vende los boletos.
2. La agente me confirma el vuelo.
3. El profesor le enseña la pantalla de los vuelos.
4. Les damos la tarjeta de embarque.
5. Los auxiliares nos sirven la comida.
6. Mis amigas le dan su pasaporte.

Activity 5
1. los ticos
2. Las carretas son artesanías típicas. Son pintadas de diferentes colores y diseños.
3. Dicen «pura vida» para saludar a amigos, dar gracias y responder a «¿Cómo estás?»
4. Puedes ver especies nativas del país. (*also:* la morfo azul, las cataratas, un jardín con colibríes/orquídeas, plantas tropicales)

Lesson Overview

Culture at a Glance ❖

Topic & Activity	Essential Question
On vacation in Playa Hermosa, pp. 58–59	¿Adónde vas de vacaciones?
The Costa Rican painter Jeannette Carballo, p. 66	¿Cómo muestran los artistas las costumbres de un país?
National parks in Costa Rica and Chile, p. 72	¿Qué beneficios puede tener el establecimiento de parques nacionales para un país?
Vacation activities and weather in Costa Rica and Chile, pp. 76–77	¿Cómo afectan el clima y la geografía a las actividades vacacionales en Costa Rica y Chile?
Batido tropical and **chocolate con leche,** p. 78	¿Qué relación pueden tener la geografía y el clima de un país con sus platos tradicionales?
Culture review, p. 81	¿Qué se puede hacer de vacaciones en Costa Rica y Chile?

COMPARISON COUNTRIES  Costa Rica  Chile  Puerto Rico

Practice at a Glance ❖

	Objective	Activity & Skill
Vocabulary	Vacation activities	2: Speaking; 3: Listening/Reading; 5: Speaking/Writing; 6: Reading/Writing; 7: Speaking; 8: Writing/Speaking; 9: Listening/Reading; 11: Speaking; 14: Listening/Writing; 15: Speaking/Writing; 16: Reading/Writing/Speaking; 20: Reading/Listening/Speaking; 21: Writing; Repaso 2: Writing; Repaso 3: Writing
	Vacation lodgings	1: Writing; 15: Speaking/Writing; 18: Listening/Reading; Repaso 3: Writing
	Gifts and souvenirs	4: Speaking/Writing; 17: Listening/Reading; 18: Listening/Reading; 19: Speaking; Repaso 1: Listening/Writing; Repaso 4: Writing
Grammar	Using interrogatives	4: Speaking/Writing; 10: Speaking/Writing; 14: Listening/Writing; Repaso 1: Listening/Writing; Repaso 4: Writing
	Using preterite of **–ar** verbs	5: Speaking/Writing; 6: Reading/Writing; 7: Speaking; 8: Writing/Speaking; 9: Listening/Reading; 10: Speaking/Writing; 11: Speaking; Repaso 2: Writing
	Using preterite of **ir, ser, hacer, ver, and dar**	12: Writing; 13: Reading/Writing; 14: Listening/Writing; 15: Speaking/Writing; 16: Reading/Writing/Speaking; 20: Reading/Listening/Speaking; 21: Writing; Repaso 3: Writing
Communication	Say where you went and what you did on vacation	3: Listening/Reading; 5: Speaking/Writing; 6: Reading/Writing; 7: Speaking; 8: Writing/Speaking; 9: Listening/Reading; 11: Speaking; 14: Listening/Writing; 15: Speaking/Writing; 16: Reading/Writing/Speaking; 20: Reading/Listening/Speaking; 21: Writing
	Ask information questions	4: Speaking/Writing; 19: Speaking; Repaso 1: Listening/Writing
	Talk about buying gifts and souvenirs	4: Speaking/Writing; 17: Listening/Reading; 18: Listening/Reading; 19: Speaking
	Pronunciation: The sound of **h** and **ch**	*Pronunciación: El sonido h y ch,* p. 67: Listening/Speaking
Recycle	Food	10: Speaking/Writing
	Days of the week	12: Writing
	Parties	13: Reading/Writing

The following presentations are recorded in the Audio Program for ¡*Avancemos!*

- ¡A responder! *page 61*
- 14: Durante las vacaciones *page 71*
- 20: Integración *page 75*
- Repaso de la lección *page 80*
  1: Listen and understand
- Repaso inclusivo *page 84*
  1: Listen, understand, and compare

For ¡**AvanzaRap!** scripts, see the ¡**AvanzaRap!** DVD.

¡A responder! TXT CD 2 track 13

1. Le gusta dar una caminata.
2. La actividad favorita de Natalia es montar a caballo.
3. Me gusta tomar fotos de las cosas interesantes.
4. Voy a comprar unas joyas. Son bellas.
5. Mi padre y yo vamos a pescar.
6. Me gusta acampar con mis amigas.
7. El año pasado pasamos las vacaciones en un hotel.
8. Ella manda tarjetas postales a sus amigos.

14 | Durante las vacaciones

TXT CD 2 track 17

El verano pasado mi familia y yo hicimos un viaje a San José. Fue un viaje muy bueno. En San José vimos muchas atracciones y compramos demasiados recuerdos. Un día fuimos al parque La Sabana. Mis padres descansaron pero yo no. Yo di una caminata. ¡Qué bello es ese lugar!

20 | Integración TXT CD 2 tracks 19, 20

Fuente 2 Mensaje por teléfono

¡Hola! Habla Josué. Acabo de llegar de San José. Te mandé una tarjeta postal. ¿La recibiste? Fui de vacaciones con mi tío y mi hermano mayor. Pasamos mucho tiempo en la ciudad. Vimos muchas atracciones. Visitamos un museo pero fue un poco aburrido. Nadamos en la piscina del hotel. Después fuimos al mercado pero yo no compré nada. Bueno, estoy muy cansado. ¡Hasta mañana!

Repaso de la lección TXT CD 2 track 22

1 Listen and understand

1. ¡Uy! Estoy muy cansada.
2. Porque caminé todo el día y me duelen los pies.
3. Fui al mercado al aire libre con unos amigos.
4. Fui con Jaime y Marisol. Compré un regalo para mi papá.
5. Le compré un regalo de artesanía para su oficina.
6. Costó 20 mil colones, pero es muy bonita. ¿Y hoy, qué vamos a hacer? ¿Nos vemos en el café?
7. Quiero descansar un poco. ¿Está bien salir por la noche? ¿A las siete?

Repaso inclusivo TXT CD 2 track 24

1 Listen, understand, and compare

Atención, los pasajeros del vuelo dos cincuenta y seis de la aerolínea Aire Costarricense con llegada a San José ya deben ir a la puerta número cinco para abordar. Los pasajeros que tienen los números de silla del 1 al 39 favor de hacer cola primero. Todos los pasajeros deben tener en la mano el pasaporte, la identificación y la tarjeta de embarque. Para los pasajeros que no tienen tiempo para facturar el equipaje, es necesario hablar con los auxiliares del vuelo que están en la puerta. Cada pasajero puede tener en la mano una maleta pequeña. La salida del vuelo es en veinte minutos. Gracias.

Everything you need to ...

Plan
TEACHER ONE STOP

✓ Lesson Plans
✓ Teacher Resources
✓ Audio and Video

Present
INTERACTIVE WHITEBOARD LESSONS

TEACHER ONE STOP WITH PROJECTABLE TRANSPARENCIES

POWER PRESENTATIONS

ANiMaTeDGRaMMaR

Assess
 ONLINE ASSESSMENT

✓ Assessments for on-level, modified, pre-AP, and heritage learners
✓ Create customized tests with **Examview Assessment Suite**
✓ **performance))space**
✓ *Generate Success* Rubric Generator

 Print

Plan	Present	Practice	Assess
URB 1 • Video Scripts pp. 99–100 • Family Involvement Activity p. 122 • Absent Student Copymasters pp. 131–141 **Best Practices Toolkit**	**URB 1** • Video Activities pp. 87–94	• *Cuaderno* pp. 24–49 • *Cuaderno para hispanohablantes* pp. 24–49 • *Lecturas para todos* pp. 7–11 • *Lecturas para hispanohablantes* • *¡AvanzaCómics! El misterio de Tikal,* Episodio 1 **URB 1** • Practice Games pp. 67–74 • Audio Scripts pp. 107–110 • Fine Art Activities pp. 117–118	**Differentiated Assessment Program** **URB 1** • Did you get it? Reteaching and Practice Copymasters pp. 41–52

 Projectable Transparencies (Teacher One Stop, my.hrw.com)

Culture	Presentation and Practice	Classroom Management
• Atlas Maps 1–6 • Map: Costa Rica 7 • Fine Art Transparencies 10, 11	• Vocabulary Transparencies 14, 15 • Grammar Presentation Transparencies 18, 19 • Situational Transparency and Label Overlay 20, 21 • Situational Student Copymasters pp. 1–2	• Warm Up Transparencies 30–33 • Student Book Answer Transparencies 50–53

 Audio and Video

Audio	Video	¡AvanzaRap! DVD
• Student Book Audio CD 2 Tracks 12–24 • Workbook Audio CD 1 Tracks 11–20 • Assessment Audio CD 1 Tracks 5–8 • Heritage Learners Audio CD 1 Tracks 5–8, CD 3 Tracks 5–8 • *Lecturas para todos* Audio CD 1 Track 2, CD 2 Tracks 1–7 • Sing-along Songs Audio CD	• Vocabulary Video DVD 1 • *Telehistoria* DVD 1 • *Telehistoria, Escena 1* • *Telehistoria, Escena 2* • *Telehistoria, Escena 3* • *Telehistoria, Completa* • Culture Video DVD 1	• Video animations of all **¡AvanzaRap!** songs (with Karaoke track) • Interactive DVD Activities • Teaching Suggestions • **¡AvanzaRap!** Activity Masters • **¡AvanzaRap!** video scripts and answers

 Online and Media Resources

Student	Teacher
Available online at my.hrw.com • Online Student Edition • **News** Networking • **performance space** • **@HOMETUTOR** • **Cultura** Interactiva • WebQuests • Interactive Flashcards • Review Games • Self-Check Quiz **Student One Stop** **Holt McDougal Spanish Apps**	**Teacher One Stop (also available at my.hrw.com)** • Interactive Teacher's Edition • All print, audio, and video resources • Projectable Transparencies • Lesson Plans • TPRS • Examview Assessment Suite **Available online at my.hrw.com** *Generate Success* Rubric Generator and Graphic Organizers **Power Presentations**

Differentiated Assessment

On-level	Modified	Pre-AP	Heritage Learners
• Vocabulary Recognition Quiz p. 34 • Vocabulary Production Quiz p. 35 • Grammar Quizzes pp. 36–37 • Culture Quiz p. 38 • On-level Lesson Test pp. 39–45 • On-level Unit Test pp. 51–57	• Modified Lesson Test pp. 23–29 • Modified Unit Test pp. 35–41	• Pre-AP Lesson Test pp. 23–29 • Pre-AP Unit Test pp. 35–41	• Heritage Learners Lesson Test pp. 29–35 • Heritage Learners Unit Test pp. 41–47

| **Core Pacing Guide** | **50 Minute (9 Day)**

	Objectives/Focus	Teach	Practice	Assess/HW Options
DAY 1	**Culture:** learn about new places **Vocabulary:** words that describe vacation activities and lodging • Warm Up OHT 30 **5 min**	Lesson Opener pp. 58–59 **Presentación de vocabulario** pp. 60–61 • Read A–E • View video DVD 1 • Play audio TXT CD 2 track 12 • *¡A responder!* TXT CD 2 track 13 **25 min**	Lesson Opener pp. 58–59 **Práctica de vocabulario** p. 62 • Acts. 1, 2 **15 min**	**Assess:** *Para y piensa* p. 62 **5 min** **Homework:** *Cuaderno* pp. 24–26 @HomeTutor
DAY 2	**Communication:** practice using question words • Warm Up OHT 30 • Check Homework **5 min**	**Vocabulario en contexto** pp. 63–64 • *Telehistoria escena 1* DVD 1 • *Nota gramatical:* interrogatives **20 min**	**Vocabulario en contexto** pp. 63–64 • Act. 3 TXT CD 2 track 14 • Act. 4 **20 min**	**Assess:** *Para y piensa* p. 64 **5 min** **Homework:** *Cuaderno* pp. 24–26 @HomeTutor
DAY 3	**Grammar:** learn how to form the preterite of regular –ar verbs • Warm Up OHT 31 • Check Homework **5 min**	**Presentación de gramática** p. 65 • Preterite of –ar verbs **Práctica de gramática** pp. 66–67 **Culture:** *La familia y sus costumbres* • *Pronunciación* TXT CD 2 track 15 **20 min**	**Práctica de gramática** pp. 66–67 • Acts. 5, 6, 7, 8 **20 min**	**Assess:** *Para y piensa* p. 67 **5 min** **Homework:** *Cuaderno* pp. 27–29 @HomeTutor
DAY 4	**Communication:** talk about past activities in and out of school with your classmates • Warm Up OHT 31 • Check Homework **5 min**	**Gramática en contexto** pp. 68–69 • *Telehistoria escena 2* DVD 1 **15 min**	**Gramática en contexto** pp. 68–69 • Act. 9 TXT CD 2 track 16 • Acts. 10, 11 **25 min**	**Assess:** *Para y piensa* p. 69 **5 min** **Homework:** *Cuaderno* pp. 27–29 @HomeTutor
DAY 5	**Grammar:** learn how to form the preterite of **ir, ser, hacer, ver,** and **dar** to talk about the past • Warm Up OHT 32 • Check Homework **5 min**	**Presentación de gramática** p. 70 • Preterite of **ir, ser, hacer, ver, dar** **15 min**	**Práctica de gramática** pp. 71–72 • Acts. 12, 13 • Act. 14 TXT CD 2 track 17 • Acts. 15, 16 **25 min**	**Assess:** *Para y piensa* p. 72 **5 min** **Homework:** *Cuaderno* pp. 30–32 @HomeTutor
DAY 6	**Communication:** Culmination: bargain with a vendor in a market, talk more about past vacation activities • Warm Up OHT 32 • Check Homework **5 min**	**Todo junto** p. 73 • *Escenas 1, 2: Resumen* • *Telehistoria completa* DVD 1 **15 min**	**Todo junto** pp. 74–75 • Acts. 17, 18 TXT CD 2 tracks 14, 16, 18 • Act. 19 • Act. 20 TXT CD 2 tracks 19, 20 • Act. 21 **25 min**	**Assess:** *Para y piensa* p. 75 **5 min** **Homework:** *Cuaderno* pp. 33–34 @HomeTutor
DAY 7	**Reading:** Climate/geographic differences: Costa Rica, Chile **Review:** Lesson review • Warm Up OHT 33 • Check Homework **5 min**	**Lectura cultural** pp. 76–77 • *De vacaciones: Costa Rica y Chile* TXT CD 2 track 21 **Repaso de la lección** pp. 80–81 **15 min**	**Lectura cultural** pp. 76–77 • *De vacaciones: Costa Rica y Chile* **20 min**	**Assess:** *Para y piensa* p. 77 **10 min** *Repaso de la lección* pp. 80–81 **Homework:** *En resumen* p. 79; *Cuaderno* pp. 35–40, 44–46 (optional) Review Games Online; @HomeTutor
DAY 8	**Assessment**			**Assess:** Lesson 2 test or **50 min** Unit 1 test
DAY 9	**Unit Culmination**	**Comparación cultural** pp. 82–83 • TXT CD 2 track 23 • Culture video DVD 1 **Repaso inclusivo** pp. 84–85 **20 min**	**Comparación cultural** pp. 82–83 **Repaso inclusivo** pp. 84–85 • Act. 1 TXT CD 2 track 24 • Acts. 2, 3, 4, 5, 6, 7 **25 min**	**Homework:** *Cuaderno* **5 min** pp. 47–49

	Objectives/Focus	Teach	Practice	Assess/HW Options
DAY 1	**Culture:** learn about new places **Vocabulary:** words that describe vacation activities and lodging • Warm Up OHT 30 **5 min**	Lesson Opener pp. 58–59 **Presentación de vocabulario** pp. 60–61 • Read A–E • View video DVD 1 • Play audio TXT CD 2 track 12 • *¡A responder!* TXT CD 2 track 13 **15 min**	Lesson Opener pp. 58–59 **Práctica de vocabulario** p. 62 • Acts. 1, 2 **20 min**	**Assess:** *Para y piensa* p. 62 **5 min**
	Communication: practice using question words **5 min**	**Vocabulario en contexto** pp. 63–64 • *Telehistoria escena 1* DVD 1 • *Nota gramatical:* interrogatives **15 min**	**Vocabulario en contexto** pp. 63–64 • Act. 3 TXT CD 2 track 14 • Act. 4 **20 min**	**Assess:** *Para y piensa* p. 64 **5 min** **Homework:** *Cuaderno* pp. 24–26 @HomeTutor
DAY 2	**Grammar:** form the preterite of regular –ar verbs • Warm Up OHT 31 • Check Homework **5 min**	**Presentación de gramática** p. 65 • Preterite of –ar verbs **Práctica de gramática** pp. 66–67 **Culture:** *La familia y sus costumbres* • *Pronunciación* TXT CD 2 track 15 **15 min**	**Práctica de gramática** pp. 66–67 • Acts. 5, 6, 7, 8 **20 min**	**Assess:** *Para y piensa* p. 67 **5 min**
	Communication: talk about past activities in and out of school with your classmates **5 min**	**Gramática en contexto** pp. 68–69 • *Telehistoria escena 2* DVD 1 **15 min**	**Gramática en contexto** pp. 68–69 • Act. 9 TXT CD 2 track 16 • Acts. 10, 11 **20 min**	**Assess:** *Para y piensa* p. 69 **5 min** **Homework:** *Cuaderno* pp. 27–29 @HomeTutor
DAY 3	**Grammar:** form the preterite of **ir, ser, hacer, ver,** and **dar** to talk about the past • Warm Up OHT 32 • Check Homework **5 min**	**Presentación de gramática** p. 70 • Preterite of **ir, ser, hacer, ver, dar** **15 min**	**Práctica de gramática** pp. 71–72 • Acts. 12, 13 • Act. 14 TXT CD 2 track 17 • Acts. 15, 16 **20 min**	**Assess:** *Para y piensa* p. 72 **5 min**
	Communication: Culmination: bargain with a vendor in a market, talk more about past vacation activities **5 min**	**Todo junto** pp. 73–75 • *Escenas 1, 2: Resumen* • *Telehistoria completa* DVD 1 **15 min**	**Todo junto** pp. 74–75 • Acts. 17, 18 TXT CD 2 tracks 14, 16, 18 • Acts. 19, 21 • Act. 20 TXT CD 2 tracks 19, 20 **20 min**	**Assess:** *Para y piensa* p. 75 **5 min** **Homework:** *Cuaderno* pp. 30–32, 33–34 @HomeTutor
DAY 4	**Reading:** Vacations: Costa Rica and Chile **Projects:** Drinks from Costa Rica and Chile • Warm Up OHT 33 • Check Homework **5 min**	**Lectura cultural** pp. 76–77 • *De vacaciones: Costa Rica y Chile* TXT CD 2 track 21 **Proyectos culturales** p. 78 • *Bebidas de Costa Rica y Chile* **15 min**	**Lectura cultural** pp. 76–77 • *De vacaciones: Costa Rica y Chile* **Proyectos culturales** p. 78 • *Proyectos 1, 2* **20 min**	**Assess:** *Para y piensa* p. 77 **5 min**
	Review: Lesson review **5 min**	**Repaso de la lección** pp. 80–81 **15 min**	**Repaso de la lección** pp. 80–81 • Act. 1 TXT CD 2 track 22 • Acts. 2, 3, 4, 5 **20 min**	**Assess:** *Repaso de la lección* **5 min** pp. 80–81 **Homework:** *En resumen* p. 79; *Cuaderno* pp. 35–40, 44–46 (optional) Review Games Online; @HomeTutor
DAY 5	**Assessment**			**Assess:** Lesson 2 test or **45 min** Unit 1 test
	Unit Culmination	**Comparación cultural** pp. 82–83 • TXT CD 2 track 23 • Culture video DVD 1 **Repaso inclusivo** pp. 84–85 **15 min**	**Comparación cultural** pp. 82–83 **Repaso inclusivo** pp. 84–85 • Act. 1 TXT CD 2 track 24 • Acts. 2, 3, 4, 5, 6, 7 **25 min**	**Homework:** *Cuaderno* **5 min** pp. 47–49

CULTURA

¡AVANZA! Objectives

- Introduce lesson theme: **Cuéntame de tus vacaciones.**
- **Culture:** Compare vacation destinations.

Presentation Strategies

- Ask students where they go on vacation.
- Ask students about what things they like to do on vacation.

STANDARD

4.2 Compare cultures

21 Communication, Pre-AP; **Social and Cross-Cultural Skills,** Heritage Language Learners

🖵 Warm Up Projectable Transparencies, 1-30

Direct Object Pronouns Replace the underlined nouns with direct object pronouns.

1. Veo <u>al profesor</u>. _____ veo.
2. Marta tiene <u>la pizza</u>. _____ tiene.
3. Ellos miran <u>la película</u>. _____ miran.
4. Tienes <u>los documentos</u>. _____ tienes.
5. Hago <u>unas maletas</u>. _____ hago.

Answers: 1. Lo; 2. La; 3. La; 4. Los; 5. Las

Comparación cultural

Exploring the Theme

Ask the following:

1. If you went to Costa Rica, what would you like to see?
2. What was the worst vacation you have taken?
3. What do you like to do or not like to do on vacation?
4. Do you usually bring a lot of luggage on vacation?

¿Qué ves? Possible answers include:

- El hotel está en Guanacaste, Costa Rica.
- La familia no tiene mucho equipaje.
- La madre les da dinero a sus hijos.
- La chica tiene dinero en la mano.

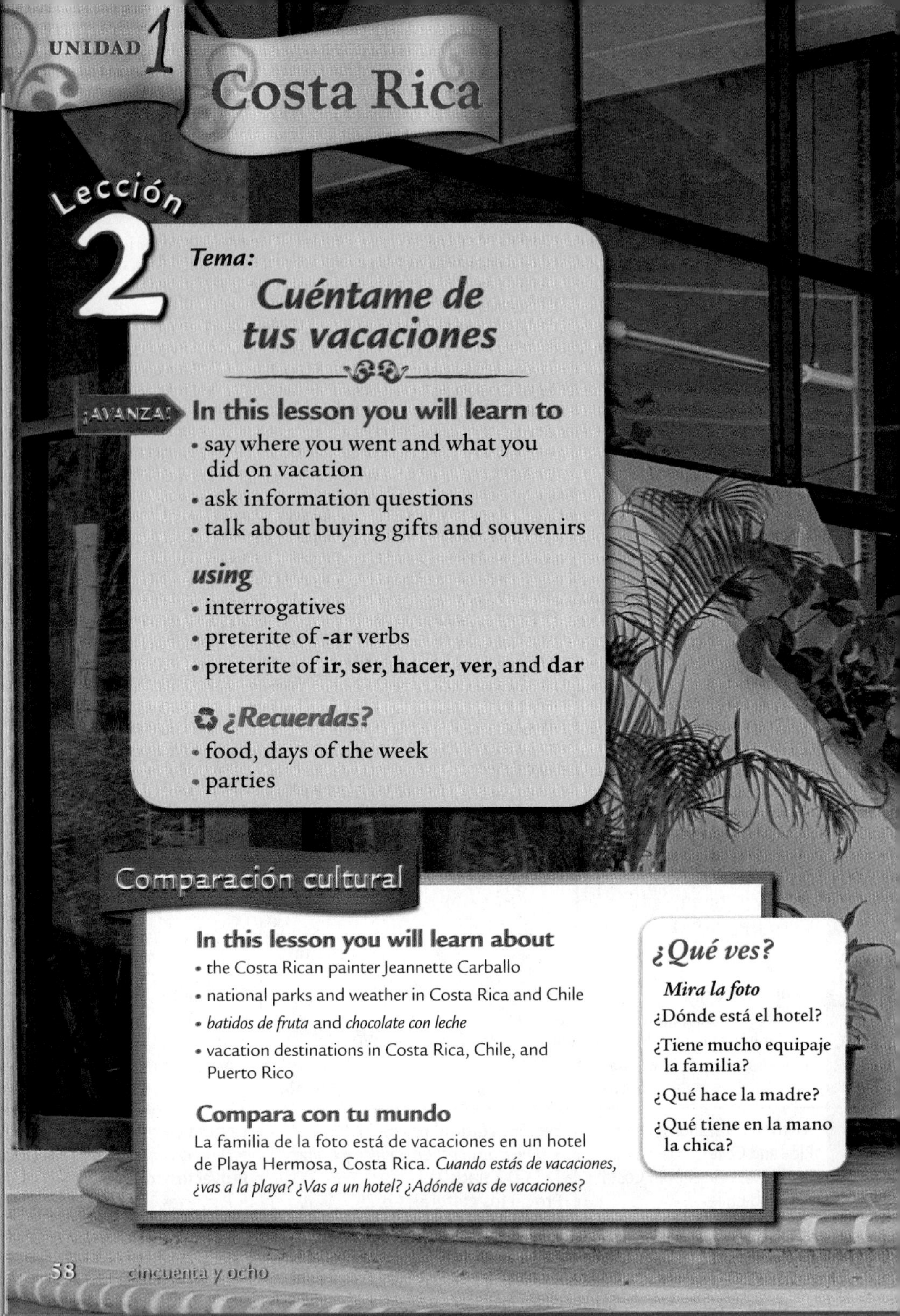

58

Lección 2

Tema:

Cuéntame de tus vacaciones

¡AVANZA! In this lesson you will learn to

- say where you went and what you did on vacation
- ask information questions
- talk about buying gifts and souvenirs

using

- interrogatives
- preterite of **-ar** verbs
- preterite of **ir, ser, hacer, ver,** and **dar**

♻ ¿Recuerdas?

- food, days of the week
- parties

Comparación cultural

In this lesson you will learn about

- the Costa Rican painter Jeannette Carballo
- national parks and weather in Costa Rica and Chile
- *batidos de fruta* and *chocolate con leche*
- vacation destinations in Costa Rica, Chile, and Puerto Rico

Compara con tu mundo

La familia de la foto está de vacaciones en un hotel de Playa Hermosa, Costa Rica. *Cuando estás de vacaciones, ¿vas a la playa? ¿Vas a un hotel? ¿Adónde vas de vacaciones?*

¿Qué ves?

Mira la foto

¿Dónde está el hotel?

¿Tiene mucho equipaje la familia?

¿Qué hace la madre?

¿Qué tiene en la mano la chica?

58   cincuenta y ocho

Differentiating Instruction

Pre-AP

Expand and Elaborate Ask advanced students to answer the question about vacationing in the **Compara con tu mundo** section. Then instruct students to elaborate on their answers by providing the following information about a specific trip: where they go; why they choose to go there; where they stay; what they do; if they enjoyed their vacations.

Multiple Intelligences

Visual Learners Ask students to draw a picture of their ideal vacation. The drawing should provide the following points for students to discuss: a specific destination; 1-2 activities; a place to stay; people students would like to travel with. Then ask students to discuss their illustrations in small groups.

DIGITAL SPANISH my.hrw.com
ONLINE STUDENT EDITION with...

performance)) space
News + Networking
@HOMETUTOR
CULTURA Interactiva

• Audio and Video Resources
• Interactive Flashcards
• Review Activities
• WebQuest
• Conjuguemos.com

PRACTICE SPANISH WITH HOLT MCDOUGAL APPS!

El Hotel Rodes Paradise
Playa Hermosa, Guanacaste, Costa Rica

Costa Rica
cincuenta y nueve   59

DIGITAL SPANISH

TEACHER TOOLS
• Interactive Whiteboard Lessons
• Generate Success!

ALSO AVAILABLE...
• Online Workbook
• Spanish InterActive Reader

SPANISH ON THE GO!
• Performance Space
• Holt McDougal Spanish Apps
• ¡Avancemos! eTextbook

Using the Photo

Location Information
Playa Hermosa, Guanacaste, Costa Rica
This beach is relaxed and rarely crowded. With warm water temperatures and ideal weather conditions all year long, Playa Hermosa is the perfect vacation destination. You can scuba dive or rent kayaks, sailboards, windsurfing equipment, canoes, jet skis, and water bikes from the many shops that line the beach. Local tourist companies offer organized fishing trips. There are guided horseback tours available in the surrounding areas. You can also take a day trip to the **Arenal Volcano** and relax in the hot springs found close by.

Expanded Information
Ecotourism is the key to Costa Rica's economic development. Costa Rica has incredible biodiversity with scenic beaches, lush rainforests, volcanoes, and exotic wildlife. The nation's tourist industry brings in about 1 million visitors annually and generates approximately $1 billion a year, making it Costa Rica's second largest source of income.

Differentiating Instruction

Heritage Language Learners
Support What They Know Ask heritage speakers to discuss tourist attractions in their countries of origin. Encourage students to name specific places and specify what kind of activities a person could do there.

Inclusion
Cumulative Instruction Help students review vocabulary they already know for traveling. Refer to *Ya sabes,* p. R3. As you review words, have students illustrate them or act them out. Then ask students to use words in complete sentences.

Communication
Interpersonal Mode

Ask students to find a partner. Have partners discuss what they see in the photo.

Objectives

- Present vocabulary to describe vacation activities and lodging.
- Check for recognition.

Core Resources

- Video Program: DVD 1
- Audio Program: TXT CD 2 Tracks 12, 13

Presentation Strategies

- Point out the objectives in the ¡Avanza! section at the beginning of this vocabulary presentation.
- Present vacation-related vocabulary to the class.
- Play the audio as students look at A–E.
- Show the video.

STANDARD

1.2 Understand language

Communication, Slower-paced Learners: Personalize It/Pre-AP

Communication
TPR Activity

List the following words on the board: **el ascensor, la llave, la habitación doble, tomar fotos, dar una caminata, montar a caballo, pescar, pagar con dinero en efectivo.** Call on volunteers to act out a randomly chosen word or phrase and have the rest of the class guess it.

Comparisons
English Language Connection

Cognates Have students scan the two pages for cognates. Possible answers: **atracciones** = *attractions*; **turista** = *tourist*.

Presentación de VOCABULARIO

¡AVANZA! **Goal:** Learn words to describe vacation activities and lodging. Then talk about what you like to do on vacation. *Actividades 1–2*

VIDEO DVD

AUDIO

A La familia de Alejandro y Natalia **está de vacaciones.** Necesitan **alojamiento. Tienen reservaciones** en el hotel del **año pasado.** Quieren **una habitación doble** para los padres y dos **individuales** para los hijos, una para Alejandro y otra para Natalia.

la habitación doble

el hotel
la recepción
la llave

el ascensor

mandar tarjetas postales
la tarjeta postal

B La familia quiere **ver las atracciones** y hacer muchas más actividades.

tomar fotos
el turista
la turista

visitar un museo

dar una caminata

Unidad 1 Costa Rica
60 sesenta

Differentiating Instruction

Inclusion

Alphabetic/Phonetic Awareness Ask students to write a list of all the words related to *vacation* on pp. 60 and 61. Have students organize their lists in alphabetical order. Invite volunteers to read from their lists. Model the pronunciation of each word. When you encounter a cognate, such as **hotel,** demonstrate the difference in pronunciation in English and Spanish.

Slower-paced Learners

Personalize It After reading and examining the vocabulary on pages 60 and 61, ask students to write five activities they like to do on vacation. Provide students with the sentence starter **Me gusta _____ .** Ask students to share their sentences with the class.

C Durante su **tiempo libre,** pueden ir a **pescar, montar a caballo** o **acampar.**

pescar

montar a caballo

acampar

D Un amigo, Marco, va a la tienda de artesanías porque quiere comprar **un recuerdo** para los abuelos. **Las artesanías** son muy **bellas,** pero **¡qué caras!** Piden mucho dinero. Marco tiene que **regatear** por un buen precio. Él paga con **dinero en efectivo** porque no tiene **tarjeta de crédito.**

Más vocabulario

el hostal *hostel; inn*
el mercado al aire libre
open-air market
anteayer *the day before yesterday*
la semana pasada *last week*
el mes pasado *last month*
demasiado(a) *too; too much*
hacer una excursión *to go on a
day trip*

Expansión de vocabulario p. R3
Ya sabes p. R3

las artesanías
el dinero en efectivo

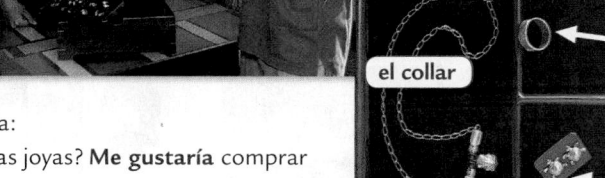
las joyas
el collar
el anillo
los aretes

E Marco pregunta:
—¿**Podría ver** las joyas? **Me gustaría** comprar **un collar.**
—¡**Le dejo** el collar **en** un buen precio!

@**HOMETUTOR**
my.hrw.com
**Interactive
Flashcards**

¡A responder! Escuchar

Escucha las descripciones de las actividades durante las vacaciones. Indica a la persona que hace cada actividad. *(Point to the person in the photo who is doing each vacation activity.)*

Differentiating Instruction

Pre-AP

Communicate Preferences Ask students to write 3 to 5 questions about their favorite vacation activities. Put students into pairs and have them take turns asking and answering each other's questions. Tell students to try to elaborate on why they do or do not like a particular activity.

Slower-paced Learners

Read Before Listening Before reading or listening to parts A–E, use new vocabulary in brief, isolated sentences. Draw pictures and use gestures as necessary. Also, ask comprehension questions frequently. When you think students have a decent grasp of the new vocabulary, show the video.

Communication
Interpretive Mode

Explain to the class that **pescar** means "to fish." The phrase **ir a pescar** means "to go fishing."

Communication
Pair Work

In pairs, have students quickly draw a picture to represent a vocabulary word or phrase. Their partner has to guess the word from their drawing. Have each pair share one drawing to quiz the class.

✓ **Ongoing Assessment**

Alternative Strategy Have students listen to the ¡A responder! audio a second time. This time, instead of having students point to the person who does each activity, ask students to act out the activities they hear mentioned in the audio.

Answers Projectable Transparencies, 1-50

¡A responder! Audio Script, TE p. 57B
Students should point to people doing the following activities.
1. teen hiking (dar una caminata)
2. teen horseback riding (montar a caballo)
3. teens taking photos (tomar fotos)
4. teen buying jewelry (comprar las joyas)
5. person fishing (pescar)
6. teens with tent (acampar)
7. family in hotel (pasar las vacaciones en un hotel)
8. teen mailing a postcard (mandar tarjetas postales)

Objectives
· Practice vocabulary: vacation activities and lodging.
· Talk about solutions to problems while on vacation.
· State preferences about vacation activities.

Core Resource
· *Cuaderno*, pp. 24–26

Practice Sequence
· **Activity 1:** Vocabulary recognition: sentence completion.
· **Activity 2:** Vocabulary production: State activity preferences.

STANDARDS
1.1 Engage in conversation, Act. 2
1.2 Understand language, Act. 1
1.3 Present information, Act. 1

21st CENTURY Critical Thinking and Problem Solving, Multiple Intelligences

Get Help Online
More Practice
my.hrw.com

✓ Ongoing Assessment

PARA Y PIENSA **Intervention** These activities give students the opportunity to gauge whether they have grasped the material. For additional practice use Reteaching & Practice Copymasters URB 1, pp. 41, 42.

Answers Projectable Transparencies, 1–50

Activity 1
1. la llave
2. una habitación doble
3. hablar con la recepción
4. un hostal
5. al mercado al aire libre

Activity 2
1. A: ¿Te gusta montar a caballo . . . ?
   B: Sí, (No, no) me gusta montar a caballo.
2. A: ¿Te gusta dar una caminata . . . ?
   B: Sí, (No, no) me gusta dar una caminata.
3. A: ¿Te gusta acampar . . . ?
   B: Sí, (No, no) me gusta acampar.
4. A: ¿Te gusta tomar fotos . . . ?
   B: Sí, (No, no) me gusta tomar fotos.
5. A: ¿Te gusta pescar . . . ?
   B: Sí, (No, no) me gusta pescar.
6. A: ¿Te gusta mandar tarjetas postales . . . ?
   B: Sí, (No, no) me gusta mandar tarjetas postales.

Para y piensa Answers will vary. Sample answers:
1. un hotel, un hostal
2. (No) Me gusta regatear.
3. Pago con dinero en efectivo (tarjeta de crédito).
4. montar a caballo, acampar, ir a pescar, dar una caminata, hacer un excursión

62

⁂ Práctica de VOCABULARIO

1 ¿Qué necesitas?

Escribir Estás de vacaciones y tienes algunos problemas en el hotel. Escribe lo que necesitas para resolverlos. *(Write the solutions to your problems while on vacation.)*

1. Quiero abrir la puerta. Necesito (el ascensor / la llave).
2. Quiero un cuarto para dos personas. Necesito (una habitación doble / una habitación individual).
3. Tengo un problema. Necesito (hablar con la recepción / hacer una reservación).
4. Prefiero un lugar más pequeño. Necesito (un museo / un hostal).
5. Tengo que comprar unas artesanías. Necesito ir (al alojamiento / al mercado al aire libre).

Expansión:
Teacher Edition Only
Ask students to write one more problem and solution with the vocabulary.

2 De vacaciones

Hablar Pregúntale a un(a) compañero(a) si le gusta hacer estas actividades en su tiempo libre. *(Ask if your partner likes to do these activities.)*

A ¿Te gusta visitar museos en tu tiempo libre?

B Sí, (No, no) me gusta visitar museos.

1.
2.
3.
4.
5.
6.

Expansión
Write three sentences comparing your likes and dislikes.

Más práctica Cuaderno *pp. 24–26* Cuaderno para hispanohablantes *pp. 24–27*

Get Help Online
my.hrw.com

 **PARA Y PIENSA**

Did you get it? Can you . . . ?
1. name two types of lodging
2. say if you like to bargain
3. say how you usually pay for things
4. name two outdoor activities

62 Unidad 1 Costa Rica
sesenta y dos

Differentiating Instruction

Multiple Intelligences
Logical/Mathematical As an extension of Activity 2, have students create a two column chart and label one column **Me gusta** and the other column **No me gusta.** Then they fill out the chart with at least 5 activities that they like to do on vacation and 5 activities that they do not like to do. Have students compare completed charts with classmates.

Inclusion
Multisensory Input/Output For Activity 2, identify each item with students before they ask and answer questions. Have them act out the vocabulary expressions as they say them aloud.

VOCABULARIO en contexto

 **Goal:** Listen to Natalia, Alejandro, and their mother discuss what to do and where to go. Then practice the question words they use. *Actividades 3–4*

 *¿Recuerdas?* Interrogatives p. R3

Telehistoria escena 1

@HOMETUTOR my.hrw.com — View, Read and Record

STRATEGIES

Cuando lees
Identify changes in feelings
Consider these questions: How do you think the characters feel at the beginning and at the end of the scene, and what causes the change?

Cuando escuchas
Discover hopes To discover characters' hopes, listen to content and intonation simultaneously. Notice what the mother says and how she says it. What are her hopes for herself, Natalia, and Alejandro?

Madre   **Alejandro**   **Natalia**

Alejandro: ¿Cómo vamos a hacer la película aquí?

Madre: Su llave. Habitación 12. Es una habitación doble. Papá y yo vamos a visitar el museo en la tarde y a comer en un restaurante. ¿Quieren ir? *(The kids shake their heads no.)* ¿Qué van a hacer con su tiempo libre? ¿Quieren ir a montar a caballo o a pescar? *(The kids shake their heads no again.)* ¿Por qué no van de compras? Pueden comprar algunos regalos... *(handing them some money)*

Natalia: ¡Gracias! ¿Dónde está la parada del autobús?

Madre: No, no. Tomen un taxi. ¡Alejandro! ¿Todavía estás triste?

Alejandro sees a girl, Gaby, leaving the hotel with her mother.

Alejandro: No, no, ¡ahora ya estoy alegre!

Continuará... p. 68

También se dice

Costa Rica Natalia asks where is the bus stop, or **la parada de autobús.** In other Spanish-speaking countries:
· **Colombia** el paradero de bus
· **Perú** el paradero del micro
· **Cuba** la parada de guaguas

Differentiating Instruction

Inclusion

Synthetic/Analytic Support Ask students to find all the interrogative words in the Telehistoria. They should then decide whether each question is answered and if so, what is the answer.

Heritage Language Learners

Literacy Skills Have students read the Telehistoria script aloud and act out the stage directions. They could perform the scene for the rest of the class.

Unidad 1 Lección 2
VOCABULARIO

 Objective
· Understand vocabulary related to discussing what to do and where to go.

Core Resources
· Video Program: DVD 1
· Audio Program: TXT CD 2 Track 14

Presentation Strategies
· Draw students' attention to the ¡Avanza! goal.
· Identify changes of feeling in the reading.
· Play the audio and show the video.

STANDARDS
1.2 Understand language
4.1 Compare languages

 Warm Up Projectable Transparencies, 1-30

Vocabulary Unscramble the following vacation activities.
1. aaamcpr
2. asperc
3. stiravi le uoems
4. ri ed orpcasm
5. ornatm a oallcba
6. hreca anu cxsiureón

Answers: 1. acampar; 2. pescar; 3. visitar el museo; 4. ir de compras; 5. montar a caballo; 6. hacer una excursión

Communication
Regionalisms

Refer students to the También se dice box. Explain that in Puerto Rico, a bus stop is called **la parada de guagua.** Then ask heritage speakers if it is called something different in their countries of origin.

 @HOMETUTOR VideoPlus my.hrw.com

Video Summary

The family talks about their plans. The mother and father are going to a museum and out to a restaurant. Natalia and Alejandro do not want to go. The mother suggests several activities but they decide to go shopping. Alejandro is in a better mood when he spots a girl in the hotel.

63

Objectives
· Practice using vocabulary in context.
· Recycle: interrogative words.

Core Resources
· Video Program: DVD 1
· Audio Program: TXT CD 2 Track 14

Practice Sequence
· **Activity 3:** Vocabulary recognition: Demonstrate understanding of the audio, video, and reading.
· **Activity 4:** Vocabulary production: Complete the questions with the correct interrogatives.

 STANDARD
1.2 Understand language, Act. 3

Long-term Retention
Interest Inventory

Ask the class questions about vacations that elicit an either/or response. For example: **¿Cuándo prefieren ir de vacaciones, en julio o diciembre?** Have students raise their hands if they prefer July. Then ask students to raise their hands if they prefer December.

✓ Ongoing Assessment

🌐 **Get Help Online**
More Practice
my.hrw.com

Quick Check Before students complete the questions for Para y piensa, ask them to translate each of the phrases. For additional practice use Reteaching & Practice Copymasters URB 1, pp. 41, 43.

 Answers Projectable Transparencies, 1-50

Activity 3
Students should answer that the mother mentions items **1, 3, 4, 6,** and **7.** She does not mention items **2, 5,** and **8.**
Activity 4
1. Qué   3. Qué   5. Cuánto
2. quién 4. Cuál   6. Cuántos (Cuáles)
Para y piensa
1. Dónde   3. Cuánto
2. Cuál(es) 4. Por qué

64

---

3 | *Comprensión del episodio* ¿Qué actividades?

Escuchar
Leer

Identifica las actividades que menciona Mamá. *(Identify the activities mentioned.)*
1. comprar regalos
2. dar una caminata
3. visitar el museo
4. pescar
5. tomar fotos
6. montar a caballo
7. tomar un taxi
8. mandar tarjetas postales

Expansión:
Teacher Edition Only
Ask students to identify which activities the mother and father are going to do.

Nota gramatical   ♻ *¿Recuerdas?* Interrogatives p. R3

Questions in Spanish often begin with one of the following interrogative words.

adónde	*to where*	**cuántos(as)**	*how many*
cómo	*how*	**dónde**	*where*
cuál(es)	*which (ones)*	**por qué**	*why*
cuándo	*when*	**qué**	*what*
cuánto(a)	*how much*	**quién(es)**	*who*

Notice that each interrogative word has a written **accent** and some have masculine, feminine, and plural forms.

Qué can be followed directly by a noun but **cuál** cannot.

¿**Qué** hotel es el mejor?   ¿**Cuál** de las llaves necesito?
***What** hotel is the best?*   ***Which** key do I need?*

4 | ¡A regatear!

Hablar
Escribir

Completa la conversación que escuchas en el mercado al aire libre. Usa las palabras interrogativas apropiadas. *(Complete with appropriate question words.)*

Cliente: Me gustaría comprar un regalo. ¿ **1.** venden ustedes?
Vendedor: Aquí vendemos artesanías y joyas. ¿Para **2.** es el regalo?
Cliente: Es para mi madre. ¿Podría ver las joyas? ¿ **3.** joyas tiene?
Vendedor: Tenemos anillos, aretes y collares. ¿ **4.** de las joyas prefiere ver?
Cliente: Los collares, por favor. ¡Qué bellos! ¿ **5.** cuestan?
Vendedor: ¿ **6.** collares quiere comprar? Si compra dos, le dejo los dos en $25 colones.
Cliente: Voy a comprar los dos. No son muy caros.

Expansión
Use different interrogative words to write three questions that you might ask when shopping.

PARA
Y
PIENSA

🌐 **Get Help Online**
my.hrw.com

Did you get it? Complete the following questions:
1. ¿ _____ queda el museo?
2. ¿ _____ de las postales prefieres?
3. ¿ _____ cuestan los aretes?
4. ¿ _____ no vamos a Miami?

Differentiating Instruction

Pre-AP

Summarize Have students reread the Telehistoria scene on p. 63. Then ask them to summarize the scene using words and phrases about activities one can do on vacation. Tell students to indicate who would be doing which activities, and what activities the children did not want to do.

Slower-paced Learners

Sentence Completion For further practice with interrogative phrases, make a list of 10-15 incomplete questions on a worksheet to hand out to students. Ask students to complete the questions with the correct interrogatives. Remind students to use accents correctly and that some interrogative words have masculine, feminine, and plural forms.

Presentación de GRAMÁTICA

¡AVANZA! **Goal:** Learn how to form the preterite of regular **-ar** verbs. Then use them to talk about activities you and others did in the past. *Actividades 5–8*

English Grammar Connection: Tense refers to when an action takes place. Many verbs are spelled differently in the past tense than they are in the present tense. For regular verbs, the endings change.

He **talks.** Él **habla.**   He **talked.** Él **habló.**

↑ ↑   ↑ ↑

| present-tense verb endings | | past-tense verb endings |

Preterite of -ar Verbs

ANIMATED GRAMMAR my.hrw.com

The **preterite** tense in Spanish tells what happened at a particular moment in the past. How do you form the preterite of **-ar** verbs?

Here's how: Like present-tense verbs, you form the **preterite** tense of regular verbs by adding tense endings to the verb stem.

visitar *to visit*			
yo	**visité**	nosotros(as)	**visitamos**
tú	**visitaste**	vosotros(as)	**visitasteis**
usted, él, ella	**visitó**	ustedes, ellos(as)	**visitaron**

Durante las vacaciones, yo **monté a caballo,** mi mamá **visitó** un museo y mis hermanos **nadaron.**

*During vacation, I **went horseback riding,** my mom **visited** a museum, and my brothers **went swimming.***

The **nosotros** ending in the preterite tense is the same as in the present tense. Look for clues in the sentence to help you determine whether the verb is in the present or past tense.

Acampamos anoche en el parque.
*We **camped** last night in the park.*

The word **anoche** tells you that the verb **acampamos** is in the preterite tense, not the present.

Más práctica
Cuaderno *pp. 27–29*
Cuaderno para hispanohablantes *pp. 28–30*

@HOMETUTOR my.hrw.com
Leveled Practice
Conjuguemos.com

Differentiating Instruction

Inclusion

Frequent Review/Repetition Give students a list of ten regular –ar verbs. Instruct students to conjugate the verbs in the preterite tense. Then ask students to use a few of the conjugated verbs in complete sentences. Remind students to use accents when necessary.

English Learners

Increase Interaction To determine what English learners need help with, have them write one to two questions at the end of class about the preterite and pass them in. Address the students' questions during the next class by providing concrete examples.

¡AVANZA! **Objective**
· Present the preterite of regular –**ar** verbs.

Core Resource
· *Cuaderno,* pp. 27–29

Presentation Strategies
· Draw students' attention to the ¡Avanza!
· Present forms and meaning of the preterite of regular –**ar** verbs.

STANDARD
4.1 Compare languages

Warm Up Projectable Transparencies, 1-31

Interrogatives Complete the following questions with the correct interrogative word.
1. ¿ _____ hotel es el mejor?
2. ¿ _____ es la chica más bonita?
3. ¿ _____ es la comida en Costa Rica?
4. ¿ _____ está la playa?
5. ¿ _____ es la película?

Answers: 1. Qué; 2. Quién; 3. Cómo; 4. Dónde; 5. Cuándo

TEACHER to TEACHER
Jane Margraf
Mason, Ohio

Tips for Teaching Verb Conjugations

*"On the board, I number the subject pronouns from 1 to 5. I do the same with five verbs that we are studying. For number 6, I simply write **gratis.** Then I roll two dice: the first one represents the subject pronoun and the second represents the verb to be conjugated. Whenever I roll a 6, students get that point **gratis.** I find that students are so engaged hoping they get a 6 that they start conjugating verbs in Spanish without realizing it. I use this activity for any verb tense."*

Go online for more tips!

Communication
Common Error Alert

In the preterite tense, –**ar** verbs do not undergo o→ue or e→ie stem changes.
encontrar present: **encuentro**
            preterite: **encontré**
pensar   present: **pienso**
         preterite: **pensé**

Objectives
· Learn how to form the preterite of regular **-ar** verbs.
· Talk about activities in the past.
· **Culture:** art from Costa Rica.

Core Resources
· *Cuaderno*, pp. 27–29
· Audio Program: TXT CD 2 Track 15

Practice Sequence
· **Activities 5, 6:** Controlled practice: preterite regular **-ar** verbs
· **Activity 7:** Transitional practice: preterite regular **-ar** verbs.
· **Activity 8:** Open-ended practice: preterite regular **-ar** verbs
· **Comparación cultural:** Discuss how artists can show everyday life in a country.
· **Pronunciation:** Production of the **h** and **ch** sounds.

STANDARDS
1.1 Engage in conversation, Act. 8
1.2 Understand language, Acts. 6, 8
1.3 Present information, Act. 8
2.2 Products and perspectives, CC

21ST CENTURY Communication, Compara con tu mundo/Slower-paced Learners: Personalize It; **Social and Cross-Cultural Skills,** Heritage Language Learners: Support What They Know

Comparación cultural

Essential Question
Suggested Answer Los artistas muestran las costumbres de un país cuando pintan escenas típicas de la rutina diaria.

Answers Projectable Transparencies, 1-51

Activity 5
1. Yo monté a caballo.
2. Nosotros viajamos a la playa.
3. Ellos acamparon.
4. Gaby tomó fotos.
5. Tú mandaste tarjetas postales.
6. Gaby y Alejandro hablaron.
7. Nosotros escuchamos música.
8. Mamá compró recuerdos.
9. Mi amiga y yo regateamos.
10. Tú visitaste el mercado.

Answers continue on p. 67.

✤ Práctica de GRAMÁTICA

5 | ¿Quién?

Hablar Escribir

Di quién participó en estas actividades. *(Tell who did these activities.)*

modelo: Alejandro / visitar el museo
Alejandro **visitó** el museo.

1. yo / montar a caballo
2. nosotros / viajar a la playa
3. ellos / acampar
4. Gaby / tomar fotos
5. tú / mandar tarjetas postales
6. Gaby y Alejandro / hablar
7. nosotras / escuchar música
8. Mamá / comprar recuerdos
9. Mi amiga y yo / regatear
10. tú / visitar el mercado

> **Expansión**
> Write three of these sentences using a different subject.

6 | ¡Saludos!

Leer Escribir

Completa el mensaje de Alejandro con el verbo apropiado en el pretérito. *Ojo:* Tienes que usar uno de los verbos dos veces. *(Complete the postcard with verbs in the preterite.* **Hint:** *Use one verb twice.)*

| acampar | mandar | montar | tomar | visitar |

¡Hola, Laura!

Me encanta Playa Hermosa, Costa Rica. Anteayer nosotros **1.** ___ en las montañas. Papá les **2.** ___ unas tarjetas postales a sus amigos. Mamá y Sandra **3.** ___ a caballo. Yo **4.** ___ muchas fotos. Ayer mi familia y yo **5.** ___ un museo. ¡Qué aburrido! ¿Tú **6.** ___ un museo durante las vacaciones? ¡Prefiero ir a pescar!

Tu amigo, Alejandro

Laura Sánchez
1051 Collins Blvd.
Miami Beach, FL
33139

Costa Rica
© Tarjetas Ticas, S.A.

> **Expansión**
> Teacher Edition Only
> Ask students write a response to Alejandro postcard.

Comparación cultural

Familia en el Volcán Arenal *(1989), Jeannette Carballo*

La familia y sus costumbres

¿Cómo muestran (show) los artistas las costumbres (habits) de un país? En esta pintura, la artista costarricense Jeannette Carballo presenta a una familia típica del campo *(countryside)*. El padre tiene un radio para escuchar las noticias *(news)*. La madre tiene en los brazos a una de sus hijas. La otra hija tiene un libro. El niño tiene sus libros y cuadernos para ir a la escuela. ¡La familia está preparada para empezar el día!

Compara con tu mundo ¿Cómo empieza el día tu familia? *Describe o dibuja para explicar. Compara lo que hace tu familia con lo que hace esta familia.*

Differentiating Instruction

Slower-paced Learners
Peer-study Support Have lower proficiency students work with higher proficiency students or heritage speakers on Activities 5–8. When they have completed all the activities, suggest that they go over their answers with another pair. Encourage students to ask for help if they are unsure about something.

Heritage Language Learners
Support What They Know Ask students to compare the daily life in their heritage country with the image presented in the painting. What are the similarities and/or differences? Students should focus on the landscape and what the people are doing and carrying.

7 El año pasado

Hablar

Pregúntale a tu compañero(a) si participó en estas actividades el año pasado.
(Ask your partner if he or she did these activities last year.)

modelo: escuchar música clásica

A ¿Escuchaste música clásica el año pasado?

B Sí, (No, no) escuché música clásica.

1. viajar en avión
2. visitar un museo
3. comprar joyas
4. montar a caballo
5. mandar tarjetas postales
6. ganar un partido
7. tomar fotos
8. nadar
9. acampar

Expansión
Tell two things your friend did or did not do last year. Tell one thing you both did.

8 ¿Viajó usted mucho?

Escribir Hablar

¿En qué actividades participó su profesor(a) de español el verano pasado?

acampar	mandar	regatear	viajar
comprar	mirar	tomar	visitar
estudiar	montar		

Expansión:
Teacher Edition Only
Ask groups to read the summary of the interviews to the class.

Paso 1 Trabajando en grupos, preparen cuatro preguntas usando los verbos de la lista. *(Using verbs listed, write four questions to ask the teacher about his or her activities last summer.)*

Paso 2 Entrevisten a su profesor(a) usando la lista de preguntas. Anoten sus respuestas. Luego, escriban un resumen de la entrevista. *(Interview your teacher. Write a summary of his or her responses.)*

modelo: 1. ¿Viajó usted a otro país?
2. ¿Compró usted recuerdos?

Pronunciación   El sonido h y ch

AUDIO

The **h** in Spanish is silent. In Spanish **ch** is pronounced like the *ch* in the English word *cheese*. Listen to and repeat these syllables and words.

ha	hasta	cha	fecha
he	helado	che	noche
hi	historia	chi	chico
ho	hombre	cho	mucho
hu	humano	chu	lechuga

Los muchachos están en la habitación del hotel.
Las chicas tienen hambre y comen mucho.

Más práctica   Cuaderno *pp. 27–29*   Cuaderno para hispanohablantes *pp. 28–30*

Get Help Online
my.hrw.com

PARA Y PIENSA

Did you get it? Answer these questions about your summer.
1. ¿Acamparon tú y tu familia?
2. ¿Visitaron a los abuelos?
3. ¿Estudiaste mucho?
4. ¿Tomaste fotos?

Differentiating Instruction

Heritage Language Learners

Increase Accuracy Ask heritage speakers to pronounce several words that begin with or contain the letter **h**, not including words that contain the letter **ch**. Bilingual students may be tempted to pronounce the **h** as it sounds in English. Remind students that the **h** is always silent in Spanish and that only the vowel after the letter makes a sound.

Slower-paced Learners

Personalize It As an extension of Activity 8, instruct students to write a letter or e-mail to a friend about things they did last summer. The letter should include at least five activities in the preterite tense. Invite volunteers to read their e-mails to the class.

Communication
Group Work

Activity 8 As a time-saver, you may want to designate one student per group to play the role of the teacher being interviewed.

Get Help Online
More Practice
my.hrw.com

✓ Ongoing Assessment

Peer Assessment After students have orally answered the questions in the Para y piensa, have them write down the answers and pair up with a partner. Tell partners to check each other's answers for grammatical accuracy. For additional practice use Reteaching & Practice Copymasters URB 1, pp. 44, 45.

📖 Answers   Projectable Transparencies, 1-51

Answers continued from p. 66.

Activity 6
1. acampamos
2. mandó
3. montaron
4. tomé
5. visitamos
6. visitaste

Activity 7 Answers will vary.
1. A. ¿Viajaste en avión el año pasado?
   B. Sí, (No, no) viajé en avión.
2. A. ¿Visitaste un museo el año pasado?
   B. Sí, (No, no) visité un museo.
3. A. ¿Compraste joyas el año pasado?
   B. Sí, (No, no) compré joyas.
4. A. ¿Montaste a caballo el año pasado?
   B. Sí, (No, no) monté a caballo.
5. A. ¿Mandaste tarjetas postales el año pasado?
   B. Sí, (No, no) mandé tarjetas postales.
6. A. ¿Ganaste un partido el año pasado?
   B. Sí, (No, no) gané un partido.
7. A. ¿Tomaste fotos el año pasado?
   B. Sí, (No, no) tomé fotos.
8. A. ¿Nadaste el año pasado?
   B. Sí, (No, no) nadé.
9. A. ¿Acampaste el año pasado?
   B. Sí, (No, no) acampé.

Activity 8 Answers will vary. Sample answers:
¿Tomó usted muchas fotos?
¿Visitó a sus padres?
¿Estudió?
¿Miró mucha televisión?
Sample summary: El verano pasado, el profesor viajó a Costa Rica. Compró muchos regalos para su familia...

Para y piensa Answers will vary.
1. Sí, (No, no) acampamos.
2. Sí, (No, no) visitamos a los abuelos.
3. Sí, (No, no) estudié mucho.
4. Sí, (No, no) tomé fotos.

Objectives

- Practice the preterite tense with regular **-ar** verbs.
- Practice talking about past activities in and out of school.

Core Resources
- Video Program: DVD 1
- Audio Program: TXT CD 2 Track 16

Presentation Strategies
- Make note of ¡Avanza! goals
- Have students scan the reading on p. 68 to find out who is in the scene and how they act toward each other.
- Show the video.

Practice Sequence
- **Activity 9:** Telehistoria comprehension
- **Activity 10:** Transitional practice: preterite regular **-ar** verbs; Recycle: food
- **Activity 11:** Open-ended practice: preterite regular **-ar** verbs

STANDARDS

1.1 Engage in conversation, Acts. 10, 11
1.2 Understand language, Acts. 9, 10
1.3 Present information, Act. 10
Communication, Act. 10

Warm Up Projectable Transparencies, 1-31

Preterite Choose the word or phrase that makes sense.
1. ¿(Viajaste/Compraste) en avión?
2. Durante las vacaciones (compré/estudié) muchos regalos.
3. (Gané/Escuché) música clásica ayer.
4. (Acampamos/Nadamos) en el océano.
5. Marco (viajó/tomó) muchas fotos.
6. ¿(Visitaron/Montaron) a caballo el verano pasado?

Answers may vary: 1. Viajaste; 2. compré regalos; 3. Escuché; 4. Nadamos; 5. tomó; 6. Montaron

68

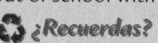 **¡AVANZA!** **Goal:** Listen as Alejandro explains to Gaby her character's background and what she did earlier in the day. Then talk more about past activities in and out of school with your classmates. **Activities 9–11**
🔁 *¿Recuerdas?* Food p. 10

Telehistoria escena 2
 **HOMETUTOR** my.hrw.com View, Read and Record

STRATEGIES

Cuando lees
Scan Scanning means glancing over a reading for details of interest. Scan now to find out (a) who is in the scene and (b) how they act toward each other.

Cuando escuchas
Listen for verb endings Listening for verb endings helps you understand the timing of various actions. How many different tenses do you hear?

VIDEO DVD

AUDIO

Gaby: ¿Están haciendo una película?
Alejandro: Sí. ¿Quieres ayudar?
Gaby: Bueno. ¿Qué tengo que hacer?
Alejandro grabs his camera and begins directing a scene.
Alejandro: Gaby, tú eres una turista. Llegaste aquí hoy. Tomaste fotos y compraste tarjetas postales. Estás en un restaurante. Natalia se sienta en tu mesa. Tú dices: «¿Cómo me encontraste?»
Gaby: *(anxiously)* «¿Cómo me encontraste?»
Alejandro: No, no Gaby, más tranquila.
Gaby: «¿Cómo me encontraste?»
Alejandro: Este... sí, muy bien.

Continuará... p. 73

Differentiating Instruction

Multiple Intelligences
Logical/Mathematical Instruct students to create a chart with the following columns: Present tense, Preterite tense, Infinitive. In pairs, tell students to write any verbs they see in the scene in the appropriate column. Go over the charts as a class. Note: the present progressive (están haciendo) will be covered in Unidad 2, Lección 2.

Slower-paced Learners
Yes/No Questions Read the scene from Telehistoria escena 2 as a class. Ask students several yes or no questions to check for comprehension. If students answer a question incorrectly, carefully review the corresponding section of the scene. Invite students to create their own yes or no questions to ask the class.

9 Comprensión del episodio ¡A corregir!

Escuchar
Leer

Corrige los errores en estas oraciones según la Telehistoria. *(Correct the errors.)*

modelo: Gaby es una maestra.
Gaby es una turista.

1. Gaby llegó ayer.
2. Gaby tomó un taxi.
3. Gaby compró regalos.
4. Gaby está en un museo.
5. Natalia se sienta en su silla.
6. Gaby dice: «¿Cómo llegaste?»

Expansión:
Teacher Edition Only
Summarize what happens in the Telehistoria in a few brief sentences.

---

10 ¿Qué compraste? ♻ ¿Recuerdas? Food p. 10

Hablar
Escribir

Pregúntales a tus compañeros qué compraron para el almuerzo ayer. Anota las respuestas. Después escribe un resumen de los resultados. *(Ask what others bought for lunch and write their answers. Write the results in a summary.)*

A ¿Qué compraste para el almuerzo ayer?

B Ayer compré pizza.

C Ayer compré pizza, leche y una manzana.

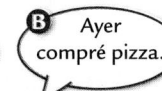
Resumen: Ana y José compraron pizza. José también compró leche y una manzana.

Expansión:
Teacher Edition Only
Ask classmates about three more foods not pictured here.

---

11 ¿Qué hicieron el verano pasado?

Hablar

Pregúntale a tu compañero(a) si hizo estas actividades con su familia la semana, el mes o el año pasado. *(Interview your friend about his or her activities. Change roles.)*

acampar	estudiar
comprar	montar
descansar	viajar
dibujar	visitar

A ¿Acamparon ustedes el año pasado?

B Sí, (No, no) acampamos el año pasado.

Expansión
Use interrogative words to find out as many details as possible about your partner's activities.

Get Help Online
my.hrw.com

PARA Y PIENSA

Did you get it? Answer with the correct form of the preterite.
1. Yo (descansar) _____ .
2. Nicolás (estudiar) _____ .
3. Ellas (viajar) _____ .
4. Tú (dibujar) _____ .

Lección 2
sesenta y nueve **69**

Differentiating Instruction

Inclusion

Clear Structure Work with students to create a graphic organizer in their notebooks. The organizer should display rules and examples of the preterite tense with regular –ar verbs. Make sure that students include all possible subjects in the chart. Also tell students to highlight the accents in the preterite tense conjugations.

Slower-paced Learners

Personalize It Ask students to use the verbs in the word bank for Activity 11 to write a description of what they did last summer. Encourage students to add details to their descriptions to make them more interesting. Invite students to read about their summer to the class.

✓ Ongoing Assessment

PARA Y PIENSA

Peer Assessment If students fail to write one of the four Para y piensa verbs correctly, they should pair up with a student who wrote them all correctly, and review Activities 5 and 6 on p. 66. For additional practice use Reteaching & Practice Copymasters URB 1, pp. 44, 46, 50.

🖥 **Answers** Projectable Transparencies, 1-51

Activity 9
1. Gaby llegó hoy.
2. Gaby tomó fotos.
3. Gaby compró tarjetas postales.
4. Gaby está en un restaurante.
5. Natalia se sienta en su mesa.
6. Gaby dice: <<¿Cómo me encontraste?>>

Activity 10 Answers will vary but should include the preterite tense. Also check that students wrote a summary of their findings.

Activity 11 Answers will vary.
1. A. ¿Compraron regalos ustedes el año pasado? B. Sí, (No, no) compramos regalos el año pasado.
2. A. ¿Descansaron ustedes la semana pasada? B. Sí, (No, no) descansamos la semana pasada.
3. A. ¿Dibujaron ustedes el mes pasado? B. Sí, (No, no) dibujamos el mes pasado.
4. A. ¿Estudiaron mucho el año pasado? B. Sí, (No, no) estudiamos mucho el año pasado.
5. A. ¿Montaron a caballo ustedes la semana pasada? B. Sí, (No, no) montamos a caballo la semana pasada.
6. A. ¿Viajaron ustedes el año pasado? B. Sí, (No, no) viajamos el año pasado.
7. A. ¿Visitaron a los abuelos el mes pasado? B. Sí, (No, no) visitamos a los abuelos el mes pasado.

Para y piensa
1. Yo descansé.
2. Nicolás estudió.
3. Ellas viajaron.
4. Tú dibujaste.

Objective

· Learn how to use **ir, ser, hacer, ver,** and **dar** in the preterite.

Core Resource

· *Cuaderno,* pp. 30–32

Presentation Strategies

· Draw students' attention to the ¡Avanza!
· Model examples of irregular verbs in the preterite tense.

STANDARD

4.1 Compare languages

Warm Up Projectable Transparencies, 1-32

Preterite Write the correct form of the preterite.

1. yo (tomar) _____
2. tú (comprar) _____
3. ustedes (descansar) _____
4. nosotros (hablar) _____
5. ella (visitar) _____

Answers: 1. tomé; 2. compraste;
3. descansaron; 4. hablamos; 5. visitó

Communication
Common Error Alert

Spend some time explaining why the **c** in the verb **hacer** changes to **z** in the third person preterite form. Explain that in order to keep the soft **s** sound in the verb, it is necessary to change the **c** to a **z** before the letter **o**. Otherwise, the word would be pronounced with a hard **c** sound, like in the word **comer**.

Communication
Motivating with Music

The **¡AvanzaRap!** song for this unit targets vacation activities and the preterite. To reinforce these concepts, play the **¡AvanzaRap!** animated video song for the students and have them complete the activity master for this unit. Activity masters and teaching suggestions can be found on the **¡AvanzaRap!** DVD.

❊ Presentación de GRAMÁTICA

¡AVANZA! **Goal:** Learn how to form the preterite of **ir, ser, hacer, ver,** and **dar.** Then use these verbs to talk about the past. *Actividades 12–16*

🔄 *¿Recuerdas?* Days of the week p. R13, parties p. R13

English Grammar Connection: Verbs that are regular in the past tense end in *-ed.* **Irregular verbs,** however, have a different past-tense form.

I **went** to the reception desk.   **Fui** a la recepción.

Preterite of ir, ser, hacer, ver, dar

 ANIMATEDGRAMMAR
my.hrw.com

The verbs **ir, ser, hacer, ver,** and **dar** are irregular in the preterite tense. They are formed without regular past-tense endings.

Here's how:

The preterite forms of **ir** and **ser** are exactly the same.

You must use clues in the sentence to determine whether **ir** or **ser** is used in the preterite.

ir *to go* / ser *to be*	
fui	fuimos
fuiste	fuisteis
fue	fueron

Fuimos al parque de diversiones.
We went to the amusement park.

¡**Fue** un día muy divertido!
It was a very fun day!

Hacer has its own preterite-tense forms. In the **usted/él/ella** form, the **c** of the stem becomes a **z** before **o**.

hacer *to do; to make*	
hice	hicimos
hiciste	hicisteis
hizo	hicieron

¿Qué **hizo** usted ayer?
What did you do yesterday?

Hice la tarea.
I did homework.

The verbs **ver** and **dar** take regular **-er/-ir** past tense endings in the preterite but have no written accent marks.

ver *to see*	
vi	vimos
viste	visteis
vio	vieron

dar *to give*	
di	dimos
diste	disteis
dio	dieron

Vimos mucho arte interesante en el museo.
We saw a lot of interesting art at the museum.

Mi amigo me **dio** un regalo.
My friend gave me a gift.

Más práctica
Cuaderno pp. 30–32
Cuaderno para hispanohablantes *pp. 31–34*

@**HOMETUTOR** my.hrw.com
Leveled Practice
🌐 Conjuguemos.com

Differentiating Instruction

Slower-paced Learners

Personalize It Ask multiple questions using **ir, ser, hacer, ver,** and **dar** in the preterite. Ask personal questions that focus on one verb at a time. For example, you could ask: **¿Qué hicieron tu familia y tú durante las vacaciones? ¿Qué hiciste ayer?**

Inclusion

Synthetic/Analytic Support Write simple sentences that contain **ir, ser, hacer, ver,** and **dar** in the preterite. Write one sentence at a time on the board. Then ask students to identify the verb and its infinitive, and explain its meaning in English.

Práctica de GRAMÁTICA

12 La semana pasada ♻ ¿Recuerdas? Days of the week p. R13

Escribir

Di lo que estas personas hicieron o no hicieron la semana pasada.
(Tell what these people did or didn't do last week.)

modelo: Elena / ir a la biblioteca / viernes
Elena (no) **fue** a la biblioteca el viernes.

1. yo / ver a mis amigos / domingo
2. nosotros / ir al centro comercial / jueves
3. Papá / hacer una excursión / martes
4. tú / dar una caminata / sábado
5. mi amigo y yo / hacer la tarea / lunes
6. Alejandro y Natalia / ver las atracciones / viernes
7. yo / darle un regalo a mi madre / miércoles
8. ustedes / ir de compras / domingo

Expansión
Use three of these verbs to tell what you and your friends did last week.

13 ¡Una fiesta! ♻ ¿Recuerdas? Parties p. R13

**Leer
Escribir**

Graciela y sus padres dieron una fiesta de sorpresa para su hermano Tomás. ¿Qué le dice Graciela a su amiga de Costa Rica? Completa el párrafo con el pretérito de **hacer, ver** o **dar**. *(Complete with the appropriate verbs in the preterite tense.)*

El sábado pasado mis padres y yo __1.__ una fiesta de sorpresa para mi hermano. Antes de la fiesta, Mamá __2.__ un pastel, pero Tomás nunca lo __3.__ . Yo __4.__ las decoraciones. Durante la fiesta, cantamos y __5.__ películas. Más tarde, nosotros le __6.__ muchos regalos a Tomás. Mis padres le __7.__ ropa nueva y yo le __8.__ un disco compacto. Su amiga le __9.__ entradas a un concierto. Fue una noche muy divertida. ¿Y tú? ¿Qué __10.__ el sábado pasado? ¿ __11.__ una película con tus amigos?

VIP   17   16   JOVEN   0 ETO1031
COMIENZO A HORARIO   30.0.10
VIP DERCH.   CN 43968
SUPPUL
CAFÉ TACUBA   CA103TOP
ESTADIO RICARDO   17
SAPRISSA   A   30.00
SAN JOSÉ 860   16
DOMINGO 31-OCT   19:00 H S

14 Durante las vacaciones

**Escuchar
Escribir**

Escucha lo que dice Arturo sobre sus vacaciones y contesta las preguntas.
(Listen to Arturo, then write answers to the questions.)

1. ¿Qué hicieron Arturo y su familia el verano pasado?
2. ¿Cómo fue el viaje?
3. ¿Qué vieron en San José?
4. ¿Qué compraron?
5. ¿Adónde fueron un día?
6. ¿Qué hizo Arturo en el parque?
7. ¿Qué hicieron sus padres allí?

🎧 Audio Program
TXT CD 2 Track 17
Audio Script, TE
p. 57B

Lección 2
setenta y uno **71**

Differentiating Instruction

Slower-paced Learners

Read Before Listening For Activity 14, ask students to read the questions before listening to the recording. Have them number their paper. Help them to list the key verbs they should listen for in order to answer each question, keeping in mind that Arturo will be speaking in the first person.

Multiple Intelligences

Intrapersonal Have students write a journal entry about what they did the past week. The entry should include at least ten verbs in the preterite tense. Encourage students to include insights or reflections about things that have happened in their lives. Assist them if they have difficulty expressing themselves.

Objectives

- Practice using **ir, ser, hacer, ver,** and **dar** in the preterite.
- Recycle: days of the week, parties.

Core Resource

- Audio Program: TXT CD 2 Track 17

Practice Sequence

- **Activity 12:** Controlled practice: preterite of **ir, ser, hacer, ver, dar**; Recycle: days
- **Activity 13:** Controlled practice: preterite of **ir, ser, hacer, ver, dar**; Recycle: parties
- **Activity 14:** Transitional practice: preterite of **ir, ser, hacer, ver, dar**

✤ STANDARDS

1.2 Understand language, Acts. 13, 14
1.3 Present information, Acts. 12, 13, 14
21st CENTURY Communication, Multiple Intelligences

Comparisons
English Language Connection

In English, it is always necessary to include the subject of the sentence. In Spanish, it is often acceptable to leave out the subject because it is reflected in the conjugation of the verb. For example: *We went to the library.*
Fuimos a la biblioteca.

💻 Answers Projectable Transparencies, 1-52

Activity 12
1. Vi a mis amigos el domingo.
2. Fuimos al centro comercial el jueves.
3. Papá hizo una excursión el martes.
4. Diste una caminata el sábado.
5. Mi amigo y yo hicimos la tarea el lunes.
6. Alejandro y Natalia vieron las atracciones el viernes.
7. Le di un regalo a mi madre el miércoles.
8. Ustedes fueron de compras el domingo.

Activity 13
1. dimos
2. hizo
3. vio
4. hice
5. vimos
6. dimos
7. dieron
8. di
9. dio
10. hiciste
11. Viste

Activity 14
1. Hicieron un viaje.
2. El viaje fue bueno.
3. Vieron muchas atracciones.
4. Compraron recuerdos.
5. Un día fueron al parque La Sabana.
6. Arturo dio una caminata.
7. Sus padres descansaron.

Objectives
- Practice using **ir, ser, hacer, ver,** and **dar** in the preterite.
- **Culture:** Learn about national parks.

Core Resource
- *Cuaderno,* pp. 30–32

Practice Sequence
- **Activity 15:** Transitional practice: preterite of **ir, ser, hacer, ver, dar**
- **Activity 16:** Open-ended practice: preterite of **ir, ser, hacer, ver, dar**

STANDARDS
1.1 Engage in conversation, Act. 15
1.3 Present information, Act. 15
3.1 Knowledge of other disciplines, Act. 16
4.2 Compare cultures, Act. 16

21ST CENTURY Information Literacy, Multiple Intelligences; **Flexibility and Adaptability,** Act. 16; **Social and Cross-Cultural Skills,** Compara con tu mundo

Comparación cultural

Essential Question
Suggested Answer Un beneficio de los parques nacionales es que los turistas que llegan también ayudan a pagar los costos del parque y traen dinero al país.

Background Information
The **Parque Nacional Rincón de la Vieja** is one of four national parks located in a region that also encompasses four volcanoes, dense tropical forests, hot springs, and diverse wildlife. The area is easily reached by car or bus and is popular spot for adventure tourism.

The **Parque Nacional Torres del Paine** is located in a remote region of Patagonia, east of the Andes, and includes immense granite mountains, glaciers, and expansive valleys.

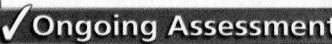
✓ Ongoing Assessment
Get Help Online
More Practice
my.hrw.com

PARA Y PIENSA **Quick Check** If a student is unable to complete all four sentences correctly, direct him or her to the website. For additional practice use Reteaching & Practice Copymasters URB 1, pp. 47, 48, 51, 52.

Answers for Activities are on p. 73.

72

---

15 Nuestro viaje

Hablar Escribir

En grupos, describe un viaje imaginario en el pasado en una máquina del tiempo. *(Describe an imaginary class trip in a time machine to the past.)*

modelo: Nuestra clase hizo un viaje muy interesante a...

mis compañeros y yo	dar	un hotel
yo	hacer	una caminata
nuestros padres	ir	una excursión
nuestra clase	ser	divertido/aburrido
el viaje	ver	las atracciones
		una reservación

Expansión
Share your description with the class and decide which group's trip was the most unique.

16 ¿Adónde fuiste de vacaciones?

Leer Escribir Hablar

Comparación cultural

Parque Nacional Volcán Rincón de la Vieja, Costa Rica

Los parques nacionales

¿Qué beneficios puede tener el establecimiento de parques nacionales para un país? Las personas que visitan el Parque Nacional Volcán Rincón de la Vieja en **Costa Rica** pueden ver un volcán activo, dar una caminata cerca de las cataratas *(waterfalls)* o nadar en las aguas termales *(hot springs)*. En el parque viven monos *(monkeys)*, iguanas y muchos pájaros. En el Parque Nacional Torres del Paine en **Chile,** hay volcanes, glaciares, ríos y lagos. Los turistas van allí para acampar, pescar, montar en bicicleta u observar animales como llamas, cóndores y pumas.

Compara con tu mundo *¿Qué parque nacional en los Estados Unidos te interesa visitar y por qué? ¿Puedes ver o hacer las mismas (same) cosas que hacen en los parques de Costa Rica y Chile?*

Parque Nacional Torres del Paine, Chile

Hagan los papeles de dos turistas: uno(a) que fue al Parque Volcán Rincón, otro(a) a las Torres del Paine. Hablen sobre lo que hicieron y vieron, usando el pretérito. *(Role-play a conversation between two tourists who each went to one of the parks. Use the preterite.)*

Más práctica Cuaderno *pp. 30–32* Cuaderno para hispanohablantes *pp. 31–34*

Get Help Online
my.hrw.com

PARA Y PIENSA **Did you get it?** Give the correct verb form in the preterite.
1. Usted (ir) _____ a Chile.
2. Yo (ver) _____ una película.
3. Ana (hacer) _____ un viaje.
4. Tú (dar) _____ muchos regalos.

72 Unidad 1 Costa Rica
setenta y dos

Differentiating Instruction

English Learners

Build Background Ask English learners to scan Activity 16 for words that are unfamiliar. Make a list on the board of cognates that these students may not recognize. Discuss the meanings of the words and provide examples of their uses. Using the new vocabulary, engage English learners in discussions about national parks in their countries of origin.

Multiple Intelligences

Naturalist Instruct students to research a national park in Costa Rica and create a visual essay about the park. Students may use images from the Internet, magazines, or do their own drawings to illustrate unique aspects of the park. Have students present their "essays" to the class.

Todo junto

¡AVANZA! **Goal:** *Show what you know* Listen to Natalia, Alejandro, and Gaby's experience in the souvenir shop. Then use what you have learned to bargain with a vendor in a market and to talk more about past vacation activities. *Activities 17–21*

Telehistoria completa

 **@HOMETUTOR** my.hrw.com **View, Read and Record**

STRATEGIES

Cuando lees

Read for actions and reasons Read to understand actions and the reasons for them. What does Gaby want? Where does she go? How does Alejandro feel?

Cuando escuchas

Listen for differences Notice differences in the characters' statements and behaviors, especially Gaby's. How would you describe the differences?

 **Escena 1** *Resumen*
Natalia y Alejandro llegan a la playa con sus padres. Su madre les da dinero para ir de compras.

 **Escena 2** *Resumen*
Alejandro conoce a Gaby. Gaby quiere ayudarlos a hacer su película pero no es buena actriz.

Escena 3

 VIDEO DVD / AUDIO

 Marco

Natalia and Alejandro argue while Gaby shops.

Natalia: *(to Alejandro)* Ella no puede estar en la película.

Gaby: *(modeling a hat to Alejandro)* ¿Te gusta el sombrero? *(to the clerk)* Me gustaría comprarlo. ¿Cuánto cuesta?

Natalia: *(to Alejandro)* ¿Tú viste a esa muchacha? ¡Es terrible!

Gaby: *(to Alejandro)* Para la película. *(to clerk)* ¿Puedo pagar con tarjeta de crédito?

The sales clerk shakes her head "no."

Gaby: No tengo mucho dinero en efectivo.

She looks sadly at Alejandro, who hands her his money.

Gaby: ¡Gracias! *(She pays for the hat.)*

Alejandro: ¿No regateaste?

Gaby: No me gusta regatear.

Marco: ¡Gaby!

Gaby: ¡Marco! ¡Llegaste! Es mi amigo, Marco. ¿Dónde está tu hotel?

Marco: Bueno, es un hostal, cerca de la oficina de turismo. ¿Quieres hacer una excursión con mi familia?

Gaby: ¡Sí! Tengo que irme... ¡Chau!

Natalia: ¿Por qué estás triste? Ella no es una buena actriz.

Alejandro: Le di todo mi dinero... ¡y ella no regateó!

Lección 2
setenta y tres **73**

Differentiating Instruction

Pre-AP

Summarize Instruct students to explain orally what happens in Escena 3. The summary should include who is speaking and what their role is in the text, what Gaby wants, why Natalia does not like Gaby, and where Gaby goes. Also ask students to discuss why Alejandro is upset at the end of the scene.

English Learners

Provide Comprehensible Input Monitor students' understanding of the Telehistoria script and stage directions. To confirm comprehension, have students read the script and mime the actions that are described.

¡AVANZA! **Objective**
· Integrate lesson content.

Core Resources
· Video Program: DVD 1
· Audio Program: TXT CD 2 Track 18

Presentation Strategies
· Review the first two parts of the Telehistoria aloud.
· Show the video and/or play the audio.
· Have students watch/listen for differences in the characters' behaviors.

STANDARD
1.2 Understand language

Warm Up Projectable Transparencies, 1-32

Preterite Complete the sentences with the preterite tense of **ir, dar, hacer,** or **ver.**
1. Yo _____ a la playa.
2. Mis padres _____ las maletas.
3. El jueves Ana _____ una película.
4. Anteayer nosotros _____ una excursión.
5. El domingo Marco le _____ un regalo a Manuel.
6. ¿ _____ tú a un museo la semana pasada?

Answers: 1. fui; 2. hicieron; 3. vio; 4. hicimos; 5. dio; 6. Fuiste

 **@HOMETUTOR** **VideoPlus** my.hrw.com

Video Summary

Natalia, Alejandro, and Gaby go shopping. Gaby finds a hat, but needs money from Alejandro to buy it. Then Gaby sees her friend Marco and leaves with him.

▶❚ ❚❚

Answers Projectable Transparencies, 1-52

Answers for Activities from p. 72.

Activity 15 Answers will vary. Sample answers: Nuestra clase hizo un viaje a Nueva York en el año 1800. Mis compañeros y yo vimos muchas atracciones...

Activity 16 Answers will vary. Sample answers:
A: Fui al Parque Volcán Rincón por la tarde. Vi el volcán y las cataratas.
B: Fui al Parque Nacional Torres del Paine. También vi un volcán....

Para y piensa
1. fue
2. vi
3. hizo
4. diste

73

TODO JUNTO

Objectives

- Practice using grammar and vocabulary in context.
- Practice bargaining for things in a store.

Core Resources

- *Cuaderno*, pp. 33–34
- Audio Program: TXT CD 2 Tracks 18, 19, 20

Practice Sequence

- **Activities 17, 18:** Telehistoria comprehension
- **Activity 19:** Open-ended practice: speaking
- **Activity 20:** Open-ended practice: reading, listening, and speaking
- **Activity 21:** Open-ended practice: writing

STANDARDS

1.1 Engage in conversation, Acts. 19, 20
1.2 Understand language, Acts. 17, 18
1.3 Present information, Acts. 18, 21
2.1 Practices and perspectives, Act. 19
21st CENTURY Communication, Act. 21; **Flexibility and Adaptability,** Act. 19

🖥 **Answers** Projectable Transparencies, 1-52 and 1-53

Activity 17

1. Gaby, Marco
2. Alejandro
3. Gaby
4. Natalia
5. Gaby
6. Marco

Activity 18

1. Natalia y Alejandro van de compras.
2. Gaby quiere estar en la película.
3. Gaby quiere comprar un sombrero.
4. Gaby pagó con dinero en efectivo.
5. A Gaby no le gusta regatear.
6. Marco es el amigo de Gaby.
7. El alojamiento de Marco es un hostal.
8. Marco y Gaby van a hacer una excursión.
9. Alejandro le dio su dinero a Gaby.

Activity 19 Dialogs will vary. Sample dialog:

A: ¿Podría ver los anillos?
B: Sí, son muy bellos, ¿no?
A: Sí. Me gustaría ver el anillo de plata. ¿Cuánto cuesta?
B: ¿Éste? Cuesta...

74

---

17 | *Comprensión de los episodios*   ¡Es terrible!

Escuchar
Leer

Empareja la idea con las personas. *(Match. There may be more than one right answer.)*

1. Van a hacer una excursión.
2. Le dio su dinero a Gaby.
3. No regateó.
4. Piensa que Gaby no es una buena actriz.
5. No tiene mucho dinero en efectivo.
6. Su hostal está cerca de la oficina de turismo.

a. Gaby
b. Natalia
c. Alejandro
d. Marco

Expansión:
Teacher Edition Only
Have students write one more sentence for each video character.

18 | *Comprensión de los episodios*   ¡A corregir!

Escuchar
Leer

Corrige los errores en estas oraciones. *(Correct the errors.)*

modelo: La familia llega a Miami.
La familia llega a la playa.

1. Natalia y Alejandro van a pescar.
2. Gaby no quiere estar en la película.
3. Gaby quiere comprar unos aretes.
4. Gaby pagó con una tarjeta de crédito.
5. A Gaby le gusta regatear.
6. Marco es el amigo de Alejandro.
7. El alojamiento de Marco es un hotel.
8. Marco y Gaby van a hacer una reservación.
9. Alejandro le dio su anillo a Gaby.

Expansión:
Teacher Edition Only
Ask students to write three more true or false statements about the scene. Then have students work in pairs to read each other's statements.

19 | En el mercado al aire libre

Hablar

STRATEGY Hablar
Practice your role, but stay a bit flexible To learn your role, review the lesson for dialogs with people bargaining, study them, and take notes. Review Spanish phrases and sentences that your character might use and practice saying them aloud. Since role-plays contain spontaneity, stay a bit flexible!

Estás en un mercado al aire libre y quieres comprar unas joyas. Regatea con el (la) vendedor(a). Cambien de papel. *(Role-play bargaining for jewelry. Change roles.)*

Cliente Me gustaría comprar un regalo. ¿Podría ver los anillos?

Vendedor(a) Sí. Son muy bellos, ¿no?...

Expansión
Create props to use during your role-play.

Differentiating Instruction

Heritage Language Learners

Writing Skills Have students write a script for their dialogs for Activity 19. Provide heritage learners with a list of specific criteria to be aware of as they write. For example: subject/verb agreement, accents, spelling, punctuation, and appropriate verb tenses. Ask heritage learners to proofread each other's dialogs.

Multiple Intelligences

Kinesthetic Before doing Activity 19, tell students a day ahead to bring in objects to sell. Have pairs use the objects in their dialogs. They can examine objects as they talk and exchange "money" as they barter and pay.

20 Integración

Digital performance space

Leer
cuchar
Hablar

Lee el correo electrónico de Tati y escucha el mensaje de Josué. Luego prepara una respuesta completa a la siguiente pregunta: ¿Quién pasó las vacaciones más divertidas? Explica por qué piensas así. *(Read the e-mail from Tati and listen to the voice mail message from Josué. Explain who you think had the better vacation and why.)*

Audio Program
TXT CD 2
Tracks 19, 20
Audio Script, TE
p. 57B

Fuente 1 Correo electrónico

¡Hola! ¿Qué tal? ¿Qué hiciste en tus vacaciones? Yo fui a la casa de una amiga que vive en las montañas. Dimos una caminata casi todos los días. Tomamos muchas fotos. Fue divertido. La semana pasada fuimos a pescar. No me gustó mucho. 😒 ¡¡Pero también montamos a caballo!! ¡Montar a caballo fue SÚPER divertido! 😊 ¡Hasta luego! —Tati

Fuente 2 Mensaje por teléfono

Listen and take notes
· ¿Adónde fue Josué y con quién?
· ¿Qué hizo?
· ¿Qué fue divertido y qué fue aburrido?

Expansión:
Teacher Edition Only

Ask students to identify and make note of any vacation-related vocabulary in the e-mail and telephone message.

modelo: Pienso que las vacaciones de Tati fueron mejores porque ella hizo muchas cosas...

21 ¡Estoy de vacaciones!

Digital performance space

Escribir

Escríbele una tarjeta postal a un(a) amigo(a) sobre unas vacaciones. Usa verbos en el pretérito para hablar de tus actividades y para hacerle preguntas sobre sus actividades. *(Use the preterite tense to write a postcard. Tell about your activities and ask questions about your friend's activities.)*

modelo: Saludos de Costa Rica. Ayer fue un día muy divertido.
Mi familia y yo...

Writing Criteria	Excellent	Good	Needs Work
Content	Your postcard includes many vacation activities and questions.	Your postcard includes some vacation activities and questions.	Your postcard includes few vacation activities and questions.
Communication	Most of your postcard is organized and easy to follow.	Parts of your postcard are organized and easy to follow.	Your postcard is disorganized and hard to follow.
Accuracy	Your postcard has few mistakes in grammar and vocabulary.	Your postcard has some mistakes in grammar and vocabulary.	Your postcard has many mistakes in grammar and vocabulary.

Expansión
Create artwork for your postcard. Exchange postcards with a classmate and answer his or her questions.

Más práctica   Cuaderno *pp. 33–34*   Cuaderno para hispanohablantes *pp. 35–36*

Get Help Online
my.hrw.com

PARA Y PIENSA

Did you get it? Write three sentences telling what activities you did during your last vacation.

Differentiating Instruction

Inclusion

Sequential Organization Help students to create an outline to follow before they write their postcard for Activity 21. Have them use questions such as **¿Dónde fueron?, ¿Con quién?, ¿Por cuánto tiempo?** and **¿Qué hicieron?** to organize their thoughts.

Multiple Intelligences

Visual Learners Encourage students to use visuals to accompany their postcards for Activity 21. The visual could include posters, collages, items that reflect their activities, or videos that demonstrate activities they did on vacation. Then ask each student to share his or her visual with the class as he/she reads the postcard.

Pre-AP 🅐 **Integration**

Activity 20 Ask students to write the question about who had a better time on their vacation in their notebooks. Ask them to scan the e-mail noting the highlights of Tati's trip. Play the audio and have them do the same for Josué's trip.

✓ **Ongoing Assessment**

Rubric Activity 20

Listening/Speaking

Proficient	Not There Yet
Student takes detailed notes and compares most or all of the activities of Tati and Josué.	Student takes few notes and only compares some of the activities of Tati and Josué.

To customize your own rubrics, use the *Generate Success Rubric Generator and Graphic Organizers.*

✓ **Ongoing Assessment**

Get Help Online
More Practice
my.hrw.com

PARA Y PIENSA **Intervention** If a student is unable to correctly write the three sentences, pair him or her with another student to review vacation vocabulary (pp. 60–61) and the preterite tense (pp. 65, 70). For additional practice use Reteaching & Practice Copymasters URB 1, pp. 47, 49.

📖 **Answers** Projectable Transparencies, 1-53

Activity 20 Answers will vary. Sample answer: Pienso que Tati pasó las vacaciones más divertidas. Fue a la casa de una amiga e hizo actividades muy divertidas... Pienso que Josué pasó unas vacaciones menos divertidas. Fue a un museo y no compró nada...

Activity 21 Postcards will vary but make sure students correctly use the preterite to talk about their vacations and ask a friend questions about their activities.

Para y piensa Answers will vary but check to see that students use the preterite to describe their last vacation. Sample answers: 1. Acampé con mi familia. 2. Hicimos una excursión a las montañas. 3. Monté a caballo.

¡AVANZA! ▶ Objectives

- Read about the climate and geography in Costa Rica and Chile.
- Discuss how climate and geography influence vacation activities.

Core Resource

- Audio Program: TXT CD 2 Track 21

Presentation Strategies

- Use the Leer strategy to help students compare two places.
- Ask students to read the text aloud in groups of three before directing a discussion about the reading with the entire class.

✿ STANDARDS

1.2 Understand language
3.1 Knowledge of other disciplines
4.2 Compare cultures
21st CENTURY Critical Thinking and Problem Solving, Strategy/Para y piensa/Pre-AP

🖥 Warm Up Projectable Transparencies, 1-33

Preterite Fill in the blank with the preterite of the infinitive in parenthesis.

1. Gaby _____ (comprar) un sombrero.
2. Gaby _____ (pagar) con dinero en efectivo.
3. Alejandro le _____ (dar) todo su dinero a Gaby.
4. Marco _____ (llegar) a la tienda.
5. Gaby no _____ (regatear).
6. Gaby y Marco _____ (hacer) una excursión.

Answers: 1. compró; 2. pagó; 3. dio; 4. llegó;
5. regateó; 6. hicieron

Comparación cultural

Background Information

Playa Jacó is located about 25 miles southwest of San José on the Pacific Coast. A popular tourist destination, it is better known for its surfing than its beaches. **Pucón** is located in the Araucanía region of central Chile. An important feature of the area is the active Villarica Volcano, which tourists can climb.

 # Lectura cultural

¡AVANZA! **Goal:** Read about climate and geographic differences between Costa Rica and Chile. Discuss how these differences influence vacation activities and what people do for vacation where you live.

Comparación cultural

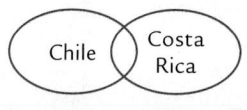
AUDIO

De vacaciones: Costa Rica y Chile

> **STRATEGY Leer**
>
> **Use a Venn diagram to compare** Compare Costa Rica and Chile with a Venn diagram. List *similarities* in the overlapping space. List *differences* in the two outside circles.
>
> Chile | Costa Rica

¿Cómo te gustaría pasar tus vacaciones? ¿Prefieres nadar en el mar, esquiar o hacer snowboard? Costa Rica y Chile ofrecen posibilidades para cada preferencia.

El clima[1] de las playas de Costa Rica es como el verano en otras partes los 365 días al año. Este país centroamericano es un destino turístico para las personas que buscan el sol y la naturaleza[2] tropical. Es uno de los países más pequeños de Centro y Sudamérica. Si vas a cualquier[3] parte de Costa Rica, nunca vas a estar muy lejos de la playa. Costa Rica tiene dos costas, y las dos son ricas en naturaleza y belleza[4]. El mar Caribe está al este[5] y el océano Pacífico está al oeste[6]. El clima de las costas es cálido[7] y húmedo todo el año. Si visitas las playas de Costa Rica puedes pasar tus vacaciones haciendo actividades tan diversas como nadar o bucear en el agua cristalina, explorar los arrecifes[8], dar caminatas o montar a caballo por la playa o por los bosques[9] tropicales que llegan hasta el lado del mar.

Costa Rica

[1] climate; weather [2] nature [3] any [4] beauty [5] east
[6] west [7] warm [8] coral reefs [9] forests

La playa Jacó, en la costa del océano Pacífico, Costa Rica

Differentiating Instruction

Inclusion

Metacognitive Support In pairs, instruct students to skim the text for examples of cognates (**clima, parte, océano, costas,** etc.) Be sure to pair English learners with native speakers of English. Explain to students that making connections in English will help many of them to comprehend the text better. Then invite pairs to share the cognates they found with the class.

English Learners

Build Background Help English learners comprehend the words in the footnotes. Have them use a bilingual dictionary to find the meanings of the English words in their native language. Encourage students to keep a glossary in their notebooks of unfamiliar words with their meanings in English, Spanish, and their native language.

Una atracción de Pucón es hacer snowboard por uno de los volcanes más activos de Chile.

Chile

Chile es un país de extremos, largo y estrecho[10], pero de área pequeña. Queda entre[11] las montañas de los Andes y el océano Pacífico. Es un lugar de variación climática donde hay veranos cálidos y secos[12] e inviernos fríos con lluvia y nieve. Cuando el clima cambia al invierno—entre los meses de junio a septiembre— hay lugares en Chile a lo largo de la cordillera[13] de los Andes que se convierten en destinos turísticos para las personas en busca de la nieve y la aventura. Aquí los aficionados de los deportes del invierno llegan desde todas partes del hemisferio norte. Llegan para esquiar o hacer snowboard y para disfrutar[14] del invierno chileno.

[10] narrow   [11] between   [12] dry
[13] **a lo largo...** along the mountain range   [14] enjoy

PARA Y PIENSA

¿Comprendiste?
1. Describe el clima de Costa Rica y el clima de Chile. ¿Cuáles son las diferencias?
2. Encuentra los dos países en un mapa. ¿Puedes explicar por qué los climas son diferentes?
3. ¿En qué país te gustaría pasar las vacaciones? ¿Por qué?

¿Y tú?
¿Cómo es el clima donde vives? ¿Cuáles son las actividades que más hacen ustedes durante las vacaciones?

Lección 2
setenta y siete **77**

Differentiating Instruction

Pre-AP

Communicate Preferences Ask students to read the selection about Costa Rica and Chile on their own. Then divide the class into small groups, making sure to place at least one advanced student in each group. Ask the advanced students to facilitate a discussion within their group about which destination each student prefers and why.

Slower-paced Learners

Yes/No Questions Pause frequently while reading the selection to check for comprehension. If students start to seem confused, ask yes/no questions that draw their attention to the most important points in the article. Have them to go back and reread the section to see if they find the information they need.

Answers

Leer Answers will vary.
Similarities: Chile y Costa Rica ofrecen muchas actividades para turistas. Los dos países tienen belleza natural.
Differences: Costa Rica tiene un clima tropical todo el año. Hay muchísimas actividades acuáticas. Chile es famoso por sus deportes de invierno. Esquiar y hacer snowboard son actividades muy populares.

Para y piensa

¿Comprendiste? Answers will vary.
1. Costa Rica tiene un clima tropical todo el año. Chile tiene un clima más diverso. Hay veranos cálidos e inviernos fríos.
2. Costa Rica tiene dos costas y está cerca del ecuador. Hace calor y hay mucha lluvia. Chile es un país muy largo y más lejos del ecuador. Hay muchas montañas. También, Chile está cerca del océano Pacífico y el clima es variable.
3. Me gustaría pasar las vacaciones en Costa Rica porque prefiero las actividades del verano.

¿Y tú? Answers will vary. Sample response: Hay cuatro estaciones donde vivo. Durante las vacaciones prefiero ir a la playa para nadar, bucear y tomar el sol.

Objective
· Learn about typical drinks in Costa Rica and Chile.

Presentation Strategies
· Give students a few minutes to scan/ preview the text.
· Have students read along as you (or a series of student volunteers) read the recipes aloud.

STANDARDS

1.2 Understand language
2.2 Products and perspectives
3.1 Knowledge of other disciplines
5.2 Life-long learners

21st Social and Cross-Cultural Skills, En tu comunidad/Spanish in the Neighborhood/Heritage Language Learners

Communities
Spanish in the Neighborhood

Encourage students to go to a restaurant where typical foods and drinks from a Spanish-speaking country are served. Tell students to chat with a waiter or waitress in Spanish about a drink that is popular from that country. Ask students to report their findings to the class.

Comparación cultural

Suggested Answer La geografía y el clima de un país influyen en qué tipo de comida come la gente de ese país. En climas tropicales como Puerto Rico, por ejemplo, hay muchos platos tradicionales que incluyen frutas y otros alimentos que crecen allí.

❖ Proyectos culturales

Comparación cultural

Bebidas de Costa Rica y Chile

¿Qué relación pueden tener la geografía y clima de un país con sus platos tradicionales? **Costa Rica** y **Puerto Rico** son países de clima tropical, donde hace mucho calor. En los países tropicales, muchas bebidas son frías, como por ejemplo los batidos *(shakes)* — bebidas de frutas tropicales como la banana, el mango, la papaya, la piña *(pineapple)* y el coco *(coconut)*. Chile está muy al sur *(south)* del ecuador *(equator)* y su clima puede ser muy frío. En Chile muchas bebidas populares son calientes *(hot)*, como el chocolate, el café o el té.

Proyecto 1 *Batido tropical*

Costa Rica y Puerto Rico Cuando hace calor, puedes beber un batido de frutas con jugo o leche.

Ingredientes para Batido tropical
1 banana en trozos *(pieces)*
1 taza *(cup)* de yogur
½*taza de fruta en trozos (ideas: mango, piña o fresas (strawberries))*
½ taza de jugo de fruta

Instrucciones
Mide *(measure)* la fruta, el yogur y el jugo. Pon todos los ingredientes en una licuadora *(blender)* y mézclalos *(blend them)*. Después, sirve el batido en un vaso alto y, si quieres, pon un poco de coco rallado *(grated)* encima.

* media

Proyecto 2 *Chocolate con leche para las once*

Chile El nombre de esta bebida viene de la hora típica de beberla en Chile.

Ingredientes para Chocolate con leche para las once
1 taza de leche
1 cuchara *(tablespoon)* de azúcar
2 cucharas de chocolate sin azúcar *(unsweetened)*, en trozos
1 trozo de la cáscara *(peel)* de naranja o limón
1 clavo de especia *(clove)*

Instrucciones
Combina todos los ingredientes en una cacerola *(pan)*. Caliéntalos a fuego lento *(low heat)* para disolver el chocolate en la leche. Luego, saca la cáscara y el clavo. Después, revuelve *(stir)* el chocolate y sírvelo en una taza.

En tu comunidad

Visita un restaurante de tu comunidad que sirve comida de un país hispanohablante. ¿Ves una conexión entre *(between)* la comida típica y el clima del país? Explica la conexión.

Differentiating Instruction

Heritage Language Learners

Support What They Know Ask heritage speakers to describe any differences they know of in the ingredients or preparation of these two drinks. Also have them tell about any special or traditional drinks in their country of origin.

Pre-AP

Expand and Elaborate Ask advanced students to reread the paragraph about drinks in Costa Rica and Chile and to review the climate information in the Lectura on pp. 76–77. Tell students to explain in their own words how the drinks reflect the climate in each country and to elaborate by explaining how each country's geography affects its climate.

En resumen
Vocabulario y gramática

ANiMATeDGRaMMaR
Interactive Flashcards
my.hrw.com

Vocabulario

Going on Vacation			
Vacation Activities		**Vacation Lodgings**	
acampar	to camp	el alojamiento	lodging
dar una caminata	to hike	el ascensor	elevator
estar de vacaciones	to be on vacation	la habitación	hotel room
hacer una excursión	to go on a day trip	la habitación doble	double room
mandar tarjetas postales	to send postcards	la habitación individual	single room
montar a caballo	to ride a horse	hacer/tener una reservación	to make/to have a reservation
pescar	to fish	el hostal	hostel; inn
el tiempo libre	free time	el hotel	hotel
tomar fotos	to take photos	la llave	key
el (la) turista	tourist	la recepción	reception desk
ver las atracciones	to go sightseeing		
visitar un museo	to visit a museum		

Gifts and Souvenirs	
Items	
el anillo	ring
el arete	earring
las artesanías	handicrafts
el collar	necklace
las joyas	jewelry
el recuerdo	souvenir
la tarjeta postal	postcard

Buying	
bello(a)	beautiful; nice
caro(a)	expensive
demasiado(a)	too; too much
el dinero en efectivo	cash
el mercado al aire libre	open-air market
regatear	to bargain
la tarjeta de crédito	credit card

Describe the Past	
anteayer	the day before yesterday
el año pasado	last year
el mes pasado	last month
la semana pasada	last week

Expressions	
Le dejo... en...	I'll give . . . to you for . . .
Me gustaría...	I would like . . .
¿Podría ver...?	Could I see / look at . . . ?
¡Qué...!	How . . . !
¡Qué bello(a)!	How beautiful!
¡Qué caro(a)!	How expensive!

Gramática

Nota gramatical: Interrogatives *p. 64*

Preterite of   Verbs

The **preterite** tense in Spanish tells what happened at a particular moment in the past. You form the **preterite** tense of regular verbs by adding tense endings to the verb stem.

visitar *to visit*			
yo	visit**é**	nosotros(as)	visit**amos**
tú	visit**aste**	vosotros(as)	visit**asteis**
usted, él, ella	visit**ó**	ustedes, ellos(as)	visit**aron**

Preterite of			
ir *to go* / **ser** *to be*		**hacer** *to do; make*	
fui	fuimos	hice	hicimos
fuiste	fuisteis	hiciste	hicisteis
fue	fueron	hizo	hicieron

ver *to see*		**dar** *to give*	
vi	vimos	di	dimos
viste	visteis	diste	disteis
vio	vieron	dio	dieron

Practice Spanish with Holt McDougal Apps!

Lección 2
setenta y nueve   **79**

Objective
· Review lesson vocabulary and grammar.

🌐 DIGITAL SPANISH

Interactive Flashcards Students can hear every target vocabulary word pronounced in authentic Spanish. Flashcards have Spanish on one side, and a picture or a translation on the other.

Review Games Matching, concentration, hangman, and word search are just a sampling of the fun, interactive games students can play to review for the test.

performance))space   • **Audio and Video Resources**

News ⊕ Networking

@HOMETUTOR   • **Interactive Flashcards**

CuLTuRa Interactiva   • **Review Activities**

• **WebQuest**

• **Conjuguemos.com**

Communication
Pair Work

Divide students into pairs and have them work together to create a word search. Students may create the puzzle by hand with graph paper or on a computer. Instruct students to use at least 15 vocabulary words and/or verbs in the preterite tense in the puzzle. Have pairs switch puzzles with another pair and complete each other's puzzle.

Differentiating Instruction

Multiple Intelligences

Linguistic/Verbal Have students look at all the terms listed under Vocabulario on p. 79 for a few minutes, and then have them close their books. Write the four categories of vocabulary on the board. Call out words from the lists on p. 79. Then ask students to go to the board and write the word or phrase under the appropriate heading.

Inclusion

Frequent Review/Repetition Tell students to make six flashcards to represent the six different verb conjugations (**yo, tú, usted/él/ella,** etc.) Read out several verbs in the preterite tense, but do not say the subject. Tell students to hold up the card that reflects the subject of the verb. Invite volunteers to call out verbs in the preterite to recite to the class.

✓ Ongoing Assessment

Quick Check Use a foam ball or another object that can be safely tossed across the room. Review vocabulary by having a student call out a word from En resumen and then toss the ball. The student who catches it or is nearest to where it lands has to use the word in a sentence. That student then chooses the next word and throws the ball.

Objective
· Review lesson grammar and vocabulary.

Core Resources
· *Cuaderno*, pp. 35–46
· Audio Program: TXT CD 2 Track 22

Presentation Strategies
· Direct students' attention to the ¡Llegada!
· Before listening to the audio for Activity 1, have students guess the sequence of the conversation by placing the responses in an order they feel is logical. Then play the recording.
· Review the preterite forms of **ir, ser, hacer, ver,** and **dar** by giving the subject pronouns and asking students to provide the correct conjugation.
· Turn Activity 3 into an oral activity by prompting students with questions and having them respond using the correct preterite form.

STANDARDS
1.2 Understand language, Act. 1
1.3 Present information, Acts. 2, 5
4.1 Compare languages, Act. 2

Warm Up Projectable Transparencies, 1-33

Preterite and Subject Pronouns Write the subject pronouns for the following verbs.
1. hice: _____   4. regateaste: _____
2. fueron: _____   5. disteis: _____
3. pescamos: _____ 6. vio: _____

Answers: 1. yo; 2. ustedes, ellos(as); 3. nosotros(as); 4. tú; 5. vosotros(as); 6. usted, él, ella

✓ Ongoing Assessment

Peer Assessment Have students work individually and then pair up with a partner after each activity to check their answers.

Answers Projectable Transparencies, 1-53

Activity 1 1. h; 2. f; 3. b; 4. d; 5. e; 6. a; 7. g
Activity 2 Answers will vary.
1. No, mi familia no viajó lejos de la casa.
2. Mis amigos y yo acampamos.
3. No, no monté a caballo durante el verano.
4. Sí, tomé muchas fotos.
5. Sí, mandé unas tarjetas postales a unos amigos.
6. Mi familia pagó con una tarjeta de crédito.

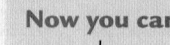

Lección 2

Repaso de la lección

@HOMETUT◊
my.hrw.com

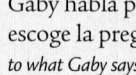
¡AvanzaRap!
DVD
Sing and Learn

¡LLEGADA!

Now you can
· say where you went and what you did on vacation
· ask information questions
· talk about buying gifts and souvenirs

Using
· interrogatives
· preterite of **-ar** verbs
· preterite of **ir, ser, hacer, ver,** and **dar**

To review
· preterite of **-ar** verbs, p. 65
· preterite of **ir, ser, hacer, ver,** and **dar**, p. 70
· interrogatives, p. 64

AUDIO

1 Listen and understand

Gaby habla por teléfono y describe su día a una amiga. Escucha lo que dice ◊ escoge la pregunta lógica de su amiga para completar la conversación. *(Liste◊ to what Gaby says and choose the logical question to continue the conversation.)* 🎧 **Audio Pro◊**
TXT CD 2 Track 2◊
Audio Script, TE

modelo: ¡Hola, Margarita!
                c. Hola, Gaby. ¿Cómo estás?

a. Sí. ¿Cuándo nos vemos allí?   **e.** ¿Cuánto costó la artesanía?
b. ¿Con quiénes fuiste?   **f.** ¿Adónde fuiste?
c. Hola, Gaby. ¿Cómo estás?   **g.** A las siete está bien. Nos vemos entonces.
d. ¿Qué le compraste?   **h.** ¿Por qué estás cansada?

To review
· preterite of **-ar** verbs, p. 65

2 Say where you went and what you did

¿Hiciste estas actividades durante las vacaciones el verano pasado? Contest◊ las preguntas. *(Answer the questions and say whether or not you did these activities.)*

modelo: ¿Regatearon tú y tu familia para comprar recuerdos?
                Sí, (No, no) regateamos para comprar recuerdos.

1. ¿Viajó tu familia lejos de su casa?
2. ¿Acamparon tú y tus amigos o tú y tu familia?
3. ¿Montaste a caballo durante el verano?
4. ¿Tomaste muchas fotos?
5. ¿Mandaste unas tarjetas postales a unos amigos?
6. ¿Pagó su familia la vacación con dinero en efectivo o con una tarjeta de crédito?

Differentiating Instruction

Slower-paced Learners

Read Before Listening Show students the script for Activity 1. Ask students to read the script on their own and highlight any parts that they do not understand. Review trouble spots as a class. Then ask students to put away the script, listen to the audio, and answer the questions. Assist students if they do not comprehend the questions.

Slower-paced Learners

Peer-study Support Pair high proficiency students with low proficiency students. Have the pairs review Activities 1–5 together. Have stronger students show their partners how to correct and understand their mistakes. High proficiency students should then spend time tutoring their partners in areas that appeared to be particularly difficult for them.

review
terite of
ser, hacer, ver,
d dar, p. 70

3 Say where you went and what you did

Escribe qué hizo la familia de Jorge la semana pasada. Usa los verbos **hacer**, **ser**, **ir**, **dar** y **ver**. *(Tell what Jorge's family did last week.)*

> **modelo:** la semana pasada / mi padre / hacer una reservación
> Mi padre hizo una reservación.

1. domingo / mi familia / ir al hotel
2. el hotel / darnos / dos habitaciones dobles
3. por la noche / yo / dar una caminata
4. lunes / nosotros / ver las atracciones
5. martes / mi familia / hacer una excursión a la playa
6. miércoles / mi madre y Julia / ver una película
7. miércoles / mi padre y yo / ir a pescar
8. jueves / mis padres / ir a un museo
9. anteayer / nosotros / hacer el viaje para volver (de vuelta)
10. ¿la semana pasada / tú / hacer algo?

review
errogatives,
64

4 Talk about buying gifts and souvenirs

Completa la pregunta con una palabra interrogativa y contéstala. *(Complete the question and answer it.)*

1. ¿Con _____ prefieres ir de compras?
2. ¿Te gusta regatear? ¿_____ sí o no?
3. ¿_____ pagas, con dinero en efectivo o con tarjeta de crédito?
4. ¿_____ prefieres comprar, recuerdos para ti o regalos para otros?
5. ¿_____ recuerdos compras más, camisetas, artesanías u otras cosas?
6. ¿_____ vas para comprar ropa, al centro comercial o a otro lugar?

review
enal, p.33
mparación
tural, pp. 66,

tura cultural,
76–77

5 Costa Rica and Chile

Comparación cultural

Contesta estas preguntas culturales. *(Answer these culture questions.)*

1. ¿Qué hay en el resorte de Tabacón en Arenal, Alajuela?
2. ¿Dónde están el Parque Nacional Volcán Rincón de la Vieja y el Parque Nacional Torres del Paine? ¿Qué hay en estos parques?
3. ¿Cuáles son las dos costas de Costa Rica? ¿Por qué van los turistas a Chile en el invierno?

práctica Cuaderno *pp. 35–46* Cuaderno para hispanohablantes *pp. 37–46*

 **Get Help Online**
my.hrw.com

Lección 1
ochenta y uno **81**

Differentiating Instruction

Inclusion

Cumulative Instruction Review the preterite of –ar verbs and the preterite of **ir**, **ser**, **hacer**, **ver**, and **dar** with at-risk learners. Read several sentences using these structures to students. Use sentences from the chapter as well as original sentences. At the end of each sentence, ask a volunteer to identify the preterite verb and its subject.

Pre-AP

Timed Answer Provide students with many opportunities to practice the content of the lesson. Ask culture questions from the Repaso section or make up your own questions. You could also recite sentences that omit verb phrases or vocabulary. Give advanced students 15–20 seconds to respond to you, depending on their proficiency and the difficulty of the question.

🖥 **Answers** Projectable Transparencies, 1-53

Activity 3
1. El domingo mi familia fue al hotel.
2. En el hotel nos dieron habitaciones dobles.
3. Por la noche yo di una caminata.
4. El lunes nosotros vimos las atracciones.
5. El martes mi familia hizo una excursión a la playa.
6. El miércoles mi madre y Julia vieron una película.
7. El miércoles mi padre y yo fuimos a pescar.
8. El jueves mis padres fueron a un museo.
9. Anteayer nosotros hicimos el viaje para volver.
10. ¿Hiciste algo la semana pasada?

Activity 4
1. quién	4. Qué
2. Por qué	5. Qué
3. Cómo	6. Adónde

Activity 5 Answers may vary.
1. Hay jardines tropicales, un volcán activo y aguas termales.
2. La familia está preparada para empezar un día típico.
3. El Parque Nacional Volcán Rincón de la Vieja está en Costa Rica. Hay un volcán activo, cataratas, aguas termales, monos, iguanas y pájaros. El Parque Nacional Torres del Paine está en Chile. Hay volcanes, glaciares, ríos, lagos, llamas, cóndores y pumas.
4. Las dos costas de Costa Rica quedan al lado del océano Pacífico y el mar Caribe. Los turistas van a Chile en el invierno para esquiar.

Objectives
- Read and write about vacations around the world.
- Compare your vacation with Laura's, Lucas's, and Francisco's vacations.

Core Resources
- *Cuaderno* pp. 47–49
- Audio Program: TXT CD 2 Track 23
- Video Program: DVD Track 1

Presentation Strategies
- Ask the students to read the headings and look at the photos and to predict what they will read in the text. List their responses on the board.
- Have students listen to the audio as they follow along in their text.
- Assign students to read each of the three accounts. Encourage them to say if they also like to do the activities described when they are on vacation.

STANDARDS
1.2 Understand language
1.3 Present information
4.2 Compare cultures
Communication, Escribir

✓ Ongoing Assessment

Peer Assessment Have students exchange the descriptions of their vacations with a classmate. Tell pairs to read each other's papers and offer suggestions or point out errors orally.

Communication
Interpersonal Mode

Put students in small groups. Tell students in each group to talk about vacations they have taken. Then have students compare their vacations with vacations their classmates have taken.

82

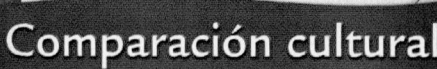
Comparación cultural

Puerto Rico
Costa Rica
Chile

De vacaciones
AUDIO

Lectura y escritura

WebQuest
my.hrw.com

1 **Leer** Vacations vary around the world. Read where and how Laura, Lucas, and Francisco spent their vacations.

2 **Escribir** Using the three descriptions as models, write a short paragraph about a vacation that you took.

> **STRATEGY** Escribir
> **Use a mind map** To write a paragraph about your vacation, make and use a mind map like the one shown.
>
>
> Mis vacaciones
> Mi reacción
> Lugar(es)
> Actividades

Step 1 On the mind map, add details of the place where you vacationed, what you did there, and your reaction.

Step 2 Write the paragraph, building on the information in your mind map. Check your writing by yourself or with help from a friend. Make final additions and corrections.

Compara con tu mundo

Use the paragraph you wrote to compare your vacation with that of Laura, Lucas, or Francisco. In what ways is your vacation the same or different?

Cuaderno pp. 47–49   Cuaderno para hispanohablantes pp. 47–49

Unidad 1
ochenta y dos

Differentiating Instruction

Multiple Intelligences

Visual Learners Instruct students to make a comic strip that illustrates the events of the last vacation they took. Tell students that stick figures are fine but that they should try to illustrate vacation activities as best as they can. Students do not have to write captions but should be able to explain in their own words what is happening in the drawings.

Pre-AP

Use Transitions Tell students to add transitional phrases to the descriptions of their vacations. Instruct students to use phrases such as **luego, entonces,** and **por eso** as they describe a series of events. Explain that using these phrases will make the text flow more smoothly for the reader.

CULTURA Interactiva
my.hrw.com
See these pages come alive!

Chile
Laura

¿Qué tal? Mi nombre es Laura y vivo en Chile. En julio, durante las vacaciones de invierno, fui de excursión con la clase a la isla de Pascua. Pasamos tres días en un hostal para estudiantes. Fue un viaje muy interesante. Vi muchas atracciones del lugar, como el Parque Nacional Rapa Nui. También visité el Museo de Isla de Pascua. Allí compré unas bellas artesanías del lugar.

Costa Rica
Lucas

¡Hola! Me llamo Lucas. Soy de Costa Rica. El mes pasado fui de vacaciones a las playas de Guanacaste, en el océano Pacífico. Mucha gente hace surfing allí. Durante mi viaje di caminatas por la playa y monté a caballo. ¡Qué divertido! Después tomé muchas fotos y compré recuerdos del lugar para mis amigos.

Puerto Rico
Francisco

¡Hola! Soy Francisco. El verano pasado fui con unos amigos al pueblo[1] de La Parguera, en el sur de Puerto Rico. Allí está la Bahía Fosforescente. Acampamos cerca de La Parguera, y por la noche alquilamos un bote[2] para visitar la bahía. En el agua vimos millones de luces[3]. ¡Qué bella sorpresa!

[1] town   [2] boat   [3] lights

Costa Rica
ochenta y tres   **83**

Differentiating Instruction

Slower-paced Learners

Sentence Completion Give slower-paced students a worksheet with several sentences about the reading, leaving out key words or phrases. Allow students to use the text to complete the sentences. Go over the answers as a class. If a student gives an incorrect answer, guide him or her to the place in the text where he or she will most likely find the answer.

Inclusion

Multisensory Input/Output Use a variety of strategies to help students understand the vacation descriptions. Ask students to scan the paragraphs and make a list of any expressions that they do not understand. Have students share those phrases with the class and convey the meaning with gestures, simple explanations, or drawings.

Communication
Grammar Activity

Put students into pairs. Ask the pairs to make a list of all the verbs in the preterite tense in the three descriptions. Reward pairs who successfully found all the verbs with a small "premio" such as a piece of candy.

Comparación cultural

Background Information

The glowing **Bahía fosforescente** (Bioluminescent Bay) in southern Puerto Rico is a beautiful sight. Bioluminescence is a natural defense system. When protozoans, or single-celled animals invisible to the naked eye, are being attacked, the movement in the water excites them. This results in a chemical reaction that produces light.

✓ Ongoing Assessment

Rubric Lectura y escritura

Writing Criteria	Very Good	Proficient	Not There Yet
Content	Description contains many vacation activities.	Description contains some vacation activities.	Description contains few or no vacation activities.
Communication	Paragraph is well-organized and easy to follow.	Paragraph is fairly well-organized and easy to follow.	Paragraph is disorganized and hard to follow.
Accuracy	Paragraph has few mistakes in grammar and vocabulary.	Paragraph has some mistakes in grammar and vocabulary.	Paragraph has many mistakes in grammar and vocabulary.

To customize your own rubrics, use the *Generate Success Rubric Generator and Graphic Organizers.*

Objective
· Cumulative Review

Core Resource
· Audio Program: TXT CD 2 Track 24

Review Options
· **Activity 1:** Open-ended practice: listening comprehension
· **Activity 2:** Open-ended practice: speaking
· **Activity 3:** Open-ended practice: speaking
· **Activity 4:** Open-ended practice: writing
· **Activity 5:** Open-ended practice: speaking
· **Activity 6:** Open-ended practice: writing and speaking
· **Activity 7:** Open-ended practice: reading and writing

STANDARDS
1.1 Engage in conversation, Acts. 3, 5
1.2 Understand language, Acts. 1, 7
1.3 Present information, Acts. 2, 3, 4

21st CENTURY **Communication,** Act. 2; **Creativity and Innovation,** Acts. 4, 6; **Flexibility and Adaptability,** Acts. 3, 5; **Productivity and Accountability,** Inclusion; **Social and Cross-Cultural Skills,** English Learners

Communication
Reluctant Speakers

Allow students who are very shy about speaking in front of the class to videotape the presentation about their favorite vacation for Activity 2.

Communication
Presentational Mode

For extra credit, ask students to present their destinations for Activity 4 to the class. Tell students to use the information in their brochures, but also have them explain what makes their destination unique. Students should also bring in visuals to accompany the presentation.

84

Repaso inclusivo

¡AvanzaRap!
DVD
Sing and Learn

♻ **Options for Review**

Digital performance space

1 | Listen, understand, and compare

Escuchar

Listen to the airport announcement and answer the questions that follow.

1. ¿Para quién es la información?
2. ¿Cuál es el número de puerta para la salida del vuelo?
3. ¿Adónde van a viajar los pasajeros del vuelo?
4. ¿Qué deben llevar en la mano los pasajeros?
5. ¿Qué deben hacer con el equipaje?
6. ¿Cuántas maletas pequeñas puede tener un pasajero cuando sube al avión?
7. ¿Cuándo es la salida del vuelo?

🎧 **Audio Progr**
TXT CD 2 Track
Audio Script, T
p. 57B

Have you ever traveled by plane, train, bus, or subway? Compare this announcement with any that you have heard. What type of information would you expect to hear that is similar to the information presented here? What is different?

2 | Do an oral presentation about your favorite vacation

Hablar

Describe to the class a favorite trip you took with your family, friends, or any other organized group. Describe where you went, how you traveled there, where you stayed, and what you did. If you have any photos, bring them to class to use in your presentation. Plan on speaking for at least two minutes.

3 | Role-play a scene at customs

Hablar

Role-play a scene at customs in an airport. One of you will play the role of the customs officer; the other is the returning traveler. The customs officer will ask you questions about your luggage, where you went on your trip, and what souvenirs you bought and brought back with you. Your conversation should be at least three minutes long.

4 | Write a brochure

Escribir

Think of your ideal vacation place. It can be a favorite destination you've gone to before or somewhere you've always wanted to go. Create a brochure for this destination that describes the accomodations and the activities that are available once you are there. Your brochure should have a title, illustrations, and six to eight sentences to present information.

Differentiating Instruction

Inclusion

Metacognitive Support Put students into small groups. Have each group design a short lesson plan to review one of the following: preterite tense, interrogative words, direct object pronouns, or indirect object pronouns. The plan should include a description of the grammar and a brief activity (written or oral) that the students have created to practice the structure.

Heritage Language Learners

Support What They Know Ask heritage speakers to take a leadership role as the class completes activities for the Repaso inclusivo. This section is heavy on open-ended activities, which can be very difficult for students. Encourage students in the class to approach heritage speakers for help pertaining to vocabulary, structure, and pronunciation.

5 | Plan a trip

ablar

With a partner, role-play a conversation with your travel agent. One of you is a tourist who will take a trip to Costa Rica; the other is the travel agent. Discuss travel preparations with your agent. Ask what you need to do ahead of time, where you will stay, and what you will do. Also discuss what you need to pack for your expected activities.

6 | Create an ad

ribir
blar

With a partner, create an ad for a souvenir shop. Decide on a name and location for your store. Talk about what kind of souvenirs you want to sell. Your ad should include photos or drawings of the items, as well as their prices and brief descriptions.

7 | Reserve a trip

Leer
ribir

Read the following travel website that offers a package tour to Costa Rica. Make a reservation for your family by e-mail. Reserve dates for your flights, your stay at the hotel, and any sightseeing tours you would like to include. Ask for any additional information to complete your travel plans.

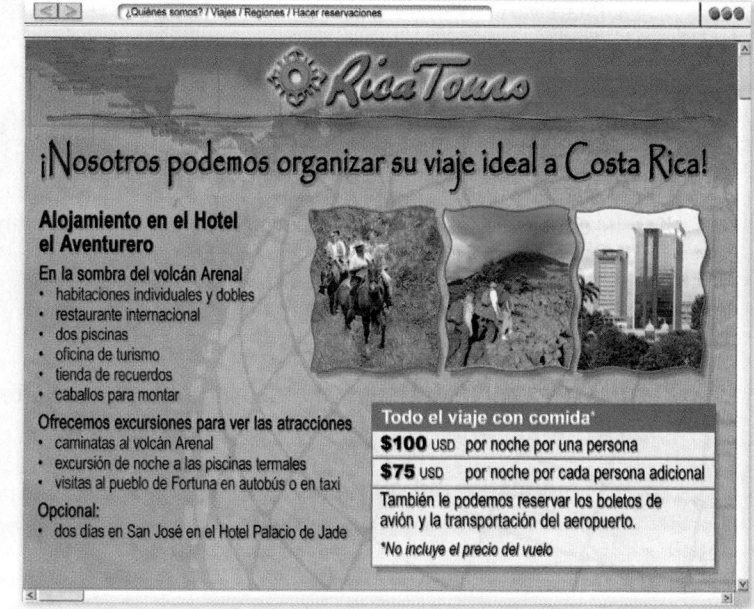

¿Quiénes somos? / Viajes / Regiones / Hacer reservaciones

RicaTours

¡Nosotros podemos organizar su viaje ideal a Costa Rica!

Alojamiento en el Hotel el Aventurero

En la sombra del volcán Arenal
- habitaciones individuales y dobles
- restaurante internacional
- dos piscinas
- oficina de turismo
- tienda de recuerdos
- caballos para montar

Ofrecemos excursiones para ver las atracciones
- caminatas al volcán Arenal
- excursión de noche a las piscinas termales
- visitas al pueblo de Fortuna en autobús o en taxi

Opcional:
- dos días en San José en el Hotel Palacio de Jade

Todo el viaje con comida*

$100 USD	por noche por una persona
$75 USD	por noche por cada persona adicional

También le podemos reservar los boletos de avión y la transportación del aeropuerto.

*No incluye el precio del vuelo

Costa Rica
ochenta y cinco **85**

Differentiating Instruction

English Learners

Build Background For Activity 6, ask English learners to design an ad for a shop in their countries of origin. The advertisement should show items that are typical of that country. English learners should explain how their souvenirs reflect the culture of the country. Compare and contrast the souvenirs in the various ads.

Slower-paced Learners

Peer-study Support For group or pair activities, be sure to put a variety of proficiencies in each group. Allow high proficiency students to assist low proficiency students, but insist that all students participate. For speaking activities, make it clear that all students in the group are to have equal speaking parts.

✓ Ongoing Assessment

Integrated Performance Assessment Rubric Oral Activities 2, 3, 5
Written Activities 4, 6, 7

The student throughly develops all requirements of the task.	The student develops most of the requirements of the task.	The student does not develop the requirements of the task.
The student demonstrates excellent control of verb forms.	The student demonstrates good to fair control of verb forms.	The student demonstrates poor control of verb forms.
Good variety of vocabulary.	Adequate variety of vocabulary.	The vocabulary is not appropriate.
Pronunciation is very good.	Pronunciation is good to fair.	Pronunciation is poor.

To customize your own rubrics, use the **Generate Success** *Rubric Generator and Graphic Organizers.*

Long-term Retention

Personalize It

As an extension of Activity 4, ask students to act out an event that actually happened to them on a vacation. Encourage students to portray something funny that happened to them on a trip.

Communication

Group Work

Activity 6 Before beginning the activity, have students get into small groups. Tell the groups to brainstorm a list of items that they like to buy for themselves or other people when they are on vacation.

Answers

Activity 1

1. La información es para los pasajeros del vuelo dos cincuenta y seis.
2. El número de la puerta es el número cinco.
3. Los pasajeros van a viajar a San José, Costa Rica.
4. Ellos deben llevar en la mano el pasaporte, la identificación y la tarjeta de embarque.
5. Deben facturar el equipaje o hablar con los auxiliares del vuelo.
6. El pasajero puede tener en la mano una maleta pequeña.
7. La salida del vuelo es en veinte minutos.

Activity 2–7 Answers will vary.

Proyectos adicionales

❖ Art Project

Redesign the Argentine Soccer Jersey Show students a picture of the home jersey worn by members of Argentina's national soccer team. Tell students to imagine that there is a contest in which fans can submit designs for a new jersey. Their designs must highlight some important cultural aspects of Argentina.

1. Divide the class into groups of three or four students.

2. Have groups research Argentina's history, culture, national features and cities using encyclopedias, travel and geography books and magazines, and online resources. Explain to students that they will use the images that they find in these sources to draw sketches of things that symbolize Argentina (i.e., the skyline of Buenos Aires, the river Plata, Tierra del Fuego, cowboys, *las pampas,* etc.) Have each group choose four or five aspects to represent in their sketches.

3. Provide students with large pieces of paper, markers, and colored pencils.

4. Using their sketches, students will illustrate their design for the jersey. They must show the front and back of the jersey. Students must also provide a brief description of their design, in Spanish, as well as an explanation of why they think their design symbolizes Argentina.

Have students share their designs with the class and hang their designs around the room.

PACING SUGGESTION: Two 50-minute class periods after Lección 1.

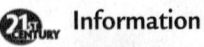 **Information Literacy**

❖ Web Research

Outdoor Activities in Argentina Argentina is a country of varied landscapes and climates, from the grasslands of the pampas, to the semiarid region of Patagonia, with its high elevations, deep valleys, and glacial lakes, to the lowlands in the western part of the country, the towering peaks of the Andes mountains and the sub-arctic climate of the Tierra del Fuego in the south. The geography and climate of Argentina lends itself to a variety of outdoor activities, such as golfing, skiing, fishing, hiking, and horseback riding. Have students research outdoor activities in Argentina. Guide their research by asking the following questions:

- What is the geography of Argentina like? How does the climate vary in different parts of the country?
- What are some popular outdoor activities in Argentina?
- How do the country's geographic features and climate affect the types of outdoor activities one can enjoy in Argentina?

Have students report their findings by writing a paragraph that includes at least four different outdoor activities, in what areas of the country they can be enjoyed, and how the geography and climate make these activities possible.

Search Key Words: "geography of Argentina", "climate of Argentina", "outdoor activities in Argentina"

PACING SUGGESTION: One 90-minute class period after Lección 2.

 Information Literacy

❖ Game

Una semana en un campamento de deportes

- Write a variety of verbs and vocabulary words on index cards. Be sure to include words from all categories of the *En resumen* pages.
- Organize cards into 3 piles, one with verbs, one with vocabulary from Lección 1 and the other with vocabulary from Lección 2.
- Divide the class into teams of 3–4 students. Have teams choose 3 cards from each pile. Give teams 20 minutes to write a creative story with the theme **Una semana en un campamento de deportes** using all words on their cards. Encourage students to use as much vocabulary as possible from the unit and to be creative.
- Have each group read their story to the class.

PACING SUGGESTION: One 50-minute class period after the completion of Lección 2.

 Creativity and Innovation

❈ Careers

Becoming a Soccer Referee As soccer grows more popular, there is a greater demand for soccer referees. The international organization FIFA (Fédération Internationale de Football Association) maintains the rules of soccer, and is ultimately responsible for the oversight of soccer referees. FIFA's official rulebook contains the 17 laws that every soccer referee must know. Have students go online to find the 17 laws. Have each student choose 3 laws and think of a scenario during a soccer game that would require a referee to make a decision based on one of these laws. Before class, list the laws on the board, or prepare an overhead of them. Conduct a class discussion, and have students share scenarios as each law is discussed.

> **PACING SUGGESTION:** Have students research as a homework assignment after completing Lección 1. Allow 30–40 minutes for class discussion.

❈ Storytelling

Una competencia importante After reviewing the vocabulary from Lección 1, model a mini-story. Later, students will revise, retell and expand it.

Hoy es un día muy importante. Nuestro **equipo** de fútbol tiene un partido de **campeonato.** Todos en el equipo somos muy **activos** y nos gusta **competir**. Jugamos con otro equipo que es muy bueno y no queremos perder. Antes del partido, **hacemos ejercicios**. Primero, corremos mucho y todos practicamos **meter un gol**. Después de practicar, nos ponemos **los uniformes** y vamos al campo. ¡Algún día quiero **competir** en **la Copa Mundial**!

As you tell the story, be sure to pause so that students can fill in words and act out gestures. Have students retell the story, adding more details. Encourage them to use words from the Expansión de vocabulario on p. R4.

> **PACING SUGGESTION:** 30 minutes of class time at the end of Lección 1

❈ Recipe

Arroz con leche, or rice with milk, is a popular dessert in many Spanish-speaking countries, including Argentina. It is similar to rice pudding.

Arroz con leche

Ingredientes
1 cuarto de galón de leche
1/2 libra de arroz
1 1/2 tazas de azúcar
corteza de limón al gusto
1 varita de canela en rama
canela en polvo al gusto
1/2 taza de pasas

Instrucciones
Hierva en una cazuela la leche con la corteza de limón y la canela en rama. Añada el arroz. Antes de finalizar la cocción, en unos 30 minutos, añada el azúcar y las pasas. Sirva frío con canela en polvo.

Receta para 6 personas
Tiempo de preparación: 15 minutos
Tiempo total: 45 minutos

¡AvanzaRap! DVD
- Video animations of all **¡AvanzaRap!** songs (with Karaoke track)
- Teaching Suggestions
- **¡AvanzaRap!** Activity Masters
- **¡AvanzaRap!** Video Scripts and Answers

Also available on the **Teacher One Stop**

UNIT THEME
We are healthy!

UNIT STANDARDS
COMMUNICATION
· Talk about sporting events and athletes
· Discuss ways to stay healthy
· Point out specific people and things
· Retell events from the past
· Discuss your daily routine
· Clarify sequence of events
· Say what you did and what others are doing

CULTURES
· Soccer
· Sports chants
· Sports and Argentinian culture in the art of Antonio Berni
· The history of the World Cup
· Abstract art and comic strips
· Daily routines in rural Argentina and Colombia
· Body language, gestures, and idioms
· Athletic routines in Argentina, Colombia, and Spain

CONNECTIONS
· Physical Education: Exercises that train players for **cinchada**
· Mathematics: Compare dimensions of a **pato** field and another field using metrics
· History: Research the **gauchos** and their traditions
· Language Arts: Read and summarize a poem; explain its meaning

COMPARISONS
· The Spanish /k/ sound and accents
· The influence of artists' personal interests on their art
· Special places in downtown areas
· How an artist communicates through abstract art
· How comic strips represent culture

COMMUNITIES
· Gestures used in different cultures.

Video Character Guide
Luisa, Diego, and Mateo are friends who have several interests in common, especially sports and healthy habits. The three characters live in Buenos Aires.

▶❙ ❙❙

86

Argentina
¡Somos saludables!

Bolivia

Océano Pacífico

Paraguay

Lección 1
Tema: **La Copa Mundial**

Chile · PAMPAS · Santa Fe · Uruguay

Lección 2
Tema: **¿Qué vamos a hacer?**

Buenos Aires ★ · La Plata

Argentina

Mar del Plata · Océano Atlántico

San Carlos de Bariloche

«¡Hola!
Nosotros somos Luisa y Mateo.
Somos de Argentina.»

PATAGONIA

Ushuaia

Población: 40.482.000

Área: 1.068.302 millas cuadradas, el país hispanohablante más grande del mundo

Capital: Buenos Aires

Moneda: el peso argentino

Idioma: español

Alfajor con dulce de leche

Comida típica: alfajores con dulce de leche, matambre, asado

Gente famosa: Norma Aleandro (actriz), Jorge Luis Borges (escritor), Julio Cortázar (escritor), Juan Maldacena (físico), Mercedes Sosa (cantante)

86 ochenta y seis

Cultural Geography

Setting the Scene
· ¿Dónde queda Argentina? (En Sudamérica)
· ¿Cómo se llaman los chicos en la foto? (Luisa y Mateo)
· ¿Quiénes son algunos escritores argentinos famosos? (Julio Cortázar, Jorge Luis Borges)

Teaching with Maps
· ¿Qué países tienen frontera con Argentina? (Paraguay, Bolivia, Uruguay, Chile, Brasil)
· ¿Qué ciudades están en la costa este del país? (Buenos Aires, Mar del Plata, La Plata)

CULTURA Interactiva
my.hrw.com
See these pages come alive!

La calle Florida, Buenos Aires

◀ **¿Qué querés comprar?** Los argentinos usan la forma **vos** en vez de *(instead of)* la forma **tú**. Algunos ejemplos de la forma **vos** son: vos querés (tú quieres), vos sos (tú eres), vos te llamás (tú te llamas). En la foto usan **vos** en un anuncio para una tienda en la calle Florida, donde hay muchos lugares para ir de compras. *¿Qué palabras o expresiones especiales usan en tu región de Estados Unidos?*

La Boca La Boca es un barrio *(neighborhood)* interesante de Buenos Aires, donde hay casas de muchos colores vivos y donde viven muchos artistas. Allí puedes visitar museos, comprar arte y artesanías y ver a cantantes y bailarines de tango. La calle más famosa de La Boca se llama Caminito. *¿Hay un centro artístico en tu comunidad?* ▶

Bailando tango en La Boca, Buenos Aires

Escalando en la nieve

◀ **La Patagonia** La región de la Patagonia es muy popular entre turistas que buscan aventuras o deportes extremos. El clima y el terreno son muy variados. Allí puedes acampar, hacer kayac en lagos con glaciares, ir a la playa, hacer excursiones a las montañas, esquiar y ver animales diversos e interesantes como pingüinos y cóndores. *¿Cómo es la región donde vives?*

Argentina
ochenta y siete   **87**

Bridging Cultures

Heritage Language Learners

Support What They Know Ask heritage learners if they can think of other popular "barrios," in cities or towns located in their place of origin or in other Spanish-speaking countries. Encourage them to describe who lives there, what the place is known for, and what kinds of buildings can be found there.

Support What They Know Review the typical Argentinian foods listed on page 86. Ask students to name some popular desserts and/or meat dishes from their country of origin. Ask them how the dishes are prepared and whether or not they are associated with a certain season or festival.

CULTURA Interactiva
my.hrw.com

Cultura Interactiva Send your students to my.hrw.com to explore authentic Argentinian culture. Tell them to click Cultura interactiva to see these pages come alive!

Culture

About the Photos

Tango Dancing The photo of the tango dancers depicts a typical Argentinian street scene. Tango dancing originated in Argentina in the late 1800s, and its popularity spread from the suburbs of Buenos Aires to every part of the city. The dance became popular in Europe in the early 20th century and has since become synonymous with Argentinian culture.

Patagonia This diverse region makes up the southern part of the country. It has largely untamed forests, glaciers, mountains, valleys, lakes, and coastal areas, making it a popular destination for adventurous travelers. Visitors to the area can find numerous opportunities for sailing, trekking, mountain-climbing, fly-fishing, whale-watching, and skiing.

Expanded Information

La Boca One of the oldest neighborhoods in Buenos Aires, La Boca is home to a thriving artists' colony. It was settled by immigrants who worked in nearby meatpacking plants and warehouses, and continues today to be a predominantly working-class neighborhood.

La Bombonera Located in La Boca, La Bombonera is the soccer stadium for the Boca Juniors, a noted national soccer team also known for one its former members, the legendary soccer player Diego Maradona.

Tierra del Fuego This province is often called "the End of the World," because its capital, Ushuaia, is considered the world's southernmost city. Due to its remoteness and underdeveloped infrastructure, the area is not a popular tourist destination, although it does attract travelers in search of adventurous expeditions into uninhabited areas.

Culture at a Glance ✦

Topic & Activity	Essential Question
Playing soccer in the park, pp. 88–89	¿Cuáles son los deportes o juegos que tú y tus amigos practican?
Sports chants, p. 96	¿Cómo unifican los cantos deportivos a los miembros de una comunidad?
Soccer and the art of Antonio Berni, p. 102	¿Qué influencia tienen los intereses personales de un(a) artista sobre su arte?
The World Cup, pp. 106–107	¿Qué es la Copa Mundial?
Culture review, p. 111	¿Cómo son las culturas de Argentina y España?

COMPARISON COUNTRIES    Argentina    Colombia    España

Practice at a Glance ✦

	Objective	Activity & Skill
Vocabulary	Sports	1: Speaking/Writing; 3: Listening/Reading; 4: Speaking; 8: Listening/Writing; 10: Reading/Writing; 13: Speaking/Writing; Repaso 1: Listening; Repaso 3: Writing
	Staying healthy	2: Reading; 5: Speaking/Writing; 9: Speaking; 12: Speaking; 17: Listening/Reading; 18: Reading/Writing; 19: Speaking; 20: Reading/Listening/Speaking; Repaso 2: Writing
Grammar	Adverbs with **–mente**	4: Speaking; 8: Listening/Writing; Repaso 1: Listening
	Preterite of **–er** and **–ir** verbs	5: Speaking/Writing; 6: Speaking; 7: Reading/Writing; 8: Listening/Writing; 9: Speaking; 10: Reading/Writing; 11: Speaking; 12: Speaking; 21: Writing; Repaso 2: Writing
	Demonstrative adjectives and pronouns	13: Speaking/Writing; 14: Speaking; 15: Speaking; 16: Speaking/Writing; Repaso 3: Writing
Communication	Talk about sporting events and athletes	4: Speaking; 8: Listening/Writing; 9: Speaking; 17: Listening/Reading
	Discuss ways to stay healthy	2: Reading; 19: Speaking; 20: Reading/Listening/Speaking; Repaso 2: Writing
	Point out specific people and things	13: Speaking/Writing; 14: Speaking; 15: Speaking; 16: Speaking/Writing
	Retell events from the past	6: Speaking; 11: Speaking; 12: Speaking; 21: Writing; Repaso 2: Writing
	Pronunciation: The **k** sound	*Pronunciación: El sonido **k**,* p. 101: Listening/Speaking
Recycle	Food	5: Speaking/Writing
	Sports equipment, colors	13: Speaking/Writing
	Clothing	14: Speaking
	Classroom objects	15: Speaking

The following presentations are recorded in the Audio Program for *¡Avancemos!*

- **¡A responder!** *page 91*
- **8: Los Lobos y los Tigres** *page 97*
- **20: Integración** *page 105*
- **Repaso de la lección** *page 110*
  - **1: Listen and understand**

For **¡AvanzaRap!** scripts, see the **¡AvanzaRap!** DVD.

¡A responder! TXT CD 3 track 2

1. El equipo de fútbol de Luisa está empatado dos-dos con el otro equipo.
2. Los Juegos Olímpicos son cada cuatro años.
3. Luisa mete un gol para su equipo.
4. Tienes que seguir una dieta balanceada.
5. El equipo de Argentina va a jugar en la Copa Mundial.
6. La pelota entró en la red.
7. Es necesario comer comida saludable.
8. Una competencia importante es la Vuelta a Francia.

8 | Los Lobos y los Tigres

TXT CD 3 track 4

Bienvenidos a Radio Deportes donde siempre le traemos las mejores noticias del mundo deportivo. Esta tarde jugaron los Lobos y los Tigres en el partido final del campeonato. Los equipos estuvieron empatados, cero cero, durante el primer tiempo del partido. Luego, el campeón de los Lobos, Roberto Solís, metió dos goles durante los primeros cinco minutos del segundo tiempo. Los jugadores de los dos equipos corrieron rápidamente, pero metieron pocos goles. Mucho más tarde, los Tigres metieron un gol. Ese gol fue al final del partido y los Tigres perdieron. Los Lobos ganaron y recibieron el premio. ¡Bravo, Lobos!

20 | Integración TXT CD 3 tracks 8, 9

Fuente 2, Programa de radio

Arturo Mora: Buenas tardes. Nuestra invitada de hoy es Cora Belén. Cora practica el ciclismo y compitió en la Vuelta a Francia este año. Cora, bienvenida al programa.

Cora Belén: Gracias, Arturo.

Arturo Mora: Ahora trabajas en una escuela y enseñas clases de salud y deportes. ¿Tienes consejos para los chicos que quieren ser más saludables?

Cora Belén: Sí, Arturo. No hay que ser un deportista serio para estar saludable. Simplemente hay que hacer un poco de ejercicio todos los días, como correr o caminar.

Arturo Mora: Y, ¿es importante ser *<putting on comic "macho" voice>* musculoso, como yo?

Cora Belén: *<laughing>* No es necesario ser musculoso. Pero es bueno mantenerse en forma para no tener problemas de salud.

Repaso de la lección TXT CD 3 track 11

1 Listen and understand

Y ahora en el mundo de los deportes... En el campeonato de tenis, hoy por primera vez jugó Carla Sánchez. ¡Qué alegre está! En otra competencia, Víctor García corrió en la pista, pero corrió lento, muy lento. No fue el campeón de esa competencia.
En el béisbol, los jugadores del equipo de los Osos fueron muy serios. Practicaron mucho para este partido muy importante. Quieren ganarles a los campeones.
Y en el partido de fútbol de hoy Alejandro Díaz metió un gol en los primeros minutos del juego. ¡Qué rápido!
Luego, su equipo, los Tigres ganó el partido 7 a 1. Fue muy fácil para los Tigres. Fue demasiado fácil ganar contra los Jaguares.
Y para los aficionados de los Jaguares fue un día muy triste. Eso es todo por hoy en el Mundo de los Deportes.

Everything you need to ...

Plan
TEACHER ONE STOP

✓ Lesson Plans
✓ Teacher Resources
✓ Audio and Video

Present
INTERACTIVE WHITEBOARD LESSONS

TEACHER ONE STOP WITH PROJECTABLE TRANSPARENCIES

POWER PRESENTATIONS

ANiMATEDGRaMMaR

Assess

ONLINE ASSESSMENT

✓ Assessments for on-level, modified, pre-AP, and heritage learners
✓ Create customized tests with **Examview Assessment Suite**
✓ performance space
✓ *Generate Success* Rubric Generator

 Print

Plan	Present	Practice	Assess
URB 2 • Video Scripts pp. 69–70 • Family Letter p. 91 • Absent Student Copymasters pp. 93–100 **Best Practices Toolkit**	**URB 2** • Video Activities pp. 51–58	• *Cuaderno* pp. 50–72 • *Cuaderno para hispanohablantes* pp. 50–72 • *Lecturas para todos* pp. 120–124 • *Lecturas para hispanohablantes* • *AvanzaCómics El misterio de Tikal,* Episodio 1 **URB 2** • Practice Games pp. 31–38 • Audio Scripts pp. 73–77 • Map/Culture Activities pp. 83–84 • Fine Art Activities pp. 86–87	**Differentiated Assessment Program** **URB 2** • Did you get it? Reteaching and Practice Copymasters pp. 1–12

 Projectable Transparencies (Teacher One Stop, my.hrw.com)

Culture	Presentation and Practice	Classroom Management
• Atlas Maps 1–6 • Map: Argentina 1 • Fine Art Transparencies 2, 3	• Vocabulary Transparencies 6, 7 • Grammar Presentation Transparencies 10, 11	• Warm Up Transparencies 16–19 • Student Book Answer Transparencies 24–27

 # Audio and Video

Audio	Vídeo	¡AvanzaRap! DVD
• Student Book Audio CD 3 Tracks 1–11 • Workbook Audio CD 1 Tracks 21–30 • Assessment Audio CD 1 Tracks 9–10 • Heritage Learners Audio CD 1 Tracks 9–12, CD 3 Tracks 9–10 • *Lecturas para todos* Audio CD 1 Track 3, CD 2 Tracks 1–7 • Sing-along Songs Audio CD	• Vocabulary Video DVD 1 • *Telehistoria* DVD 1 • *Telehistoria, Escena 1* • *Telehistoria, Escena 2* • *Telehistoria, Escena 3* • *Telehistoria, Completa*	• Video animations of all **¡AvanzaRap!** songs (with Karaoke track) • Interactive DVD Activities • Teaching Suggestions • **¡AvanzaRap!** Activity Masters • **¡AvanzaRap!** video scripts and answers

 # Online and Media Resources

Student	Teacher
Available online at my.hrw.com • Online Student Edition • **News** Networking • **performance space** • **@HOMETUTOR** • **CuLTURa Interactiva** • WebQuests • Interactive Flashcards • Review Games • Self-Check Quiz **Student One Stop** **Holt McDougal Spanish Apps**	**Teacher One Stop (also available at my.hrw.com)** • Interactive Teacher's Edition • All print, audio, and video resources • Projectable Transparencies • Lesson Plans • TPRS • Examview Assessment Suite **Available online at my.hrw.com** *Generate Success* Rubric Generator and Graphic Organizers **Power Presentations**

 # Differentiated Assessment

On-level	Modified	Pre-AP	Heritage Learners
• Vocabulary Recognition Quiz p. 63 • Vocabulary Production Quiz p. 64 • Grammar Quizzes pp. 65–66 • Culture Quiz p. 67 • On-level Lesson Test pp. 68–74	• Modified Lesson Test pp. 47–53	• Pre-AP Lesson Test pp. 47–53	• Heritage Learners Lesson Test pp. 53–59

Core Pacing Guide

50 Minute (9 Day)

	Objectives/Focus	Teach	Practice	Assess/HW Options
DAY 1	**Culture:** learn about Argentine culture **Vocabulary:** competitive sporting events, ways to stay healthy • Warm Up OHT 16 **5 min**	Unit Opener pp. 86–87 Lesson Opener pp. 88–89 **Presentación de vocabulario** pp. 90–91 • Read A–D • View video DVD 1 • Play audio TXT CD 3 track 1 • *¡A responder!* TXT CD 3 track 2 **25 min**	Lesson Opener pp. 88–89 **Práctica de vocabulario** p. 92 • Acts. 1, 2 **15 min**	**Assess:** *Para y piensa* p. 92 **5 min** **Homework:** *Cuaderno* pp. 50–52 @HomeTutor
DAY 2	**Communication:** talk about how people practice sports • Warm Up OHT 16 • Check Homework **5 min**	**Vocabulario en contexto** pp. 93–94 • *Telehistoria escena 1* DVD 1 • *Nota gramatical:* adverbs **20 min**	**Vocabulario en contexto** pp. 93–94 • Act. 3 TXT CD 3 track 3 • Act. 4 **20 min**	**Assess:** *Para y piensa* p. 94 **5 min** **Homework:** *Cuaderno* pp. 50–52 @HomeTutor
DAY 3	**Grammar:** learn how to form the preterite of regular –er, –ir verbs • Warm Up OHT 17 • Check Homework **5 min**	**Presentación de gramática** p. 95 • Preterite of –er, –ir verbs **Práctica de gramática** pp. 96–97 **Culture:** *Los cantos deportivos* **20 min**	**Práctica de gramática** pp. 96–97 • Acts. 5, 6, 7 • Act. 8 TXT CD 3 track 4 • Act. 9 **20 min**	**Assess:** *Para y piensa* p. 97 **5 min** **Homework:** *Cuaderno* pp. 53–55 @HomeTutor
DAY 4	**Communication:** use preterite verbs to talk about what you and others did last week • Warm Up OHT 17 • Check Homework **5 min**	**Gramática en contexto** pp. 98–99 • *Telehistoria escena 2* DVD 1 **15 min**	**Gramática en contexto** pp. 98–99 • Acts. 10,11, 12 **25 min**	**Assess:** *Para y piensa* p. 99 **5 min** **Homework:** *Cuaderno* pp. 53–55 @HomeTutor
DAY 5	**Grammar:** learn demonstrative pronouns and adjectives • Warm Up OHT 18 • Check Homework **5 min**	**Presentación de gramática** p. 100 • Demonstrative adjectives and pronouns **Práctica de gramática** pp. 101–102 • *Pronunciación* TXT CD 3 track 6 **15 min**	**Práctica de gramática** pp. 101–102 • Acts. 13, 14, 15, 16 **25 min**	**Assess:** *Para y piensa* p. 102 **5 min** **Homework:** *Cuaderno* pp. 56–58 @HomeTutor
DAY 6	**Communication:** Culmination: give health advice, discuss what you did last week to have fun & stay healthy • Warm Up OHT 18 • Check Homework **5 min**	**Todo junto** p. 103 • *Escenas 1, 2: Resumen* • *Telehistoria completa* DVD 1 **15 min**	**Todo junto** pp. 104–105 • Act. 17 TXT CD 3 tracks 3, 5, 7 • Acts. 18, 19 • Act. 20 TXT CD 3 tracks 8, 9 • Act. 21 **25 min**	**Assess:** *Para y piensa* p. 105 **5 min** **Homework:** *Cuaderno* pp. 59–60 @HomeTutor
DAY 7	**Reading:** The World Cup **Connections:** Physical education • Warm Up OHT 19 • Check Homework **5 min**	**Lectura** pp. 106–107 • *La Copa Mundial* TXT CD 3 track 10 **Conexiones** p. 108 • *La educación física* **15 min**	**Lectura** pp. 106–107 • *La Copa Mundial* **Conexiones** p. 108 • *Proyectos 1, 2, 3* **20 min**	**Assess:** *Para y piensa* **10 min** p. 107 **Homework:** *Cuaderno* pp. 64–66 @HomeTutor
DAY 8	**Review:** Lesson review • Warm Up OHT 19 **5 min**	**Repaso de la lección** pp. 110–111 **15 min**	**Repaso de la lección** pp. 110–111 • Act. 1 TXT CD 3 track 11 • Acts. 2, 3, 4 **25 min**	**Assess:** *Repaso de la lección* **5 min** pp. 110–111 **Homework:** *En resumen* p. 109; *Cuaderno* pp. 61–63, 67–72 (optional) Review Games Online @HomeTutor
DAY 9	**Assessment**			**Assess:** Lesson 1 test **50 min**

	Objectives/Focus	Teach	Practice	Assess/HW Options
DAY 1	**Culture:** learn about Argentine culture **Vocabulary:** competitive sporting events, ways to stay healthy • Warm Up OHT 16 **5 min**	Unit Opener pp. 86–87 Lesson Opener pp. 88–89 **Presentación de vocabulario** pp. 90–91 • Read A–D • View video DVD 1 • Play audio TXT CD 3 track 1 • *¡A responder!* TXT CD 3 track 2 **15 min**	Lesson Opener pp. 88–89 **Práctica de vocabulario** p. 92 • Acts. 1, 2 **20 min**	**Assess:** *Para y piensa* p. 92 **5 min**
	Communication: talk about how people play sports **5 min**	**Vocabulario en contexto** pp. 93–94 • *Telehistoria escena 1* DVD 1 • *Nota gramatical:* adverbs **15 min**	**Vocabulario en contexto** pp. 93–94 • Act. 3 TXT CD 3 track 3 • Act. 4 **20 min**	**Assess:** *Para y piensa* p. 94 **5 min** **Homework:** *Cuaderno* pp. 50–52 @HomeTutor
DAY 2	**Grammar:** learn how to form the preterite of regular –**er**, –**ir** verbs • Warm Up OHT 17 • Check Homework **5 min**	**Presentación de gramática** p. 95 • preterite of –**er**, –**ir** verbs **Práctica de gramática** pp. 96–97 **Culture:** *Los cantos deportivos* **15 min**	**Práctica de gramática** pp. 96–97 • Acts. 5, 6, 7 • Act. 8 TXT CD 3 track 4 • Act. 9 **20 min**	**Assess:** *Para y piensa* p. 97 **5 min**
	Communication: use preterite verbs to talk about what you and others did last week **5 min**	**Gramática en contexto** pp. 98–99 • *Telehistoria escena 2* DVD 1 **15 min**	**Gramática en contexto** pp. 98–99 • Acts. 10, 11, 12 **20 min**	**Assess:** *Para y piensa* p. 99 **5 min** **Homework:** *Cuaderno* pp. 53–55 @HomeTutor
DAY 3	**Grammar:** learn demonstrative pronouns and adjectives • Warm Up OHT 18 • Check Homework **5 min**	**Presentación de gramática** p. 100 • Demonstrative adjectives and pronouns **Práctica de gramática** pp. 101–102 • *Pronunciación* TXT CD 3 track 6 **15 min**	**Práctica de gramática** pp. 101–102 • Acts. 13, 14, 15, 16 **20 min**	**Assess:** *Para y piensa* p. 102 **5 min**
	Communication: Culmination: give health advice, discuss what you did last week to have fun & stay healthy **5 min**	**Todo junto** p. 103 • *Escenas 1, 2: Resumen* • *Telehistoria completa* DVD 1 **15 min**	**Todo junto** pp. 104–105 • Act. 17 TXT CD 3 tracks 3, 5, 7 • Acts. 18, 19 • Act. 20 TXT CD 3 tracks 8, 9 • Act. 21 **20 min**	**Assess:** *Para y piensa* p. 105 **5 min** **Homework:** *Cuaderno* pp. 56-58, 59–60 @HomeTutor
DAY 4	**Reading:** The World Cup • Warm Up OHT 19 • Check Homework **5 min**	**Lectura** pp. 106–107 • *La Copa Mundial* TXT CD 3 Track 10 **15 min**	**Lectura** pp. 106–107 • *La Copa Mundial* **20 min**	**Assess:** *Para y piensa* p. 107 **5 min**
	Review: Lesson review **5 min**	**Repaso de la lección** pp. 110–111 **15 min**	**Repaso de la lección** pp. 110–111 • Act. 1 TXT CD 3 track 11 • Acts. 2, 3, 4 **20 min**	**Assess:** *Repaso de la lección* **5 min** pp. 110–111 **Homework:** *En resumen* p. 109; *Cuaderno* pp. 61–72 (optional) @HomeTutor
DAY 5	**Assessment**			**Assess:** Lesson 1 test **45 min**
	Connections: Physical education **5 min**	**Conexiones** p. 108 • *La educación física* **10 min**	**Conexiones** p. 108 • *Proyectos 1, 2, 3* **30 min**	

¡AVANZA! Objectives

- Introduce lesson theme: **La Copa Mundial.**
- **Culture:** sports and games people practice.

Presentation Strategies

- Introduce the characters' names: Luisa, Diego, and Mateo.
- Ask, **¿Qué deportes practican?**
- Discuss ways to stay healthy.

STANDARDS

1.1 Engage in conversation
4.2 Compare cultures

21ᵗʰ CENTURY **Communication,** Compara con tu mundo/Pre-AP; **Creativity and Innovation,** Multiple Intelligences; **Information Literacy,** Heritage Language Learners

🖥 Warm Up   Projectable Transparencies, 2-16

Vocabulary Provide an example for each of the five categories listed.

La comida _____
Los deportes _____
La ropa _____
Los colores _____
Las cosas para la escuela _____

Answers: Possible answers include: la hamburguesa; el fútbol; los pantalones; amarillo; la pizarra

Comparación cultural

Exploring the Theme

Ask the following:
1. What sports chants do you know?
2. Why might teams have sports chants?
3. What kinds of sports are popular where you live?

¿Qué ves? Possible answers include:
- Practican el fútbol.
- Hay dos equipos.
- Veo un campo, un equipo de cinco jugadores que juegan al fútbol, a un chico que corre, una pelota.

UNIDAD 2 Argentina

Lección 1

Tema:
La Copa Mundial

¡AVANZA! In this lesson you will learn to

- talk about sporting events and athletes
- discuss ways to stay healthy
- point out specific people and things
- retell events from the past

using

- adverbs with **-mente**
- preterite of **-er** and **-ir** verbs
- demonstrative adjectives and pronouns

♻ ¿Recuerdas?

- food
- sports equipment
- colors
- clothing
- classroom objects

Comparación cultural

In this lesson you will learn about

- sports chants in Madrid and Buenos Aires
- sports and Argentine culture in the art of Antonio Berni
- the history of the World Cup

Compara con tu mundo

Los chicos juegan un partido de fútbol en un parque de Buenos Aires. *¿Cuáles son los deportes o juegos que tú y tus amigos practican?*

¿Qué ves?

Mira la foto
¿Qué deporte practican aquí?
¿Cuántos equipos hay?
¿Qué más ves en el parque?

88   ochenta y ocho

Differentiating Instruction

Pre-AP

Expand and Elaborate Have students describe the different sports or activities they practice with their friends in detail. Ask, **¿Dónde practicas deportes con tus amigos? ¿Cuándo los practicas?** Have students write a few sentences telling when, where, and how often they play with their friends or schoolmates.

Heritage Language Learners

Support What They Know Invite students to research a popular athlete from their country or region of origin. Encourage them to find interesting details about the athlete on the Internet, such as how he or she developed an interest in sports, or what his or favorite pastimes are, and include the information in a discussion of him or her.

DIGITAL SPANISH my.hrw.com
ONLINE STUDENT EDITION with...

performance space
News Networking
@HOMETUTOR
CULTURA Interactiva

- Audio and Video Resources
- Interactive Flashcards
- Review Activities
- WebQuest
- Conjuguemos.com

PRACTICE SPANISH WITH HOLT MCDOUGAL APPS!

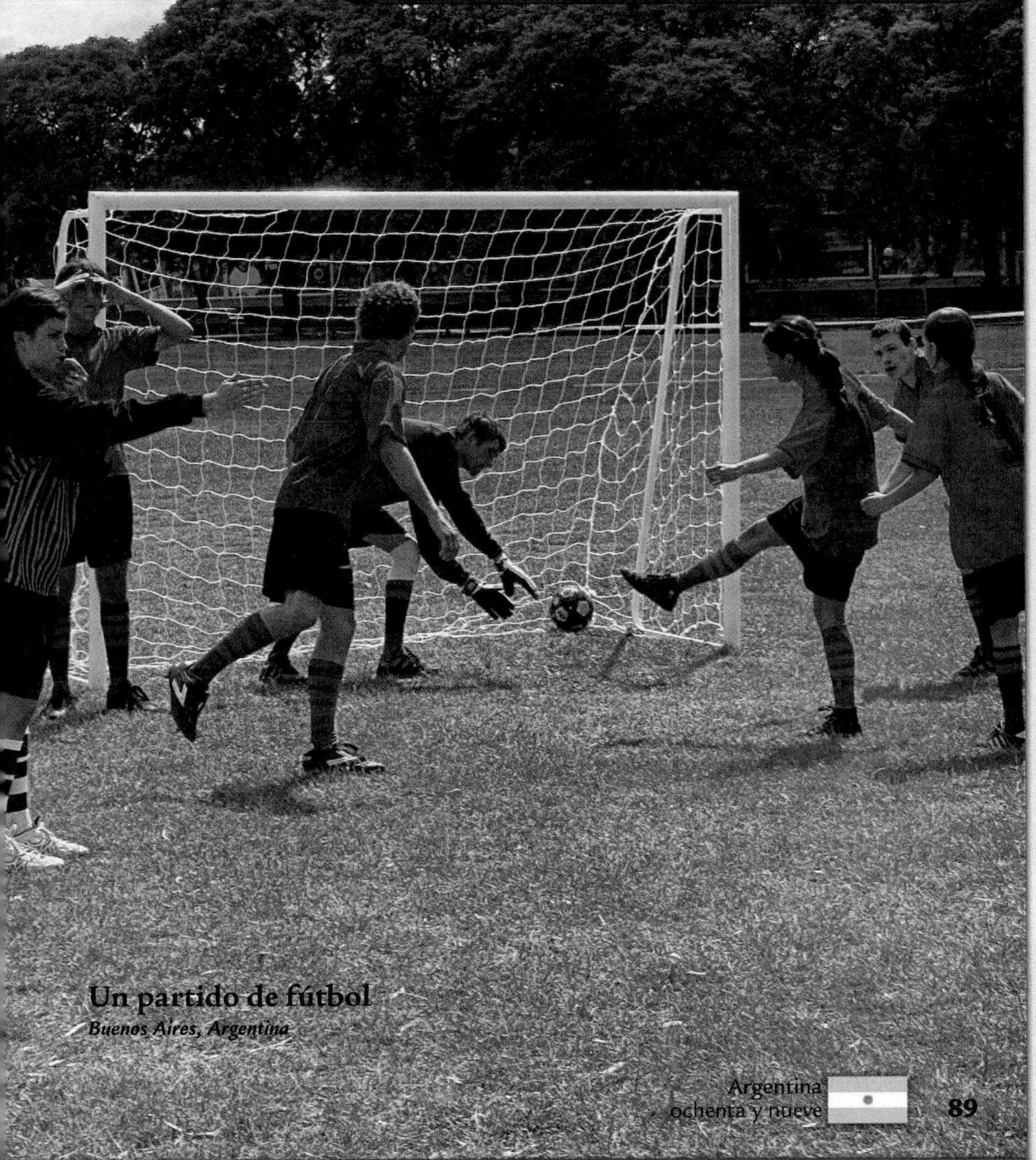

Un partido de fútbol
Buenos Aires, Argentina

DIGITAL SPANISH

TEACHER TOOLS
- Interactive Whiteboard Lessons
- Generate Success!

ALSO AVAILABLE...
- Online Workbook
- Spanish InterActive Reader

SPANISH ON THE GO!
- Performance Space
- Holt McDougal Spanish Apps
- ¡Avancemos! eTextbook

Using the Photo

Location Information

Buenos Aires The photo shows a park in Buenos Aires, the capital of Argentina. The city center is surrounded by numerous parks and the warm climate is well-suited to several outdoor activities, including soccer, the revered national sport.

Expanded Information

Parque Lezama, a hilly park located in the capital, is known for its beautiful landscape, which includes magnolia and elm trees, large green fields, and a river. It is also home to the National History Museum.

Parque 3 de Febrero, on the north side of the city, features patios and gardens inspired by those in Japan, Spain, and the Netherlands.

Population The people of the port city of Buenos Aires are aptly known as **porteños** (people of the port). While the vast majority are of Italian and Spanish descent, the city is also home to people of diverse ethnic, religious, and cultural backgrounds.

Differentiating Instruction

Multiple Intelligences

Visual Learners Have students design a poster for a community center inviting people to join it and participate in popular sports. Ask them to illustrate or cut out images to depict the center's facilities, such as a pool, a football field, or a basketball court. Have them present their designs on a poster with pictures labeled in Spanish.

Inclusion

Cumulative Instruction Review the preterite with **-ar** verbs. Remind students of the many describing words they already know to help them anticipate the grammar content of the chapter. Give examples of words and phrases that they are familiar with (**Hablé con el maestro**) as well as new phrases they can expect to see (**Corrí con el equipo**).

Long-term Retention

Recycle

Review sports-related vocabulary and **gustar.** Ask individual students, **¿Cuál es tu deporte favorito? ¿Por qué te gusta?** to see how many sports the class can name as a whole. If responses are limited, prompt students with questions such as **¿A quién le gusta el voleibol? ¿A quién le gusta nadar?**

¡AVANZA! Objectives

- Present vocabulary: sporting events, sports equipment, and healthy habits.
- Check for recognition.

Core Resources

- Video Program: DVD 1
- Audio Program: TXT CD 3 Tracks 1, 2

Presentation Strategies

- Remind students of the ¡Avanza! and the Para y piensa.
- Play the audio as students read A–D.
- Show the video.

STANDARD

1.2 Understand language

21st Century **Communication,** Pre-AP; **Creativity and Innovation,** Inclusion: Alphabetic/Phonetic Awareness; **Technology Literacy,** Geography

Comparisons

English Language Connection

Cognates Review that cognates are words related to words in another language. **Rápido** is a cognate for *rapid*. Ask students to scan pp. 90 and 91 for other examples of cognates. Possible answers include: **gol** = goal, **copa** = cup, **dieta** = diet, **competir** = to compete. Note that in the term **fútbol americano, fútbol** is a cognate for *football* in the U.S., but the word **fútbol** by itself means *soccer*.

Long-term Retention

Interest Inventory

Find out what competitions students enjoy watching. Ask how many watch the Summer or Winter Olympics. How many enjoy popular sports such as baseball, football, and basketball? How many prefer non-traditional sports, such as ballroom dancing or horseback riding? Have students raise their hands to indicate what they watch. Keep track of their responses in order to put students with the same interests together for group or pair work.

Presentación de VOCABULARIO

¡AVANZA! **Goal:** Learn to discuss competitive sporting events and ways to stay healthy. Then identify sports, healthy habits, and their related words. ***Actividades 1–2***

VIDEO DVD

AUDIO

A Hola, soy Luisa y estos **deportistas** son mis amigos. Somos muy **activos** y **competimos** en todo. Cuando jugamos al fútbol, **jugamos en equipo.** Somos muy **rápidos** y casi siempre ganamos. El otro equipo es más **lento. ¡Metimos un gol! ¡Bravo!**

meter un gol
¡Dale!
la red

¡Bravo!

estar empatado
02
02
LOCALES
VISITANTES

B Es **bueno hacer ejercicio** para **mantenerse en forma.** Y es **importante** comer comida **saludable,** pero ¡uy!, para mí **seguir una dieta balanceada** no es siempre fácil.

hacer ejercicio
musculoso

seguir una dieta balanceada

90 Unidad 2 Argentina
noventa

Differentiating Instruction

Slower-paced Learners

Memory Aids Encourage students to make flashcards to help learn vocabulary. Tell them to practice the flashcards with someone at home. Have them study the flashcards in class with a partner using games such as charades.

Inclusion

Cumulative Instruction Build on sports-related vocabulary and grammar that students already know. Help them brainstorm words that name some things shown in the photograph, such as **campo, equipo, partido.** Encourage students to start a list and add to it as they progress with the lesson.

C Para los deportistas serios como nosotros, también **es necesario** ver deportes en la televisión. Nos encanta el fútbol y siempre vemos **el campeonato, la Copa Mundial.** A mí me gusta **el ciclismo,** y cada año veo una de **las competencias** más importantes, **la Vuelta a Francia.**

los Juegos Olímpicos

la Copa Mundial

el premio

los Juegos Panamericanos

la vuelta a Francia

D ¿Por qué no practicamos? Mi amiga tiene **esta** pelota azul, y tú puedes usar **esa** pelota blanca o **aquella** pelota roja. ¡Vamos!

aquélla

ésa

ésta

Más vocabulario

competir (i) *to compete*
el uniforme *uniform*
la pista *track*
¡Ay, por favor! *Oh please!*

Expansión de vocabulario p. R4
Ya sabes p. R4

@ **HOME TUTOR**
my.hrw.com
Interactive Flashcards

¡A responder! Escuchar

Escucha cada descripción. Si es un partido de fútbol, señala con la mano hacia arriba. Si no es sobre el fútbol, señala con la mano hacia abajo. *(Listen and if the sentence is about soccer, point your hand up. If it is about something else, point your hand down.)*

The **¡AvanzaRap!** song for this unit targets vocabulary from Lección 1. To reinforce this vocabulary, play the **¡AvanzaRap!** animated video to students and have them identify the sports and health terms they see and hear. For extra practice, have them complete the Activity Master for Unidad 2.

Connections
Geography

Tell students that the **Vuelta a Francia** (Tour de France) is one of the three most important bike races, or Grand Tours, of Europe; the other two are the Giro d'Italia and the **Vuelta a España.** Have them research the **Vuelta a España** on the Internet, and note where it begins and where it ends, including the names of some key cities found along the route. Then have them roughly trace its route on a map of Spain. See if you can elicit from students that the race literally goes around Spain, hence the name **Vuelta a España.**

Communication
Common Error Alert

· Remind students to pay attention when talking about the Tour de France in Spanish: the preposition used is **a** and not **de.** Note, however, that it is sometimes also referred to as the **Tour de Francia.**
· When pronouncing cognates such as **uniforme** and **dieta,** pay close attention to pronunciation. If students are reverting to English sounds, isolate each syllable as you have them repeat the correct pronunciation.

Differentiating Instruction

Inclusion

Alphabetic/Phonetic Awareness Have students begin a personal dictionary to list lesson vocabulary. Have them create a sheet for each letter of the alphabet. Students may write the definition of the vocabulary item in English or draw a picture of its definition.

Pre-AP

Communicate Preferences Have pairs discuss their preferred form of physical activity and say why they like it, how often they do it, and for how long they have been practicing it. Ask them to include details. Model an example, such as **Me gusta correr en el parque. Lo hago todos los días, pero no los sábados.**

Answers Projectable Transparencies, 2-24

¡A responder! Audio Script TE p. 87B
Hands should be raised for items 1, 3, 5, 6, and should be pointing down for items 2, 4, 7, and 8.

Objective
- Practice vocabulary: sporting events, sports equipment, and healthy habits.

Core Resource
- *Cuaderno*, pp. 50–52

Practice Sequence
- Activity 1: Vocabulary recognition: match sports-related photos with descriptions
- Activity 2: Vocabulary recognition: match health-related problems and solutions

 STANDARDS
1.2 Understand language, Act. 2
2.2 Products and perspectives, Act. 1
21st Communication, Multiple Intelligences (Healthy Literacy); **Flexibility and Adaptability**, Pre-AP (Health Literacy)

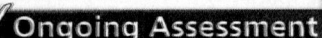 **Ongoing Assessment**

Get Help Online
More Practice
my.hrw.com

Intervention If students do not choose the correct term, refer them back to pp. 90–91 and have them carefully review the vocabulary and accompanying photographs. For additional practice, use Reteaching & Practice Copymasters URB 2, pp. 1–2.

Answers Projectable Transparencies, 2-24

Activity 1
1. Es la Copa Mundial.
2. Es la Vuelta a Francia.
3. Son los Juegos Olímpicos.
4. Es el ciclismo.
5. Son los Juegos Panamericanos.
6. Son los uniformes.

Activity 2
1. d
2. c
3. e
4. b
5. a

Para y piensa
1. la red
2. el ciclismo
3. el premio

Práctica de VOCABULARIO

1 | ¿Cuál es?

Hablar
Escribir

Empareja las expresiones o palabras con la foto apropiada. *(Match the expressions or words to the photos.)*

los uniformes
la Copa Mundial
el premio
el ciclismo
los Juegos Panamericanos
la Vuelta a Francia
los Juegos Olímpicos

Expansión:
Teacher Edition Only
Have students name other sports and also list, if they can, popular sporting events associated with them.

modelo: Es el premio.

1.
2.
3.
4.
5.
6.

2 | Una vida sana

Leer

Empareja el problema con el consejo apropiado. *(Match the problem to the appropriate advice.)*

1. Quiero ser una persona musculosa.
2. No me gusta la comida saludable.
3. Soy muy delgada.
4. Quiero ser una deportista.
5. Siempre bebo refrescos.

a. Usted debe beber más agua.
b. Es importante mantenerse en forma.
c. Es bueno seguir una dieta balanceada.
d. Es necesario levantar pesas.
e. Hay que comer más.

Expansión
Describe another health problem and offer an appropriate solution.

Más práctica Cuaderno *pp. 50–52* Cuaderno para hispanohablantes *pp. 50–53*

Get Help Online
my.hrw.com

 PARA Y PIENSA

Did you get it? Choose the word that best belongs with each event.
1. la Copa Mundial: la pista / la red
2. la Vuelta a Francia: el ciclismo / meter un gol
3. el campeonato: hacer ejercicio / el premio

Unidad 2 Argentina
92 noventa y dos

Differentiating Instruction

Multiple Intelligences

Intrapersonal Ask students to think about what they do regularly and whether or not they have healthy habits. Have them list foods they have eaten and any activities they have done (daily chores, pastimes, sports, etc.) over the past two days. Then have them group the foods and activities into those that contribute to a healthy lifestyle (**una vida sana**), and those that are best consumed or engaged in sparingly.

Pre-AP

Expand and Elaborate Have students act as health professionals at a college health fair, and create a poster with visual images and written information about the topic **Mantenerse en forma**. Have them present this poster to the class and briefly review the key concepts featured on the poster.

✿ VOCABULARIO en contexto

¡AVANZA! **Goal:** Notice the instructions Diego gives to Mateo as he performs for their movie about soccer. Then practice forming adverbs to talk about how people practice sports. *Actividades 3–4*

Telehistoria escena 1

 **@HOMETUTOR** my.hrw.com **View, Read and Record**

STRATEGIES

Cuando lees
Get into characters' heads What do Diego, Mateo, and Luisa say and do in this scene? Is anyone satisfied with their practice so far?

Cuando escuchas
Listen for outcomes Listen for physical and emotional outcomes. Do the instructions improve Mateo's performance? What happens because of the kicks?

Luisa

Diego

Mateo

Diego: El partido está empatado. Debes meter un gol para ganar el campeonato. Miras la pelota; miras la red. ¡No, no, lentamente!

Mateo: ¿Así está mejor?

Diego: ¡Ay, por favor! Sí, sí, está mejor... ¡Pero no puedes hablar!... Allí está la pelota... Ahora, ¡rápidamente! ¡Mete un gol!

Luisa: ¡Dale, Mateo, dale! *(Mateo kicks the ball; knocks camera over.)* ¡Uy! No podemos hacer esta película.

Mateo: ¿Y por qué no?

Luisa: Porque es una película sobre un campeonato de fútbol y no tenemos uniformes, no tenemos cancha, ¡no tenemos equipo! Y no podemos competir si no jugamos en un equipo.

Diego: Sí, es verdad. *(Diego kicks the ball; a crash is heard.)*

Mateo: ¡Bravo!

Luisa: ¡Ay no!

También se dice

Argentina Luisa refers to the playing field as **la cancha.** In other Spanish-speaking countries:
· **Venezuela, España, México, Perú** el campo
· **Cuba** el terreno

Continuará... p. 98

Differentiating Instruction

Inclusion

Frequent Review/Repetition One or two viewings may not be enough for all of your students to retain the information presented in the video. Be willing to play back the film, pausing it as necessary for students to think about the dialogue, take notes, or ask questions.

Slower-paced Learners

Yes/No Questions To assess whether students have understood the Telehistoria, ask **sí/no** questions such as **¿Diego quiere hacer una película sobre el ciclismo? ¿Mateo mete un gol?** or **¿Está contenta Luisa?**

¡AVANZA! **Objective**

· Understand sports vocabulary and adverbs in context.

Core Resources

· Video Program: DVD 1
· Audio Program: TXT CD 3 Track 3

Presentation Strategies

· Ask students questions about the photo, such as **¿Dónde están los jugadores? ¿Quién está cerca de la red?**
· Have students look at the photo and guess what Diego's role is in the scene.
· Show the video.
· Play the audio while students follow the script in their texts.

✿ STANDARDS

1.2 Understand language
4.1 Compare languages

🖥 Warm Up Projectable Transparencies, 2-16

Vocabulary Complete each sentence with an appropriate word or phrase.
1. Me gusta _____ ejercicio.
2. Es importante _____ una dieta balanceada.
3. Javier es _____ porque levanta pesas.
4. La _____ _____ es una competencia de fútbol muy popular.
5. Si no jugamos bien, vamos a _____ el partido.

Answers: 1. hacer; 2. seguir; 3. musculoso; 4. Copa Mundial; 5. perder

@HOMETUTOR VideoPlus my.hrw.com

Video Summary

Diego, Mateo, and Luisa are in a park in Buenos Aires, Argentina. Diego is trying to film a movie about a soccer championship. He tells Mateo how to act out the championship-winning goal, but Mateo kicks the ball at the camera and knocks it over. Luisa points out that they can't make the movie because they don't have any uniforms, field, or team.

▶ ‖

VOCABULARIO

Objective

· Practice using vocabulary and **-mente** adverbs in context.

Core Resource

· Audio Program: TXT CD 3 Track 3

Practice Sequence

· **Activity 3:** Telehistoria comprehension
· **Activity 4:** Vocabulary production: adverbs in context

STANDARDS

1.1 Engage in conversation, Act. 4
1.2 Understand language, Act. 3
4.1 Compare languages, Nota

✓ Ongoing Assessment

Get Help Online
More Practice
my.hrw.com

PARA Y PIENSA — **Peer Assessment** If a student has trouble forming the **-mente** adverbs, pair him/her with a classmate who has completed the section correctly. Have them go back and check their work against the process in Nota gramatical and try to pinpoint at what step the problem occurred. For additional practice, use Reteaching & Practice Copymasters URB 2, pp. 1, 3.

🖥 Answers Projectable Transparencies, 2-24

Activity 3

1. Mateo debe meter un gol.
2. Mateo debe mirar la pelota y la red lentamente.
3. No, Luisa no está contenta con la película.
4. Los chicos necesitan uniformes, una cancha y un equipo para hacer la película.
5. No, los chicos no pueden competir si no tienen equipo.

Activity 4 Answers will vary. Sample answers:

1. ¿Cómo juegas en equipo?/Juego en equipo **alegremente**.
2. ¿Cómo haces ejercicio?/Hago ejercicio **fácilmente**.
3. ¿Cómo metes un gol?/Meto un gol **rápidamente**.
4. ¿Cómo compites en los campeonatos?/ Compito en los campeonatos **seriamente**.
5. ¿Cómo corres?/Corro **fácilmente**.
6. ¿Cómo duermes?/Duermo **tranquilamente**.

Para y piensa

1. lentamente; 2. rápidamente; 3. seriamente

---

3 Comprensión del episodio   Filmar un campeonato

Escuchar Leer

Contesta las preguntas. *(Answer the questions.)*

1. ¿Qué debe hacer Mateo para ganar el campeonato?
2. ¿Cómo debe mirar Mateo la pelota y la red, lentamente o rápidamente?
3. ¿Está contenta Luisa con la película?
4. ¿Qué necesitan los chicos para hacer la película?
5. ¿Pueden competir los chicos si no tienen equipo?

Expansión:
Teacher Edition On
Have students rephrase the first three answers to make each one a false statement.

Nota gramatical

In English, adverbs tell *when, where, how, how long,* or *how much*. Many end in *-ly*. In Spanish, **adverbs** can be formed by adding **-mente** to the singular feminine form of an adjective. If the adjective has an accent, the adverb does as well.

rápido → rápida: Ricardo corre **rápidamente**.
Ricardo runs rapidly.

If the adjective has only one form, just add **-mente**.

From **frecuente:**   Competimos **frecuentemente**.
We compete frequently.

From **fácil:**   Metimos el gol **fácilmente**.
We scored the goal easily.

4 Una entrevista

Hablar

Eres un(a) deportista famoso(a). Contesta las preguntas de tu compañero(a). *(Answer your classmate's questions.)*

A ¿Cómo practicas deportes?

B Practico deportes **seriamente**.

modelo: practicar deportes

Estudiante A
1. jugar en equipo
2. hacer ejercicio
3. meter un gol
4. competir en los campeonatos
5. correr en la pista
6. dormir

Estudiante B
alegre	rápido
difícil	serio
fácil	tranquilo
lento	triste
activo	perezoso

Expansión
Reverse roles and answer the questions from the perspective of a couch potato.

Get Help Online
my.hrw.com

PARA Y PIENSA — **Did you get it?** Form adverbs from **rápido, serio,** and **lento** to complete the sentences.
1. Si corres _____ no puedes meter un gol.
2. No es saludable comer _____.
3. Para ganar la Vuelta a Francia, hay que practicar el ciclismo _____.

Differentiating Instruction

Heritage Language Learners

Increase Accuracy Before students complete Activity 3, review the Telehistoria by having heritage speakers read the parts of Diego, Mateo, and Luisa, either in a small group or for the class. Remind them to try to pronounce each word completely and avoid dropping off final syllables or consonants, as in **empatado** and **verdad**.

Multiple Intelligences

Kinesthetic Have a student model the many ways to kick an imaginary soccer ball as you prompt him or her with the following adverbs: **perezosamente, rápidamente, alegremente.** Have the student say how he or she is kicking the ball, e.g., **Lo hago rápidamente.** Repeat with students modeling and describing a different activity, such as eating.

Presentación de GRAMÁTICA

¡AVANZA! **Goal:** Learn how to form the preterite of regular **-er** and **-ir** verbs. Then use them to talk about activities you and others did. **Actividades 5–9**

♻ **¿Recuerdas?** Food pp. R10, R11

English Grammar Connection: Remember that you use the past tense to talk about what happened or what you did. Most English verbs have just one form in the simple past tense: *I lived, you lived, they lived.* In Spanish, verbs in the past tense have different endings for each person.

Preterite of -er, -ir verbs

ANIMATEDGRAMMAR
my.hrw.com

Regular **-er** and **-ir** verbs are different from regular **-ar** verbs in the **preterite** tense.

Here's how: Regular **-er** and **-ir** verbs have the same **preterite** endings.

comer	*to eat*		
yo	**comí**	nosotros(as)	**comimos**
tú	**comiste**	vosotros(as)	**comisteis**
usted, él, ella	**comió**	ustedes, ellos(as)	**comieron**

escribir	*to write*		
yo	**escribí**	nosotros(as)	**escribimos**
tú	**escribiste**	vosotros(as)	**escribisteis**
usted, él, ella	**escribió**	ustedes, ellos(as)	**escribieron**

Note that the **nosotros** form of **-ir** verbs is the same in the preterite and in the present tense (**-imos**). Look for clues in the sentence to help you know whether the verb is in the present or past tense.

Recibimos el premio **ayer.**
We received the prize yesterday.

← The word **ayer** tells you that **recibimos** is in the preterite tense.

Más práctica
Cuaderno *pp. 53–55*
Cuaderno para hispanohablantes *pp. 54–56*

@**HOMETUTOR** my.hrw.com
Leveled Practice
🌐 Conjuguemos.com

Lección 1
noventa y cinco **95**

Objective
¡AVANZA!
· Present **-er** and **-ir** verbs in the preterite.

Core Resource
· *Cuaderno,* pp. 53–55

Presentation Strategies
· Remind students of **-er** and **-ir** verbs they know.
· Have students read the preterite forms as you present them to the class, and note repeating spelling patterns, such as the written accent on the ending of the first person singular form.

✲ STANDARD
4.1 Compare languages

🖥 Warm Up *Projectable Transparencies, 2-17*

Telehistoria Fill in the blanks with the preterite of each verb in the parentheses.
1. Mateo _____ con Diego. (hablar)
2. Diego, Mateo y Luisa no _____ un campeonato. (ganar)
3. Mateo no _____ fotos del equipo. (tomar)
4. Luisa no _____ en equipo. (jugar)
5. Mateo le dijo a Diego: «¡No _____ la red!» (mirar)

Answers: 1. habló; 2. ganaron; 3. tomó; 4. jugó; 5. miraste

Verbs Students Know

Remind students that they already know many verbs ending in **-er** and **-ir**. Many of these verbs are regular in the preterite.

abrir	envolver
barrer	escribir
beber	perder
comer	recibir
conocer	vender
correr	vivir
entender	volver

Differentiating Instruction

Slower-paced Learners

Personalize It Ask students to think of three things they have done over the past week. List the days of the week and regular **-er** and **-ir** verbs that describe daily activities (**comer, beber,** etc.) to prompt their thinking. Have them say what they did on a given day repeating the preterite **yo** form with each verb. Model: **Yo comí una hamburguesa el lunes. Yo corrí el jueves.**

Pre-AP

Timed Answer Have students write down as many sentences as they can to describe things that have happened since the beginning of the day. Ask them to include the time at which they did or completed the activity. Set a time limit of five minutes. Once time is up, have students share their sequence of events.

Objectives
- Practice using preterite forms of **–er** and **–ir** verbs and lesson vocabulary in context.
- Recycle: foods.
- **Culture:** Compare team chants; discuss school chants.

Core Resources
- *Cuaderno,* pp. 53–55
- Audio Program: TXT CD 3 Track 4

Practice Sequence
- **Activity 5:** Controlled practice: **–er** and **–ir** preterite; Recycle: foods
- **Activity 6:** Controlled practice: **–er** and **–ir** preterite
- **Activities 7 and 8:** Transitional practice: **–er** and **–ir** preterite
- **Activity 9:** Open-ended practice: **–er** and **–ir** preterite

STANDARDS
1.1 Engage in conversation, Acts. 6, 9
1.2 Understand language, Acts. 7, 8, CC
1.3 Present information, Acts. 8, 9
4.1 Compare languages, Acts. 5, 7, 9
4.2 Compare cultures

21ST CENTURY **Communication,** Act. 9/Multiple Intelligences (Healthy Literacy); **Social and Cross-Cultural Skills,** Comparación cultural/Heritage Language Learners

Answers for Actvities 5–6 on p. 97.

Comparación cultural

Essential Question
Suggested Answer Todos los aficionados cantan los cantos deportivos para los equipos y los equipos representan su comunidad o ciudad.

Expanded Information
The two teams featured in these songs have much in common. Spain's Real Madrid was formed in 1902; Argentina's River Plate was founded in 1901. Both have fierce rivalries within their countries, notable win records, and devoted fans. The Madrid team was dubbed **real** (royal) by fan King Alfonso XIII in 1920; they are also known as Los Blancos because of their white uniforms. Los Millonarios refers to the River Plate team, because of the money managers have spent to sign on the best players. **De la cabeza siempre estoy** means *I'm crazy.* Avellaneda, la Boca and el Ciclón are River Plate's rivals.

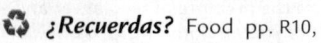
Práctica de GRAMÁTICA

5 | **¿Qué comieron?**  **¿Recuerdas?** Food pp. R10, R11

Hablar
Escribir

Di qué comieron estas personas. ¿Comieron algo saludable? *(Tell who ate what and whether or not it was healthy.)*

modelo: yo
Ayer yo **comí** pastel.
No **comí** comida saludable.

1. tú   **2.** los chicos   **3.** nosotros

4. yo   **5.** Diego y Mateo   **6.** Luisa

Expansión
List three things you ate yesterday and say whether or not they were healthy.

6 | **¿Y tú?**

Hablar

Pregúntale a tu compañero(a) si hizo estas actividades recientemente. *(Find out if your partner did these activities recently.)*

modelo: recibir un regalo

A ¿**Recibiste** un regalo?

B Sí, (No, no) **recibí** un regalo. ¿Y tú?

1. meter un gol
2. comer en un restaurante
3. escribir correos electrónicos
4. abrir el libro de español
5. salir con los amigos
6. perder una competencia

Expansión:
Teacher Edition O
Have students restate each question in the plural. (Example: ¿Metieron usted un gol?)

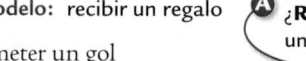
Comparación cultural

Los aficionados españoles de Real Madrid

Los cantos deportivos
¿*Cómo unifican* (unify) *los cantos* (chants) *deportivos a los miembros de una comunidad?* Si vas a un partido de fútbol en **Argentina** o en **España,** vas a escuchar muchos cantos. Dos ejemplos son:

 *¡Soy de River soy
y de la cabeza siempre estoy,
soy de River soy
y de la cabeza siempre estoy,
llora Avellaneda, la Boca y el Ciclón,
porque River ya sale campeón!*

 *Todos los momentos que viví,
todas las canchas donde te seguí,
Real Madrid tú eres mi vida,
tú eres mi pasión,
sólo te pido una cosa,
que salgas otra vez campeón.*

Compara con tu mundo ¿*Tiene un canto tu escuela? ¿Cuál es?*

Un aficionado un partido de River Plate en Argentina

96 Unidad 2 Argentina
noventa y seis

Differentiating Instruction

Multiple Intelligences
Interpersonal Have students list some foods they eat. Have groups ask classmates about healthy or unhealthy foods that they ate yesterday. For example, a group might ask, **¿Comiste una hamburguesa ayer?** plus two other questions. Have groups survey the class and tally how many students ate healthy food yesterday and how many did not.

Inclusion
Multisensory Input Have students develop a rhythm and clap it out on their desks while chanting the preterite conjugation of the verbs **comer** and **escribir** (**yo comí, tú comiste, él comió,** etc.). Then have them do the same with other regular **–er** and **–ir** verbs.

7 En el partido

Leer
Escribir

Completa la carta con el pretérito del verbo apropiado. *(Complete the letter.)*

| beber | comer | recibir |
| conocer | meter | salir |

¡Hola, Mateo!
¿Viste el partido? Fue fantástico. Yo __1.__ al campeón antes del partido. Es simpático. Él __2.__ muchos goles y ganamos fácilmente. Durante el partido los jugadores __3.__ mucha agua. ¿Y los aficionados? ¡Nosotros __4.__ papas fritas! Al final del partido, el equipo __5.__ un premio y los aficionados __6.__ alegremente. ¿Y tú? ¿Qué hiciste ayer? ¡Hasta pronto, amigo!

Expansión:
Teacher Edition Only
Have students write three more sentences about the game.

8 Los Lobos y los Tigres

Escuchar
Escribir

Escucha el informe deportivo y decide si las oraciones son ciertas o falsas. Corrige las oraciones falsas. *(Listen to the sports broadcast and correct the false sentences.)*

modelo: Esta mañana jugaron los Lobos y los Tigres. **Falsa**
Esta **tarde** jugaron los Lobos y los Tigres.

1. El partido fue el primero del campeonato.
2. Los equipos estuvieron empatados.
3. Roberto Solís metió cinco goles.
4. Los jugadores corrieron lentamente.
5. Los equipos metieron pocos goles.
6. Durante los primeros diez minutos, los Tigres metieron un gol.
7. Los Lobos perdieron.
8. Radio Deportes recibió el premio.

🎧 **Audio Program**
TXT CD 3 Track 4
Audio Script, TE
p. 87B

9 Radio Deportes

Hablar

Hagan un informe para Radio Deportes sobre un partido de fútbol entre los estudiantes de su clase. ¿Quiénes jugaron? ¿Cómo jugaron? ¿Quién ganó? ¿Quién recibió el premio? ¿Quiénes metieron los goles? *(Create a radio broadcast reporting on a soccer game between students.)*

A Bienvenidos a Radio Deportes del colegio Sucre. Ayer la clase de español hizo un poco de ejercicio.

B ¡Bravo! El ejercicio es muy importante para la salud.

Tienes razón, Juana. Los estudiantes hicieron dos equipos...

Más práctica Cuaderno *pp. 53–55* Cuaderno para hispanohablantes *pp. 54–56*

🖥 **Get Help Online**
my.hrw.com

PARA Y PIENSA

Did you get it? Complete the sentences in the preterite. Use **beber, perder, meter,** and **recibir.**
1. Yo _____ un gol.
2. Nosotros _____ un premio.
3. El otro equipo _____.
4. Los deportistas _____ mucha agua.

Differentiating Instruction

Heritage Language Learners

Support What They Know Ask students about the types of infomercials or promotions they have seen that are geared towards fitness and sports in their native country or Spanish-language television in the United States. Have them describe the differences found in infomercials in English.

Slower-paced Learners

Peer-study Support Pair more proficient students with less proficient ones to complete Activity 8. Have pairs ask each other questions. Student A might ask: **¿Quiénes ganaron el partido?** Student B might reply: **Ganaron los Lobos.** After answering two or three questions, have them share their responses with other pairs for correction.

TPR Activity
Communication

Make statements about athletic things you or a family member have done, using **-er** and **-ir** verbs. (**Perdí un partido.**) Ask students to stand up when they hear something that they, too, have done.

✓ **Ongoing Assessment**
🌐 **Get Help Online**
More Practice
my.hrw.com

PARA Y PIENSA **Peer Assessment** Have students work in pairs to correct each other's errors. For additional practice, use Reteaching & Practice Copymasters URB 2, pp. 4, 5.

🖥 **Answers** Projectable Transparencies, 2-24 and 2-25

Answers for Activities 5–6 from p. 96.

Activity 5 Answers will vary. Sample answers:
1. Tú comiste una manzana. Comiste comida saludable.
2. Los chicos comieron pizza. No comieron comida saludable. (May vary.)
3. Nosotros comimos pollo. Comimos comida saludable.
4. Yo comí ensalada. Comí comida saludable.
5. Diego y Mateo comieron papas fritas. No comieron comida saludable.
6. Luisa comió uvas. Comió comida saludable.

Activity 6 Answers will vary, but will include the verb pairs listed below. Possible answers:
1. ¿Metiste un gol? / No, no metí un gol.
2. comiste / comí
3. escribiste / escribí
4. abriste / abrí
5. saliste / salí
6. perdiste / perdí

Activity 7
1. conocí
2. metió
3. bebieron
4. comimos
5. recibió
6. salieron

Activity 8
1. Falsa. El partido fue el final del campeonato.
2. Cierta.
3. Falsa. Roberto Solís metió dos goles.
4. Falsa. Los jugadores corrieron rápidamente.
5. Cierta.
6. Falsa. Al final del partido, los Tigres metieron un gol.
7. Falsa. Los Lobos ganaron.
8. Falsa. Los Lobos recibieron el premio.

Activity 9 Answers will vary, but should include correct usage of the preterite forms of **jugar, ganar, recibir,** and **meter.** See **modelo.**

Para y piensa
1. metí
2. recibimos
3. perdió
4. bebieron

¡AVANZA! Objective

- Practice using past and present verb forms.

Core Resources

- Video Program: DVD 1
- Audio Program: TXT CD 3 Track 5

Presentation Strategies

- Have students skim the Telehistoria for the main idea.
- Ask them to identify the new character in Escena 2 of the Telehistoria.
- Play the video as they read along.

Practice Sequence

- **Activity 10:** Telehistoria comprehension
- **Activity 11:** Transitional practice: the preterite
- **Activity 12:** Open-ended practice: questions/answers using the preterite

STANDARDS

1.1 Engage in conversation, Acts. 11, 12
1.3 Present information, Act. 10
4.1 Compare languages, Acts. 11, 12

Information Literacy, Heritage Language Learners

Warm Up Projectable Transparencies, 2-17

Grammar Write complete sentences in the preterite tense using the parts listed below:

1. Yo/ nacer/ en Los Ángeles.
2. Mi familia / vivir / en California muchos años.
3. Nosotros/volver/allí este año.
4. Yo / conocer /a mis tíos.
5. Ellos / escribirme / una carta.

Answers: 1. Yo nací en Los Ángeles.; 2. Mi familia vivió en California muchos años.; 3. Nosotros volvimos allí este año.; 4. Yo conocí a mis tíos.; 5. Ellos me escribieron una carta.

Video Summary

@HOMETUTOR
VideoPlus
my.hrw.com

As Mateo, Luisa, and Diego help Sra. Montalvo fix the cart they knocked over, she asks them about their film project. She recommends making a film about an athlete and not a sport. Luisa and Diego come up with some topics. Sra. Montalvo suggests they interview Tobal, who lives nearby.

GRAMÁTICA en contexto

¡AVANZA! **Goal:** Listen to the verbs and decide which actions occur in the present and which occurred in the past. Then, use preterite verbs to talk about what you and others did last week. *Actividades 10–12*

Telehistoria escena 2

@HOMETUTOR
my.hrw.com
View, Read and Record

STRATEGIES

Cuando lees
Put yourself in another's position
Consider Sra. Montalvo's reaction about the cart. What does she say? Would you react the same way? Why or why not?

Cuando escuchas
Discover the aims What is Sra. Montalvo's aim: to tell stories, gossip, help out, or express annoyance? How do the others respond?

VIDEO
DVD

AUDIO

Mateo, Luisa, and Diego fix a street cart they knocked over with the soccer ball.

Sra. Montalvo: ¿La película no va muy bien?

Mateo: No, es muy difícil hacer una película sobre el fútbol.

Sra. Montalvo: ¿Y por qué no hacen un documental sobre un atleta?

Luisa: ¡Sí! ¡Un campeón de los Juegos Olímpicos o de la Vuelta a Francia!

Diego: No. Mejor sobre la Copa Mundial de Fútbol. Podemos buscar a un buen jugador de fútbol argentino, como por ejemplo Juan Sebastián Verón.

Luisa: Yo leí su libro. Ahora vive en España.

Sra. Montalvo: ¿Y qué les parece Tobal?

Diego: Tobal... Tobal vive en Recoleta, ¿no?

Sra. Montalvo: Sí, vive cerca del parque. Ayer le vendí una manzana. **Continuará**... p. 103

También se dice

Argentina On the cart are signs for **garrapiñadas,** sugar-roasted nuts, and **pochoclos,** or popcorn. To say popcorn in other Spanish-speaking countries:
- **España, Perú, México:** las palomitas de maíz
- **Ecuador:** el canguil
- **Colombia:** las crispetas
- **Cuba:** las rositas
- **Guatemala:** el poporopo

Differentiating Instruction

Slower-paced Learners

Read Before Listening Before viewing the video, let students read the script and review the main characters and the first scene of the story. Play the clip and have a volunteer suggest a main idea for this portion and write it on the board. Then proceed to the activities or replay the clip if necessary.

Pre-AP

Draw Conclusions Have students summarize the plot so far and then brainstorm possible conclusions. List the outcomes on the board. Then have them write their own conclusions in paragraph form with supporting reasoning from the text.

10 Comprensión del episodio ¡A corregir!

Leer
Escribir

Corrige los errores en estas oraciones. *(Correct the errors.)*

1. Es fácil hacer una película sobre el fútbol.

2. Juan Sebastián Verón es un jugador de béisbol.

3. Ahora Juan Sebastián Verón vive en Argentina.

4. Ayer la señora Montalvo le vendió una naranja a Tobal.

Expansión:
Teacher Edition Only
Have students write two additional false statements about the video and give them to a classmate to correct.

11 En el fin de semana

Hablar

Trabajando en parejas, inventen una historia sobre lo que hicieron estas personas el fin de semana pasado. *(Tell a story about what people did last weekend.)*

A Una chica celebró su cumpleaños.

B Sí, y recibió muchos regalos. Su amigo le dio...

1.
2.
3.
4.
5.
6.

Expansión
Write a paragraph telling what happened last week.

12 ¿Qué hiciste?

Hablar

Habla con tu compañero(a) de lo que hizo la semana pasada para mantenerse en forma. *(Talk with your partner about what he or she did last week to stay in shape.)*

A ¿Qué hiciste para mantenerte en forma?

B Para mantenerme en forma, corrí dos millas el lunes.

Expansión:
Teacher Edition Only
Have students write their answers and compare them with their partner's. Ask them to rewrite activities using the **nosotros** form.

🖥 **Get Help Online**
my.hrw.com

PARA Y PIENSA

Did you get it? Tell what these people did in the past.

1. Ayer Luisa y Mateo (correr) _____ .
2. Ayer tú (comer) _____ papas fritas.
3. La señora (vender) _____ frutas.
4. Yo (escribir) _____ una tarjeta.
5. Nosotros (recibir) _____ un regalo.
6. Ayer ellas (salir) _____ .

Lección 1
noventa y nueve **99**

Differentiating Instruction

Inclusion

Frequent Review/Repetition Try to foster a sense of confidence for slower learners. Pair them with stronger students for challenging tasks, like the one assigned in Activity 12. Prior to doing the speaking activity, review with these students the activities they will mention in their conversation.

Heritage Language Learners

Support What They Know Ask if students know of the Argentinean soccer player Juan Sebastián Verón. Have them find out more by asking family members about him and/or researching information on the Internet. Encourage them to look for details such as which team he plays for, what his record is, and whether he has a nickname (**apodo**).

Communication
Tips for Class Management

To keep from calling on the same students, especially those who happen to sit in your plane of vision, have students rotate from one desk to the next on a weekly basis.

Communication
Regionalisms

· **Garrapiñadas** are also called **crocantes** in other Spanish-speaking countries. Peanuts are referred to as **cacahuetes, cacahuates,** or **maníes,** sometimes interchangeably.

· Popcorn is better known as **pororú** in Paraguay.

✓ Ongoing Assessment

🖥 **Get Help Online**
More Practice
my.hrw.com

PARA Y PIENSA
Intervention If a student fails to form five of the six Para y piensa verbs, (s)he should pair up with a student who answered all items correctly, and review Activities 5, 6 and 7 on pp. 96–97. For additional practice, use Reteaching & Practice Copymasters URB 2, pp. 4, 6.

🖥 **Answers** Projectable Transparencies, 2-25 and 2-26

Activity 10
1. No es fácil hacer una película sobre el fútbol.
2. Juan Sebastián Verón es un jugador de fútbol.
3. Ahora Juan Sebastián Verón vive en España.
4. Ayer la Sra. Montalvo le vendió una manzana.

Activity 11 Answers will vary, but should reflect what the images show and include at least two sentences in the preterite. Possible answer: **Dos amigos corrieron en el parque.**

Activity 12 Answers will vary, but should address the question **¿Qué hiciste la semana pasada para mantenerte en forma?** and include preterite forms of action verbs, e.g., **corrí, jugué, salí, caminé,** etc.

Para y piensa
1. corrieron   3. vendió   5. recibimos
2. comiste   4. escribí   6. salieron

Objective
· Present demonstrative pronouns and adjectives.

Core Resource
· *Cuaderno*, pp. 56–58

Presentation Strategies
· Review the adverbs **aquí** and **allí** to remind students that they already know how to indicate the placement or location of an object. Say, **Mira el lápiz que está allí. Mira el libro que está aquí.**
· Model demonstratives by saying them as you point to nearby and faraway objects in the room.

STANDARD
4.1 Compare languages

💻 **Warm Up** Projectable Transparencies, 2-18

Grammar Answer the following questions in complete sentences.
1. ¿Qué hicieron en la clase de educación física?
2. ¿Preferiste esa actividad?
3. ¿Aprendió la clase un nuevo ejercicio?
4. ¿Tus amigos comprendieron las reglas?

Answers will vary: Sample answers include:
1. Jugamos al fútbol.; 2. Sí, (No, no) preferí esa actividad.; 3. Sí, (No,) la clase (no) aprendió un nuevo ejercicio.; 4. Sí, (No,) mis amigos (no) comprendieron las reglas.

Nota gramatical

Demonstrate Adjectives and Pronouns
· The *Real Academia* accepts the use of demonstrative pronouns *without* accents.
· Some demonstrative pronouns refer to ideas or unidentified things without specific gender: **esto, eso, aquello.**

❋ Presentación de GRAMÁTICA

Goal: Learn the demonstrative pronouns and adjectives. Then use them to point out people and things. *Actividades 13–16*

♻ **¿Recuerdas?** Sports equipment p. R4, colors p. R6, clothing p. R6, classroom objects p. R14

English Grammar Connection: In English, the **demonstratives** *this, these, that,* and *those* are used to point out specific things or people. A demonstrative can be an **adjective** or a **pronoun,** and it agrees with the noun it describes or replaces.

Those rings are expensive.   **Esos** anillos son caros.

Demonstrative Adjectives and Pronouns

ANIMATEDGRAMMAR
my.hrw.com

Demonstratives indicate where something is. In Spanish, they show if something is close to, not as close to, or far away from the speaker.

Here's how:

Demonstrative Adjectives						
	close		**not close**		**far away**	
	m.	f.	m.	f.	m.	f.
Singular	este *this*	esta *this*	ese *that*	esa *that*	aquel *that*	aquella *that*
Plural	estos *these*	estas *these*	esos *those*	esas *those*	aquellos *those*	aquellas *those*

Demonstrative Pronouns						
Singular	éste	ésta	ése	ésa	aquél	aquélla
Plural	éstos	éstas	ésos	ésas	aquéllos	aquéllas

Demonstrative pronouns have accents, but there is no change in pronunciation.

Demonstrative adjectives appear before the **noun.** They agree in gender and number with the noun they *describe.*

¿Cuánto cuesta **este anillo**?
*How much does **this** ring cost?*

Ese anillo cuesta diez dólares.
That ring costs ten dollars.

Aquel anillo es más barato.
That ring (over there) is cheaper.

Demonstrative pronouns take the place of nouns. They agree in gender and number with the noun they *replace.*

¿Cuánto cuesta **éste**?
*How much does **this one** cost?*

Ése cuesta diez dólares.
That one costs ten dollars.

Aquél es más barato.
That one (over there) is cheaper.

Más práctica
Cuaderno pp. 56–58
Cuaderno para hispanohablantes *pp. 57–60*

@**HOMETUTOR** my.hrw.com
Leveled Practice

Differentiating Instruction

Inclusion

Frequent Review/Repetition Review the function of demonstrative adjectives. On the board, write: ___ **estudiante tiene un cuaderno.** Pair stronger/weaker learners together and have them practice pointing out classmates close to them, a bit farther away, and farthest away who have a notebook. Encourage students to follow the same pattern but create their own statements.

Multiple Intelligences

Visual Learners Have students illustrate three objects (not people) in the classroom that are close to them, a bit farther away, and farthest away from them (e.g., **escritorio, ventana, puerta**) so they show relative distance from each other. Have them label each object with the correct demonstrative adjective and pronoun (e.g., **este escritorio**).

Práctica de GRAMÁTICA

13 **Preferencias** ♻ *¿Recuerdas?* Sports equipment p. R4, colors p. R6

Hablar
Escribir

Habla con un(a) compañero(a) sobre lo que prefieres para practicar deportes. Usa el adjetivo demostrativo para indicar qué prefieres comprar. *(Indicate the item you prefer by using demonstrative adjectives.)*

modelo: el bate amarillo

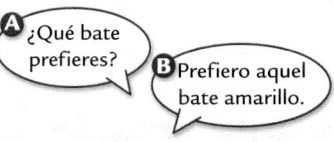

A ¿Qué bate prefieres?

B Prefiero aquel bate amarillo.

1. el casco blanco
2. el guante marrón
3. los uniformes azules
4. la raqueta negra
5. las pelotas anaranjadas
6. el uniforme rojo
7. el bate rojo
8. las pelotas verdes

> **Expansión**
> Ask your partner what items he or she prefers to buy.

---

14 **En la tienda de ropa** ♻ *¿Recuerdas?* Clothing p. R6

Hablar

Tu compañero(a) y tú van de compras pero tienen gustos diferentes. ¿Qué dicen? *(You are shopping with a friend. Discuss clothing preferences.)*

modelo: los zapatos

A A mí me gustan estos zapatos. ¿A ti te gustan?

B ¿Esos zapatos? ¡Uy! Ésos no me gustan. Prefiero aquéllos.

1. la camisa
2. la camiseta
3. el sombrero
4. el vestido
5. los jeans
6. la chaqueta
7. los pantalones cortos
8. los calcetines

> **Expansión:**
> **Teacher Edition Only**
> Have students write out each question, this time replacing each article and noun (**camisa,** etc.) with a demonstrative pronoun. Remind them to pay attention to written accents.

Pronunciación El sonido /k/

AUDIO

The sound of /k/ before vowels in Spanish is made with the letter **c** or the letters **qu**. Listen to and repeat these syllables and words.

ca	→	casa	campeón	buscar
que	→	qué	aquel	aquella
qui	→	quién	quinta	esquiar
co	→	copa	olímpicos	competir
cu	→	cubano	escuchar	musculoso

Do you see the pattern? In Spanish, to make the /k/ before **a, o,** and **u,** use the letter **c.** To make the /k/ sound before **e** and **i,** use **qu.**

Lección 1
ciento uno **101**

Differentiating Instruction

Heritage Language Learners

Increase Accuracy Write *a, e, i, o, u* on the board and have a volunteer pronounce each one in Spanish. After saying **ca, que, qui, co, cu,** ask students how they would spell these sounds in Spanish words. Point out that to maintain the hard sound of the letter **c** before **e** and **i,** the **c** changes to **qu.** Provide more reading practice of the /k/ sound for heritage learners.

Pre-AP

Persuade In pairs, have students choose an item to buy from the art in Activity 13. Each student should persuade the other to buy a different version (color, price, size) of the same item. Students should use varied vocabulary and demonstratives to compare the items.

Objectives

- Practice using demonstrative adjectives and pronouns.
- Recycle: sports equipment and colors; clothing.
- Practice pronouncing the /k/ sound and note different spelling patterns.

Core Resource

- Audio Program: TXT CD 3 Track 6

Practice Sequence

- **Activity 13:** Controlled practice: demonstrative adjectives; Recycle: sports equipment and colors.
- **Activity 14:** Transitional practice: demonstrative adjectives and pronouns; Recycle: clothing.

STANDARD

1.1 Engage in conversation, Acts. 13, 14

Answers Projectable Transparencies, 2-26

Activity 13 Answers will vary. (**Este** and **ese** are acceptable in #1, for example, as well as **aquel.**)
1. ¿Qué... Prefiero **ese** casco blanco.
2. ¿Qué... Prefiero **este** guante marrón.
3. ¿Qué... Prefiero **aquellos** uniformes azules.
4. ¿Qué... Prefiero **aquella** raqueta negra.
5. ¿Qué... Prefiero **esas** pelotas anaranjadas.
6. ¿Qué... Prefiero **ese** uniforme rojo.
7. ¿Qué... Prefiero **este** bate rojo.
8. ¿Qué pelotas prefieres?
Prefiero **aquellas** pelotas verdes.

Activity 14
1. (esta camisa) (¿Esa camisa?) (Ésa) (Prefiero **aquélla.**)
2. (esta camiseta) (¿Esa camiseta?) (Ésa) (Prefiero **aquélla.**)
3. (este sombrero) (¿Ese sombrero?) (Ése) (Prefiero **aquél.**)
4. (este vestido) (¿Ese vestido?) (Ése) (Prefiero **aquél.**)
5. (estos jeans) (¿Esos jeans?) (Ésos) (Prefiero **aquéllos.**)
6. (esta chaqueta) (¿Esa chaqueta?) (Ésa) (Prefiero **aquélla.**)
7. (estos pantalones cortos) (¿Esos pantalones cortos?) (Ésos) (Prefiero **aquéllos.**)
8. (estos calcetines) (¿Esos calcetines?) (Ésos) (Prefiero **aquéllos.**)

101

Objectives

· Practice demonstrative adjectives.
· Recycle: classroom objects.
· **Culture:** Compare sports and leisure activities.

Core Resource

· *Cuaderno,* pp. 56–58

Practice Sequence

· **Activity 15:** Open-ended practice: demonstrative adjectives; Recycle: classroom words
· **Activity 16:** Open-ended practice: demonstrative adjectives

 STANDARDS

1.1 Engage in conversation, Act. 15
1.2 Understand language, Acts. 15, 16
1.3 Present information
2.2 Products and perspectives, Act. 16
Communication, Act. 15; **Flexibility and Adaptability,** Multiple Intelligences; **Social and Cross-Cultural Skills,** Comparación cultural/Heritage Learners

Comparación cultural

Essential Question

Suggested Answer Muchos artistas pintan o dibujan sus actividades o lugares favoritos.

About the Artist

Antonio Berni's interest shifted in the 1930s from surrealism to social realism, focusing on the plight of the lower classes in Argentina. Two of Berni's works, *Desocupados* ("Unemployed") and *Manifestación* ("Demonstration"), portray the hardships endured by the Argentinian working class.

Get Help Online
More Practice
my.hrw.com

✓ **Ongoing Assessment**

Intervention If a student is unable to complete all three sentences correctly, direct him or her to review the text on page 100. For additional practice, use Reteaching & Practice Copymasters URB 2, pp. 7, 8, 10, 11, 12.

Answers for Activities 15–16 and Para y piensa are on p. 103.

102

---

15 | ¡A jugar! Veo, veo ♻ *¿Recuerdas?* Classroom objects p. R14

Hablar

Cada persona en tu grupo va a tener un turno para describir un objeto. Ganas cuatro puntos si lo encuentras con la primera pista, y un punto menos por cada pista adicional. La persona que tiene más puntos al final del juego gana. *(Find the object your classmate describes. Earn four points if you do it on the first hint. For each additional hint, earn one point fewer. The person with the most points wins.)*

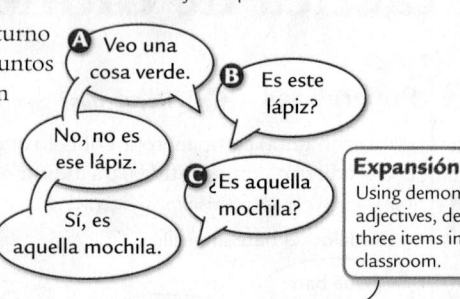

A Veo una cosa verde.

B Es este lápiz?

No, no es ese lápiz.

C ¿Es aquella mochila?

Sí, es aquella mochila.

Expansión
Using demonstrative adjectives, describe three items in the classroom.

16 | ¿Quién es?

Hablar
Escribir

Comparación cultural

El equipo de fútbol

¿Qué influencia tienen los intereses personales de un(a) artista sobre su arte? Muchas de las pinturas de Antonio Berni reflejan *(reflect)* la vida *(life)* de su país, **Argentina.** El fútbol es un deporte muy popular en la cultura latina. El equipo preferido de Antonio Berni era *(was)* el Club Colón de Santa Fe, Argentina. Antonio Berni muestra *(shows)* la importancia del deporte a los jóvenes en su representación de unos chicos de un barrio argentino.

Compara con tu mundo *¿Te interesan los deportes? ¿Qué otras actividades te interesan? ¿Cuáles son los deportes o las actividades populares en tu comunidad?*

Club Atlético Nueva Chicago *(1937), Antonio Berni*

Describe a un chico en la pintura. Tu compañero(a) tiene que adivinar quién es. *(Describe a boy in the painting for your partner to guess.)*

A Este chico lleva una camisa roja.

B ¿Es ese chico de allí?

Sí, es ese chico. (No, es aquel chico.)

Más práctica Cuaderno pp. 56–58 Cuaderno para hispanohablantes pp. 57–60

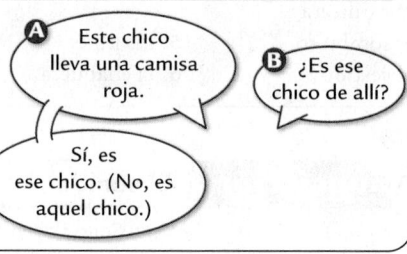
Get Help Online
my.hrw.com

PARA Y PIENSA

Did you get it? Use the correct demonstrative adjective to describe things and people at different distances.
1. Vamos a correr en _____ pista. (aquí)
2. Puedes usar _____ uniforme. (allí, cerca)
3. No conozco a _____ deportistas. (allí, lejos)

Differentiating Instruction

Multiple Intelligences

Visual Learners Display three paintings (or drawings) in different parts of the classroom. Have students pretend they are art critics who must critique each piece of art, using the terms **esta pintura, esa pintura,** and **aquella pintura.** Ask students to study each piece and then comment on it using as many descriptive words as they can.

Heritage Learners

Support What They Know Ask students if they know of famous sports clubs, associations, or teams in other Spanish-speaking countries. If students are not familiar with such groups, encourage them to ask a family member about an association and report what they have learned back to the class.

✳ Todo junto

¡AVANZA! **Goal:** *Show what you know.* Listen to the health and fitness advice that the kids find. Then, give health advice of your own, and use the preterite to discuss what you did last week to have fun and to be healthy.
Actividades 17–21

Telehistoria completa

 **@HOMETUTOR** View, Read and Record
my.hrw.com

STRATEGIES

Cuando lees
Analyze the situation Notice who complains in this scene, how often, and about what. Who diverts the complainer's attention and tries to change the tone? Is the attempt successful?

Cuando escuchas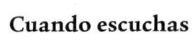
Listen for advice What is Tobal's food advice? Based on this scene, do the boys typically eat the way Tobal suggests? What do you think Luisa's diet is like?

 **Escena 1** *Resumen*
Diego, Luisa y Mateo hacen una película de un campeonato de fútbol, pero no va bien. Ellos no tienen las cosas que necesitan para competir en un partido.

 **Escena 2** *Resumen*
Los jóvenes hablan con la señora Montalvo. Ella piensa que deben hacer una película sobre un atleta. Les dice que conoce a Rafael Tobal, un jugador de fútbol.

Escena 3

 VIDEO DVD

 AUDIO

Diego: ¿Todos estos libros son sobre Tobal?

Luisa: Yo voy a leer éste. Mateo, tú lee ése y tú, Diego, lee aquél.

Diego: Pero ese libro es demasiado grande.

Luisa: Bueno, lee éste. Necesitamos saber dónde vive.

Diego: ¡Uy! Éste es peor. ¡No tiene fotos! ¿Podemos ir a jugar al futbol?

Luisa: Jugamos después. Ahora busca en Internet.

Diego: Bueno, pero esas computadoras son muy lentas.

Luisa: Tobal dice que «es necesario mantenerse en forma para ser un buen jugador de fútbol». *(Mateo takes out an unhealthy snack to eat.)* También dice que para mantenerse en forma «hay que seguir una dieta balanceada». *(Mateo puts snack away.)*

Diego: Aquí vive Tobal.

Luisa: ¿Dónde encontraste eso?

Diego: En Internet. Ahora sí, vamos.

Mateo: Tobal dice: «es importante practicar deportes todos los días».

Diego: ¿Quieren jugar?

Mateo y Luisa: ¡Sí!

Lección 1
ciento tres **103**

Differentiating Instruction

Multiple Intelligences

Logical/Mathematical Have students write short descriptions of events from Escenas 1 and 2 on different colored pieces of paper. Have students exchange strips, read them out loud one at a time, and describe where they place the strip to correctly sequence the events. **Pongo el papel debajo de esta columna de la escena 1. / Lo pongo debajo de esa columna de la escena 2.**

Heritage Language Learners

Writing Skills Have students use the writing process to create a different ending to the Telehistoria. Brainstorm possible alternate outcomes as a class. Then have each student list them in an idea web to help plan an ending. Have students draft the dialog as homework, and return the next day for peer editing.

· Integrate lesson content.

Core Resources

· Video Program: DVD 1
· Audio Program: TXT CD 3 Track 7

Presentation Strategies

· Review student comprehension of the first two scenes of the Telehistoria by asking questions such as **¿Por qué los chicos no pueden competir en un partido?, ¿Qué piensa la Sra. Montalvo?**
· Call on volunteers to describe the photo for Escena 3.
· Show the video, replaying as necessary for students to complete the activities.

❀ STANDARD

1.2 Understand language

🖥 **Warm Up** Projectable Transparencies, 2-18

Demonstratives Choose the correct demonstrative adjective(s) and/or pronoun(s) and complete each sentence.
1. Quiero entrevistar a aquellos / aquella atleta.
2. Éstos / Ésta es una pregunta importante.
3. ¿Dónde encontraste ese / esos micrófono?
4. No sé si va a jugar en estos / esta Juegos Olímpicos o en los próximos.
5. Puedes quitarte esas / esos zapatos para ponerte éstos / éstas.

Answers: 1. aquella; 2. ésta; 3. ese; 4. estos; 5. esos, éstos.

🖥 **Answers** Projectable Transparencies, 2-26

Answers for Activities 15–16 and Para y piensa from p. 102.

Activity 15 Answers will vary, but should include the correct use of demonstratives to indicate distance from speaker. Sample answers: **¿Es esa computadora? No, es aquella computadora.**

Activity 16 Answers will vary.

Para y piensa
   1. esta; 2. ese; 3. aquellos (aquellas)

TODO JUNTO

Objective
· Practice using and integrating lesson vocabulary and grammar.

Core Resources
· *Cuaderno*, pp. 59–60
· Audio Program: TXT CD 3 Tracks 3, 5, 7, 8, 9

Practice Sequence
· **Activities 17–18:** Telehistoria comprehension
· **Activity 19:** Open-ended practice: speaking
· **Activity 20:** Open-ended practice: reading, listening, and speaking
· **Activity 21:** Open-ended practice: writing

STANDARDS
1.1 Engage in conversation, Act. 19
1.2 Understand language, Acts. 17, 18, 19
1.3 Present information, Acts. 19, 20, 21
21ST CENTURY Communication, Act. 21; **Flexibility and Adaptability,** Act. 19

✓ Ongoing Assessment

Rubric Activity 19

Speaking Criteria	Maximum Credit	Partial Credit	Minimum Credit
Content	Includes three or more phrases for giving advice.	Includes one to two phrases for giving advice.	Does not include phrases for giving advice.
Communication	Conveys advice using descriptive vocabulary.	Conveys advice using some vocabulary.	Conveys advice but doesn't use lesson vocabulary.
Accuracy	There are few mistakes in grammar and vocabulary.	There are some mistakes in grammar and vocabulary.	There are many mistakes in grammar and vocabulary.

To customize your own rubrics, use the **Generate Success** Rubric Generator and Graphic Organizers.

🖥 Answers Projectable Transparencies, 2-26 and 2-27

Activity 17
1. sí   **4.** sí   **7.** no
2. no   **5.** no   **8.** sí
3. no   **6.** no

Answers continue on p. 105.

---

17 | *Comprensión de los episodios* Recomendaciones

Escuchar
Leer

Identifica las actividades que recomienda Tobal para ser un buen jugador de fútbol. Para cada actividad, escribe **sí** si Tobal la recomienda o **no** si no la recomienda. *(Identify whether or not Tobal recommends these activities.)*

1. mantenerse en forma
2. leer libros sobre fútbol
3. vivir en Argentina
4. seguir una dieta balanceada

5. practicar el ciclismo
6. hacer ejercicio en el gimnasio
7. beber mucha agua
8. practicar deportes todos los días

Expansión:
Teacher Edition Only
Expand activity by writing Tobal's recomendations with **es necesario** or **es importante**.

18 | *Comprensión de los episodios* En la bibilioteca

Leer
Escribir

Contesta las preguntas. *(Answer the questions.)*

1. ¿Sobre quién son los libros?
2. ¿Qué prefiere hacer Diego?
3. ¿Cómo son las computadoras de la biblioteca?
4. ¿Qué dice Tobal sobre cómo mantenerse en forma?
5. ¿Sabe Diego dónde vive Tobal? ¿Dónde lo encontró?
6. ¿Qué dice Tobal sobre los deportes?

Expansión:
Teacher Edition Only
Use the answers to the comprehension questions to write a summary of Escena 3.

19 | Necesito consejos

Hablar

Digital performance space

> **STRATEGY Hablar**
> **Identify and combine "vocabulary sets"** Identify eight to ten words or phrases for staying in shape (**ejercicio, gimnasio, dieta...**). Identify three phrases for giving advice (**Hay que, Es necesario, Es bueno...**). Combine into interesting, detailed advice for Mateo.

Hagan los papeles de dos estudiantes que dan consejos en un programa de radio. Preparen una respuesta al correo electrónico de Mateo y preséntenlo a la clase. *(Role-play giving advice in a radio program to an e-mail from a listener.)*

> Muchas veces descanso por la tarde pero no entiendo por qué siempre estoy cansado. Por la noche como pizza, bebo refrescos y miro la televisión. A veces salgo con mis amigos Diego y Luisa. Me dicen que necesito mantenerme en forma. Pero, ¿qué hago?

Expansión:
Teacher Edition Only
Have students discuss whether or not they follow their own advice to Mateo.

Unidad 2 Argentina
ciento cuatro
104

Differentiating Instruction

Pre-AP
Summarize After students have completed Activity 18, have them review their answers and use the information contained in the sentences to summarize what happens in the final episode of the Telehistoria. Encourage them to look for details on p. 103 that are not included in their answers in order to provide a clear summary.

Multiple Intelligences
Intrapersonal Ask students to reflect on their own healthy (or unhealthy) habits by asking themselves if they do any of the activities listed in Activity 17. Have them jot down what they already do to stay fit or eat healthfully and what they could do to improve their lifestyle. Encourage them to keep a journal for a week to monitor their own habits.

20 | Integración

Leer
Escuchar
Hablar

Digital Performance space

Lee esta página de una revista y escucha la entrevista en un programa de Radio Deportes. Luego, explícale a tu clase lo que es importante hacer para ser saludables según las dos fuentes. *(Read the magazine page and listen to the interview. Then tell your classmates what is important to do to be healthy according to the two sources.)*

🎧 **Audio Program**
TXT CD 3
Tracks 8, 9
Audio Script,
TE p. 87B

Fuente 1 Revista para jóvenes

4 COSAS QUE DEBES HACER PARA TENER UN CUERPO SALUDABLE
Consejos para mantenerte en forma

1. beber mucha agua ¿Cuánta agua bebiste hoy? Para limpiar el cuerpo es necesario beber ocho vasos al día.

2. seguir una dieta balanceada ¡No te gusta la ensalada! ¡No hay problema! Hay otras comidas saludables que te pueden gustar.
Para ideas, mira la página 108.

3. ser activo ¡Ese sofá no es tu amigo! Juega un deporte o monta en bicicleta.

4. ser positivo Como dice el refrán, mente sana, cuerpo sano. En otras palabras, si estás feliz, ¡tu cuerpo va a estar feliz!

Fuente 2 Programa de radio

Listen and take notes
- ¿Qué deporte practica Cora?
- ¿Piensa Cora que es necesario ser deportista para ser saludable?
- ¿Qué recomienda para tener buena salud?

modelo: Es importante mantenernos en forma para tener buena salud. Hay que...

Expansión:
Teacher Edition Only
Have pairs tell each other whether or not they follow the four tips for staying healthy.

---

21 | Mis actividades

Escribir

Digital performance space

Describe tres actividades del fin de semana pasado en tu diario. Explica qué hiciste, dónde y con quiénes. *(Describe three of your activities last weekend in a diary entry.)*

modelo: El sábado salí con mi familia. Fuimos a...

Writing Criteria	Excellent	Good	Needs Work
Content	Your entry includes all of the information.	Your entry includes some of the information.	Your entry includes little of the information.
Communication	Most of your entry is organized and easy to follow.	Parts of your entry are organized and easy to follow.	Your entry is disorganized and hard to follow.
Accuracy	Your entry has few mistakes in grammar and vocabulary.	Your entry has some mistakes in grammar and vocabulary.	Your entry has many mistakes in grammar and vocabulary.

Expansión
Read the entry of a classmate and then compare his or her weekend activities with yours.

Más práctica   Cuaderno *pp. 59–60*   Cuaderno para hispanohablantes *pp. 61–62*

PARA Y PIENSA

🌐 **Get Help Online**
my.hrw.com

Did you get it? Which of Tobal's recommendations do you agree with? Tell three things you did last week to follow that recommendation.

Differentiating Instruction

Pre-AP

Opinions Have student pairs re-read **Fuente 1** in Activity 20 and ask partners to exchange their opinions about the different strategies for staying in shape mentioned in the article. Encourage them to support their opinions by suggesting possible consequences or outcomes of not following the advice in the magazine.

English Learners

Provide Comprehensible Input Simplify the criteria in the rubric for English learners using three- or four-word descriptions. For example, in Activity 21, instead of *Your diary sticks to topic,* say *Wrote about weekend.* Instead of *Your diary entry has few mistakes in grammar and vocabulary,* say *Good grammar, good vocabulary.*

Long-term Retention

Pre-AP **Integration**

Activity 20 Have students write a radio announcement for a health club using as much of the lesson vocabulary as they can. Encourage them to record their announcement and play it to the rest of the class.

✓ Ongoing Assessment

Rubric Activity 20 Listening/Speaking

Proficient	Not there yet
Description is clear and complete and includes information from both sources.	Description is unclear and incomplete and lacks information from both sources.

To customize your own rubrics, use the **Generate Success** *Rubric Generator and Graphic Organizers.*

✓ Ongoing Assessment

🌐 **Get Help Online More Practice** my.hrw.com

PARA Y PIENSA **Intervention** If a student is unable to form three sentences in the past about eating right or exercising, have him/her review pp. 95–97. For additional practice, use Reteaching & Practice Copymasters URB 2, pp. 7, 9.

🖥 **Answers** Projectable Transparencies, 2-26 and 2-27

Answers continue from p. 104.

Activity 18
1. Los libros son sobre Tobal, un futbolista.
2. Diego prefiere buscar información en Internet.
3. Las computadoras en la biblioteca son lentas.
4. Tobal dice que hay que seguir una dieta balanceada para mantenerse en forma.
5. Sí, Diego sabe dónde vive Tobal. Lo encontró en Internet.
6. Tobal dice que es importante practicar los deportes todos los días.

Activity 19 Answers will vary. *See rubric for scoring guidelines.*

Activity 20 Answers will vary. See model.

Activity 21 Answers will vary. Sample answers: *El sábado fui al cine. El domingo salí con mis amigos.* Refer to the PE rubric for scoring.

Para y piensa Answers will vary, but should use past tense verbs and statements about eating a balanced diet or exercising. Sample answers: Caminé media hora. No tomé refrescos. Comí frutas.

¡AVANZA! Objectives

- Learn about the history of the World Cup.
- Compare the World Cup to another sports championship.

Core Resource

- Audio Program: TXT CD 3 Track 10

Presentation Strategies

- Use the Make a Graph strategy to help students process information.
- Have students read aloud in groups of three before directing a whole-class reading/discussion of the text.

STANDARDS

1.2 Understand language
1.3 Present information
2.2 Products and perspectives
5.2 Life-long learners
21st CENTURY Critical Thinking and Problem Solving, Multiple Intelligences

Warm Up Projectable Transparencies, 2-19

Pretérito Rewrite the following sentences by changing the verbs from the present tense to the preterite.

1. Hoy comen una ensalada.
2. Escribo un correo electrónico.
3. Compartimos un sándwich.
4. Marta bebe dos refrescos.
5. ¿A qué hora sales?

Answers: 1. Comieron una ensalada.;
2. Escribí un correo electrónico.;
3. Compartimos un sándwich.; 4. Marta bebió dos refrescos.; 5. ¿A qué hora saliste?

Culture

Background Information

FIFA and the First World Cup FIFA existed for decades before the first World Cup tournament. For years, the Olympics were the sole venue for soccer teams to face off internationally, but participation in them was restricted to amateur athletes. The first World Cup came about largely because Jules Rimet (elected FIFA president in 1921) and the people he represented wanted a tournament which allowed professionals to compete in a true meeting of the world's best players.

❈ Lectura

Additional readings at my.hrw.com
SPANISH InterActive Reader

¡AVANZA! **Goal:** Read about the World Cup soccer tournament and answer questions about its history. Then compare it to another sports competition that you research.

La Copa Mundial

AUDIO

No hay otro evento deportivo que pueda captar[1] la atención del mundo[2] como lo hace la Copa Mundial de la FIFA (Fédération Internationale de Football Association). Lee estas tarjetas para saber la historia de esta competencia internacional.

STRATEGY Leer

Make a graph To understand better, graph the number of wins by each country mentioned as a **ganador.** Use the format below, and complete the graph.

Ganadores de la Copa Mundial 1930–2002

Inglaterra
Francia
Argentina
Uruguay
Alemania
Italia
Brasil

0 1 2 3 4 5

El trofeo original del torneo se llama La Copa Jules Rimet. Brasil adquirió[10] este trofeo después de ganar su tercera Copa Mundial en 1970. El nuevo trofeo está en uso desde 1974 y el país que lo gana, lo conserva por cuatro años hasta la siguiente competencia.

LA COPA MUNDIAL

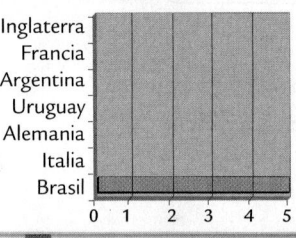

Desde su primera edición, celebrada en Uruguay en 1930, la Copa Mundial de la FIFA ha crecido[3] en popularidad. En esta competencia los mejores equipos de fútbol de todos los países compiten por el título de campeón del mundo. La idea se originó[4] gracias a un grupo de visionarios franceses en 1920. Su líder fue el innovador Jules Rimet. Después de diez años la idea se hizo[5] realidad y el primer campeonato fue en 1930. Desde ese año, ha habido[6] 16 torneos, en los cuales ganaron sólo siete campeones distintos. La única[7] interrupción en el torneo fue por la Segunda Guerra Mundial.[8]

Hoy en día la Copa Mundial capta la atención de todos los aficionados a fútbol del planeta. Hay una audiencia global de más de 3.700 millones de personas. Y la meta[9] de los jugadores y los aficionados sigue siendo lo mismo: ganar el trofeo, la Copa.

LA COPA MUNDIAL

---

[1] capture [2] world [3] **ha...** has grown [4] **se...** originated [5] **se...** became
[6] **ha...** there have been [7] only [8] **Segunda...** World War II [9] goal [10] acquired

Differentiating Instruction

Slower-paced Learners

Yes/No Questions When having a volunteer read from the class, stop him/her frequently to check comprehension. Use questions that allow either/or or yes/no responses. (e.g., **El primer campeonato de la Copa Mundial, ¿fue en 1920 o en 1930? ¿ El trofeo original del torneo se llama Copa Jules Rimet?**)

Pre-AP

Summarize Have students rephrase the history of the World Cup in their own words. Encourage them to relate key events in chronological order using words that indicate the sequence of the events. Ask them to note the information on a timeline (supply 1939 and 1945 as the start and end dates of World War II if needed) and then have them present it to the class.

Nery Pumpido.

Ganadores de la Copa Mundial

Año	Ganador		Goles		Segundo
1930	Uruguay		4-2		Argentina
1934	Italia		2-1		Checoslovaquia
1938	Italia		4-2		Hungría
1950	Uruguay		2-1		Brasil
1954	Alemania		3-2		Hungría
1958	Brasil		5-2		Suecia
1962	Brasil		3-1		Checoslovaquia
1966	Inglaterra		4-2		Alemania
1970	Brasil		4-1		Italia
1974	Alemania		2-1		Países Bajos
1978	Argentina		3-1		Países Bajos
1982	Italia		3-1		Alemania
1986	Argentina		3-2		Alemania
1990	Alemania		1-0		Argentina
1994	Brasil		3-2		Italia
1998	Francia		3-0		Brasil
2002	Brasil		2-0		Alemania
2006	Italia		1-1 (5-3)		Francia

PARA Y PIENSA

¿Comprendiste?

Lee toda la información de las tarjetas y luego úsala para contestar estas preguntas.

1. ¿En qué año empezó la Copa Mundial?
2. ¿Cómo se llama el primer trofeo? ¿Por qué tiene ese nombre?
3. ¿Con qué frecuencia ocurre la Copa Mundial?
4. ¿Quién ganó la Copa Mundial más que todos los otros países?
5. ¿Por qué no jugaron una Copa Mundial entre 1938 y 1950?
6. ¿Por qué tiene mucha popularidad la Copa Mundial por todo el mundo?

¿Y tú?

En grupos, investiguen el campeonato de un deporte. ¿Cuándo empezó? ¿Con qué frecuencia ocurre? ¿Cuáles equipos ganaron? ¿Con quiénes es popular? Compárenlo con la Copa Mundial. Presenten la información a la clase en forma escrita u oral.

Lección 1
ciento siete **107**

Communities
Spanish in Sports

Have students choose a professional soccer team from a Spanish-speaking country to follow for the rest of the quarter, keeping track of their wins and losses as well as outstanding players. Have them cut out and highlight the main points of articles in which their team is featured. Eventually have students compile their collection into a scrap book.

✓ Ongoing Assessment

Alternative Strategy List some key numbers/dates from the reading on the board and have students identify them. (4, 7, 1930, 3.700 millones, etc.) You can ask questions such as **¿Cuántos países ganaron la Copa Mundial?** and **¿Cuántas personas miran la Copa Mundial?**

Differentiating Instruction

Inclusion

Metacognitive Support Remind students to look for cognates as they read. Have students reread the information on the trophy and jot down cognates as they do so. Examples of cognates include **trofeo, original, torneo, copa, uso, conserva,** and **competencia.**

Multiple Intelligences

Logical/Mathematical Have students figure out what percentage of the total number of tournaments have been won by each of the seven winning countries. Then have them represent that information on a pie chart with labels in Spanish. Finally, ask them to compare the two graphs they have made (the bar graph and the pie chart). In which situations would one be more helpful than the other?

Answers

¿Comprendiste?
1. La Copa Mundial empezó en 1930.
2. El primer trofeo se llama la Copa Jules Rimet, por el hombre que tuvo la idea del campeonato.
3. La Copa Mundial ocurre cada cuatro años.
4. Brasil ganó la Copa Mundial más veces que todos los demás países.
5. No jugaron entre 1938 y 1950 por la Segunda Guerra Mundial.
6. Tiene mucha popularidad porque los jugadores son muy talentosos. (Answers will vary.)

¿Y tú? Answers will vary.

Objectives
- **Culture:** Read about the Argentinean game of **pato.**
- Make connections to math, history, and literature.

Presentation Strategies
- Ask students if they know of other games played on horseback. What kind of equipment might be needed to play on horseback?
- Give students the equivalents, in feet, of the **pato** playing field (80–90 meters equals 260–290 feet; 180–220 meters equals 590–720 feet, approximately).

STANDARDS
1.2 Understand language
1.3 Present information
2.2 Products and perspectives
3.1 Knowledge of other disciplines
3.2 Acquire information
4.2 Compare cultures
5.2 Life-long learners

21ST CENTURY Information Literacy, Proyectos 1, 2/Multiple Intelligences

Connections
La historia

The game **pato** gets its name from what it used centuries ago instead of a ball: a live duck inside a basket. The playing field was a stretch of land between two ranches, and the idea was simply to get the duck back to one's own ranch. However, people were killed or trampled by horses, as a result of rivalries begun over the game, so it was banned during the 1800s.

Culture

Expanded Information
Pato A game of **pato** is played over six eight-minute periods. Riders have to steal the **pato,** or leather, handled ball, from the other team and throw it into their goal. The player with the **pato** must hold it with his/her hand outstretched to the side, so that other riders have a fair chance to grab it. Not doing so is a **negada,** and incurs a penalty. The **cinchadas** are considered the most exciting parts of the game, when two players stand in their stirrups as they ride, each tugging at the **pato.**

✣ Conexiones   *La educación física*

El deporte de pato

El deporte de pato es una combinación de básquetbol y polo. Dos equipos de cuatro personas montan a caballo y tratan de lanzar *(try to throw)* una pelota con manijas *(handles)* por canastas *(baskets)* verticales.

Cuando dos jugadores agarran *(grab)* la pelota se llama una cinchada. Los jugadores se levantan *(stand up)* en los estribos *(stirrups)* y halan *(pull)* hasta que un jugador suelte *(lets go of)* la pelota.

Mira la foto de una cinchada. ¿Qué partes del cuerpo usan más en esta jugada? ¿Qué ejercicios pueden hacer los jugadores para preparar sus cuerpos para una cinchada?

Un partido de pato
la canasta
2,4 metros
la pelota con manijas
el poste

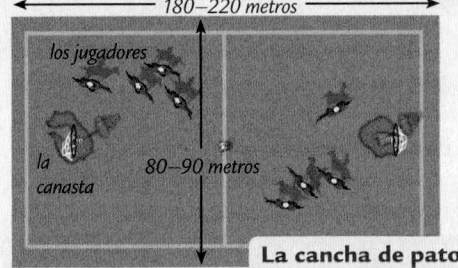
180–220 metros
los jugadores
la canasta
80–90 metros
La cancha de pato

Una cinchada

Proyecto 1 *Las matemáticas*
Mira las dimensiones de la cancha de pato. Investiga las dimensiones de la cancha de otro deporte. Haz un dibujo comparativo de las canchas de pato y del otro deporte. Escribe las dimensiones usando el sistema métrico.

Proyecto 2 *La historia*
Los gauchos *(Argentine cowboys)* inventaron el deporte de pato en el siglo *(century)* XVII. Investiga sobre los gauchos y sus costumbres *(customs).* ¿Dónde viven? ¿Cuáles son otras tradiciones que practican?

Proyecto 3 *El lenguaje*
Lee estos versos de Bartolomé Mitre sobre el pato:

¡El Pato! juego fuerte   para templar[3] los nervios,
del hombre de la pampa,[1]   para extender los músculos
tradicional costumbre   como en veloz carrera,[4]
de un pueblo varonil[2]   en la era juvenil.[5]

[1] *plains*   [2] **pueblo...** *courageous nation*
[3] *calm*   [4] **veloz...** *fast race*   [5] **era...** *age of youth*

¿Qué quieren decir estos versos? Escribe un resumen y explica su significado.

Differentiating Instruction

Inclusion

Clear Structure Have students reread the description of the game in the first two paragraphs. Then help them identify the rules of the game by supplying the following heads: **Número de jugadores; Equipo** (equipment); and **Reglas.** Have them list information under each head and check their texts to verify the data.

Multiple Intelligences

Naturalist Have students use the Internet or the library to research Argentina's Pampa, from 1600 to the present. Provide search words they can use to locate accurate information, such as **Los gauchos hoy en día.** Have them present their findings on an illustrated poster explaining how the grassy plains of the 1700s progressed into the developed farmland of today.

En resumen
Vocabulario y gramática

ANIMATEDGRAMMAR
Interactive Flashcards
my.hrw.com

Vocabulario

Talk About Sporting Events

el campeonato	championship	jugar (ue)	to play on a team
el ciclismo	bicycle racing	en equipo	
la competencia	competition	meter un gol	to score a goal
competir (i)	to compete	el premio	prize; award
estar empatado	to be tied		

Sports Competitions

la Copa Mundial	The World Cup
los Juegos Olímpicos	The Olympic Games
los Juegos Panamericanos	The Panamerican Games
la Vuelta a Francia	The Tour de France

Sports Equipment

la pista	track
la red	net
el uniforme	uniform

Express Emotions

¡Ay, por favor!	Oh, please!
¡Bravo!	Bravo!
¡Dale!	Come on!
¡Uy!	Ugh!

Describe Athletes

activo(a)	active
el (la) deportista	sportsman / woman
lento(a)	slow
musculoso(a)	muscular
rápido(a)	fast

Discuss Ways to Stay Healthy

Es bueno...	It's good . . .	hacer ejercicio	to exercise	saludable	healthy; healthful
Es importante...	It's important . . .	mantenerse (ie) en forma	to stay in shape	seguir (i) una dieta balanceada	to follow a balanced diet
Es necesario...	It's necessary . . .				

Gramática

Nota gramatical: Adverbs with **-mente** *p. 94*

Preterite of   verbs

The **preterite** tense endings are the same for **-er** and **-ir** verbs.

comer

com í	com imos
com iste	com isteis
com ió	com ieron

escribir *to write*

escrib í	escrib imos
escrib iste	escrib isteis
escrib ió	escrib ieron

Demonstrative Adjectives and Pronouns

Demonstratives show where something is in relation to the speaker.

Demonstrative Adjectives

	close		not close		far away	
	m.	f.	m.	f.	m.	f.
Singular	este	esta	ese	esa	aquel	aquella
	this	*this*	*that*	*that*	*that*	*that*
Plural	estos	estas	esos	esas	aquellos	aquellas
	these	*these*	*those*	*those*	*those*	*those*

Demonstrative Pronouns

Singular	éste	ésta	ése	ésa	aquél	aquélla
Plural	éstos	éstas	ésos	ésas	aquéllos	aquéllas

Practice Spanish with Holt McDougal Apps!

Lección 1
ciento nueve **109**

DIGITAL SPANISH

Interactive Flashcards Students can hear every target vocabulary word pronounced in authentic Spanish. Flashcards have Spanish on one side, and a picture or a translation on the other.

Review Games Matching, concentration, hangman, and word search are just a sampling of the fun, interactive games students can play to review for the test.

performance)space
News (+) Networking
@HOMETUTOR
CULTURA Interactiva

· **Audio and Video Resources**
· **Interactive Flashcards**
· **Review Activities**
· **WebQuest**
· **Conjuguemos.com**

Communication
Grammar Activity

To review the preterite, have students listen while you play the audio again for Activity 8 on p. 97. Ask them to raise their hand every time they hear a verb in the past tense. Then tell students that all verbs are in the preterite. Play the recording one more time, and ask them to write down as many of the verbs as they can. Have students exchange papers and correct each other's errors.

✓ Ongoing Assessment

Quick Check Employ a foam ball or another object that can be safely tossed across the room. Review vocabulary by having a student call out a word from En resumen and then toss the ball. The student who catches it or is nearest to where it lands has to use the word in a sentence. That student then chooses the next word and throws the ball.

Differentiating Instruction

Slow-paced Learners

Circumlocution As vocabulary review and to increase fluency, have students define words using Spanish they already know. They can read their definitions to a partner who then guesses the vocabulary word being described.

Inclusion

Metacognitive Support Help students to determine which study methods work best for them. You may suggest tape-recording verb forms and playing them back again. Others may benefit from repeated writing. Still other learners might prefer to walk or tap a foot while they recite material.

Objective
· Review lesson grammar and vocabulary.

Core Resources
· *Cuaderno*, pp. 61–72
· Audio Program: TXT CD 3 Track 11

Presentation Strategies
· Draw students' attention to the benchmarks under the ¡Llegada! banner and have them list at least one expression they have learned to go with each category.
· Complete review activities.

STANDARDS
1.2 Understand language, Act. 1
1.3 Present information, Acts. 1, 2, 3
2.2 Products and perspectives, Act. 4
4.1 Compare languages, Acts. 1, 2, 3

CENTURY Communication, Pre-AP

Warm Up Projectable Transparencies, 2-19

Deportes Match each activity with the word or phrase you would associate with it.

1. levantar pesas	**a.** musculoso(a)
2. meter un gol	**b.** la competencia
3. montar en bicicleta	**c.** estar empatado
4. no ganar y no perder	**d.** la Vuelta a Francia
5. competir	**e.** la Copa Mundial

Answers: 1. a; 2. e; 3. d; 4. c; 5. b

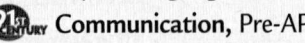
✓Ongoing Assessment

Alternative Strategy Have students use the word bank in **Activity 1** and the clues in **Activity 2** to create new word combinations. Using these new combinations, have them create original sentences about how someone did something in the past. Example: **Nosotros recibimos notas de A en el examen fácilmente.** Have students make up as many different combinations as they can.

Answers Projectable Transparencies, 2-27

Activity 1

1. alegremente	**4.** rápidamente
2. lentamente	**5.** fácilmente
3. seriamente	**6.** tristemente

Activity 2 Answers will vary.

1. bebieron	**4.** comiste
2. corrí	**5.** escribió
3. compartimos	**6.** aprendieron

110

@HOMETUT
my.hrw.com

¡LLEGADA!

Now you can
· talk about sporting events and athletes
· discuss ways to stay healthy
· point out specific people and things
· retell events from the past

Using
· adverbs with **-mente**
· preterite of **-er** and **-ir** verbs
· demonstrative adjectives and pronouns

To review
· adverbs with **-mente**, p. 94

AUDIO

1 Listen and understand

Escucha las noticias y escribe un adverbio con **-mente** para describir cómo los atletas practican los deportes. *(Describe how the athletes do the following activities.)*

alegre	fácil	rápido	tranquilo
difícil	lento	serio	triste

Audio Program
TXT CD 3 Track 11
Audio Script, TE p. 87B

1. Carla Sánchez jugó _____ .
2. Victor García corrió _____ .
3. Los Osos practicaron _____ .
4. Alejandro Díaz metió un gol _____ .
5. Los Tigres ganaron el partido _____
6. Los aficionados de Los Jaguares salieron _____ del estadio.

To review
Using
· preterite of **-er** and **-ir** verbs, p. 95

2 Discuss ways to stay healthy

Di lo que hicieron estas personas ayer para estar saludables. También da una razón lógica. *(Tell what activities people did to be healthy and give a reason.)*

Pistas: seguir un dieta balanceada, mantenerse en forma, hacer ejercicio

modelo: yo / comer frutas y verduras / es necesario
Yo comí frutas y verduras. Es necesario seguir una dieta balanceada.

1. Mis hermanos / beber mucha agua / es importante
2. Yo / correr cuarenta minutos / es necesario
3. Nosotros / compartir un sándwich y una ensalada/ es bueno
4. Tú / comer un yogur/ es importante
5. Luz / escribir una lista de comidas saludables para comprar / hay qu
6. Julio y Ana / aprender a patinar en línea / es bueno

Differentiating Instruction

Pre-AP

Expand and Elaborate Have advanced students choose one sentence from Activity 1 or 2 to use as an opening line for a novel. Ask them to develop the first paragraph of the story as an action-packed sequence of events in order to generate interest for the reader. Remind them to use verbs studied in this chapter.

Multiple Intelligences

Kinesthetic Review preterite verbs and vocabulary by playing a game of charades called **Lo que hice ayer.** Provide strips of paper with sentences in the **yo** or **nosotros** form and ask students to act out what the sentence says. (A student with a **nosotros** sentence works with a partner.) Sample: **Escribimos correos electrónicos.**

3 | Point out specific people and things

review
Demonstrative adjectives and pronouns, p. 100

Completa las descripciones para saber qué pasa en las competencias. Usa adjetivos o pronombres demostrativos. *(Use demonstrative adjectives and pronouns to complete the descriptions.)*

modelo: _____ jugadora quiere meter un gol.
Aquella jugadora quiere meter un gol.

1. _____ red es del equipo azul; _____ es del equipo rojo.
2. _____ jugadora del equipo azul tiene la pelota. _____ del equipo azul también quieren meter un gol.
3. _____ jugadora del equipo rojo está frente a la red. _____ del equipo rojo corren a ayudarla.
4. _____ aficionados son alegres; _____ son tristes.
5. _____ hombre toma fotos del partido.

4 | Argentina and Spain

review
La Boca, p. 87
Comparación cultural, pp. 96, 102
Lectura, pp. 106–07

Comparación cultural

Contesta estas preguntas culturales. *(Answer these culture questions.)*

1. ¿Qué puedes ver en La Boca?
2. ¿Qué deporte representa Antonio Berni en su pintura y por qué?
3. ¿Qué puedes escuchar de los aficionados argentinos y españoles si vas a un partido de fútbol?
4. ¿Qué es la Copa Mundial? ¿Cuándo empezó?

Más práctica Cuaderno *pp. 61–72* Cuaderno para hispanohablantes *pp. 63–72*

Get Help Online
my.hrw.com

Differentiating Instruction

Slower-paced Learners

Peer-study Support Organize a World Cup review tournament with triads of students representing various countries, and scoring points by answering questions correctly. Have students go back to the Lectura and come up with questions that are answered in the text. Have them and submit their questions (with answers provided) to you for the review.

Inclusion

Clear Structure Encourage students to re-create charts in the margins of review activities and tests. In Activity 3, for example, have students list all the demonstratives in a table like the one on p. 100, so they can choose the best answer.

Get Help Online
More Practice
my.hrw.com

✓ **Ongoing Assessment**

Intervention and Remediation Two or more mistakes in any of these activities are an indication that a student should revisit the indicated review pages in the PE. If students still have questions about why their answers were incorrect, have them check with a classmate.

TEACHER to TEACHER

**Dan Richardson
Concord, New Hampshire**

Tips for Presenting Vocabulary

"I ask students to pretend they are reporters for either a sports program, magazine, or newspaper. I then ask them to choose an athlete (real or imaginary) and use the vocabulary from the lesson to write either a dialog between themselves and the athlete or a newspaper article using the target vocabulary. After students have finished writing, I ask for volunteers to their dialogs/ articles aloud to the class. I encourage students to ask the reporter or athlete questions--in Spanish, of course!"

Go online for more tips!

Answers Projectable Transparencies, 2-27

Activity 3 Answers will vary; these answers reflect a nearest-to-farthest progression.
1. Esta, aquélla
2. Aquella; Ésas (Aquéllas)
3. Aquella; Ésas
4. Estos (Esos); ésos (aquéllos)
5. Este

Activity 4 Sample answers:
1. Puedes ver casas de colores vivos, museos, cantantes y bailarines de tango.
2. Representa el fútbol porque refleja la vida de su país.
3. Puedes escuchar los cantos deportivos.
4. La Copa Mundial es la competencia de los mejores equipos de fútbol del mundo. Empezó en 1930.

Culture at a Glance

Topic & Activity	Essential Question
Puerto Madero, p. 112	¿Hay un lugar especial en el centro donde vives?
Abstract art, p. 120	¿Cómo usa un(a) artista el arte abstracto para comunicarse?
Comic strips, p. 126	¿Cómo representan las tiras cómicas una cultura?
Daily routines in Argentina and Colombia, pp. 130–131	¿Cómo es la vida para un gaucho en Argentina y un cafetero en Colombia?
Los gestos y el espacio personal, p. 132	¿Cómo usamos los gestos y las posiciones del cuerpo en la comunicacíon?
Culture review, p. 135	¿Cómo son las culturas de Argentina y Colombia?

COMPARISON COUNTRIES   Argentina    Colombia   España

Practice at a Glance

	Objective	Activity & Skill
Vocabulary	Daily routine	1: Speaking/Writing; 3: Reading/Writing; 5: Speaking/Writing; 7: Reading/Writing; 8: Speaking; 9: Writing/Speaking; 10: Writing/Speaking; 12: Speaking/Writing; 13: Writing/Speaking; 16: Speaking; 21: Reading/Listening/Speaking; 22: Writing; Repaso 1: Listening; Repaso 2: Writing; Repaso 3: Writing
	Sequencing words	3: Reading/Writing; 21: Reading/Listening/Speaking; 22: Writing; Repaso 1: Listening
	Parts of the body	2: Speaking/Writing; 6: Writing/Speaking
Grammar	**pensar** + infinitive	5: Speaking/Writing; 21: Reading/Listening/Speaking; Repaso 3: Writing
	Reflexive verbs	6: Writing/Speaking; 7: Reading/Writing; 8: Speaking; 9: Writing/Speaking; 10: Writing/Speaking; 12: Speaking/Writing; 13: Writing/Speaking; 16: Speaking; 21: Reading/Listening/Speaking; 22: Writing; Repaso 1: Listening; Repaso 2: Writing; Repaso 3: Writing
	Present progressive	14: Speaking/Writing; 15: Listening/Speaking; 16: Speaking; 17: Speaking/Writing; 20: Speaking; Repaso 4: Writing
Communication	Discuss your daily routine	1: Speaking/Writing; 3: Reading/Writing; 7: Reading/Writing; 8: Speaking; 9: Writing/Speaking; 10: Writing/Speaking; 12: Speaking/Writing; 21: Reading/Listening/Speaking; 22: Writing; Repaso 2: Writing; Repaso 3: Writing
	Clarify the sequence of events	3: Reading/Writing; 21: Reading/Listening/Speaking; 22: Writing; Repaso 1: Listening
	Say what you and others are doing right now or intend to do	5: Speaking/Writing; 14: Speaking/Writing; 15: Listening/Speaking; 16: Speaking; 17: Speaking/Writing; 20: Speaking; Repaso 3: Writing; Repaso 4: Writing
	Pronunciation: Stress	*Pronunciación: La acentuación*, p. 125: Listening
Recycle	Parts of the body	6: Writing/Speaking
	Telling time	12: Speaking/Writing
	Places in school and around town	20: Speaking

The following presentations are recorded in the Audio Program for *¡Avancemos!*

- **¡A responder!** *page 115*
- **15: En la fiesta** *page 125*
- **21: Integración** *page 129*
- **Repaso de la lección** *page 134*
  1: Listen and understand
- **Repaso inclusivo** *page 138*
  1: Listen, understand, and compare

For **¡AvanzaRap!** scripts, see the **¡AvanzaRap!** DVD.

¡A responder! TXT CD 3 track 13

1. cepillarse los dientes
2. lavarse la cara
3. secarse el pelo con una toalla
4. levantarse de la silla
5. peinarse
6. dormirse
7. ponerse la ropa
8. afeitarse o maquillarse la cara

15 | En la fiesta TXT CD 3 track 16

Esta fiesta es fantástica. Estamos celebrando el cumpleaños de Tobal. Casi todos los invitados están bailando. Unos jóvenes están tocando la guitarra y cantando. Diego está bailando con una chica rubia. No la conozco. A ver... ¿Dónde está Mateo? Ah, sí... Mateo está comiendo pizza y bebiendo un refresco. Un momento... Tobal nos está diciendo algo... Veo a dos señoras que están entrando a la casa con un pastel. Sí, le están trayendo el pastel a Tobal. ¡Qué contento está! Ahora están cortando el pastel. ¡Qué rico! Te hablo más tarde. Adiós.

21 | Integración TXT CD 3 tracks 19, 20

Fuente 2, Diario hablado

Campamento Los Pinos, el 20 de junio.
Por fin estoy descansando un poco. ¡Qué rutina más difícil! Nos despertamos a las cinco de la mañana y nos bañamos con agua fría. Después salimos al parque para entrenarnos. Hoy corrimos por dos horas y luego jugamos al fútbol. Normalmente me gusta correr y practicar deportes, pero aquí ¡es demasiado! No hay juegos, no hay música; las comidas no son buenas y nos acostamos a las ocho de la noche. Pero estoy conociendo a nuevos amigos y estamos pensando ir a un campamento más divertido el próximo verano. Bueno, eso es todo por hoy. Tengo sueño. Buenas noches.

Repaso de la lección TXT CD 3 track 22

1 Listen and understand

Tengo la misma rutina cada noche. Me lavo la cara con jabón y me seco la cara con una toalla. Entonces, me cepillo los dientes con mi pasta de dientes favorita. Me acuesto y leo un libro por un rato. Más tarde, apago la luz y me duermo. ¡Buenas noches!

Repaso inclusivo TXT CD 3 track 24

1 Listen, understand, and compare

¡Siempre estoy cansada! Es porque sigo una rutina muy complicada todos los días de la semana. Por ejemplo, ayer me desperté a las seis y cuarto de la mañana y corrí al baño. Me duché y me lavé el pelo rápidamente. Después de secarme el pelo con la secadora de pelo y ponerme la ropa, tomé un vaso de jugo para el desayuno. Entonces me cepillé los dientes y luego me maquillé. Luego fui a la escuela temprano para hablar con la profesora de inglés porque no entendí la tarea que nos dio.

¡Qué suerte tiene mi hermano! Sólo se ducha, se afeita y se pone la ropa. No toma mucho tiempo para arreglarse. Él siempre come un buen desayuno antes de salir para la escuela. Su rutina es más saludable. ¡Pienso seguir otra rutina!

Everything you need to ...

Plan

TEACHER ONE STOP

✓ Lesson Plans
✓ Teacher Resources
✓ Audio and Video

Present

INTERACTIVE WHITEBOARD LESSONS

TEACHER ONE STOP WITH PROJECTABLE TRANSPARENCIES

POWER PRESENTATIONS

ANiMaTeDGRaMMaR

Assess

 ONLINE ASSESSMENT

✓ Assessments for on-level, modified, pre-AP, and heritage learners
✓ Create customized tests with **Examview Assessment Suite**
✓ performance))space
✓ *Generate Success* Rubric Generator

 ## Print

Plan	Present	Practice	Assess
URB 2 • Video Scripts pp. 71–72 • Family Involvement Activity p. 92 • Absent Student Copymasters pp. 101–111 **Best Practices Toolkit**	**URB 2** • Video Activities pp. 59–66	• *Cuaderno* pp. 73–98 • *Cuaderno para hispanohablantes* pp. 73–98 • *Lecturas para todos* pp. 17–21 • *Lecturas para hispanohablantes* • *¡AvanzaCómics! El misterio de Tikal,* Episodio 1 **URB 2** • Practice Games pp. 39–46 • Audio Scripts pp. 78–82 • Fine Art Activities pp. 88–89	**Differentiated Assessment Program** **URB 2** • Did you get it? Reteaching and Practice Copymasters pp. 13–24

 ## Projectable Transparencies (Teacher One Stop, my.hrw.com)

Culture	Presentation and Practice	Classroom Management
• Atlas Maps 1–6 • Map: Argentina 1 • Fine Art Transparencies 4, 5	• Vocabulary Transparencies 8, 9 • Grammar Presentation Transparencies 12, 13 • Situational Transparency and Label Overlay 14, 15 • Situational Student Copymasters pp. 1–2	• Warm Up Transparencies 20–23 • Student Book Answer Transparencies 28–31

 # Audio and Video

Audio	Video	¡AvanzaRap! DVD
• Student Book Audio CD 3 Tracks 12–24 • Workbook Audio CD 1 Tracks 31–40 • Assessment Audio CD 1 Tracks 11–14 • Heritage Learners Audio CD 1 Tracks 13–16, CD 3 Tracks 11–14 • *Lecturas para todos* Audio CD 1 Track 4, CD 2 Tracks 1–7 • Sing-along Songs Audio CD	• Vocabulary Video DVD 1 • *Telehistoria* DVD 1 • *Telehistoria, Escena 1* • *Telehistoria, Escena 2* • *Telehistoria, Escena 3* • *Telehistoria, Completa* • Culture Video DVD 1	• Video animations of all ¡AvanzaRap! songs (with Karaoke track) • Interactive DVD Activities • Teaching Suggestions • **¡AvanzaRap!** Activity Masters • **¡AvanzaRap!** video scripts and answers

 # Online and Media Resources

Student	Teacher
Available online at my.hrw.com • Online Student Edition • **News** Networking • **performance space** • **@HOMETUTOR** • **CULTURA** Interactiva • WebQuests • Interactive Flashcards • Review Games • Self-Check Quiz **Student One Stop** **Holt McDougal Spanish Apps**	**Teacher One Stop (also available at my.hrw.com)** • Interactive Teacher's Edition • All print, audio, and video resources • Projectable Transparencies • Lesson Plans • TPRS • Examview Assessment Suite **Available online at my.hrw.com** *Generate Success* Rubric Generator and Graphic Organizers **Power Presentations**

Differentiated Assessment

On-level	Modified	Pre-AP	Heritage Learners
• Vocabulary Recognition Quiz p. 80 • Vocabulary Production Quiz p. 81 • Grammar Quizzes pp. 82–83 • Culture Quiz p. 84 • On-level Lesson Test pp. 85–91 • On-level Unit Test pp. 97–103	• Modified Lesson Test pp. 59–65 • Modified Unit Test pp. 71–77	• Pre-AP Lesson Test pp. 59–65 • Pre-AP Unit Test pp. 71–77	• Heritage Learners Lesson Test pp. 65–71 • Heritage Learners Unit Test pp. 77–83

	Objectives/Focus	Teach	Practice	Assess/HW Options
DAY 1	**Culture:** learn about Argentine culture **Vocabulary:** words related to daily routines • Warm Up OHT 20 **5 min**	Lesson Opener pp. 112–113 **Presentación de vocabulario** pp. 114–115 • Read A–D • View video DVD 1 • Play audio TXT CD 3 track 12 • *¡A responder!* TXT CD 3 track 13 **25 min**	Lesson Opener pp. 112–113 **Práctica de vocabulario** p. 116 • Acts. 1, 2, 3 **15 min**	**Assess:** *Para y piensa* p. 116 **5 min** **Homework:** *Cuaderno* pp. 73–75 @HomeTutor
DAY 2	**Communication:** talk about people's plans • Warm Up OHT 20 • Check Homework **5 min**	**Vocabulario en contexto** pp. 117–118 • *Telehistoria escena 1* DVD 1 • *Nota gramatical:* **pensar** + infinitive **20 min**	**Vocabulario en contexto** pp. 117–118 • Act. 4 TXT CD 3 track 14 • Act. 5 **20 min**	**Assess:** *Para y piensa* p. 118 **5 min** **Homework:** *Cuaderno* pp. 73–75 @HomeTutor
DAY 3	**Grammar:** reflexive verbs with their pronouns • Warm Up OHT 21 • Check Homework **5 min**	**Presentación de gramática** p. 119 • Reflexive verbs **Práctica de gramática** pp. 120–121 **Culture:** *El arte abstracto* **20 min**	**Práctica de gramática** pp. 120–121 • Acts. 6, 7, 8, 9, 10 **20 min**	**Assess:** *Para y piensa* p. 121 **5 min** **Homework:** *Cuaderno* pp. 76–78 @HomeTutor
DAY 4	**Communication:** use reflexive verbs to talk about daily routines • Warm Up OHT 21 • Check Homework **5 min**	**Gramática en contexto** pp. 122–123 • *Telehistoria escena 2* DVD 1 **15 min**	**Gramática en contexto** pp. 122–123 • Acts. 11, 12, 13 **25 min**	**Assess:** *Para y piensa* p. 123 **5 min** **Homework:** *Cuaderno* pp. 76–78 @HomeTutor
DAY 5	**Grammar:** the present progressive • Warm Up OHT 22 • Check Homework **5 min**	**Presentación de gramática** p. 124 • Present progressive **Práctica de gramática** pp. 125–126 • *Pronunciación* TXT CD 3 track 17 **15 min**	**Práctica de gramática** pp. 125–126 • Act. 14 • Act. 15 TXT CD 3 track 16 • Acts. 16, 17 **25 min**	**Assess:** *Para y piensa* p. 126 **5 min** **Homework:** *Cuaderno* pp. 79–81 @HomeTutor
DAY 6	**Communication:** Culmination: talk with others about your surroundings, routines, plans • Warm Up OHT 22 • Check Homework **5 min**	**Todo junto** pp. 127–129 • *Escenas 1, 2: Resumen* • *Telehistoria completa* DVD 1 **15 min**	**Todo junto** pp. 127–129 • Act. 18 TXT CD tracks 14, 15, 18 • Acts. 19, 20 • Act. 21 TXT CD tracks 19, 20 • Act. 22 **25 min**	**Assess:** *Para y piensa* p. 129 **5 min** **Homework:** *Cuaderno* pp. 82–83 @HomeTutor
DAY 7	**Reading:** Living off the Land **Review:** Lesson review • Warm Up OHT 23 • Check Homework **5 min**	**Lectura cultural** pp. 130–131 • *Vivir de la tierra* TXT CD 3 track 21 **Repaso de la lección** pp. 134–135 **15 min**	**Lectura cultural** pp. 130–131 • *Vivir de la tierra* **Repaso de la lección** pp. 134–135 • Act. 1 TXT CD 3 track 22 • Acts. 2, 3, 4, 5 **25 min**	**Assess:** *Para y piensa* p. 131; **5 min** *Repaso de la lección* pp. 134–135 **Homework:** *En resumen* p. 133; *Cuaderno* pp. 84–95 (optional) Review Games Online @HomeTutor
DAY 8	**Assessment**			**Assess:** Lesson 2 test or Unit 2 test **50 min**
DAY 9	**Unit Culmination**	**Comparación cultural** pp. 136–137 • Culture video DVD 1 • TXT CD 3 track 23 **Repaso inclusivo** pp. 138–139 **20 min**	**Comparación cultural** pp. 136–137 **Repaso inclusivo** pp. 138–139 • Act. 1 TXT CD 3 track 24 • Acts. 2, 3, 4, 5, 6, 7 **25 min**	**Homework:** *Cuaderno* pp. 96–98 **5 min**

	Objectives/Focus	Teach	Practice	Assess/HW Options
DAY 1	**Culture:** learn about Argentine culture **Vocabulary:** words related to daily routines • Warm Up OHT 20 **5 min**	Lesson Opener pp. 112–113 **Presentación de vocabulario** pp. 114–115 • Read A–D • View video DVD 1 • Play audio TXT CD 3 track 12 • *¡A responder!* TXT CD 3 track 13 **20 min**	Lesson Opener pp. 112–113 **Práctica de vocabulario** p. 116 • Acts. 1, 2, 3 **20 min**	**Assess:** *Para y piensa* p. 116 **5 min**
	Communication: talk about people's plans **5 min**	**Vocabulario en contexto** pp. 117–118 • *Telehistoria escena 1* DVD 1 • *Nota gramatical:* **pensar** + infinitive **15 min**	**Vocabulario en contexto** pp. 117–118 • Act. 4 TXT CD 3 track 14 • Act. 5 **15 min**	**Assess:** *Para y piensa* p. 118 **5 min** **Homework:** *Cuaderno* pp. 73–75 @HomeTutor
DAY 2	**Grammar:** reflexive verbs with their pronouns • Warm Up OHT 21 • Check Homework **5 min**	**Presentación de gramática** p. 119 • Reflexive verbs **Práctica de gramática** pp. 120–121 **Culture:** *El arte abstracto* **20 min**	**Práctica de gramática** pp. 120–121 • Acts. 6, 7, 8, 9, 10 **20 min**	**Assess:** *Para y piensa* p. 121 **5 min**
	Communication: use reflexive verbs to talk about daily routines **5 min**	**Gramática en contexto** pp. 122–123 • *Telehistoria escena 2* DVD 1 **15 min**	**Gramática en contexto** pp. 122–123 • Acts. 11, 12, 13 **15 min**	**Assess:** *Para y piensa* p. 123 **5 min** **Homework:** *Cuaderno* pp. 76–78 @HomeTutor
DAY 3	**Grammar:** the present progressive • Warm Up OHT 22 • Check Homework **5 min**	**Presentación de gramática** p. 124 • Present progressive **Práctica de gramática** pp. 125–126 • *Pronunciación* TXT CD 3 track 17 **15 min**	**Práctica de gramática** pp. 125–126 • Act. 14 • Act. 15 TXT CD 3 track 16 • Acts. 16, 17 **20 min**	**Assess:** *Para y piensa* p. 126 **5 min**
	Communication: Culmination: talk with others about your surroundings, routines, plans **5 min**	**Todo junto** p. 127 • *Escenas 1, 2: Resumen* • *Telehistoria completa* DVD 1 **15 min**	**Todo junto** pp. 128–129 • Act. 18 TXT CD tracks 14, 15, 18 • Acts. 19, 20 • Act. 21 TXT CD tracks 19, 20 • Act. 22 **20 min**	**Assess:** *Para y piensa* p. 129 **5 min** **Homework:** *Cuaderno* pp. 79–83 @HomeTutor
DAY 4	**Reading:** Living off the Land **Projects:** Gestures and personal space • Warm Up OHT 23 • Check Homework **5 min**	**Lectura cultural** pp. 130–131 • *Vivir de la tierra* TXT CD 3 track 21 **Proyectos culturales** p. 132 • *Los gestos y el espacio personal* **15 min**	**Lectura cultural** pp. 130–131 • *Vivir de la tierra* **Proyectos culturales** p. 132 • *Proyectos 1, 2* **20 min**	**Assess:** *Para y piensa* p. 13 **5 min**
	Review: Lession review **5 min**	**Repaso de la lección** pp. 134–135 **15 min**	**Repaso de la lección** pp. 134–135 • Act. 1 TXT CD 3 track 22 • Acts. 2, 3, 4, 5 **20 min**	**Assess:** *Repaso de la* **5 min** *lección* pp. 134–135 **Homework:** *En resumen* p. 133; *Cuaderno* pp. 84–95 (optional) Review Games Online @HomeTutor
DAY 5	**Assessment**			**Assess:** Lesson 2 test or Unit 2 test **45 min**
	Unit Culmination	**Comparación cultural** pp. 136–137 • TXT CD 3 track 23 • Culture video DVD 1 **Repaso inclusivo** pp. 138–139 **15 min**	**Comparación cultural** pp. 136–137 **Repaso inclusivo** pp. 138–139 • Act. 1 TXT CD 3 track 24 • Acts. 2, 3, 4, 5, 6, 7 **25 min**	**Homework:** *Cuaderno* **5 min** pp. 96–98

Objectives
- Introduce lesson theme: **¿Qué vamos a hacer?**
- **Culture:** nearby city centers or downtown areas.

Presentation Strategies
- Ask students to name things they do everyday.
- Ask students to list places in town that they regularly visit.
- Brainstorm words students already know for body parts, telling time, and places.

STANDARDS
1.1 Engage in conversation
4.2 Compare cultures

21st CENTURY **Communication,** Compara con tu mundo/Pre-AP

 **Warm Up** Projectable Transparencies, 2-20

Telling Time Express the times given below in complete sentences.
modelo: 6:00. **Son las seis.**
1. 12:00
2. 8:05
3. 6:45
4. 7:15
5. 1:30

Answers: 1. Son las doce.; 2. Son las ocho y cinco.; 3. Son las siete menos cuarto.; 4. Son las siete y cuarto.; 5. Es la una y media.

Comparación cultural

Exploring the Theme
Ask students the following:
1. What are some things you do everyday?
2. What do you usually do in the morning? What do you do before going to bed?
3. What are some popular meeting places near where you live?

¿Qué ves? Possible answers include:
- Diego tiene una videocámara en la mano.
- Los jóvenes llevan pantalones, camisetas y zapatos.
- Sí, me interesa porque hay muchos jóvenes allí.

112

UNIDAD **2**
Argentina

Lección

2

Tema:
¿Qué vamos a hacer?

¡AVANZA! **In this lesson you will learn to**
- discuss your daily routine
- clarify the sequence of events
- say what you and others are doing right now or intend to do

using
- **pensar** + infinitive
- **reflexive verbs**
- **present progressive**

♻ *¿Recuerdas?*
- parts of the body
- telling time
- places in school and around town

Comparación cultural

In this lesson you will learn about
- abstract art and comic strips
- body language, gestures, and idioms
- daily routines in rural Argentina and Colombia
- athletic routines in Argentina, Colombia, and Spain

Compara con tu mundo
Diego, Luisa y Mateo descansan al lado del río *(river)* cerca del centro de Buenos Aires. *¿Hay un lugar especial en el centro donde vives? ¿Van muchas personas allí?*

¿Qué ves?
Mira la foto
¿Qué tiene en la mano Diego?
¿Qué ropa llevan los jóvenes?
¿Te interesa esta parte de Buenos Aires?
¿Por qué?

112 ciento doce

Differentiating Instruction

Multiple Intelligences
Visual Learners After looking at and discussing the photograph on pp. 112–113, ask students to illustrate their ideal place for gathering with friends—real or imagined. They can draw an image of themselves or cut out pictures from magazines to create a collage. Have students label the image and share their work with the rest of the class.

Slower-paced Learners
Yes/No Questions Ask students yes/no questions about the photo: **¿Es un lugar pequeño? ¿Es grande? ¿Hay un restaurante? ¿Hay un parque?** Vary the activity with either/or questions. **¿Llevan camisetas o chaquetas los chicos? ¿Hace frío o calor en este lugar?**

DIGITAL SPANISH my.hrw.com
ONLINE STUDENT EDITION with...

performance space
News Networking
@HOMETUTOR
CULTURA Interactiva

- Audio and Video Resources
- Interactive Flashcards
- Review Activities
- WebQuest
- Conjuguemos.com

PRACTICE SPANISH WITH HOLT MCDOUGAL APPS!

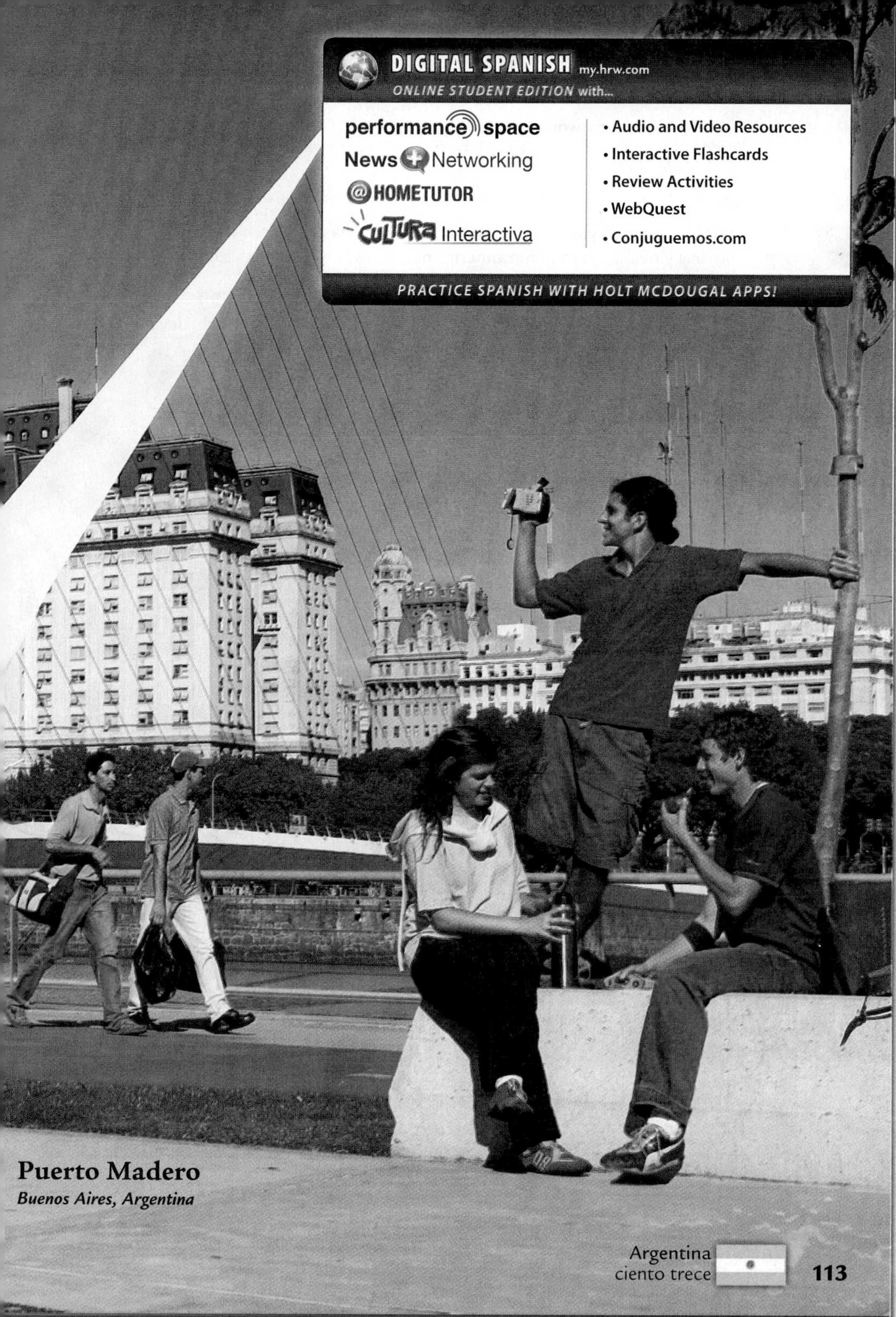

Puerto Madero
Buenos Aires, Argentina

DIGITAL SPANISH

TEACHER TOOLS
- Interactive Whiteboard Lessons
- Generate Success!

ALSO AVAILABLE...
- Online Workbook
- Spanish InterActive Reader

SPANISH ON THE GO!
- Performance Space
- Holt McDougal Spanish Apps
- ¡Avancemos! eTextbook

Using the Photo

Location Information

Puerto Madero is Buenos Aires' inner harbor, and is named after its designer, Eduardo Madero. It opened in 1887, and since then the city has undertaken numerous projects to improve it. The waterfront is connected to the city center, making the harbor an ideal site for commerce and recreation.

Expanded Information

Preservation Protected areas of the port are now designated for parks and recreation. In the 1980s, Buenos Aires architects consulted with city planners from Barcelona to revive the area and make it safe and enjoyable for the people of the city.

Commerce and tourism have boomed in Puerto Madero, now a very popular spot for dining, shopping, business, and recreation. A number of old warehouses have been converted into commercial space, and the area's many museums, theaters, churches, and playgrounds make it an ideal place for families to visit.

Differentiating Instruction

Inclusion

Cumulative Instruction Help students review vocabulary they already know for different parts of the body. As you review terms, have students illustrate the body part. Alternatively, you could ask students to draw a basic picture of a boy or a girl and label the body parts that are named.

Pre-AP

Expand and Elaborate Have students say what they tend to do after school, either on school grounds or at home. Prompt them to describe the frequency of the after-school activity by asking questions such as: **¿Lo haces todos los días, o de vez en cuando?**

Long-term Retention

Personalize It

Ask students to think about places around town that they visit, either seldom or often. Do they have a favorite spot for meeting up with friends? How do they get there? By foot? By bus? How often do they go there?

¡AVANZA! Objectives

- Present vocabulary: daily routines, personal care, and body parts.
- Check for recognition.

Core Resources

- Video Program: DVD 1
- Audio Program: TXT CD 3 Tracks 12–13

Presentation Strategies

- Read aloud the vocabulary terms on pp. 114–115, and ask students to repeat them after you.
- Call on volunteers to signal body parts that you name.
- Play the audio as students read A–D.

STANDARD

1.2 Understand language

Communication
TPR Activity

Have students stand up and follow your lead in acting out the different steps in a morning routine. Start out by naming each action (**afeitarse, ducharse**) as you act it out with the students. Include nouns by using simple phrases like **tomar el jabón** (hold up an imaginary bar of soap), followed by **lavarse la cara.**

Humor/ Creativity

Adapt a game of hangman, or **a la horca,** to learn new body vocabulary. For each letter students guess that is not in the given phrase, draw a body part on the hangman's noose.

Comparisons
English Language Connection

Tell students that cognates are sometimes indirect. For example, **diente** and *tooth* are not similar words, but *dental* could be considered an indirect cognate. Point out that a knowledge of Spanish can help improve students' English vocabulary.

114

❊ Presentación de VOCABULARIO

¡AVANZA! **Goal:** Learn some words related to daily routines. Then, identify items needed for personal care, parts of the body, and a logical routine. *Actividades 1–3*

VIDEO DVD

AUDIO

A ¡Hola! Soy Mateo y ésta es mi **rutina** todos los días. **Primero** me despierto a las seis y media, pero **generalmente** no me levanto hasta las siete.

despertarse
el dedo
la muñeca
levantarse
el codo
el hombro
el cuello

B **Luego** me cepillo los dientes. Después me afeito, me ducho y me lavo el pelo. **Entonces** me seco con la toalla y me peino. **A veces** si no **tengo prisa**, me seco el pelo con **el secador de pelo.**

cepillarse los dientes
los dientes
el cepillo (de dientes)
la pasta de dientes

afeitarse
la crema de afeitar
ducharse
el champú

secarse
la toalla

peinarse
el peine

Unidad 2 Argentina
114 ciento catorce

Differentiating Instruction

Inclusion

Multisensory Input As students repeat the new vocabulary, have them also write it out in their notebooks or in three-ring binders, drawing pictures of each term (as opposed to writing English translations). Have them refer to these "picture dictionaries" throughout the lesson.

Multiple Intelligences

Linguistic/Verbal Divide the class into two to three teams for the following game. Call out a brand name of personal care products, like **el jabón.** The first team to call out a category gets a point. Repeat, varying the categories randomly. Some items you may include are **la pasta de dientes, la crema de afeitar, el champú, el maquillaje,** and **el desodorante.**

C Soy Luisa y yo tengo otra rutina. **Frecuentemente** me levanto temprano para ir al gimnasio donde **me entreno.** Vuelvo a la casa para **arreglarme.** Me ducho y me pongo **el desodorante.** Después me maquillo y me pongo la ropa.

maquillarse

ponerse la ropa

D Por la noche, siempre me lavo **la cara** y me cepillo los dientes antes de acostarme. **Normalmente tengo sueño.** Apago la luz y me duermo muy rápidamente. ¡Hasta mañana!

lavarse

acostarse

 el jabón

apagar la luz

dormirse

Más vocabulario

el dedo del pie *toe*
la garganta *throat*
el oído *inner ear (hearing)*
la uña *nail*
bañarse *to take a bath*
encender (ie) la luz *to turn on the light*
más tarde *later on*
por fin *finally*
Expansión de vocabulario p. R5
Ya sabes p. R5

@HOMETUTOR
my.hrw.com
Interactive Flashcards

¡A responder! Escuchar 🎧

Escucha estas acciones y haz cada acción que oyes. *(Listen to the actions and do each one that you hear.)*

Lección 2
ciento quince **115**

TEACHER to TEACHER
Bonnie Moreno
Belleview, FL

Tips for Presenting Vocabulary

"I use this activity to get students moving and ready for the next phase of class. I ask students to stand up to do a quick rendition of "Cabeza y hombros, piernas y pies" sung to the tune of "Head, shoulders, knees, and toes." (Cabeza y hombros, piernas y pies, piernas y pies. Cabeza y hombros, piernas y pies, piernas y pies. Ojos, orejas, boca y nariz. Cabeza y hombros, piernas y pies, piernas y pies.) Students touch their head, shoulders, and so on as they sing along. Soon they have memorized the words. After doing this on several occasions, I change two or more of the words to different parts of the body until these, also, are memorized."

Go online for more tips!

Communication
Interpersonal Mode

Ask students to look through magazines or grocery store flyers for pictures of items that relate to the vocabulary presented in the lesson, such as **pasta de dientes** or **champú.** Pair up students and ask them to take turns naming each picture.

Long-term Retention
Personalize It

Write these cloze sentences on the board and call on volunteers to complete them by saying how many of each they have:
1. **Tengo ___ brazos.** (dos)
2. **Tengo ___ cuello.** (un)
3. **Tengo ___ dedos.** (diez)
4. **Tengo ___ muñecas.** (dos)

Differentiating Instruction

Pre-AP

Expand and Elaborate Ask students to jot down at what time they usually wake up, shower, get dressed, have breakfast, and leave for school. Have students choose Mateo's or Luisa's routine and rewrite the routine with times that correspond to their own schedule. **Primero me despierto a ___ pero...**

Slower-paced Learners

Intrapersonal Have students create a table with the following four headings: **Por la mañana, Por la noche, Mañana y noche,** and **No lo hago.** Name routines such as **maquillarme, acostarme, cepillarme los dientes,** and ask students to categorize each activity by writing it under the appropriate heading.

¡A responder! Audio script TE p. 111B
Students should act out
1. brushing teeth
2. washing face
3. towel-drying hair
4. getting up from a chair
5. combing hair
6. going to sleep
7. getting dressed
8. shaving or putting on makeup

VOCABULARIO

Objective
· Practice vocabulary: daily routines, personal care, and logical routines.

Core Resource
· *Cuaderno*, pp. 73–75

Practice Sequence
· **Activity 1:** Vocabulary recognition: match daily routines with objects
· **Activity 2:** Vocabulary production: name body parts
· **Activity 3:** Vocabulary production: correct errors in usage

STANDARDS
1.2 Understand language, Act. 3
1.3 Present information, Acts. 1, 2, 3

✓ Ongoing Assessment

Get Help Online
More Practice
my.hrw.com

Peer Assessment After students have completed the Para y piensa, ask **¿Qué haces a las siete de la mañana?** Get several responses, and then have students ask the person sitting next to them the same question. For additional practice, use Reteaching & Practice Copymasters URB 2, pp. 13, 14.

🛒 Answers Projectable Transparencies, 2-28

Activity 1
1. el peine
2. la toalla, el secador de pelo
3. el jabón, el champú, la toalla
4. la toalla
5. el champú
6. el cepillo de dientes, la pasta de dientes

Activity 2
1. el diente
2. la muñeca
3. el dedo
4. el codo
5. el hombro
6. el dedo del pie

Activity 3
1. Es lógica.
2. No es lógica. Cuando Luisa tiene prisa, se pone la ropa **rápidamente**.
3. No es lógica. Por la noche, Luisa **se lava la cara** y después **apaga** la luz.
4. Es lógica.
5. Es lógica.

Para y piensa Sample answer (3, 4, and 5 will vary):
1. b; 2. c; 3. d; 4. f; 5. a; 6. e

116

❊ Práctica de VOCABULARIO

1 | ¿Qué necesito?

Hablar Escribir

Di qué necesitas para estas actividades. *(Tell what is needed to do the activity.)*

el jabón	el cepillo de dientes
el peine	el secador de pelo
la toalla	la pasta de dientes
el champú	la crema de afeitar

modelo: bañarse
Necesito el jabón y la toalla.

1. peinarse
2. secarse el pelo
3. ducharse
4. secarse el cuerpo
5. lavarse el pelo
6. cepillarse los dientes

Expansión: Teacher Edition Have students s which items the might need to bring to stay ove at someone else home, and what they would need for camping.

2 | El cuerpo

Hablar Escribir

Identifica las partes del cuerpo. *(Identify parts of the body.)*

modelo: Es el cuello.

 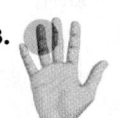  

1. 2. 3. 4. 5. 6.

Expansión: Teacher Edition O Have students te what each body part is next to. G the phrase está a lado de. For example: El cuell El cuello está a lado del hombro

3 | ¿Es normal?

Leer Escribir

Indica si estas rutinas son lógicas o no. Si no son lógicas, cámbialas por rutinas lógicas. *(Tell if these routines are logical. Change the illogical so they are logical.)*

modelo: Por fin, Diego se pone el desodorante y se baña. No es lógica.
Por fin, Diego se pone el desodorante y se pone la ropa.

1. Frecuentemente Diego se entrena y luego se ducha.
2. Cuando Luisa tiene prisa, se pone la ropa lentamente.
3. Por la noche Luisa se maquilla y después enciende la luz.
4. A Diego le duele el oído cuando le duele la garganta.
5. Por fin, Diego apaga la luz y se acuesta.

Expansión
Write two more sentences, one logical and one illogical, and have a classmate identify each one.

Más práctica Cuaderno *pp. 73–75* Cuaderno para hispanohablantes *pp. 73–76*

PARA Y PIENSA

Get Help Online
my.hrw.com

Did you get it? Put the following activities in the order that you would do them most days from morning to night.
a. Me cepillo los dientes.
b. Me despierto.
c. Me levanto.
d. Me ducho.
e. Me acuesto.
f. Me seco el pelo.

Differentiating Instruction

English Learners

Provide Comprehensible Input Before doing Activity 3, review the concept of logical and illogical. Say that *logical* is something that makes sense and is likely to happen. *Illogical* is something that doesn't make sense because it is out of sequence or not likely to happen. Give examples of both, such as having lunch at night, or brushing your teeth after eating.

Slower-paced Learners

Memory Aids Help students to think of visual/auditory clues to help them remember meanings. Repeat the word **cepillarse** and have them imagine the sound of a brush moving back and forth. Say that **dientes** can put *dents* in things (model by biting a pencil). **Pasta de dientes** looks like spaghetti (pasta) when it comes out of the tube.

✿ VOCABULARIO en contexto

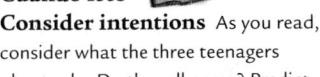

¡AVANZA! **Goal:** Listen to the plans the kids are making. Then talk about people's plans using **pensar** + *infinitive*. *Actividades 4–5*
🔁 *¿Recuerdas?* **pensar** pp. R6, R30

Telehistoria escena 1 _____

 **@HOME TUTOR** View, Read
my.hrw.com and Record

STRATEGIES

📖 **Cuando lees**
Consider intentions As you read, consider what the three teenagers plan to do. Do they all agree? Predict whether Tobal will want to be involved.

🎧 **Cuando escuchas**
Listen to intonation To understand the characters' feelings, listen to the intonation of their words. Who sounds pessimistic about Tobal? Who sounds optimistic? What does Tobal's voice express?

VIDEO DVD

AUDIO

Tobal · Diego · Mateo · Luisa

Mateo: ¿Por qué llegamos tan temprano?

Diego: No sabemos a qué hora sale Tobal de la casa normalmente. Necesitamos estar aquí temprano para conocerlo.

Luisa: ¿Quién encendió la luz? ¡Tal vez está en casa!

Mateo: ¡Che! ¿Qué le vamos a decir a Tobal?

Diego: Le decimos que queremos hacer una película sobre él.

Luisa: ¡Sí! Queremos saber qué hace generalmente. ¿Cuál es su rutina?

Diego: Le vamos a preguntar: «¿Qué piensa hacer mañana?» «¿Podemos venir a filmarlo?»

Mateo: Va a tener prisa y va a decir que «no». Tengo sueño.

Luisa: Puedes dormir más tarde.

Hombre: ¿A quién buscan?

Diego: A Rafael Tobal. *(realizing whom he is talking to)* ¡Señor Tobal!

Continuará... p. 122

También se dice

Argentina Mateo addresses his friend Diego with the word **che.** In other Spanish-speaking countries:
· **España: tío(a)**
· **Cuba: compadre; comadre**

Differentiating Instruction

Multiple Intelligences

Interpersonal After reading Cuando escuchas, ask why Mateo might be pessimistic about asking for Tobal's help. Brainstorm some causes: shyness, embarrassment that his original idea didn't work out, wanting to be in charge. Have students think about things Diego and Luisa might say or do to help him be more optimistic.

Pre-AP

Summarize Have students reread the dialog, taking notes about the sequence of events. Then have them summarize the scene in the Telehistoria using words and phrases that indicate the order in which the events occur. Encourage students to present their summary to the class.

¡AVANZA! **Objective**
· Understand plans expressed with **pensar** + *infinitive* in context.

Core Resources
· Video Program: DVD 1
· Audio Program: TXT CD 3 Track 14

Presentation Strategies
· Ask students to name the new character in the Telehistoria.
· Read Cuando lees and the Telehistoria text; then discuss.
· Ask students to scan the text and find phrases that express frequency.
· Check for comprehension before showing the video. **¿A quién buscan?**

⚘ STANDARDS
1.2 Understand language
4.1 Compare languages

🖥 **Warm Up** Projectable Transparencies, 2-20

Vocabulary Fill in the blank with a logical word.
1. ¿Dónde está mi _____ ? Tengo que secarme.
2. Tienes el pelo muy suave. ¿Qué _____ usas?
3. El perro está muy sucio. Lávalo con _____ .
4. Antes de _____ , Elsa se lava la cara.
5. No puedo mover la cabeza. Me duele _____ .

Possible answers: 1. toalla; **2.** champú; **3.** jabón; **4.** acostarse; **5.** el cuello

---

Communication
Regionalisms

In Venezuela, friends often refer to each other as **pana.** In Mexico, friends call each other **manito** (a short form of **hermanito**).

@HOME TUTOR
VideoPlus
my.hrw.com

Video Summary

The three friends wait outside Tobal's home hoping to catch him to ask if they can feature him in their film. A man steps out and asks who they're looking for. It turns out to be Tobal himself.

 ▶❙ ❚❚

Objectives

· Practice using vocabulary in context.
· Recycle: **pensar.**
· Practice **pensar** + *infinitive* to express plans.

Core Resource

· Audio Program: TXT CD 3 Track 14

Practice Sequence

· **Activity 4:** Telehistoria comprehension
· **Activity 5:** Vocabulary production: expressing plans in context

STANDARDS

1.2 Understand language, Acts. 4, 5
1.3 Present information, Act. 5

Communication, Para y piensa

Long-term Retention
Connect to Previous Learning

Remind students they already know verb constructions that use infinitives: **necesitar, querer, poder, tener que.** Generate a list of additional verbs. Be sure to include **pensar.** Ask students to choose a reflexive verb to pair with each of the constructions and write sentences in their notebooks. For example: **Necesito afeitarme. Quiero afeitarme. Tengo que afeitarme. Pienso afeitarme.**

✓ Ongoing Assessment

🌐 **Get Help Online**
More Practice
my.hrw.com

Alternative Strategy Have students create negative responses to indicate what they do *not* plan on doing this weeked. Model an example: **No pienso estudiar este fin de semana.** For additional practice, use Reteaching Practices & Copymasters URB 2, pp. 13, 15.

🖥 Answers Projectable Transparencies, 2-28

Activity 4
1. Diego   3. Mateo   5. Luisa y Diego
2. Mateo   4. Luisa   6. Mateo

Activity 5
1. Tobal piensa lavarse el pelo.
2. Tobal piensa secarse.
3. Tobal piensa peinarse.
4. Tobal piensa secarse el pelo.
5. Tobal piensa afeitarse.
6. Tobal piensa cepillarse los dientes.
7. Tobal piensa entrenarse.
8. Tobal piensa acostarse/dormirse.
Para y piensa Answers will vary.

---

4 | *Comprensión del episodio*   *¿Quién(es)?*

Escuchar
Leer

Empareja la descripción con la persona. *(Match the description with the person.)*

Diego

Luisa

Mateo

1. Quiere saber qué piensa hacer Tobal mañana.
2. No le gusta salir tan temprano.
3. Tiene sueño.
4. Vio una luz en la casa.
5. Quiere hacerle preguntas a Tobal.
6. Dice que Tobal no va a hablar con ellos.

Expansión:
Teacher Edition O
Have students describe the attitude of each of the three characters.

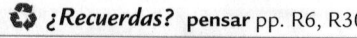

Nota gramatical   ♻ *¿Recuerdas?* **pensar** pp. R6, R30

When the verb **pensar** is followed by an **infinitive,** it means *to plan* or *to plan on.*

Pienso acostarme temprano esta noche.
I plan to go (on going) to bed early tonight.

¿**Piensa usted visitar** el museo?
Are you planning to visit the museum?

5 | **Los planes de Tobal**

Hablar
Escribir

Lee los pensamientos de Tobal y adivina lo que él piensa hacer. *(Read Tobal's thoughts and guess what he's planning to do.)*

¡Tengo mucha hambre!

modelo: Tobal piensa comer.

1. Tengo el pelo sucio.
2. ¿Dónde está mi toalla?
3. Estoy buscando un peine.
4. Necesito el secador de pelo.
5. Hmm... la crema de afeitar... Ah, ¡aquí está!
6. Ahora necesito mi cepillo de dientes.
7. Es muy importante mantenerse en forma.
8. Estoy muy cansado. Tengo sueño.

Expansión
Tell your own plans for the rest of today.

PARA Y PIENSA

🌐 **Get Help Online**
my.hrw.com

Did you get it? In complete sentences, list three things you plan on doing this weekend.

118 Unidad 2 Argentina
ciento dieciocho

Differentiating Instruction

Inclusion

Cumulative Instruction Have students look at their answers to Activity 5 and renumber them in order to reflect a logical sequence. Then have them partner with a classmate to compare their sequences, reading through each item (as opposed to calling off numbers).

Slower-paced Learners

Sentence Completion Write the conjugation of **pensar** on the board for easy, in-class reference. After completing Activity 5, go back and ask students similar questions: **¿Piensas tú lavarte el pelo esta noche?** If students hesitate, point to the correct form of **pensar** on the board, and let them finish the sentence.

Presentación de GRAMÁTICA

¡AVANZA! **Goal:** Learn how to use reflexive verbs with their pronouns. Use them to talk about what people do for themselves. *Actividades 6–10*

English Grammar Connection: Reflexive verbs describe actions done to or for oneself. In English, **reflexive pronouns** end in *-self* or *-selves* and show that the subject both does and receives the action of the verb.

Reflexive Verbs

ANIMATEDGRAMMAR
my.hrw.com

In Spanish, all **reflexive verbs** are expressed with a **reflexive pronoun.**

Here's how: In the infinitive form of **reflexive verbs,** the **reflexive pronoun** attaches to the end: **bañarse.**

When you conjugate **reflexive verbs,** the **pronoun** appears before the conjugated **verb.**

bañarse *to take a bath*			
yo	**me** baño	nosotros(as)	**nos** bañamos
tú	**te** bañas	vosotros(as)	**os** bañáis
usted, él, ella	**se** baña	ustedes, ellos(as)	**se** bañan

Jorgito **se** baña a las ocho.   *Jorgito **takes a bath** at eight.*

When a **reflexive verb** follows a **conjugated verb,** use the correct **reflexive pronoun** with the infinitive.

You can *attach* the **pronoun** to the infinitive.

attached →
¿A qué hora **quieres despertarte**?
*What time do you want **to wake up**?*

before →
You can also place the **pronoun** *before* the **conjugated verb.**

Me quiero despertar a las siete.
*I want **to wake up** at seven.*

Some verbs are not always reflexive.

| *not reflexive* | Yo **despierto** a Celia a las siete. | *I **wake up** Celia at seven.* |
| *reflexive* | Yo **me despierto** a las siete. | *I **wake (myself) up** at seven.* |

Más práctica
Cuaderno *pp. 76–78*
Cuaderno para hispanohablantes *pp. 77–79*

@HOMETUTOR my.hrw.com
Leveled Practice
Conjuguemos.com

Lección 2
ciento diecinueve **119**

Differentiating Instruction

English Learners

Increase Interaction Pair weaker students with stronger ones to practice the forms of reflexive verbs. Have one student suggest a verb from pp. 114–115, and let the second student conjugate it, following the pattern shown with **bañarse** on this page. Have students change roles and repeat until they exhaust the new verbs or you end the activity.

Multiple Intelligences

Visual Learners Have students make a collage by cutting out at least four magazine ads that show personal care activities and gluing or taping them to construction paper. Have them add Spanish captions using reflexive verbs.

¡AVANZA! **Objective**
· Present reflexive verbs and correct placement of reflexive pronouns.

Core Resource
· *Cuaderno,* pp. 76–78

Presentation Strategies
· Read through the grammar point, pausing for comprehension checks: **¿Te despiertas a las siete?**
· Ask students to chorally repeat the forms of **bañarse** and one or two other verbs.

 STANDARD
4.1 Compare languages

Warm Up Projectable Transparencies, 2-21

Pensar Write sentences to express the following people's plans. Follow the model.
modelo: Susana está sucia después de la clase de educación física.
Piensa ducharse.
1. Eduardo tiene el pelo sucio.
2. Marcos tiene sueño.
3. Carmen necesita su cepillo de dientes.
4. Alicia lleva el uniforme de educación física.
5. Ricardo quiere ser fuerte.
Answers will vary. Sample answers:
1. Piensa lavarse el pelo.; 2. Piensa dormirse/acostarse.; 3. Piensa lavarse los dientes.; 4. Piensa ponerse la ropa.; 5. Piensa entrenarse.

Long-term Retention
 Recycle

Remind students that **poner** has an irregular ending in the *yo* form (**Me pongo la ropa.**)

Communication
 Common Error Alert

Remind students that there are two parts to the conjugation, the verb ending and the pronoun. Students may have trouble remembering to change the reflexive pronoun as well as the verb ending when answering a question. When asked **¿Te lavas el pelo todos los días?** they might answer **Sí, te lavo el pelo** instead of **me lavo el pelo.** Another common error is to use the personal pronoun with the body part being described by the reflexive verb. Give examples such as **me lavo los dientes** or **la cara.**

Objectives

- Practice using reflexive verbs in context.
- Recycle: parts of the body.
- Read and write about daily routines.
- **Culture:** compare abstract and realistic art.

Core Resource

- *Cuaderno,* pp. 76–78

Practice Sequence

- **Activity 6:** Controlled practice: reflexive verbs; Recycle: parts of the body
- **Activity 7:** Controlled practice: reflexive verbs and daily routines
- **Activities 8 and 9:** Transitional practice: reflexive verbs
- **Activity 10:** Open-ended practice: daily routines

STANDARDS

1.1 Engage in conversation, Acts. 8, 9
1.2 Understand language, Acts. 7, 10, CC
1.3 Present information, Acts. 6, 7, 10
2.2 Products and perspectives, CC

21ᵗʰ CENTURY Communication, Compara con tu mundo/Act. 10; **Social and Cross-Cultural Literacy,** Heritage Language Learners

Comparación cultural

Essential Question

Suggested Answer El arte abstracto puede expresar las ideas de un(a) artista por sus colores o símbolos.

About the Artist

Xul Solar was born in Buenos Aires in 1887 with the name Alejandro Schulz Solari. He changed his name in his late twenties to Xul Solar, which could be interpreted as "The Light of the Sun Reversed" (Lux/Luz) or "Lux from the South." The artist's most famous paintings are watercolors known for their use of bright, contrasting colors.

 Answers Projectable Transparencies, 2-28 and 2-29

Activity 6

1. Mateo necesita lavarse el brazo.
2. Nosotros necesitamos lavarnos los pies.
3. Diego necesita lavarse el codo.
4. Tú necesitas lavarte los manos.
5. Luisa necesita lavarse la muñeca.
6. Diego y yo necesitamos lavarnos las uñas.
7. Yo necesito lavarme la cara.
8. Ellos necesitan lavarse las orejas.

Answers continue on p. 121.

✳ Práctica de GRAMÁTICA

6 **¡Necesitan lavarse!** ♻ **¿Recuerdas?** Parts of the body p. R5

Escribir
Hablar

Explica qué necesitan lavarse estas personas. *(Tell what needs washing.)*

> **modelo:** yo / el pelo
> Yo necesito lavarme el pelo.

1. Mateo / el brazo
2. nosotros / los pies
3. Diego / el codo
4. tú / las manos
5. Luisa / la muñeca
6. Diego y yo / las uñas
7. yo / la cara
8. ellos / las orejas

> **Expansión**
> Put these parts of the body in order from head to toe.

7 | **Nuestras rutinas**

Leer
Escribir

Mateo habla de la rutina diaria de su familia. ¿Qué dice? *(Tell the family's routine.)*

> **modelo:** Por la mañana Mamá _____ (despertarse/dormirse) temprano.
> Por la mañana Mamá **se despierta** temprano.

Mamá y Papá **1.** (levantarse/acostarse) primero y van al baño. Papá **2.** (maquillarse/afeitarse) y Mamá **3.** (maquillarse/afeitarse) la cara. Yo **4.** (despertarse/dormirse) lentamente. Entonces voy al baño y **5.** (cepillarse/ducharse). Después yo **6.** (secarse/ducharse) rápidamente con una toalla y **7.** (ponerse/lavarse) la ropa. Por la noche nosotros siempre **8.** (secarse/cepillarse) los dientes y luego **9.** (acostarse/levantarse). Yo leo un poco en la cama, y por fin apago la luz y **10.** (despertarse/dormirse).

> **Expansión:**
> Teacher Edition Only
> Have students add three sentences about the routine of Mateo's cat or dog.

Comparación cultural

El arte abstracto

¿Cómo usa un(a) artista el arte abstracto para comunicarse? Muchas personas consideran al artista argentino Xul Solar un visionario. Él fue pintor, escultor, poeta e inventor. Inventó dos lenguajes poéticos y unos juegos. Muchas de sus pinturas parecen *(seem)* representar otros universos. La pintura *Bri País - Genti* tiene colores vivos *(bright)* e incluye imágenes del sol, la luna *(moon)* y otras formas geométricas, elementos que son comunes en sus obras.

Compara con tu mundo *¿Prefieres el arte abstracto o realista? ¿Por qué? ¿Cuáles son las diferencias entre ellos?*

Bri País - Genti (1933), Xul Solar

Differentiating Instruction

Pre-AP

Support Ideas with Details List **bañarse, cepillarse los dientes, secarse el pelo,** and **acostarse** on the board. Have students say why they need to do each activity giving a specific reason. Model with: **Necesito bañarme porque estoy sucia.** Ask students to recycle terms they already know as well as ones they have learned in this lesson.

Heritage Language Learners

Regional Variations Tell students that Xul Solar referred to one of his invented languages, "Pan Criollo," as a creole, or mixed language, because it is a mixture of Portuguese and Spanish. Ask students if there is a creole language spoken in their countries of origin (a combination of two different languages that has grown into a language of its own).

8 ¿Cuál es tu rutina?

Hablar   Hablen de sus rutinas diarias. *(Discuss your daily routines.)*

modelo: despertarse antes de las seis

1. despertarse fácilmente
2. ducharse por la mañana o por la noche
3. lavarse el pelo todos los días
4. peinarse frecuentemente durante el día
5. acostarse tarde o temprano
6. dormirse difícilmente

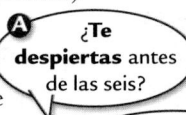

A ¿Te **despiertas** antes de las seis?

B No, no **me despierto** antes de las seis. Me despierto a las siete.

Expansión
Write three questions to ask the teacher about his or her routine.

9 Todos los días

Escribir
Hablar

Describe las rutinas de estas personas. *(Describe the routines of these people.)*

modelo: Mi madre se peina con el peine.

mi madre o padre	afeitarse	la crema de afeitar
el (la) maestro(a)	bañarse o lavarse	en el espejo
mis hermanos y yo	maquillarse	el jabón
mis amigos	peinarse	el peine
yo	secarse	la toalla
¿ ?	ponerse	el desodorante

Expansión:
Teacher Edition Only
Have students use three of the listed verbs in a single sentence with **primero, luego** and **por fin.**

10 ¡A jugar! ¿Quién soy?

Escribir
Hablar

Paso 1 Trabajando en grupos, describan la rutina de una persona o un personaje famoso sin usar su nombre. *(Work in groups to describe the routine of a famous person or character without telling who it is.)*

modelo: Frecuentemente duermo todo el día, pero me levanto para comer. Jon me sirve la comida en mi plato, pero prefiero comer la comida de él. Después de comer, tengo sueño y me acuesto. A veces juego con el perro, Odie. ¿Quién soy?

Expansión:
Teacher Edition Only
Have students write out the routine of a school faculty member.

Paso 2 Lee la descripción a la clase. El grupo que adivina quién es recibe cinco puntos. *(Read the description to the class. The group that guesses the name wins five points.)*

Más práctica   Cuaderno *pp. 76–78*   Cuaderno para hispanohablantes *pp. 77–79*

Get Help Online
my.hrw.com

PARA Y PIENSA

Did you get it? Can you provide the forms of the following verbs?
1. Yo / lavarse / la cara.
2. Tú / despertarse / temprano.
3. Ustedes / acostarse / tarde.
4. Nosotros / entrenarse / los sábados.

Lección 2
ciento veintiuno   **121**

Differentiating Instruction

Multiple Intelligences

Kinesthetic Ask for volunteers to act out sentences they have written for Activity 9. They can say the subject, then mime the reflexive action. Then ask the other students to guess the activity, as in charades.

Inclusion

Synthetic/Analytic Support Divide the class into two groups. Give one group colored slips of paper on which to write a personal care verb in its non-reflexive form (**afeitar, bañar,** etc.). Give the other group white slips on which to write a reflexive pronoun (**me, te,** etc.) Have students partner up to put two different slips together and make up a sentence using the reflexive verb.

Unidad 2 Lección 2
GRAMÁTICA

Get Help Online
More Practice
my.hrw.com

✓ Ongoing Assessment

PARA Y PIENSA   **Quick Check** Have students exchange papers with a partner to check each other's work on the Para y Piensa questions. For additional practice, use Reteaching & Practice Copymasters URB 2, pp. 16, 17, 22.

Answers Projectable Transparencies, 2-28 and 2-29

Answers continued from p. 120.

Activity 7
1. se levantan
2. se afeita
3. se maquilla
4. me despierto
5. me ducho
6. me seco
7. me pongo
8. nos cepillamos
9. nos acostamos
10. me duermo

Activity 8 Answers will vary. Sample answers:
1. ¿Te despiertas fácilmente?/No, me despierto difícilmente.
2. ¿Te duchas por la mañana o por la noche?/ Me ducho por la mañana.
3. ¿Te lavas el pelo todos los días?/No, me lavo el pelo cada dos días.
4. ¿Te peinas frecuentemente durante el día?/ No, no me peino frecuentemente durante el día.
5. ¿Te acuestas tarde o temprano?/Me acuesto tarde.
6. ¿Te duermes difícilmente?/No, me duermo fácilmente.

Activity 9 Answers will vary. Sample answers:
· Mi padre se afeita con la crema de afeitar.
· La maestra se maquilla en el espejo.
· Mis hermanos y yo nos secamos con las toallas.
· Mis amigos se ponen el desodorante.
· Yo me lavo con el jabón.

Activity 10 Answers will vary but should include reflexive verbs. See model.

Para y piensa
1. Yo me lavo la cara.
2. Tú te despiertas temprano.
3. Ustedes se acuestan tarde.
4. Nosotros nos entrenamos los sábados.

121

¡AVANZA! **Objectives**

· Listen to a dialog about a daily routine.
· Talk about routines using reflexive verbs.
· Recycle: telling time.

Core Resources
· Video Program: DVD 1
· Audio Program: TXT CD 3 Track 15

Presentation Strategies
· Ask students to study the characters' expressions in the photo. How do the teenagers seem? Is Tobal happy, bored, angry?
· Ask students to skim the dialog and give examples of reflexive verbs.
· Play the video as students read along.

Practice Sequence
· **Activity 11:** Telehistoria comprehension
· **Activity 12:** Transitional practice: describing family routines in sentences; Recycle: telling time
· **Activity 13:** Open-ended practice: writing an advertisement

STANDARDS
1.1 Engage in conversation, Act. 12
1.2 Understand language, Act. 11
1.3 Present information, Acts. 11, 13
21st CENTURY Creativity and Innovation, Act. 13; **Critical Thinking and Problem Solving,** Multiple Intelligences: Logical/Mathematical; **Social and Cross-Cultural Skills,** Heritage Language Learners

Warm Up Projectable Transparencies, 2-21

Reflexive Verbs Choose the word or phrase that best completes the sentence.
1. Primero me ducho; luego (**me afeito**/**me pongo**) la ropa.
2. Mi abuelo no tiene pelo. No tiene que (**peinarse**/**secarse**).
3. Tú comes y entonces (**te despiertas**/**te cepillas**) los dientes.
4. Antes de salir a una fiesta, (**nos maquillamos**/**nos acostamos**).
5. Por la noche, al fin los jóvenes (**se levantan**/**se duermen**).
6. Durante el día, la camarera (**se lava las manos**/**se baña muchas veces**).

Answers: 1. me pongo; 2. peinarse; 3. te cepillas; 4. nos maquillamos; 5. se duermen; 6. se lava las manos

122

✹ GRAMÁTICA en contexto

¡AVANZA! **Goal:** Listen to Tobal's daily routine and in what order it is done. Then use reflexive verbs to talk about the daily routines of your family and others.
Actividades 11–13

Telehistoria escena 2

 **@HOMETUTOR** View, Read and Record
my.hrw.com

STRATEGIES

Cuando lees
Examine the photo first Before reading, look at the photo below. What does it imply about whether Tobal likes the teenagers and whether he might agree to be filmed?

Cuando escuchas
Listen for the sequence Tobal discusses his morning routine in this scene. Listen carefully to the sequence he describes. What does he do first, second, third, and so on?

VIDEO DVD

AUDIO

Diego: Estamos haciendo una película sobre un jugador de fútbol de la Copa Mundial...

Sr. Tobal: ...Y ¿quieren hacer una película sobre mí? ¿Qué quieren saber?

Diego: Sí, queremos saber cómo es su rutina. Por ejemplo: ¿A qué hora se levanta por la mañana normalmente?

Sr. Tobal: Generalmente me despierto a las seis de la mañana para entrenarme.

Mateo: ¡Yo también! ¿Se baña y se peina antes de hacer ejercicio?

Sr. Tobal: Normalmente, después.

Mateo: ¡Yo también! Pero a veces me afeito antes de hacer ejercicio. Y usted, ¿generalmente se baña o se ducha?

Luisa: ¿Y qué pasta de dientes usa?

Sr. Tobal: ¿Piensan hacer una película sobre cómo me cepillo los dientes?

Luisa: No, no. Quiero saber... ¡porque me gustaría tener dientes tan blancos como usted los tiene!

Continuará... p. 127

Differentiating Instruction

Slower-paced Learners

Personalize it Have students draw a Venn diagram, labeling the left circle **Yo,** the right circle **Tobal,** and the center oval **Nosotros.** Ask them to note details about Tobal's schedule and their own schedule in the corresponding circle(s). Then have them compare the two schedules. Which do they prefer? What do they have in common with Tobal?

Multiple Intelligences

Logical/Mathematical Present this word problem. El Sr. Tobal se levanta a las seis y se entrena por dos horas y media. Después se baña por quince minutos. Luego, se peina y se afeita en quince minutos. Por fin, se pone el desodorante y se viste en diez minutos ¿Qué hora es? (Answer: **Son las nueve y diez.**) After solving the problem, have students write similar word problems and exchange them with a partner.

11 Comprensión del episodio ¿Comprendiste?

Leer
Escribir

Corrige los errores en estas oraciones. *(Correct the errors.)*

modelo: Los chicos quieren hacer una película sobre un jugador de los Juegos Olímpicos.
Los chicos quieren hacer una película sobre un jugador de la Copa Mundial.

1. Los chicos quieren saber cómo es la casa de Tobal.
2. Generalmente Tobal se despierta a las cinco de la mañana.
3. Tobal se entrena por la noche.
4. Normalmente Tobal se baña y se peina antes de hacer ejercicio.
5. A veces Mateo se cepilla los dientes antes de hacer ejercicio.
6. Luisa quiere tener uñas tan blancas como Tobal las tiene.

12 ¿A qué hora? ♻ ¿Recuerdas? Telling time p. R12

Hablar
Escribir

Digan cuándo las personas en sus familias hacen estas actividades. *(Tell when family members do these activities.)*

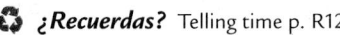

(A) En mi familia nos despertamos temprano.

(B) Mis padres se despiertan a las seis. Mis hermanos y yo nos despertamos a las seis y media.

modelo: despertarse

1. ducharse
2. peinarse
3. cepillarse los dientes
4. acostarse
5. ponerse la ropa
6. dormirse

Expansión
Compare routines with a classmate. Describe similarities and differences.

13 ¡Vendemos lo mejor!

Escribir
Hablar

Imagina que tú y tus amigos trabajan para una compañía que vende productos para arreglarte. Trabajando en grupo, preparen un anuncio y preséntenlo a la clase.
(Prepare an advertisement for a new bath or hair product.)

¿Quieres secarte rápidamente después de bañarte? Entonces, necesitas nuestra toalla:
La Súper Toalla
¡Sécate mejor!
Cómprala en la tienda **CASA DE HOY** Calle Juan León Mera, 85024

Get Help Online my.hrw.com

PARA Y PIENSA

Did you get it? Complete the following sentences using **acostarse, ponerse, ducharse, despertarse, afeitarse.**
1. Yo _____ el desodorante después de _____ .
2. Muchos hombres _____ todos los días.
3. Tú siempre _____ tarde y _____ temprano. ¿No tienes sueño?

Differentiating Instruction

Multiple Intelligences

Visual Learners Ask students to illustrate an object associated with each of the verbs listed in Activity 12. For example, they could draw a toothbrush to illustrate **cepillarse los dientes.** Have them label each drawing with the appropriate verb. Then ask them to trade papers with another student and form sentences using the pictures and verbs.

Heritage Language Learners

Support What They Know Ask students if they might have access to any toiletry-type items that are labeled and marketed in Spanish, and see if they can bring them in to show to the class. Have the class analyze the product's packaging (text and design) and compare it to products marketed in English.

@HOMETUTOR
VideoPlus
my.hrw.com

Video Summary

Sr. Tobal asks Luisa, Diego, and Mateo what they would like to know about him for their film. They ask questions about his morning routine: when he gets up, works out, bathes, combs his hair, etc. Mateo is surprised to find they have much in common.

▶❙ ❙❙

Get Help Online
More Practice
my.hrw.com

✓ Ongoing Assessment

PARA Y PIENSA

Quick Check Form questions from the sentences in Para y piensa. Then ask the questions to the students to check if they are paying attention. **¿Te pones desodorante antes de vestirte?** For additional practice, use Reteaching & Practice Copymasters URB 2, pp. 16, 18, 23.

💻 Answers Projectable Transparencies, 2-29

Activity 11
1. Los chicos quieren saber cómo es la **rutina** de Tobal.
2. Generalmente Tobal se despierta a las **seis** de la mañana.
3. Tobal se entrena por la **mañana.**
4. Normalmente Tobal se baña y se peina **después** de hacer ejercicio.
5. A veces Mateo se **afeita** antes de hacer ejercicio.
6. Luisa quiere tener **dientes** tan blancos como Tobal los tiene.

Activity 12 Answers will vary, but should include the following: a family member term, a reflexive verb, and a word or phrase to indicate time. See model.

Activity 13 Answers will vary, but should include the text for a personal care product advertisement. Example: ¡Compra el jabón **Burbujalala para tener la piel limpia!**

Para y piensa
1. me pongo, ducharme
2. se afeitan
3. te acuestas, te despiertas

123

Objective

· Present the present progressive.

Core Resource

· *Cuaderno,* pp. 79–81

Presentation Strategies

· Model examples of the present progressive, describing an activity as you perform it, e.g., Walk as you say **Estoy caminando.**
· Point out the differences in the endings of **–ar** verbs and **–er/–ir** verbs.

STANDARD

4.1 Compare languages

Warm Up Projectable Transparencies, 2-22

Daily Routines Write what each person does at what time, using complete sentences. Spell out the time in each sentence.

1. Mariana; cepillarse los dientes; 6:00 AM
2. Arturo; afeitarse; 7:00 AM
3. Alma y Diego; entrenarse; 3:00 PM
4. Yo; acostarme; 9:30 PM

Answers: 1. Mariana se cepilla los dientes a las seis de la mañana.; 2. Arturo se afeita a las siete de la mañana.; 3. Alma y Diego se entrenan a las tres de la tarde.; 4.Yo me acuesto a las nueve y media de la noche.

Communication
Common Error Alert

To help students avoid the overuse of the progressive, explain that in English we often use the progressive to talk about future actions: "I am leaving tomorrow." However in Spanish, the present progressive is *not* used this way. It is only used for actions that are in progress, happening "right now."

❋ Presentación de GRAMÁTICA

¡AVANZA! **Goal:** Learn how to form the present progressive. Then talk about what is happening and what people are doing. *Actividades 14–17*

English Grammar Connection: The **present progressive tense** is used to say that something is happening now. In English, you make it by using a form of *to be* with a verb that ends in *-ing*, called a **present participle.**

They **are singing.**   Ellos **están cantando.**

Present Progressive

ANiMaTeD GRaMMaR
my.hrw.com

Use the present tense of **estar** plus the **present participle** to form the **present progressive.**

Here's how: To make a **present participle,** drop the end of the infinitive and add **-ando** (**-ar** verbs) or **-iendo** (**-er/-ir** verbs).

becomes

comprar   comprando
comer   comiendo
escribir   escribiendo

Estoy comprando las toallas.   ¿Qué **estás comiendo**?
I am buying the towels.   *What are you eating*?

When the stem of an **-er** or **-ir** verb ends in a vowel, change the **-iendo** to **-yendo.**

becomes

leer   leyendo

Some **-ir** verbs change vowels in the stem of the present participle form.

e → i: decir *becomes* diciendo
o → u: dormir *becomes* durmiendo

Pronouns can either be placed *before* the conjugated form of **estar** or *attached* to the end of the **present participle.** When you attach a **pronoun** to the present participle, you need to add an **accent** to the stressed vowel.

┌ *before*   *attached* ┐
Me **estoy arreglando.** *or* Estoy **arreglándo**me.
I am getting ready.   *I am getting ready.*

Más práctica
Cuaderno *pp. 79–81*
Cuaderno para hispanohablantes *pp. 80–83*

@HOMETUTOR my.hrw.com
Leveled Practice
Conjuguemos.com

Differentiating Instruction

Inclusion

Clear Structure Help students make a flow chart to summarize the steps for forming the present progressive. Number and name the key steps: 1. Find the subject, 2. Choose the correct form of **estar;** 3. Decide if the action verb ending is **–ar** or **–er/–ir,** and 4. Replace it with either **–ando** or **–iendo.** Review stem changes and spelling changes as needed.

Multiple Intelligences

Visual Learners Have each student think of a place or an activity they enjoy doing. Then have them draw a picture of the place/activity. As they complete their illustrations, have them write a caption stating what is happening, using the present progressive.

Práctica de GRAMÁTICA

14 | ¿Qué están haciendo?

Hablar
Escribir

Di qué están haciendo estas personas. *(Tell what these people are doing.)*

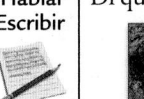

modelo: Mateo y Diego
Mateo y Diego están hablando.

1. yo
2. tú
3. nosotros

4. los gatos
5. Mamá
6. mis amigos y yo

> **Expansión**
> Tell what members of your family are doing right now.

15 | En la fiesta

Escuchar
Hablar

Luisa está en una fiesta y llama a una amiga por teléfono. Escucha y contesta las preguntas. *(Listen to Luisa and then answer the questions.)*

> **Audio Program**
> TXT CD 3 Track 16
> Audio Script, TE
> p. 111B

1. ¿Qué están celebrando?
2. ¿Qué están haciendo los invitados?
3. ¿Qué están haciendo los jóvenes?
4. ¿Qué está haciendo Mateo?
5. ¿Por qué está contento Tobal?

a. Están tocando la guitarra.
b. Están bailando.
c. un cumpleaños
d. Le están trayendo un pastel.
e. Está bebiendo un refresco.

> **Expansión:**
> Teacher Edition Only
> Have students tell at least two things that Luisa is doing.

Pronunciación | La acentuación

AUDIO

Spanish words do not require a written accent if the word ends in:

1. **n, s** or a **vowel,** and the stress falls on the next-to-last syllable.

2. any consonant other than **n** or **s,** and the stress falls on the last syllable.

A **written accent** is required on the stressed vowel of a word that *does not* follow these two rules. Listen and repeat:

champú   después   habitación   béisbol   fútbol   fácil

Objectives
· Practice using the present progressive.
· Practice pronouncing and stressing the last and next-to-last syllable of words with written accents.

Core Resource
· Audio Program: TXT CD 3 Tracks 16, 17

Practice Sequence
· **Activities 14, 15:** Transitional practice: present progressive
· **Pronunciación:** Oral and written comprehension and production of words stressed on the last or next-to-last syllable.

STANDARDS
1.2 Understand language, Act. 15
1.3 Present information, Act. 14
4.1 Compare languages, Act. 14
Communication, Act. 14: Expansión/Inclusion/Multiple Intelligences

✓ Dictation
After reading through the Pronunciación section, have students write the following sentences as you read them aloud: **Me levanté tarde. No encontré el champú. No encontré el jabón. Después de vestirme, voy a comprarlos.**

Differentiating Instruction

Inclusion

Peer-study Support Divide the class into teams of four to five people. Hold up a picture of a person (or people, or an animal) and give the groups three to five minutes to record as many present progressive statements as possible about what the person is doing in the picture. Give a point for each different verb used correctly in the present progressive.

Multiple Intelligences

Intrapersonal Have students keep a journal for three days, in which they record their activities at three distinct points during each day. Each entry (a total of nine) should include the date and time, and a description of what the student is doing, using the present progressive.

Answers Projectable Transparencies, 2-30

Activity 14
1. Yo estoy escuchando música.
2. Tú estás leyendo.
3. Estamos corriendo.
4. Los gatos están durmiendo.
5. Mamá está escribiendo.
6. Mis amigos y yo estamos jugando al fútbol.

Activity 15
1. c   **3.** a   **5.** d
2. b   **4.** e

Objectives

- Practice using the present progressive.
- **Culture:** Discuss comic strip characters.

Core Resource

- *Cuaderno,* pp. 79–81

Practice Sequence

- **Activities 16, 17:** Open-ended practice: present progressive

STANDARDS

1.1 Engage in conversation, Act. 16
1.2 Understand language, Act. 17
2.2 Products and perspectives, Act. 17

21st CENTURY Communication, Compara con tu mundo; **Social and Cross-Cultural Skills,** Heritage Language Learners

Comparación cultural

Essential Question

Suggested Answer Las tiras cómicas representan a las personas de un país y sus actividades e ideas. También pueden representar ciudades u otros lugares actuales.

**Get Help Online
More Practice**
my.hrw.com

✓ Ongoing Assessment

PARA Y PIENSA **Remediation** If the students are having trouble writing the sentences, refer them to the grammar point on p. 124. For additional practice, use Reteaching & Practice Copymasters URB 2, pp. 19, 20.

🖥 Answers Projectable Transparencies, 2-30

Activity 16 Answers will vary, but each answer should begin with No quiero contestarlo...then students can choose the positioning of the pronoun as indicated:
1. (a)Estoy levantándome/Me estoy levantando.
   (b)Estoy lavándome la cara./Me estoy lavando la cara.
2. (a)Estoy poniéndome la ropa./Me estoy poniendo la ropa.
   (b)Estoy secándome el pelo./Me estoy secando el pelo.
3. (a)Estoy peinándome./Me estoy peinando.
   (b)Estoy arreglándome./Me estoy arreglando.
4. (a)Estoy cepillándome los dientes./Me estoy cepillando los dientes.
   (b)Estoy entrenándome./Me estoy entrenando.

Answers continue on p. 127.

126

---

16 | Muchas excusas

Hablar Está sonando el teléfono y ustedes no quieren contestarlo. ¿Qué están haciendo? *(Tell why you can't answer the phone.)*

modelo: bañarse / afeitarse

Ⓐ No quiero contestarlo. Estoy bañándome. (Me estoy bañando.)

Ⓑ No quiero contestarlo. Me estoy afeitando. (Estoy afeitándome.)

Estudiante Ⓐ
1. levantarse
2. ponerse la ropa
3. peinarse
4. cepillarse los dientes
5. acostarse

Estudiante Ⓑ
1. lavarse la cara
2. secarse el pelo
3. arreglarse
4. entrenarse
5. ducharse

Expansión
Switch excuses and act out the actions as you say them.

17 | ¡Estamos dibujando!

**Hablar
Escribir**

Comparación cultural

Las tiras cómicas

¿Cómo representan las tiras cómicas (comic strips) *una cultura? Copetín* es una tira cómica popular de **Colombia.** Copetín es un chico travieso *(mischievous)* pero simpático que vive en Bogotá. Él pasa mucho tiempo con un grupo de amigos en su barrio. A los chicos y a los adultos les gusta esta tira cómica por sus ideas, personajes únicos y humor.

Compara con tu mundo *¿Cuál es una tira cómica que te gusta y por qué? Compárala con la tira cómica* Copetín.

Trabajando en grupos, hagan una tira cómica sobre su escuela. Usen el presente progresivo. *(Make a comic strip about your school. Use the present progressive.)*

Pistas: hacer, leer, escribir, comer, jugar, dormir, mirar, estudiar

VENGO A SALUDARTE.
© 2005 Ernesto Franco

Copetín, de Ernesto Franco

Más práctica Cuaderno *pp. 79–81* Cuaderno para hispanohablantes *pp. 80–83*

☁ Get Help Online
my.hrw.com

PARA Y PIENSA

Did you get it? Say what the following people are doing:
1. Mateo, Luisa y Diego *(jugar)*
2. Tobal *(entrenarse)*
3. la señora Montalvo *(vender)*
4. Mateo *(ponerse la ropa)*

126 Unidad 2 Argentina
ciento veintiséis

Differentiating Instruction

Slower-paced Learners

Peer-study Support Before doing Activity 15, have pairs practice moving pronouns in sentences using the present progressive. Student A should write a sentence with the pronoun before a conjugated verb (e.g., **Me quiero lavar la cara**), Student B should restate the sentence with the pronoun attached to the infinitive (**Quiero lavarme la cara**). Repeat with different verbs.

Heritage Language Learners

Support What They Know Have students research comics from different areas of the Spanish-speaking world, preferably ones they know and enjoy. Have them share their findings with the class.

Todo junto

¡AVANZA! **Goal:** *Show what you know.* Listen to the characters talk about what's happening. Then use what you have learned to talk with others about your surroundings, your routines, and your plans. *Actividades 18–22*

♻ **¿Recuerdas?** Places in school and around town p. 14

Telehistoria completa

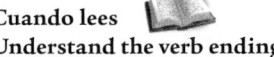 @HOMETUTOR View, Read and Record
my.hrw.com

STRATEGIES

Cuando lees
Understand the verb endings Verb endings give a lot of information. What do the endings **-ando** and **-iendo** indicate about when the action occurs? While reading, find five verbs with this ending.

Cuando escuchas
Identify the leader While listening, identify which teenager is taking charge of the interviewing process. How can you tell? What are the others in this scene doing?

Escena 1 *Resumen*
Diego, Luisa y Mateo están delante de la casa de Tobal. Quieren hacerle preguntas para su película. Tobal los encuentra primero.

Escena 2 *Resumen*
Los compañeros hablan con Tobal sobre su rutina como atleta. Él contesta sus preguntas sobre cómo se arregla antes de hacer ejercicio.

Escena 3

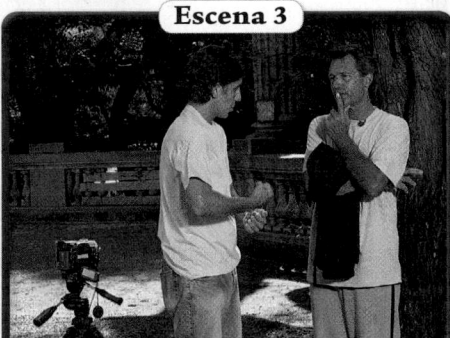

Tobal: No vamos a hablar ahora de cómo me pongo la ropa o el desodorante, ¿verdad?

Diego: Primero le pregunto sobre la Copa Mundial. Después, sobre lo que hace ahora. Y por fin, sobre cómo se mantiene en forma.

Luisa: *(to Mateo, who is falling asleep)* Te duermes, y voy a maquillarte.

Señorita: ¿Qué están haciendo?

Luisa: Estamos haciendo una película sobre el señor Tobal.

Señorita: ¡Ah! ¡El famoso Tobal! ¡Qué bárbaro! ¿Y qué les está diciendo?

Mateo: No sé. No estoy escuchando. Creo que está hablando sobre su desodorante.

Diego: ¿Luisa? *(confirms that Luisa has the camera on)* Bien. Estamos filmando. Señor Tobal, usted jugó en los partidos de la Copa Mundial en 1978, el año en que Argentina ganó, ¿verdad? ¿Todavía juega al fútbol?

Tobal: Frecuentemente juego porque es divertido. Pero ahora no soy tan joven y es más difícil. *(laughing)* Cuando juego me duele el cuerpo: los dedos del pie, el cuello, los hombros...

Señorita: ¡Qué bueno! Yo pienso ver este documental.

Señorita

Mateo y Luisa: ¿De verdad?

Señorita: ¡Sí! Yo soy Mariana Tobal, ¡su hija!

Differentiating Instruction

English Learners

Provide Comprehensible Input Monitor students' understanding of verb endings. Write "running" and **corriendo** on the board. Circle the endings in both words. Explain that in both English and Spanish, the ending usually tells when something is or was done.

Pre-AP

Sequence Information Divide students into groups of three and give each group a set of ten index cards. Instruct them to write on each card a different memorable quote or paraphrase from any of the three Telehistoria episodes. Then have them shuffle the cards and give them to another group to sequence according to the storyline.

Unidad 2 Lección 2
TODO JUNTO

¡AVANZA! **Objective**
· Integrate lesson content.

Core Resources
· Video Program: DVD 1
· Audio Program: TXT CD 3 Track 18

Presentation Strategies
· Review the first two parts of the Telehistoria. Ask **¿Qué pasó en la Escena 1? ¿Y en la Escena 2?**
· Ask students to explain what the characters are doing in the photo for Escena 3.

STANDARD
1.2 Understand language

⌨ Warm Up Projectable Transparencies, 2-22

Present Progressive Fill in the blank with the present progressive to tell how each person is getting ready.

1. Mi hermana y mamá _____ en el espejo. (maquillarse)
2. Papá _____ la ropa. (ponerse)
3. Mi hermano y yo _____ . ¡Qué sueño! (levantarse)
4. Yo _____ lentamente. (despertarse)
5. Tú _____ . el pelo. (secarse)

Answers: 1. están maquillándose/se están maquillando; 2. está poniéndose/se está poniendo; 3. estamos levantándonos/nos estamos levantando; 4. estoy despertándome/me estoy despertando; 5. estás secándote/te estás secando

@HOMETUTOR
VideoPlus
my.hrw.com

Video Summary

Diego asks Tobal about the year he won the World Cup and if he still plays soccer. Tobal only plays for fun. A young woman nears and asks about the film. She shares that she is Mariana, Tobal's daughter.

▶❙ ❚❚

⌨ Answers Projectable Transparencies, 2-30

Answers continued from p. 126.
5. (a)Estoy acostándome./Me estoy acostando.
   (b)Estoy duchándome./Me estoy duchando.

Activity 17 Answers will vary.

Para y piensa
1. Están jugando.
2. Se está entrenando (Está entrenándose.)
3. Está vendiendo.
4. Se está poniendo la ropa. (Están poniéndose la ropa.)

TODO JUNTO

Objective
· Practice using and integrating lesson vocabulary and grammar.

Presentation Strategies
· *Cuaderno*, pp. 82–83
· Audio Program: TXT CD 3
  Tracks 14, 15, 18, 19, 20

Practice Sequence
· **Activities 18, 19:** Telehistoria comprehension
· **Activity 20:** Open-ended practice: speaking
· **Activity 21:** Open-ended practice: reading, listening, and speaking
· **Activity 22:** Open-ended practice: writing

STANDARDS
1.1 Engage in conversation, Acts. 20, 22
1.2 Understand language, Acts. 18, 19
1.3 Present information, Acts. 19, 21, 22
4.1 Compare languages, Act. 20
21ST CENTURY Communication, Act. 20/Para y piensa

💻 **Answers** Projectable Transparencies, 2-30 and 2-31

Activity 18
1. c	**4.** e
2. a	**5.** b
3. f	**6.** d

Activity 19
1. Primero van a hablar sobre **la Copa Mundial.**
2. Los chicos están haciendo una película sobre **el señor Tobal.**
3. Mateo está **durmiéndose.**
4. Tobal jugó en los partidos de la Copa Mundial en **1978.**
5. Tobal juega al fútbol **frecuentemente.**
6. A Tobal le duele **el cuerpo** cuando juega al fútbol.
7. Una señorita piensa ver **el documental.**
8. La hija de Tobal se llama **Mariana.**

Answers continue on p. 129.

128

---

18 | *Comprensión de los episodios* ¿Qué pasó primero?

Escuchar Leer
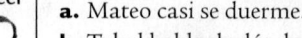

Pon las oraciones en orden cronológico. *(Sequence the sentences.)*

a. Mateo casi se duerme.
b. Tobal habla de dónde le duele el cuerpo.
c. Diego le explica a Tobal de qué van a hablar.
d. La señorita dice que piensa ver el documental.
e. Luisa empieza a filmar.
f. Una señorita quiere saber lo que están haciendo los chicos.

Expansión:
Teacher Edition Onl
Have students add
two more
statements of
events into the
sequence.

---

19 | *Comprensión de los episodios* ¡A corregir!

Leer Escribir

Corrige los errores en estas oraciones. *(Correct the errors.)*

modelo: Los chicos quieren jugar al fútbol.
Los chicos quieren hacerle preguntas a Tobal.

1. Primero van a hablar sobre lo que hace Tobal ahora.
2. Los chicos están haciendo una película sobre la Copa Mundial.
3. Mateo está escuchando.
4. Tobal jugó en los partidos de la Copa Mundial en 1980.
5. Tobal ya no juega al fútbol.
6. A Tobal le duelen las manos cuando juega al fútbol.
7. Una señorita piensa ver el partido de fútbol.
8. La hija de Tobal se llama Luisa.

Expansión:
Teacher Edition Onl
Have students
write four false
statements based
on Escenas 1 and 2
for a classmate to
correct.

---

20 | ¿Dónde estoy? ♻ ¿Recuerdas? Places in school and around town p. 14

Hablar

Digital **performance space**

STRATEGY Hablar
Use what you know In your descriptions, use vocabulary from this lesson as well as any vocabulary you and your classmates have learned from prior lessons or other sources.

Describe un lugar específico y lo que está pasando allí. Tus compañeros van a adivinar dónde estás. Usa de tres a cinco oraciones. *(Describe a specific location and what is happening there. Your classmates will guess where you are. Use three to five sentences.)*

Ⓐ Estoy bebiendo refrescos. No estoy hablando con mis amigos. Estamos mirando una película. ¿Dónde estoy?

Ⓑ Estás en el cine.

Expansión
Expand on one of your group's descriptions and share it with the class.

Differentiating Instruction

Heritage Language Learners

Writing Skills Turn Activity 20 into a writing task for native speakers, giving them a checklist of specific issues to watch for, such as accents and beginning/end punctuation, in addition to correct use of the present progressive. Have students exchange papers in order to guess the place being described, and also to proofread one another's work before turning it in.

Pre-AP

Vary Vocabulary Use broad vocabulary and the present progressive tense to describe what one of your students is doing without using his/her name. (**Está estudiando su horario con mucha atención. Ahora está poniendo el libro debajo de la silla.**) Have the class guess who you're talking about. The first student to guess correctly is the next to make up a clue.

21 Integración

Digital Performance space

Leer
cuchar
Hablar

Lee el folleto del campamento deportivo y escucha el diario. Explica cómo es un día típico allí y por qué piensas ir o no. *(Read the sports camp brochure and listen to the audio diary. Explain a typical day there and why you do or do not plan to go.)*

Fuente 1 Folleto

🎧 **Audio Program**
TXT CD 3 Tracks 19, 20
Audio Script, TE p. 111B

LOS PINOS

¿Piensas ser deportista?
Aquí en Los Pinos puedes aprender rápidamente a ser campeón.
La rutina aquí te va a hacer fuerte. Nos levantamos temprano, nos acostamos temprano y nos entrenamos todos los días. Comemos comidas balanceadas cuatro veces al día.
Si acampas aquí, vas a conocer a muchos amigos y aprender a jugar en equipo. ¡Vas a ver que es divertido aprender a jugar mejor! **¡VISÍTANOS!**

Fuente 2 Diario hablado

👁 **Listen and take notes**
• ¿Qué hacen por la mañana en el campamento?
• ¿Es divertido allí? ¿Cómo sabes?
• ¿Qué piensa hacer el chico?

modelo: La rutina en Los Pinos es difícil. Primero se levantan muy temprano...

Expansión:
Teacher Edition Only
Have students restate mealtimes at Los Pinos in a sentence using an AM/PM format (as opposed to a 24-hour clock).

22 ¿Somos compatibles?

Digital Performance space

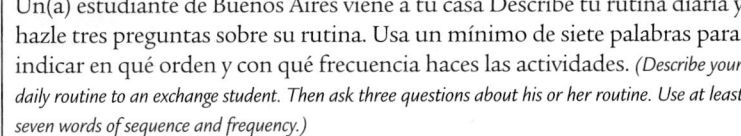
Escribir

Un(a) estudiante de Buenos Aires viene a tu casa Describe tu rutina diaria y hazle tres preguntas sobre su rutina. Usa un mínimo de siete palabras para indicar en qué orden y con qué frecuencia haces las actividades. *(Describe your daily routine to an exchange student. Then ask three questions about his or her routine. Use at least seven words of sequence and frequency.)*

modelo: Generalmente me levanto a las seis de la mañana. Primero...

Writing Criteria	Excellent	Good	Needs Work
Content	Your description includes all of the information and questions.	Your description includes some of the information and questions.	Your description includes little information and few questions.
Communication	Most of your description is organized and easy to follow.	Parts of your description are organized and easy to follow.	Your description is disorganized and hard to follow.
Accuracy	Your description has few mistakes in grammar and vocabulary.	Your description has some mistakes in grammar and vocabulary.	Your description has many mistakes in grammar and vocabulary.

Expansión
Write an answer to another student's three questions.

Más práctica Cuaderno *pp. 82–83* Cuaderno para hispanohablantes *pp. 84–85*

PARA Y PIENSA

🌐 **Get Help Online**
my.hrw.com

Did you get it? You got up late and have to meet a friend in a half an hour. Call your friend and describe at least three things you are doing right now to get ready and one thing you plan to do.

Lección 2
ciento veintinueve **129**

Differentiating Instruction

Multiple Intelligences

Visual Learners After completing Activity 21, have students create a comic strip about a day at Los Pinos. Have them illustrate five scenes in separate boxes. They should include a caption under each box which uses the present progressive to describe what the character/s is/are doing. (**El grupo está entrenándose, pero Samuel está durmiendo.**)

Inclusion

Clear Structure Help students create an outline for Activity 22 by having them write the headings **I. Mi rutina** and **II. Preguntas para el estudiante.** Brainstorm frequency/sequence words for Part I, and question words for Part II. Have students fill in the outline, underlining the sequence and question words in each sentence.

Long-term Retention

Pre-AP **Critical Thinking**

Synthesize Have students review the information they noted from the **Audio diario** in **Activity 21** and then write one sentence telling the main idea. Then have them write a main idea from the **folleto,** as well. Finally have the class discuss whether they think the two sources agree or disagree.

✓ **Ongoing Assessment**

Rubric Activity 21 Listening/Speaking

Proficient	Partial Credit
Explanation is clear and complete and includes information from both sources.	Explanation is unclear and incomplete and does not include information from both sources.

To customize your own rubrics, use the **Generate Success** *Rubric Generator and Graphic Organizers.*

✓ **Ongoing Assessment**

🌐 **Get Help Online**
More Practice
my.hrw.com

PARA Y PIENSA **Alternative Strategy** Turn the Para y piensa into a dialog, with students acting out the roles of the two friends. For additional practice, use Reteaching & Practice Copymasters URB 2, pp. 19, 21, 24.

📖 **Answers** Projectable Transparencies, 2-30

Answers continued from p. 128.

Activity 20 Answers will vary but should reflect the following format: Estamos cantando la canción del equipo. Ellos están ganando. Número cuatro está corriendo con la pelota. ¿Dónde estoy?

Activity 21 Answers will vary. Sample answer: La rutina en los Pinos es muy estricta. Todos se despiertan muy temprano, se bañan con agua fría y entrenan mucho. Comen sólo comidas saludables. Es difícil, pero quiero ir porque me encantan los deportes y también quiero conocer a nuevos amigos.

Activity 22 Answers will vary.

Para y piensa Answers will vary. Sample Answer: Me estoy peinando. Estoy secándome el pelo. Me estoy poniendo los zapatos. Pienso salir en diez minutos.

LECTURA CULTURAL

Lectura cultural

Additional readings at my.hrw.com
SPANISH
InterActive Reader

Objectives

¡AVANZA!

- **Culture:** Practice reading about the Argentinean gaucho and the Colombian coffee grower.
- Compare daily routines.
- Answer reading comprehension questions.

Core Resource
- Audio Program: CD TXT 3 Track 21

Presentation Strategies
- Use the strategy to help students use word families to facilitate comprehension.
- Ask students in groups of three to read aloud before directing a whole-class reading / discussion of the text.

STANDARDS
1.2 Understand language
1.3 Present information
2.2 Products and perspectives
4.2 Compare cultures

Communication, Multiple Intelligences; **Social and Cross-Cultural Skills,** Critical Thinking

Warm Up Projectable Transparencies, 2-23

Daily Routines Change each of the following sentences to make it logical.
1. Yo me ducho después de ponerme la ropa.
2. Él se cepilla los dientes antes de comer.
3. Tú enciendes la luz después de dormirte.
4. Ellos se lavan la cara con la pasta de dientes.

Answers: Answers will vary. Sample answers: 1. Yo me ducho antes de ponerme la ropa. 2. Él se cepilla los dientes después de comer. 3. Tú enciendes la luz antes de dormirte. 4. Ellos se cepillan los dientes con la pasta de dientes.

Comparación cultural

Expanded Information
- **Argentina's gaucho** lives off the land, but not as he did in the mid-1700s. Today most gauchos work on large, organized ranches, receiving a salary for their hard work.
- **Colombia's cafetero** is able to maintain a similar lifestyle to that of earlier generations. Because of the country's mountainous terrain, it is impossible for large machines to do plowing, planting or harvesting. For this reason, coffee growers run small, family farms, and do much of the labor by hand.

¡AVANZA!
Goal: Read about and compare the daily routines of a gaucho in Argentina and a coffee grower in Colombia. Then compare them to your own daily routine.

Comparación cultural

Vivir de la tierra

STRATEGY Leer
Use word families Guess the meaning of at least five new words based on "word families." For example, **cafetero** is in the same word family as **café.** Make a table showing the familiar word, the new word, and its meaning.

Palabra que ya sé	Palabra nueva	Definición
café	cafetero	coffee grower

Un gaucho argentino en ropa tradicional

La vida[1] del gaucho es la vida de un ganadero[2] que vive de la tierra[3]. La región del gaucho es La Pampa, tierra de mucho sol y de llanos[4]. Estas condiciones determinan lo que hace el gaucho día a día. Los gauchos se levantan temprano para atender el ganado[5] y para mantener los ranchos. El «sueldo»[6] del gaucho es la carne y la piel del ganado que vende.

Estas condiciones también definen qué ropa se pone y qué comida comen él y su familia regularmente. Para trabajar, se pone un sombrero grande para protegerse del sol, del viento y de la lluvia[7]. Se pone pantalones que se llaman «bombachas» y unas botas altas. En la casa del gaucho comen lo que produce el gaucho: por ejemplo, el asado —una variedad de carnes— es el plato típico de los gauchos.

Argentina

[1] life	[2] cattle rancher
[3] land, soil	[4] prairie
[5] cattle	[6] salary [7] rain

Las pampas de Argentina, la tierra del gaucho

Differentiating Instruction

English Learners
Build Background Help English learners understand the footnotes. Encourage them to refer to a bilingual dictionary to look up the meanings of the English words in their native language. You may suggest they keep a "trilingual" glossary of the new terms they encounter to keep track of their expanding vocabulary in Spanish and in English.

Slower-paced Learners
Yes/No Questions When having a volunteer read for the class, stop him/her frequently for comprehension checks. Rephrase questions to allow for an either/or or a yes/no response if some students are reluctant to participate. Ask questions such as **¿Los gauchos viven en Colombia? ¿Los cafeteros trabajan con el ganado?**

Cultivos de café, cerca de Armenia, Colombia

Colombia

Un cafetero colombiano saca los granos de café.

Las montañas[8] de Colombia son ideales para el cultivo del café: son húmedas, altas y frescas. En Colombia, el café es muy importante. Hay una «cultura del café». El café colombiano es famoso también en otros países: es uno de los mejores del mundo[9].

El cafetero colombiano debe trabajar la tierra constantemente. ¿Cómo es un día típico de un cafetero? Los cafeteros se acuestan temprano y se levantan muy temprano todos los días. Normalmente se despiertan entre las dos y las cuatro de la mañana. Se arreglan para salir: se ponen la ruana, o poncho, y el sombrero grande. Algunos todavía van en mula[10] a su trabajo, una tradición de los cafeteros. Van a los campos todos los días para cultivar y mantener[11] el café. Más tarde, deben sacar los granos de café[12] porque luego tienen que prepararlos para convertirlos en la famosa bebida.

---

[8] mountains   [9] world   [10] mule   [11] maintain   [12] **granos...** coffee beans

PARA Y PIENSA

¿Comprendiste?
1. ¿Cómo se llama la región de Argentina donde viven los gauchos?
2. ¿Cuáles son las actividades del gaucho? ¿Qué produce el gaucho? ¿El cafetero?
3. ¿Qué se pone un gaucho para trabajar? ¿Un cafetero?
4. Compara la rutina diaria del gaucho con la rutina del cafetero. ¿A qué hora se levantan? ¿Qué se ponen?

¿Y tú?
Compara tu rutina con la rutina de estos trabajadores.

Differentiating Instruction

Multiple Intelligences

Naturalist Draw students' attention to the gauchos' use of horses and the cafeteros' use of mules. Why might mules be a better mode of transport for the cafeteros? Why might gauchos uses horses? Ask students to provide simple phrases to describe each type of animal, e.g., **Los caballos son rápidos. Las mulas son fuertes.**

Inclusion

Metacognitive Support As a class, skim the text for examples of cognates as a class (**café, familia,** etc.) Then have pairs look for more cognates before they read, reminding them that such terms will aid comprehension. Examples of cognates in the text include: **montañas, ideales, húmedas, frescas, importante, cultura, famoso.**

Connections
Word Origins

The word **pampa** comes from Quechua, an indigenous language (spoken by a native group, Quechua) that extends throughout the Andes, mostly in Ecuador, Peru and Bolivia. **Pampa** means *flat surface*.

Long-term Retention
Critical Thinking

Compare and Contrast Have students think about how Argentinian gauchos and American cowboys are alike and how they might differ. Ask them to create a Venn diagram and list all similarities and differences in the corresponding circles.

✓ Ongoing Assessment

Alternative Strategy Extend the information requested in question four of the **¿Comprendiste?** Have students present their answers as a chart.

	El gaucho	El cafetero
Hora que se levanta		
Ropa que se pone		
Trabajo que hace		
Comida que come		
Hora que se acuesta		

Answers

Para y piensa ¿Comprendiste? Answers will vary. Sample answers include:
1. La región donde viven los gauchos se llama La Pampa.
2. El gaucho atiende al ganado y mantiene el rancho. El gaucho produce carne y pieles del ganado. El cafetero trabaja la tierra, para cultivar el cáfe. El cafetero produce café en grano.
3. El gaucho se pone un sombrero grande, «bombachas» y unas botas altas. El cafetero se pone la ruana o poncho y un sombrero grande.
4. El gaucho y el cafetero se levantan muy temprano. Pasan el día trabajando bajo el sol. Los dos se ponen un sombrero bien grande para protegerse del sol.

Objective

- **Culture:** Read about gestures and personal space.

Presentation Strategies

- Encourage students to show gestures that they know and recognize.
- Discuss body language used in communication, and cultural differences in personal space.

STANDARDS

1.2 Understand language
1.3 Present information
2.1 Practices and perspectives
4.2 Compare cultures

21st CENTURY Media Literacy, Slower-paced Learners; **Social and Cross-Cultural Skills,** En tu comunidad

Comparación cultural

Essential Question

Suggested Answer Usamos los gestos y la posición del cuerpo mucho para comunicar nuestras emociones y sentimientos. Por ejemplo, cuando estamos contentos, sonreímos y cuando estamos pensando, a veces ponemos la mano en la cabeza.

Expanded Information

Proyecto 1 There is a marked difference in what is considered a comfortable distance when conversing with others. Some of this is based on culturally accepted norms and some on the relationship between the two people. After the students have finished the exercise, have them reflect on the questions posed at the end and write down their thoughts. Ask the students to consider whether the distance varies depending on the relationship; parent or sibling, close friend, or new acquaintance. Students may use the results from the exercise to back up their opinions.

❋ Proyectos culturales

Comparación cultural

Los gestos y el espacio personal

¿Cómo usamos los gestos (gestures) y la posición del cuerpo en la comunicación? Decimos mucho con los gestos. Si una persona no habla nuestro idioma *(language)*, a veces podemos usar un gesto para comunicar. Para las personas que hablan el mismo *(same)* idioma, un gesto puede ser una forma rápida y silenciosa de comunicación. Hay gestos que son universales. Otros gestos pueden variar *(vary)* de una cultura a otra. También la distancia que mantenemos durante una conversación varía entre *(between)* culturas.

Proyecto 1 *El espacio personal*

Durante una conversación, generalmente las personas de países hispanohablantes mantienen una distancia más cerca que las personas de Estados Unidos. Probablemente cuando hablas con diferentes personas, siempre mantienes la misma distancia. En esta actividad, vas a ver los efectos en la conversación de variar el espacio entre tú y otra persona.

Instrucciones
Vas a marcar la distancia en tres situaciones: (1) la de una conversación normal, (2) la de una conversación a una distancia más cerca de lo normal, y (3) la de una conversación a una distancia más lejos de lo normal.

1. Levántate de la silla y habla normalmente con un(a) compañero(a) de clase.
2. Con cinta adhesiva *(tape)* marca en el piso la distancia entre ustedes. Ésta es la distancia «normal».
3. Mide *(Measure)* esa distancia y luego marca otras dos distancias: una más cerca y otra más lejos.
4. Tú y tú compañero(a) deben conversar durante unos pocos minutos en las tres posiciones. ¿Observas diferencias en ustedes en cada distancia? ¿Estás más tranquilo(a) o más nervioso(a)? ¿Cómo está tu compañero(a)?

Ella es tacaña (stingy).
Para indicar que a tu amiga no le gusta gastar dinero, dobla tu brazo y toca el codo con la mano.

¡Qué cara tiene!
Para indicar que tu hermano es maleducado (rude), toca tu cara con la mano.

Manos a la obra.
Para decir «Vamos a trabajar», pásate la mano sobre el brazo opuesto. Repite con la otra mano.

¡Vámonos!
Para indicar que estás listo para ir, comienza con tu mano derecha sobre la izquierda. Entonces, baja tu brazo derecho rápidamente.

Proyecto 2 *Los gestos*

Los gestos tienen una variedad de usos. Puedes usarlos para dar énfasis *(emphasis)* a tus palabras o para expresar una idea sin palabras. Dibuja una historieta *(cartoon)* que incluye gestos de países hispanohablantes.

Instrucciones
1. Estudia las fotos de los gestos en esta página.
2. Escribe un diálogo corto entre dos personas que usa dos de los gestos de esta página.

En tu comunidad

Es importante comprender los gestos de diferentes culturas. ¿Qué malentendidos *(misunderstandings)* pueden resultar del uso incorrecto de los gestos que no son universales?

132 Unidad 2 Argentina
ciento treinta y dos

Differentiating Instruction

Multiple Intelligences

Kinesthetic Divide the students into pairs. Have them take turns as one thinks of and acts out a universally recognized gesture while the other articulates the expression (e.g., **ven aquí, llámame, cepillar los dientes**).

Slower-paced Learners

Personalize It Pull out a stack of magazines, newspapers or other material with photographs of people. Instruct the students browse through the material and pull photos that depict gestures, poses, and body language. Have each student describe the photo, their reaction to it, and the body language conveyed.

Lección
2

En resumen
Vocabulario y gramática

ANiMaTedGraMMaR
Interactive Flashcards
my.hrw.com

Vocabulario

Talk About Your Daily Routine

acostarse (ue)	to go to bed	entrenarse	to train
afeitarse	to shave oneself	lavarse	to wash oneself
apagar la luz	to turn off the light	levantarse	to get up
		maquillarse	to put on makeup
arreglarse	to get ready	peinarse	to comb one's hair
bañarse	to take a bath	ponerse la ropa	to put on clothes
cepillarse los dientes	to brush one's teeth	la rutina	routine
		secarse	to dry oneself
despertarse (ie)	to wake up	tener prisa	to be in a hurry
dormirse (ue)	to fall asleep	tener sueño	to be sleepy
ducharse	to take a shower		
encender (ie) la luz	to turn on the light		

Parts of the Body

la cara	face
el codo	elbow
el cuello	neck
el dedo	finger
el dedo del pie	toe
el diente	tooth
la garganta	throat
el hombro	shoulder
la muñeca	wrist
el oído	inner ear (hearing)
la uña	nail

Personal Care Items

el cepillo (de dientes)	brush (toothbrush)	el jabón	soap
el champú	shampoo	la pasta de dientes	toothpaste
la crema de afeitar	shaving cream	el peine	comb
el desodorante	deodorant	el secador de pelo	hair dryer
		la toalla	towel

Clarify Sequence of Events

primero	first
entonces	then; so
luego	later; then
más tarde	later on
por fin	finally

How Often You Do Things

a veces	sometimes
frecuentemente	frequently
generalmente	in general; generally
normalmente	usually; normally

Gramática

Nota gramatical: Pensar + infinitive *p. 118*

Reflexive Verbs

All **reflexive verbs** are expressed with a **reflexive pronoun.** The **pronoun** appears before the conjugated **verb.**

bañarse *to take a bath*			
yo	**me** baño	nosotros(as)	**nos** bañamos
tú	**te** bañas	vosotros(as)	**os** bañáis
usted, él, ella	**se** baña	ustedes, ellos(as)	**se** bañan

Present Progressive

Use the present tense of **estar** plus the **present participle** to form the **present progressive.**

estar	*to be*
estoy	estamos
estás	estais
está	están

	becomes
comprar	comp**rando**
comer	com**iendo**
escribir	escrib**iendo**

Estoy comp**rando** los boletos.
I am buying the tickets.

Practice Spanish with Holt McDougal Apps!

Differentiating Instruction

English Learners

Provide Comprehensible Input Encourage English learners to refer back to pp. 114–115 for visual cues for word meanings, and let them use their own bilingual dictionary if they need to for less concrete terms. For extra support, photocopy the En resumen from the text and allow English learners to draw picture clues next to any words they want to.

Inclusion

Multisensory Input Have students read through the vocabulary with a partner and make up a simple gesture to associate with each item. Have them practice until they have the gestures memorized, and ask pairs how, for example, they differentiate between **bañarse** and **ducharse,** or **encender la luz** and **apagar la luz.**

 DIGITAL SPANISH

Interactive Flashcards Students can hear every target vocabulary word pronounced in authentic Spanish. Flashcards have Spanish on one side, and a picture or a translation on the other.
Review Games Matching, concentration, hangman, and word search are just a sampling of the fun, interactive games students can play to review for the test.

performance)space
News + Networking
@HOMETUTOR
CuLTuRa Interactiva

- **Audio and Video Resources**
- **Interactive Flashcards**
- **Review Activities**
- **WebQuest**
- **Conjuguemos.com**

Communication
Common Error Alert

Because in English the gerund and the present participle look the same (*I plan on running* and *I am running*), students may try to use the **–ando/–iendo** form to express what they're planning on doing (**"Pienso corriendo"**). Remind them that Spanish uses the infinitive for this function: **Pienso correr.**

Long-term Retention
Study Tip

Have students make a review chart which they can personalize according to their preference. They might choose to reorder the morning routine vocabulary according to when the activities take place, for example, or put the body parts in head-to-toe order instead of alphabetizing them. However they present it, the mere act of rewriting the information will help most students to remember it better.

REPASO DE LA LECCIÓN

Objectives

- Review lesson grammar and vocabulary.
- Apply expressions of frequency to an audio narrative.
- Talk about routines using reflexive verbs.
- Express plans by using **pensar** + infinitive.
- Talk about ongoing activities using the present progressive.

Core Resources

- *Cuaderno*, pp. 84-95
- Audio Program: TXT CD 3 Track 22

Presentation Strategies

- Draw students' attention to the benchmarks listed under the ¡Llegada! banner
- Complete review activities.

✿ STANDARDS

1.2 Understand language, Act. 1
1.3 Present information, Act. 2
2.2 Products and perspectives, Act. 5
3.1 Knowledge of other disciplines, Act. 5
4.1 Compare languages, Acts. 2, 3, 4

21ˢᵗ CENTURY Communication, Ongoing Assessment: Alternative Strategy; **Media Literacy,** Heritage Language Learners

---

🖥 Warm Up Projectable Transparencies, 2-23

Present Progressive Complete the sentences with **estar** plus the present progressive of the verb in parentheses.

1. Tú _____ (comer) el desayuno.
2. Nosotros _____ (entrenarse) para la competición de fútbol.
3. Ustedes _____ (hacer) la tarea por la tarde.
4. Yo _____ (escribir) una carta a mi amiga.
5. La familia _____ (poner la mesa) para la cena.

Answers: 1. estás comiendo; 2. nos estamos entrenando; 3. están haciendo; 4. estoy escribiendo; 5. está poniendo

✓ Ongoing Assessment

Alternative Strategy Have students imagine that they are sleeping over a friend's house with a couple of classmates. The friend's mother wants to know what they are planning to do before going to soccer practice the next day, so she'll know when to wake them up. Have them write a note telling who is planning on taking showers, drying their hair, etc. They should use **pensar** + infinitive to talk about plans, and at least five different verbs.

Answers for Activities 1–2 on p. 135.

134

Repaso de la lección

¡AvanzaRap!
DVD
Sing and Learn

@ HOME TUTOR
my.hrw.com

¡LLEGADA!

Now you can
- discuss your daily routine
- clarify the sequence of events
- say what you and others are doing right now or intend to do

Using
- **pensar** + infinitive
- reflexive verbs
- present progressive

To review
- reflexive verbs, p. 119

1 | Listen and understand

AUDIO

Escucha la descripción de la rutina de Diego. Escribe las actividades que él hace. Luego, ponlas en orden y completa las oraciones usando las palabras de la lista. *(Write down Diego's activities. Then put them in order and complete the sentences.)*

acostarse	dormirse
secarse	cepillarse
leer	lavarse
apagar la luz	

🎧 Audio Program
TXT CD 3 Track 22
Audio Script, TE
p. 111B

1. Primero, Diego _____ y _____ .
2. Entonces, _____ .
3. Luego, _____ y _____ .
4. Más tarde, _____ .
5. Por fin, _____ .

To review
- reflexive verbs, p. 119

2 | Discuss your daily routine

Completa la descripción de las rutinas con verbos reflexivos. *(Complete the description using reflexive verbs.)*

Generalmente nuestra casa sigue una rutina muy precisa por la mañana. Primero, a las siete yo busco una toalla y mi champú y **1.** rápidamente. Después, mi padre entra al baño y **2.** la cara. Luego, a las siete y cuarto mis hermanos **3.** y **4.** de la cama. Entran al baño y **5.** los dientes y luego **6.** la ropa. Luego yo necesito el espejo del baño cuando **7.** el pelo con la secadora de pelo. Más tarde mi madre entra al baño con un peine y **8.** frente al espejo. Por fin, todos estamos listos para el desayuno y el día.

Differentiating Instruction

Slower-paced Learners

Memory Aids Before doing Activity 1, write each word used to clarify sequence on a separate card and place them in sequential order on the board. Show that aside from **primero** and **por fin,** the other words do not have a fixed position in a sequence. Relating **primero** to the English word *primary* and **por fin** to *final* may help students remember their meanings.

Heritage Language Learners

Writing Skills Have students find a magazine article on health and beauty routines. After reading the article, have them write a one-paragraph summary of its main points. Finally, have them indicate whether they would recommend the article to a friend.

o review
pensar +
infinitive, p. 118

3 Say what you and others are planning to do

Describe lo que cada persona piensa hacer según el objeto en la foto.
(Describe what people intend to do with these objects.)

modelo: nosotros

Pensamos acostarnos.

1. Diego

2. tú

3. ustedes

4. yo

5. su hermano

6. las chicas

o review
present
progressive, p. 124

4 Say what you and others are doing right now

Tu mamá no está en casa y te llama por teléfono cada media hora. Dile qué está haciendo tu familia. *(Tell what people in your family are doing.)*

modelo: mi hermana / escribir un correo electrónico
Mi hermana está escribiendo un correo electrónico.

1. yo / hacer la tarea para las clases
2. papá / afeitarse
3. mi hermano(a) / entrenarse
4. mi hermano(a) / arreglarse

5. el perro / dormirse
6. mi abuela y yo / hablar
7. toda la familia / ver televisión
8. mi hermanos / leer

review
a Patagonia,
. 87
Comparación
ultural, pp. 120,
26
ectura cultural,
p. 130–131

5 Argentina and Colombia

Comparación cultural

Contesta estas preguntas culturales. *(Answer these culture questions.)*

1. ¿Que actividades pueden hacer los turistas en la Patagonia?
2. ¿Qué elementos están en muchas obras de Xul Solar?
3. ¿De dónde es Copetín? Describe a Copetín.
4. ¿Qué hacen los gauchos de Argentina y los cafeteros de Colombia?

s práctica Cuaderno *pp. 84–95* Cuaderno para hispanohablantes *pp. 86–95*

Get Help Online
my.hrw.com

Differentiating Instruction

Multiple Intelligences

Visual Learners Have students take turns coming to the board and drawing a picture of something they are planning to do the next day. Let the rest of the class offer complete sentences describing the student's plans (i.e. **Piensa ir de compras**) until they have guessed it. The student who guesses correctly is the next to draw.

Inclusion

Metacognitive Support Have a class discussion about which vocabulary items or concepts in the chapter are the most difficult to remember, and let students suggest their own strategies for remembering them.

✓ Ongoing Assessment

Intervention and Remediation More than one mistake in any of these activities indicates that a student should revisit the indicated pages in the text, and/or my.hrw.com for help. If he or she is still confused, have him or her consult with you outside of class time.

⬛ Answers Projectable Transparencies, 2-31

Answers for Activities 1–2 from p. 134.

Activity 1 Answers will vary slightly, but should resemble the following: Primero, Diego se lava la cara y se seca con una toalla. Entonces, se cepilla los dientes. Luego, se acuesta y lee. Más tarde, apaga la luz. Por fin, se duerme.

Activity 2
1. me ducho/me lavo el pelo
2. se lava
3. se despiertan
4. se levantan
5. se cepillan
6. se ponen
7. me seco
8. se peina

Activity 3 Answers will vary. Sample answers include:
1. Diego piensa afeitarse.
2. Tú piensas encender (apagar) la luz.
3. Ustedes piensan entrenarse.
4. Yo pienso cepillarme los dientes.
5. Su hermano piensa lavarse.
6. Las chicas piensan maquillarse.

Activity 4 Answers will vary. Sample answers include:
1. Yo estoy haciendo la tarea para las clases.
2. Papá se está afeitando. / Papá está afeitándose.
3. Mi hermano se está entrenando./Mi hermano está entrenándose.
4. Mi hermana se está arreglando./Mi hermana está arreglándose.
5. El perro se está durmiendo./El perro está durmiéndose.
6. Mi abuela y yo estamos hablando.
7. Toda la familia está viendo la televisión.
8. Mis hermanos están leyendo..

Activity 5
1. En la Patagonia los turistas pueden acampar, hacer kayac, ir a la playa, hacer excursiones a las montañas y esquiar.
2. Muchas obras de Xul Solar usan colores vivos, formas geométricas, el sol y la luna.
3. Copetín es de Colombia. Es joven y tiene un grupo de amigos.
4. Los gauchos de Argentina trabajan en los ranchos y producen carne. Los cafeteros de Colombia cultivan el café.

Objectives
· Read about amateur athletes in Colombia, Argentina, and Spain.
· Write about a sport you enjoy and an athlete who plays it.
· Compare your piece with the original reading selections.

Core Resources
· Audio Program: TXT CD 3 Track 23
· Video Program: DVD 1

Presentation Strategies
· Read each paragraph on p. 137, pausing for comprehension checks.
· Have students organize their ideas by following the strategy under Escribir.
· After peer editing and final drafting, compare students' work with Ricardo, Silvia and Nuria's entries.

STANDARDS
1.2 Understand language
1.3 Present information
4.2 Compare cultures
21st CENTURY Communication, Pre-AP/Heritage Language Learners

✓ Ongoing Assessment
Alternative Strategy Have students decide, between Ricardo, Silvia, and Nuria, whose training routine sounds the most difficult, and write a few sentences defending their opinion.

136

Comparación cultural
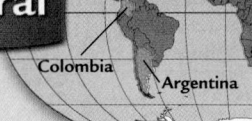
España
Colombia
Argentina

Rutinas del deporte
AUDIO

Lectura y escritura

WebQuest my.hrw.com

1 Leer Sporting routines differ from sport to sport and person to person. Read about the sports Ricardo, Silvia, and Nuria practice, their routines, and famous people who practice the same sports.

2 Escribir Using the three descriptions as models, write a short paragraph about a sport you practice or like, your daily routine, and a famous person who also plays this sport.

> STRATEGY Escribir
> **Give the details** To write a paragraph about a sport you practice, use boxes like the ones shown.
>
> | Deporte | Lugar | Actividades | Persona famosa |
> |---|---|---|---|

Step 1 Draw boxes like those above. In the boxes, add details about your sport, the place you practice it, any special events or activities, and a famous person who plays this sport.

Step 2 Using the details in the boxes, write a paragraph about the sport you practice. Check your writing by yourself or with help from a friend. Make final additions and corrections.

Compara con tu mundo
Use the paragraph you wrote to compare the sport you chose with that of Ricardo, Silvia, or Nuria. How are they similar or different?

Cuaderno pp. 96–98   Cuaderno para hispanohablantes pp. 96–98

Differentiating Instruction

Multiple Intelligences
Logical/Mathematical After completing their own paragraphs under Lectura y escritura, have students create a Venn diagram comparing their routine to Ricardo's, Silvia's or Nuria's. Ask them to put a plus sign next to elements in the diagram that are appealing or desirable to them, and a minus sign by elements that are difficult or undesirable.

Pre-AP
Circumlocution Have students form groups of four and take turns paraphrasing statements of their choice from the three vignettes. Have the group determine whose words they were paraphrasing.

CULTURA Interactiva
my.hrw.com
See these pages come alive!

Colombia
Ricardo

¿Qué tal? Soy Ricardo y estoy entrenándome para una competencia de ciclismo en Bogotá. Para mí es importante tener una rutina. Todos los días me levanto muy temprano y monto en bicicleta por dos horas. Hay una pista de ciclismo cerca de mi casa. Me gustaría ser tan rápido como el ciclista colombiano Santiago Botero, uno de los finalistas en la Vuelta a Francia.

Santiago Botero

Argentina
Silvia

¡Hola! Me llamo Silvia y me encanta jugar al tenis. Soy de Santa Fe, Argentina. Gabriela Sabatini, quien llegó a ser tercera en el ranking mundial de tenis, también es de Argentina. Yo me entreno todos los días porque quiero jugar como ella. Generalmente me levanto temprano y corro en el parque. ¡Ayer corrí siete kilómetros! Este año quiero competir en un campeonato de tenis, ¡y ganar!

Gabriela Sabatini

España
Nuria

¡Saludos de Madrid! Mi nombre es Nuria y todos los días, de la una a las tres de la tarde, voy a una escuela de gimnasia[1]. Mis compañeras y yo somos muy activas y hacemos mucho ejercicio. El sábado pasado, competimos en el Campeonato de Madrid ¡y salimos campeonas! Ese día conocí a Almudena Cid, la única gimnasta del mundo que ha participado en cuatro finales olímpicas. ¡Qué fantástico!

[1] gymnastics

Almudena Cid

Argentina
ciento treinta y siete **137**

Comparación cultural

Santiago Botero is climbing rapidly to the top of world cycling. Although he has not yet won the Tour de France, he was named the King of the Mountains in the 2000 Tour, a title given to the best climber in the race, who is awarded a polka-dotted jersey for his hard work.

Gabriela Sabatini was born in Buenos Aires and started playing tennis at the age of six. Later she would be ranked as high as number 3 in the world. Sabatini's greatest victory was at the 1990 US Open, where she took home the women's singles title.

Carolina Pascual is now a teacher of rhythmic gymnastics in the town of Orihuela, Alicante—the town where she was born. It was a ballet teacher who told Pascual, at the age of seven, that she had all the right skills to excel at the sport; just nine years later she took the silver in Barcelona.

✓ Ongoing Assessment

Rubric Lectura y escritura

Writing Criteria	Very Good	Proficient	Not There Yet
Content	Paragraph contains a lot of information.	Paragraph contains some information.	Paragraph lacks information.
Communication	Organized and easy to follow.	Fairly organized and easy to follow.	Disorganized and hard to follow.
Accuracy	Few mistakes in grammar and vocabulary.	Some mistakes in grammar and vocabulary.	Many mistakes in grammar and vocabulary.

To customize your own rubrics, use the *Generate Success Rubric Generator and Graphic Organizers.*

Differentiating Instruction

Inclusion

Cumulative Instruction Have students read photocopies of the vignettes and highlight all the words or phrases that they recognize from the Unit. Of the highlighted items, have them check off all those that they know the meanings of. Then let them work with a partner to try to figure out other word meanings from their context.

Heritage Language Learners

Writing Skills Have students write two or three questions that they would ask if they had the opportunity to interview the famous person mentioned in their Lectura y escritura piece.

Objective
· Cumulative review

Core Resource
· Audio Program: TXT CD 3 Track 24

Review Options
· **Activity 1:** Transitional: listening
· **Activity 2:** Open-ended: speaking
· **Activity 3:** Open-ended: writing and reading
· **Activity 4:** Open-ended: speaking
· **Activity 5:** Open-ended: speaking and writing
· **Activity 6:** Open-ended: writing and speaking
· **Activity 7:** Open-ended: reading and writing

STANDARDS

1.1 Engage in conversation, Acts. 4, 5
1.2 Understand language, Acts. 1, 7
1.3 Present information,
   Acts. 2, 3, 5, 6, 7
2.2 Products and perspectives, Act. 3
3.1 Knowledge of other disciplines,
   Acts. 3, 4
5.2 Life-long learners, Act. 3

21st CENTURY Communication, Act. 4 (Healthy Literacy), 7; **Creativity and Innovation,** Act. 5/Humor/Creativity; **Flexibility and Adaptability,** Act. 2/Pre-AP

Communication
Humor/Creativity

Form groups of three or four, and assign each one a personal care product for which to develop a radio jingle. Bring in a sample of the product's original, Spanish-language packaging if at all possible, to help students generate ideas. Encourage them to come up with two or three short jingles and then choose the one that seems the catchiest.

Answers

Activity 1
1. Está cansada porque sigue una rutina muy complicada.
2. Ella se despertó a las 6:15. Se despertó temprano.
3. Primero ella se duchó. Tomó un vaso de jugo en el desayuno, antes de ir a la escuela.
4. Habló con la profesora de inglés porque no entendió la tarea.
5. Su hermano no tiene una rutina complicada porque no toma mucho tiempo para arreglarse.

Activities 2–7 Answers will vary.

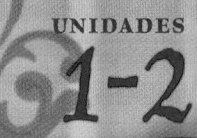

Repaso inclusivo
♻ Options for Review

¡AvanzaRap!
DVD
Sing and Learn

Digital performance space

---

1 | Listen, understand, and compare

Escuchar

Listen as Lola describes her hectic routine, then answer the questions that follow:

1. ¿Por qué siempre está cansada Lola?
2. ¿A qué hora se despertó Lola ayer? ¿Se despertó temprano o tarde?
3. ¿Qué hizo Lola primero? ¿Comió Lola antes de ir a la escuela ayer?
4. ¿Con quién habló Lola? ¿Por qué?
5. ¿Quién tiene la mañana más ocupada, Lola o su hermano? ¿Por qué?

What's your morning routine? What's your evening routine? Compare your routine to Lola's. Which is more complicated? Explain why.

🎧 **Audio Program**
TXT CD 3 Track 24
Audio Script, TE
p. 87B

---

2 | Be a sports announcer

Hablar

You and your partner are the announcers for your school's soccer team. For three minutes, deliver an ongoing account of what is happening in the game using the present progressive. Cheer on the players as you also take turns providing important information about the game: who is playing, how they are playing, and who is or isn't scoring.

---

3 | Report on a competition

Escribir
Hablar

Find out more about one of the sports competitions presented in Lesson 1 of this unit. When and where does the competition happen? Which countries compete? What prize do the winners receive? Who are some famous athletes that have participated? Present your findings in a collage with images and at least six captions of text. Share your findings in a report to the class.

---

4 | Plan a healthy lifestyle

Hablar

In your group, discuss your daily routine as it relates to exercise and meals. Are there ways to add healthy changes to your day? Think of how to improve your diet and increase the amount of exercise you do. Discuss your ideas and make recommendations to each other for ways to stay healthy.

Differentiating Instruction

Pre-AP

Use Transitions Have students role-play a television interview with a former Olympic athlete or an Olympic hopeful. Instruct them to use a variety of transition words (**luego, entonces, más tarde, por fin,** etc.) in their discourse, both to connect ideas and to change from one topic to another.

Multiple Intelligence

Visual Learners Students may find it helpful to visualize the soccer game before doing Activity 2. They can write down the names of the players, the score, or quickly sketch some possible scenes from the game. They may also want to write down verbs that will be useful for announcing the game.

5 | Perform a skit

blar
ribir

With your group, create a skit involving daily routines. You will play the roles of siblings who share a bathroom and run into many conflicts in their morning routines. Brainstorm ideas of possible conflicts with your group and decide on a role for each of you. In your skit, each character should explain what they need to do and items they need to use. You may include props. Write out your lines, practice, and then perform for the class.

6 | Describe your ideal summer

ribir
blar

Think about your daily routine on an ideal summer day. Make a chart showing your activities throughout the day and the times for each. Start with when you wake up and how you start your day. Include information about your meals and places you may go. Conclude with your evening routine and the time you go to bed. Share your information with the class.

7 | Write a letter to a friend

Leer
ribir

Imagine you went on the following cycling trip to Argentina. Write a letter to a friend describing your trip with details about your flight there, where you stayed, what you saw, who you met, and what you did.

Vuelta a la Argentina

Esta vuelta ciclística reúne los mejores ciclistas nacionales e internacionales de 25 equipos. Nuestro tour sigue la ruta de esta competencia profesional por siete días mientras recibes la hospitalidad de los argentinos.

Incluido en el tour:
- Montar en bicicleta por cuatro días
- Alojamiento en hoteles
- Lo más delicioso de la comida típica argentina
- Ver las tres partes finales de la Vuelta
- Ir a una recepción con los ciclistas

Es necesario hacer su reservación lo más pronto posible. ¡Llama hoy!
Miami: 305-555-6905
Buenos Aires: 54 11 4366-8251

También hacemos reservaciones de vuelo

Argentina
ciento treinta y nueve **139**

Differentiating Instruction

Slower-paced Learners

Personalize It Tell students that they are in a new reality TV show, and will be filmed for a day as they carry out their normal routine. Form groups of three: one as the subject of the docudrama, one as a planning engineer and camera person, and one as a narrator. As the camera captures each aspect of the subject's day, the narrator tells what he or she is doing.

Multiple Intelligences

Interpersonal Bring in two real or toy phones to use as props, as pairs of students role-play the conversation they might have with a travel agent upon calling the number given in Activity 7. In addition to booking a reservation, have students ask (and answer) three additional questions about the trip.

Integrated Performance Assessment Rubric Oral Activities 2, 3, 5
Written Activities 4, 6, 7

Very Good	Proficient	Not There Yet
Student throughly develops all requirements of the task.	Student develops most requirements of the task.	Student does not develop the requirements of the task.
Student demonstrates excellent control of verb forms.	Student demonstrates good-to-fair control of verb forms.	Student demonstrates poor control of verb forms.
Good variety of appropriate vocabulary.	Adequate variety of appropriate vocabulary.	Vocabulary is not appropriate.
Pronunciation is excellent to very good.	Pronunciation is good to fair.	Pronunciation is poor.

To customize your own rubrics, use the *Generate Success Rubric Generator and Graphic Organizers.*

Communication
Group Work

Activity 7 Before beginning the activity, have students get in groups of four and brainstorm things they might see on a bike tour through Argentina.

Connections
Geography

Have students form groups to discuss how they would pack for a trip to Buenos Aires. What are the seasons like there? What is it like there right now? (Remind students that the seasons are reversed in the Southern Hemisphere.)

Proyectos adicionales

❈ Art Project

Create an Advertisement for a Sale at a Clothing Store Have students create an ad to appear in a local newspaper for a sale at a clothing store.

1. Pair students up, and have them review the vocabulary on pp. 144 and 145.

2. Explain to students that their ad must include the following information: the name of the store, drawings or photos of a selection of clothing with descriptions and their prices, the days that the sale will take place, the address of the store and store hours, as well as a catchy slogan to attract customers to the sale.

3. Encourage students to look at newspaper ads for ideas and to use as much vocabulary from the lesson as possible.

Hang ads around the room.

> **PACING SUGGESTION:** One 90-minute class period after Lección 1.

 Creativity and Innovation

❈ Game

Memoria

Preparation: Prepare an overhead transparency with a 4x5 grid on it. Label the boxes across the top A–D and the boxes down the side 1–5. In half of the boxes, write a vocabulary word. In the other half of the boxes, write a sentence with a blank to be filled in with one of the vocabulary words. Cover each box with a small sticky note or slip of paper.

To play: Divide students into two or three teams. Project the transparency for students to see. Be sure that teams are far enough away from each other so they are able to plan their strategies without the others hearing. Toss a coin to see which team goes first. When it is their turn, each team must choose two coordinates, for example, A3 y B5. Uncover those squares and have students decide whether they have found a match. If a match is made, the team gets one point. If not, cover up those squares and have the next group call out two more coordinates. Play resumes until all matches have been found. Remind students that it is important to pay attention as squares are uncovered and that they are not allowed to write anything down!

> **PACING SUGGESTION:** 20-30 minutes of class time. Can be used at the end of each Lección or as a review at the end of the unit.

❈ Web Research

Compras en el Viejo San Juan Explain to students that Puerto Rico's Old San Juan district provides many shopping opportunities. Pair students up and have them research shopping in Old San Juan. Guide their research by having them answer these questions:

- What is the Centro Nacional de Artes Populares y Artesanías? Where is it located?
- What are the names of some of the major shopping streets in Old San Juan? What are the names of some of the major shopping plazas in Old San Juan?
- What sorts of things will you expect to find for sale in the streets and plazas of Old San Juan?

Have students report what they have learned. Encourage them to print out interesting things they find online.

Search Key Words: "Shopping in Old San Juan," "Shopping in San Juan," "Centro Nacional de Artes Populares y Artesanías."

> **PACING SUGGESTION:** One 90-minute class period at the end of Lección 2.

 Technology Literacy

❈ Storytelling

El regalo perfecto After reviewing the vocabulary from Lección 2, model a mini-story. Later, students will revise, retell and expand it.

Estoy de vacaciones en Puerto Rico y quiero comprar el regalo perfecto para mi amiga. Voy al mercado de artesanías y veo muchos **artículos hechos a mano.** Veo **artículos de cuero, de madera** y **de cerámica.** Hay un señor que vende joyas muy **finas.** Hay un collar **de plata** que me gusta mucho. Le digo a él «**Perdóneme, ¿Me deja ver** ese collar?» Él me dice «**Con mucho gusto,** señorita.» Es muy bello y sé que a mi amiga le va a gustar mucho, pero es caro. Regateo con el señor y me lo da por un precio más bajo. ¡Qué **ganga**!

As you tell the story, be sure to pause so that students can fill in words. As you come to each of the vocabulary words, show students the photo from the Presentación de vocabulario that corresponds and have them say the word or expression aloud. Later, have students retell the story, adding more details.

> **PACING SUGGESTION:** 30 minutes of class time at the end of Lección 2.

 Communication

❈ Music

Tito Puente Tito Puente was one of the most famous percussionists of all time, recording more than 100 albums during his career. Puente, born in New York City to Puerto Rican parents, helped to popularize mambo and salsa in the United States. Explain the difference between the two styles of music, or have students research the characteristics of each for homework the night before. Play several samples of Puente's music for the students, including examples of mambo and salsa. Afterward, guide a class discussion with these questions:

• What was the mood of the music? How did it make you feel?
• Puente was known for his mastery of several instruments. How many different instruments can you identify from the recordings?
• Did the recordings sound noticeably different from one another? If so, how?
• Based on what you know about each style, which recordings were examples of salsa and which were examples of mambo? How could you tell?

> **PACING SUGGESTION:** 20-30 minutes of class time at the end of Lección 2.

❈ Recipe

Tostones de plátano, or fried plantains, are served with many Puerto Rican dishes. They are made with green plantains, a fruit similar to a banana, but much less sweet. Plantains, unlike bananas, cannot be eaten raw. These can be made ahead of time and warmed up for the class. If students make this recipe, tell them to make sure they have adult supervision as the oil is very hot.

Tostones de plátano

Ingredientes

3 plátanos verdes
4 tazas de agua con dos ajos
4 tazas de agua con
   2 cucharadas de sal
2 tazas de aceite vegetal o de
   manteca

Instrucciones

Corte los plátanos diagonalmente en tajadas de 1 pulgada de ancho. Remójelas durante 15 minutos en el agua con los ajos. Caliente el aceite a fuego alto. Escurra las tajadas y fríalas a fuego moderado durante 5 minutos. Sáquelas y aplástelas. Échelas en el agua con la sal y sáquelas inmediatamente. Escúrralas. Fríalas nuevamente con la grasa un poco más caliente alrededor de 5 minutos, hasta que se pongan doradas. Sáquelas y póngalas sobre papel absorbente. Ponga más sal a su gusto y sírvalas.

Tiempo de preparación: 20 minutos
Tiempo total: 40 minutos

¡AvanzaRap! DVD

• Video animations of all **¡AvanzaRap!** songs (with Karaoke track)
• Teaching Suggestions
• **¡AvanzaRap!** Activity Masters
• **¡AvanzaRap!** Video Scripts and Answers
   Also available on the **Teacher One Stop**

UNIT THEME
Let's go shopping!

UNIT STANDARDS
COMMUNICATION
- Talk about clothing and personal needs
- Say whom things are for
- Express opinions
- Describe past activities and events
- Ask for and talk about items at a marketplace
- Express yourself courteously

CULTURES
- History through art: the art of José Campeche
- Shopping centers in Puerto Rico and Peru
- **Los vejigantes** and traditional masks
- The art of Obed Gómez
- **Las parrandas:** holiday singers
- Traditional handicrafts of Puerto Rico and Panama
- Shopping in Puerto Rico, Panama, and Peru

CONNECTIONS
- History: the Taino and Spanish heritage of Puerto Rico
- Language: the meaning of words originating in Taino
- Geography: other indigenous Caribbean groups
- Music: the maracas and the güiro

COMPARISONS
- Important historical areas
- Places to shop
- City centers
- The hard sound of the letter **g**
- Local festivals and celebrations
- Traditional crafts

COMMUNITIES
- Traditional masks from Spanish-speaking countries

Video Character Guide

Emilio and Carolina are friends who share an interest in fashion and shopping. They live in Puerto Rico.

▶❙ ❙❙

UNIDAD 3
Puerto Rico
¡Vamos de compras!

Océano Atlántico

Lección 1
Tema: **¿Cómo me queda?**

Lección 2
Tema: **¿Filmamos en el mercado?**

Golfo de México

Cuba

Puerto Rico

México

El Salvador
Honduras

República Dominicana

Mar Caribe

Guatemala

Nicaragua

Costa Rica
Panamá

Venezuela

«*¡Hola!*
Nosotros somos Emilio y Carolina.
Somos de Puerto Rico.»

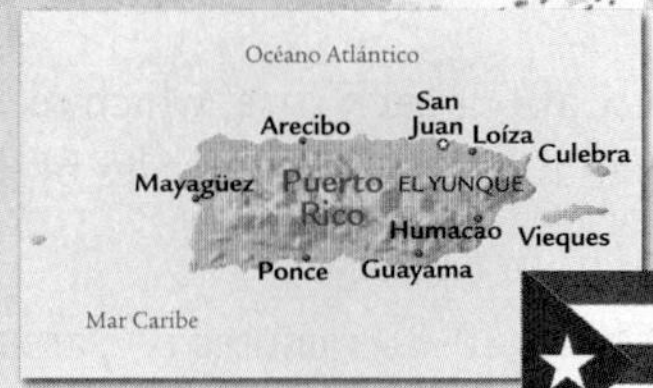

Océano Atlántico

Arecibo
San Juan Loíza
Culebra

Mayagüez
Puerto Rico ELYUNQUE
Humacao Vieques
Ponce Guayama

Colombia

Mar Caribe

Población: 3.958.128

Área: 3.515 millas cuadradas

Capital: San Juan

Moneda: el dólar estadounidense

Idiomas: español, inglés (los dos son oficiales)

Comida típica: tostones, pernil, arroz con gandules

Tostones

Gente famosa: Julia de Burgos (escritora), Roberto Clemente (beisbolista), Luis Muñoz Marín (político), Olga Tañón (cantante), Benicio del Toro (actor)

140 ciento cuarenta

Cultural Geography

Setting the Scene
- ¿Dónde estamos? ¿El Caribe, Norteamérica o Centroamérica? (El Caribe)
- ¿Cómo se llaman el chico y la chica? (Emilio y Carolina)

Teaching with Maps
- ¿Cuáles son los países vecinos de Puerto Rico? (Cuba, República Dominicana)
- ¿Está Puerto Rico más cerca de los Estados Unidos, México, los países caribeños o los países centroamericanos? (los países caribeños)
- ¿Cómo se llaman los cuerpos de agua cerca de Puerto Rico? (océano Atlántico, golfo de México, mar Caribe)

CULTURA Interactiva
my.hrw.com
See these pages come alive!

◄ **Timbaleros** Un timbalero es alguien que toca los timbales. Los timbales son instrumentos de percusión muy populares en la música tropical. En Puerto Rico hay muchos festivales y desfiles *(parades)* donde puedes escuchar diferentes estilos de música, como plena, bomba, salsa y música folklórica. *¿Hay festivales o conciertos donde vives? ¿Qué instrumentos tocan?*

Unos timbaleros se preparan para un desfile

La arquitectura española Si caminas por el Viejo San Juan, vas a ver casas y edificios españoles de los siglos XVI al XIX. Un ejemplo famoso es el Castillo de San Felipe del Morro, o simplemente «el Morro». Los españoles empezaron a construirlo *(build it)* en el 1539 para defender la isla. Hoy es un museo turístico con muchos artefactos históricos. *¿Hay casas o museos históricos en tu comunidad? ¿Cuáles?* ►

El Castillo de San Felipe del Morro

Un mural en San Juan que celebra la historia del país

◄ **«¡Somos boricuas!»** Puerto Rico también es conocido como *(known as)* Borinquen o Boriquén, el nombre **taíno** para la isla. Los taínos eran los indígenas que vivían allí antes de la llegada de los españoles. Hoy los puertorriqueños se llaman **boricuas,** una expresión de afirmación cultural. *¿Hay grupos indígenas donde vives o lugares que tienen nombres indígenas?*

Puerto Rico
ciento cuarenta y uno · 141

CULTURA Interactiva
my.hrw.com

Cultura Interactiva Send your students to my.hrw.com to explore authentic Puerto Rican culture. Tell them to click Cultura interactiva to see these pages come alive!

Culture

About the Photos

· **Timbaleros** The photo shows drummers of different ages. Puerto Ricans of all ages participate in their musical heritage. Drums and other percussion instruments popular in Puerto Rico and the rest of the Caribbean serve as a reminder of the African heritage of the island.

· **Spanish Architecture** San Juan has lovingly restored, and is very proud of, the buildings of Spanish colonial origin. The Morro fortress was used by islanders to protect themselves from pirates and other marauders.

· **About the Mural** This mural is a testimony to the pride of Puerto Ricans in their cultural history. It commemorates the 500th anniversary of Columbus' discovery of the New World.

Expanded Information

· **Puerto Rican Music** is a blend of indigenous, European, and African elements: percussion and rhythms (indigenous, African), string instruments and folk melodies (Spain), for example.

· **The Colonial Architecture** of Puerto Rico features primarily one- and two-story buildings of brick and plaster, large windows, balconies, colonnades, wrought iron work, and brightly painted pastel exteriors.

· **The Taino People** lived in small groups throughout the island. Their mainstay was agriculture supplemented by hunting and fishing. Primary entertainments included dance, music, and a type of ceremonial ball game. Little remains of Taino material culture other than stone implements and monoliths.

Bridging Cultures

Heritage Language Learners

Support What They Know If there are Puerto Rican students in your class, ask them to talk about where their families are from. Encourage them to share some traditions they celebrate, typical foods, favorite music, and so on.

English Learners

Build Background Remind students that Puerto Rico is a free associated state of the U.S. and that Puerto Ricans have many of the rights of U.S. citizens, including the right to live in the U.S. Encourage students to learn about the major Puerto Rican populations in U.S. cities and to research famous Puerto Rican musicians, actors, authors, etc. who have enjoyed success in the U.S.

Lesson Overview

Culture at a Glance ❈

Topic & Activity	Essential Question
A clothing store in Ponce, Puerto Rico, pp. 142–143	¿Cómo son las tiendas de ropa en tu comunidad?
Historical art, p. 150	¿Qué importancia tienen los artistas en la documentación de la historia?
Shopping centers, p. 156	¿Qué expresan los lugares populares sobre una cultura?
Culture review, p. 165	¿Cómo son las culturas de Puerto Rico y Perú?

COMPARISON COUNTRIES  Puerto Rico  Panamá  Perú

Practice at a Glance ❈

	Objective	Activity & Skill
Vocabulary	Clothing and personal items	1: Speaking/Writing; 2: Speaking/Writing; 8: Writing/Speaking; 9: Speaking/Writing; 10: Listening/Reading; 13: Speaking/Writing; 19: Speaking; 20: Reading/Listening/Speaking; 21: Writing
	Places to shop	1: Speaking/Writing; 12: Speaking; 16: Reading/Speaking; 20: Reading/Listening/Speaking; 21: Writing; Repaso 1: Listening
	Expressing opinions	3: Speaking/Writing; 5: Speaking/Writing; 14: Speaking; 19: Speaking; Repaso 4: Writing
Grammar	Verbs like **gustar**	5: Speaking/Writing; 14: Speaking; 19: Speaking; Repaso 4: Writing
	Present tense of irregular **yo** verbs	6: Writing/Speaking; 7: Listening/Writing; 8: Writing/Speaking; 9: Speaking/Writing; 11: Speaking; 12: Speaking; Repaso 2: Writing
	Pronouns after prepositions	13: Speaking/Writing; 14: Speaking; 15: Speaking; 16: Reading/Speaking; 19: Speaking; 20: Reading/Listening/Speaking; Repaso 3: Writing
Communication	Talk about clothing, shopping, and personal needs	1: Speaking/Writing; 2: Speaking/Writing; 8: Writing/Speaking; 9: Speaking/Writing; 10: Listening/Reading; 12: Speaking; 13: Speaking/Writing; 15: Speaking; 16: Reading/Speaking; 19: Speaking; 20: Reading/Listening/Speaking; 21: Writing; Repaso 1: Listening; Repaso 2: Writing
	Say whom things are for	13: Speaking/Writing; 15: Speaking; 20: Reading/Listening/Speaking; Repaso 3: Writing
	Express opinions	3: Speaking/Writing; 5: Speaking/Writing; 14: Speaking; 19: Speaking; Repaso 4: Writing
	Pronunciation: Diphthongs	*Pronunciación: Diptongos,* p. 155: Listening
Recycle	Clothing	6: Writing/Speaking
	Expressions of frequency	11: Speaking

The following presentations are recorded in the Audio Program for *¡Avancemos!*

- **¡A responder!** *page 145*
- **7: Las fiestas** *page 150*
- **20: Integración** *page 159*
- **Repaso de la lección** *page 164*
    - **1: Listen and understand**

For **¡AvanzaRap!** scripts, see the **¡AvanzaRap! DVD.**

¡A responder! TXT CD 4 track 2

1. Llevo un cinturón.
2. Llevo una falda.
3. Llevo un reloj hoy.
4. Llevo una pulsera.
5. Llevo sandalias.
6. Llevo botas.
7. Llevo ropa de cuadros.
8. Llevo ropa de rayas.

7 | Las fiestas TXT CD 4 track 4

A veces doy fiestas pequeñas en mi casa para mis amigos. Antes de la fiesta, mi hermana limpia la sala y yo pongo la mesa. También hago todas las decoraciones. Después, salgo a la tienda para comprar los refrescos. Normalmente mi mamá hace un pastel, pero si no tiene tiempo, yo traigo galletas de la tienda. A la hora de la fiesta, vienen todos mis amigos de la escuela, y a veces vienen también mis primos. ¡Es tan divertido! No veo mucho a mis primos porque viven lejos, pero siempre vienen para las fiestas y salen muy tarde de la casa.

20 | Integración TXT CD 4 tracks 8, 9

Fuente 2, Mensaje

Bienvenidos a Zapatolandia, la zapatería que vende todo lo nuevo en zapatos, botas y sandalias para hombres y mujeres, y siempre a precios bajos. Nos puedes encontrar en el centro comercial Plaza Las Palmas entre la librería Fuentes y la farmacia Minimax. Estamos abiertos de lunes a sábado de las nueve de la mañana a las nueve de la noche, y los domingos de las doce a las cinco de la tarde. Este domingo 22 de noviembre recibes dos pares de zapatos por el precio de uno. ¡Trae a un amigo contigo! ¡Les van a encantar nuestros zapatos y nuestras gangas!

Repaso de la lección TXT CD 4 track 11

1 Listen and understand

1. Me gustan las botas negras. Necesito un número nueve.
2. No me interesan las pulseras, pero quiero comprar un anillo.
3. No encuentro mi talla en esta falda de rayas. Pues, no me importa. Voy a buscar otra.
4. Tengo hambre. Me encanta el pan que venden aquí. ¡Qué rico!
5. Me interesan los libros de ciencias. ¿Hay unos aquí?
6. Necesito comprar desodorante y un cepillo de dientes nuevo.

Everything you need to ...

Plan
TEACHER ONE STOP

✓ Lesson Plans
✓ Teacher Resources
✓ Audio and Video

Present
INTERACTIVE WHITEBOARD LESSONS

TEACHER ONE STOP WITH PROJECTABLE TRANSPARENCIES

POWER PRESENTATIONS

ANIMATEDGRAMMAR

Assess
 ONLINE ASSESSMENT

✓ Assessments for on-level, modified, pre-AP, and heritage learners
✓ Create customized tests with **Examview Assessment Suite**
✓ *performance* space
✓ *Generate Success* Rubric Generator

 ## Print

Plan	Present	Practice	Assess
URB 3 • Video Scripts pp. 68–69 • Family Letter p. 92 • Absent Student Copymasters pp. 94–101 **Best Practices Toolkit**	**URB 3** • Video Activities pp. 50–57	• *Cuaderno* pp. 99–121 • *Cuaderno para hispanohablantes* pp. 99–121 • *Lecturas para todos* pp. 22–27 • *Lecturas para hispanohablantes* • *AvanzaCómics El misterio de Tikal*, Episodio 1 **URB 3** • Practice Games pp. 30–37 • Audio Scripts pp. 72–77 • Map/Culture Activities pp. 84–85 • Fine Art Activities pp. 87–88	**Differentiated Assessment Program** **URB 3** • Did you get it? Reteaching and Practice Copymasters pp. 1–11

 ## Projectable Transparencies (Teacher One Stop, my.hrw.com)

Culture	Presentation and Practice	Classroom Management
• Atlas Maps 1–6 • Map: Puerto Rico 1 • Fine Art Transparencies 2, 3	• Vocabulary Transparencies 6, 7 • Grammar Presentation Transparencies 10, 11	• Warm Up Transparencies 16–19 • Student Book Answer Transparencies 24–27

Audio and Video

Audio	Video	¡AvanzaRap! DVD
• Student Book Audio CD 4 Tracks 1–11 • Workbook Audio CD 2 Tracks 1–10 • Assessment Audio CD 1 Tracks 15–16 • Heritage Learners Audio CD 1 Tracks 17–20, CD 3 Tracks 15–16 • *Lecturas para todos* Audio CD 1 Track 5, CD 2 Tracks 1–7 • Sing-along Songs Audio CD	• Vocabulary Video DVD 1 • *Telehistoria* DVD 1 • *Telehistoria, Escena 1* • *Telehistoria, Escena 2* • *Telehistoria, Escena 3* • *Telehistoria, Completa*	• Video animations of all **¡AvanzaRap!** songs (with Karaoke track) • Interactive DVD Activities • Teaching Suggestions • **¡AvanzaRap!** Activity Masters • **¡AvanzaRap!** video scripts and answers

Online and Media Resources

Student	Teacher
Available online at my.hrw.com • Online Student Edition • News Networking • performance space • @HOMETUTOR • CuLTURa Interactiva • WebQuests • Interactive Flashcards • Review Games • Self-Check Quiz **Student One Stop** **Holt McDougal Spanish Apps**	**Teacher One Stop (also available at my.hrw.com)** • Interactive Teacher's Edition • All print, audio, and video resources • Projectable Transparencies • Lesson Plans • TPRS • Examview Assessment Suite **Available online at my.hrw.com** *Generate Success* Rubric Generator and Graphic Organizers **Power Presentations**

Differentiated Assessment

On-level	Modified	Pre-AP	Heritage Learners
• Vocabulary Recognition Quiz p. 109 • Vocabulary Production Quiz p. 110 • Grammar Quizzes pp. 111–112 • Culture Quiz p. 113 • On-level Lesson Test pp. 114–120	• Modified Lesson Test pp. 83–89	• Pre-AP Lesson Test pp. 83–89	• Heritage Learners Lesson Test pp. 89–95

Core Pacing Guide **50** Minute (9 Day)

	Objectives/Focus	Teach	Practice	Assess/HW Options
DAY 1	**Culture:** learn about Puerto Rican culture **Vocabulary:** clothes and shopping • Warm Up OHT 16 **5 min**	Unit Opener pp. 140–141 Lesson Opener pp. 142–143 **Presentación de vocabulario** pp. 144–145 • Read A–E • View video DVD 1 • Play audio TXT CD 4 track 1 • *¡A responder!* TXT CD 4 track 2 **25 min**	Lesson Opener pp. 142–143 **Práctica de vocabulario** p. 146 • Acts. 1, 2, 3 **15 min**	**Assess:** *Para y piensa* p. 146 **5 min** **Homework:** *Cuaderno* pp. 99–101 @HomeTutor
DAY 2	**Communication:** use expressions about shopping plans and preferences to talk about your own and others' opinions • Warm Up OHT 16 • Check Homework **5 min**	**Vocabulario en contexto** pp. 147–148 • *Telehistoria escena 1* DVD 1 • *Nota gramatical:* other verbs that are formed like **gustar** **20 min**	**Vocabulario en contexto** pp. 147–148 • Act. 4 TXT CD 4 track 3 • Act. 5 **20 min**	**Assess:** *Para y piensa* p. 148 **5 min** **Homework:** *Cuaderno* pp. 99–101 @HomeTutor
DAY 3	**Grammar:** review the irregular **yo** forms of some present-tense verbs • Warm Up OHT 17 • Check Homework **5 min**	**Presentación de gramática** pp. 149–151 • Present tense of irregular **yo** verbs **Práctica de gramática** pp. 150–151 **Culture:** *El arte histórico* **20 min**	**Práctica de gramática** pp. 150–151 • Act. 6 • Act. 7 TXT CD 4 track 4 • Acts. 8, 9 **20 min**	**Assess:** *Para y piensa* p. 151 **5 min** **Homework:** *Cuaderno* pp. 102–104 @HomeTutor
DAY 4	**Communication:** make recommendations about clothing • Warm Up OHT 17 • Check Homework **5 min**	**Gramática en contexto** pp. 152–153 • *Telehistoria escena 2* DVD 1 **15 min**	**Gramática en contexto** pp. 152–153 • Act. 10 TXT CD 4 track 5 • Acts. 11, 12 **25 min**	**Assess:** *Para y piensa* p. 153 **5 min** **Homework:** *Cuaderno* pp. 102–104 @HomeTutor
DAY 5	**Grammar:** learn the pronouns that follow prepositions • Warm Up OHT 18 • Check Homework **5 min**	**Presentación de gramática** p. 154 • Pronouns after prepositions **Práctica de gramática** pp. 155–156 • *Pronunciación* TXT CD 4 track 6 **15 min**	**Práctica de gramática** pp. 155–156 • Acts. 13, 14, 15, 16 **25 min**	**Assess:** *Para y piensa* p. 156 **5 min** **Homework:** *Cuaderno* pp. 105–107 @HomeTutor
DAY 6	**Communication:** Culmination: talk about fashion trends, shopping in the community • Warm Up OHT 18 • Check Homework **5 min**	**Todo junto** pp. 157–159 • *Escenas I, 2: Resumen* • *Telehistoria completa* DVD 1 **15 min**	**Todo junto** pp. 157–159 • Acts. 17, 18 TXT CD 4 tracks 3, 5, 7 • Act. 19 • Act. 20 TXT CD 4 tracks 8, 9 • Act. 21 **25 min**	**Assess:** *Para y piensa* p. 159 **5 min** **Homework:** *Cuaderno* pp. 108–109 @HomeTutor
DAY 7	**Reading:** Fashion magazine **Connections:** History • Warm Up OHT 19 • Check Homework **5 min**	**Lectura** pp. 160–161 • *Revista de moda* TXT CD 4 track 10 **Conexiones** p. 162 • *La historia* **15 min**	**Lectura** pp. 160–161 • *Revista de moda* **Conexiones** p. 162 • *Proyectos 1, 2, 3* **25 min**	**Assess:** *Para y piensa* **5 min** p. 161 **Homework:** *Cuaderno* pp. 113–115 @HomeTutor
DAY 8	**Review:** Lesson review • Warm Up OHT 19 **5 min**	**Repaso de la lección** pp. 164–165 **15 min**	**Repaso de la lección** pp. 164–165 • Act. 1 TXT CD 4 track 11 • Acts. 2, 3, 4, 5 **25 min**	**Assess:** *Repaso de la lección* **5 min** pp. 164–165 **Homework:** *En resumen* p. 163; *Cuaderno* pp. 110–112, 116–121 (optional) Review Games Online @HomeTutor
DAY 9	**Assessment**			**Assess:** Lesson 1 test **50 min**

	Objectives/Focus	Teach	Practice	Assess/HW Options
DAY 1	**Culture:** learn about Puerto Rican culture **Vocabulary:** clothes and shopping • Warm Up OHT 16 **5 min**	Unit Opener pp. 140–141 Lesson Opener pp. 142–143 **Presentación de vocabulario** pp. 144–145 • Read A–E • View video DVD 1 • Play audio TXT CD 4 track 1 • *¡A responder!* TXT CD 4 track 2 **20 min**	Lesson Opener pp. 142–143 **Práctica de vocabulario** p. 146 • Acts. 1, 2, 3 **20 min**	**Assess:** *Para y piensa* p. 146 **5 min**
	Communication: use expressions about shopping plans and preferences to talk about your own and others' opinions **5 min**	**Vocabulario en contexto** pp. 147–148 • *Telehistoria escena 1* DVD 1 • *Nota gramatical:* other verbs that are formed like **gustar** **15 min**	**Vocabulario en contexto** pp. 147–148 • Act. 4 TXT CD 4 track 3 • Act. 5 **15 min**	**Assess:** *Para y piensa* p. 148 **5 min** **Homework:** *Cuaderno* pp. 99–101 @HomeTutor
DAY 2	**Grammar:** review the irregular **yo** forms of some present-tense verbs • Warm Up OHT 17 • Check Homework **5 min**	**Presentación de gramática** pp. 149–151 • Present tense of irregular **yo** verbs **Práctica de gramática** pp. 150–151 **Culture:** *El arte histórico* **20 min**	**Práctica de gramática** pp. 150–151 • Act. 6 • Act. 7 TXT CD 4 track 4 • Acts. 8, 9 **15 min**	**Assess:** *Para y piensa* p. 151 **5 min**
	Communication: make recommendations about clothing **5 min**	**Gramática en contexto** pp. 152–153 • *Telehistoria escena 2* DVD 1 **15 min**	**Gramática en contexto** pp. 152–153 • Act. 10 TXT CD 4 track 5 • Acts. 11, 12 **20 min**	**Assess:** *Para y piensa* p. 153 **5 min** **Homework:** *Cuaderno* pp. 102–104 @HomeTutor
DAY 3	**Grammar:** learn the pronouns that follow prepositions • Warm Up OHT 18 • Check Homework **5 min**	**Presentación de gramática** p. 154 • Pronouns after prepositions **Práctica de gramática** pp. 155–156 • *Pronunciación* TXT CD 4 track 6 **15 min**	**Práctica de gramática** pp. 155–156 • Acts. 13, 14, 15, 16 **20 min**	**Assess:** *Para y piensa* p. 156 **5 min**
	Communication: Culmination: talk about fashion trends, shopping in the community **5 min**	**Todo junto** pp. 157–159 • *Escenas I, 2: Resumen* • *Telehistoria completa* DVD 1 **15 min**	**Todo junto** pp. 157–159 • Acts. 17, 18 TXT CD 4 tracks 3, 5, 7 • Act. 19 • Act. 20 TXT CD 4 tracks 8, 9 • Act. 21 **20 min**	**Assess:** *Para y piensa* p. 159 **5 min** **Homework:** *Cuaderno* pp. 105–107, 108–109 @HomeTutor
DAY 4	**Reading:** Fashion magazine • Warm Up OHT 19 • Check Homework **5 min**	**Lectura** pp. 160–161 • *Revista de moda* TXT CD 4 track 10 **15 min**	**Lectura** pp. 160–161 • *Revista de moda* **20 min**	**Assess:** *Para y piensa* p. 161 **5 min**
	Review: Lesson review **5 min**	**Repaso de la lección** pp. 164–165 **15 min**	**Repaso de la lección** pp. 164–165 • Act. 1 TXT CD 4 track 11 • Acts. 2, 3, 4, 5 **20 min**	**Assess:** *Repaso de la lección* pp. 164–165 **5 min** **Homework:** *En resumen* p. 163; *Cuaderno* pp. 110–121 (optional) Review Games Online @HomeTutor
DAY 5	**Assessment**			**Assess:** Lesson 1 test **45 min**
	Connections: History **5 min**	**Conexiones** p. 162 • *La historia* **10 min**	**Conexiones** p. 162 • *Proyectos 1, 2, 3* **30 min**	

¡AVANZA! Objectives
· Introduce lesson theme: ¿Cómo me queda?
· Culture: compare shopping and clothing.

Presentation Strategies
· Introduce characters: Emilio and Carolina.
· Ask students to talk about who they shop with and why.
· Ask students to make a list of their favorite clothing stores and tell why they like them.

STANDARD
4.2 Compare cultures

21st CENTURY Creativity and Innovation, Inclusion; **Social and Cross-Cultural Skills,** Compara con tu mundo

Warm Up Projectable Transparencies, 3-16

Clothing Answer the following questions about what you're wearing.
1. Mi camisa es _____.
2. Mis pantalones son _____.
3. Tengo una chaqueta _____.
4. Llevo unos zapatos _____.
5. No llevo _____.

Answers will vary. Sample answers:
1. roja; 2. azules; 3. marrón; 4. negros;
5. chaqueta

Comparación cultural

Exploring the Theme
Ask students the following:
1. Where do they shop for clothes? Why?
2. What type of clothes do they prefer to buy and wear? Why?
3. Recycle: What clothes do they have for vacations, sports, and daily activities?

¿Qué ves? Possible answers include:
· camisetas, pantalones, pantalones cortos
· amarilla
· El chico lleva jeans, zapatos marrones, una camiseta marrón y una camisa verde. La chica lleva una camiseta, pantalones y zapatos blancos.
· Sí, (No, no) me gusta la ropa de esta tienda.

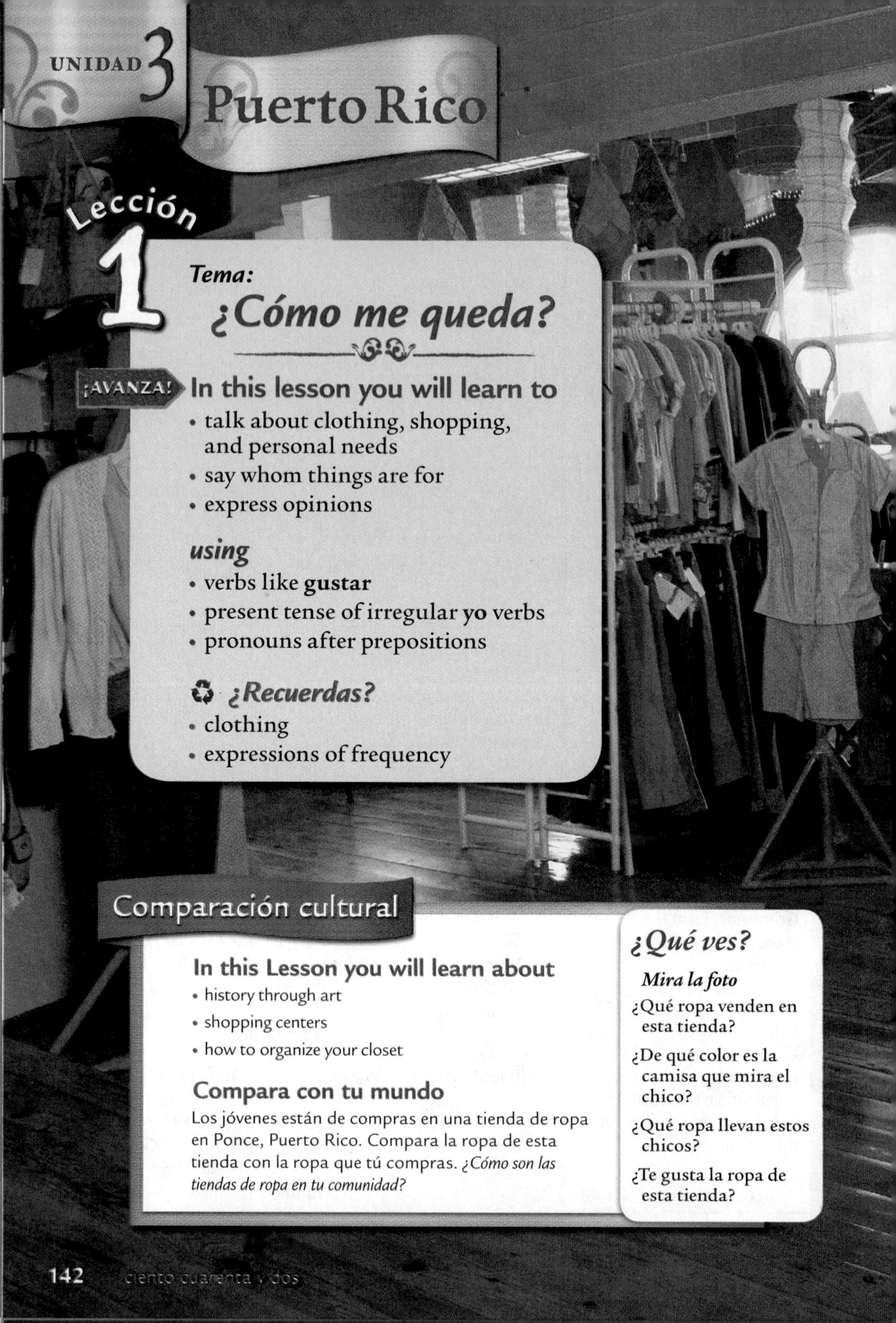

UNIDAD 3 Puerto Rico

Lección 1

Tema:
¿Cómo me queda?

¡AVANZA! In this lesson you will learn to
· talk about clothing, shopping, and personal needs
· say whom things are for
· express opinions

using
· verbs like **gustar**
· present tense of irregular **yo** verbs
· pronouns after prepositions

♻ *¿Recuerdas?*
· clothing
· expressions of frequency

Comparación cultural

In this Lesson you will learn about
· history through art
· shopping centers
· how to organize your closet

Compara con tu mundo
Los jóvenes están de compras en una tienda de ropa en Ponce, Puerto Rico. Compara la ropa de esta tienda con la ropa que tú compras. *¿Cómo son las tiendas de ropa en tu comunidad?*

¿Qué ves?
Mira la foto
¿Qué ropa venden en esta tienda?

¿De qué color es la camisa que mira el chico?

¿Qué ropa llevan estos chicos?

¿Te gusta la ropa de esta tienda?

Differentiating Instruction

Multiple Intelligences
Visual Learners After viewing and discussing the opening photo, ask students to illustrate a picture of their favorite clothing store—real or imaginary. They can create an original drawing or a collage by cutting pictures from magazines. Students should label the clothing items in Spanish.

Inclusion
Musical/Rhythmic Have students in pairs create a simple T.V. ad in Spanish for their favorite store or brand of clothing. They should invent a jingle and promotional copy, as well as include visuals to appeal to a particular clientele. Have students present their commercials in class.

Una tienda de ropa
Ponce, Puerto Rico

Puerto Rico
ciento cuarenta y tres   143

Differentiating Instruction

Heritage Language Learners

Expand and Elaborate Invite students to share what they know about Puerto Rico. If you have heritage learners from other countries, ask them to talk about clothing stores and styles in their home country.

Slower-paced Learners

Frequent Review/Repetition Refer students to Ya sabes on page R6 in the appendix to review the clothing vocabulary they can expect to see recycled in this lesson. Reinforce their recall of these terms by asking questions such as **¿De qué color son los pantalones que llevo yo? ¿Quién lleva una blusa blanca hoy?**

DIGITAL SPANISH

TEACHER TOOLS
• Interactive Whiteboard Lessons
• Generate Success!

ALSO AVAILABLE...
• Online Workbook
• Spanish InterActive Reader

SPANISH ON THE GO!
• Performance Space
• Holt McDougal Spanish Apps
• ¡Avancemos! eTextbook

Using the Photo

Location Information

Puerto Rico Have students look at the proximity of Puerto Rico to mainland U.S. Tell them a bit about Puerto Rico's political and economic ties to the U.S. and ask them to discuss how that might affect the type of merchandise available in Puerto Rico. Tell students that the photo of the interior of a clothing store in Ponce shows the kind of clothing that the people in Puerto Rico—particularly younger people—wear. The climate is hot and humid most of the year, so people almost always wear light summer clothing.

Expanded Information

Political Ties Puerto Rico is an associated free state of the U.S. As such, Puerto Ricans maintain their historic and cultural identity and independence while they enjoy many of the rights and privileges of U.S. citizens. They elect their own governor and administer their own judicial system under their own constitution. They do not vote in U.S. presidential elections nor do they pay property taxes, but they elect a congressional delegate, though he/she does not have a vote.

Economic Ties With a common economic base and common currency, it's easy for U.S. companies to do business in Puerto Rico. Production costs are often lower on the island. Many U.S. stores also have stores throughout Puerto Rico, and many American products are sold on the island.

¡AVANZA! Objectives

- Present vocabulary: clothing items, colors, design and fit, store types, and shopping.
- Check for recognition.

Core Resources

- Video Program: DVD 1
- Audio Program: TXT CD 4 Tracks 1, 2

Presentation Strategies

- Draw students' attention to the ¡Avanza! at the beginning of each section, which shows the objectives, and the Para y piensa at the end of each section, which shows what students will be able to do after the section.
- Play the audio as students read A–E.
- Show the video.

STANDARD

1.2 Understand language

21st CENTURY Communication, TPR Activity/ Pre-AP; **Social and Cross-Cultural Skills**, English Language Connection (p. 145) (Business Literacy)

Communication
TPR Activity

Have students hold a fashion show in class. Ask them to wear interesting clothing for the event. They should be sure they know the vocabulary to describe each item they wear. In pairs, students describe the clothing they are wearing to help their partner prepare to announce as they parade down the catwalk.

Comparisons
English Language Connection

Cognates Cognates are words in Spanish and English that resemble each other and have the same meaning. Scan the two pages for cognates. Possible answers include **suéter** = sweater; **sandalias** = sandals; **farmacia** = pharmacy. Warn students about false cognates, words that look similar in two languages but have different meanings. For example, **librería** ≠ library. It means "bookstore."

144

※ Presentación de VOCABULARIO

¡AVANZA! **Goal:** Learn the vocabulary about clothes and shopping. Then talk about your clothing preferences and places to shop in your community. *Actividades 1–3*

A ¡Hola! Soy Emilio. ¿**Es buena idea** ir de compras con una amiga? A mi amiga Carolina siempre le gusta **vestirse** con la ropa más nueva—ropa que **está de moda**. Pero **en mi opinión, es mala idea** vestirte con ropa que está de moda si la ropa no **te queda bien**.

el cinturón
el suéter
el reloj
la falda
las sandalias
Emilio
Carolina

de cuadros

de rayas

En Puerto Rico se dice...
In Puerto Rico you will frequently hear **la correa** for *belt*.

B Encontrar **la talla** correcta no es siempre fácil. ¿**Cómo me quedan** estos tres **trajes**? ¿Cuál me **recomiendas**? El traje verde es demasiado grande; **me queda flojo.** El traje marrón es muy pequeño; **me queda apretado.** ¡El traje gris me queda muy bien! ¿Lo compro? ¡**Creo que sí**!

quedar mal
quedar bien
quedar flojo
quedar apretado
el traje

144 Unidad 3 Puerto Rico
ciento cuarenta y cuatro

Differentiating Instruction

Heritage Language Learners

Support What They Know Encourage heritage learners to share the terms they use for different clothing items and accessories. List the words on the board. Divide the class into teams. Use photos or point to clothing and accessories that students are wearing and hold a vocabulary bee by asking the first member of each team to write as many words for the item as he/she remembers.

Slower-paced Learners

Yes/No Questions Ask students yes/no questions to reinforce new vocabulary. Point to each item that you ask about to help them associate the sound of the word and the item. Encourage students to answer in complete sentences. For example, (pointing to a student's blue shirt) **¿Llevas una camisa roja? No, no llevo una camisa roja; llevo una camisa azul.**

C Carolina va a **la joyería** para ver las joyas y tal vez comprar **una pulsera**. Yo voy a la librería para comprar un libro. Luego, vamos los dos a **la zapatería**. Ella quiere comprar unos zapatos y yo **unas botas**.

la joyería
la librería
la zapatería

la pulsera

las botas

D También tenemos que comprar champú pero **la farmacia está cerrada**. Entonces vamos a **la panadería** y vemos que **está abierta**. ¡Qué bien! Entramos para comprar pan para la cena.

la farmacia

Está cerrada.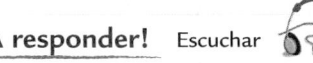

la panadería

Está abierta.

E Si las tiendas están cerradas, a Carolina **le encanta** hacer las compras por **Internet** porque ¡siempre está abierto!

Internet

Más vocabulario

el abrigo *coat*
el almacén *department store*
el chaleco *vest*
la gorra *cap*
el número *shoe size*
importar *to be important*
interesar *to interest*
Creo que no. *I don't think so.*
Me parece que... *It seems to me . . .*

Expansión de vocabulario p. R6

Ya Sabes p. R6

¡A responder! Escuchar

Escucha y decide si llevas la ropa o el objeto en las siguientes descripciones. Indica la ropa o el objeto si lo llevas. (*Indicate the clothing or object being described if you are wearing it.*)

@**HOMETUTOR** my.hrw.com **Interactive Flashcards**

Differentiating Instruction

Pre-AP

Communicate Preferences Organize students into pairs and have them take turns asking and answering each other's questions about clothing. For example, **¿Te gusta vestirte con ropa que está de moda? No, no me gusta vestirme con ropa que está de moda. ¿Por qué no? La ropa que está de moda es muy cara y no es cómoda. Prefiero ropa cómoda y barata.**

Inclusion

Alphabetic/phonetic Awareness Have students divide a piece of paper into three columns: **ropa, accesorios, colores y diseños.** Then have students list alphabetically new vocabulary from pp. 144–145. As students share lists, point out phonetic differences between Spanish and English: the rolled **r** of **reloj** and **gorra,** the soft **p** of **pulsera,** the sharp **t** of **traje.**

Comparisons
English Language Connection

Point out the small stores in the photos. Bring to the class any additional photo of a shop you have. Write the names of specialty stores on the board. Explain that in much of the Spanish-speaking world, it is more common to shop in small, family-owned specialty stores than large chains or department stores, though these also exist in larger cities. Ask students to discuss what advantages and disadvantages there might be to shopping in small specialty stores versus large chains.

Communication
Regionalisms

Explain to students that there are regional variations for some of the words and phrases in this spread: **falda** (muchos países) = **pollera** (Argentina, Chile), **saya** (Cuba); **la joyería** (muchos países) = **la alhajería** (Latinoamérica); **la farmacia** (muchos países) = **la droguería** or **la botica** (Latinoamérica). Ask your heritage learners to share which words and phrases are used in their country.

TEACHER to TEACHER
Rafael Gomez
Oakland, CA

Tips for Reviewing Vocabulary

"I ask students to choose words from any of the lesson vocabulary lists they have studied to date. I then have them make up ten grammatically correct statements out of the words they chose, using them in sentences that are as creative and elaborate as possible. After students have read their sentences aloud, the class votes on the best and most creative ones. Finally, I have students make a poster of the winning sentences to display in the classroom."

Go online for more tips!

Answers Projectable Transparencies, 3-24

¡A responder! Audio Script, TE p. 141B. Students decide if they are wearing the clothing item mentioned. If so, they point to it.
1. un cinturón
2. una falda
3. un reloj
4. una pulsera
5. sandalias
6. botas
7. ropa de cuadros
8. ropa de rayas

145

Objectives
· Practice vocabulary: shopping, clothing, and personal objects.
· Say how something fits.
· Express opinions.

Core Resource
· *Cuaderno*, pp. 99–101

Practice Sequence
· **Activity 1:** Vocabulary recognition: stores, things people buy
· **Activity 2:** Vocabulary production: Say how something fits
· **Activity 3:** Vocabulary production: Express opinions

STANDARD
1.1 Engage in conversation, Acts. 1, 2, 3

Critical Thinking and Problem Solving, Act. 2: Expansión

✓ Ongoing Assessment

Get Help Online
More Practice
my.hrw.com

PARA Y PIENSA **Quick Check** Have students change the statements to questions that they ask a partner. Check answers. For additional practice, use Reteaching & Practice Copymasters URB 3, pp. 1, 2.

Answers Projectable Transparencies, 3-24

Activity 1
1. la joyería, el almacén
2. la farmacia, el almacén
3. la joyería, el almacén
4. la panadería
5. la zapatería, el almacén
6. la librería, el almacén
7. el almacén, la zapatería
8. el almacén

Activity 2
1. El reloj le queda mal. Le queda flojo. Es mala idea comprarlo.
2. El abrigo le queda mal. Le queda apretado. Es mala idea comprarlo.
3. El chaleco le queda bien. Es buena idea comprarlo.
4. El suéter le queda mal. Le queda flojo. Es mala idea comprarlo.
5. Las botas le quedan mal. Le quedan flojas. Es mala idea comprarlas.
6. El traje le queda bien. Es buena idea comprarlo.

Activity 3 Answers may vary. Sample answers:
1. Creo que sí. Me parece que un abrigo es necesario porque hace frío en el invierno.

Answers continue on p. 147.

146

✿ Práctica de VOCABULARIO

1 De compras

Hablar Escribir

Di dónde puedes comprar estas cosas. *(Tell where you can buy items.)*

| la joyería | la farmacia | la zapatería |
| la librería | la panadería | el almacén |

modelo: las botas
Puedo comprar las botas en una zapatería o un almacén.

1. la pulsera
2. el champú
3. el reloj
4. el pan
5. las sandalias
6. los libros
7. el cinturón
8. la gorra

Expansión
List as many things as you can that you would buy in these places.

2 ¿Cómo le queda?

Hablar Escribir

¿Cómo le queda esta ropa a Álex, bien o mal? Si le queda mal, explica si le queda floja o apretada. Luego, explica si es buena o mala idea comprarla. *(Tell how the clothing fits. If it fits poorly, say why and explain whether or not he should buy it.)*

modelo: La camisa es muy grande.

(A) La camisa le queda mal. Le queda floja.

(B) Es mala idea comprarla.

1. El reloj es muy grande.
2. El abrigo es muy pequeño.
3. El chaleco es la talla correcta.
4. El suéter es muy grande.
5. Estas botas son pequeñas.
6. El traje no es grande y no es pequeño.

Expansión:
Teacher Edition Only
Ask student B to continue his or her response by suggesting a solution if something does not fit well. Example: **Debe comprar una camisa más pequeña.**

3 ¿Qué piensas tú?

Hablar Escribir

¿Estás de acuerdo con estas oraciones? Contesta con **Creo que sí** o **Creo que no.** Luego da una razón con **Me parece que...** o **En mi opinión....** *(Tell whether or not you agree with these statements, then give a reason.)*

1. Un abrigo es necesario donde vivo.
2. Un estudiante debe ponerse ropa apretada.
3. Es buena idea comprar ropa por Internet.
4. Hay que vestirse de moda todos los días.
5. No debes llevar gorra en clase.
6. Los almacenes deben estar abiertos toda la semana.

Expansión:
Teacher Edition Only
Ask students to come up with two more opinions about clothing or fashion. Call on them randomly to read an opinion, and the rest of the class will comment.

Más práctica Cuaderno *pp. 99–101* Cuaderno para hispanohablantes *pp. 99–102*

PARA Y PIENSA **Did you get it?** Complete appropriately:
Get Help Online
my.hrw.com
1. Compro botas en la _____ . Necesito un _____ ocho.
2. Los zapatos no me quedan mal. Me quedan _____ .
3. Me gusta vestirme con ropa que está de _____ .

Differentiating Instruction

Multiple Intelligences

Visual Learners After doing Activity 1, put pictures of a variety of specialty shops on the board. Bring a box of items appropriate to the shops you use, and add to it items borrowed from students in class. Have students select an item from the box, identify it, and then say where the item can be purchased while putting the item on the floor in front of the appropriate store.

Slower-paced Learners

Sentence Completion Before doing Activity 2, model the usage of **quedar** several times with clothing you are wearing, **me queda(n)....** Use students in class as additional models, **le queda(n)....** Bring clothing items for students to try on and ask for volunteers to complete sentences you begin about the fit of a garment.

VOCABULARIO en contexto

¡AVANZA! **Goal:** Listen to Marta and Carolina talk about their shopping plans and preferences. Then practice some of the expressions they use to talk about your own and others' opinions. *Actividades 4–5*

♻ *¿Recuerdas?* **gustar** p. 12

Telehistoria escena 1

  @HOMETUTOR View, Read my.hrw.com and Record

STRATEGIES

Cuando lees
Use a T-line chart to remember
Write **Ropa para la película,** then below make two columns. In the left, write the items Carolina needs for Álex. In the right, list what she needs for Marta.

Cuando escuchas
Put yourself in the scene While listening, identify a role you would take if you could be in the film. For this role, which clothes and colors would you choose for yourself?

Carolina, Marta, and Álex shop for clothes for their movie.

Carolina: Este chaleco debe quedarle bien a Álex.

Marta: Sí, pero, ¿te gustan las rayas? No están de moda.

Carolina: Yo sé, pero ¡a mí me encantan las rayas!

Marta: Pues, tú sabes mejor que yo. Tú eres la directora.

Carolina: Tenemos el chaleco de Álex. Ahora necesitamos tus sandalias y las botas de Álex.

Marta: Puedo comprarlas más tarde en la zapatería, en el centro comercial.

Carolina: ¿Ah, sí? ¡Gracias!

Marta: Y yo... ¿Me pongo una falda para la película? *(holds up a skirt)* ¿O prefieres los vestidos?

Carolina: Hmm... creo que sí, prefiero los vestidos.

Marta: ¿Cómo me queda este vestido? ¿Está bien para la película?

Carolina: En mi opinión... es una mala idea. ¡Es muy... *rojo!*

Marta: ¿Muy *rojo?* Pero me parece que a Álex le encanta.

Continuará... p. 152

Lección 1
ciento cuarenta y siete **147**

Differentiating Instruction

Inclusion

Clear Structure Write phrases from the Telehistoria on individual sentence strips. For example, **Yo sé, pero ¡a mí me encantan las rayas!** Create a T chart on the board. Label one side Carolina, and the other Marta. Students read each sentence aloud, and post it under the name of the character who said it.

Pre-AP

Vary Vocabulary In pairs, have students create their own short dialog describing a shopping outing to select outfits for the film. They should use the Telehistoria as a model but substitute new vocabulary and reactions. Ask volunteers to act out their conversations in class after they have had a chance to practice.

¡AVANZA! **Objective**
· Understand vocabulary in context.

Core Resources
· Video Program: DVD 1
· Audio Program: TXT CD 4 Track 3

Presentation Strategies
· Draw students' attention to the ¡Avanza!
· Look at the photo and predict Marta and Carolina's conversation.
· Show the video and/or play the audio.

STANDARD
1.2 Understand language
21st CENTURY Flexibility and Adaptability, Cuando escuchas

 **Warm Up** Projectable Transparencies, 3-16

Vocabulario Complete each sentence with an appropriate word.
1. Compro una pulsera en la _____.
2. La librería tiene muchos _____.
3. Cuando estoy enferma voy a la _____ para comprar medicina.
4. Para saber la hora miro mi _____.

Answers: 1. joyería; 2. libros; 3. farmacia; 4. reloj

Video Summary

@HOMETUTOR VideoPlus my.hrw.com

Carolina and Marta go shopping for the clothing for the film. Carolina finds a striped vest for Álex, and mentions that he still needs sandals and boots. Marta and Carolina talk about a red dress that Marta selects.

▶❙ ❙❙

 Answers Projectable Transparencies, 3-24

Answers continued from p. 146.
2. Creo que no. En mi opinión la ropa apretada queda mal.
3. Creo que sí. En mi opinión a veces puedes comprar ropa buena por menos dinero.
4. Creo que no. Me parece que la ropa de moda es muy cara.
5. Creo que sí. En mi opinión no debes llevar una gorra en clase.
6. Creo que sí. Las personas que trabajan necesitan tiempo para ir de compras.

Para y piensa
1. zapatería, número
2. bien
3. moda

147

Objectives

· Practice using vocabulary in context.
· Review **gustar** and learn new verbs like **gustar**.
· Practice using **encantar, interesar, importar, quedar.**

Core Resource

· Audio Program: TXT CD 4 Track 3

Practice Sequence

· **Activity 4:** Telehistoria comprehension
· **Activity 5:** Express opinions using verbs like **gustar**

STANDARDS

1.1 Engage in conversation, Act. 5
1.2 Understand language, Act. 4
1.3 Present information, Act. 5

✓ Ongoing Assessment

🌐 **Get Help Online**
More Practice
my.hrw.com

PARA Y PIENSA **Peer Assessment** Have students share their responses with a partner and correct any errors. For additional practice, use Reteaching & Practice Copymasters URB 3, pp. 1, 3.

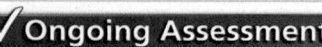

📖 Answers Projectable Transparencies, 3-24

Activity 4
1. Carolina
2. Marta
3. Álex
4. Carolina
5. Marta
6. Álex
7. Marta
8. Carolina

Activity 5 Answers may vary. Sample answers include:
1. A mí me encanta el arte.
2. A ti te interesa ir de compras.
3. A Emilio no le queda bien el traje.
4. A Carolina no le importan los deportes.
5. A nosotros nos encanta viajar.
6. A mis padres no les importa ir de compras.

Para y piensa
1. nos encantan
2. le interesa

148

---

4 *Comprensión del episodio* ¡De compras!

Escuchar Leer Empareja la descripción con la foto apropiada. *(Match the description with the photo.)*

Carolina **Álex** **Marta**

Expansión:
Teacher Edition Only
Ask students to write the line of dialog from the Telehistoria that pertains to each item and who says it.

1. Le encantan las rayas.
2. Cree que las rayas no están de moda.
3. Va a usar botas.
4. Es la directora de la película.
5. Va a llevar sandalias.
6. El chaleco le va a quedar bien.
7. Va a la zapatería.
8. No le gusta el vestido rojo.

Nota gramatical ♻ *¿Recuerdas?* gustar p. 12

There are other verbs that are formed like **gustar: encantar** *(to delight)*, **interesar** *(to interest)*, **importar** *(to matter; to be important)*, and **quedar** *(to fit)*.

A Marta **le encantan** las pulseras.	The bracelets **delight** Marta.
No **te quedan** bien esos zapatos.	Those shoes **don't fit you** well.
Nos importa saber tu opinión.	It **is important to us** to know your opinion.

---

5 Opiniones

Hablar Escribir Describe las opiniones de las personas en la lista con verbos diferentes. Escribe por lo menos cinco oraciones. *(Describe people's opinions using different verbs. Write at least five sentences.)*

modelo: A Emilio no le interesa ir de compras.

a mí		el arte
a ti		el traje
a Emilio	encantar	ir de compras
a Carolina	interesar	las botas
a nosotros	importar	los deportes
a mis padres	quedar	viajar
		las sandalias
		¿ ?

Expansión
Compare your opinions with a classmate's opinions. How are they similar and how are they different?

🌐 **Get Help Online**
my.hrw.com

PARA Y PIENSA **Did you get it?** Complete the following statements.
1. (encantar) A nosotros _____ estas sandalias.
2. (interesar) A él no _____ la moda.

Differentiating Instruction

Slower-paced Learners

Personalize It Divide students into pairs. Give each pair a set of cards with the verbs **gustar, encantar, interesar, importar, quedar.** Students then make a sentence about clothes or fashion, using the verb on the card. Each partner should write down what the other says. Ask them to compare opinions. Example,
student A: **No me interesa la ropa de moda.**
student B: **A mí me encanta la ropa de moda.**

Inclusion

Frequent Review/Repetition Divide students into pairs. Have them list the clothing items each is wearing. Item by item, each partner should make a sentence about what the other is wearing using **gustar, encantar, quedar.** They can write the sentences first and then say them to their partner for extra practice and confidence. For example, **Me encantan tus botas.**

❋Presentación de GRAMÁTICA

¡AVANZA! **Goal:** Review the irregular **yo** forms of some present-tense verbs. Use them to talk about what you do in contrast to what others do. *Actividades 6–9*

♻ *¿Recuerdas?* Clothing p. R6

English Grammar Connection: Just as the English verb *to be* does not follow a pattern in the present tense, many Spanish verbs do not follow the pattern of regular verbs. Such Spanish verbs are called **irregular.**

❋ REPASO **Present Tense of Irregular yo Verbs** **ANIMATEDGRAMMAR** my.hrw.com

Some present-tense verbs are irregular only in the **yo** form.
They have endings different from the **-o** ending of regular verbs.

Here's how: The verbs **hacer, poner, salir,** and **traer** end in **-go** in the **yo** form. Compare them with their **tú** forms in the present tense.

	hacer *to make; to do*	**poner** *to put*	**salir** *to go out; to leave*	**traer** *to bring*
yo	ha**go**	pon**go**	sal**go**	trai**go**
tú	haces	pones	sales	traes

The verbs **decir, venir,** and **tener** also end in **-go** in the **yo** form. All are stem-changing verbs, but only **decir** changes in the **yo** form.

	decir (e → i) *to say; to tell*	**venir (e → ie)** *to come*	**tener (e → ie)** *to have*
yo	di**go**	ven**go**	ten**go**
tú	dices	vienes	tienes

Conocer, dar, saber, and **ver** also have irregular **yo** forms in the present tense.

	conocer *to know; to meet*	**dar** *to give*	**saber** *to know*	**ver** *to see*
yo	cono**zco**	doy	sé	veo
tú	conoces	das	sabes	ves

Más práctica
Cuaderno *pp. 102–104*
Cuaderno para hispanohablantes *pp. 103–105*

@ **HOMETUTOR** my.hrw.com
Leveled Practice
🌐 Conjuguemos.com

Differentiating Instruction

Slower-paced Learners

Yes/No Questions Ask students yes/no questions using verbs they know with irregular and regular **yo** forms. Require a complete answer with the **yo** form of the verb. For example, **¿Vienes a clase de español los sábados? No, no vengo a clase de español los sábados.**

English Learners

Provide Comprehensible Input Write the verb *to be* and its conjugation on the board (*am, are, is*). Point out that it doesn't follow a regular conjugation pattern such as the verbs *walk* or *run*. Conjugate these on the board (or ask a volunteer to do so) and compare the verbs. Ask students to use *to be* in sentences.

¡AVANZA! **Objective**
· Review the present tense of irregular **yo** verbs.

Core Resource
· *Cuaderno*, pp. 102–104

Presentation Strategies
· Draw students' attention to the ¡Avanza!
· Review the irregular **yo** forms in the present tense that students already know.
· Present additional irregular **yo** verbs.

❋ **STANDARD**
4.1 Compare languages

🖥 **Warm Up** Projectable Transparencies, 3-17

Grammar Complete each sentence with the **yo** form of **tener, hacer, saber** or **conocer**.
1. Yo no _____ dónde está la panadería.
2. Yo _____ la tarea cada día.
3. Yo no _____ un chaleco azul.
4. Yo _____ a dos personas de Puerto Rico.
Answers: 1. sé; 2. hago; 3. tengo; 4. conozco

 Communication
TPR Activity

Choose six students to mime activities associated with the verbs **hacer, poner, salir, traer, dar,** and **ver.** Then have other students use the **yo** form of the action they see in a sentence. Allow those who are miming to correct their classmates if they are wrong.

 Comparisons
Pair Work

Have each partner make a list of statements using irregular **yo** forms. Taking turns, each student should say one statement and then ask his or her partner a question with the same verb in the **tú** form. The partner must respond with the irregular **yo** form of the verb. For example: A: **Hago mi tarea en la tarde. ¿Cuándo haces tu tarea?** B: **Hago mi tarea en la mañana.**

149

Objectives
- Practice using verbs with irregular **yo** forms.
- Recycle: clothing.
- **Culture:** art that documents historic events.

Core Resource
- *Cuaderno,* pp. 102–104
- Audio Program: TXT CD 4 Track 4

Practice Sequence
- **Activity 6:** Controlled practice: verbs with irregular **yo** forms; Recycle: clothing
- **Activity 7:** Transitional practice: verbs with irregular **yo** forms
- **Activity 8:** Transitional practice: tell a story
- **Activity 9:** Open-ended practice: answer questions using clothing vocabulary

STANDARDS
1.1 Engage in conversation, Act. 9
1.2 Understand language, Act. 7
1.3 Present information, Acts. 6, 9
2.2 Products and perspectives, CC
3.1 Knowledge of other disciplines, CC
21st Century **Communication,** Compara con tu mundo/Slower-paced Learners; **Creativity and Innovation,** Pre-AP; **Social and Cross-Cultural Skills,** English Learners

Comparación cultural
Essential Question
Suggested Answer Los artistas son importantes en la documentación de la historia porque pueden representar cómo son las personas, la ropa y las ciudades de su tiempo.

Answers Projectable Transparencies, 3-25
Activity 6
1. salen, salgo; **2.** pone, pongo; **3.** doy, da; **4.** hace, hago; **5.** conozco, conocen; **6.** veo, ves
Activity 7
a, c, d, e, g, h

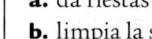

Práctica de GRAMÁTICA

6 Soy único ¿Recuerdas? Clothing p. R6
Escribir Hablar

Álex no es como las otras personas que conoce. ¿Qué dice? *(Tell how Álex is unique.)*

modelo: Mi madre siempre ____ las compras. Yo nunca las ____ . (hacer)
Mi madre siempre hace las compras. Yo nunca las hago.

1. Mis padres ____ los domingos a una librería para leer y tomar café. Yo ____ con mis amigos los domingos. (salir)
2. Mi hermana se ____ jeans todo el verano, pero yo me ____ pantalones cortos. (poner)
3. Yo le ____ la ropa que no me queda a mi hermano menor, pero mi hermana se la ____ a una prima. (dar)
4. Mi amiga ____ sombreros para regalar a sus amigas, pero yo no ____ regalos. (hacer)
5. Yo ____ una tienda donde venden unas camisetas bellas, pero mis amigos no la ____. (conocer)
6. Yo ____ videos por Internet. ¿Los ____ tú? (ver)

Expansión
Tell whether or not you are like Álex. Give a statement about yourself for each example.

7 Las fiestas
Escuchar Escribir

Indica qué hace Carolina para la fiesta. *(Indicate what Carolina does.)*

a. da fiestas
b. limpia la sala
c. pone la mesa
d. hace las decoraciones
e. sale a la tienda
f. hace un pastel
g. trae galletas
h. ve a los primos

Audio Program
TXT CD 4 Track 4
Audio Script, TE p. 141B

Expansión: Teacher Edition Only
Have students write down who does the activities that Carolina does not do.

Comparación cultural

Don José Mas Ferrer *(1795), José Campeche*

El arte histórico
¿Qué importancia tienen los artistas en la documentación de la historia? José Campeche es considerado el primer pintor reconocido *(well-known)* de **Puerto Rico.** Pintó muchas obras *(works)* religiosas y retratos de figuras políticas del siglo XVIII *(18th century).* En este retrato, el funcionario *(government official)* don José Mas Ferrer está delante de una ventana. Detrás vemos el puerto de San Juan y los mástiles *(masts)* de los barcos. Hoy este puerto forma parte del Viejo San Juan y sigue siendo *(continues to be)* muy importante en la economía de Puerto Rico.

Compara con tu mundo *¿Hay lugares donde vives que tienen significado histórico? ¿Por qué son importantes?*

Differentiating Instruction

Slower-paced Learners
Personalize It After completing Activity 7, have students in pairs discuss preparations for a party. Each should say what he or she does before a party and what he or she likes to wear.

Multiple Intelligences
Intrapersonal Instruct students to write a paragraph about themselves using all six verbs practiced in Activity 6. Encourage them to read their self-descriptions out loud.

8 | ¿Qué le doy?

Escribir
Hablar

Tienes que ir a una fiesta de cumpleaños con un regalo para una amiga. Usa los dibujos para escribir un cuento desde la perspectiva del chico.
(Use the illustrations to tell a story from the boy's perspective.)

modelo: tener
No tengo mucho dinero para el regalo.

1. conocer **2.** saber **3.** traer

4. dar **5.** decir **6.** ver

Expansión
Expand your story using the verbs **ponerse, venir,** and **hacer** in the yo form.

9 | ¡Te toca a ti!

Hablar
Escribir

Contesta las preguntas en oraciones completas. *(Answer the questions.)*

1. ¿Sales con amigos o con tu familia para comprar ropa?

2. ¿Conoces todas las tiendas en tu comunidad? ¿Sabes cuándo están abiertas y cuándo están cerradas?

3. ¿Sabes cuál es tu talla? ¿Sabes cuál es tu número de zapato?

4. ¿Siempre te pones la ropa o los zapatos antes de comprarlos?

5. ¿Haces compras por Internet? ¿Por qué? ¿Qué compras?

6. ¿Le dices algo a un(a) amigo(a) cuando lo (la) ves con ropa que no le queda bien? ¿Qué le dices?

Expansión:
Teacher Edition Only
Ask students to explain their answers to questions 1, 4, and 6.

Más práctica Cuaderno *pp. 102–104* Cuaderno para hispanohablantes *pp. 103–105*

Get Help Online
my.hrw.com

Did you get it? Give the **yo** form for the following verbs:
hacer, conocer, salir, decir, traer, poner, dar, ver, saber, venir, tener

PARA Y PIENSA

Differentiating Instruction

English Learners

Build Background Talk about parties in the U.S. and other countries. What events are celebrated at a party? What types of parties are there? Who is invited? When is a gift appropriate? What sorts of gifts are appropriate for whom? What do people wear to parties?

Pre-AP

Expand and Elaborate Give students the opportunity to create a wish book of clothing items they would like. They should use photos from magazines or the Internet. Each photo should be accompanied by a written description of the item, why he (she) likes it, and why he (she) needs it.

Unidad 3 Lección 1
GRAMÁTICA

Answers Projectable Transparencies, 3-25

Activity 8 Answers will vary. Sample answers:
1. Conozco una tienda de ropa de moda.
2. No sé qué talla lleva mi amiga.
3. Traigo el regalo a mi amiga.
4. Le doy el regalo.
5. Le digo que le queda muy bien.
6. Veo a mis amigos en la fiesta.

Activity 9 Answers will vary. Sample answers:
1. Salgo con amigos para comprar ropa.
2. No conozco todas las tiendas pero sé que están abiertas muchas horas.
3. Mi talla para una camisa es la 4. Mi número de zapato es el 7.
4. Siempre me pongo la ropa o zapatos antes de comprarlos en una tienda pero no me pongo la ropa o zapatos cuando compro por Internet.
5. Sí, hago compras de muchas cosas por Internet porque es rápido y fácil. Compro libros, ropa y regalos.
6. A veces le digo a un(a) amigo(a) que su ropa no le queda bien pero sólo cuando me pide mi opinión.

Para y piensa hago, conozco, salgo, digo, traigo, pongo, doy, veo, sé, vengo, tengo

¡AVANZA! **Objective**

- Practice using verbs with irregular **yo** forms in context.

Core Resources

- Video Program: DVD 1
- Audio Program: TXT CD 4 Track 5

Presentation Strategies

- Show video to preview the unit.
- Pause audio periodically to check comprehension and ask students to predict what they think will happen next.

Practice Sequence

- **Activity 10:** Telehistoria comprehension
- **Activity 11:** Open-ended practice: asking and answering questions; Recycle: expressions of frequency
- **Activity 12:** Open-ended practice: shopping

STANDARDS

1.1 Engage in conversation, Act. 11, 12
1.2 Understand language, Act. 10
1.3 Present information, Act. 10

CENTURY **Critical Thinking and Problem Solving,** Cuando escuchas; **Creativity and Innovation,** Multiple Intelligences

Warm Up Projectable Transparencies, 3-17

Conjugate Fill in the blanks with the **yo** form of each verb.

1. Yo _____ la tarea en casa. (hacer)
2. Siempre _____ la verdad. (decir)
3. _____ de mi casa a las siete de la mañana. (salir)
4. No _____ bastante dinero para comprar la ropa. (tener)
5. No importa, yo _____ el dinero. (darte)
6. _____ a muchas personas famosas. (conocer)

Answers: 1. hago; **2.** digo; **3.** Salgo; **4.** tengo; **5.** te doy; **6.** Conozco

Video Summary

@HOMETUTOR VideoPlus my.hrw.com

Carolina, Marta and Álex are in a clothing store trying on clothes for their film. Marta comes out of the dressing room in the blue dress Carolina told her to try on. Álex says it looks good, but Carolina disagrees, handing Marta an ugly plaid dress to try on instead.

❖ GRAMÁTICA en contexto

¡AVANZA! **Goal:** Listen to the recommendations about clothing for Carolina's film. Then, use what you have learned to talk about your activities and to make recommendations of your own. *Actividades 10–12*

♻ *¿Recuerdas?* Expressions of frequency p. R8

Telehistoria escena 2

@HOMETUTOR View, Read
my.hrw.com and Record

STRATEGIES

Cuando lees
Consider who is in charge As you read, consider who tries to make the main decisions about clothing for the film. Does everyone agree with this person?

Cuando escuchas
Think ahead while listening Notice how each person expresses feelings in this scene, and then ask yourself what will happen next. Think ahead!

VIDEO
DVD

AUDIO

Carolina: ¿Te gusta Álex? *(Marta, looking at her dress in a mirror, nods her head.)* ¿Sí?

Marta: ¿Qué? *(Carolina shakes her head to say "never mind.")* ¿Dónde está el nuevo suéter que quiero comprar?

Carolina: No sé... no lo veo. Mira, aquí te traigo un vestido azul. Ay no, Álex, ¡no me gustan esos pantalones! ¡Y el chaleco te queda demasiado grande!

Álex: Entonces, voy a buscar otros pantalones y un chaleco más pequeño.

Carolina: Está bien. También necesitas una correa negra.

Álex: Aquí no hay. Pero conozco una tienda donde podemos comprar una.

Carolina: ¡Perfecto! Marta, ¿te vas a vestir? Quiero ver cómo te queda el vestido.

Marta: ¡Ahora salgo! *(comes out in the blue dress)* ¿Me pongo esto para la película?

Álex: Te queda bien.

Carolina: ¡No...! *(handing her an ugly dress)* Prefiero este vestido de cuadros.   **Continuará...** p. 157

También se dice

Puerto Rico Marta uses the cognate **suéter** to refer to a sweater. In other Spanish-speaking countries:
- **Uruguay** el buzo
- **Perú** la chompa
- **Ecuador** el saco
- **España** la rebeca

Differentiating Instruction

Heritage Language Learners

Support What They Know Assign students to read the characters' lines of the Telehistoria dialog. Remind them beforehand to speak at a normal pace but with clear enunciation, paying special attention to non-standard aspirated s's (**ma'** instead of "**más**") and intervocalic **d's** (nonstándard **demasia'o** for **demasiado**).

Slower-paced Learners

Read Before Listening To increase understanding, allow students to read through the dialog before listening to it. Instruct them to raise their hands when they come across an irregular **yo** verb. Ask students to come up with their own sentences using these verbs.

10 Comprensión del episodio   ¡A corregir!

Escuchar
Leer

Corrige los errores en estas oraciones. *(Correct the errors.)*

modelo: Marta quiere comprar un chaleco.
Marta quiere comprar un suéter.

1. Carolina le trae a Marta un cinturón azul.
2. A Carolina no le gustan las botas que lleva Álex.
3. Álex va a buscar un chaleco más grande.
4. Álex conoce una tienda donde venden gorras.
5. Álex le dice a Marta que el vestido le queda mal.
6. Carolina recomienda un vestido de rayas.

Expansión:
Teacher Edition Only
Have students rewrite their corrected sentences in the first person.

11 ¿Con qué frecuencia?   ¿Recuerdas? Expressions of frequency p. R8

Hablar

¿Haces estas actividades **todos los días, de vez en cuando** o **nunca**? Habla con tu compañero(a). *(Find out how often your partner does things.)*

A ¿Das fiestas de vez en cuando?

B Sí, doy fiestas de vez en cuando. (No, nunca doy fiestas.)

modelo: dar fiestas

Estudiante A
1. salir con los amigos
2. ponerse una gorra
3. traer la tarea a clase
4. hacer la cama

Estudiante B
1. dar buenos regalos
2. ver películas tristes
3. decirles «hola» a los maestros
4. venir a clase cansado(a)

Expansión
Tell your classmates three things you found out about your partner.

12 De compras

Hablar

Eres estudiante de intercambio y no conoces bien los lugares comerciales en la comunidad. Hazles preguntas a tus compañeros y ellos te van a ayudar. *(Play the role of an exchange student and ask questions about places in your town.)*

el almacén	la zapatería
la farmacia	la joyería
la librería	el centro
la panadería	comercial

A ¿Conoces un lugar donde puedo comprar...?

B Yo sé dónde venden... Se llama... Está cerca de...

C Y yo recomiendo el almacén...

Expansión:
Teacher Edition Only
When students finish their work in groups, ask the person playing the exchange student, ¿Qué sabes ya de los lugares de esta comunidad?

Get Help Online
my.hrw.com

PARA Y PIENSA

Did you get it? Complete the following using **poner, traer, dar** and **conocer.**
1. Yo me _____ un abrigo antes de salir.
2. Yo te _____ un cinturón más grande.
3. ¿Te _____ un chaleco también?
4. Yo _____ una tienda muy buena.

Lección 1
ciento cincuenta y tres   **153**

Differentiating Instruction

Multiple Intelligences

Musical/Rhythmic Have students create a chant or rap that reviews the irregular **yo** verbs. Example: **"DI-go ES-to, TE co-NOZ-co, tú no TRA-es, ¡TRAI-go yo!** Allow them to prepare a short presentation to teach the chant to the class. If video cameras are readily available in your school, have students create a "verb-music" video.

Inclusion

Synthetic/Analytic Support Help students with irregular verb forms by breaking conjugations into component parts and building them up again. Provide models on the board and then have them make "assembly lines" with index cards or sticky notes. For example: **traer** = TRA + ER; **tú** TRA + ES = TRAES; **yo** TRA + IGO = TRAIGO.

Get Help Online
More Practice
my.hrw.com

✓ Ongoing Assessment

PARA Y PIENSA

Quick Check Divide the class into teams and hold a verb bee for the irregular **yo** forms on the board. For additional practice, use Reteaching & Practice Copymasters URB 3, pp. 4, 6, 10.

Answers Projectable Transparencies, 3-25

Activity 10
1. Carolina le trae a Marta un vestido azul.
2. A Carolina no le gustan los pantalones que lleva Álex.
3. Álex va a buscar un chaleco más pequeño.
4. Álex conoce una tienda donde venden correas.
5. Álex le dice a Marta que el vestido le queda bien.
6. Carolina recomienda un vestido de cuadros.

Activity 11
Answers will vary. Sample answers:

A.
1. ¿Sales con los amigos todos los días?
No, salgo con los amigos de vez en cuando.
2. ¿Te pones una gorra de vez en cuando?
No, nunca me pongo una gorra.
3. ¿Nunca traes la tarea a clase?
Sí, traigo la tarea a clase todos los días.
4. ¿Haces la cama todos los días?
No, hago la cama de vez en cuando.

B.
1. ¿De vez en cuando das buenos regalos?
Sí, doy buenos regalos de vez en cuando.
2. ¿Ves películas tristes todos los días?
No, veo películas tristes de vez en cuando.
3. ¿Nunca les dices «hola» a los maestros?
Les digo «hola» todos los días.
4. ¿Nunca vienes a clase cansado(a)?
Sí, vengo a clase cansado(a) de vez en cuando.

Activity 12
Answers will vary. Sample answers:
A. ¿Conoces un lugar donde puedo comprar aspirinas?
B. Sí, venden aspirinas en la farmacia. Se llama Farmacia Pérez y está cerca del centro comercial.
C. Y yo recomiendo el «Almacén de Baratijas».

Para y piensa
1. pongo
2. traigo (doy)
3. doy (traigo)
4. conozco

Objective

· Present and practice pronouns that follow prepositions.

Core Resource

· *Cuaderno,* pp. 105–107

Presentation Strategies

· Remind students of post-prepositional pronouns they have heard in your everyday classroom talk, such as **el libro es para ti; la edición de maestra es para mí,** etc. Use authentic examples.

· Briefly review the prepositions they know in English and Spanish.

· Call special attention to the use of written accents and to the special forms **conmigo** and **contigo.**

STANDARD

4.1 Compare languages

Warm Up Projectable Transparencies, 3-18

Clothes Match the sentence with the name of the person most likely to say it:

(a) Carolina   (b) Marta   (c) Álex

1. Es verdad que los pantalones me quedan estrechos.
2. ¿Me pongo un vestido verde para la película?
3. También necesitas unas botas negras.
4. Conozco una tienda donde venden correas.
5. Te vas a poner este vestido de cuadros ahora.

Answers: 1. c; 2. b; 3. a; 4. c; 5. a

Comparisons
English Grammar Connection

Remind students that in English, the prepositional pronouns that are the *same* as subject pronouns are **you** and **it.** The prepositional pronouns that are *different* from the subject pronouns are **me, him, her, us,** and **them.**

✿ Presentación de GRAMÁTICA

¡AVANZA! **Goal:** Learn the pronouns that follow prepositions. Then, practice the uses of these pronouns by saying whom things are for, whom you go shopping with, and what interests you and your friends. *Actividades 13–16*

English Grammar Connection: Prepositions (such as *for, from, to,* and *with*) sometimes link **pronouns** to another word in a sentence. Some of the pronouns that follow prepositions are different from the subject pronouns.

I have a gift. The gift is **for me.**   **Yo** tengo un regalo. El regalo es **para mí.**

Pronouns after Prepositions

ANiMaTeDGRaMMaR
my.hrw.com

Pronouns that follow **prepositions** are different from subject pronouns and object pronouns.

Here's how: Use these **pronouns** after prepositions like **para, de, a,** and **con.**

Pronouns after Prepositions	
mí	nosotros(as)
ti	vosotros(as)
él, ella, usted	ellos, ellas, ustedes

Notice that these pronouns are the same as the subject pronouns in all forms except **mí (yo)** and **ti (tú).**

Clara vive **lejos de nosotros.**	Tengo un regalo **para ti.**
*Clara lives **far from us.***	*I have a gift **for you.***

With verbs like **gustar,** use pronouns after the preposition **a** to add emphasis.

A mí no me gusta la ropa de cuadros.   *I really don't like plaid clothes.*

The pronoun after **a** can also clarify to whom a sentence refers.

Uncertain	**Le** gusta ir a la librería.	*He/She/You like(s) to go to the bookstore.*
Certain	**A él le** gusta ir a la librería.	***He** likes to go to the bookstore.*

When you use **mí** and **ti** after the preposition **con,** they combine with **con** to form the words **conmigo** and **contigo.**

¿Vas a la fiesta **conmigo** o con Jorge?	*Are you going to the party **with me** or with Jorge?*
No voy con él; voy **contigo.**	*I'm not going with him; I'm going **with you.***

Más práctica
Cuaderno *pp. 105–107*
Cuaderno para hispanohablantes *pp. 106–109*

@HOMETUTOR my.hrw.com
Leveled Practice

Differentiating Instruction

English Learners

Provide Comprehensible Input Reinforce and give extra examples for the grammatical terms used in the English Grammar Connection. Give English learners a few more minutes to come up with original sentences with prepositions. Check comprehension.

Multiple Intelligences

Kinesthetic With books closed, walk around the room, modeling and then eliciting prepositional pronouns. For example: Teacher pointing to student: **¿Este libro es para ti?** Student responds pointing to himself or herself: **¡Es para mí!**

Práctica de GRAMÁTICA

13 ¿Para quién es?

Hablar Escribir

Di para quiénes son estas cosas. Usa los pronombres correctos.
(Tell whom these items are for.)

modelo: Marta
El abrigo es para ella.

1. Carolina

2. mi hermano y yo

3. yo

4. Marta

5. tú

6. Papá

7. yo

8. los chicos

> **Expansión:**
> Teacher Edition Only
> Ask students to pretend that the items are gifts. Then go through the activity again, using the preposition **de**. Model: **Marta/el regalo = El regalo es de Marta.**

14 ¿Qué opinas?

Hablar

Hazle preguntas a tu compañero(a). Usa los verbos **gustar, encantar, importar,** and **interesar.** *(Ask your partner questions.)*

modelo: los conciertos

A ¿A ti te gustan los conciertos?

B Sí, a mí me encantan. (No, a mí no me interesan mucho.)

1. las clases difíciles
2. el tenis
3. los exámenes
4. ir al cine
5. las fiestas
6. dibujar
7. sacar buenas notas
8. las vacaciones
9. el Internet

> **Expansión**
> Write three things you found out about your partner.

Pronunciación **Diptongos**

AUDIO

In Spanish, the **strong vowels** are **a, e,** and **o;** the **weak vowels** are **i** and **u.** A **diphthong** is the combination of a weak and a strong vowel or two weak vowels. These combinations create one sound and therefore one syllable.

Listen and repeat, noting the sounds of the **diphthongs** in these words.

afeitar   aduana   interior   abierto   luego   farmacia

Lección 1
ciento cincuenta y cinco **155**

Differentiating Instruction

Pre-AP

Timed Answer Have advanced students do part **B** of **Activity 14** in writing, and challenge them to write as many correct answers as they can within a specific time frame (for example 5 sentences in 3 minutes).

Multiple Intelligences

Linguistic/Verbal Read the following sets of words aloud and have students tell you which of the two contain diphthongs: **Mario/María; cafetería/farmacia.** Then write the words **María** and **cafetería** on the board and explain that since the **i**'s are accented, the diphthongs are broken and the two vowels are pronounced separately.

Objectives
· Practice using pronouns that follow prepositions.
· Pronunciation: Diphthongs

Core Resource
· Audio Program: TXT CD 4 track 6

Practice Sequence
· **Activity 13:** Closed practice: pronouns
· **Activity 14:** Transitional practice: pronouns after prepositions using verbs like **gustar**
· **Pronunciation:** the formation and pronunciation of Spanish diphthongs

STANDARDS
1.1 Engage in conversation, Acts. 13, 14
1.3 Present information, Act. 14

Answers Projectable Transparencies, 3-26

Activity 13
1. La pulsera es para ella.
2. Los cinturones son para nosotros.
3. La gorra es para mí.
4. La falda es para ella.
5. El reloj es para ti.
6. El traje es para él.
7. El suéter es para mí.
8. Los chalecos son para ellos.

Activity 14
Answers will vary. Sample answers:
1. ¿A ti te gustan las clases difíciles? No, a mí no me gustan.
2. ¿A ti te interesa el tenis? Sí, a mí me interesa un poco.
3. ¿A ti te importan los exámenes? Sí, a mí me importan bastante/mucho.
4. ¿A ti te gusta ir al cine? Sí, a mí me encanta ir al cine.
5. ¿A ti te gustan las fiestas? No, a mí no me interesan mucho.
6. ¿A ti te interesa dibujar? Sí, a mí me encanta.
7. ¿A ti te importa sacar buenas notas? Sí, a mí me importa sacar buenas notas.
8. ¿A ti te gustan las vacaciones? Sí, a mí me encantan.
9. ¿A ti te interesa el Internet? No, a mí no me interesa mucho.

Objectives
- Continue practice of pronouns that follow prepositions.
- **Culture:** Compare a shopping mall in Puerto Rico with malls in the U.S.

Core Resource
- *Cuaderno,* pp. 105–107

Practice Sequence
- **Activity 15:** Open-ended practice: ask and answer questions
- **Activity 16:** Open-ended practice: shopping vocabulary

STANDARDS
1.1 Engage in conversation, Act. 15
1.2 Understand language, Act. 16
2.1 Practices and perspectives, Act. 16
2.2 Products and perspectives, Act. 16
21st CENTURY Technology Literacy, Multiple Intelligences

Comparación cultural

Essential Question
Suggested Answer: Los lugares, como los centros comerciales, atraen a mucha gente de diferentes edades y con diferentes gustos. Estos lugares les ofrecen muchas opciones para comprar y para diversión.

✓ Ongoing Assessment

Get Help Online
More Practice
my.hrw.com

PARA Y PIENSA Ask students questions that will elicit responses using pronouns following prepositions. For additional practice, use Reteaching & Practice Copymasters URB 3, pp. 7, 8.

156

💻 **Answers** Projectable Transparencies, 3-26

Activity 15 Answers will vary.
1. Yo fui a un almacén.
2. Mi madre fue conmigo.
3. Compramos ropa para mí y también para mi hermana.
4. Compré botas para mí y un suéter para mi hermana.
5. Sí, a mí me gusta ir de compras con otras personas porque me pueden decir cómo me queda la ropa.
Activity 16 Answers will vary.
Para y piensa 1. conmigo; 2. para ti

---

15 | Fui de compras

Hablar

Fuiste de compras el fin de semana pasado. Con otro(a) estudiante, pregúntense y respondan a las preguntas. *(Ask each other the following questions.)*

1. ¿Adónde fuiste, a un almacén o a un centro comercial?
2. ¿Quién fue contigo?
3. ¿Compraste ropa para ti o para otras personas?
4. ¿Qué compraste y para quiénes?
5. ¿A ti te gusta ir de compras con otras personas? ¿Por qué?

Expansión:
Teacher Edition Only
Have the person who asked the questions give a report of what the shopper did.

16 | ¿Qué vamos a comprar?

Leer Hablar

Comparación cultural

Plaza Las Américas

Los centros comerciales
¿Qué expresan los lugares populares sobre una cultura? A muchas personas les gusta ir de compras a Plaza Las Américas en San Juan, **Puerto Rico.** Este centro comercial, el más grande del Caribe, tiene muchas tiendas y restaurantes que también son populares en Estados Unidos. El interior está decorado con arte que representa la naturaleza y la historia de Puerto Rico.

El centro comercial más grande de **Perú** es Jockey Plaza en Lima. Su nombre viene del hipódromo *(horse track)* que queda cerca. En Jockey Plaza puedes comer en los restaurantes de comida rápida, jugar boliche *(go bowling)* o ir al cine.

Compara con tu mundo *¿Adónde te gusta ir de compras y por qué?*

Haz planes con tu compañero(a) para ir a varios lugares dentro de Plaza Las Américas. *(Plan your shopping trip.)*

A ¿Quieres ir a la joyería conmigo? Necesito comprar...

B Sí, quiero ir contigo. También necesito comprar...

Expansión
Continue to discuss what to buy and for whom and refer to stores in your area.

Más práctica   Cuaderno *pp. 105–107*   Cuaderno para hispanohablantes *pp. 106–109*

PARA Y PIENSA

Get Help Online
my.hrw.com

Did you get it? Tell a friend about your shopping trip.
1. Mi mamá fue de compras _____ . (with me)
2. Compramos esta falda _____ . (for you)

156 Unidad 3 Puerto Rico
ciento cincuenta y seis

Differentiating Instruction

English Learners
Build Background Ask English learners about shopping in their home countries or cultures. What was their or their family's favorite place to go? Pair them with a U.S. native and have them compare notes about shopping. Have them share one similarity and one difference between shopping in their cultures.

Multiple Intelligences
Logical/Mathematical Have students research the Plaza las Américas on the Internet and try to determine how many different stores are available. Students should then try to create categories for the different stores. If there is time, ask students to create a pie chart showing fraction/percent of store type in the Plaza, using all Spanish.

✖ Todo junto

¡AVANZA! **Goal:** **Show what you know** Listen to the final scene in the store and the kids' plans for the day. Then, use the language you have learned to talk about fashion trends and shopping in your community. *Actividades 17–21*

Telehistoria completa

 **HOMETUTOR** View, Read and Record
my.hrw.com

STRATEGIES

Cuando lees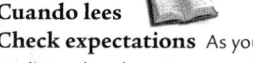

Check expectations As you begin reading, what do you expect will happen in this scene? Are your expectations fulfilled? Where does each person go at the end? Why?

Cuando escuchas

Listen for places Listen carefully for six places mentioned in the scene. Examples: **el restaurante Las Flores** and **mi casa.** Afterwards, use these words in complete sentences.

Escena 1 *Resumen*
Carolina y Marta buscan ropa para su película. Álex está con ellas. A Carolina le gusta Álex, pero ella piensa que a Álex le gusta Marta.

Escena 2 *Resumen*
Marta y Álex se ponen la ropa para la película. Carolina les da su opinión sobre la ropa.

 VIDEO DVD

AUDIO

Escena 3

Carolina: ¡Ay! No encuentro mi dinero. Debe estar en casa.

Álex: Yo traigo dinero. ¿Lo necesitas?

Carolina: Gracias, Álex. ¡Pero te doy el dinero después! ¿Qué hora es? No tengo mi reloj.

Marta: Son las once.

Álex: Filmamos a las cuatro en el mercado, ¿no?

Carolina: Sí. Tengo otra ropa aquí de mi casa. *(to Marta)* El suéter y los pantalones son para ti, para la

primera parte de la película, y la gorra es para él.

Marta: ¿Quieren ir de compras conmigo? Voy a la zapatería.

Álex: Bueno, sí, y podemos almorzar después.

Marta: Sí, te voy a recomendar un restaurante muy bueno. Conozco uno que se llama Las Flores.

Álex: Sí, sé dónde está. *(to Carolina)* ¿Vienes con nosotros?

Carolina: No, tengo que ir a casa y después a la joyería, luego a la farmacia...

Álex: Entiendo. ¿Te ayudamos?

Carolina: Creo que no, Álex, pero gracias. Mi casa queda lejos de aquí y ustedes deben almorzar.

Marta: Sí, y Álex y yo debemos practicar para la película. *(using her acting voice)* «¿Viene conmigo a la zapatería, señor Álex?»

Álex: «Está bien.» Nos vemos a las cuatro.

Carolina: Está bien.

Lección 1
ciento cincuenta y siete **157**

Differentiating Instruction

Multiple Intelligences

Linguistic/Verbal Present this scene with all of the dialog of one character removed. Have students invent dialog for this character based on the context provided by the other two characters. Encourage them to use lesson vocabulary and grammar.

Slower-paced Learners

Yes/No Questions Ask students yes/no questions to reinforce their understanding of Escena 3 of the Telehistoria. **¿Carolina encuentra su dinero? ¿Sí o no? ¿Los chicos van a filmar a las cuatro? ¿Quieren Álex y Carolina ir de compras con Marta?** Encourage students to point to the place in the text where they found their answers.

¡AVANZA! ▸ **Objective**
· Integrate lesson vocabulary and grammar.

Core Resources
· Video Program: DVD 1
· Audio Program: TXT CD 4 Track 7

Presentation Strategies
· Elicit from students what they already know about the Telehistoria.
· Go over the reading strategy, making sure everyone understands what is meant by "expectations" in this context.
· Review and explain the listening strategy.

✿ STANDARDS
1.2 Understand language
1.3 Present information

🖵 **Warm Up** Projectable Transparencies, 3-18

Pronunciation Identify the words with diphthongs:

1. luego	3. país	5. historia
2. adiós	4. tienda	6. feo

Answers: 1, 2, 4, 5

@**HOMETUTOR**
VideoPlus
my.hrw.com

Video Summary

When Carolina realizes she left her money at home, Álex offers to give her some. She accepts and says she'll pay him back. She doesn't have a watch either, so Marta tells her that it's 11:00. Carolina gives the others clothing she brought from home: a sweater and pants for Marta and a cap for Álex. Marta invites them to go to the shoe store, and Álex accepts, adding that they can have lunch. Marta recommends a restaurant, but Carolina says she has too many errands before filming to go along. Marta and Álex will go together and practice for the film.

▶ ❙❙

157

TODO JUNTO

Objective
· Practice using and integrating lesson vocabulary and grammar.

Core Resources
· *Cuaderno,* pp. 108–109
· Audio Program: TXT CD 4 Tracks 3, 5, 7, 8, 9

Practice Sequence
· Activities 17, 18: Telehistoria comprehension
· Activity 19: Open-ended practice: speaking
· Activity 20: Open-ended practice: reading, listening, and speaking
· Activity 21: Open-ended practice: writing

STANDARDS

1.1 Engage in conversation, Act. 19
1.2 Understand language, Acts. 17, 18
1.3 Present information, Acts. 18, 20, 21

21st CENTURY Communication, Acts. 19, 20: Expansión; **Critical Thinking and Problem Solving,** Pre-AP

💻 **Answers** Projectable Transparencies, 3-26

Activity 17
1. Carolina no encuentra su dinero.
2. Carolina no lleva reloj.
3. Marta recomienda el restaurante Las Flores.
4. Álex trae dinero.
5. Marta y Álex van a almorzar en el restaurante.
6. Carolina vive lejos.
7. A Álex le importa ayudar a Carolina.
8. Carolina tiene que ir a la joyería.

Activity 18
1. Buscan ropa para la película.
2. Marta y Álex se ponen la ropa para la película.
3. Carolina les da su opinión.
4. Van a filmar a las cuatro en el mercado.
5. La gorra es para Álex.
6. Marta va a casa y luego a la joyería y la farmacia.
7. Marta recomienda el restaurante Las Flores.
8. Carolina no puede ir porque tiene que ir a casa.
9. Álex no va con ella porque tiene que practicar con Marta para la película.

Activity 19 Answers will vary.

---

17 | Comprensión de los episodios   ¿Quién(es)?

Escuchar Leer

¿De quién(es) habla cada descripción? Contesta con oraciones completas. *(Indicate whom each sentence is describing.)*

1. No encuentra su dinero.
2. No lleva reloj.
3. Recomienda el restaurante Las Flores.
4. Trae dinero.
5. Van a almorzar en el restaurante.
6. Vive lejos.
7. Le importa ayudar a Carolina.
8. Tiene que ir a la joyería.

Expansión:
Teacher Edition Or Have students write the line of dialog that pertains to each item.

18 | Comprensión de los episodios   Ya tenemos la ropa

Escuchar Leer

Contesta las preguntas con oraciones completas. *(Answer the questions.)*

1. ¿Qué buscan para la película?
2. ¿Qué hacen Marta y Álex en la tienda?
3. ¿Qué hace Carolina?
4. ¿A qué hora y dónde van a filmar?
5. ¿Para quién es la gorra?
6. ¿Adónde va Marta?
7. ¿Qué lugar recomienda Marta?
8. ¿Por qué no puede ir Carolina?
9. ¿Por qué no va Álex con ella?

Expansión:
Teacher Edition Or Instruct students to write a paragraph that summarizes the Telehistoria in thi lesson.

19 | La moda

Digital **performance space**

Hablar

STRATEGY Hablar
Enliven the discussion with pictures Illustrate your points by showing pictures of the clothes you're talking about. Use photos of family or friends, newspaper ads, pictures from department-store Web sites, or photos from teen magazines.

Comparen sus opiniones sobre la moda al contestar estas preguntas. *(Discuss fashion trends.)*

Para organizarte
· ¿Cuál es la moda de los chicos hoy día?
· ¿Cuál es la moda de las chicas?
· ¿Es buena idea o mala idea vestirse con ropa que está de moda?

A Me parece que los pantalones de rayas están de moda ahora para los chicos y no me gustan. ¿Te gustan las rayas?

B Sí, a mí me gustan. En mi opinión...

C A mí no me interesa ponerme...

Expansión
Write your answer to the last question and share it with the class.

Differentiating Instruction

Slower-paced Learners

Read Before Listening Have students read the questions in Activity 17 before listening to the episode. If students are still struggling with the answers, have them read the Telehistoria Escena 3 on page 157. Ask them to point to the text where they find the answers.

Pre-AP

Summarize For Activity 19, ask students to summarize the group's opinions about clothing styles for boys and girls. They should relate the various opinions in the third person. For example: **A Ana no le interesa ponerse ropa que está de moda porque prefiere vestirse con ropa cómoda.**

20 Integración

Leer
Escuchar
Hablar

Digital Performance space

Lee el anuncio y llama a una zapatería para saber su horario y dónde queda. Después recomiéndale un plan a tu amigo(a) para ir de compras con él o ella. Incluye el día, los lugares, las horas, lo que piensas comprar y para quiénes. *(Read the ad and listen to the recorded message. Present a plan to your friend for going shopping.)*

Audio Program
TXT CD 4 Tracks 8, 9 Audio Script, TE p. 141B

Fuente 1 Anuncio

Almacén MegaModa
¡CORTAMOS PRECIOS HASTA 22 NOVIEMBRE!
Suéteres de moda para ella
AHORA $14.99
Normalmente $29.99
Faldas de muchos colores
AHORA $18.99
Normalmente $34.99
Abrigos para él
AHORA $69.99
¡Gangas!
en nuestra Joyería
Horas: lunes a viernes, 10-10, sábado y domingo 10-8
Hay un MegaModa cerca de ti:
Centro comercial Plaza las Palmas • Avda. Arenas • Centro Sur

Fuente 2 Mensaje

Listen and take notes
• ¿Dónde queda Zapatolandia?
• ¿Cuándo está abierto? ¿Cuándo está cerrado?
• ¿Por qué debes llevar un amigo contigo si vas este domingo?

modelo: ¿Quieres ir de compras conmigo este domingo? Podemos ir a...

Expansión: Teacher Edition Only
Have students call a department or shoe store in their community, find out its hours, and compare the information to the two stores in this activity.

21 Nuestras tiendas

Escribir

Digital Performance space

En un párrafo, recomienda tres tiendas en tu comunidad y lo que puedes comprar allí. *(Recommend three places to shop and tell what you can buy there.)*

modelo: En nuestra comunidad hay muchas tiendas buenas. Para comprar ropa, recomiendo el almacén Marty Max porque...

Writing Criteria	Excellent	Good	Needs Work
Content	You include three stores and what to buy in each.	You include one or two stores and something to buy.	You include little information for stores or products.
Communication	Most of your paragraph is organized and easy to follow.	Parts of your paragraph are organized and easy to follow.	Your paragraph is disorganized and hard to follow.
Accuracy	Your paragraph has few mistakes in grammar and vocabulary.	Your paragraph has some mistakes in grammar and vocabulary.	Your paragraph has many mistakes in grammar and vocabulary.

Expansión
Write an ad for your favorite store.

Más práctica Cuaderno *pp. 108–109* Cuaderno para hispanohablantes *pp. 110–111*

Get Help Online
my.hrw.com

PARA Y PIENSA

Did you get it? Using the words and expressions you learned, describe three of your clothing, footwear, or accessory items and how they fit you.

Differentiating Instruction

Multiple Intelligences

Visual Learners Have students make their own clothing ads for a large department store. They should include clothing items and accessories they would want to buy or think would sell well. They can make posters with illustrations or photos that they cut out of magazines. Have them present their ads to the class.

Heritage Language Learners

Support What They Know As an extension to Activity 21, ask students to describe the types of stores, the store hours, and a particular shopping experience they have had in their country of origin.

Long-term Retention

Pre-AP Integration

Activity 20 After students have read the ad and listened to the shoe store message, have them make a chart that includes the information for the following categories: names of stores; hours of operation; best days to shop and why; items sold at each. This will help them organize their thoughts before answering the question verbally.

✓ Ongoing Assessment

Rubric Activity 20

Listening/Speaking	
Proficient	**Not There Yet**
Student takes detailed notes and includes information from both sources in the answer.	Student takes few notes and includes information from only one source in the answer.

To customize your own rubrics, use the **Generate Success** *Rubric Generator and Graphic Organizers.*

✓ Ongoing Assessment

**Get Help Online
More Practice
my.hrw.com**

PARA Y PIENSA Peer Assessment After students have completed the Para y piensa, have them work in pairs to check each other's work and correct any errors. For additional practice, use Reteaching & Practice Copymasters URB 3, pp. 7, 9.

Answers Projectable Transparencies, 3-26

Activity 20
Answers will vary. Suggested answer:
¿Quieres ir de compras conmigo? Podemos ir al Almacén MegaModa el sábado. ¡Hay muchas gangas! También podemos ir a la zapatería Zapatolandia...

Activity 21 Answers will vary. See rubric.

Para y piensa Answers will vary. Sample answers:
1. Tengo un chaleco viejo. Me queda muy flojo.
2. Tengo una falda de cuadros. Está de moda y me queda bien.
3. Mis nuevas botas negras me quedan apretadas.

¡AVANZA! **Objective**
- Read a magazine article about ways to organize your closet.

Core Resource
- Audio Program: TXT CD 4 Track 10

Presentation Strategies
- Ask students about what kinds of teen magazines they like to read.
- Ask them to name some of the topics that are commonly featured in their teen magazines. What kinds of information do they find helpful and why?
- Point out that this Spanish magazine article is intended for both male and female teens.

STANDARDS
1.2 Understand language
1.3 Present information

21st CENTURY Communication, ¿Y tú?; Critical Thinking and Problem Solving, Multiple Intelligences; Social and Cross-Cultural Skills, Heritage Language Learners

Warm Up Projectable Transparencies, 3-19

Irregular yo Answer the following questions in the affirmative.
1. ¿Te pones un cinturón todos los días?
2. ¿Traes tu libro de español contigo?
3. ¿Vienes a la fiesta conmigo?
4. ¿Conoces a él?
5. ¿Sabes que el suéter azul es de ella?

Answers:
1. Sí, me pongo un cinturón todos los días.
2. Sí, traigo mi libro de español conmigo.
3. Sí, vengo a la fiesta contigo.
4. Sí, conozco a él. Or: Sí, lo conozco.
5. Sí, sé que el suéter azul es de ella.

Lectura

¡AVANZA! **Goal:** Read about ways to organize your clothes, then discuss these suggestions and compare them to how you organize your closet at home.

AUDIO

Revista de moda
¿Estás cansado de buscar tu ropa en un clóset desorganizado? Este artículo presenta ideas que te van a ayudar.

¡Reorganiza tu clóset!

STRATEGY Leer
Draw two pictures of your closet Draw a picture of your own closet that shows where you now put different types of clothes, shoes, and other items. Then draw a picture that shows how you could reorganize it by following the directions in the reading.

* Tener un clóset organizado te lo hace todo más fácil.

Primero, saca todo lo que tienes del clóset. Separa la ropa que usas mucho de la ropa que casi no usas.

De la ropa que no usas frecuentemente, escoge lo que ya no está de moda o lo que ya no te queda. Pon toda esta ropa en una bolsa[1] de plástico y dásela a una organización filantrópica.

1. La ropa formal, como vestidos o trajes: Debes guardarla[2] en plástico a un lado del clóset. Debes colgar[3] al otro lado la ropa que más usas.

2. Camisas, blusas, chalecos: Organízalos por colores y tipo de ropa.

3. Jeans y pantalones: Puedes doblar[4] y colgarlos en ganchos[5] de varios niveles[6] para tener más espacio.

Muchachas, es buena idea hacer esto con las faldas también.

Si tienes estantes[7] en el clóset, debes poner allí la ropa que puedes doblar.

[1] bag [2] to put it away [3] hang [4] fold [5] hooks, hangers [6] levels [7] shelves

---

Differentiating Instruction

Multiple Intelligences
Visual Learners Before reading, have students identify as many articles of clothing as they can in each closet. Ask them what differences they see between the boy's closet and the girl's closet.

Heritage Language Learners
Support What They Know Ask students about the climate in their country of origin and how it effects one's wardrobe. Is one wardrobe sufficient all year, or do people need different clothes for different seasons? Encourage them to share how the closets illustrated would be similar and different in their countries.

Para los que viven lejos de su país tropical, también deben tener ropa para el frío.

- Durante el invierno, guarda toda tu ropa de verano en una maleta o caja [8].

- Durante el verano, guarda la ropa de invierno en la maleta donde guardaste la ropa de verano.

Camisetas: Organízalas por colores y tipos.

5. Ropa deportiva: Pon toda tu ropa de ejercicio en un lugar.

6. Suéteres: Ponlos todos juntos y organízalos por colores y tipos.

7. Abrigos: Puedes colgar los que usas frecuentemente en un gancho en la puerta. Puedes colgar los otros al fondo [9] del clóset.

8. Zapatos: Guarda tus zapatos más caros y botas altas en sus cajas en el piso. Para los otros, usa un estante.

9. Usa un gancho largo en la puerta para colgar tus correas y otras cosas.

10. En la parte de arriba, puedes guardar: (muchachos) tu mochila, tus gorras y cosas extras; (muchachas) tu mochila, tus carteras [10] y otros accesorios.

[8] box   [9] back   [10] purses (Puerto Rico)

NSA

¿Comprendiste?

1. ¿Qué debes hacer primero para organizar tu clóset?
2. ¿Cómo debes organizar las camisetas y los suéteres?
3. ¿Qué recomienda el artículo para la ropa de verano y de invierno?
4. ¿Cuáles son las diferencias entre el clóset del chico y el clóset de la chica?

¿Y tú?

¿Cómo organizas tu clóset?

Lección 1
ciento sesenta y uno   **161**

Differentiating Instruction

Pre-AP

Expand and Elaborate Ask students to write a response to this magazine article in which they express differing opinions about how to organize a closet. Encourage them to explain their points of view in detail.

Slower-paced Learners

Yes/No Questions After you have read the Lectura once, ask students to answer these questions: **¿Es este artículo solamente para chicas?** (No, es para chicos y chicas). **¿Dice el artículo que es buena idea organizar las camisetas por colores?** (Sí.) **¿Es buena idea tener toda la ropa de invierno y verano en tu clóset?** (No, tienes que poner la ropa que no usas en una maleta).

Unidad 3 Lección 1
LECTURA

Regionalisms

Explain to students that the following words are regional variations for the more standard Spanish words: **el clóset** (**el armario**); **la correa** (**el cinturón**); **la cartera** (**la bolsa**) (Note that **cartera** can also mean *wallet* in other Spanish-speaking countries).

Answers

Para y piensa ¿Comprendiste?

1. Primero tienes que sacar todo del clóset y separar la ropa que usas mucho y la ropa que no usas mucho.
2. Debes organizar las camisetas y los suéteres por colores y tipos.
3. Durante el invierno es buena idea guardar la ropa de verano en una maleta o caja. Durante el verano, debes guardar la ropa de invierno en la maleta donde guardaste la ropa de verano.
4. Answers will vary. Sample answer: El clóset del chico tiene más ropa deportiva. El clóset de la chica tiene más ropa de moda. El chico tiene gorras; la chica tiene carteras.

¿Y tú? Answers will vary. Sample answer: Pongo todos mis zapatos en cajas y escribo qué son por afuera: botas negras, sandalias blancas; zapatos formales. Organizo mis suéteres por colores.

161

Objectives

- Read about the indigenous Taino people of the Caribbean at the time of Columbus's discovery.
- Compare the clothing of the Taino to that of the Spanish.
- Research the places where indigenous groups originated and explore the contributions they made to modern-day language and music.

Presentation Strategies

- Remind students about the indigenous groups that lived in the United States before the arrival of the Europeans. As a class, brainstorm what impact these groups have on modern culture: in food, place names, music, entertainment, etc.

STANDARDS

1.2 Understand language
1.3 Present information
2.2 Products and perspectives
3.1 Knowledge of other disciplines
4.1 Compare languages
4.2 Compare cultures
5.1 Spanish in the community

21ST CENTURY Information Literacy, Proyectos 2, 3; **Technology Literacy,** Proyecto 1

Answers

Conexiones
Respuesta posible: Los taínos y los españoles se visten de maneras diferentes por los climas distintos de sus regiones.

Proyecto 1
Otras palabras de origen taíno incluyen: **huracán** *(hurricane)*, **barbacoa** *(barbecue)*, **tabaco** *(tobacco)*, **cacique** *(cacique)*.

Proyecto 2 Answers will vary.

Proyecto 3 Answers will vary.
Algunos instrumentos de la salsa son el piano, el bajo, los metales, los bongoes, las congas y los timbales.

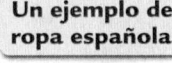

❖ Conexiones *La historia*

Los taínos

Cuando Cristobal Colón llegó a las islas del Caribe hace más de quinientos años, encontró a varias sociedades. Una de éstas, los taínos, vivían *(lived)* en Puerto Rico y en otras islas del Caribe.

La ropa de los españoles y la ropa de los taínos eran *(were)* muy diferentes. Los españoles llevaban *(wore)* pocos adornos *(decorations)* y mucha ropa. Los taínos llevaban menos ropa y muchos adornos.

Escribe dos o tres párrafos para comparar la ropa de los taínos a la ropa de los españoles. Nombra *(name)* y describe todos los artículos de ropa y los adornos que llevan los hombres en los dibujos. ¿Por qué se visten de maneras tan diferentes?

Un ejemplo de ropa taína

Una lanza

Un ejemplo de ropa española

Una espada

▨ Proyecto 1 *El lenguaje*

El español y el inglés tienen algunas palabras taínas. En español, escribe el significado *(meaning)* de estas palabras de orígen taíno:

canoa   hamaca

Busca en Internet otras palabras taínas que todavía usamos en inglés y en español. Escribe sus definiciones en español.

▨ Proyecto 2 *La geografía*

Investiga otras sociedades indígenas que vivían en el Caribe: los nepoya, los suppoyo, los igneri, los lokono, los carib, los ciboney, los lucayo, y los guanahatabey. Haz un mapa para mostrar *(show)* los lugares donde vivían algunos grupos. Escribe dos párrafos para comparar dos grupos. ¿Cómo son distintos? ¿Cómo son similares?

▨ Proyecto 3 *La música*

El güiro y las maracas son dos instrumentos comunes en la música salsa, que es muy popular en Puerto Rico. Algunas *(some)* personas piensan que estos instrumentos vienen de los taínos. Escucha un ejemplo de música salsa. (Dos artistas famosos son Celia Cruz y Rubén Blades.) Después, investiga y escribe sobre los instrumentos que escuchas. ¿Cómo son? ¿De dónde vienen?

Un güiro

Unas maracas

162 Unidad 3 Puerto Rico
ciento sesenta y dos

Differentiating Instruction

Multiple Intelligences

Musical/Rhythmic Direct students to the music lessons found on pages C2–C25 of this book. Instruct them to look for music styles other than salsa that use either maracas or the güiro. Ask them to consider the origins of these styles and why they might use the same kinds of instruments.

Pre-AP

Draw Conclusions Ask students to think about the things they wear today. Which articles of clothing are functional, which are for decoration, and which are a combination of both? Have them write a brief essay expressing their opinions about clothes today, drawing comparisons to the dress of the Spanish and the Tainos.

En resumen
Vocabulario y gramática

Vocabulario

Talk About Shopping

Clothing and Accessories

el abrigo	coat
las botas	boots
el chaleco	vest
el cinturón	belt
la falda	skirt
la gorra	cap
la pulsera	bracelet
el reloj	watch
las sandalias	sandals
el suéter	sweater
el traje	suit

Clothing Fit and Fashion

de cuadros	plaid
de rayas	striped
estar de moda	to be in style
el número	shoe size
la talla	clothing size
vestirse (i)	to get dressed
¿Cómo me queda(n)?	How does it (do they) fit me?
quedar...	to fit . . .
bien	well
mal	badly
flojo(a)	loose
apretado(a)	tight

Where You Shop

el almacén	department store
la farmacia	pharmacy
Internet	Internet
la joyería	jewelry store
la librería	bookstore
la panadería	bakery
la zapatería	shoe store

Other Shopping Expressions

Está abierto(a).	It's open.
Está cerrado(a).	It's closed.

Express Preferences and Opinions

Creo que sí.	I think so.	Me parece que...	It seems to me . . .
Creo que no.	I don't think so.	encantar	to delight
En mi opinión...	In my opinion . . .	importar	to be important
Es buena idea / mala idea.	It's a good idea / bad idea.	interesar	to interest
		recomendar (ie)	to recommend

Gramática

Nota gramatical: Verbs like **gustar** p. 148

♻ REPASO Present Tense Irregular Verbs

Some present-tense verbs are irregular only in the **yo** form.

	hacer	poner	salir	traer
yo	hago	pongo	salgo	traigo

	conocer	dar	saber	ver
yo	conozco	doy	sé	veo

	decir	venir	tener
yo	digo	vengo	tengo

Pronouns after Prepositions

Pronouns that follow **prepositions** are different from subject pronouns and object pronouns. Use these **pronouns** after prepositions like **para, de, a,** and **con.**

Pronouns after Prepositions

mí	nosotros(as)
ti	vosotros(as)
él, ella, usted	ellos, ellas, ustedes

When you use **mí** and **ti** after the preposition **con,** they combine with **con** to form the words **conmigo** and **contigo.**

Practice Spanish with Holt McDougal Apps!

Lección 1
ciento sesenta y tres **163**

Objective
· Review lesson grammar and vocabulary.

Core Resources
· *Cuaderno,* pp. 110–121
· Audio Program: TXT CD 4 Track 11

Presentation Strategies
· Direct students' attention to the ¡Llegada!
· Before playing the audio for Activity 1, instruct students to listen for key words that will help them ascertain the answers.
· To review the irregular **yo** forms, give the infinitives of some verbs out loud and instruct students to reply with the present-tense **yo** conjugation. Mix regular verbs with irregular verbs.
· Call on students to form sentences with verbs like **gustar.** Give them the infinitive, the subject, and the object, and instruct them to make the sentence. For example: **quedar/las botas/a ella - (A ella) Le quedan las botas (bien/mal).**

STANDARDS
1.2 Understand language, Act. 1
1.3 Present information, Acts. 2, 3, 4, 5
2.2 Products and perspectives, Act. 5
21st CENTURY Social and Cross-Cultural Skills, Heritage Language Learners

Warm Up Projectable Transparencies, 3-19

Vocabulary Complete the sentences with the appropriate word.

importan	recomiendas	interesa
parece		quedan

1. Me _____ que esa falda no está de moda.
2. ¿Te _____ comprar ropa en Internet?
3. ¿Cómo me _____ estas sandalias?
4. Sus opiniones nos _____.
5. ¿Qué zapatería me _____ tú?

Answers: 1. parece; 2. interesa; 3. quedan;
4. importan; 5. recomiendas

✓ Ongoing Assessment

Get Help Online
More Practice
my.hrw.com

Intervention/Remediation If students achieve less than 80% accuracy on each activity, direct them to the review pages and to get additional help online at my.hrw.com.

Answers for Activities 1–2 on p. 165.

164

Lección 1
Repaso de la lección

@HOMETUTO
my.hrw.com

¡LLEGADA!

Now you can
· talk about clothing, shopping, and personal needs
· say whom things are for
· express opinions

Using
· verbs like **gustar**
· present tense of irregular **yo** verbs
· pronouns after prepositions

To review
· verbs like **gustar,** p. 148

AUDIO

1 Listen and understand

Escucha a estas personas y decide dónde van de compras. *(Listen and decide where the people are shopping.)*

a. b. c.

d. e. f.

Audio Program
TXT CD 4 Track 11
Audio Script, TE p. 141B

To review
· present tense of irregular **yo** verbs, p. 149

2 Talk about clothing, shopping, and personal needs

Completa estas oraciones sobre la ropa y las compras. *(Complete these sentences.)*

modelo: Yo me _____ ropa de moda normalmente. (poner)

1. Antes de ir de compras, yo _____ una lista. (hacer)
2. Yo siempre _____ al centro comercial porque _____ muchas tiendas allí. (ir, conocer)
3. En las tiendas, yo _____ toda la ropa nueva. (ver)
4. Yo _____ dónde puedes encontrar pulseras y relojes bellos. (saber)
5. Mi amiga _____ conmigo al almacén y yo siempre le _____ cómo le queda la ropa. (venir, decir)
6. Yo _____ dinero en efectivo porque no _____ tarjeta de crédito. (traer, tener)
7. Yo les _____ a mis hermanos la ropa que ya no uso. (dar)
8. Después de ir de compras, yo _____ con amigos. (salir)

Differentiating Instruction

Slower-paced Learners

Read Before Listening Before students listen to the audio in Activity 1, instruct them to write the letters **a–f** on a piece of paper and to write down the type of store next to the appropriate letter. Inform them that while these names are not mentioned explicitly in the audio, they will be able to match the stores to key words in the script as they listen.

Pre-AP

Support Ideas with Details Tell students to consider the items in Activity 2 as answers to questions and instruct them to come up with the questions. For example, a possible question for the model would be **¿Siempre te pones ropa de moda?** Have students rewrite the activity as a dialog.

3 Say whom things are for

review
pronouns after prepositions, p. 154

La semana pasada Carolina fue de compras. Explica adónde fue cada día y con quién. Luego, di qué compró ella y para quién.

> modelo: Domingo: farmacia/ustedes; champú y jabón/ella
> El domingo ella fue a la farmacia con ustedes. Compró champú y jabón para ella.

1. lunes: zapatería / tú; sandalias / ustedes
2. martes: panadería / él; galletas / tú
3. miércoles: joyería / yo; pulseras / nosotras
4. jueves: librería / tú y yo; libros / ellos
5. viernes: cine / yo; una entrada / yo

4 Express opinions

review
verbs like **gustar**, p. 148

Expresa las opiniones en oraciones afirmativas o negativas según la descripción de su actividad. *(Express opinions based on the description.)*

> modelo: Jorge siempre quiere comer manzanas y plátanos.
> (Me parece que / encantar / la fruta)
> Me parece que a él le encanta la fruta.

1. Alfonso y Nancy ven todas las películas nuevas.
   (En mi opinión /encantar / el cine)
2. El chico lleva pantalones de cuadros con una camisa de rayas.
   (Me parece que / importar / estar de moda)
3. Usted nunca lleva muchas pulseras, collares o anillos.
   (En mi opinión / encantar / las joyas)
4. Nunca visitamos el museo de arte.
   (Me parece que / interesar / el arte)
5. Para ti es buena idea estudiar mucho y siempre hacer la tarea.
   (En mi opinión / importar / sacar buenas notas)

5 Puerto Rico and Peru

review
timbaleros, El Morro, p.141
comparación cultural, pp. 150, 156

Comparación cultural

Contesta estas preguntas culturales. *(Answer these culture questions.)*

1. ¿Cuáles son algunos estilos populares de música en Puerto Rico?
2. ¿Qué es el Morro y dónde está?
3. ¿Qué podemos ver en el retrato de don José Mas Ferrer?
4. ¿Dónde están Plaza Las Américas y Jockey Plaza? ¿Cómo son?

Get Help Online
my.hrw.com

Más práctica   Cuaderno *pp. 108–121*   Cuaderno para hispanohablantes *pp. 110–121*

Lección 1
ciento sesenta y cinco   **165**

Differentiating Instruction

Inclusion

Frequent Review/Repetition Ask students to rewrite each numbered item in Activity 4 using the verb in parentheses. For example, the model would be rewritten: **A Jorge le encanta comer manzanas y plátanos** or **Le encantan manzanas y plátanos.** Check their work and reinforce the rules of verbs like **gustar.**

Heritage Language Learners

Support What They Know After students answer the items in Activity 5, encourage them to compare the cultural themes to their own country of origin. Ask them about the similarities and differences in music, architecture, art, and meeting places compared to those they learned about in this lesson.

✓ **Ongoing Assessment**

Alternative Strategy **Activity 3** Have students write their answers as a letter to a friend. Encourage them to provide context so that the letter makes sense to the friend reading it.

✓ **Ongoing Assessment**

Dictation **Activity 4** With books closed, instruct students to write down the items as you say them aloud. Then allow them to open their books and check their work. Give them 15 minutes to complete the activity, and call on students to read their responses out loud.

📖 Answers Projectable Transparencies, 3-27

Answers for Activities 1–2 from p. 164.

Activity 1
1. e;   2. a;   3. f;   4. b;   5. d;   6. c

Activity 2
1. hago
2. voy; conozco
3. veo
4. sé
5. viene; digo
6. traigo; tengo
7. doy
8. salgo

Activity 3
1. El lunes ella fue a la zapatería contigo. Compró sandalias para ustedes.
2. El martes ella fue a la panadería con él. Compró galletas para ti.
3. El miércoles ella fue a la joyería conmigo. Compró unas pulseras para nosotras.
4. El jueves ella fue a la librería contigo y conmigo (or con nosotras). Compró unos libros para ellos.
5. El viernes ella fue al cine conmigo. Compró una entrada para mí.

Activity 4
1. En mi opinión, a ellos les encanta el cine.
2. Me parece que a él le importa estar de moda.
3. En mi opinión, a usted no le encantan las joyas.
4. Me parece que a nosotros no nos interesa el arte.
5. En mi opinión, a ti te importa sacar buenas notas.

Activity 5
1. Algunos estilos populares de música en Puerto Rico son plena, bomba, salsa y música folklórica.
2. El Morro es un castillo español del siglo XVI construido en Puerto Rico para defender la isla.
3. Podemos ver a don José Mas Ferrer y por la ventana vemos el puerto de San Juan y los mástiles de los barcos.
4. Plaza Las Américas está en San Juan, Puerto Rico, y es el centro comercial más grande del Caribe. Jockey Plaza es el centro comercial más grande de Perú y tiene restaurantes, lugares de boliche y un cine.

165

Lesson Overview

Culture at a Glance ❖

Topic & Activity	Essential Question
Downtown Ponce, Puerto Rico, pp. 166–167	¿Es nuevo o viejo el centro de tu comunidad?
Masks, p. 174	¿Cómo reflejan las artesanías la cultura de un país?
Holiday singing, p. 180	¿Qué importancia tienen las tradiciones en los días festivos?
Handicrafts in Puerto Rico and Panama, pp. 184–185	¿Cómo son las artesanías en Puerto Rico y Panamá?
Masks, p. 186	¿Qué aspectos de la cultura se reflejan en las celebraciones y los festivales?
Culture review, p. 189	¿Cómo son las culturas de Puerto Rico y Panamá?

COMPARISON COUNTRIES  Puerto Rico  Panamá  Perú

Practice at a Glance ❖

	Objective	Activity & Skill
Vocabulary	Items at a marketplace	1: Reading/Writing; 4: Writing/Speaking; 16: Speaking; 17: Reading/Listening/Speaking; 18: Writing; Repaso 3: Writing
	Expressions of courtesy	2: Speaking/ Writing; 16: Speaking; Repaso 1: Listening
Grammar	**hace** + expressions of time	4: Writing/Speaking; 8: Speaking; 16: Speaking; 17: Reading/Listening/Speaking; 18: Writing; Repaso 3: Writing; Repaso 4: Writing
	Irregular preterite verbs	5: Listening/Reading; 6: Reading/Writing; 7: Speaking; 8: Speaking; 10: Writing; 17: Reading/Listening/Speaking; Repaso 2: Writing
	Preterite of **-ir** stem-changing verbs	11: Reading/Writing; 12: Speaking/Writing; 13: Writing/Speaking; 17: Reading/Listening/Speaking; Repaso 4: Writing
Communication	Describe past activities and events	5: Listening/Reading; 6: Reading/Writing; 7: Speaking; 8: Speaking; 10: Writing; 11: Reading/Writing; 12: Speaking/Writing; 13: Writing/Speaking; 16: Speaking; Repaso 2: Writing; Repaso 4: Writing
	Ask for and talk about items at a marketplace	1: Reading/Writing; 4: Writing/Speaking; 16: Speaking; 17: Reading/Listening/Speaking; 18: Writing; Repaso 3: Writing
	Express yourself courteously	2: Speaking/Writing; 16: Speaking; Repaso 1: Listening
	Pronunciation: The letter **g**	*Pronunciación: La letra **g**,* p. 177: Listening
Recycle ♻	Family	7: Speaking
	Chores	7: Speaking
	Food	12: Speaking/Writing

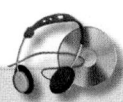
The following presentations are recorded in the Audio Program for *¡Avancemos!*

- **¡A responder!** *page 169*
- **5: Un regalo especial** *page 174*
- **17: Integración** *page 183*
- **Repaso de la lección** *page 188*
  1: Listen and understand
- **Repaso inclusivo** *page 192*
  1: Listen, understand, and compare

For **¡AvanzaRap!** scripts, see the **¡AvanzaRap! DVD.**

¡A responder! TXT CD 4 track 13

1. Los cinturones son de madera.
2. El collar es de oro.
3. La escultura es un retrato.
4. El retrato es una pintura de una persona.
5. Las artesanías están hechas a mano.
6. Emilio dice «Perdóneme» cuando quiere ver las pinturas.

5 | Un regalo especial TXT CD 4 track 15

Estuvimos en Ponce, La Perla del Sur, como dicen los ponceños. La idea fue ver las atracciones de la ciudad. No supimos hasta llegar allí que mi mamá también tuvo la idea de comprar artesanías o recuerdos. Estuvimos en el Parque de Bombas primero. Como es un museo, no pude subir a los vehículos. ¡Qué pena! Luego salimos para almorzar. Después del almuerzo fuimos al Museo Castillo Serrallés. Estuvimos en todos los cuartos por dos horas. Luego mi mamá estuvo otra hora en la tienda de artesanías. No pudo salir sin ver las artesanías hechas a mano de madera, de cerámica y de cristal. Puse un recuerdo de un coche de metal rojo en las manos de mamá y ella lo compró. ¡Por lo menos tuve un recuerdo que me gustó!

17 | Integración TXT CD 4 tracks 19, 20

Fuente 2, Programa de viajes

Narrador: Ahora estamos en el Mercado de la Muralla, un mercado al aire libre donde es posible comprar artesanías hechas a mano. Bety López organiza el mercado.

Bety: Hace cinco años que puse la primera mesa aquí para vender mis animales de cerámica. Después de unos meses, otras personas siguieron mi ejemplo y también pusieron mesas para vender sus artículos.

Narrador: Hoy el mercado es mucho más grande. Aquí puedes encontrar artículos de cuero, joyas de plata y oro, esculturas y mucho más. Si estás en San Juan un sábado, hay que visitarlo. Y... busca a Bety. Siempre está aquí con sus bellos animales de cerámica.

Repaso de la lección TXT CD 4 track 22

1 Listen and understand

1. Con permiso. Me gustaría pasar para ver las esculturas sobre la mesa.
2. Gracias por la pulsera. Me gusta mucho.
3. Señora, su retrato es único y muy bonito.
4. Disculpe, ¿me puede decir dónde queda la librería?
5. Le doy quince dólares por el collar de piedra.
6. ¿Ya va a salir?

Repaso inclusivo TXT CD 4 track 24

1 Listen, understand, and compare

Buenos días. Aquí estoy yo, Roberto Gómez, para hablar de unas actividades de nuestra comunidad. Si te interesa vestirte con la ropa que está muy de moda y te importa llevar ropa que te queda bien, entonces tienes suerte. Visita el centro comercial Las Palmas este viernes de 10 a 10. Va a abrir una nueva tienda donde puedes encontrar la mejor ropa y también los mejores relojes y pulseras. Si te encantan las gangas, esta tienda es la tienda para ti.

También este sábado va a abrir la nueva panadería Las Delicias en el centro. Compra dos panes por el precio de uno. La panadería está abierta de 7:00 a.m. a 5:00 p.m. y el domingo de 7:00 a 12:00. Está cerrada los domingos por la tarde.

Si tienes un evento especial en la comunidad, llámanos con la información. Gracias por escuchar.

Everything you need to ...

Plan
TEACHER ONE STOP

✓ Lesson Plans
✓ Teacher Resources
✓ Audio and Video

Present
INTERACTIVE WHITEBOARD LESSONS

TEACHER ONE STOP WITH PROJECTABLE TRANSPARENCIES

POWER PRESENTATIONS

ANiMaTeDGRaMMaR

Assess
 **ONLINE ASSESSMENT**

✓ Assessments for on-level, modified, pre-AP, and heritage learners
✓ Create customized tests with **Examview Assessment Suite**
✓ *performance space*
✓ *Generate Success* Rubric Generator

Print

Plan	Present	Practice	Assess
URB 3 • Video Scripts pp. 70–71 • Family Involvement Activity p. 93 • Absent Student Copymasters pp. 102–112 **Best Practices Toolkit**	**URB 3** • Video Activities pp. 58–65	• *Cuaderno* pp. 122–147 • *Cuaderno para hispanohablantes* pp. 122–147 • *Lecturas para todos* pp. 28–32 • *Lecturas para hispanohablantes* • *AvanzaCómics El misterio de Tikal*, Episodio 1 **URB 3** • Practice Games pp. 38–45 • Audio Scripts pp. 78–83 • Fine Art Activities pp. 89–90	**Differentiated Assessment Program** **URB 3** • Did you get it? Reteaching and Practice Copymasters pp. 12–22

 Projectable Transparencies (Teacher One Stop, my.hrw.com)

Culture	Presentation and Practice	Classroom Management
• Atlas Maps 1–6 • Map: Puerto Rico 1 • Fine Art Transparencies 4, 5	• Vocabulary Transparencies 8, 9 • Grammar Presentation Transparencies 12, 13 • Situational Transparency and Label Overlay 14, 15 • Situational Student Copymasters pp. 1–2	• Warm Up Transparencies 20–23 • Student Book Answer Transparencies 28–31

Audio and Video

Audio	Video	¡AvanzaRap! DVD
• Student Book Audio CD 4 Tracks 12–24 • Workbook Audio CD 2 Tracks 11–20 • Assessment Audio CD 1 Tracks 17–20 • Heritage Learners Audio CD 1 Tracks 21–24, CD 3 Tracks 17–20 • *Lecturas para todos* Audio CD 1 Track 6, CD 2 Tracks 1–7 • Sing-along Songs Audio CD	• Vocabulary Video DVD 1 • *Telehistoria* DVD 1 • *Telehistoria, Escena 1* • *Telehistoria, Escena 2* • *Telehistoria, Escena 3* • *Telehistoria, Completa* • Culture Video DVD 1	• Video animations of all **¡AvanzaRap!** songs (with Karaoke track) • Interactive DVD Activities • Teaching Suggestions • **¡AvanzaRap!** Activity Masters • **¡AvanzaRap!** video scripts and answers

Online and Media Resources

Student	Teacher
Available online at my.hrw.com • Online Student Edition • News Networking • performance space • @HOMETUTOR • Cultura Interactiva • WebQuests • Interactive Flashcards • Review Games • Self-Check Quiz **Student One Stop** **Holt McDougal Spanish Apps**	**Teacher One Stop (also available at my.hrw.com)** • Interactive Teacher's Edition • All print, audio, and video resources • Projectable Transparencies • Lesson Plans • TPRS • Examview Assessment Suite **Available online at my.hrw.com** *Generate Success* Rubric Generator and Graphic Organizers **Power Presentations**

Differentiated Assessment

On-level	Modified	Pre-AP	Heritage Learners
• Vocabulary Recognition Quiz p. 126 • Vocabulary Production Quiz p. 127 • Grammar Quizzes pp. 128–129 • Culture Quiz p. 130 • On-level Lesson Test pp. 131–137 • On-level Unit Test pp. 143–149	• Modified Lesson Test pp. 95–101 • Modified Unit Test pp. 107–113	• Pre-AP Lesson Test pp. 95–101 • Pre-AP Unit Test pp. 107–113	• Heritage Learners Lesson Test pp. 101–107 • Heritage Learners Unit Test pp. 113–119

Core Pacing Guide

	Objectives/Focus	Teach	Practice	Assess/HW Options
DAY 1	**Culture:** learn about Puerto Rican culture **Vocabulary:** words used in the marketplace • Warm Up OHT 20 **5 min**	Lesson Opener pp. 166–167 **Presentación de vocabulario** pp. 168–169 • Read A–D • View video DVD 1 • Play audio TXT CD 4 track 12 • *¡A responder!* TXT CD 4 track 13 **25 min**	Lesson Opener pp. 166–167 **Práctica de vocabulario** p. 170 • Acts. 1, 2 **15 min**	**Assess:** *Para y piensa* p. 170 **5 min** **Homework:** *Cuaderno* pp. 122–124 @HomeTutor
DAY 2	**Communication:** discuss ongoing events/situations, how long people have owned certain items • Warm Up OHT 20 • Check Homework **5 min**	**Vocabulario en contexto** pp. 171–172 • *Telehistoria escena 1* DVD 1 • *Nota gramatical:* **hace** + the period of time + **que** + the present tense **20 min**	**Vocabulario en contexto** pp. 171–172 • Act. 3 TXT CD 4 track 14 • Act. 4 **20 min**	**Assess:** *Para y piensa* p. 172 **5 min** **Homework:** *Cuaderno* pp. 122–124 @HomeTutor
DAY 3	**Grammar:** learn five verbs with irregular preterite stems • Warm Up OHT 21 • Check Homework **5 min**	**Presentación de gramática** p. 173 • Irregular preterite verbs **Práctica de gramática** pp. 174–175 **Culture:** *Los vejigantes* • *Nota gramatical:* **hace** + the period of time + **que** + the preterite **20 min**	**Práctica de gramática** pp. 174–175 • Act. 5 TXT CD 4 track 15 • Acts. 6, 7, 8 **20 min**	**Assess:** *Para y piensa* p. 175 **5 min** **Homework:** *Cuaderno* pp. 125–127 @HomeTutor
DAY 4	**Communication:** discuss what the characters in the video did, what you did last week • Warm Up OHT 21 • Check Homework **5 min**	**Gramática en contexto** pp. 176–177 • *Telehistoria escena 2* DVD 1 • *Pronunciación* TXT CD 4 track 17 **15 min**	**Gramática en contexto** pp. 176–177 • Act. 9 TXT CD 4 track 16 • Act. 10 **25 min**	**Assess:** *Para y piensa* p. 177 **5 min** **Homework:** *Cuaderno* pp. 125–127 @HomeTutor
DAY 5	**Grammar:** preterite of –ir stem-changing verbs • Warm Up OHT 22 • Check Homework **5 min**	**Presentación de gramática** p. 178 • Preterite of –ir stem-changing verbs **Culture:** *Las parrandas* **15 min**	**Práctica de gramática** pp. 179–180 • Acts. 11, 12, 13 **25 min**	**Assess:** *Para y piensa* p. 180 **5 min** **Homework:** *Cuaderno* pp. 128–130 @HomeTutor
DAY 6	**Communication:** Culmination: communicate as a buyer or seller in a real or online marketplace • Warm Up OHT 22 • Check Homework **5 min**	**Todo junto** pp. 181–183 • *Escenas 1, 2: Resumen* • *Telehistoria completa* DVD 1 **15 min**	**Todo junto** pp. 182–183 • Act. 14 TXT CD 4 tracks 14, 16, 18 • Acts. 15, 16, 18 • Act. 17 TXT CD 4 tracks 19, 20 **25 min**	**Assess:** *Para y piensa* p. 183 **5 min** **Homework:** *Cuaderno* pp. 131–132 @HomeTutor
DAY 7	**Reading:** Traditional crafts of Puerto Rico and Panamá **Review:** Lesson review • Warm Up OHT 23 • Check Homework **5 min**	**Lectura cultural** pp. 184–185 • *Las artesanías* TXT CD 4 track 21 **Repaso de la lección** pp. 188–189 **15 min**	**Lectura cultural** pp. 184–185 • *Las artesanías* **Repaso de la lección** pp. 188–189 • Act. 1 TXT CD 4 track 22 • Acts. 2, 3, 4, 5 **20 min**	**Assess:** *Para y piensa* **10 min** p. 185; *Repaso de la lección* pp. 188–189 **Homework:** *En resumen* p. 187; *Cuaderno* pp. 133–144 (optional) Review Games Online @HomeTutor
DAY 8	**Assessment**			**Assess:** Lesson 2 test or Unit 3 test **50 min**
DAY 9	**Unit Culmination**	**Comparación cultural** pp. 190–191 • TXT CD 4 track 23 • Culture video DVD 1 **Repaso inclusivo** pp. 192–193 **20 min**	**Comparación cultural** pp. 190–191 **Repaso inclusivo** pp. 192–193 • Act. 1 TXT CD 4 track 24 • Acts. 2, 3, 4, 5, 6, 7 **25 min**	**Homework:** *Cuaderno* **5 min** pp. 145–147

Core Pacing Guide

90 Minute (5 Day)

	Objectives/Focus	Teach	Practice	Assess/HW Options
DAY 1	**Culture:** learn about Puerto Rican culture **Vocabulary:** words used in the marketplace • Warm Up OHT 20 **5 min**	Lesson Opener pp. 166–167 **Presentación de vocabulario** pp. 168–169 • Read A–D • View video DVD 1 • Play audio TXT CD 4 track 12 • *¡A responder!* TXT CD 4 track 13 **15 min**	Lesson Opener pp. 166–167 **Práctica de vocabulario** p. 170 • Acts. 1, 2 **20 min**	**Assess:** *Para y piensa* p. 170 **5 min**
	Communication: discuss ongoing events/situations, how long people have owned certain items **5 min**	**Vocabulario en contexto** pp. 171–172 • *Telehistoria escena 1* DVD 1 • *Nota gramatical:* **hace** + the period of time + **que** + the present tense **15 min**	**Vocabulario en contexto** pp. 171–172 • Act. 3 TXT CD 4 track 14 • Act. 4 **20 min**	**Assess:** *Para y piensa* p. 172 **5 min** **Homework:** *Cuaderno* pp. 122–124 @HomeTutor
DAY 2	**Grammar:** learn five verbs with irregular preterite stems • Warm Up OHT 21 • Check Homework **5 min**	**Presentación de gramática** p. 173 • Irregular preterite verbs **Culture:** *Los vejigantes* • *Nota gramatical:* **hace** + the period of time + **que** + the preterite **20 min**	**Práctica de gramática** pp. 174–175 • Act. 5 TXT CD 4 track 15 • Acts. 6, 7, 8 **15 min**	**Assess:** *Para y piensa* p. 175 **5 min**
	Communication: discuss what you and the characters in the video did last week **5 min**	**Gramática en contexto** pp. 176–177 • *Telehistoria escena 2* DVD 1 • *Pronunciación* TXT CD 4 track 17 **15 min**	**Gramática en contexto** pp. 176–177 • Act. 9 TXT CD 4 track 16 • Act. 10 **20 min**	**Assess:** *Para y piensa* p. 177 **5 min** **Homework:** *Cuaderno* pp. 125–127 @HomeTutor
DAY 3	**Grammar:** preterite of **–ir** stem-changing verbs • Warm Up OHT 22 • Check Homework **5 min**	**Presentación de gramática** p. 178 • Preterite of **–ir** stem-changing verbs **Culture:** *Las parrandas* **15 min**	**Práctica de gramática** pp. 179–180 • Acts. 11, 12, 13 **20 min**	**Assess:** *Para y piensa* p. 180 **5 min**
	Communication: Culmination: communicate as a buyer or seller in a real or online marketplace **5 min**	**Todo junto** pp. 181–183 • *Escenas 1, 2: Resumen* • *Telehistoria completa* DVD 1 **15 min**	**Todo junto** pp. 182–183 • Act. 14 TXT CD 4 tracks 14, 16, 18 • Acts. 15, 16, 18 • Act. 17 TXT CD 4 tracks 19, 20 **20 min**	**Assess:** *Para y piensa* p. 183 **5 min** **Homework:** *Cuaderno* pp. 128–130, 131–132 @HomeTutor
DAY 4	**Reading:** Traditional crafts **Projects:** Masks • Warm Up OHT 23 • Check Homework **5 min**	**Lectura cultural** pp. 184–185 • *Las artesanías* TXT CD 4 track 21 **Proyectos culturales** pp. 186 • *Máscaras* **15 min**	**Lectura cultural** pp. 184–185 • *Las artesanías* **Proyectos culturales** p. 186 • *Proyectos 1, 2* **20 min**	**Assess:** *Para y piensa* **5 min** p. 185
	Review: Lesson review **5 min**	**Repaso de la lección** pp. 188–189 **15 min**	**Repaso de la lección** pp. 188–189 • Act. 1 TXT CD 4 track 22 • Acts. 2, 3, 4, 5 **20 min**	**Assess:** *Repaso de la* **5 min** *lección* pp. 188–189 **Homework:** *En resumen* p. 187; *Cuaderno* pp. 133–144 (optional) Review Games Online @HomeTutor
DAY 5	**Assessment**			**Assess:** Lesson 2 test or Unit 3 test **45 min**
	Unit Culmination	**Comparación cultural** pp. 190–191 • TXT CD 4 track 23 • Culture video DVD 1 **Repaso inclusivo** pp. 192–193 **15 min**	**Comparación cultural** pp. 190–191 **Repaso inclusivo** pp. 192–193 • Act. 1 TXT CD 4 track 24 • Acts. 2, 3, 4, 5, 6, 7 **25 min**	**Homework:** *Cuaderno* **5 min** pp. 145–147

¡AVANZA! Objectives

- Introduce lesson theme: ¿Filmamos en el mercado?
- **Culture:** Compare town or city centers.

Presentation Strategies

- Draw students' attention to the ¡Avanza!
- Remind students of characters' names: Carolina, Marta, Emilio, and Alex.
- Have students talk about markets they know.

STANDARD

2.2 Products and perspectives

21st CENTURY Creativity and Innovation, Multiple Intelligences

Warm Up Projectable Transparencies, 3-20

Clothing Jot down what special clothing was purchased for each person in the film.

un chaleco	un vestido
unas sandalias	unas botas
un cinturón (una correa)	un suéter
una gorra	

Marta   **Álex**

Answers: Marta: un vestido, unas sandalias, un suéter; Álex: un chaleco, unas botas, un cinturón (una correa), una gorra

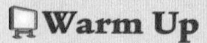
Comparación cultural

Exploring the Theme

Ask the following:

1. When and where do you wear masks?
2. What sort of special holiday singing do you know about?
3. What handicrafts are produced in your area?
4. Where do you go shopping?

¿Qué ves? Answers will vary. Sample answers:

- Los colores son rojo y negro.
- Sí, me interesa visitar el museo porque es bonito.
- Carolina lleva pantalones, una camiseta y zapatos; Emilio lleva pantalones, zapatos y una camiseta; Marta lleva un vestido y zapatos; Álex lleva pantalones, una camiseta y zapatos.
- Porque van a hacer una película.

166

UNIDAD 3 Puerto Rico

Lección 2

Tema:
¿Filmamos en el mercado?

¡AVANZA!

In this lesson you will learn to
- describe past activities and events
- ask for and talk about items at a marketplace
- express yourself courteously

using
- **hace** + expressions of time
- irregular preterite verbs
- preterite of **-ir** stem-changing verbs

¿Recuerdas?
- family, chores
- food

Comparación cultural

In this lesson you will learn about
- *los vejigantes* and traditional masks
- the holiday singers: *las parrandas*
- traditional handicrafts
- going shopping in Puerto Rico, Panamá, and Perú

Compara con tu mundo

Los jóvenes van a filmar en el mercado. Para llegar al mercado, caminan frente al Parque de Bombas, un museo en el centro de Ponce, Puerto Rico. ¿Es nuevo o viejo el centro de tu comunidad? ¿Qué hay en el centro?

¿Qué ves?

Mira la foto

¿Cuáles son los colores del Parque de Bombas?

¿Te interesa visitar el museo?

¿Qué ropa llevan los jóvenes?

¿Por qué?

166 ciento sesenta y seis

Differentiating Instruction

Multiple Intelligences

Visual Learners Have students create a visitor brochure for an historic building they know. They should include photos, a brief history, and pertinent visitor information. Ask them to present their brochures to the class.

Pre-AP

Persuade Have students prepare a list of reasons someone should visit an historic place they know or some other place of interest in the community. In pairs, each partner should invite the other to join him or her on an outing to their location. The partner should be reluctant and require convincing.

DIGITAL SPANISH my.hrw.com
ONLINE STUDENT EDITION with...

performance space
News Networking
@HOMETUTOR
CULTURA Interactiva

• Audio and Video Resources
• Interactive Flashcards
• Review Activities
• WebQuest
• Conjuguemos.com

PRACTICE SPANISH WITH HOLT MCDOUGAL APPS!

DIGITAL SPANISH

TEACHER TOOLS

• Interactive Whiteboard Lessons
• Generate Success!

ALSO AVAILABLE...

• Online Workbook
• Spanish InterActive Reader

SPANISH ON THE GO!

• Performance Space
• Holt McDougal Spanish Apps
• ¡Avancemos! eTextbook

El Parque de Bombas
Ponce, Puerto Rico

Puerto Rico 167
ciento sesenta y siete

Using the Photo

Location Information

The Parque de Bombas is considered the best example of Puerto Rican village architecture. The wooden structure, painted red and black, is located at one end of the main plaza of Ponce. The building was first constructed to house the agricultural and industrial exhibits for the fair of 1882. Since then it has served many functions, most notably as a music hall and the venue for the Ponce Firemen's Band performances. Since 1990 it has been a museum dedicated to Ponce's firemen.

Expanded Information

Ponce The beautiful colonial city of Ponce, known as the "Pearl of the South," is located on the southern side of Puerto Rico, not far from the Caribbean coast. The city was established in 1692, and is named for Puerto Rico's first governor, the Spanish explorer Don Juan Ponce de León.

Differentiating Instruction

Heritage Language Learners

Support What They Know If you have students from Puerto Rico, invite them to share information about their city. If you have students from other Spanish-speaking countries, ask them to talk a bit about where they are from, the important historical monuments, and famous people associated with their city or country.

Pre-AP

Vary Vocabulary Have students look up architectural vocabulary and label the interesting features of the **Parque de Bombas.** They should then write a brief description of the building as if for a tourist brochure.

Objectives

- Present vocabulary: craft items in a market and expressions of courtesy.
- Check for recognition.

Core Resources
- Video Program: DVD 1
- Audio Program: TXT CD 4 Tracks 12, 13

Presentation Strategies
- Draw students' attention to the ¡Avanza! and the Para y piensa to help them focus their learning.
- Play the audio as students read A–D.
- Show the video.

STANDARD
1.2 Understand language

Collaboration, Motivating with Music; **Communication**, Spanish in the Marketplace; **Flexibility and Adaptability**, TPR Activity

Communication

TPR Activity

Set up a little market with crafts. Have students in pairs play the roles of buyer and seller and engage in a short dialog about a particular object.

Comparisons
English Language Connection

Have students look for cognates in the new vocabulary. Possible answers include: **escultura, cerámica, metal, collar, pintura.**

Communication

Motivating with Music

The **¡AvanzaRap!** song for this unit targets vocabulary from both Lección 1 and Lección 2. After presenting the vocabulary in Lección 2, play the **¡AvanzaRap!** animated video to students. As a follow-up activity, have groups of students add one or two lines to the rap song or have them revise one or two existing lines of the song. Ask volunteers to "perform" their added or edited lyrics for the class.

168

Presentación de VOCABULARIO

 ¡AVANZA! **Goal:** Learn the words and expressions that Emilio and Carolina use in the marketplace. Then practice these to address people politely and to talk about different craft items and what they are made of. *Actividades 1–2*

VIDEO DVD

AUDIO

A En el mercado de artesanías muchos de **los artículos** están **hechos a mano.** Si quieres comprar artículos de artesanía **baratos**, puedes regatear por un precio más bajo. Si encuentras algo muy bonito pero muy barato, entonces es **una ganga.**

los artículos

de cuero | de madera | de cerámica

B Aquí un señor vende **esculturas**. Esta escultura es **única.** No hay otra como ésta.

Perdóneme.

la escultura de metal

Unidad 3 Puerto Rico
ciento sesenta y ocho

Differentiating Instruction

Slower-paced Learners
Yes/No Questions Ask students yes/no questions about Carolina and Emilio's conversations in the market. Encourage students to provide the correct information when they answer a question in the negative. For example, **¿Le interesa a Carolina una cerámica? No, le interesa un collar.**

Inclusion
Frequent Review/Repetition Set up a small market in your classroom. Have students in pairs browse the items in the market. They should ask each other questions about at least five objects displayed. For example, **¿A ti te gusta esta cerámica? Sí, me encanta esa cerámica.**

¿Me deja ver ese collar?

Con mucho gusto.

C **Carolina:** Estas joyas son únicas. Son muy **finas**. **Disculpe, ¿me deja ver** esas pulseras y aquel collar?

Vendedora: **Con mucho gusto**, señorita.

Carolina: ¿Me puede decir si están hechos a mano?

Vendedora: Sí, los hice yo. Las pulseras **son de plata** y el collar **es de oro**. Son muy finos, ¿no?

Carolina: Sí. Son bellos. Gracias por ayudarme.

Vendedora: De nada.

de plata

de oro

de piedra

D Es buena idea ser simpático cuando compras en el mercado...

Carolina: **Con permiso**, señor. Nos gustaría ver **las pinturas**.

Vendedor: **Pase**, señorita. Pase, muchacho. Estamos aquí para ayudarlos.

Emilio: Gracias, señor.

Vendedor: **No hay de qué**.

Más vocabulario

el retrato *portrait*
No hay de qué. *Don't mention it.*

Expansión de vocabulario p. R7
Ya sabes p. R7

la pintura

el retrato

@HOMETUTOR my.hrw.com **Interactive Flashcards**

¡A responder! Escuchar

Escucha las oraciones e indica si son ciertas o falsas según las fotos. Señala con la mano hacia arriba si son ciertas. Señala con la mano hacia abajo si son falsas. *(If the sentence is true, point upwards. If the sentence is false, point downwards.)*

Communication
Regionalisms

Explain to students that there are regional variations for some of the objects in this spread: **pintura = cuadro; collar = pendiente; cinturón = correa; pulsera = brazalete.**

Long-term Retention
Personalize It

Have students make a list of the objects they see in the market photos, indicating which ones they like and to what degree. For example, **Me gusta la cerámica. Me encanta el collar. No me interesa la pintura.** They should share their impressions with a partner.

Communities
Spanish in the Marketplace

If there is a market in town where students can use Spanish, encourage them to go and use vocabulary and expressions they've learned to date. Have them report back to class on the items they saw or purchased and whom they spoke to.

Differentiating Instruction

Pre-AP

Communicate Preferences Ask students to jot down 3–5 objects in the photos that they might like to purchase. In pairs, they should ask each other questions about which objects are of interest and explain the reasons for their preferences. For example, **¿Te gusta esta escultura de metal? Sí, pero me interesa más la cerámica porque es más bonita.**

Heritage Language Learners

Standard Spanish Have students make a list of the phrases from the spread that they can use in the market. Encourage Heritage learners to provide additional expressions and help them refine those that are not quite standard. Have partners role play short exchanges between a shopper and a vendor to practice some of the phrases.

Answers Projectable Transparencies, 3-28

¡A responder! Audio Script, TE p. 165B
1. falso (hand down)
2. cierto (hand up)
3. falso (hand down)
4. cierto (hand up)
5. cierto (hand up)
6. falso (hand down)

169

❖ Práctica de VOCABULARIO

1 | Un regalo especial

Leer
Escribir

Completa las oraciones con la palabra apropiada. *(Complete the sentences.)*

1. Una pintura de una persona se llama (una escultura / un retrato).
2. Una compra es una ganga cuando el precio es (barato / caro).
3. Una escultura es única cuando (no hay otras / hay muchas).
4. Un ejemplo de una cosa de cerámica es (una ventana / un plato).
5. Si una persona hace un artículo de cerámica con las manos, se dice que el artículo (está hecho a mano / es fino).

2 | Disculpe

Hablar
Escribir

¿Qué dicen las personas en estas situaciones? *(Complete each item appropriately.)*

modelo:  **Perdóneme.**

De nada.
No hay de qué.
Con permiso.
Pase.
Disculpe.
Perdóneme.

1.

2.  **¡Gracias!**

3.

4.

Más práctica Cuaderno *pp. 122–124* Cuaderno para hispanohablantes *pp. 122–125*

Get Help Online
my.hrw.com

PARA Y PIENSA

Did you get it? Can you say the following?
1. In a complete sentence, tell what material boots are often made of. What about bracelets? Pencils? Houses?
2. Give two responses to «**Gracias**» and two ways to apologize to someone.

Differentiating Instruction

Slower-paced Learners

Sentence Completion Use photos to cue students to complete statements about a visit to the market based on the Presentación de vocabulario spread. For example, **Emilio y Carolina ven muchos artículos de** (hold up a picture of "**cerámica**") **en el mercado.**

Heritage Language Learners

Support What They Know Expand Activity 2 by inviting students to make up extended mini-dialogs to present in class. Each dialog should provide a greater context for the use of the polite expressions.

✦ VOCABULARIO en contexto

¡AVANZA! **Goal:** Listen to the scene in the marketplace and Emilio's explanation of why he was late. Then, learn to talk about ongoing events and situations and describe how long people have owned certain items. *Actividades 3–4*

Telehistoria escena 1

@HOMETUTOR
my.hrw.com **View, Read and Record**

STRATEGIES

Cuando lees
Empatize with the character
While reading, feel Carolina's increasing frustration. If you were Carolina, why would you be upset? Think of at least two reasons.

Cuando escuchas
Compare the concerns As you listen, compare Marta's concerns to Carolina's. What does each one talk about here? Why do you think Emilio does not say much in this scene?

VIDEO DVD

AUDIO

Carolina and Marta are at an outdoor market waiting for Emilio to return.

Carolina: ¿Dónde está Emilio? ¡Son las cuatro y media! No podemos empezar porque él tiene la cámara.

Marta: *(to a market vendor)* Perdón, señorita, ¿esto está hecho a mano?

Vendedora: Sí, señorita. Es de plata. Y es muy barato.

Marta: ¡Qué bello!

Carolina: *(annoyed)* Marta, ¿me puedes ayudar, por favor? ¡Puedes ver las artesanías después!

Marta: *(to Álex)* Esta pintura es muy bella también. ¡Ay, pero qué cara!

Carolina: ¡Marta! ¡Escucha! ¡No tenemos cámara! ¿Qué vamos a hacer ahora?

Marta: Ay, perdón. ¿Qué me preguntaste? Mira, allí viene Emilio.

Emilio: Lo siento. Hace tres horas que camino por toda la ciudad.

Carolina: ¿Y por qué? ¿Para hacer ejercicio?

Emilio: No, para buscar la cámara. La perdí. **Continuará...** p. 176

Lección 2
ciento setenta y uno **171**

Differentiating Instruction

Inclusion

Clear Structure Write sentences from the Telehistoria on sentence strips. For example, **No podemos empezar porque él tiene la cámara.** Distribute one sentence strip to each student. As students read their strips they should line themselves up based on where their sentence fits in the sequence of events. Finally, have students read their sentences in order, thus re-creating the scene.

Pre-AP

Determine Cause and Effect Have students analyze the dialog and determine what factors are contributing to Carolina's frustration. They should list these factors on the board. Then they should consider what might have caused Emilio to lose the camera.

¡AVANZA! **Objective**
· Understand the vocabulary in context.

Core Resources
· Video Program: DVD 1
· Audio Program: TXT CD 4 Track 14

Presentation Strategies
· Draw students' attention to the ¡Avanza!
· Have students look at the pictures and predict what might happen in the dialog.
· Show the video and/or play the audio.

✿ STANDARD

1.2 Understand language

21ST CENTURY **Flexibility and Adaptability,** Cuando lees

🖥 Warm Up Projectable Transparencies, 3-20

Vocabulary Write down the items that you saw for sale in the market photos.

una pulsera	una escultura
unos vestidos	unos cinturones
un retrato	unos platos
unas gorras	unas mochilas

Answers: una pulsera, una escultura, unos cinturones, un retrato

Communication

Interpretive Mode

Telehistoria Have students keep the following questions in mind:
1. Why is Carolina frustrated?
2. What does Emilio have that the friends need?
3. What is Marta looking at?

Video Summary

@HOMETUTOR
VideoPlus
my.hrw.com

Carolina and Marta are in the market waiting for Emilio, who has the camera. Marta casually browses through the crafts in the market while Carolina gets increasingly frustrated. Emilio finally shows up without the camera. He has lost it and is late because he spent three hours walking around town looking for it.

▶❙ ❙❙

Objectives
· Practice using vocabulary in context.
· Review **hace** + expressions of time.

Core Resource
· Audio Program: TXT CD 4 Track 14

Practice Sequence
· **Activity 3:** Telehistoria comprehension
· **Activity 4:** Vocabulary production: **hace** + expressions of time

STANDARDS
1.1 Engage in conversation, Act. 4
1.2 Understand language, Act. 3
1.3 Present information, Act. 3
4.1 Compare languages, Nota

✓ **Ongoing Assessment**

Get Help Online
More Practice
my.hrw.com

PARA Y PIENSA **Quick Check** Have students write their answers on the board. Check word placement. Then see if students can come up with logical answers to the questions they have written. For additional practice, use Reteaching & Practice Copymasters URB 3, pp. 12, 14.

💻 **Answers** Projectable Transparencies, 3-28

Activity 3
1. Emilio tiene la cámara.
2. La artesanía que Marta mira es de plata y es barata.
3. La pintura es bella.
4. Hace tres horas que Emilio camina por la ciudad.
5. Emilio caminó para buscar la cámara.
6. Emilio perdió la cámara.

Activity 4
1. Hace un mes que Carolina tiene los collares de oro.
2. Hace dos años que el señor tiene la escultura de madera.
3. Hace tres años que Marta tiene la pulsera de plata.
4. Hace diez años que el museo tiene la pintura famosa.
5. Sample answer: Hace dos años que mi familia tiene su coche.
6. Sample answer: Hace un mes que tengo mis zapatos favoritos.

Para y piensa Sample answers:
1. ¿Cuánto tiempo hace que tienes ese reloj?
2. ¿Cuánto tiempo hace que estoy en la escuela hoy?

172

3 | *Comprensión del episodio* ¡A corregir!

Escuchar
Leer

Corrige los errores en estas oraciones. *(Correct the errors.)*

modelo: Los chicos están en la escuela.
Los chicos están en el mercado.

1. Emilio tiene la pintura.
2. La artesanía que Marta mira es de oro y es cara.
3. La pintura es barata.
4. Hace dos horas que Emilio camina por la ciudad.
5. Emilio caminó para hacer ejercicio.
6. Emilio perdió las artesanías.

Expansión:
Teacher Edition Only
Have students ask each other questions about the scene.

Nota gramatical

To describe how long something has been going on, use:

hace + the period of time + que + the present tense

Hace meses que quiero comprar esa pintura, pero todavía no tengo el dinero.
I've been wanting to buy that painting for months, but I still don't have the money.

To ask how long something has been going on, use:

cuánto tiempo + hace + que + the present tense

¿**Cuánto tiempo hace que quieres** comprar esa pintura?
How long have you been wanting to buy that painting?

4 | ¿Cuánto tiempo hace?

Escribir
Hablar

Describe cuánto tiempo hace que estas personas tienen estos artículos.
(Say how long these people have had these items.)

Artículo	Persona	Tiempo
los collares de oro	Carolina	un mes
la escultura de madera	el señor	dos años
la pulsera de plata	Marta	tres años
la pintura famosa	el museo	diez años
su coche	tu familia	¿ ?
tus zapatos favoritos	tú	¿ ?

modelo: **Hace** un mes **que** Carolina tiene los collares de oro.

Expansión
Describe how long you have had some of your favorite possessions.

Get Help Online
my.hrw.com

PARA Y PIENSA **Did you get it?** Can you . . . ?
1. ask someone how long they've had that watch
2. say how long you've been at school today

Differentiating Instruction

Inclusion

Kinesthetic Divide the class into three groups. Distribute three cards: one with the name of an object, one with the name of a person in class, and one with time periods. Write the word **Hace** on the board and invite a member of each group to come to the front and organize themselves and their cards into a logical order to the side of the word **Hace**. Example: **Hace ocho años que Enrique vive en su casa.**

Pre-AP

Expand and Elaborate After completing the expansion of Activity 4, have students ask additional questions about their partner's favorite items. For example, what is special about the item, where was it acquired, and why he/she likes it.

Presentación de GRAMÁTICA

¡AVANZA! **Goal:** Learn five verbs with irregular preterite stems. Then, practice these verbs to communicate past events and tell how long ago they happened. *Actividades 5–8*

♻ *¿Recuerdas?* Family p. R15, chores p. R7

English Grammar Connection: To form the past tense of **irregular verbs** in English, you do not add the regular *-ed* ending. Instead, you change the form of the verb.

she **is** *becomes* → she **was**   ella **está** *becomes* → ella **estuvo**

Irregular Preterite Verbs

ANiMaTeDGRaMMaR
my.hrw.com

The verbs **estar, poder, poner, saber,** and **tener** are irregular in the preterite tense. To form the preterite of these verbs, you must change their stems and add irregular preterite endings.

Here's how: Each of these verbs has a unique stem in the preterite, but they all take the same endings.

Verb		Stem	Preterite Endings	
estar	*to be*	estuv-	-e	-imos
poder	*to be able*	pud-	-iste	-isteis
poner	*to put*	pus-	-o	-ieron
saber	*to know*	sup-		
tener	*to have*	tuv-		

Note that there are no accents on these endings.

¿Dónde **pusiste** mi cartera?   Ella **estuvo** en casa ayer.
*Where **did you put** my wallet?*   ***She was** at home yesterday.*

The verb **saber** usually has a different meaning in the preterite. It means *to find out.*

Yo **supe** la verdad ayer.
*I **found out** the truth yesterday.*

Más práctica
Cuaderno *pp. 125–127*
Cuaderno para hispanohablantes *pp. 126–128*

@HOMETUTOR my.hrw.com
Leveled Practice
Conjuguemos.com

Lección 2
ciento setenta y tres **173**

Differentiating Instruction

Slower-paced Learners

Personalize It Have students make sentences with each of the five irregular preterites in the box to say something about themselves in the past. For example, **Yo estuve en Puerto Rico el verano pasado.** They should share their sentences with the class.

Inclusion

Musical/Rhythmic Divide the class into groups of three. Have each group come up with one or more rhymes using at least three of the irregular preterite verbs. They should teach the rhymes to the class.

¡AVANZA! ## Objectives

· Present the irregular preterites of **estar, poder, poner, saber,** and **tener.**
· Present the change of meaning of **saber** in the preterite.

Core Resource

· *Cuaderno,* pp. 125–127

Presentation Strategies

· Draw students' attention to the ¡Avanza!
· Present the forms of the irregular preterites.
· Point out the irregular stems.
· Explain that the meaning of **saber** changes in the preterite because it indicates the beginning of knowing something. That idea is expressed as "to find out" in English.

STANDARD

4.1 Compare languages

21st CENTURY **Collaboration, Inclusion**

Warm Up Projectable Transparencies, 3-21

Preterite Complete the following sentences with the preterite of the appropriate verb.
   mirar   esperar   caminar   perder
1. Marta y Carolina _____ en el mercado.
2. Marta _____ las artesanías.
3. Yo _____ tres horas.
4. Tú no _____ la cámara.

Answers: 1. esperaron; 2. miró; 3. caminé; 4. perdiste

Comparisons
English Grammar Connection

Remind students that regular verbs in English take an *—ed* ending in the past tense, like *walk > walked.* Ask students in pairs to generate a list of five irregular past-tense verbs in English and to indicate what irregular change occurs. Students should share their lists with the class.

Communication
 ## Common Error Alert

Remind students that the first and third person singular of the irregular preterite conjugations do not have accents and the stress falls on the first syllable.

Objectives
- Practice using irregular preterites.
- Practice using **saber** in the preterite.
- Practice **hace** + expressions of time.
- **Culture:** Learn about **vejigantes.**
- Recycle: family, chores.

Core Resources
- *Cuaderno,* pp. 125–127
- Audio Program: TXT CD 4 Track 15

Practice Sequence
- **Activity 5:** Controlled practice: listening
- **Activity 6:** Transitional practice: irregular preterites
- **Activity 7:** Transitional practice: irregular preterites; Recycle: family, chores
- **Activity 8:** Open-ended practice: **hace** + expressions of time

STANDARDS
1.1 Engage in conversation, Acts. 7, 8
1.2 Understand language, Acts. 5, 6
1.3 Present information, Act. 7
2.1 Practices and perspectives, Act. 6
2.2 Products and perspectives, Act. 6
4.1 Compare languages, Nota
4.2 Compare cultures, Act. 6

Comparación cultural

Essential Question
Suggested Answer Las artesanías pueden reflejar la historia o las tradiciones diferentes de un país.

Background Information
Ponce's Carnival celebration is the oldest on the island, dating back to the 19th century. It is celebrated right before Ash Wednesday and features parades, costumes, dance, and music. The festival of Saint James is on July 30. These celebrations combine indigenous, African, and European traditions.

Answers Projectable Transparencies, 3-29

Activity 5
1. en Ponce; 2. supo; 3. al Parque de Bombas; 4. no pudo; 5. otro museo; 6. estuvo una hora; 7. puso

Activity 6
1. estuvimos; 2. pudimos; 3. tuvimos; 4. puse; 5. pusieron; 6. tuvo; 7. supo

174

Práctica de GRAMÁTICA

🎧 **Audio Program**
TXT CD 4 Track 15
Audio Script,
TE p. 165B

5 | Un regalo especial

Escuchar
Leer

Escucha dónde estuvieron Carlitos y su familia durante una excursión. Completa las oraciones para saber qué pasó. *(Choose the correct answer.)*

1. Carlitos y su familia estuvieron (en San Juan / en Ponce).
2. Cuando la familia llegó allí (tuvo / supo) los planes de mamá.
3. Primero tuvieron que ir (al mercado / al Parque de Bombas).
4. Carlitos (pudo / no pudo) subir a los vehículos.
5. Luego la familia estuvo en (otro museo / la casa de un amigo).
6. La mamá de Carlitos (estuvo una hora / no estuvo) en la tienda.
7. Carlitos (puso / supo) algo en las manos de mamá.

Expansión:
Teacher Edition Only
Have students write two questions based on the audio, using irregular verbs in the preterite.

6 | Máscaras

Leer
Escribir

Comparación cultural

(izquierda) *Una máscara del vejigante* (abajo) *La fiesta del vejigante* (2005), Obed Gómez

Los vejigantes
¿Cómo reflejan las artesanías la cultura de un país? Una artesanía que se identifica con **Puerto Rico** es la máscara *(mask)* del vejigante. Los vejigantes aparecen en la celebración de Carnaval en Ponce y la Fiesta de Santiago Apóstol en Loíza Aldea. Sus máscaras de colores vivos pueden ser de papel maché o de cáscaras de coco *(coconut shells)*. La pintura de Obed Gómez muestra un desfile *(parade)* tradicional. Los vejigantes pueden ser traviesos *(mischievous)* durante los desfiles, tratando *(trying)* de dar miedo a las personas. Los músicos tocan bomba, un tipo de música de baile de origen africano. Los vejigantes bailan y empiezan cantos, y todos les responden con una rima. Un ejemplo es: *Toco toco toco* **toco** / *El vejigante come* **coco**.

Compara con tu mundo *¿Conoces algunos festivales cerca de tu comunidad? ¿Cómo son?*

Completa este correo electrónico con el pretérito de los verbos **estar, poder, poner, saber** y **tener**. *(Complete with the appropriate form of the preterite tense.)*

Ayer Sofía, Álex y yo **1.** en el Viejo San Juan. En una tienda de artesanías compramos unas máscaras. Nosotros no **2.** pagar con tarjeta de crédito, entonces **3.** que pagar con dinero en efectivo. Salimos de la tienda y yo me **4.** la máscara de tigre, y Sofía y Álex también se **5.** sus máscaras. Luego encontramos a mi hermano pequeño. Cuando nos vio, él **6.** miedo y no **7.** qué hacer. Fue muy cómico.

Expansión:
Teacher Edition O
Have students rewrite the paragraph in the third person.

Differentiating Instruction

Heritage Language Learners
Support What They Know Have students describe some of the festivals they know. When do they occur, what are their origins, how are they celebrated? What special foods, clothing, music, etc. are part of the celebrations?

English Learners
Increase Interaction Divide students into groups to discuss what they know about these U.S. holidays: Thanksgiving, Valentine's Day, Independence Day, New Year's Day, Halloween. Ask them if they have similar holidays in their country and to compare them. How are they similar? How are they different?

7 ¿Quién lo tuvo que hacer? ♻ ¿Recuerdas? Family p. R15, chores p. R7

Hablar

Pregúntale a tu compañero(a) quién de su familia tuvo que hacer estos quehaceres la última vez. Usen **tener** en el pretérito. *(Find out who had to do which chores last.)*

1.
2.
3.
4.
5.
6.

Expansión:
Teacher Edition Only
Ask students to tell which chores their partners did.

Nota gramatical

To describe how long *ago* something happened, use:

hace + the period of time + que + the preterite

Hace dos años que **fui** a Puerto Rico.
*I went to Puerto Rico **two years ago**.*

Hace tres horas que **me vestí**.
I got dressed three hours ago.

8 ¿Hace mucho tiempo?

Hablar

Di cuánto tiempo hace que hiciste estas cosas. *(Tell how long ago you did things.)*

modelo: poner los libros en la mochila

1. estar en el cine
2. poder ir a la playa
3. saber un secreto
4. estar enfermo(a)
5. ponerse los zapatos
6. tener un examen fácil

Ⓐ ¿Cuánto tiempo hace que pusiste los libros en la mochila?

Ⓑ Hace dos horas que puse los libros en la mochila.

Expansión
Tell how long ago your partner did three of the activities.

Más práctica Cuaderno *pp. 125–127* Cuaderno para hispanohablantes *pp. 126–128*

PARA Y PIENSA

🌐 **Get Help Online**
my.hrw.com

Did you get it? Can you . . . ?
1. give the preterite forms: **estar (ellos), saber (usted), poner (nosotros)**
2. ask a friend how long ago he/she did something (saw a movie, traveled, etc.)

Lección 2
ciento setenta y cinco **175**

Geography

Activity 6 Have students locate San Juan, Ponce, and Loíza Aldea on a map of Puerto Rico. Have them identify which places are on the coast, which are inland, etc. What other geographic features of the island are indicated on the map?

✓ Ongoing Assessment

🌐 **Get Help Online**
More Practice
my.hrw.com

PARA Y PIENSA

Alternative Strategy Write subjects on index cards. Have a volunteer mime an activity. Students guess the activity; for example, **poner la mesa.** Then, when you hold up a card, they combine the subject with the activity to create a sentence in the preterite: **Marta y yo pusimos la mesa.** For additional practice, use Reteaching & Practice Copymasters URB 3, pp. 15, 16, 21.

🖥 Answers Projectable Transparencies, 3-29

Activity 7 Answers will vary. Answers will follow structure of item 1 and will include the preterite **tener que.**
1. Student A: ¿Quién **tuvo que** sacar la basura?
   Student B: Mi madre **tuvo que** sacar la basura.
2. barrer
3. cortar el césped
4. pasar la aspiradora
5. lavar los platos
6. poner la mesa

Activity 8 Answers will vary. Sample answers:
1. ¿Cuánto tiempo hace que estuviste en el cine? Hace un mes que estuve en el cine.
2. ¿Cuánto tiempo hace que pudiste ir a la playa? Hace dos años que pude ir a la playa.
3. ¿Cuánto tiempo hace que supiste un secreto? Hace un momento que supe un secreto.
4. ¿Cuánto tiempo hace que estuviste enfermo(a)? Hace mucho tiempo que estuve enfermo(a).
5. ¿Cuánto tiempo hace que te pusiste los zapatos? Hace tres horas que me puse los zapatos.
6. ¿Cuánto tiempo hace que tuviste un examen final? Hace cuatro meses que tuve un examen final.

Para y piensa
1. estuvieron, supo, pusimos
2. ¿Cuánto tiempo hace que viste una película (viajaste, ...)?

Differentiating Instruction

Pre-AP

Expand and Elaborate After completing Activity 8, have students ask each other follow-up questions to learn more about their partner's activities. For example, **¿Cuánto tiempo hace que estuviste en el cine? Hace un mes que estuve en el cine. ¿Qué película viste? Vi «El señor de los anillos». ¿Te gustó? Sí, me encantó.**

Inclusion

Multi-sensory Input/Output Bring in photos of different activities. As you display each one, say how long it's been since you did the activity. Have students repeat the process with their own responses. Write **Hace _____ que...** on the board. Ask volunteers to complete the sentence by writing an activity—one that is included in the photos or one they think of on their own.

- Present irregular preterites in context.
- Present the hard **g** sound.

Core Resources

- Video Program: DVD 1
- Audio Program: TXT CD 4 Tracks 16, 17

Presentation Strategies

- Ask students to scan the Telehistoria script before watching the video.
- Show the video. Direct students to listen for uses of the preterite.
- Play the audio.

Practice Sequence

- **Activity 9:** Telehistoria comprehension
- **Activity 10:** Transitional practice: preterite

STANDARDS

1.2 Understand language, Act. 9
1.3 Present information, Act. 10
4.1 Compare languages, Pronunciación
21ST CENTURY Communication, Act. 10: Expansión; **Initiative and Self-Direction, Heritage Language Learners**

Warm Up Projectable Transparencies, 3-21

Irregular Preterite Use the cues to make sentences in the preterite.
1. Yo/poner/el libro/en la mesa
2. Tú/estar/en clase/ayer
3. José/saber/el nombre de la película
4. Nosotros/no poder/ir/a la fiesta
5. Mis hermanos/tener que/estudiar/anoche
Answers: 1. puse; 2. estuviste; 3. supo; 4. no pudimos; 5. tuvieron que

Video Summary
@ HOMETUTOR **VideoPlus** my.hrw.com

Emilio retraces his steps, trying to remember where he might have left the camera. He talks about the necklace he bought for his mother and gets distracted. Carolina reminds him that they need the camera. Emilio mentions that he went to a few more stores and then a cafe. When Carolina asks him about the cookie he is eating, Emilio realizes he must have left the camera in the bakery.

GRAMÁTICA en contexto

 **Goal:** Listen to Emilio explain what he did on the way to the marketplace. Then, continue practicing irregular preterite verbs to describe what the characters in the video did and what you did last week. *Actividades 9–10*

Telehistoria escena 2

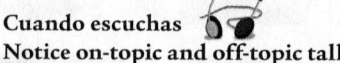 View, Read and Record my.hrw.com

STRATEGIES

Cuando lees
Track the path While reading, track Emilio's path. Where was he earlier that day? List the places in order. What does he realize at the end of the scene?

Cuando escuchas
Notice on-topic and off-topic talk Listen to Emilio's tale of woe and excuses. How much does he stick to the topic, searching for the camera? How much does he veer off the topic?

Emilio is worried because he can't find his camera.

Emilio: La vi encima de la mesa en casa hoy por la mañana. La puse en mi mochila y salí.

Marta: ¿Y no sabes cuándo la perdiste?

Emilio: No, no sé cuándo la perdí. Lo siento mucho. Primero fui a comprar un regalo de cumpleaños para mi madre: este collar. ¡Es de oro y fue una ganga! Hace un año que le compré una pulsera...

Carolina: ¡Emilio! ¡La cámara!

Emilio: ¡Perdón! Estuve un rato en la joyería, después fui a unas tiendas y más tarde comí en un café... Volví al café y a las tiendas, pero no pude encontrarla.

Carolina: ¿Qué estás comiendo?

Emilio: Una galleta de la panadería... *(having a realization)* ¡La panadería!

Continuará... p. 181

Differentiating Instruction

Slower-paced Learners

Read Before Listening Have students preview the text of the Telehistoria before listening to it. Have them jot down notes about the major elements so they can focus their listening on those elements. Ask students to write the irregular preterite verbs and listen for them.

Heritage Language Learners

Writing Skills Have students in pairs write a short dialog between Emilio and someone at the bakery where he left the camera. They should use the Telehistoria episode as a model for formatting the dialog and check their own work carefully for spelling and accents. After practicing, students should present their dialogs in class.

9 Comprensión del episodio ¿Comprendiste?

scuchar
Leer

Empareja la descripción con la cosa o el lugar. *(Match the description to the object or place. Some will be used more than once.)*

1. Emilio la puso en su mochila esta mañana.
2. Emilio comió allí.
3. Emilio la compró hace un año.
4. Es de oro.
5. Fue una ganga.
6. Emilio compró una galleta allí.
7. Emilio no la pudo encontrar en las tiendas.
8. Emilio lo compró para su madre.

a. el café
b. la cámara
c. el collar
d. la joyería
e. la panadería
f. la pulsera

> **Expansión:**
> **Teacher Edition Only**
> Pair students, instructing one to phrase each item as a question and the other to answer in complete sentences.

10 La semana pasada

Escribir

Escribe un párrafo sobre la semana pasada. Usa las preguntas como guía. *(Write a paragraph about last week. Use the questions as a guide.)*

Para organizarte
- ¿En qué lugares estuviste la semana pasada?
- ¿Qué ropa te pusiste para ir a esos lugares?
- ¿Tuviste que hablar español? ¿Pudiste hablarlo?
- ¿Supiste de una fiesta divertida? ¿Fuiste a la fiesta?

> **Expansión:**
> **Teacher Edition Only**
> Students should exchange their paragraph with a partner. Then they should ask each other three follow-up questions about their partner's activities.

Pronunciación   La letra g

AUDIO

Before **a, o, u,** and the consonants **l** and **r,** the Spanish **g** is pronounced like the English g in the word *game*. Listen and repeat.

ga →	ganga	regatear	jugar	llegada
go →	golf	juego	amigo	luego
gu →	gusto	guapo	Gustavo	guitarra
gl / gr →	globo	Gloria	grande	gracias

Me gusta ir de compras los domingos para buscar gangas.

A Gregorio le gusta jugar al golf.

 **Get Help Online**
my.hrw.com

PARA Y PIENSA

Did you get it? Put the following statements into the preterite.
1. Tenemos que comprar un regalo hoy.
2. No puedo encontrar un artículo hecho a mano.
3. ¿Estás en el mercado?

Lección 2
ciento setenta y siete **177**

Differentiating Instruction

Inclusion

Alphabetic/Phonetic Awareness Have students in pairs make a list of at least ten words they know in Spanish with the hard **g** sound. They should alphabetize their list. Invite volunteers to conduct a spelling bee with some of the words on their list.

Slower-paced Learners

Personalize It After Activity 10, organize students in pairs and have them interview each other about their activities the previous Saturday. They should be attentive to the use of the preterite in their responses. Encourage students to ask follow-up questions to get more details. For example, **¿Adónde fuiste el sábado? Fui al museo de arte. ¿Qué pinturas viste? Vi un retrato de Picasso. ¿Te gustó?...**

Unidad 3 Lección 2
GRAMÁTICA

Communication

Grammar Activity

Telehistoria Have students write the preterite verbs on a piece of paper. In pairs, they should take turns saying a verb to their partner. The partner should say a sentence related to the dialog.

✓ Ongoing Assessment

Dictation After practicing the hard **g** sound, dictate several sentences that include words with the hard **g** sound. If students miss more than two words, refer them to p. 177 and the audio program for review and additional practice.

✓ Ongoing Assessment

 **Get Help Online**
More Practice
my.hrw.com

PARA Y PIENSA **Quick Check** Ask students to put the following sentences into the preterite: **Tengo que comprar un regalo hoy. No pueden encontrar un artículo hecho a mano. ¿Está usted en el mercado?** For additional practice, use Reteaching & Practice Copymasters URB 3, pp. 15, 17.

 Answers Projectable Transparencies, 3-29

Activity 9
1. b. la cámara
2. a. el café
3. f. la pulsera
4. c. el collar
5. c. el collar
6. e. la panadería
7. b. la cámara
8. c. el collar

Activity 10 Answers will vary. Sample answer: La semana pasada fui a muchos lugares. Fui al museo de arte el sábado. Estuve allí cuatro horas porque me interesa mucho el arte. Para ir al museo me puse pantalones y una camiseta. El domingo mi familia y yo visitamos a mi abuela. Me puse un vestido que mi abuela me dio. Luego, visité a una amiga. Pude hablar español con su familia porque son de Puerto Rico. Supe que van a viajar allí durante el verano y me invitaron. ¡Qué divertido!

Para y piensa
1. Tuvimos
2. pude
3. Estuviste

177

¡AVANZA! **Objective**

¡AVANZA! **Objective**

· Present preterite of **-ir** stem-changing verbs.

Core Resource
· *Cuaderno*, pp. 128–130

Presentation Strategies
· Draw students' attention to the ¡Avanza!
· Point out the regular endings and highlight the irregular third person plural stem change.

 STANDARD

4.1 Compare languages

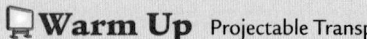**Warm Up** Projectable Transparencies, 3-22

Irregular Preterite What did the following people do?

1. Carolina no (tener) mucha paciencia.
2. Marta (poder) comprar algunas artesanías en el mercado.
3. Emilio (poner) la cámara en su mochila.
4. Las chicas (saber) que Emilio le compró un regalo a su mamá.

Answers: 1. tuvo; 2. pudo; 3. puso; 4. supieron

Comparisons
English Grammar Connection

Irregular Preterite Remind students that the regular past tense in English is formed by adding *–ed* to the end of the verb. Point out that there are also irregular past-tense verbs in English just as there are in Spanish. Have students in pairs make a list of five verbs in English with irregular preterite conjugations, such as *swam, dove, bought,* etc. Ask them to identify any pattern they might notice.

178

✿ Presentación de **GRAMÁTICA**

¡AVANZA! **Goal:** Learn the preterite forms of **-ir** stem-changing verbs. Then practice the stem changes in the third person singular and plural. *Actividades 11–13*

♻ *¿Recuerdas?* Food pp. R10, R11

English Grammar Connection: Most English verbs in the past tense have the same form no matter who the subject is: *I **asked**, you **asked**, they **asked**.* In Spanish, however, some verbs must change their **stems** in the past tense depending on the person who carries out the action.

Preterite of -ir Stem-Changing Verbs
ANIMATEDGRAMMAR
my.hrw.com

Remember that many **-ir** verbs have stem changes in the present tense. These verbs change stems in some forms of the preterite tense too.

Here's how: Stem-changing **-ir** verbs in the preterite change only in the **usted/él/ella** and the **ustedes/ellos/ellas** forms.

Preterite tense e → i

pedir	*to ask for*
pedí	pedimos
pediste	pedisteis
pidió	pidieron

Preterite tense o → u

dormir	*to sleep*
dormí	dormimos
dormiste	dormisteis
durmió	durmieron

¿Qué **pidieron** en el mercado?
*What **did** they **ask for** at the market?*

Zulma **durmió** diez horas anoche.
*Zulma **slept** ten hours last night*

Here are some other **e → i** preterite stem-changing verbs that follow the pattern of **pedir.**

preferir	*to prefer*
servir	*to serve*
vestirse	*to get dressed*
competir	*to compete*
seguir	*to follow*

¿Quiénes **compitieron** en el campeonato?
*Who **competed** in the championship?*

Nosotros **competimos** y ganamos.
*We **competed** and we won.*

Más práctica
Cuaderno *pp. 128–130*
Cuaderno para hispanohablantes *pp. 129–132*

@HOMETUTOR my.hrw.com
Leveled Practice
🌐 Conjuguemos.com

Differentiating Instruction

Inclusion

Frequent Review/Repetition Have students make up questions about the characters in the video, using the preterite of stem-changing verbs. For example, **¿Qué pulsera prefirió Carolina en el mercado?** Have student pairs take turns asking each other their questions and writing down the answers.

Multiple Intelligences

Visual Learners Conduct a conjugation bee with the preterite stem-changing verbs. Give players two colors of chalk or markers. When they spell an irregular conjugation, they should use the second color to spell the part of the word that contains the irregular change. For example: in the word **pidió,** they would highlight the first **i.**

Práctica de GRAMÁTICA

11 | En el mercado

Leer
Escribir

Lee el párrafo sobre una familia que visitó el mercado. Complétalo con los verbos en el pretérito. *(Complete with the appropriate preterite forms.)*

competir	pedir	servir
dormir	preferir	vestirse

Ayer fuimos al mercado. Mi hermano se __1.__ en el coche pero lo despertamos cuando llegamos. Mi hermana compró un chaleco de cuero y le gustó tanto que __2.__ con el chaleco inmediatamente. Todos los vendedores __3.__ por nuestra atención, pero vimos una tienda única y entramos. Mi mamá quiso ver los artículos de cerámica, y le __4.__ ayuda al vendedor. Ella le dijo: «Disculpe, ¿me deja ver esas cosas de cerámica?» Él le respondió: «Con mucho gusto, señora. Pase». Luego él nos __5.__ refrescos. ¡Qué simpático! Yo compré una pulsera muy fina de plata, pero mi hermana __6.__ las pulseras de oro. Fue un día muy divertido.

Expansión:
Teacher Edition Only
Have students ask a partner five questions about this paragraph as if the partner had written it.

12 | ¡Hay mucha confusión!   ¿Recuerdas? Food pp. R10, R11

Hablar
Escribir

Hay un nuevo camarero en el restaurante Las Flores. ¿Qué pidieron los clientes y qué les sirvió el camarero? *(Tell what the customers ordered and what the waiter served by mistake.)*

modelo: yo /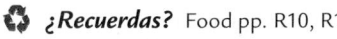

Yo pedí arroz pero el camarero me sirvió una papa.

1. Álex /

2. yo /

3. un señor /

4. Álex y yo /

5. unas chicas /

6. tú /

Expansión
Using expressions of courtesy, create a conversation with the waiter who served the wrong dish.

Differentiating Instruction

Pre-AP

Expand and Elaborate After completing Activity 11, have students write a paragraph about an outing with their family or friends. They should use at least three of the irregular preterite verbs. Then have partners exchange paragraphs and ask follow-up questions to learn more about the outing.

Slower-paced Learners

Personalize It Use pictures of food to review food vocabulary and to practice the irregular preterite verbs **pedir** and **servir** as in Activity 12. Hold up a food item and ask a student what he or she ordered at the restaurant. Then show another photo and ask the student what the waiter served. Ask follow-up questions like: **¿Te gustó (gustaron)? ¿Cuál preferiste?**

Objectives
· Practice the preterite of stem-changing verbs in context.
· Recycle: foods.

Practice Sequence
· **Activity 11:** Transitional practice: –**ir** stem-changing verbs
· **Activity 12:** Transitional practice: –**ir** stem-changing verbs; Recycle: food

STANDARDS
1.1 Engage in conversation, Act. 12
1.2 Understand language, Act. 11
1.3 Present information, Acts. 11, 12
21st CENTURY Communication, Act. 12: Expansión/Pre-AP

TEACHER **to** TEACHER
Janice B. Beaver
Annapolis, MD

Tips for Sentence Construction

"I use 'sentence strips' to practice word order, noun/adjective agreement, and subject/verb agreement. I write four or five sentences on strips of paper in different colored markers and cut the sentences apart word by word. I then place the sentence pieces in different envelopes. I divide the class into groups of three or four and give each group an envelope that contains four or five sentences. Students must use all the pieces in the envelope to construct the sentences. The first group that has all the sentences logically and structurally correct wins a prize."

Go online for more tips!

Answers Projectable Transparencies, 3-29 and 3-30

Activity 11
1. durmió
2. se vistió
3. compitieron
4. pidió
5. sirvió
6. prefirió

Activity 12
1. Álex pidió una hamburguesa pero el camarero le sirvió sopa.
2. Yo pedí un jugo de naranja pero el camarero me sirvió leche.
3. Un señor pidió pescado pero el camarero le sirvió pollo.
4. Álex y yo pedimos pan pero el camarero nos sirvió unas uvas.
5. Una chicas pidieron pizza pero el camarero les sirvió una ensalada.
6. Tú pediste pastel pero el camarero te sirvió un tomate.

179

Comparación cultural

Objectives

· Practice irregular preterite verbs with time expressions.
· **Culture:** Learn about holiday traditions.

Core Resource

· *Cuaderno,* pp. 128–130

Practice Sequence

· **Activity 13:** Open-ended practice:
  –**ir** stem-changing verbs

STANDARDS

1.2 Understand language, CC
1.3 Present information, Act. 13
2.1 Practices and perspectives, CC
4.2 Compare cultures, CC

21st CENTURY Social and Cross-Cultural Skills,
Heritage Language Learners/English Learners

✓ **Ongoing Assessment**

Get Help Online
More Practice
my.hrw.com

PARA Y PIENSA **Intervention/Remediation** After Activity 13, give students three new sets of cues for writing sentences. If they miss more than one irregular preterite form, direct them to p. 178 and workbook pages 128–130 for review. For additional practice, use Reteaching & Practice Copymasters URB 3, pp. 18, 19, 22.

Comparación cultural

Essential Question

Suggested Answer Las tradiciones son importantes para las familias porque todos pueden aprender sobre el pasado.

Background Information

Christmas traditions in Puerto Rico include the **aguinaldo:** bonus pay for workers or small gifts of sweets for children and friends. Puerto Ricans often put up a Christmas tree and open their gifts at midnight on Christmas Eve. Christmas dinner includes special foods such as rice and beans (**arroz con gandules**), suckling pig (**lechón**), blood sausage (**morcilla**), and a wide variety of sweets, fruits, and beverages.

See Activity answers on p. 181.

---

13 | ¿Qué pasó?

Escribir Hablar

En grupos de tres, escriban oraciones para hablar del pasado.
(Tell what happened in the past.)

modelo: La semana pasada tú competiste en un campeonato de fútbol.

ayer	Carolina	pedir...
anteayer	mis amigos y yo	dormir...
la semana pasada	yo	preferir...
el mes pasado	tú	servir...
el año pasado	los profesores	vestirse...
¿ ?	mi madre o padre	competir...
	¿ ?	

Expansión
Choose three of your favorite sentences to share with another group.

Comparación cultural

Las parrandas

¿Qué importancia tienen las tradiciones en los días festivos? Durante la temporada *(season)* de Navidad en **Puerto Rico,** las parrandas son una tradición. Muchos puertorriqueños caminan en grupos por las calles, cantando canciones navideñas y tocando instrumentos tradicionales. Muchas veces las parrandas continúan hasta la madrugada *(dawn).* El grupo se detiene *(stops)* en casas de amigos para hacer asaltos navideños. En un asalto, el grupo canta para sorprender *(surprise)* y despertar a la familia. Cantan versos como:

> *Despierta amigo, despierta,*
> *que venimos a cantarte.*
> *Levántate y abre la puerta,*
> *levántate y abre la puerta,*
> *que queremos saludarte.*

Una parranda navideña

En algunas canciones, piden comida y bebida. Normalmente la familia invita al grupo a entrar en la casa, y todos comen y celebran. Después, la familia va con el grupo para repetir esta tradición con otra familia.

Compara con tu mundo *¿Cómo celebra los días festivos tu familia?*

Más práctica Cuaderno *pp. 128–130* Cuaderno para hispanohablantes *pp. 129–132*

Get Help Online
my.hrw.com

PARA Y PIENSA **Did you get it?** Give the correct preterite verb form.
1. Ellos _____ (pedir) pizza.
2. Yo _____ (vestirse).
3. Tú _____ (servir) la cena.
4. Emilio _____ (dormir).

Differentiating Instruction

Heritage Language Learners

Build on What They Know Encourage heritage learners to share more information about holiday traditions in their country, and to compare them to traditions in the U.S. Have students create one or more bulletin board collages for holidays, with images that reflect the wide variety of traditions in the Spanish-speaking world.

English Learners

Build Background Encourage English learners to share information about the celebrations in their countries. Have U.S. students in small groups present the traditions of an American holiday to use for comparison. Encourage students to consider the origins of holiday traditions, their importance in society and family, special activities, foods, and music.

Todo junto

¡AVANZA! **Goal:** *Show what you know* Listen to the final scene in the marketplace. Then use the expressions you learned to communicate as a buyer or seller in real and online marketplaces. *Actividades 14–18*

Telehistoria completa

@HOMETUTOR my.hrw.com — View, Read and Record

STRATEGIES

Cuando lees
Read for "inside knowledge" What do you know that Carolina doesn't know? What does she believe is happening? When does she learn the truth?

Cuando escuchas
Listen for a turnaround This scene contains many clues, but Carolina interprets them incorrectly. What are the clues? When she learns what's really happening, everything changes for her. How and why?

 **Escena 1** *Resumen*
Carolina y Marta esperan a Emilio. Por fin llega, pero sin la cámara porque la perdió.

 **Escena 2** *Resumen*
Carolina y Marta le preguntan a Emilio dónde está la cámara, pero él no sabe. Cuando ven que Emilio está comiendo una galleta, saben dónde está la cámara: en la panadería.

 VIDEO DVD / AUDIO

Escena 3

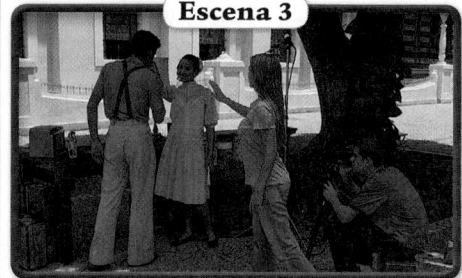

Carolina and Emilio get ready to film. Marta and Álex appear to be speaking to each other but are actually on separate cell phone calls.

Marta: *(speaking into her cell phone)* ¿Quieres ir al cine mañana?

Álex: *(also on his cell phone)* Buena idea.

Carolina: *(frustrated)* Vamos a comenzar...

Marta: *(on phone)* Nos vemos mañana, Jeny.

Álex: *(on phone)* Hasta luego, mamá.

Carolina: ¿Okay? ¡Acción!

Marta: *(filming starts)* Con permiso. ¿Me deja ver esa escultura de piedra?

Álex: Con mucho gusto, señorita.

Marta: Es muy fina. ¿Está hecha a mano?

Álex: Sí, yo la hice.

Marta: Entonces, ¿es única?

Álex: Es única, como usted. Yo me llamo Daniel.

Marta: Y yo soy Ariana.

Carolina: *(interrupts filming)* ¡Un momento! Marta, Álex, ¿por qué se pusieron esa ropa? ¡Ustedes se vistieron para la segunda parte de la película!

Marta: ¡Ay! ¡Tienes razón! ¡Lo siento! *(Marta leaves the set to change.)*

Álex: Carolina, ¿quieres ir al cine conmigo mañana?

Carolina: Pero... pero, ¿no vas con Marta? ¿Ella no te preguntó...?

Álex: ¿Marta? ¡No! Ella va con Jeny. Me gustaría ir contigo.

Carolina: Entonces, ¡sí!

Álex: ¡Perfecto! Hablamos mañana.

Lección 2
ciento ochenta y uno **181**

Differentiating Instruction

Slower-paced Learners

Yes/No Questions Ask students yes/no questions to reinforce their understanding of the scene. **¿Habla Marta con Álex? ¿Va Álex al cine con Marta?** Have students locate the section of the dialog that provides answers.

Pre-AP

Summarize Have students summarize the dialog in the preterite tense. Remind students of the difference between dialog and narrative. They should pay careful attention to sequencing events, and use transitions when necessary to make their summary flow. After writing, they can exchange paragraphs with a partner for peer editing before re-writing.

¡AVANZA! **Objective**
· Integrate lesson content.

Core Resources
· Video Program: DVD 1
· Audio Program: TXT CD 4 Track 18

Presentation Strategies
· Draw students' attention to the ¡Avanza!
· Ask students what they remember about the Telehistoria so far.
· Show the video or play the audio.

STANDARD
1.2 Understand language
21st CENTURY Critical Thinking and Problem Solving, Pre-AP

 Warm Up Projectable Transparencies, 3-22

Preterite Complete each sentence with a preterite form.

vestirse pedir competir dormir

1. Emilio no _____ anoche.
2. Álex y Marta _____ con ropa especial.
3. Alberto _____ en el partido de béisbol.
4. Carolina _____ una ensalada en el café.

Answers: 1. durmió; 2. se vistieron; 3. compitió; 4. pidió

Video Summary
@HOMETUTOR VideoPlus my.hrw.com

Marta and Álex are carrying on separate cell phone conversations, but Carolina believes they have just made a date to go to the movies. Marta goes to change and Álex takes the opportunity to invite Carolina to the movies. The confusion is cleared up.

Answers Projectable Transparencies, 3-30

Answers for Activities on p. 180.

Activity 13 Answers will vary. Samples:
1. Ayer Carolina pidió una galletas.
2. Anteayer mis amigos y yo dormimos hasta el mediodía.
3. La semana pasada yo serví pescado.
4. El año pasado los profesores compitieron con los estudiantes en fútbol.

Para y piensa
1. pidieron   3. serviste
2. me vestí   4. durmió

TODO JUNTO

Objective
· Practice using and integrating lesson grammar and vocabulary.

Core Resources
· *Cuaderno*, pp. 131–132
· Audio Program: TXT CD 4 Tracks 14, 16, 18, 19, 20

Practice Sequence
· **Activities 14, 15:** Telehistoria comprehension
· **Activity 16:** Open-ended practice: speaking
· **Activity 17:** Open-ended practice: reading, listening, speaking
· **Activity 18:** Open-ended practice: writing

STANDARDS
1.1 Engage in conversation, Act. 16
1.2 Understand language, Acts. 14, 15
1.3 Present information, Acts. 14, 15, 16, 17, 18
2.1 Practices and perspectives, Act. 17
21ST CENTURY Critical Thinking and Problem Solving, Inclusion; Flexibility and Adaptability, Act. 16

✓ Ongoing Assessment

Rubric Activity 16

Speaking Criteria	Maximum Credit	Partial Credit	Minimum Credit
Content	Includes all the information.	Includes some of the information.	Includes little information.
Communication	Information is well-organized and easy to follow.	Some information is well-organized and fairly easy to follow.	Information is poorly organized and difficult to follow.
Accuracy	Few mistakes in vocabulary and grammar.	Some mistakes in vocabulary and grammar.	Many mistakes in vocabulary and grammar.

To customize your own rubrics, use the **Generate Success** *Rubric Generator and Graphic Organizers.*

See p. 183 for Activity 14 and 15 answers.

182

---

14 Comprensión de los episodios ¡A corregir!

Escuchar
Leer

Corrige los errores en estas oraciones. *(Correct the errors.)*

modelo: Los chicos están haciendo ejercicio.
Los chicos están haciendo una película.

1. Marta habla por teléfono con Álex.
2. La escultura es de metal.
3. La escultura es muy barata.
4. Álex y Marta se vistieron para la tercera parte de la película.
5. Álex prefiere salir con Marta.
6. Al final, Carolina está muy triste.

Expansión:
Teacher Edition On
Instruct students to rewrite the corrected sentences 1, 2, 3, 5, and 6 in the preterite tense.

15 Comprensión de los episodios ¡Vamos a filmar!

Leer
Escribir

Contesta las preguntas. *(Answer the questions.)*

1. ¿Qué perdió Emilio el día de la película?
2. ¿En cuántos lugares estuvo Emilio ese día? ¿Dónde estuvo?
3. ¿Quiénes hablaron por teléfono antes de hacer la película?
4. ¿Cuál es el problema que tuvieron Marta y Álex con la ropa?
5. ¿A quién invitó Álex a ir al cine?

Expansión:
Teacher Edition On
Ask students to come up with three more questions about the Telehistoria to ask a partner.

16 Venta de garaje

Digital **performance** space

Hablar

STRATEGY Hablar
Reflect on real experiences Before doing this activity, recall items you've seen at yard sales, garage sales, or flea markets. Think of any items you or your family no longer use that you could "sell" in your role-play.

Están en una venta de garaje. Hagan los papeles de vendedor(a) y cliente. Deben hablar por lo menos de tres artículos. Describan los artículos y su historia y usen expresiones de cortesía. *(Role-play shopping for items at a garage sale. Discuss at least three items and use expressions of time and of courtesy.)*

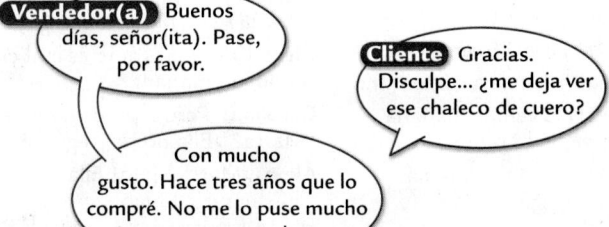

Vendedor(a) Buenos días, señor(ita). Pase, por favor.

Cliente Gracias. Disculpe... ¿me deja ver ese chaleco de cuero?

Con mucho gusto. Hace tres años que lo compré. No me lo puse mucho y ya no me queda...

Expansión
Act out your role play for the class. Other groups should listen and write down the items and details.

182 Unidad 3 Puerto Rico
ciento ochenta y dos

Differentiating Instruction

Slower-paced Learners

Read Before Listening Have students read the questions in Activities 14 and 15 before listening to the episode. Discuss what context clues they should listen for to find the answers. For example, for Activity 14, students should listen for the subjects mentioned. In Activity 15, students need to focus on specific details.

English Learners

Build Background Before doing Activity 16, discuss garage sales. Talk about why people have them, what they sell, what the pricing is like, and why people choose to shop at them. Remember that garage sales are not common in much of the world, so English learners may not understand Activity 16 without background-building.

17 Integración

Leer
Escuchar
Hablar

Lee y escucha las descripciones de un mercado. Describe lo que se puede ver y comprar allí, y recomienda a un artesano que quieres visitar. *(Read and listen to the descriptions. Describe the market and recommend an artisan.)*

🎧 Audio Program
TXT CD 4
Tracks 19, 20
Audio Script,
TE p. 165B

Fuente 1 Libro (guía para viajar)

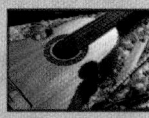

Un cuatro de Eloy

Los instrumentos musicales hechos a mano por Eloy Torres son una de las atracciones del Mercado de la Muralla. Vende cuatros, palitos y otros instrumentos de madera natural. Eloy tuvo la oportunidad de trabajar con una compañía grande, pero él prefirió vender sus cosas únicas aquí en el mercado. Es posible ver su trabajo fino aquí todos los sábados desde las 8:00 hasta las 4:00. ¡Hay que regatear por un precio barato!

Palitos para el ritmo

Fuente 2 Programa de viajes

Listen and take notes
· ¿Cuánto tiempo hace que el mercado está allí?
· ¿Quién es Bety? ¿Qué artículos hace ella?
· ¿Qué otros artículos puedes encontrar en el mercado?

modelo: El Mercado de la Muralla me parece muy interesante. Allí podemos ver...

Expansión:
Teacher Edition Only
Students should imagine themselves as a critic for the arts section of a newspaper and write a review of the market.

18 ¡Está hecho a mano!

Escribir

Haz un anuncio para vender un artículo por Internet. Descríbelo con detalles y di cuánto tiempo hace que lo tienes. Dibuja o toma una foto para acompañar la descripción. *(Create an Internet ad to sell an item. Include a drawing or photo.)*

modelo: **A vender—¡barato! Silla de madera**
Necesito vender esta silla fina de madera con decoración de oro. Hace cien años que mi familia la tiene...

Writing Criteria	Excellent	Good	Needs Work
Content	Your ad includes many details and new vocabulary words.	Your ad includes some details and new vocabulary.	Your ad includes little information or new vocabulary.
Communication	Most of your ad is organized and easy to follow.	Parts of your ad are organized and easy to follow.	Your ad is disorganized and hard to follow.
Accuracy	Your ad has few mistakes in grammar and vocabulary.	Your ad has some mistakes in grammar and vocabulary.	Your ad has many mistakes in grammar and vocabulary.

Expansión
Post your descriptions in the classroom and bid on each other's articles.

Más práctica Cuaderno *pp. 131–132* Cuaderno para hispanohablantes *pp. 133–134*

PARA Y PIENSA

Did you get it? Write four sentences using irregular and -ir stem-changing verbs to describe a trip you took with someone to a marketplace.

Get Help Online
my.hrw.com

Lección 2
ciento ochenta y tres **183**

Long-term Retention

Pre-AP Integration

Ask students to consider the Integración activity as practice for skills such as expanding and elaborating, circumlocution, sequencing information, varying vocabulary, self-correcting, supporting ideas with details, using transitions, summarizing, and responding within a time frame — all elements of the AP exam.

✓ Ongoing Assessment

Rubric Activity 17

Listening/Speaking

Proficient	Not There Yet
Student takes detailed notes and describes most items for sale at the market.	Student takes few notes and only describes some of the items for sale at the market.

✓ Ongoing Assessment

Get Help Online
More Practice
my.hrw.com

PARA Y PIENSA Quick Check Have students read their sentences aloud. Make corrections as needed. For additional practice, use Reteaching & Practice Copymasters URB, 3 pp. 18, 20.

💻 Answers Projectable Transparencies, 3-30 and 3-31

Activity 14
1. Marta habla por teléfono con su amiga Jeny.
2. La escultura es de piedra.
3. La escultura es única.
4. Álex y Marta se vistieron para la segunda parte de la película.
5. Álex prefiere salir con Carolina.
6. Al final, Carolina está muy contenta.

Activity 15
1. Perdió la cámara.
2. Emilio estuvo en la joyería, unas tiendas, un café y la panadería.
3. Álex y Marta hablaron por teléfono antes de hacer la película.
4. Marta y Álex se pusieron la ropa de la segunda escena.
5. Álex invitó a Carolina al cine.

Activity 16 Answers will vary. See rubric.

Activity 17 Answers will vary. Sample answer: El Mercado de la Muralla me parece muy interesante. Allí podemos ver artículos como joyas, esculturas, los animales de cerámica de Bety, pinturas, artículos de cuero, instrumentos musicales hechos a mano por Eloy Torres y más.

Activity 18 Answers will vary.

Para y piensa Answers will vary.

183

Differentiating Instruction

Inclusion

Synthetic/Analytic Support Guide students through the note-taking process for Activity 17. As they read the guidebook, they should underline helpful information. Before listening, they should preview the note-taking questions. Before responding, encourage them to review the information they have to select what is appropriate. Then help them organize their ideas into a logical sequence.

Slower-paced Learners

Peer Study Support Review with the students the writing rubric that accompanies Activity 18. After they complete their messages, have them exchange papers with a partner. Each student reads their partner's work and applies the rubric, making suggestions for improvement as appropriate. Remind students to give constructive criticism to help their partners improve their writing.

Additional readings at my.hrw.com
SPANISH
InterActive Reader

¡AVANZA! Objectives
· Encourage reading comprehension.
· **Culture:** Compare craft items of Puerto Rico and Panama.

Core Resource
· Audio Program: TXT CD 4 Track 21

Presentation Strategies
· Draw students' attention to the ¡Avanza!
· Ask students to describe the items they see in the pictures.
· Ask students about traditional crafts in the U.S.

STANDARDS
1.2 Understand language
2.2 Products and perspectives
3.1 Knowledge of other disciplines
21st CENTURY **Information Literacy,** Pair Work; **Productivity and Accountability,** Spanish in the Marketplace

🖥 Warm Up Projectable Transparencies, 3-23
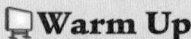

Stores Where can you buy these items?

una zapatería	una panadería	un mercado de artesanías
una joyería	una tienda de ropa	una farmacia

1. unas sandalias
2. un reloj
3. pan
4. un plato de cerámica
5. aspirinas
6. una falda

Answers: 1. una zapatería; 2. una joyería; 3. una panadería; 4. un mercado de artesanías; 5. una farmacia; 6. una tienda de ropa

Comparación cultural

Background Information
Molas are produced by the Kuna Indians of the San Blas islands off the northern coast of Panama. The **mola** illustrated on p. 185 represents a bird in flight. **Molas** are created by a reverse-applique technique in which the artist layers fabric of various colors, then cuts down to the color layer desired for a particular section, and turns under the cut edges. The turned edges are then sewn in place. Sometimes **molas** are further embellished with decorative embroidery.

¡AVANZA! **Goal:** Read about traditional crafts from Puerto Rico and Panama. Discuss the differences in crafts from different countries.

Comparación cultural

🎧 AUDIO

Las artesanías

STRATEGY Leer
Draw a mind map of countries and crafts Draw a mind map with key facts about crafts in Panama and Puerto Rico. Include as many details as possible.

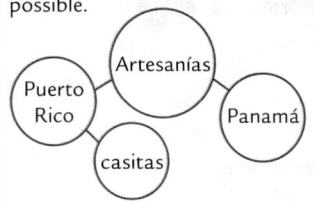

Puerto Rico

Tallas de madera:
Los tres reyes

Hay muchas artesanías típicas de Puerto Rico. Dos muy conocidas[1] son la talla[2] de santos[3] y las «casitas». Las tallas son figuras de madera que representan a los santos de la tradición social puertorriqueña. Primero, el artesano o la artesana trabaja la madera; luego la pinta. Estas tallas llevan símbolos que identifican al santo. Las casitas son fachadas[4] en miniatura de casas y edificios[5] históricos. Existen de muchos tamaños[6] y materiales: las más famosas son de cerámica y son muy finas. Hay también algunas de madera y otras que son básicamente pinturas sobre madera o metal. Las fachadas pueden ser de casas históricas, pero también pueden ser de edificios importantes o de lugares tradicionales, como la de Puig y Abraham, en el Viejo San Juan, que hoy en día es un restaurante muy popular.

---

[1] well known [2] carving [3] saints [4] façades [5] buildings [6] sizes

Una casita de cerámica (abajo); casas del Viejo San Juan (derecha).

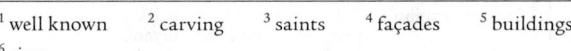

Differentiating Instruction

Heritage Language Learners
Support What They Know Invite your Heritage learners to share craft items from their country with the class. They should explain the origin, material, meaning, and use of each item they bring, and say how long they have had each.

Inclusion
Metacognitive Support Remind students that Spanish commonly describes the essence of something with the construction **de** + *noun*, while English usually uses adjectives. Instruct them to find instances where **de** + *noun* is used to describe the handicrafts, then encourage them to write how the phrase would be written in English.

Panamá

Una mola tradicional decorada con un pájaro de muchos colores

En Panamá también hay ricas tradiciones de artesanías. Las molas son una de éstas. Las molas son telas [7] de colores vivos [8], cortadas y cosidas [9] en diseños [10] del mundo [11] de los cunas. Los cunas, una comunidad indígena [12] de Panamá, hacen estas telas que se conocen internacionalmente. En partes de Panamá también hay artesanos que trabajan la cerámica. Por ejemplo, en el pueblo [13] de La Arena, los artesanos hacen trabajo de cerámica con la arena [14] del lugar. Ellos decoran sus piezas con diseños de la tradición indígena. Las cerámicas de La Arena son únicas.

[7] fabrics   [8] bright   [9] cut and-sewn   [10] designs   [11] mundo   [12] native
[13] town   [14] sand

PARA Y PENSA

¿Comprendiste?

1. ¿Qué son las tallas puertorriqueñas?
2. ¿De qué materiales se hacen las «casitas» o fachadas en miniatura?
3. ¿Qué son las molas? ¿Quiénes las hacen?
4. ¿De dónde vienen las ideas y los diseños de los artesanos puertorriqueños y los panameños? ¿Por qué son diferentes las artesanías únicas de estos dos países?

¿Y tú?

¿Qué artesanías hacen en la región donde vives? ¿Cuál te gusta más? ¿Por qué?

Lección 2
ciento ochenta y cinco **185**

Communication
Pair Work

Oral Presentation Have students in pairs prepare an oral presentation on a craft item from a Spanish-speaking country. They should include photos or actual examples of the item, its origin, history of production, material content, meaning(s), and use(s). Ask students to say what they think the item reveals about the culture that produced it.

Community
Spanish in the Marketplace

If there is a specialty store or a flea market in your area that sells international handicrafts, instruct students to visit it and to ask the vendors what items they sell from the Spanish-speaking world. Have them report their findings to the class, describing each item's country of origin and how it is made.

Differentiating Instruction

English Learners

Increase Interaction Ask your international students to bring in examples of crafts from their countries. They should explain the origin, material, meaning, and use of each item they bring, and say how long they have had each one. Have students compare and contrast the items featured in the Lectura with those brought by all the class members.

Pre-AP

Circumlocute Bring in additional craft items or photos of them. Have students write definitions of each craft item discussed in class without mentioning its name. They can describe materials, origin, use, etc. but should avoid naming it directly. Have students take turns describing an item while their classmates try to guess what it is.

Answers

Para y piensa ¿Comprendiste?

1. Son figuras de santos talladas de madera.
2. Las casitas son de cerámica aunque pueden ser de otros materiales.
3. Las molas son telas de colores vivos. Los indios cuna de Panamá las hacen.
4. Answers will vary. Sample answer: Las ideas y los diseños de los artesanos vienen de las tradiciones y las culturas de estas comunidades. Las artesanías de Puerto Rico y Panamá son diferentes porque las culturas son diferentes.

¿Y tú? Answers will vary.

Objective

· **Culture:** Make masks based on those used in festivals in Puerto Rico, and those used by the Inca and the Maya.

Presentation Strategy

· Ask students when they wear masks and why. Are there any special features of the masks they wear? What do students know about the use of masks in different cultures and throughout history?

STANDARDS

1.2 Understand language
2.2 Products and perspectives
3.1 Knowledge of other disciplines
4.2 Compare cultures

21st CENTURY **Social and Cross-Cultural Skills,** En tu comunidad; **Technology Literacy,** El arte

Connections
El arte

Have students discuss the materials that can be used to make different kinds of masks. They should investigate masks from Spanish-speaking countries on the Internet to learn more about materials that can be used.

Comparación cultural

Essential Question

Suggested Answer La música, la comida y la ropa son algunos aspectos de la cultura que se reflejan en las celebraciones y festivales.

❖ Proyectos culturales

Máscaras

¿Qué aspectos de la cultura se reflejan (are reflected) en las celebraciones y los festivales? Las máscaras (masks) tienen un papel (role) importante en las celebraciones de las culturas hispanohablantes. Las máscaras antiguas representan fuerzas (forces) misteriosas o desconocidas (unknown) o símbolos de la cultura. Son hechas de metales preciosos, joyas, madera o barro (clay). Las máscaras modernas se usan en fiestas y festivales para adoptar identidades diferentes o también para representar símbolos de la cultura. Son hechas de tela (fabric), papel o plástico.

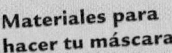 Proyecto 1 *Una máscara moderna*

En Puerto Rico, la gente lleva máscaras durante las fiestas de carnaval. Las máscaras representan criaturas fantásticas, animales exóticos o personas extrañas (strange).

Materiales para hacer tu máscara
Papel
Tijeras (Scissors)
Marcadores (Markers) o lápices de diferentes colores
Pegamento (Glue)

Instrucciones
1. Piensa en el diseño para tu máscara. Puede ser simple o fantástico.
2. En el papel, dibuja la forma de la cara. Si quieres llevar la máscara, debe ser del tamaño de tu cara.
3. Corta la máscara del papel con tijeras.
4. Añade (Add) color con marcadores.
5. Si quieres llevar tu máscara, ponle un elástico.

Proyecto 2 *Una máscara antigua*

Las máscaras antiguas de los incas y los mayas tienen adornos de joyas, de oro y de plata. Generalmente, representan fuerzas abstractas, imágenes de la religión o animales. Hay máscaras que tienen diseño doble: el sol y la luna, una cara triste y una cara alegre o un animal y una persona. Los incas y los mayas usaban (used) las máscaras en varias ceremonias y celebraciones.

Materiales para hacer una máscara doble
Arcilla (Modeling clay)

Instrucciones
1. Piensa en el diseño para tu máscara doble y en dos conceptos diferentes que quieres representar.
2. Con la arcilla, forma los dos lados de la máscara.

En tu comunidad

En Estados Unidos hay celebraciones de festivales de países hispanohablantes donde puedes ver máscaras. También puedes ver estas máscaras en tiendas de artesanías o en los museos. En tu comunidad, ¿dónde puedes ver máscaras de países hispanohablantes?

Differentiating Instruction

Slower-paced Learners

Personalize It Have students discuss their experiences with masks in general. When might they wear the mask they are going to make? Encourage them to consider what features they want to include in it before beginning, as well as the opposing concepts they want to show in their double mask.

Inclusion

Frequent Review/Repetition Pair weaker/stronger students. Have them brainstorm vocabulary related to mask-making. The list should include materials, colors, shapes, and verbs. Have them use the list to talk about the masks they made, or one of the masks in the book.

cción
2

En resumen
Vocabulario y gramática

ANiMATeDGRaMMaR
Interactive Flashcards
my.hrw.com

Vocabulario

Items at the Market

los artículos	goods
barato(a)	inexpensive
la escultura	sculpture
fino(a)	fine
una ganga	a bargain
la pintura	painting
el retrato	portrait
único(a)	unique
(estar) hecho(a) a mano	(to be) handmade
ser de...	to be made of . . .
cerámica	ceramic
cuero	leather
madera	wood
metal	metal
oro	gold
piedra	stone
plata	silver

Expressions of Courtesy

Con mucho gusto.	With pleasure.
Con permiso.	Excuse me.
De nada.	You're welcome.
Disculpe.	Excuse me.; I'm sorry.
No hay de qué.	Don't mention it.
Pase.	Go ahead.
Perdóneme.	Forgive me.

Ask for Help

¿Me deja ver...?	May I see . . . ?

Gramática

Notas gramaticales: Hace + expressions of time *pp. 172, 175*

Irregular Preterite Verbs

The verbs **estar, poder, poner, saber,** and **tener** have a unique stem in the preterite, but they all take the same endings.

Verb	Stem	Preterite Endings	
estar	estuv-	-e	-imos
poder	pud-	-iste	-isteis
poner	pus-	-o	-ieron
saber	sup-		
tener	tuv-		

Note that there are no accents on these endings.

Preterite of Stem-changing Verbs

Stem-changing **-ir** verbs in the preterite change only in the **usted/él/ella** and the **ustedes/ellos/ellas** forms.

Preterite tense e → i

pedir	to ask for
pedí	pedimos
pediste	pedisteis
pidió	pidieron

Preterite tense o → u

dormir	to sleep
dormí	dormimos
dormiste	dormisteis
durmió	durmieron

Practice Spanish with Holt McDougal Apps!

Lección 2
ciento ochenta y siete **187**

Differentiating Instruction

Pre-AP

Self-correct Have students study each group of vocabulary words by going down the list and trying to give the meaning while covering the English with an index card. If they get any words wrong, they should learn the meaning and repeat the list until they get all the words right.

Multiple Intelligences

Verbal Hold a spelling bee or a sentence bee in which students either spell a word or phrase, or use it in a sentence. You can organize the class into teams and award points for correct answers with a prize for the winning team.

Objective
· Review lesson vocabulary and grammar.

DIGITAL SPANISH

Interactive Flashcards Students can hear every target vocabulary word pronounced in authentic Spanish. Flashcards have Spanish on one side, and a picture or a translation on the other.

Review Games Matching, concentration, hangman, and word search are just a sampling of the fun, interactive games students can play to review for the test.

performance space

News Networking

@HOMETUTOR

CuLTuRa Interactiva

• **Audio and Video Resources**
• **Interactive Flashcards**
• **Review Activities**
• **WebQuest**
• **Conjuguemos.com**

Long-term Retention
Personalize It

Have students describe several objects that they own, incorporating appropriate vocabulary to describe the object and explain a bit about its history and importance to the owner.

Communication
Role-Playing and Skits

Have students prepare a short skit using as many expressions of courtesy as possible. Have the rest of the class raise their hands when they hear one of the expressions.

Objective
· Review lesson grammar and vocabulary.

Core Resources
· *Cuaderno*, pp. 133–144
· Audio Program: TXT CD 4 Track 22

Presentation Strategies
· Review may be done in class or as homework.
· You may want students to access the Review online.

STANDARDS
1.2 Understand language, Acts. 1, 2
1.3 Present information, Acts. 3, 4
2.1 Practices and perspectives, Act. 5
2.2 Products and perspectives, Act. 5
21ST CENTURY Creativity and Innovation, Pre-AP

🖥 Warm Up Projectable Transparencies, 3-23

Vocabulary Complete each sentence.

carnaval	madera	cerámica	molas

1. Las máscaras son muy populares para las fiestas de _____ .
2. Los santos son figuras de _____ que representan santos populares.
3. Las casitas están hechas de _____ , madera o pintadas sobre metal.
4. Los indígenas cuna de Panamá son conocidos por sus _____ .

Answers: 1. carnaval; 2. madera;
3. cerámica; 4. molas

✓ Ongoing Assessment

Get Help Online
More Practice
my.hrw.com

Intervention/Remediation If students achieve less than 80% accuracy on each activity, direct them to the review pages listed in the margins and to get help online at my.hrw.com.

Answers for Activities 1–2 on p. 189.

188

¡AvanzaRap!
DVD
Sing and Learn

@HOMETUTO
my.hrw.com

¡LLEGADA!

Now you can
· describe past activities and events
· ask for and talk about items at a marketplace
· express yourself courteously

Using
· irregular preterite verbs
· preterite of **-ir** stem-changing verbs
· **hace** + expressions of time

To review
· expressions of courtesy, p. 168–169

AUDIO

🎧 **Audio Program**
TXT CD 4 Track 22
Audio Script,
TE p. 165B

1 Listen and understand

Escoge la mejor expresión para responder a la persona.
(Choose the appropriate response.)

1. **a.** Lo siento.
   b. Pase señora.
2. **a.** No hay de que.
   b. Con permiso.
3. **a.** Gracias.
   b. De nada.

4. **a.** No hay de qué.
   b. Con mucho gusto.
5. **a.** Con permiso.
   b. Lo siento, pero cuesta 20 dólares.
6. **a.** Sí, con permiso.
   b. Sí, de nada.

To review
· irregular preterite verbs, p. 173

2 Discuss a past event

Cuando Ale y su hermana llegaron a casa, tuvieron un problema. Completa su cuento con los verbos apropiados en el pretérito. *(Tell what happened using the correct verbs in the preterite.)*

El sábado __1.__ (tener/saber) un problema. Fui a la panadería por la mañana con mi hermana. Cuando llegamos a casa, mi hermana no __2.__ (tener/poder) abrir la puerta. «¡Está cerrada!» exclamó. Le pregunté «dónde __3.__ (poner/estar) tu llave?» Me contestó, «la __4.__ (saber/poner) en el abrigo, pero ahora no está allí». Después de tres largas horas llegó nuestra mamá. Le pregunté, «¿dónde __5.__ (poder/estar)?» Ella no __6.__ (tener/estar) que contestar porque yo lo __7.__ (tener/saber) cuando yo vi toda la nueva ropa que compró. Ella __8.__ (poder/estar)en el centro comercial. «¿No tienen sus llaves?» nos preguntó Mamá. «¡Ay, perdónenme, hijas, por favor! Pero... ¡compré botas nuevas para ustedes!» ¡Por fin, __9.__ (saber/tener) suerte!

Differentiating Instruction

Slower-paced Learners

Read Before Listening Have students look at the answer options for Activity 1 before listening. Ask them to imagine what sort of comment would generate each response. For example, **No hay de qué** could be a response to **Gracias.**

Inclusion

Frequent Review/Repetition After completing Activity 1, have students in pairs take turns saying something for their partner to respond to, using one of the two options listed. Encourage students to try something new if they don't remember what they heard.

review
ce + expressions
f time, p. 172

3 | Talk about items at a marketplace

Di cuánto tiempo hace que estas personas buscan estos artículos. *(Say how long the following people have been looking for these items.)*

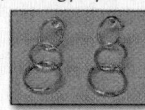

modelo: tú / aretes de / tres horas
Hace tres horas que tú buscas unos aretes de plata.

1. Susana / pulsera de / dos días

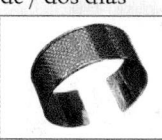

2. yo / cinturón de/ una semana

3. ellos / artesanías de / un mes

4. nosotros / collar de / dos horas

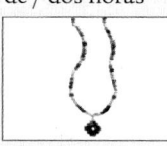

5. ustedes / suéter hecho / un año

6. tú / escultura de / tres días

review
ce + expressions
f time, p. 175
reterite of -ir
em-changing
rbs, p. 178

4 | Describe past activities

Di cuánto tiempo hace que estas personas hicieron estas actividades. *(Say how long ago these activities happened.)*

modelo: yo / dormir hasta muy tarde
Hace una semana que yo dormí hasta muy tarde.

1. tú / competir en un campeonato
2. El camarero / servir el postre
3. los perros / seguirnos a la casa
4. yo / pedir una ensalada
5. Anita / vestirse con falda
6. ellos / dormir en la sala

review
os taínos,
141
omparación
ultural, pp. 174,
0
ctura cultural,
184–185

5 | Puerto Rico and Panama

Comparación cultural

Contesta estas preguntas culturales. *(Answer these culture questions.)*

1. ¿Cuál es otro nombre para los puertorriqueños? ¿De dónde viene?
2. ¿Qué hacen los vejigantes durante los festivales en Puerto Rico?
3. ¿Qué hacen los puertorriqueños en una parranda? ¿Cuándo las hacen?
4. ¿Cuáles son algunas artesanías típicas de Puerto Rico y Panamá?

Get Help Online my.hrw.com

práctica   Cuaderno pp. 133–144   Cuaderno para hispanohablantes pp. 135–144

Differentiating Instruction

Pre-AP

Use Transitions Instruct students to write a cohesive short story using the preterite of all six verbs practiced in Activity 4. Their stories should be told in the third person and contain transitional phrases.

Multiple Intelligences

Linguistic/Verbal After completing Activity 2, have students retell the story in the third person. **El sábado Ale tuvo un problema. Fue a la . . .**

Answers Projectable Transparencies, 3-31

Answers for Activities 1–2 from p. 188.

Activity 1
1. b (Pase señora.)
2. a (No hay de qué.)
3. a (Gracias.)
4. b (Con mucho gusto.)
5. b (Lo siento, pero cuesta 20 dólares.)
6. a (Sí, con permiso.)

Activity 2
1. tuve   4. puse   7. supe
2. pudo   5. estuviste (estuvo)   8. estuvo
3. pusiste   6. tuvo   9. tuvimos

Activity 3
1. Hace dos días que Susana busca una pulsera de oro.
2. Hace una semana que busco un cinturón de cuero.
3. Hace un mes que ellos buscan artesanías de madera.
4. Hace dos horas que buscamos un collar de piedra.
5. Hace un año que ustedes buscan un suéter hecho a mano.
6. Hace tres días que buscas una escultura de metal.

Activity 4 Answers will vary. Sample answers:
1. Hace un año que competiste en un campeonato.
2. Hace unos minutos que el camarero sirvió el postre.
3. Hace dos días que los perros nos siguieron a la casa.
4. Hace treinta minutos que pedí una ensalada.
5. Hace dos meses que Anita se vistió con falda.
6. Hace una hora que ellos durmieron en la sala.

Activity 5
1. Otro nombre para los puertorriqueños es **boriqua.** Viene del nombre taíno para la isla: **Borinquen** o **Boriquén.**
2. Los vejigantes bailan y cantan durante los festivales.
3. En una parranda los puertorriqueños cantan canciones de Navidad y tocan instrumentos. Visitan las casas de familias y ellas los invitan a comer.
4. Algunas artesanías típicas de Puerto Rico son los santos y las fachadas en miniatura. Típicas de Panamá son las molas y las cerámicas de La Arena.

Objectives
- **Culture:** Compare where people shop and what they buy in Peru, Panama, and Puerto Rico.
- Read about different teens' shopping experiences.
- Write about where you shop and what you buy.

Core Resources
- *Cuaderno,* pp. 145–147
- Audio Program: TXT CD 4 Track 23
- Video Program: DVD 1

Presentation Strategies
- Review the locations of Peru, Panama, and Puerto Rico on a map.
- Have students compare and contrast what the people are doing in the three photos.
- You may have students read the notes, listen to the audio, or access them online.

STANDARDS
1.2 Understand language
1.3 Present information
4.2 Compare cultures
21st CENTURY Communication, Pre-AP; **Social and Cross-Cultural Skills,** Compara con tu mundo

---

Long-term Retention

Personalize It

Pre-writing Strategy Have students fill in details about a recent shopping trip, including where they went, what they bought, and what the results were. Encourage them to include interesting details for each category of information.

Comparación cultural

 ¡Me encanta ir de compras!

AUDIO

Lectura y escritura

WebQuest my.hrw.com

① **Leer** Where people shop and what they buy varies around the world. Read about the shopping trips of Marcos, Juanita, and Valeria.

② **Escribir** Using the three descriptions as models, write a short paragraph about where you shop and what you buy.

> **STRATEGY Escribir**
> **Take notes about your shopping trip** Take notes in an organized way and use them to write about your shopping trip.
>
>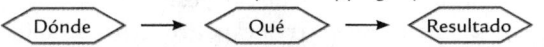
> Dónde → Qué → Resultado

Step 1 First take notes on where you were, then what you bought (and for whom, if it was not for you), and finally the result or response.

Step 2 Write the paragraph about your shopping trip, including all the information in the notes. Check your writing by yourself or with help from a friend. Make final additions and corrections.

Compara con tu mundo
Use the paragraph you wrote to compare your shopping trip with that of Marcos, Juanita, or Valeria. In what ways is your shopping trip different or similar?

Cuaderno *pp. 145–147*   Cuaderno para hispanohablantes *pp. 145–147*

Differentiating Instruction

Pre-AP
Sequence Information Have students tell a partner about a recent shopping trip, following the models of Marcos, Juanita, and Valeria. They should be careful to sequence the information logically. Their partner should help them by asking key questions for information not included.

Slower-paced Learners
Peer-study Support Have students compare pre-writing notes and offer suggestions to their partner for filling in gaps or improving sequencing of information. After writing, have students exchange papers again for peer editing before they write their final draft to turn in.

Perú *Marcos*

¡Hola! Soy Marcos. Me encanta comprar regalos para mi familia. Generalmente voy a un centro comercial pero ayer estuve en unas tiendas en la calle. Allí venden artículos de papel, de madera, de cuero y más. Compré un cinturón para mi papá. Después fui a una zapatería y le compré a mi mamá unas sandalias de cuero muy de moda. ¡Le encantaron!

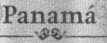

Panamá *Juanita*

¡Saludos desde Panamá! Mi nombre es Juanita. El sábado pasado fue el cumpleaños de mi hermana mayor. Mi amiga fue conmigo a un mercado al aire libre y ella me ayudó a encontrar una pulsera muy fina de plata. A mi hermana le quedó perfecta. ¡Mi hermana menor me pidió una también para su cumpleaños!

Puerto Rico *Valeria*

¿Qué tal? Me llamo Valeria y vivo en San Juan, Puerto Rico. A veces voy al centro comercial con mis primas o con una amiga. Muchos muchachos y muchachas van allí a pasar el rato. Ayer mi amiga y yo compramos unos sombreros muy bonitos. También compré un vestido, pero me quedó grande. ¡Me encanta comprar ropa!

Puerto Rico
ciento noventa y uno **191**

Comparación cultural

Exploring the Theme
Regional Accents Have students listen to the audio to hear the different accents of Spanish speakers from Peru, Panama, and Puerto Rico. Ask if they notice any particular letters or sounds that are pronounced differently or if they notice a difference in rhythm of speech from one country to the other.

✓ Ongoing Assessment

Rubric: Lectura y escritura

Writing Criteria	Maximum Credit	Partial Credit	Minimum Credit
Content	Includes all of the information.	Includes most of the information.	Includes little information.
Communication	Information is presented clearly and is very understandable.	Information is presented fairly clearly and is somewhat understandable.	Information is presented poorly and is hard to understand.
Accuracy	Few mistakes in grammar or vocabulary.	Some errors in grammar or vocabulary.	Many errors in grammar and vocabulary.

To customize your own rubrics, use the *Generate Success* *Rubric Generator and Graphic Organizers.*

Differentiating Instruction

Inclusion
Clear Structure Guide students through each step on page 190 to prepare them for writing their own description. Encourage them to use the writing strategy to organize their thoughts about their shopping trip.

English Learners
Build Background Ask students to talk about some of the interesting places to shop nearby. They should say what kinds of stores there are and what sort of merchandise they sell. Ask students to evaluate each store for its interest to local residents or tourists of various ages.

Objective
· Cumulative review.

Core Resource
· Audio Program: TXT CD 4 Track 24

Practice Sequence
· **Activity 1:** Listening comprehension
· **Activity 2:** Open-ended practice: speaking
· **Activity 3:** Open-ended practice: speaking
· **Activity 4:** Open-ended practice: speaking and writing
· **Activity 5:** Open-ended practice: speaking
· **Activity 6:** Open-ended practice: writing
· **Activity 7:** Reading comprehension and guided writing

STANDARDS
1.1 Engage in conversation, Acts. 2, 3, 5, 7
1.2 Understand language, Acts. 1, 7
1.3 Present information, Acts. 2, 4, 5, 6
2.1 Practices and perspectives, Acts. 3, 5
4.2 Compare cultures, Act. 1
21st CENTURY Collaboration, Act. 2; **Creativity and Innovation,** Act. 6; **Flexibility and Adaptability,** Act. 5 (Business Literacy); **Leadership and Responsibility,** Act. 4

Communication
Humor and Creativity

Activity 2 Have students create funny or unusual outfits for the fashion show. The announcer should create an appropriate tone and content for each outfit. Give a prize for outfits in various categories such as: weekend wear, party wear, school clothes, vacation gear. Be sure to let students know the categories before they design their outfits.

Communication
Presentational Mode

Activity 3 Encourage students to practice their clothing-purchase dialog for Activity 3 many times to increase their comfort level and to practice "speaking on their feet." Remind them that they shouldn't try to memorize their dialog; rather, they should outline a sequence of exchanges and speak semi-spontaneously each time.

Answers for Activities 1–4 on p. 193.

Repaso inclusivo

♻ Options for Review

¡AvanzaRap!
DVD
Sing and Learn

Digital
performance space

1 Listen, understand, and compare

Escuchar

Listen to this announcement about community events and then answer the following questions.

1. ¿A quién le interesa la tienda nueva en el centro comercial?
2. ¿Cuándo está abierta esta tienda? ¿Qué puedes comprar allí?
3. ¿Qué día va a abrir la panadería? ¿A qué hora?
4. ¿Qué recibes si compras un pan?
5. ¿Puedes comprar pan el domingo a las tres? ¿Por qué?

Do you have promotions such as these in your community? Is there a bakery in your community? Does your family buy bread there? Why or why not?

Audio Program
TXT CD 4 Track 24
Audio Script,
TE p. 165B

2 Stage a fashion show

Hablar
Escribir

Working in groups, stage a fashion show. Choose an announcer and models and arrange the classroom for the show. Review words for clothing items, textures, and colors. Your show could focus on different trends, such as men's or women's fashions, sportswear, or accessories. Work together to write the announcer's script. As the announcer describes the clothing being modeled, other groups can react to the clothes in the show.

3 Purchase clothing

Hablar

With a partner, role-play a conversation between a clothing store employee and a shopper. The shopper needs to buy an outfit to wear to a special party, and the employee helps the shopper find the right outfit. Discuss the items of clothing, size, colors, and fit. Also include footwear and other accessories. Give your opinions of the items, say why a particular item interests each of you, and why the new clothes are important for a party.

4 Create a floor plan for a crafts fair

Hablar
Escribir

In a group, plan a craft market to raise money for your school. Decide on how many booths, or **tiendas,** you will have as well as how many vendors of each type of craft. Think about where to hold your market and create a floor plan showing where you want the different vendors to set up. Include booths for ceramics, wooden crafts, art, and hand-made clothing items such as hats, scarves, or gloves. Finally create a flier to advertise your market.

Differentiating Instruction

Multiple Intelligences

Kinesthetic In Activity 2, encourage students to exaggerate their modeling role based on what they have seen of runway model behavior. Encourage the announcers to exaggerate their gestures to emphasize the description of the model's outfit.

Inclusion

Cumulative Instruction Before doing Activity 5, help students review all that they have learned about merchandise that is available in a marketplace. Students should work in pairs to prepare a list of items, descriptive vocabulary, and commonly used phrases. Have them practice using elements from their list with each other, so that they will feel more comfortable during the activity.

5 Buy and sell in the market

Hablar

Role-play buying and selling unique items with classmates. Half of you will be vendors and should pick an object from the classroom or something of your own to sell. Look at it carefully to find all the unique characteristics. Think in terms of its size, color, condition, and possible uses. The other half of the class will be buyers and will have ten dollars to spend. See which vendors can successfully sell their items and at what price, and which buyers get the most for their money. When discussing price, be prepared to bargain.

6 Write a story about a memorable event

Escribir

Think of a past event or experience and turn it into a story. You could write about a fun dance or party, an important game you played in or watched, or just a really great day that you remember. How long ago did it happen? Where did you go? What did you have to do before you went? Whom did you go with or see there? What did you wear? What happened in the end? Feel free to change the outcome for an interesting ending.

7 Work for your community

Hablar
Leer
Escribir

What kind of stores would you welcome to your community? Your group is a committee in charge of approving new businesses. Read the following letter and evaluate whether or not this business would fit into your town. Support your final decision with a list of reasons, then answer the letter to señor Vargas.

> Distinguidos señores y señoras:
>
> Soy el director de tres tiendas de artesanías. Quisiera saber si a ustedes les interesa tener una de nuestras tiendas en su comunidad. Hace dos años que abrimos la primera tienda y siempre buscamos nuevos lugares. En las tiendas vendemos joyas de plata y de oro: pulseras, collares, aretes y anillos. Son únicas y típicas de la cultura de Puerto Rico. También tenemos varias esculturas de madera y de metal y todos nuestros artículos están hechos a mano.
>
> Me gustaría conocerlos y presentarles nuestro plan para la tienda. Generalmente nuestras tiendas están abiertas de las 9:00 a.m. a las 8:00 p.m. de lunes a sábado. Están cerradas los domingos. Espero su respuesta.
>
> Atentamente,
>
> Miguel Vargas
>
> Miguel Vargas
> Director, Tiendas Encantadas

Differentiating Instruction

Pre-AP

Vary Vocabulary Encourage students to review the vocabulary from the first three units. In each activity they should try to use a wide variety of vocabulary and try to use vocabulary that they haven't used much, rather than staying in their vocabulary "comfort zone." Encourage students to use the Expansión de vocabulario in the back of their books (pp. R2–R17).

Heritage Language Learners

Increase Accuracy Have students review vocabulary and grammar from the first three units. Have them play a game in which one student writes a statement on the board. Volunteers then try to express the same or similar meaning, but in a different way. Encourage them to express themselves in a variety of ways.

Communication
Group Work

Activity 7 Before reading the letter, discuss and make a list of what kinds of stores are currently in your community, what stores are lacking, and what types of stores would be successful.

✓ Ongoing Assessment

Integrated Peformance Assessment
Rubric **Oral Activities 2, 3, 4, 5**
Written activities 6, 7

Very Good	Proficient	Not There Yet
The student thoroughly develops all requirements of the task.	The student develops many requirements of the task.	The student does not fulfill the requirements of the task.
The student demonstrates excellent control of verb forms.	The student demonstrates good to fair control of verb forms.	The student demonstrates poor control of verb forms.
Good variety of appropriate vocabulary.	Adequate variety of appropriate vocabulary.	The vocabulary is not appropriate.
Pronunciation is very clear, precise, and easy to understand.	Pronunciation is fairly clear and understandable.	Pronunciation is unclear and hard to understand.

To customize your own rubrics, use the **Generate Success** Rubric Generator and Graphic Organizers.

Answers

Answers for Activities 1–4 from p. 192.
Activity 1
  1. La nueva tienda le interesa a la gente que se viste de moda y a quien le importa llevar ropa que le queda bien.
  2. Está abierta de 10 a 10. Puedes comprar ropa de moda y los mejores relojes y pulseras.
  3. La panadería va a abrir el sábado a las 7.
  4. Recibes otro pan gratis.
  5. No, porque la panadería está cerrada los domingos por la tarde.
Activities 2–7 Answers will vary.

193

Proyectos adicionales

❖ Art Project

Create a Mural in the Style of Diego Rivera

Mexican artist Diego Rivera, one of the most famous painters of the 20th century, was especially known for his murals. His colorful and creative depictions included important scenes and events that shaped Mexico's history, from pre-Hispanic civilization and the Spanish conquest, up through the struggles of the farmers and laborers of the modern Mexico of his time. Rivera died in 1957, after a long and successful career that lasted nearly fifty years.

1. First, have students research Rivera's murals, concentrating on his unique style and the types of events he chose to illustrate the history of his country.

2. Next, have students choose three events that have happened since his death that would most likely be included in one of his works, were he alive today.

3. Students will illustrate the events in the style of Rivera, explain why they chose these events to represent the modern history of Mexico, and what impact these events have had.

   PACING SUGGESTION: One class period for research and one class period for drawing at the end of Lección 1. Alternately, students can complete research in class and complete their drawings as an ongoing homework assignment.

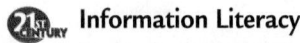 **Information Literacy**

❖ (Virtual) Bulletin Board

Ancient Objects Mexico City is home to the Museo Nacional de Antropología, which houses one of the most extensive archaeological collections in the world. The museum has 26 exhibit halls, displaying objects from every local culture in Mexico's rich history. Have students look through encyclopedias, travel and geography books and magazines, or visit the museum's website to find examples of objects in the collection. Have each student choose one object of interest and sketch it. Students should also include a brief explanation of the object and its origins. Create a bulletin board with students' sketches. As a tech alternative, you may wish to have students create their projects on a class wiki page.

Information Literacy

❖ Web Research

El Calendario Azteca Explain to students that the Aztecs developed a highly sophisticated calendar that incorporated aspects of Aztec religious life and rituals. Have students research the Aztec calendar online. Guide their research by having them answer these questions:

- How many days were there in the Aztec calendar? How did the calendar work?
- What symbols were used in the Aztec calendar? How were they arranged and divided?
- How was the Aztec calendar related to the calendars devised by other cultures in Mexico, such as the Maya?

Have students report what they have learned. Encourage them to print out interesting things they found online.

Search Key Words: "Aztec calendar," "Calendars of Ancient Civilizations."

PACING SUGGESTION: One 90-minute class period at the end of Lección 2.

 **Technology Literacy**

❊ Storytelling

La obra de teatro *Romeo y Julieta* After reviewing the vocabulary from Lección 1, model a mini-story. Utilize student actors as you tell the story. Later, students will revise, retell and expand it.

Anoche yo vi una representación de *Romeo y Julieta*. ¡Fue fantástico! En el cuento, Romeo es **el héroe,** Julieta es **la heroína,** y el Príncipe Tybalt es **el enemigo** de Romeo. Ocurre **hace muchos siglos** en Verona, Italia. Romeo y Julieta **están enamorados,** pero no pueden decir nada a nadie porque las familias de los dos son enemigos. **Se casan** en secreto, pero los dos **mueren** al final en una confusión trágica. **El mensaje** del cuento es que estar enamorado puede **transformar** a una persona y puede causarla a actuar en una forma **heroica.**

As you tell the story, be sure to pause so that students can fill in words and act out gestures. Have students retell the story by adding details. Encourage them to use the Expansión de vocabulario on p. R8. Have students use the lesson's vocabulary to come up with their own stories.

> **PACING SUGGESTION:** 30 minutes of class time at the end of Lección 1.

❊ Music

Mariachis The Mariachi tradition continues to be a symbol of Mexico throughout the world. Mariachis, groups of musicians dressed in traditional **charro** (Mexican cowboy) suits and large **sombreros,** are often seen performing in the plazas of Mexican cities, or entertaining at restaurants and events. They play a variety of instruments including trumpets, violins, guitars, basses, and **vihuelas,** a 5-string guitar. Their songs portray a variety of themes such as love and betrayal, death, and politics. Play several samples of mariachi music for students. If possible, provide students with lyrics. As they listen, have them note any words from the music that they understand. Afterwards, ask students the following questions:

- What was the mood of each piece? Could you tell the theme of the song based on the rhythm?
- What words did you understand from each piece? Based on these words, what do you think the song is about?

> **PACING SUGGESTION:** 30–40 minutes of class time. This activity can be done at any time during the unit.

❊ Recipe

Pollo con arroz al chipotle This typical Mexican dish is made with *chipotle,* small, dried red peppers that have been smoked over a fire built with aromatic woods.

Pollo con arroz al chipotle

Ingredientes
2 tazas de arroz
5 tazas de agua
3 pechugas de pollo deshuesadas
5 cucharadas de aceite
1 1/2 cucharaditas de chipotle seco, al gusto
1 pimiento verde
1 pimiento rojo
1 cebolla mediana
4 dientes de ajo
1 cucharadita de comino molido
1 cucharada de sal, al gusto
1/4 cucharadita de chile molido
1/8 cucharadita de pimienta de chile molida
1/8 taza de jugo de limón
1/4 taza de cilantro fresco picado

Instrucciones
Corte el pollo en pedacitos. Ponga el pollo en un recipiente y mézclelo con el jugo de limón. Agregue el ajo picado. Ponga el pollo a un lado. Pique los pimientos y la cebolla y póngalos a un lado. Prepare el arroz con agua. Cuando el arroz esté casi listo, caliente el aceite rápidamente en un sartén y fría el pollo, la cebolla, los pimientos, el ajo, el cilantro y todos los demás ingredientes. Cuando el pollo esté cocido, mézclelo con el arroz y revuélvalos. Sirva caliente. Para 6 personas.

Tiempo de preparación: 30 minutos
Tiempo total: 1 hora

¡AvanzaRap! DVD
- Video animations of all **¡AvanzaRap!** songs (with Karaoke track)
- Teaching Suggestions
- **¡AvanzaRap!** Activity Masters
- **¡AvanzaRap!** Video Scripts and Answers

Also available on the **Teacher One Stop**

UNIT THEME
Ancient culture, modern city

UNIT STANDARDS

COMMUNICATION
· Describe continuing activities in the past
· Narrate past events and activities
· Describe people, places, and things
· Describe early civilizations and their activities
· Describe the layout of a modern city
· Ask for and give directions

CULTURES
· Traces of the past in Mexico and Nicaragua
· The art of Alfredo Zalce Torres
· A Oaxacan legend
· El Museo Nacional de Antropología
· The ancient and the modern in Mexico, Ecuador, and Nicaragua
· The indigenous legacy in Mexico and Ecuador
· An ancient sport
· Indigenous cultures in Oaxaca and Otavalo
· Traditional songs in Mexico and Ecuador

CONNECTIONS
· Social Studies: Write about the Mexican flag.
· Language Arts: Create place names with **-tlán** and write what they mean.
· Science: Write about how the Aztecs built Tenochtitlán and how the lake has changed.
· Health: Write about the health effects of the ingredients in **chiles en nogada.**

COMPARISONS
· Working with legends at school
· Learning from archaeological sites
· The Spanish sounds **r** and **rr** and the English *d*
· Artists and their communities
· A Oaxacan legend
· Museums
· The influence of one language on other languages
· The Spanish sound **s**
· The endurance of sports over time
· Indigenous societies in Mexico, Ecuador, and the United States

COMMUNITIES
· Songs in Spanish

194

México
Cultura antigua, ciudad moderna

Lección 1
Tema: **Una leyenda mexicana**

Lección 2
Tema: **México antiguo y moderno**

«¡Hola!
Nosotros somos Jorge y Sandra. Somos de México.»

Estados Unidos
· Ciudad Juárez
· Chihuahua
BAJA CALIFORNIA
Golfo de California
Monterrey
México
Golfo Méx
Bahía de Campeche
PENÍN DE YU
Guadalajara ·
Tula
México, D.F.
Teotihuacán
Veracruz
Paricutín ▲
· Puebla
Popocatépetl e Ixtaccíhuatl
Monte Albán
· Oaxaca
Océano Pacífico
Guatemala
El Salvad

Población: 109.955.400

Área: 761.606 millas cuadradas, un poco menos del triple de Texas

Capital: México, D.F. (Ciudad de México)

Moneda: el peso mexicano

Idiomas: español, maya y otras lenguas indígenas

Comida típica: tamales, enchiladas, tacos

Tamales

Gente famosa: Alfonso Cuarón (director), Salma Hayek (actriz), Octavio Paz (escritor), Laura Esquivel (escritora)

194   ciento noventa y cuatro

Cultural Geography

Setting the Scene
· ¿Cómo se llaman los chicos? (Jorge y Sandra)
· ¿De qué tamaño (*size*) es el país de México?
· ¿Conocen la comida mexicana?

Teaching with Maps
· ¿Qué país está al norte de México? (Estados Unidos) ¿Y al sur? (Guatemala, El Salvador)
· ¿Dónde está la Ciudad de México? (Está en el centro del país.)
· ¿Cuántas millones de personas viven en el país? (casi 110)

Bailarina folklórica bailando durante un desfile en Oaxaca

CULTURA Interactiva
my.hrw.com
See these pages come alive!

◀ **El estado de Oaxaca** En México las artesanías, los bailes folklóricos y las comidas típicas reflejan la influencia indígena sobre la cultura. El estado de Oaxaca, donde un 50 por ciento de la población habla un idioma indígena, es conocido por sus importantes sitios arqueológicos, su cerámica, sus telas *(fabrics)* y su famoso chocolate hecho a mano. *¿Qué cosas son típicas de tu estado?*

«¡Viva México!» La Plaza de la Constitución, o el Zócalo, es la plaza principal de la Ciudad de México. Hace 500 años, era el centro de Tenochtitlán, la capital del imperio azteca. Hoy es el corazón del centro histórico y el lugar donde se celebra el Grito *(shout)* de la Independencia cada 15 de septiembre. *¿Cómo celebras el cuatro de julio, el Día de la Independencia de Estados Unidos?* ▶

Celebrando el Día de la Independencia

Diego Rivera y Frida Kahlo, Ciudad de México, 1939

◀ **Frida y Diego** Dos artistas famosos de México son Frida Kahlo (1907–1954) y Diego Rivera (1886–1957). Frida pintó muchos autorretratos *(self-portraits)* con elementos surrealistas y fantásticos. Diego pintó varios murales y pinturas famosos con temas políticos y culturales. Los dos usaban temas folklóricos para afirmar su identidad mexicana. *¿Qué artistas conoces? ¿Cómo pintan?*

México
ciento noventa y cinco **195**

CULTURA Interactiva
my.hrw.com

Send your students to my.hrw.com to explore authentic Mexican culture. Tell them to click Cultura interactiva to see these pages come alive!

Cultura

About the Photos
On September 15, in towns all over Mexico, people gather in the center of town at midnight to shout—¡Viva México!—in memory of **el grito de la independencia** made by Miguel Hidalgo on the original Independence Day.

About the Painting
The marriage of Frida Kahlo and Diego Rivera is one of the most famous between any two artists. Whereas Rivera's work dealt mainly with social themes, Kahlo's focused on more personal subjects. Around the year 1930, Frida began to sign her name "Frieda" with an "e" to confirm and assert her German-Jewish heritage.

Expanded Information
- **Oaxaca**—which UNESCO declared a World Heritage site—has numerous architecture sites, some dating back to 500 A.D. Monte Albán, the capital of the Zapotec indians, has an enormous plaza, sunken courts, and tombs filled with jewelry and elaborately carved objects.
- **Pottery** Oaxaca is famous for its black pottery. The fire used to bake the pottery is starved of oxygen, producing a thick smoke that combines chemically with the clay to produce the black color.
- **Food** Oaxacan chocolate is very different than American chocolate: it has sugar and spices added, and is used mainly to make hot chocolate, or used in baking.

Bridging Cultures

Engish Learners
Build Background Ask students to describe public celebrations of some of the national holidays in their countries. Do they have fireworks? Parades?

Heritage Language Learners
Support What They Know Ask students to describe some foods associated with holidays in their home countries. Ask them to name ingredients, describe how the foods are prepared, and when they are typically eaten or served. Encourage them to bring in pictures of prepared dishes or recipes for making them.

Video Character Guide
Beto, Jorge, and Sandra are thinking of ideas for an animated film. The park ranger tells them the Aztec legend that explains the twin volcanoes outside Mexico City.

Unidad 4 Lección 1

Lesson Overview

Culture at a Glance ❖

Topic & Activity	Essential Question
Acting out a legend at a school in Mexico City, pp. 196–197	¿Haces actividades como ésta en tu escuela?
Preserving the past in Mexico and Nicaragua, p. 204	¿Qué podemos aprender de los sitios arqueológicos?
The art of Alfredo Zalce Torres, p. 210	¿Cómo representan los artistas su comunidad?
Culture review, p. 219	¿Cómo son las culturas de México y Nicaragua?

COMPARISON COUNTRIES  **México**   **Ecuador**   **Nicaragua**

Practice at a Glance ❖

	Objective	Activity & Skill
Vocabulary	Legend terms	1: Reading/Writing; 2: Reading/Writing; 7: Listening/Writing; 9: Listening/Reading; 11: Writing; 12: Speaking/Writing; 14: Writing; 16: Listening/Reading; 17: Listening/Reading; 20: Writing
	Words to describe people	2: Reading/Writing; 4: Writing/Speaking; 9: Listening/Reading; 17: Listening/Reading; Repaso 3: Writing
Grammar	Past participles as adjectives	4: Writing/Speaking; 17: Listening/Reading; Repaso 3: Writing
	The imperfect tense	5: Speaking; 6: Reading/Writing; 7: Listening/Writing; 8: Speaking/Writing; 9: Listening/Reading; 10: Speaking; 11: Writing; Repaso 2: Writing
	Preterite and imperfect	12: Speaking/Writing; 13: Speaking/Writing; 14: Writing; 15: Reading/Writing; 16: Listening/Reading; 17: Listening/Reading; 18: Speaking; 19: Reading/Listening/Speaking; 20: Writing; Repaso 1: Listening; Repaso 4: Writing
Communication	Describe continuing activities in the past	5: Speaking; 6: Reading/Writing; 8: Speaking/Writing; 13: Speaking/Writing; Repaso 2: Writing
	Narrate past events and activities	7: Listening/Writing; 9: Listening/Reading; 10: Speaking; 11: Writing; 12: Speaking/Writing; 13: Speaking/Writing; 14: Writing; 15: Reading/Writing; 16: Listening/Reading; 17: Listening/Reading; 18: Speaking; 19: Reading/Listening/Speaking; 20: Writing; Repaso 1: Listening; Repaso 4: Writing
	Describe people, places, and things	4: Writing/Speaking; 9: Listening/Reading; 11: Writing; 15: Reading/Writing; 17: Listening/Reading; 20: Writing; Repaso 3: Writing
	Pronunciation: The sound **r** and **rr**	*Pronunciación: El sonido **r** y **rr**,* p. 205: Listening
Recycle ♻	Expressions of frequency	5: Speaking
	Weather expressions	11: Writing
	Daily activities	13: Speaking/Writing

195A   Unidad 4 Lección 1

The following presentations are recorded in the Audio Program for *¡Avancemos!*

- **¡A responder!** *page 199*
- **7: Una leyenda** *page 205*
- **19: Integración** *page 213*
- **Repaso de la lección** *page 218*
   1: Listen and understand

For **¡AvanzaRap!** scripts, see the **¡AvanzaRap!** DVD.

¡A responder! TXT CD 5 track 2

1. La heroína llora.
2. El guerrero pelea.
3. Yo llevo a la princesa.
4. Estoy enamorado.
5. Soy el héroe.
6. La montaña es alta.
7. Leo la leyenda.

7 | Una leyenda TXT CD 5 track 4

Había una vez un emperador que vivía en un palacio grande con su hija hermosa, la princesa. La princesa estaba enamorada de un guerrero. Ellos querían casarse. Pero había un problema: la guerra. El guerrero era muy valiente y peleaba frecuentemente en batallas difíciles con enemigos fuertes. La princesa estaba muy triste. Lloraba y lloraba todos los días porque su héroe no estaba con ella. Iba a las montañas y les pedía ayuda a los dioses. Al terminar la guerra, el guerrero pasaba por las montañas, y allí encontró a la princesa. Los dos jóvenes se casaron, y luego el emperador, su hija y el guerrero vivieron muy felices el resto de sus vidas.

19 | Integración TXT CD 5 tracks 8, 9

Fuente 2, Cuento mexicano

Los aztecas tenían una leyenda sobre Quetzalcóatl, un dios muy querido. Hacía muchos siglos él salió de México. Fue a una playa del Golfo de México, entró al mar y de allí subió, transformado en una luz de la mañana. Pero la leyenda contaba que Quetzalcóatl iba a regresar un día para ser el emperador de México. Como fue al mar, los aztecas pensaban que también iba a regresar del mar. Cuando Moctezuma II (segundo) supo que unos hombres blancos y muy diferentes a los aztecas llegaron a Veracruz, el emperador pensó que por fin regresaba el dios Quetzalcóatl. Entonces Moctezuma le mandó a Hernán Cortés muchos regalos finos de joyas y de ropa, y lo invitó al palacio azteca.

Repaso de la lección TXT CD 5 track 11

1 Listen and understand

La semana pasada, mi amigo Gregorio y yo tuvimos que estudiar para un examen en la clase de ciencias el miércoles. Entonces el lunes Gregorio quería estudiar en la biblioteca y yo prefería estudiar en mi casa. Decidimos estudiar en mi casa. Yo quería escuchar música, pero Gregorio no podía estudiar con música.

Entonces, no escuchamos música.

Gregorio prefería sentarse en la mesa de la cocina, pero yo quería estudiar en el sofá de la sala. Al final nos sentamos en la mesa de la cocina para estudiar.

Gregorio estudió con el libro y yo usé los apuntes que tomé en la clase.

Al fin, los dos sacamos una buena nota en el examen pero también aprendimos una cosa. Aprendimos que somos muy diferentes y es mejor no estudiar juntos. Entonces el sábado, en vez de estudiar, fuimos a jugar al fútbol.

Resource List

Everything you need to ...

Plan
TEACHER ONE STOP

✓ Lesson Plans
✓ Teacher Resources
✓ Audio and Video

Present
INTERACTIVE WHITEBOARD LESSONS

TEACHER ONE STOP WITH PROJECTABLE TRANSPARENCIES

POWER PRESENTATIONS

ANIMATEDGRAMMAR

Assess
 **ONLINE ASSESSMENT**

✓ Assessments for on-level, modified, pre-AP, and heritage learners
✓ Create customized tests with **Examview Assessment Suite**
✓ performance)space
✓ *Generate Success* Rubric Generator

 ## Print

Plan	Present	Practice	Assess
URB 4 • Video Scripts pp. 68–69 • Family Letter p. 92 • Absent Student Copymasters pp. 94–101 **Best Practices Toolkit**	**URB 4** • Video Activities pp. 50–57	• *Cuaderno* pp. 148–170 • *Cuaderno para hispanohablantes* pp. 148–170 • *Lecturas para todos* pp. 33–37 • *Lecturas para hispanohablantes* • *¡AvanzaCómics! El misterio de Tikal*, Episodio 2 **URB 4** • Practice Games pp. 30–37 • Audio Scripts pp. 72–77 • Map/Culture Activities pp. 84–85 • Fine Art Activities pp. 87–88	**Differentiated Assessment Program** **URB 4** • Did you get it? Reteaching and Practice Copymasters pp. 1–12

 ## Projectable Transparencies (Teacher One Stop, my.hrw.com)

Culture	Presentation and Practice	Classroom Management
• Atlas Maps 1–6 • Map: Mexico 1 • Fine Art Transparencies 2, 3	• Vocabulary Transparencies 6, 7 • Grammar Presentation Transparencies 10, 11	• Warm Up Transparencies 16–19 • Student Book Answer Transparencies 24–28

Audio and Video

Audio	Video	¡AvanzaRap! DVD
• Student Book Audio CD 5 Tracks 1–11 • Workbook Audio CD 2 Tracks 21–30 • Assessment Audio CD 1 Tracks 21–22 • Heritage Learners Audio CD 1 Tracks 25–28, CD 3 Tracks 21–22 • *Lecturas para todos* Audio CD 1 Track 7, CD 2 Tracks 1–7 • Sing-along Songs Audio CD	• Vocabulary Video DVD 2 • *Telehistoria* DVD 2 • *Telehistoria, Escena 1* • *Telehistoria, Escena 2* • *Telehistoria, Escena 3* • *Telehistoria, Completa*	• Video animations of all **¡AvanzaRap!** songs (with Karaoke track) • Interactive DVD Activities • Teaching Suggestions • **¡AvanzaRap!** Activity Masters • **¡AvanzaRap!** video scripts and answers

Online and Media Resources

Student	Teacher
Available online at my.hrw.com • Online Student Edition • **News** Networking • **performance space** • **@HOMETUTOR** • **CULTURA** Interactiva • WebQuests • Interactive Flashcards • Review Games • Self-Check Quiz **Student One Stop** **Holt McDougal Spanish Apps**	**Teacher One Stop** (also available at **my.hrw.com**) • Interactive Teacher's Edition • All print, audio, and video resources • Projectable Transparencies • Lesson Plans • TPRS • Examview Assessment Suite **Available online at my.hrw.com** *Generate Success* Rubric Generator and Graphic Organizers **Power Presentations**

Differentiated Assessment

On-level	Modified	Pre-AP	Heritage Learners
• Vocabulary Recognition Quiz p. 155 • Vocabulary Production Quiz p. 156 • Grammar Quizzes pp. 157–158 • Culture Quiz p. 159 • On-level Lesson Test pp. 160–166	• Modified Lesson Test pp. 119–125	• Pre-AP Lesson Test pp. 119–125	• Heritage Learners Lesson Test pp. 125–131

	Objectives/Focus	Teach	Practice	Assess/HW Options
DAY 1	**Culture:** learn about Mexican culture **Vocabulary:** words about legends and stories • Warm Up OHT 16 **5 min**	Unit Opener pp. 194–195 Lesson Opener pp. 196–197 **Presentación de vocabulario** pp. 198–199 • Read A–F • View video DVD 2 • Play audio TXT CD 5 track 1 • *¡A responder!* TXT CD 5 track 2 **25 min**	Lesson Opener pp. 196–197 **Práctica de vocabulario** p. 200 • Acts. 1, 2 **15 min**	**Assess:** *Para y piensa* p. 200 **5 min** **Homework:** *Cuaderno* pp. 148–150 @HomeTutor
DAY 2	**Communication:** create descriptive words from verbs to tell a story • Warm Up OHT 16 • Check Homework **5 min**	**Vocabulario en contexto** pp. 201–202 • *Telehistoria escena 1* DVD 2 • *Nota gramatical:* past participles **20 min**	**Vocabulario en contexto** pp. 201–202 • Act. 3 TXT CD 5 track 3 • Act. 4 **20 min**	**Assess:** *Para y piensa* p. 202 **5 min** **Homework:** *Cuaderno* pp. 148–150 @HomeTutor
DAY 3	**Grammar:** learn how to form the imperfect tense • Warm Up OHT 17 • Check Homework **5 min**	**Presentación de gramática** p. 203 • Imperfect tense: **estar, hacer, salir, ser, ir, ver** **Práctica de gramática** pp. 204–205 **Culture:** *La preservación del pasado* • *Pronunciación* TXT CD 5 track 5 **20 min**	**Práctica de gramática** pp. 204–205 • Acts. 5, 6 • Act. 7 TXT CD 5 track 4 • Act. 8 **20 min**	**Assess:** *Para y piensa* p. 205 **5 min** **Homework:** *Cuaderno* pp. 151–153 @HomeTutor
DAY 4	**Communication:** describe events and people in the past • Warm Up OHT 17 • Check Homework **5 min**	**Gramática en contexto** pp. 206–207 • *Telehistoria escena 2* DVD 2 **15 min**	**Gramática en contexto** pp. 206–207 • Act. 9 TXT CD 5 track 6 • Acts. 10, 11 **25 min**	**Assess:** *Para y piensa* p. 207 **5 min** **Homework:** *Cuaderno* pp. 151–153 @HomeTutor
DAY 5	**Grammar:** learn the differences between preterite and imperfect tenses • Warm Up OHT 18 • Check Homework **5 min**	**Presentación de gramática** p. 208 • Preterite and imperfect **15 min**	**Práctica de gramática** pp. 209–210 • Acts. 12, 13, 14, 15 **25 min**	**Assess:** *Para y piensa* p. 210 **5 min** **Homework:** *Cuaderno* pp. 154–156 @HomeTutor
DAY 6	**Communication:** Culmination: retell a story from your past, create a legend of your own • Warm Up OHT 18 • Check Homework **5 min**	**Todo junto** pp. 211–213 • *Escenas 1, 2: Resumen* • *Telehistoria completa* DVD 2 **15 min**	**Todo junto** pp. 211–213 • Acts. 16, 17 TXT CD 5 tracks 3, 6, 7 • Act. 18 • Act. 19 TXT CD 5 tracks 8, 9 • Act. 20 **25 min**	**Assess:** *Para y piensa* p. 213 **5 min** **Homework:** *Cuaderno* pp. 157–158 @HomeTutor
DAY 7	**Reading:** A Mexican legend and the origin of fire **Connections:** Social sciences • Warm Up OHT 19 • Check Homework **5 min**	**Lectura** pp. 214–215 • *Una leyenda mazateca: El fuego y el tlacuache* TXT CD 5 track 10 **Conexiones** p. 216 • *Las ciencias sociales* **15 min**	**Lectura** pp. 214–215 • *Una leyenda mazateca: El fuego y el tlacuache* **Conexiones** p. 216 • *Proyectos 1, 2, 3* **25 min**	**Assess:** *Para y piensa* **5 min** p. 215 **Homework:** *Cuaderno* pp. 162–164 @HomeTutor
DAY 8	**Review:** Lesson review • Warm Up OHT 19 **5 min**	**Repaso de la lección** pp. 218–219 **15 min**	**Repaso de la lección** pp. 218–219 • Act. 1 TXT CD 5 track 11 • Acts. 2, 3, 4, 5 **25 min**	**Assess:** *Repaso de la lección* **5 min** pp. 218–219 **Homework:** *En resumen* p. 217; *Cuaderno* pp. 159–161, 165-170 (optional) Review Games Online @HomeTutor
DAY 9	**Assessment**			**Assess:** Lesson 1 test **50 min**

Core Pacing Guide

90 Minute (5 Day)

	Objectives/Focus	Teach	Practice	Assess/HW Options
DAY 1	**Culture:** learn about Mexican culture **Vocabulary:** words about legends and stories • Warm Up OHT 16 **5 min**	Unit Opener pp. 194–195 Lesson Opener pp. 196–197 **Presentación de vocabulario** pp. 198–199 • Read A–F • View video DVD 2 • Play audio TXT CD 5 track 1 • *¡A responder!* TXT CD 5 track 2 **20 min**	Lesson Opener pp. 196–197 **Práctica de vocabulario** p. 200 • Acts. 1, 2 **20 min**	**Assess:** *Para y piensa* p. 200 **5 min**
	Communication: create descriptive words from verbs to tell a story **5 min**	**Vocabulario en contexto** pp. 201–202 • *Telehistoria escena 1* DVD 2 • *Nota gramatical:* past participles **15 min**	**Vocabulario en contexto** pp. 201–202 • Act. 3 TXT CD 5 track 3 • Act. 4 **15 min**	**Assess:** *Para y piensa* p. 202 **5 min** **Homework:** *Cuaderno* pp. 148–150 @HomeTutor
DAY 2	**Grammar:** learn how to form the imperfect tense • Warm Up OHT 17 • Check Homework **5 min**	**Presentación de gramática** p. 203 • Imperfect tense: **estar, hacer, salir, ser, ir, ver** **Práctica de gramática** pp. 204–205 **Culture:** *La preservación del pasado* • *Pronunciación* TXT CD 5 track 5 **20 min**	**Práctica de gramática** pp. 204–205 • Acts. 5, 6 • Act. 7 TXT CD 5 track 4 • Act. 8 **15 min**	**Assess:** *Para y piensa* p. 205 **5 min**
	Communication: describe events and people in the past **5 min**	**Gramática en contexto** pp. 206–207 • *Telehistoria escena 2* DVD 2 **15 min**	**Gramática en contexto** pp. 206–207 • Act. 9 TXT CD 5 track 6 • Acts. 10, 11 **20 min**	**Assess:** *Para y piensa* p. 207 **5 min** **Homework:** *Cuaderno* pp. 151–153 @HomeTutor
DAY 3	**Grammar:** learn the differences between preterite and imperfect tenses • Warm Up OHT 18 • Check Homework **5 min**	**Presentación de gramática** p. 208 • Preterite and imperfect **15 min**	**Práctica de gramática** pp. 209–210 • Acts. 12, 13, 14, 15 **20 min**	**Assess:** *Para y piensa* p. 210 **5 min**
	Communication: Culmination: retell a story from your past, create a legend of your own **5 min**	**Todo junto** pp. 211–213 • *Escenas 1, 2: Resumen* • *Telehistoria completa* DVD 2 **15 min**	**Todo junto** pp. 211–213 • Acts. 16, 17 TXT CD 5 tracks 3, 6, 7 • Act. 18 • Act. 19 TXT CD 5 tracks 8, 9 • Act. 20 **20 min**	**Assess:** *Para y piensa* p. 213 **5 min** **Homework:** *Cuaderno* pp. 154–156, 157–158 @HomeTutor
DAY 4	**Reading:** A Mexican legend and the origin of fire • Warm Up OHT 19 • Check Homework **5 min**	**Lectura** pp. 214–215 • *Una leyenda mazateca: El fuego y el tlacuache* TXT CD 5 track 10 **15 min**	**Lectura** pp. 214–215 • *Una leyenda mazateca: El fuego y el tlacuache* **20 min**	**Assess:** *Para y piensa* **5 min** p. 215
	Review: Lesson review **5 min**	**Repaso de la lección** pp. 218–219 **15 min**	**Repaso de la lección** pp. 218–219 • Act. 1 TXT CD 5 track 11 • Acts. 2, 3, 4, 5 **20 min**	**Assess:** *Repaso de la lección* **5 min** pp. 218–219 **Homework:** *En resumen* p. 217; *Cuaderno* pp. 159–170 (optional) Review Games Online @HomeTutor
DAY 5	**Assessment**			**Assess:** Lesson 1 test **45 min**
	Connections: Social sciences	**Conexiones** p. 216 • *Las ciencias sociales* **20 min**	**Conexiones** p. 216 • *Proyectos 1, 2, 3* **25 min**	

México

¡AVANZA! Objectives

- Introduce lesson theme: **Una leyenda mexicana.**
- **Culture:** Learn about an Aztec legend.

Presentation Strategies

- Identify video characters: Beto, Jorge, Sandra, and the park ranger.
- Discuss the common components of legends: a hero, a heroine, an enemy, a parent or guardian, a problem, and a resolution.

 ### STANDARDS

1.1 Engage in conversation, CC
4.2 Compare cultures, CC

21ST CENTURY Social and Cross-Cultural Skills, Heritage Language Learners/Critical Thinking

🖥 Warm Up Projectable Transparencies, 4-16

Vocabulary Match each item with the material it is made of.

1. Las botas son _____ .   a. de papel
2. La tarjeta postal es _____ .   b. de metal
3. La puerta es _____ .   c. de cuero
4. La llave es _____ .   d. de oro
5. El anillo es _____ .   e. de madera

Answers: 1. c (de cuero); 2. a (de papel);
3. e (de madera); 4. b (de metal); 5. d (de oro)

Comparación cultural

Exploring the Theme

Ask the following:

1. Looking at the photo, do you think this story takes place in modern times? Why or why not?
2. What legends or other stories from long ago can you think of that are about a young couple in love?

¿Qué ves? Possible answers include:

- Están en el auditorio de su colegio en la ciudad de México.
- Llevan pantalones, sandalias, cinturones y camisas.
- Ella está contenta.
- Uno de los chicos está alegre y el otro está enojado.

Lección 1

Tema:

Una leyenda mexicana

¡AVANZA! In this lesson you will learn to

- describe continuing activities in the past
- narrate past events and activities
- describe people, places, and things

using

- past participles as adjectives
- the imperfect tense
- preterite and imperfect

♻ ¿Recuerdas?

- expressions of frequency
- weather expressions
- daily activities

Comparación cultural

In this lesson you will learn about

- a Oaxacan legend
- the art of Alfredo Zalce Torres
- traces of the past in Mexico and Nicaragua

Compara con tu mundo

Los jóvenes en la foto están filmando una leyenda *(legend)* mexicana. Están en el auditorio de su colegio en la Ciudad de México. *¿Haces actividades como ésta en tu escuela? ¿Leíste una leyenda? ¿Te gustó?*

¿Qué ves?

Mira la foto

¿Dónde están estos chicos?

¿Qué ropa llevan los chicos?

¿Está contenta o triste la chica?

¿Cómo están los chicos? ¿Enojados? ¿Alegres?

196 ciento noventa y seis

LA HEROÍNA

Differentiating Instruction

Multiple Intelligences

Interpersonal Have students analyze what the body language of each of the three characters in the photo is communicating, about themselves and about their relationship to one another. Have them also comment on how the director has "placed" the three characters on stage.

English Learners

Check Comprehension Confirm students' understanding of the lesson objectives by asking them to restate each objective in their own words. Have students give examples of each of the objectives in English.

DIGITAL SPANISH
ONLINE STUDENT EDITION with...

performance space

News+Networking

@HOMETUTOR

CULTURA Interactiva

my.hrw.com

- Audio and Video Resources
- Interactive Flashcards
- Review Activities
- WebQuest
- Conjuguemos.com

PRACTICE SPANISH WITH HOLT MCDOUGAL APPS!

Auditorio del Colegio Francés Hidalgo
México, Distrito Federal

México   **197**
ciento noventa y siete

DIGITAL SPANISH

TEACHER TOOLS
- Interactive Whiteboard Lessons
- Generate Success!

ALSO AVAILABLE...
- Online Workbook
- Spanish InterActive Reader

SPANISH ON THE GO!
- Performance Space
- Holt McDougal Spanish Apps
- ¡Avancemos! eTextbook

Using the Photo

Location Information
There are more than 3,000 primary schools and 1,000 secondary schools in Mexico City. Most of the country's institutes for higher education are also found there.

Expanded Information
Feathers The Aztecs greatly valued the bright feathers of tropical birds. They hunted the birds and kept them in captivity. The feathers were woven into beautiful decorative objects.

Migration Scholars believe that the Aztec culture originated among the peoples that inhabited the region that today occupies the southwest United States and the north central highlands of Mexico. Over the centuries different groups migrated south to the fertile valleys of central Mexico, including the Mexica, who migrated around the 12th century. They established the city of Tenochtitlán in 1325, which later became the center of the Aztec empire and civilization. The empire's height lasted from the late 1400's to the early 1500's.

Critical Thinking
Long-term Retention

Analyze Have students think of legends or myths they know. Ask: *Why do you think we have legends?* Choosing one legend, ask: *What is admired or valued in this story? What meaning might this legend have for people?*

Differentiating Instruction

Slower-paced Learners
Memory Aids Help students construct the outline for a story map that they can fill in as they listen to the legend in this lesson. Write the categories on the board for them: Setting, Time, Place, Characters, Problem, Plot/ Events, Resolution. Help them create a model story map on the board, using some well-known tale, such as "Little Red Riding Hood."

Heritage Language Learners
Support What They Know Have students tell about any enactments of legends from their home country they may have seen. Ask if there are any **días de fiesta** in their home countries in which people dress in costumes that reflect past cultures, such as the Aztecs—particularly costumes that have headdresses or feathers.

- Present vocabulary: characters and elements in a legend or story.
- Check for recognition.

Core Resources

- Video Program: DVD 2
- Audio Program: TXT CD 5 Tracks 1, 2

Presentation Strategies

- Point out the objectives in the ¡Avanza! section at the beginning of this vocabulary presentation, as well as the summary of skills in the Para y piensa section at the end.
- Play the audio as students read A–F.
- Show the video.

STANDARD

1.2 Understand language

Communication, Interest Inventory; **Social and Cross-Cultural Skills,** English Language Connection

---

Long-term Retention

Interest Inventory

Have students discuss other legends they know: have them describe the hero and/or heroine, the villain(s), the setting, the obstacles the main characters overcome, and the ending.

Comparisons

English Language Connection

Explain to students that the phrase **Había una vez...** is used like the English *Once upon a time...* as a traditional beginning for legends and stories. As an ending for a romantic tale in Spanish, you often hear the phrase **Y fueron felices y comieron perdices** (*perdices* are partidges) which is the same as saying *And they lived happily ever after.* Another more common ending to any kind of story is **Colorín colorado este cuento se ha acabado** which means *And that is the end of the story.* (A **colorín** is a bird, native to Europe, western Asia, and northern Africa.)

198

✳ Presentación de VOCABULARIO

VIDEO
DVD

AUDIO

Había una vez...

el volcán

A ¿Sabes lo que es **una leyenda**? Es una **narración histórica** que **cuenta** algo de la historia de un lugar o de unas personas. Para contar una leyenda, empiezas con la frase «**Había una vez...**».

Vamos a conocer una leyenda **azteca** sobre dos jóvenes, **los celos** y la historia de dos **volcanes**.

B Primero, presentamos a **los personajes** de nuestra leyenda. **El héroe** es un **guerrero valiente.** La **heroína** es la princesa. Es muy **bella**, o **hermosa**. El personaje malo es **el enemigo**.

el héroe   la heroína   el enemigo

C El emperador vive con su hija **querida,** la princesa, en el **palacio**.

el emperador

Más vocabulario

el (la) dios(a) *god / goddess*	casarse *to get married*
la montaña *mountain*	morir (ue) *to die*
el mensaje *lesson; message*	transformar *to transform*
heroico(a) *heroic*	Hace muchos siglos...
	Many centuries ago . . .

Expansión de vocabulario p. R8

Ya sabes p. R8

Differentiating Instruction

Slower-Paced Learners

Simple Questions Using the pictures, ask simple questions that reinforce the vocabulary. Students respond by pointing to the correct picture. Then model the answer: **¿Quién es el héroe?** —**Él es el héroe. ¿Quién es un guerrero valiente?** —**El héroe es un guerrero valiente.**

Inclusion

Cumulative Instruction Have pairs of students take turns describing the characters, using vocabulary they already know, such as **alto(a), bajo(a), rubio(a), alegre, serio(a).** Tell them to refer to the En resumen vocabulary in the Lección preliminar for ideas. Model: **El héroe es serio.**

D La princesa y el guerrero **están enamorados.** El enemigo **tiene celos** de los dos jóvenes porque él también está enamorado de la princesa.

E En nuestra leyenda hay **una guerra. El ejército** del emperador **pelea** con los enemigos en **una batalla.**

estar enamorados
tener celos

el ejército
la batalla

F ¿Cómo va a terminar la leyenda? ¿**Regresa** el héroe a su princesa querida? ¿**Llora** la princesa? ¿**Se casan** los dos? ¡Vamos a ver en la Telehistoria!

llorar

pelear

llevar

@HOMETUTOR
my.hrw.com
Interactive Flashcards

¡A responder! Escuchar

Escucha las siguientes oraciones. Imita la acción o al personaje que escuchas. *(Listen to the sentences. Mimic the action or character you hear.)*

Lección 1
ciento noventa y nueve **199**

Differentiating Instruction

English Learners

Build Background Have students relate a legend from their country. Have other students then identify, in Spanish, the hero, heroine, and villain(s).

Inclusion

Alphabetic/Phonetic Awareness
Have student pairs list the cognates in the vocabulary presentation, along with their English equivalents, such as: **narración**/narration, **valiente**/valiant, **enemigo**/enemy. Then ask them to take turns reading each pair of words to each other.

Objective
· Practice vocabulary: legend terms, past participles used as adjectives.

Core Resource
· *Cuaderno*, pp. 148–150

Practice Sequence
· **Activity 1:** Vocabulary recognition: identify icons representing legend terms
· **Activity 2:** Vocabulary recognition: match related legend vocabulary

STANDARDS
1.2 Understand language
1.3 Present information, Act. 2
21st CENTURY Communication, Pre-AP

✓ Ongoing Assessment

Get Help Online
More Practice
my.hrw.com

PARA Y PIENSA **Quick Check** Remind students that the Para y piensa sections are quick self-checks that will show them what they've learned so far. If students have difficulties with these, encourage them to refer back to the preceding two pages and/or go online. For additional practice, use Reteaching & Practice Copymasters URB 4, pp. 1, 2.

🖥 **Answers** Projectable Transparencies, 4-24

Activity 1
1. princesa	**6.** enemigo	**10.** enemigo
2. palacio	**7.** princesa	**11.** montaña
3. emperador	**8.** montaña	**12.** volcán
4. guerrero	**9.** princesa	
5. batalla	(heroína)	

Activity 2
1. la narración
2. valiente
3. la batalla
4. estar enamorado(a)
5. el volcán
6. la princesa

Para y piensa Answers will vary. Sample answers include:
1. Había una vez... Hace muchos siglos...
2. un emperador, una princesa, un enemigo, un guerrero (*also:* un dios, un héroe, una heroína)

❖ Práctica de VOCABULARIO

1 | Había una vez...

Leer
Escribir

Usa los dibujos para completar la leyenda. *(Use the pictures to complete the legend.)*

modelo: Hace muchos siglos un contó esta histórica.

Hace muchos siglos un emperador contó esta leyenda histórica.

Una **1.** hermosa vive en un **2.** con su padre, el **3.** azteca.

Ella está enamorada de un **4.** valiente que está con el ejército en una

5. . Pero un **6.** quiere casarse con la **7.**  y la lleva a

una **8.** . Ella llora y llora. El héroe regresa y busca a su querida **9.** .

El **10.** tiene celos y pelea, pero él muere rápidamente. Los dioses

transforman la **11.** donde murió en un terrible **12.** .

Finalmente, los dos jóvenes pueden casarse y vivir felices.

Expansión:
Teacher Edition C
Assign one stude
to act out each
drawing. Reread
the story out lou
as students stand
and act out the
image they
represent.

2 | Palabras semejantes

Leer
Escribir

Identifica y empareja las palabras que pertenecen a cada par. *(Match related words.)*

los personajes	el volcán	valiente	la batalla
estar enamorado(a)	la narración	la princesa	

modelo: el enemigo, el joven, _____
el enemigo, el joven, los personajes

1. el mensaje, contar, _____
2. el héroe, heroico, _____
3. el ejército, la guerra, _____

4. querido(a), casarse, _____
5. la montaña, transformar, _____
6. la heroína, hermosa, _____

Expansión
Group together mor
related words from
the story.

Más práctica Cuaderno *pp. 148–150* Cuaderno para hispanohablantes *pp. 148–151*

🌐 **Get Help Online**
my.hrw.com

PARA Y PIENSA **Did you get it?** **1.** Give two ways a legend might begin.
2. Name four characters that might be in a legend.

Differentiating Instruction

Pre-AP

Expand and Elaborate Have student pairs use the icons in Activity 1 to expand upon the legend by adding new details such as adjectives that describe the noun replacing the icon. Have them then exchange papers and read the legends to each other.

Heritage Learners

Writing Skills Ask students to form sentences using the groups of three words from Activity 2, as in: **El enemigo y el joven son personajes importantes de la leyenda.**

VOCABULARIO en contexto

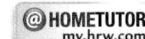

¡AVANZA! **Goal:** Listen to Sandra, Beto, and a park ranger describe a legend. Then create descriptive words from verbs to tell a story. ***Actividades 3–4***

Telehistoria escena 1

@HOMETUTOR my.hrw.com View, Read and Record

STRATEGIES

Cuando lees
Think about legends Before reading, think of six to eight possible adjectives (in English) describing legends. What kind of legends have you read? Which have you liked best?

Cuando escuchas
Listen to participate While listening, imagine that you would like to join the conversation. What topics do you hear? If the conversation interests you, how can you join it?

VIDEO DVD

AUDIO

Beto, Jorge, and Sandra, sketching on drawing pads, are trying to think of ideas for an animated film.

Sandra: ¿Una leyenda cómica?

Jorge: No. Una leyenda sobre México. Sobre nuestra historia. No tiene que ser cómica.

Beto: ¿Conoces una leyenda mexicana?

Sandra: Hay una leyenda sobre aquellos volcanes, pero no la conozco.

Guía: *(walking up to the students)* Yo conozco esa leyenda. ¿Cómo están?

Sandra: ¿De veras?

Guía: Claro. Había una vez un emperador azteca. Su hija, la princesa, se llamaba Ixtaccíhuatl.

Jorge: ¿Ixta—Ixtacc-? Ay, ¡qué difícil! ¿Por qué no se llamaba María?

Continuará... p. 206

¡AVANZA! Objectives

- Understand active vocabulary in context.
- **Culture:** compare everyday activities

Core Resources

- Video Program: DVD 2
- Audio Program: TXT CD 5 Track 3

Presentation Strategies

- Have students look at the picture. What are Jorge, Beto, and Sandra doing? Who is the man with the beard?
- Ask students where they think the scene takes place.
- Show the video and/or play the audio.

STANDARDS

1.1 Engage in conversation
1.2 Understand language
21st Century **Creativity and Innovation,** Humor/Creativity

Warm Up Projectable Transparencies, 4-16

Vocabulary Write the letter of the verb beside the corresponding character(s).

1.____	el ejército	**a.** casarse
2.____	el enemigo	**b.** pelear
3.____	la princesa	**c.** llorar
4.____	el héroe y la heroína	**d.** tener celos
5.____	el héroe	**e.** ser valiente

Answers: 1. b; 2. d; 3. c; 4. a; 5. e

Communication

Humor/Creativity

Telehistoria Divide students into small groups of three to four. Have them look at the photo on p. 201, think of other things the group could be discussing, and write a short dialog. Play the video with the volume turned down while students read their dialogs.

Video Summary

@HOMETUTOR VideoPlus my.hrw.com

Sandra, Beto, and Jorge are trying to think of ideas for an animated film. They discuss a legend about volcanoes with the park ranger.

Differentiating Instruction

Multiple Intelligences

Interpersonal Ask students which of the three characters—Sandra, Beto, or Jorge—would be most likely to become the director of their film. What functions, then, would the other two fulfill?

Slower-paced Learners

Memory Aids Refer students to the story map outline suggested on p. 197 as a memory aid. Have students fill in their outline with the setting, time, place, and the first two characters from escena 1. Have students save the outline and fill in the remaining information when they read/see escena 2 and 3. The filled outline can then be used as a study guide.

VOCABULARIO

Objectives
· Practice using vocabulary in context.
· Practice using legend terms and past participles as adjectives.

Core Resource
· Audio Program: TXT CD 5 Track 3

Practice Sequence
· Activity 3: Telehistoria comprehension
· Activity 4: Vocabulary production: past participles as adjectives

STANDARDS
1.2 Understand language, Act. 3
1.3 Present information, Act. 4
4.1 Compare languages, Act. 4
21st CENTURY Communication, Act. 4/Ongoing Assessment

Verbs Students Know

Write a list of regular verbs students know on the board and have them identify the past participles:

llamar	comprar	preparar
comer	mandar	recibir
pasar	arreglar	dormir
lavar	secar	interesar

Get Help Online
More Practice
my.hrw.com

✓ **Ongoing Assessment**

PARA Y PIENSA **Alternative Strategy** After students have orally answered the questions, have them describe something else using one or more of the adjectives in the activity and/or the list of verbs on the board. Have them draw a picture to represent the description. For additional practice, use Reteaching & Practice Copymasters URB 4, pp. 1, 3.

🖥 **Answers** Projectable Transparencies, 4-24

Activity 3
1. a   3. c
2. c   4. b

Activity 4 Answers will vary. Sample answers include:
cerrar: La puerta está cerrada.
dormir: El gato está dormido.
enojarse: El padre está enojado.
vestir: La muñeca está vestido.
apagar: La televisión está apagada.
perder: Las llaves del padre están perdidas.
cansar: El chico está cansado.
enamorarse: La chica está enamorada.

Para y piensa
1. decorados   2. preferida

202

---

3 Comprensión del episodio   La leyenda

Escuchar Leer

Escoge la respuesta correcta. *(Choose the correct answer.)*

1. Jorge prefiere una leyenda _____ .
   a. mexicana   b. cómica   c. divertida
2. Hay una leyenda sobre _____ .
   a. un palacio   b. dos princesas   c. unos volcanes
3. La persona que conoce la leyenda es _____ .
   a. Sandra   b. Beto   c. el guía del parque
4. La princesa de la leyenda se llamaba _____ .
   a. María   b. Ixtaccíhuatl   c. Sandra

Expansión:
Teacher Edition On[...]
Have students write sentences about the Telehistoria with four of the unused answer options.

Nota gramatical

Adjectives that are formed from verbs are called **past participles.** To form most **past participles,** drop the infinitive ending and add **-ado** for **-ar** verbs or **-ido** for **-er** and **-ir** verbs. They should agree in gender and number with the nouns they describe.

cerrar	La oficina está **cerrada**.	*The office is **closed**.*
perder	Estamos **perdidos**.	*We're **lost**.*
vestir	Carmen está bien **vestida** hoy.	*Carmen is well **dressed** today.*

If the verb is reflexive, drop the **se** from the infinitive.   **peinarse**   **peinado**

---

4 Descripciones

Escribir Hablar

Describe lo que ves. Usa los verbos para formar los adjetivos en tu descripción. *(Describe what you see. Use the verbs to form adjectives.)*

cerrar	apagar
dormir	perder
enojarse	cansar
vestir	enamorarse

modelo: enojarse
El padre está enojado.

Get Help Online
my.hrw.com

PARA Y PIENSA

Did you get it? Complete the sentences.
1. ¿Decoraste el pastel? Me encantan los pasteles _____ .
2. Yo prefiero esa leyenda. Es mi leyenda _____ .

Differentiating Instruction

Inclusion

Clear Structure To reinforce adjective agreement, have students take turns completing sentences to describe things, using past participles as adjectives, as in:
cerrar: La puerta está _____ **(cerrada). Las ventanas están** _____ **(cerradas). El libro está** _____ **(cerrado). cansar: El chico está** _____ **(cansado.) Los chicos están** _____ **(cansados.) Las chicas están** _____ **(cansadas).**

Pre-AP

Expand and Elaborate Have students make a list of past participles they often use in English to describe things, such as *completed, married, dressed.* Have them write the Spanish equivalents, looking up words they do not know in the back of the text or the dictionary. Then have them take turns reading their lists.

✿ Presentación de GRAMÁTICA

¡AVANZA! **Goal:** Learn how to form the imperfect tense. Then use the imperfect to describe continuing activities in the past. *Actividades 5–8*

♻ *¿Recuerdas?* Expressions of frequency p. R8

English Grammar Connection: There are ways other than the simple past tense (*I studied*) to say that something happened. You can also say *I used to study* or *I was studying*. In Spanish, these ideas are expressed by the **imperfect tense**.

The Imperfect Tense

ANIMATEDGRAMMAR
my.hrw.com

The **imperfect** is another past tense in Spanish. How do you use it?

Here's how: The **imperfect** is used to describe something that was not perfected or not completed in the past. You use it to . . .

- talk about something that was happening
- talk about something you used to do
- say how old someone was
- tell what time it was

Regular verbs in the **imperfect** take these endings:

Note that the **yo** form and the **usted/él/ella** forms are the same.

	estar	hacer	salir
yo	estaba	hacía	salía
tú	estabas	hacías	salías
usted, él, ella	estaba	hacía	salía
nosotros(as)	estábamos	hacíamos	salíamos
vosotros(as)	estabais	hacíais	salíais
ustedes, ellos(as)	estaban	hacían	salían

Él **estaba** aquí cuando yo **hacía** el pastel. *He was here when I was making the cake.*

Only three verbs are irregular in the **imperfect**.

Cuando yo **era** niña, **íbamos** a la playa.
When I was little, we used to go to the beach.

ser	ir	ver
era	iba	veía
eras	ibas	veías
era	iba	veía
éramos	íbamos	veíamos
erais	ibais	veíais
eran	iban	veían

Más práctica
Cuaderno *pp. 151–153*
Cuaderno para hispanohablantes *pp. 152–154*

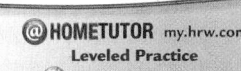
@HOMETUTOR my.hrw.com
Leveled Practice
🌐 Conjuguemos.com

Differentiating Instruction

Heritage Language Learners

Support What They Know Heritage language learners may be more comfortable using the imperfect tense. Ask students to give example sentences of different situations when they would use the imperfect. Focus their attention on the written accents in the imperfect.

English Learners

Provide Comprehensible Input Review the meaning of the English construction "*used to +* verb." Give examples in English and Spanish, using the imperfect. Then pair weak/strong students. One student writes sentences in English and the other in Spanish. Have them exchange papers and read the sentences aloud. Then ask them to switch roles and repeat the activity.

¡AVANZA! **Objectives**

- Present the imperfect tense of regular verbs.
- Present the imperfect tense of the three irregular verbs: **ser, ir,** and **ver.**

Core Resource
- *Cuaderno,* pp. 151–153

Presentation Strategy
- Have each student say a sentence starting with **Cuando yo era niño(a), yo...**

✿ **STANDARD**
4.1 Compare languages

💻 **Warm Up** Projectable Transparencies, 4-17

Past Participles Complete these sentences about your daily routines using past participles.

modelo: arreglar
¿Vas a arreglarte?
Ya estoy arreglado(a).

1. ¿Vas a cepillarte los dientes?
Ya _____ _____ .
2. ¿Vas a vestirte bien?
Ya _____ _____ .
3. ¿Vas a apagar la luz en tu cuarto?
Ya _____ _____ .
4. ¿Vas a preparar un sándwich?
Ya _____ _____ .

Answers: 1. están cepillados; 2. estoy vestido(a) bien; 3. está apagada; 4. está preparado

Comparisons
English Grammar Connection

Emphasize that the imperfect describes actions in the past that have no clear beginning or end. English uses either the simple past for such actions or the construction *used to* + infinitive: *When I was five, I drank (used to drink) a glass of orange juice every day.*

Objectives

· Practice using the imperfect to talk about childhood activities.
· Recycle: expressions of frequency
· **Pronunciation:** the **r** and **rr** sounds
· **Culture:** archaeological sites

Core Resources

· *Cuaderno,* pp. 151–153
· Audio Program: TXT CD 5 Tracks 4, 5

Practice Sequence

· **Activity 5:** Controlled practice: imperfect tense; Recycle: expressions of frequency
· **Activity 6:** Controlled practice: imperfect tense
· **Activity 7:** Transitional practice: comprehension questions
· **Activity 8:** Open-ended practice: answering questions

STANDARDS

1.1 Engage in conversation, Act. 5
1.2 Understand language, Act. 8, CC
1.3 Present information, Acts. 6, 7, 8
4.1 Compare languages, Acts. 5, 6, 7, 8
4.2 Compare cultures

21ST CENTURY Communication, Interpersonal Mode; **Information Literacy,** Multiple Intelligences; **Social and Cross-Cultural Skills,** English Learners

Comparación cultural

Essential Question

Suggested Answer De los sitios arqueológicos podemos aprender cómo vivía la gente en el pasado.

🖥 **Answers** Projectable Transparencies, 4-24

Activity 5 Answers will vary. The verbs should be:
1. lloraba
2. jugaba
3. peleaba
4. dormía
5. salía con amigos
6. veía películas
7. comía verduras

Activity 6
1. tenía
2. contaba
3. eran
4. quería
5. íbamos
6. sacaban (preferían)
7. prefería (sacaba)
8. regresábamos
9. estaba
10. veía

✴ Práctica de GRAMÁTICA

5 **En el pasado** ♻ **¿Recuerdas?** Expressions of frequency p. R8

Hablar

Habla de lo que hacías cuando tenías ocho años. *(Talk about your childhood activities.)*

0%   100%

nunca   de vez en cuando   mucho   todos los días/siempre

modelo: hablar

A ¿Hablabas mucho cuando tenías ocho años?

B Sí, hablaba siempre. (No, nunca hablaba.) ¿Y tú?

1. llorar
2. jugar
3. pelear
4. dormir
5. salir con amigos
6. ver películas
7. comer verduras

Expansión
Teacher Edition Onl
Have students ask their partner abou five more activities they used to do.

6 **Mis libros favoritos**

Leer
Escribir

Jorge habla de su niñez. Completa el párrafo con el imperfecto de los verbos. *(Complete the story about Jorge's childhood with the imperfect tense.)*

ser	ver	preferir
ir	estar	querer
sacar	contar	regresar
tener		

Cuando yo **1.** cinco años, mi madre me **2.** muchas leyendas. Mis favoritas **3.** las leyendas aztecas porque yo **4.** ser un guerrero valiente. Todos los sábados mi madre, mis hermanos y yo **5.** a la biblioteca para sacar libros. Ellos **6.** los libros cortos y fáciles pero yo siempre **7.** las leyendas. A las seis, nosotros siempre **8.** a casa. Mi madre siempre **9.** contenta cuando nos **10.** con muchos libros.

Expansión
Teacher Edition Onl
Ask students to te what they used to do on Saturdays o Sundays when the were five years old

Comparación cultural

La preservación del pasado

¿Qué podemos aprender de los sitios arqueológicos? En San Juan Parangaricutiro, **México,** hay sólo *(only)* las ruinas de una iglesia porque el volcán Paricutín destruyó *(destroyed)* la ciudad. La erupción duró nueve años pero todos pudieron escapar. Un sitio importante en **Nicaragua** es las Huellas de Acahualinca. Allí puedes ver huellas *(footprints)* de más de 6000 años de un grupo de adultos y niños que caminaba a un lago. Las huellas fueron preservadas en barro *(mud)* y cenizas *(ashes)* volcánicas después de la erupción de un volcán.

Compara con tu mundo *¿Por qué son importantes los sitios arqueológicos? ¿Hay algunos en tu región?*

Las ruinas de la iglesia en San Juan Parangaricutiro

Algunas huellas de Acahualinca

Differentiating Instruction

Multiple Intelligences

Visual Learners Have students research an archaeological site in Mexico to find out what daily life was like long ago. They should present their findings in a collage or poster with images of objects from the site and write captions in the imperfect to describe what the people used to do with the objects.

English Learners

Build Background Have students describe an archaeological site in their home country. Have them describe the buildings and the society of that time. Encourage them to bring in photos or drawings to share with the class.

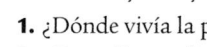

7 Una leyenda

Escuchar
Escribir

Escucha la leyenda y contesta las preguntas. *(Listen and answer the questions.)*

1. ¿Dónde vivía la princesa?
2. ¿De quién estaba enamorada?
3. ¿Por qué no podían casarse?
4. ¿Cómo eran las batallas?
5. ¿Por qué lloraba la princesa?
6. ¿Adónde iba la princesa?
7. ¿Con quién hablaba allí? ¿Para qué?
8. ¿Qué pasó después de la guerra?

> **Audio Program**
> TXT CD 5 Track 4
> Audio Script, TE
> p. 195B

> **Expansión:**
> Teacher Edition Only
> Ask students how their grandparents might have responded to these questions.

8 Así era mi vida

Hablar
Escribir

Imagina que ya eres abuelo(a). Contesta las preguntas de tus nietos.
(Imagine that you are a grandparent. Answer your grandchildren's questions.)

1. ¿Dónde vivías cuando eras joven?
2. ¿Cómo era tu casa o apartamento?
3. ¿A qué hora te levantabas los días de clase?
4. ¿Qué hacías después de las clases? ¿Estudiabas mucho?
5. ¿Qué música escuchabas? ¿Qué deportes practicabas?
6. ¿Qué hacías los fines de semana? ¿Durante las vacaciones?

> **Expansión**
> Prepare three more questions your grandchildren might ask you, and answer them.

AUDIO

Pronunciación ▸ El sonido r y rr

The Spanish **r** in the middle or at the end of a word is pronounced with a single tap of the tongue against the roof of your mouth. It sounds similar to the *d* of the English word *buddy*. Listen to and repeat these words.

emperador	hermoso	morir	heroína	querido	pero

The letter **r** at the beginning of a word and the double **rr** within a word is pronounced with several rapid taps of the tongue, or a trill. Listen and repeat.

guerra	narración	pizarrón	Ramón	rayas	perro

Los guerreros no quieren pelear en esta batalla.
El emperador está enamorado de la princesa Rafaela.

Más práctica Cuaderno *pp. 151–153* Cuaderno para hispanohablantes *pp. 152–154*

> **Get Help Online**
> my.hrw.com

> **PARA Y PIENSA**
> **Did you get it?** Give the imperfect forms:
> 1. Mis hermanos _____ (pelear).
> 2. Nosotros _____ (dormir).
> 3. Tú nunca _____ (ir) al cine.
> 4. Yo _____ (leer) mucho.

Differentiating Instruction

Heritage Learners

Support What They Know Have students model pronunciation of **r** and **rr,** and have others repeat the words as they hear them: **pero, perro; abierto, aburrido; era, sierra; espera, espárragos; era, erre.** Ask students to tell the class of any tongue-twisters they know of to practice the two sounds.

Inclusion

Frequent Review/Repetition Have pairs of students list two things they used to do when they were in seventh grade, and two things their teacher did. Then have them construct sentences describing these activities, using the imperfect.

Communication

Interpersonal Mode

Have pairs of students take turns describing things they used to do when they were children and note similarities and differences.

✓ Ongoing Assessment

Dictation practice **r** and **rr**
First read the following sentences aloud. Be sure to pause after each sentence in order to give students enough time to write.

1. Mi hermana Ramona siempre estaba aburrida.
2. Nuestros padres nos dieron un perro pequeño.
3. Era de color marrón, con orejas grandes.
4. Cuando entró la casa, empezó a correr entre mi hermana y yo.

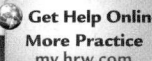
> **Get Help Online**
> **More Practice**
> my.hrw.com

✓ Ongoing Assessment

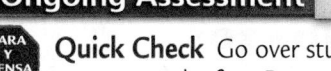
> **PARA Y PIENSA** **Quick Check** Go over students' answers to the four Para y piensa questions. For additional practice, use Reteaching & Practice Copymasters URB 4, pp. 4, 5, 10.

Connections

La lengua

Here is a Spanish tongue-twister, or **trabalenguas** that practices the sound of **r** and **rr**: **El perro de San Roque no tiene rabo, porque Ramón Ramírez se lo ha robado.**

🖥 Answers Projectable Transparencies, 4-25

Activity 7
1. La princesa vivía en un palacio.
2. Estaba enamorada de un guerrero.
3. No podían casarse porque había un problema: la guerra.
4. Las batallas eran difíciles.
5. La princesa lloraba porque estaba muy triste.
6. La princesa iba a las montañas.
7. Hablaba a los dioses. Les pedía ayuda.
8. Después de la guerra, el guerrero y la princesa se casaron.

Activity 8 Answers will vary.

Para y piensa
1. peleaban
2. dormíamos
3. ibas
4. leía

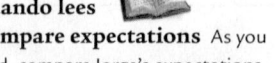 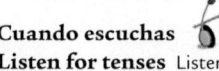

GRAMÁTICA en contexto

Goal: Listen to the park ranger describe the characters in a legend that happened long ago. Then describe events and people in the past.
Actividades 9–11

♻ *¿Recuerdas?* Weather expressions p. R8

Telehistoria escena 2

@HOMETUTOR
my.hrw.com View, Read and Record

STRATEGIES

Cuando lees
Compare expectations As you read, compare Jorge's expectations about Popo's future with the emperor's. How do they compare with yours?

Cuando escuchas
Listen for tenses Listen to the park ranger. Which tenses does he use? When does he change tenses? Consider whether you change tenses when telling stories in English.

VIDEO
DVD

AUDIO

Guía: La princesa Ixtaccíhuatl—bueno, mejor vamos a llamarla Ixta—era muy hermosa, y muchos hombres estaban enamorados de ella.

Sandra: Ixta, la heroína.

Guía: Popocatépetl—bueno, mejor vamos a llamarlo Popo.

Sandra: Ah...sí...¡los nombres de los volcanes!

Guía: ¡Exactamente! Popo era un guerrero valiente del emperador y un día llevó a su ejército a una guerra contra el enemigo.

Beto: ¿Cómo? ¿El emperador no era valiente? ¿Por qué no quería pelear él?

Guía: Él peleó en muchas batallas, pero ya era muy viejo. El emperador le dijo: «Para casarte con mi hija, debes ser valiente en la batalla y ganar la guerra».

Jorge: ¿Qué? ¿Casarse así? ¿Sin dinero? ¿Sin oro?

Guía: Popocatépetl estaba enamorado de Ixtaccíhuatl, y ella estaba enamorada de él. Cuando Popo se fue a la batalla, la princesa Ixta estaba triste y lloró. Popo tenía que regresar para casarse con ella.

Jorge: ¡Ay! ¡Mujeres!

Continuará... p. 211

Differentiating Instruction

Slower-paced Learners

Read Before Listening Students may be confused by the Nahuatl names. Have students preview the text of the Telehistoria before listening to it. Have them point to the Nahuatl names, then to their shortened versions in the text. Then have them find a description of each of the three characters in the text.

Pre-AP

Draw Conclusions In groups, have students reread escena 1 and 2, and then ask them to predict how they think the legend will end. Point out Sandra's line about the names of the volcanoes and the names of the characters. Have students conclude what connection, if any, might exist.

- Practice the imperfect and preterite tenses in context.
- Recycle: weather expressions

Core Resources

- Video Program: DVD 2
- Audio Program: TXT CD 5 Track 6

Presentation Strategies

- Have students preview the video activities before watching the video.
- Have students look at the picture and describe what they notice. What is in the background? What is the weather probably like? (Look at the clouds and how the characters are dressed.)

Practice Sequence

- **Activity 9:** Telehistoria comprehension
- **Activity 10:** Open-ended practice: imperfect tense
- **Activity 11:** Open-ended practice: imperfect tense; Recycle: weather expressions

STANDARDS

1.1 Engage in conversation, Act. 10
1.2 Understand language, Act. 9
1.3 Present information, Act. 11
4.1 Compare languages, Acts. 10, 11

21ST CENTURY **Creativity and Innovation,** Act. 11; **Critical Thinking and Problem Solving,** Pre-AP/Multiple Intelligences; **Flexibility and Adaptability,** Act. 10

Warm Up Projectable Transparencies, 4-17

The imperfect Complete the sentences by changing the present tense to the imperfect.

1. Nuestras amigas, Ana y Luz, (comen) _____ el desayuno a las siete de la mañana.
2. Nos (gusta) _____ hablar con ellas antes de clases.
3. En la tarde, ellos (hacen) _____ la tarea.
4. Por la noche yo (leo) _____ mi correo electrónico.
5. ¿Y tú? ¿Qúe (haces) _____ ?

Answers: 1. comían; **2.** gustaba; **3.** hacían; **4.** leía; **5.** hacías

@HOMETUTOR
VideoPlus
my.hrw.com

Video Summary

The park ranger tells Sandra, Beto, and Jorge about the characters in a legend from long ago.

9 Comprensión del episodio ¿Quién era?

Escuchar
Leer

Empareja la descripción con el personaje. Responde con oraciones completas. *(Match and answer in complete sentences.)*

1. Era muy viejo.
2. Llevó al ejército a una guerra.
3. Era la heroína.
4. Estaban enamorados.
5. Era valiente.
6. Estaba triste y lloró.
7. Son los nombres de dos volcanes.
8. Tenía que regresar de la batalla para casarse.

Popocatépetl

Ixtaccíhuatl

El emperador

Expansión:
Teacher Edition Only
Have students write three sentences describing each character.

10 Eran las nueve

Hablar

¡Hubo un crimen anoche a las nueve! Uno(a) de ustedes es un(a) detective de policía. Pregúntales a los otros sobre sus actividades. *(One of you is a police detective solving a crime. Ask your classmates about where they were last night at 9:00 and what they were doing.)*

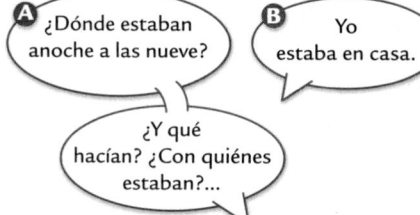

A ¿Dónde estaban anoche a las nueve?

B Yo estaba en casa.

C Yo estaba en el cine.

¿Y qué hacían? ¿Con quiénes estaban?...

Expansión
Take notes as the students in your group speak, then write sentences telling what each was doing.

11 ¡Qué misterioso!   ¿Recuerdas? Weather expressions p. R8

Escribir

Escribe el primer párrafo de una leyenda llena de misterio. Incluye una descripción del ambiente y de los personajes. *(Write the first paragraph of a legend. Include a description of the setting and the characters.)*

Expansión:
Teacher Edition Only
Have students exchange papers for peer correction and comments.

modelo: Era una noche muy fría. Hacía mucho, mucho viento. Eran las once de la noche y todos dormían. No, no todos. Un guerrero corría por las calles. ¿Por qué? ¿Adónde iba?...

Get Help Online
my.hrw.com

PARA Y PIENSA
Did you get it? Change these sentences from present to imperfect:
1. El enemigo tiene celos.
2. La princesa llora mucho.
3. El emperador es valiente.
4. Los guerreros pelean.

Lección 1
doscientos siete **207**

Differentiating Instruction

Multiple Intelligences

Logical/Mathematical In Activity 10 have students make a chart showing what crime was committed, where and when it took place, and what information each respondent gave the detective. Have them highlight the characters they consider most suspicious.

Inclusion

Clear Structure To prepare for writing Activity 11, have students write descriptions of the main characters who will be in their legend: the hero, heroine, family, enemy. Have them decide which they will present first: the mystery or the characters. Students should then write a sentence identifying the main idea of their mystery.

📖 Answers Projectable Transparencies, 4-25

Activity 9
1. El emperador era muy viejo.
2. Popocatépetl llevó al ejército a una guerra.
3. Ixtaccíhuatl (Ixta) era la heroína.
4. Ixtaccíhuatl (Ixta) y Popocatépetl (Popo) estaban enamorados.
5. Popocatépetl (Popo) era valiente.
6. Ixtaccíhuatl (Ixta) estaba triste y lloró.
7. Popocatépetl y Ixtaccíhuatl son los nombres de dos volcanes.
8. Popocatépetl (Popo) tenía que regresar de la batalla para casarse.

Activity 10 Answers will vary. Make sure that students say where they were and what they were doing last night, using the imperfect.

Activity 11 Answers will vary. Check that students used the imperfect.

Para y piensa
1. El enemigo tenía celos.
2. La princesa lloraba mucho.
3. El emperador era valiente.
4. Los guerreros peleaban.

208

¡AVANZA! Objectives

- Present when to use the preterite and imperfect tenses.
- Clarify when to use the preterite and imperfect of **ser**.

Core Resource

- *Cuaderno*, pp. 154-156

Presentation Strategies

- Remind students that the imperfect describes actions in the past that have no beginning or end. It describes a setting, habitual actions, or activities that were going on when something occurred.
- The preterite is used to describe events that have a distinct beginning and end.
- Draw a timeline on the board representing a story. Use a horizontal line to represent ongoing actions and a vertical line to show when an event occurred.

 STANDARD

4.1 Compare languages

 Warm Up   Projectable Transparencies, 4-18

La leyenda   Read the following statements about the Telehistoria and tell if they are **True** (**T**) or **False** (**F**).

1. Muchas chicas estaban enamoradas de Popocatépetl.
2. El emperador se llamaba Ixtaccíhuatl.
3. Popocatépetl y Ixtaccíhuatl son nombres de volcanes.
4. El enemigo era un guerrero en el ejército del emperador.
5. El emperador peleó en muchas batallas.

Answers: 1. F; 2. F; 3.T; 4. F; 5. T

Communication
Common Error Alert

Many students are unsure when to use the imperfect and preterite of **ser.** Use this example: **Cuando la guerra terminó, Santa Ana era presidente de México.** Point out that the presidency is not a distinct event, with a beginning and an end; it is the background for what happened (**la guerra terminó**). Help students write other examples.

❋ Presentación de GRAMÁTICA

¡AVANZA! **Goal:** Learn the differences between the preterite and imperfect tenses. Then use both to narrate past events. *Actividades 12–15*

♻ *¿Recuerdas?* Daily activities pp. 10, R9

English Grammar Connection: English has only one simple tense to describe events that happened in the past. Spanish uses two past tenses: the **preterite** and the **imperfect.**

Preterite and Imperfect

 ANIMATED GRAMMAR
my.hrw.com

You have learned two verb forms used for the past tense: the **preterite** and the **imperfect.** How do you know when to use each one?

Here's how: Decide whether an action had a specific beginning and ending. Use the **preterite** if the action started and ended at a definite time.

> La guerra **empezó** en 1846.
> *The war **began** in 1846.*

> Santa Ana **fue** presidente de México.
> *Santa Ana **was** the president of Mexico.*

Use the **imperfect** to talk about past actions without saying when they began or ended.

> Los guerreros no **tenían** miedo del enemigo.
> *The warriors **were not afraid** of the enemy.*

> El ejército **peleaba** valientemente.
> *The army **fought** bravely.*

You can apply both tenses to talk about two overlapping events.

- the **preterite** for the action that occurred
- the **imperfect** for what was going on at the time

> Cuando la guerra **terminó,** Santa Ana **era** presidente de México.
> *When the war **ended,** Santa Ana **was** president of Mexico.*

Note that you use the preterite of **ser** (**fue**) to say that Santa Ana was *once* president of Mexico, but you use the imperfect of **ser** (**era**) to say that Santa Ana was president during an unspecified time.

Más práctica
Cuaderno *pp.154–156*
Cuaderno para hispanohablantes *pp.155–158*

@HOMETUTOR my.hrw.com
Leveled Practice
Conjuguemos.com

Differentiating Instruction

Inclusion

Frequent Review Have students work in mixed-level pairs (strong/weak). Have them write three activities they used to do every day as children, and three that they did yesterday.

English Learners

Build Background Have students say whether their native language has two tenses, such as the imperfect and the preterite, that people use to describe the past. Illustrate the difference between the two tenses by drawing a wavy line for the imperfect intersected by a vertical line that represents the preterite.

✴ Práctica de GRAMÁTICA

12 | **¡Los enemigos llegaron!**

Hablar
Escribir

Indica qué hacían estas personas cuando los enemigos llegaron.
(Tell what people were doing when the enemy arrived.)

> **modelo:** el emperador: regresar al palacio / los enemigos: llegar
> El emperador **regresaba** al palacio cuando los enemigos **llegaron**.

1. el héroe: mirar por la ventana / el ejército: llegar
2. los jóvenes: bailar / la música: terminar
3. el guerrero: entrenarse para la batalla / el emperador: llamarlo
4. la princesa: dormir / su mamá: despertarla
5. las mujeres: preparar comida / los enemigos: entrar en el palacio
6. los guerreros: salir del palacio / la batalla: empezar

> **Expansión:**
> **Teacher Edition Only**
> Ask students to organize the completed sentences into a story and add more details.

13 | **Un día diferente** ♻ *¿Recuerdas?* Daily activities pp. 10, R9

Hablar
Escribir

Un sábado del verano pasado, muchas personas cambiaron sus rutinas para ir a una fiesta especial. Describe lo que hacían normalmente y lo que no hicieron ese día. *(Describe what people used to do regularly last summer but didn't do the day of the party.)*

> **modelo:** yo
> Ese verano yo **leía** todos los sábados, pero el día de la fiesta no **leí**.

1. tú

2. Jorge y yo

3. yo

  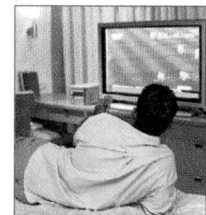

4. Sandra y Clara

5. Isabel

6. mis padres

> **Expansión**
> Describe two summer activities you used to do regularly. Then, describe two that you only did once.

Lección 1
doscientos nueve **209**

Differentiating Instruction

Multiple Intelligences

Musical/Rhythmic In Activity 12 divide students into groups of three. Have one read the completed sentences while a second beats out a continuing bass rhythm for verbs in the imperfect, and the third makes a single percussive sound whenever they hear a verb in the preterite.

Slower-paced Learners

Personalize It Have student pairs ask each other whether they used to do the activities pictured in Activity 13 last year. Model:
¿Leías el verano pasado? —Sí, (No, no) leía el año pasado.

Objective
· Practice using the imperfect and preterite.

Practice Sequence
· **Activity 12:** Controlled practice: imperfect and preterite tenses
· **Activity 13:** Transitional practice: imperfect and preterite tenses; Recycling: daily activities

 STANDARDS
1.3 Present information, Acts. 12, 13
4.1 Compare languages, Acts. 12, 13

✓ Ongoing Assessment

Intervention Some students may not remember the preterite of certain verbs. Have them refer to the Resumen de gramática on p. R28 and R34 or go online to my.hrw.com.

🖥 **Answers** Projectable Transparencies, 4-26

Activity 12 Answers may vary.
1. El héroe miraba por la ventana cuando llegó el ejército.
2. Los jóvenes bailaban cuando terminó la música.
3. El guerrero se entrenaba para la batalla cuando lo llamó el emperador.
4. La princesa dormía cuando la despertó su mamá.
5. Las mujeres preparaban la comida cuando los enemigos entraron en el palacio.
6. Los guerreros salían del palacio cuando empezó la batalla.

Activity 13 Answers may vary.
1. Ese verano nadabas todos los sábados, pero el día de la fiesta no nadaste.
2. Ese verano jugábamos todos los sábados, pero el día de la fiesta no jugamos.
3. Ese verano miraba la televisión todos los sábados, pero el día de la fiesta no (la) miré.
4. Ese verano corrían todos los sábados, pero el día de la fiesta no corrieron.
5. Ese verano escribía todos los sábados, pero el día de la fiesta no escribió.
6. Ese verano (hablaban, caminaban) todos los sábados, pero el día de la fiesta no (hablaron, caminaron).

209

Objectives
· Practice using the imperfect and preterite.
· Culture: how artists' work reflects their communities

Core Resource
· *Cuaderno,* pp. 154–156

Practice Sequence
· Activity 14: Open-ended practice: imperfect and preterite tenses
· Activity 15: Open-ended practice: imperfect and preterite tenses

STANDARDS

1.2 Understand language, Act. 15 (CC)
1.3 Present information, Act. 14
2.2 Products and perspectives
4.1 Compare languages, Act. 14
Communication, Acts. 14, 15/ Multiple Intelligences; **Creativity and Innovation,** Acts. 14, 15

Long-term Retention
Connect to Previous Learning

Activity 14 Have students return to the paragraph they wrote for Activity 11 and have them continue their story, this time using both the preterite and the imperfect.

Comparación cultural

Essential Question

Suggested Answer Los artistas representan la comunidad por las imágenes del pueblo, las personas, y la naturaleza en su arte.

✓ Ongoing Assessment

Get Help Online
More Practice
my.hrw.com

 Quick Check Have the students check each others sentences. For additional practice, use Reteaching & Practice Copymasters URB 4, pp. 7, 8, 12.

💻 **Answers** Projectable Transparencies, 4-26

Activity 14 Answers will vary. Students should make a logical transition from what they wrote for Activity 11 on p. 207.

Activity 15 Answers will vary. Check that students have used both the imperfect and the preterite tenses.

Para y piensa
1. casó
2. era, contaba

---

14 | ¡El misterio continúa!

Escribir

Regresa al párrafo que escribiste para la actividad 11. Escribe un segundo párrafo de cuatro a siete oraciones para describir lo que pasó después. *(Continue the story you began in Activity 11. Write a second paragraph of four to seven sentences to describe the actions that took place next.)*

modelo: Cuando el guerrero llegó a una casa, llamó a la puerta. Dentro de la casa una persona encendió la luz y...

Expansión
Exchange paragraphs with a partner and write a fun ending for their story.

15 | Una historia

Leer
Escribir

Comparación cultural

Detalle del fresco Historia de Michoacán (1955–1957), Alfredo Zalce Torres

El artista y su comunidad

¿Cómo representan los artistas la historia de su comunidad? Muchas de las pinturas del artista Alfredo Zalce Torres reflejan *(reflect)* los paisajes, mercados y habitantes de Morelia, **México** y también la vida de los indígenas de Michoacán, su capital. Algunos de sus murales más conocidos se encuentran en el Palacio de Gobierno de Michoacán. Se llaman *Historia de Michoacán* y en ellos, el artista narra *(narrates)* 500 años de la historia de la región y representa diferentes aspectos de la vida indígena.

Compara con tu mundo ¿Cómo representarías *(would you represent)* tu comunidad y su historia en un mural?

Imagina que eres una de las figuras de este mural. Cuenta tus recuerdos del evento, usando el pretérito y el imperfecto. *(Imagine you are one of the people in the mural. Tell your memories of the event.)*

modelo: Era una noche de julio. Tocaban los músicos y las muchachas cantaban. Entonces, llegó mi amiga y...

Más práctica   Cuaderno *pp. 154–156*   Cuaderno para hispanohablantes *pp. 155–158*

Get Help Online
my.hrw.com

PARA Y PIENSA

Did you get it? Can you decide which verb form is correct in the following statements?
1. Mi prima se (casaba/casó) el año pasado.
2. Cuando yo (era/fui) muy joven, mi mamá me (contaba/contó) leyendas todas las noches.

Differentiating Instruction

Heritage Learners

Support What They Know For the Para y piensa activity, have students explain the difference between saying **Cuando yo *era* muy joven** and **Cuando yo *fui* muy joven.**

Multiple Intelligences

Visual Learners Have students draw a picture of an ordinary Saturday when they were ten years old, showing themselves and others engaged in usual activites, plus one or two special events that occurred on a Saturday. Students should write captions for the pictures with verbs in the correct form, imperfect or preterite.

✵ Todo junto

¡AVANZA! | **Goal:** *Show what you know* Listen to the ending of the legend and to Sandra and Jorge's reactions. Then retell a story from your past and create a legend of your own. *Actividades 16–20*

Telehistoria completa

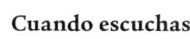 **@HOMETUTOR** my.hrw.com View, Read and Record

STRATEGIES

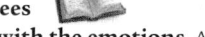

Cuando lees
Connect with the emotions As you read, connect with the emotions of the warriors and princess. Also connect with Jorge's reactions. List at least five expressions that reveal emotions.

Cuando escuchas
Make two kinds of pictures While listening, make a mental picture of all the characters in the legend. Afterwards draw or sketch these characters to use to write a description.

Escena 1 *Resumen*
Sandra, Jorge y Beto piensan en unas leyendas para su película. Un guía del parque empieza a contarles una leyenda sobre dos volcanes.

Escena 2 *Resumen*
El guía habla de la princesa Ixtaccíhuatl y Popocatépetl. Popo quería casarse con Ixta, pero primero tenía que ganar la guerra para el padre de Ixta, el emperador.

VIDEO DVD

AUDIO

Escena 3

Guía: Popo fue muy valiente y ganó la guerra. Pero otro guerrero tenía celos de Popo y regresó al palacio primero diciendo que Popo murió en la guerra.

Jorge: ¿Por qué hizo eso?

Guía: Porque él también estaba enamorado de la princesa.

Jorge: ¡Qué horror!

Guía: La princesa Ixta estaba tan triste que murió.

Jorge: ¡No puede ser!

Guía: Cuando Popo volvió al palacio encontró a la princesa. La llevó a la montaña más alta, donde los dioses transformaron al guerrero y a su princesa en dos volcanes, uno al lado del otro. Ixta está tranquila pero a menudo Popo se despierta y llora por ella. Y ésa es la leyenda de estos dos volcanes.

Sandra: ¡Qué hermosa leyenda!

Jorge: *(wiping his eyes)* Creo que debemos hacer una leyenda cómica.

Differentiating Instruction

Slower-paced Learners

Personalize It Have students say whether they think the legend is sad (**triste**), lovely (**hermosa**)—or both. Ask them if they know of any other stories or movies in which the heroine died from sorrow (such as *Romeo and Juliet*).

Multiple Intelligences

Linguistic/Verbal Have students, in groups of four to five, act out a "press conference" between the chief of police and the press, regarding the recent deaths of Popo and Ixta. Have them write down their dialog, looking up vocabulary as needed, then act it out for the class.

Unidad 4 Lección 1
TODO JUNTO

¡AVANZA! **Objective**
· Integrate lesson content.

Core Resources
· Video Program: DVD 2
· Audio Program: TXT CD 5 Track 7

Presentation Strategies
· Ask students to recount what has happened in the Telehistoria thus far.
· Show the video and/or play the audio.

✵ STANDARD

1.2 Understand language

21st CENTURY **Communication,** Multiple Intelligences; **Flexibility and Adaptability,** Multiple Intelligences

🖵 Warm Up Projectable Transparencies, 4-18

Imperfect and Preterite Complete the following paragraph with either the imperfect or preterite tense of the verb in parentheses. (Ser) __1.__ una noche muy fría y (hacer) __2.__ mucho viento. Toda la familia (dormir) __3.__ cuando a las dos de la mañana (despertarse) __4.__ la hija. Ella (ver) __5.__ a un hombre en el jardín.

Answers: 1. Era; 2. hacía; 3. dormía; 4. se despertó; 5. vio

Communication
Grammar Activity

Telehistoria Have students reread escena 3 and list the imperfect verbs in one column of a two-column chart and then list the preterite verbs in a second column. Have them explain the reasoning behind the tense used for each verb.

Long-term Retention
Analyze

Tell students that many myths and legends give a human face to nature. Ask them how this might be true in the legend of Popo and Ixta.

 **@HOMETUTOR** VideoPlus my.hrw.com

Video Summary

The park ranger tells Sandra, Beto, and Jorge the end of the legend. Both Sandra and Jorge have strong reactions to the story.

 ▶❙ ❙❙

TODO JUNTO

Objective

· Practice using and integrating lesson vocabulary and grammar.

Core Resources

· *Cuaderno,* pp. 157–158
· Audio Program: TXT CD 5 Tracks 3, 6, 7, 8, 9

Practice Sequence

· **Activities 16, 17:** Telehistoria comprehension
· **Activity 18:** Open-ended: speaking
· **Activity 19:** Open-ended: reading, listening, speaking

STANDARDS

1.1 Engage in conversation, Act. 18
1.2 Understand language, Acts. 16, 17, 18
1.3 Present information, Acts. 17, 18, 20

Creativity and Innovation, Act. 20;
Technology Literacy, Act. 19: Expansión

Communication
Motivating with Music

The **¡AvanzaRap!** song for this unit targets vocabulary from Lección 1. To reinforce this vocabulary, play the **¡AvanzaRap!** animated video to students and have them identify the expressions they see and hear for legends. For extra practice, have them complete the Activity Master for Unidad 4.

Answers Projectable Transparencies, 4-27

Activity 16 Answers will vary. Sample answers:
1. Popo ganó la guerra.
2. Otro guerrero tenía celos de Popo.
3. Popo y el otro guerrero querían casarse con Ixta.
4. La princesa estaba tan triste que murió.
5. Popo llevó a la princesa a la montaña.
6. Los dioses transformaron a Ixta y a Popo en dos volcanes.

Activity 17 Answers will vary. Sample answers:
1. El guía les contó la leyenda a los chicos.
2. Los personajes de la leyenda eran valientes, buenos y malos.
3. Popo e Ixta estaban enamorados.
4. Otro guerrero tenía celos de Popo. Él regresó y le dijo a Ixta que Popo murió en la guerra.
5. No se casaron porque Ixta murió.
6. Al final del cuento los dioses transformaron a Ixta y a Popo en dos volcanes. Jorge llora.

Activity 18 Questions and answers will vary.

212

---

16 | *Comprensión de los episodios*   ¡A corregir!

Escuchar
Leer

Corrige los errores en estas oraciones. *(Correct the errors.)*

modelo: El enemigo peleó valientemente.
Popo peleó valientemente.

1. Popo perdió la guerra.
2. El emperador tenía celos de Popo.
3. Tres guerreros querían casarse con Ixta.
4. La princesa estaba tan contenta que murió.
5. Popo llevó a la princesa al palacio.
6. Los dioses transformaron a Ixta y a Popo en dos emperadores.

Expansión:
Teacher Edition
Ask students to write another f statement abo the legend to r to the class.

17 | *Comprensión de los episodios*   El final

Escuchar
Leer

Contesta las preguntas. *(Answer the questions.)*
1. ¿Quién les contó la leyenda a los chicos?
2. ¿Cómo eran los personajes de la leyenda?
3. ¿Quiénes estaban enamorados?
4. ¿Quién tenía celos de Popo y qué hizo?
5. ¿Por qué no se casaron Ixta y Popo?
6. ¿Qué pasó al final del cuento? ¿Qué hace Jorge?

Expansión:
Teacher Edition (
Have students explain why eac question is in th imperfect or preterite.

18 | ¡Qué pena!

Hablar

Digital performance space

STRATEGY Hablar

Review and play with words Return to the emotion expressions you listed from the *Telehistoria completa.* Review your list with your partners, and add to it. Play creatively with these words in your dialog. For example: Use contradictory emotions in one sentence.

Describe una experiencia difícil que tuviste. Tus compañeros van a reaccionar con las siguientes expresiones. Cada persona tiene que contar una experiencia. *(Describe a difficult experience you had, and listen to your classmates' reactions.)*

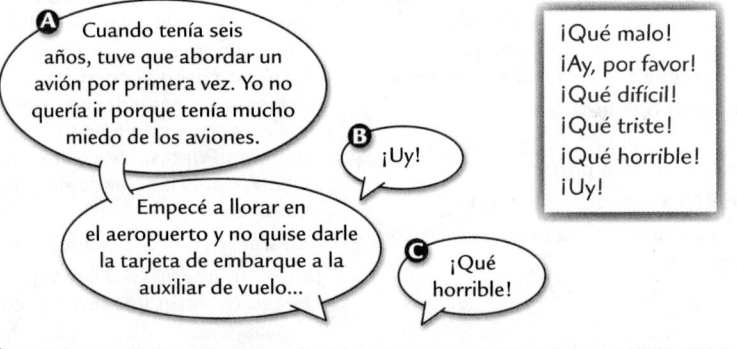

A Cuando tenía seis años, tuve que abordar un avión por primera vez. Yo no quería ir porque tenía mucho miedo de los aviones.

Empecé a llorar en el aeropuerto y no quise darle la tarjeta de embarque a la auxiliar de vuelo...

B ¡Uy!

C ¡Qué horrible!

¡Qué malo!
¡Ay, por favor!
¡Qué difícil!
¡Qué triste!
¡Qué horrible!
¡Uy!

Differentiating Instruction

Multiple Intelligences

Visual For Activity 18, have students draw a cartoon depicting an experience they had as a child. They can choose whether or not to include speech bubbles in the cartoon—but if they do not, then they should narrate the story to the class.

Inclusion

Clear Structure In Activity 18 have students, in pairs, make a chart or a story map of the elements they want to include in their story, using these categories: **¿Qué pasó?, ¿Cuándo?, ¿Por qué fue difícil?, ¿Qué hiciste?** Help them create sentences combining the information.

19 | Integración

Digital performance space

Leer
Escuchar
Hablar

Lee la pequeña historia y escucha el cuento. Describe lo que aprendes sobre Cortés y Moctezuma. *(Read and listen to the stories. Retell what you learned.)*

Fuente 1 Caja de chocolate

Cuando el capitán español Hernán Cortés llegó a México en 1519, Moctezuma II era el emperador de los aztecas.

Moctezuma pensó que Cortés era el dios Quetzalcóatl. Le ofreció chocolate, la bebida preferida en los palacios. Los españoles no conocían el chocolate, pero les encantó y luego lo llevaron a España.

Hoy no hay que ser emperador azteca o capitán español para beber el chocolate. Hoy simplemente tienes que comprar Chocolate Azteca: ¡la bebida de los dioses en tu mesa!

Fuente 2 Cuento mexicano

Listen and take notes
- ¿Quién era Quetzalcóatl?
- ¿Por qué pensó Moctezuma que Cortés era Quetzalcóatl?
- ¿Qué le dio Moctezuma a Cortés?

modelo: Hernán Cortés era un capitán español. Llegó a Veracruz en 1519...

Audio Program
TXT CD 5 Tracks 8, 9 Audio Script, TE p. 195B

Expansión:
Teacher Edition Only
Have students research legends and myths about chocolate on the Internet, and report back to the class.

20 | Había una vez...

Digital performance space

Escribir

Escribe una leyenda con un héroe, una heroína y un(a) enemigo(a). Describe el ambiente, los personajes, las acciones y la conclusión. Escribe de diez a quince oraciones. *(Write a legend with a hero, heroine, and enemy. Describe the setting, characters, actions, and conclusion.)*

modelo: Había una vez dos jóvenes. Él era muy trabajador y ella era muy inteligente. Un día salieron con sus familias a caminar...

Writing Criteria	Excellent	Good	Needs Work
Content	Your legend includes both verb tenses, three characters, and a fully developed plot.	Your legend includes both verb tenses, three characters, and a somewhat developed plot.	Your legend lacks one or the other verb tense, characters, or plot development.
Communication	Most of your legend is organized and easy to follow.	Parts of your legend are organized and easy to follow.	Your legend is disorganized and hard to follow.
Accuracy	Your legend has few mistakes in grammar and vocabulary.	Your legend has some mistakes in grammar and vocabulary.	Your legend has many mistakes in grammar and vocabulary.

Expansión
Illustrate your legend and read it to your classmates.

Más práctica | Cuaderno *pp. 157–158* Cuaderno para hispanohablantes *pp. 159–160*

PARA Y PIENSA

Get Help Online
my.hrw.com

Did you get it? Describe: **1.** something that happened to you last year **2.** something you used to do as a kid **3.** your favorite legend or story

Differentiating Instruction

Heritage Language Learners

Writing Skills Have students investigate local legends. Have them talk to family members, neighbors, and friends about tales they heard as a child—about a local haunted house or a hidden treasure, for instance. Have them research who first told the story, and how it was passed along. Then ask them to share the story with the class.

Pre-AP

Sequence Infomation Have students write each of the sentences they wrote for Activity 20 on separate index cards. Then ask them to exchange cards with a partner and arrange the sentences in sequential order.

Pre-AP Study Tips

Activity 19 Have students work in pairs to identify the three names in the reading passage (*Hernán Cortés, Moctezuma, Quetzalcóatl*). Then have them find the description of each of the three people.

✓ Ongoing Assessment

Rubric Activity 19

Listening/Speaking	
Proficient	Not There Yet
Student takes detailed notes and mentions most or all of the relevant information.	Student takes few notes and mentions some of the relevant information.

To customize your own rubrics, use the **Generate Success** *Rubric Generator and Graphic Organizers*.

✓ Ongoing Assessment

Get Help Online
More Practice
my.hrw.com

PARA Y PIENSA **Peer Assessment** Have students work in pairs to write their descriptions. Encourage them to work together to correct any errors they might make. For additional practice, use Reteaching & Practice Copymasters URB 4, pp. 7, 9.

Answers Projectable Transparencies, 4-27

Activity 19 Answers will vary. Answers to Fuente 2 should include:
Quetzalcóatl era un dios de los aztecas.

Porque pensó que Quetzalcóatl iba a regresar del mar como Cortés.

Moctezuma le dio a Cortés chocolate.

Activity 20 Answers will vary, but should include a hero, heroine, and enemy; a description of the setting, characters, actions, and conclusion.

Para y piensa Answers will vary. Sample answers:
1. El año pasado, compré dos camisas.
2. Jugaba con mis amigos todos los días.
3. Mi leyenda favorita es *Cinderella*. Es la historia de una chica hermosa. Vivía con sus hermanas y...

¡AVANZA! **Objectives**

Objectives

- Read a legend that explains the origin of fire and why the tail of an opossum is bare.
- **Culture:** Learn about the legends of the **mazateca** people of Oaxaca.

Core Resource

- Audio Program: TXT CD 5 Track 10

Presentation Strategies

- Ask students: What is a legend? What kinds of things do legends explain?
- Have students look at the illustrations and ask them what they think this legend is about.
- Ask students what legends they know.

STANDARDS

1.1 Engage in conversation
1.2 Understand language
2.1 Practices and perspectives
21ST CENTURY Creativity and Innovation, Multiple Intelligences: Naturalist; **Information Literacy,** Science; **Social and Cross-Cultural Skills,** Heritage Language Learners

Warm Up Projectable Transparencies, 4-19

Preterite and Imperfect Complete these sentences by filling in the blanks with the preterite or imperfect tense of the verbs in parentheses.

1. Todos los días yo _____ a las dos pero ayer _____ tarde. (comenzar)
2. María siempre me _____ en la biblioteca pero ayer me _____ en la cafetería. (buscar)
3. Todos los viernes nosotros _____ al fútbol pero ayer _____ al béisbol. (jugar)
4. Yo siempre _____ en la esquina pero ayer _____ frente a la escuela. (cruzar)
5. Juan siempre _____ buenas notas pero ayer _____ una F. (sacar)

Answers: 1. comenzaba, comencé; 2. buscaba, buscó; 3. jugábamos, jugamos; 4. cruzaba, crucé; 5. sacaba, sacó

Cultura

Background Information

Explain that the Mazatec people inhabit the northern region of the state of Oaxaca. The name *mazateca* means "people of the deer" in Nahuatl. In their own indigenous language they call themselves *ha shuta enima,* which means "we workers from the hills, humble people of custom."

Lectura

¡AVANZA! **Goal:** Read a Mexican legend that explains the origin of fire and why the tail of an opossum is bare. Then discuss the story and other stories you know that explain natural phenomena.

AUDIO

Una leyenda mazateca: El fuego y el tlacuache

STRATEGY Leer
Use arrows to track the storyline To track the storyline, write each event on a separate arrow, showing how one event leads to the next. Add as many arrows as you need.

END

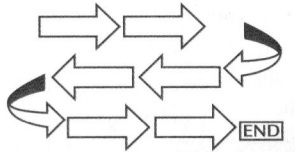

Hay muchas versiones de la leyenda sobre los orígenes del fuego[1]. Ésta es la que cuentan los mazatecas que viven en la región norte de Oaxaca.

Hace muchos siglos, en el principio de los tiempos, las personas no conocían el fuego. Un día una piedra[2] en llamas[3] se cayó[4] de una estrella[5]. Todos tenían miedo de acercarse[6]. Pero una mujer vieja se acercó y se llevó el fuego para su casa en una rama[7] seca. Luego la piedra se apagó y los mazatecas se fueron a sus casas.

Pasaban los días y las personas que vivían cerca de la mujer vieja veían que el fuego era bueno y útil. La mujer lo usaba para cocinar la comida y para dar luz y calor. Pero ella no era muy simpática y no le gustaba compartir. Cuando los mazatecas le pedían un poco de fuego, siempre les decía que no.

Un día llegó un tlacuache[8] inteligente y les dijo a los mazatecas que él podía traerles el fuego. Los mazatecas pensaban que eso era imposible. Si ellos no lo podían hacer, ¿cómo lo iba a hacer ese pequeño

---

[1] fire [2] stone [3] flames [4] **se...** fell [5] star
[6] to approach [7] branch [8] opossum

Unidad 4 México
214 doscientos catorce

Differentiating Instruction

Heritage Language Learners

Support What They Know Ask students to share any legends they know from Spanish speaking countries that explain the origin of something in nature. Did they read the legend or hear it from friends or family members? Have students compare the legend they know with the legend above. Ask them to tell how they are similar or different.

Multiple Intelligences

Naturalist Have students observe wildlife behavior where they live and write a legend that might explain it. Example: Students might write a legend about why woodpeckers peck at trees.

animal? Pero el tlacuache insistió en que él lo podía hacer y que les iba a dar el fuego a todos.

El tlacuache fue una noche a la casa de la vieja y vio que ella descansaba delante de un gran fuego.

—Buenas tardes, señora —dijo el tlacuache—. ¡Ay, qué frío hace! Con su permiso, me gustaría estar un rato al lado del fuego.

La vieja sabía que sí hacía un frío terrible, y le permitió al tlacuache acercarse al fuego. En ese momento el tlacuache puso su cola[9] directamente en el fuego y luego salió corriendo de la casa con la cola en llamas para darle el fuego a todas las personas de la región.

Y es por eso que los tlacuaches tienen las colas peladas[10].

---

[9] tail   [10] hairless

 PARA Y PIENSA

¿Comprendiste?

1. ¿Quiénes son los mazatecas?
2. ¿Quería la mujer vieja darles fuego a los otros? ¿Por qué? ¿Para qué usaba ella el fuego?
3. ¿Cómo pudo entrar el tlacuache a la casa de la vieja? ¿Qué le dijo?
4. ¿Por qué tienen los tlacuaches las colas sin pelo?

¿Y tú?
¿Conoces algunas leyendas que explican fenómenos naturales? ¿Cuáles?

Lección 1
doscientos quince   **215**

Differentiating Instruction

Slower-paced Learners

Memory Aids Have students use a story map to help organize the main ideas of the legend. Have them include categories such as: **personajes, problema** and **solución.**

Multiple Intelligences

Visual Learners After students have read the legend, ask them to create a comic strip illustrating each paragraph of the story. Check their illustration to see if they comprehended the reading.

Science

Have students research opossums. Ask them to classify the opossum by phylum, subphylum, class, order and family. Have them identify any species of opossum where they live.

Communication
Interpersonal Mode

Have the class pretend they are characters in the **leyenda.** Have small groups prepare their version of the action and videotape it.

Communication
Regionalisms

Many Mexicans and Central Americans use the Nahuatl names for animals, rather than their Castilian counterparts. For example, the **tlacuache** (*opossum*) in the legend would be called a **zarigüeya** in many Spanish-speaking countries. Similarly, an owl is called a **tecolote** in Mexico, El Salvador, Honduras, and Guatemala. However, in the Dominican Republic it's a **lechuza,** and the Castilian word for it is **búho.**

Answers

Para y piensa ¿Comprendiste?
Answers will vary. Sample answers:
1. Los mazatecas son personas que viven en la región norte de Oaxaca, México.
2. No quería darles fuego a los otros porque no le gustaba compartir. Usaba el fuego para cocinar y para dar luz y calor.
3. El tlacuache dijo que tenía frío y la mujer vieja le permitió acercarse al fuego.
4. Tienen las colas sin pelo porque el tlacuache puso su cola en el fuego para llevar el fuego a los otros.

¿Y tú? Answers will vary. Answers should describe a legend that explains something in nature.

Objective
· Cross-curricular connections: geography, language, science, and health

Presentation Strategy
· Ask students what other country has the eagle as a national symbol (the U.S.). Ask them what they think it symbolizes.

STANDARDS
1.2 Understand language
1.3 Present information
2.2 Products and perspectives
3.1 Knowledge of other disciplines
4.1 Compare languages
4.2 Compare cultures

21ST CENTURY Social and Cross-Cultural Skills, English Learners

Communication

Interpretive Mode

Using Technology To help students locate the information on the Internet, write these keywords on the board: *náhuatl place names; tenochtitlan lake; chiles en nogada.*

Cultura

Expanded Information
Proyecto 1 Some other places with Nahuatl endings:
Acatlán, from **acatl** (*reed*); **Camotlán,** from **camotli** (*sweet potato*); **Cihuatlán,** from **cihuatl** (*woman*); **Coatlán,** from **coatl** (*snake*); **Tecolotlán,** from **tecolotl** (*owl*).

Proyecto 2
The Aztecs gradually filled in the lake using various methods. For example, they created **chinampas,** similar to floating gardens, on which they grew corn and beans. They built dams and irrigation tunnels.

Proyecto 3
Ingedients for **Chiles en Nogada:**
Walnut sauce: cream, cheese, sugar, walnuts, pomegranate, parsley
Meat filling: onion, cooking oil, beef or pork, blanched almonds, cinnamon, cumin, raisins, green olives, dried fruit
Chiles: poblano chiles, eggs, flour, oil
Answers may vary. Sample answer: The dish is high-protein, but also high in fat.

216

❖ Conexiones *Las ciencias sociales*

La bandera mexicana

El símbolo en el centro de la bandera *(flag)* mexicana ilustra *(illustrates)* una leyenda sobre los orígenes de Tenochtitlán, la capital de la civilización azteca. Dice la leyenda que los aztecas debían construir una gran ciudad donde vieran *(they saw)* un águila *(eagle)* que comía una serpiente *(snake)* encima de un nopal *(prickly pear cactus)*. Cuando los aztecas llegaron al lago *(lake)* Texcoco, vieron ese símbolo y decidieron *(they decided)* construir Tenochtitlán sobre el lago.

Escribe una composición sobre este símbolo. ¿Qué piensas de las imágenes *(images)*? Compara el águila de la bandera mexicana al águila de Estados Unidos. ¿Qué tipos de águilas son? ¿Qué calidades o ideas representan? ¿Cómo son similares o diferentes?

El símbolo de la bandera mexicana

Un águila
Una serpiente
Un nopal
Un lago

⚙ Proyecto 1 *El lenguaje*
Muchos lugares en México todavía tienen nombres en nahuatl (el lenguaje de los aztecas). Combina estas palabras con el sufijo *(suffix)* **-tlán,** que quiere decir **lugar de,** para escribir nombres de lugares: coatl *(snake)*, cihuatl *(woman)*, mazatl *(deer)* y tototl *(bird)*. Luego, escribe el significado de los lugares. Sigue el modelo:

 acatl *(reed)* **+ -tlán = Acatlán** *(place of reeds)*

⚙ Proyecto 2 *Las ciencias*
Los aztecas llegaron al lago Texcoco en 1325. Cuando los españoles llegaron en 1519, 400.000 personas vivían en Tenochtitlán. Investiga y escribe sobre los métodos que usaron los aztecas para construir una ciudad sobre un lago y cómo ha cambiado *(has changed)* el lago con el tiempo.

⚙ Proyecto 3 *La salud*
Cuando México ganó la independencia de España en 1821, unas monjas *(nuns)* inventaron los chiles en nogada. Los ingredientes del plato representan los colores de la bandera: el chile y el perejil *(parsley)* son verdes, la salsa es blanca y las semillas de granada *(pomegranate seeds)* son rojas. Busca una receta *(recipe)* para este plato. Escribe una composición sobre los ingredientes y cómo afectan a la salud.

Los chiles en nogada

Differentiating Instruction

Slower-paced Learners

Personalize It Have students think of three other animals or birds that are used as symbols, such as a bear or a hummingbird, and consider what they symbolize. Have them draw a flag with one of those animals in the center. Then have students write a short paragraph explaining what the flag symbolizes.

English Learners

Increase Interaction Have students describe a popular dish from their country. Ask them to say what the ingredients are, what the finished dish looks like, and when it is commonly eaten.

En resumen

Vocabulario y gramática

ANIMATEDGRAMMAR
Interactive Flashcards
my.hrw.com

Vocabulario

Talk About a Legend

Characters

el (la) dios(a)	god / goddess	el héroe	hero
el ejército	army	la heroína	heroine
el emperador	emperor	el (la) joven	young man / woman
el (la) enemigo(a)	enemy		
el (la) guerrero(a)	warrior	la princesa	princess

Places

la montaña	mountain
el palacio	palace
el volcán	volcano

Events

la batalla	battle	llorar	to cry
la guerra	war	morir (ue)	to die
casarse	to get married	pelear	to fight
contar (ue)	to tell (a story)	regresar	to return
llevar	to take; to carry	transformar	to transform

Parts of a Legend

la leyenda	legend
el mensaje	lesson; message
la narración	narration
el personaje	character

Descriptions

azteca	Aztec	histórico(a)	historic; historical
estar enamorado(a) (de)	to be in love (with)	querido(a)	beloved
		los celos	jealousy
		tener celos	to be jealous
hermoso(a)	handsome; pretty	valiente	brave
heroico(a)	heroic		

Narrate Past Events

Había una vez...	Once upon a time there was / were . . .
Hace muchos siglos...	Many centuries ago . . .
sobre	about

Gramática

Nota gramatical: Past participles as adjectives *p. 202*

The Imperfect Tense

The **imperfect** is used to describe something that was not perfected or not completed in the past. Regular verbs in the **imperfect** take these endings:

estar	hacer	salir
estaba	hacía	salía
estabas	hacías	salías
estaba	hacía	salía
estábamos	hacíamos	salíamos
estabais	hacíais	salíais
estaban	hacían	salían

Preterite and Imperfect

Use the **preterite** if the action started and ended at a definite time.

> La guerra **empezó** en 1846.
> *The war **began** in 1846.*

Use the **imperfect** to talk about past actions without saying when they began or ended.

> Los guerreros no **tenían** miedo del enemigo.
> *The warriors **were not afraid** of the enemy.*

You can apply both tenses to talk about two overlapping events.

> Cuando la guerra **terminó,** Santa Ana **era** presidente de México.
> *When the war **ended,** Santa Ana **was** president of Mexico.*

Practice Spanish with Holt McDougal Apps!

Differentiating Instruction

Pre-AP

Vary Vocabulary Have pairs of students rewrite the legend of Popo and Ixta, adding new descriptions and details. Then ask them to share the stories with the class.

Multiple Intelligences

Intrapersonal Have students write a short description of a "myth" or "legend" from their own childhoods—something that they believed, as children, to be true, but later learned was not.

Objective

· Review lesson vocabulary and grammar.

DIGITAL SPANISH

Interactive Flashcards Students can hear every target vocabulary word pronounced in authentic Spanish. Flashcards have Spanish on one side, and a picture or a translation on the other.

Review Games Matching, concentration, hangman, and word search are just a sampling of the fun, interactive games students can play to review for the test.

performance space

News Networking

@HOMETUTOR

CULTURA Interactiva

- Audio and Video Resources
- Interactive Flashcards
- Review Activities
- WebQuest
- Conjuguemos.com

Long-term Retention

Critical Thinking

Apply Divide students into groups of three. Have them choose six words from the end vocabulary and give an example of each from a film, TV show, or book. Modelo: **En *Harry Potter*, la heroína se llama Hermione.**

✓**Ongoing Assessment**

Quick Check Have students say one thing that happened in the legend, using the imperfect: *Ixta lloraba.*

217

Objective
· Review lesson grammar and vocabulary.

Core Resources
· *Cuaderno*, pp. 159–170
· Audio Program: TXT CD 5 Track 11

Presentation Strategies
· Review may be done in class or given as homework.
· You may want students to access the Review online.

STANDARDS

1.2 Understand language, Acts. 1, 3, 4
1.3 Present information, Acts. 2, 3
2.1 Practices and perspectives, Act. 5
2.2 Products and perspectives, Act. 5
3.1 Knowledge of other disciplines, Act. 5
4.1 Compare languages, Acts. 3, 4
21ST CENTURY **Communication,** Pre-AP/ Alternative Strategy; **Social and Cross-Cultural Skills,** Act. 5

🖥 Warm Up Projectable Transparencies, 4-19

Vocabulary Match the words from the two columns.

1. el emperador ____   **a.** valiente
2. la batalla ____   **b.** querida
3. contar ____   **c.** la leyenda
4. la heroína ____   **d.** pelear
5. el héroe ____   **e.** el palacio

Answers: 1. e; 2. d; 3. c; 4. b; 5. a

✓ Ongoing Assessment

🌐 **Get Help Online**
More Practice
my.hrw.com

Intervention/Remediation If students achieve less than 80% accuracy on each activity, direct them to review pages listed in the margins and to get help online at my.hrw.com.

218

Lección 1

Repaso de la lección

@HOMETUTOR
my.hrw.com

¡LLEGADA!

Now you can
· describe continuing activities in the past
· narrate past events and activities
· describe people, places, and things

Using
· past participles as adjectives
· the imperfect tense
· preterite and imperfect

🎧 **Audio Program**
TXT CD 5 Track 1
Audio Script, TE p
195B

To review
· preterite and imperfect, p. 208

AUDIO

1 Listen and understand

Escucha la descripción de las actividades de Gregorio y Andrés. Haz una copia de la tabla para escribir lo que quería hacer Gregorio o Andrés y lo que ellos hicieron al final. Usa el imperfecto o el pretérito. *(Create a Venn diagram comparing and contrasting Gregorio and Andrés. Use the imperfect and the preterite to fill in the diagram)*

Gregorio — Los dos tuvieron un examen. — Andrés

Pistas: tener un examen, querer estudiar en la biblioteca, preferir estudiar en la casa, (no) querer escuchar música, (preferir) sentarse en la mesa, sentarse en el sofá, estudiar con el libro, usar los apuntes, sacar una buena/mala nota, estudiar o jugar al fútbol

To review
· the imperfect tense, p. 203

2 Describe continuing activities in the past

Usa los dibujos para describir las rutinas de la familia de Norma cuando era jóven. *(Describe the routines of Norma's family, when she was younger)*

modelo: yo
Me levantaba a las siete.

1. papá

2. yo

3. mis hermanos y yo

4. mis padres

5. mis hermanos

6. nosotros

Differentiating Instruction

Pre-AP

Use Transitions For Activity 2, have students write a description of a typical day, using the actions pictured. Have them pay special attention to transitions, then share the story with the class.

Heritage Language Learners

Regional Variations In Activity 2 ask students to share synonyms for the verbs in the list. Have them write these on the board and use each in a sentence.
Model: **despertarse Me despertaba a las siete.**

review
past participles as adjectives, p. 202

3 Describe what people and things are like

Describe a las personas y los objetos con adjetivos formados de los verbos de la lista. *(Describe the people and things using the verbs to make adjectives.)*

pintar	perder	preparar	querer	casar	cansar

modelo: El ejército va a la batalla con todo lo necesario. El ejército está **preparado.**

1. El emperador se casó hace un mes. Ahora es un hombre _____ .
2. El ejército va a perder otra batalla. Ésta es una guerra _____ .
3. Prepararon la sopa con queso. Es una sopa _____ con queso.
4. Pintaron la escultura a mano. Es una escultura _____ a mano.
5. Los guerreros hicieron ejercicio todo el día. Ahora están _____ .
6. El héroe está enamorado de la princesa. Es su princesa _____ .

review
preterite and imperfect, p. 208

4 Narrate past events

Escribe las formas de los verbos en el imperfecto o pretérito para describir una leyenda. *(Complete the sentences with the preterite and imperfect verb forms.)*

Había una vez en un palacio una princesa que **1.** (vivir) con su padre, el emperador. La princesa **2.** (querer) casarse con Carlos, pero él no **3.** (tener) dinero. El emperador **4.** (ver) que su hija **5.** (estar) enamorada del joven. El emperador **6.** (estar) enojado y **7.** (ir) a la casa de Carlos. Cuando el emperador **8.** (llegar), Carlos y un enemigo del emperador **9.** (estar) peleando y Carlos **10.** (ganar). El joven **11.** (ser) un heroe y el emperador le **12.** (dar) permiso para casarse con su hija. El próximo mes, la princesa y Carlos **13.** (casarse).

review
El Zócalo, p. 195
Comparación cultural, pp. 204, 210
Lectura, pp. 214–215

5 Mexico and Nicaragua

Comparación cultural

Contesta estas preguntas culturales. *(Answer these culture questions.)*

1. ¿Qué día celebran los mexicanos en el Zócalo? ¿Cuándo es?
2. ¿Qué hay en San Juan Parangaricutiro, México? ¿De quiénes son las Huellas de Acahualinca?
3. ¿Qué era muy importante para el artista Alfredo Zalce Torres?
4. En la leyenda mazateca, ¿quién le trajo el fuego a los mazatecas?

más práctica Cuaderno *pp. 159–170* Cuaderno para hispanohablantes *pp. 161–170*

Get Help Online
my.hrw.com

Differentiating Instruction

Inclusion

Synthetic/Analytic Support In Activity 3 review the endings for the past participles of the three verbs (–ar, –er, –ir), asking students to dictate them to you as you write them on the board. Remind students that past participles as adjectives must agree in gender and number with the nouns they modify.

Slower-paced Learners

Peer-study Support Pair stronger students with weaker ones and have them complete the review activities together. When finished, have pairs compare papers with another pair to check answers. Have original pairs review any material in the lesson they answered incorrectly.

Answers Projectable Transparencies, 4-28

Activity 1 Answers will vary.

Activity 2 Answers will vary. Students should include words that indicate recurring action, e.g., a time expression. Sample answers:
1. Papá cocinaba (frecuentemente/todos los días, etc.).
2. (Yo) Me vestía (a las siete y cuarto).
3. Mis hermanos y yo salíamos a las ocho menos cuarto.
4. Mis padres miraban la televisión (antes de cenar).
5. Mis hermanos peleaban (en su cuarto después de la escuela).
6. Nosotros comíamos la cena (a las siete de la noche).

Activity 3
1. casado
2. perdida
3. preparada
4. pintada
5. cansados
6. querida

Activity 4
1. vivía
2. quería
3. tenía
4. vio
5. estaba
6. estaba
7. fue
8. llegó
9. estaban
10. ganó
11. fue (*also accept* era)
12. dio
13. se casaron

Activity 5
1. Celebran el Día de la Independencia. Es el 15 de septiembre.
2. Hay las ruinas de una iglesia porque el volcán Paricutín destruyó la ciudad. Las Huellas de Acahualinca son de un grupo de personas que caminaba a un lago hace más de 6000 años.
3. La vida indígena era muy importante para Alfredo Zalce Torres.
4. En la leyenda mazateca, un tlacuache le trajo el fuego a los mazatecas.

Lesson Overview

Culture at a Glance

Topic & Activity	Essential Question
At the National Museum of Anthropology in Mexico City, pp. 220–221	¿Te gusta visitar museos? ¿Por qué?
Words from indigenous languages in Mexico and Ecuador, p. 229	¿Cómo puede un idioma influir en otro idioma?
An ancient sport in Mexico, p. 234	¿Cómo perduran los deportes con el tiempo?
Zapotecans in Mexico and Otavalans in Ecuador, pp. 238–239	¿Cómo son los zapotecas de México y los otavaleños de Ecuador?
Traditional songs of Mexico and Ecuador, p. 240	¿Por qué a veces varían de un país a otro las canciones tradicionales de los países hispanohablantes?
Culture review, p. 243	¿Cómo son las culturas indígenas de México y Ecuador?

COMPARISON COUNTRIES  México  Ecuador  Nicaragua

Practice at a Glance

	Objective	Activity & Skill
Vocabulary	Words associated with ancient civilizations	1: Reading/Writing; 4: Speaking/Writing; 8: Speaking; 9: Listening/Reading; 11: Speaking/Writing; 13: Speaking/Writing; 14: Reading/Writing; 18: Reading/Listening/Speaking; Repaso 1: Listening
	Words associated with modern cities	1: Reading/Writing; 2: Writing; 4: Speaking/Writing; 6: Listening; 17: Speaking; 19: Writing; Repaso 3: Writing
	Giving directions	1: Reading/Writing; 2: Writing; 6: Listening; 17: Speaking; Repaso 3: Writing
Grammar	Verbs with **i → y** spelling change in the preterite	4: Speaking/Writing; Repaso 1: Listening
	Preterite of **-car, -gar,** and **-zar** verbs	5: Reading/Writing; 6: Listening; 7: Writing/Speaking; 8: Speaking; 10: Speaking/Writing; Repaso 3: Writing
	More verbs with irregular preterite stems	11: Speaking/Writing; 12: Reading/Writing; 13: Speaking/Writing; 14: Reading/Writing; Repaso 2: Writing
Communication	Describe early civilizations and their activities	8: Speaking; 9: Listening/Reading; 11: Speaking/Writing; 12: Reading/Writing; 13: Speaking/Writing; 14: Reading/Writing; 18: Reading/Listening/Speaking; Repaso 2: Writing
	Describe the layout of a modern city	2: Writing; 17: Speaking; 19: Writing; Repaso 3: Writing
	Ask for and give directions	6: Listening; 17: Speaking; Repaso 3: Writing
	Pronunciation: The **s** sound	*Pronunciación: El sonido **s,*** p. 231: Listening
Recycle	Daily activities	7: Writing/Speaking
	Arts and crafts	11: Speaking/Writing

The following presentations are recorded in the Audio Program for *¡Avancemos!*

- **¡A responder!** *page 223*
- **6: ¿Adónde fue?** *page 228*
- **18: Integración** *page 237*
- **Repaso de la lección** *page 242*
  1: Listen and understand
- **Repaso inclusivo** *page 248*
  1: Listen, understand, and compare

For **¡AvanzaRap!** scripts, see the **¡AvanzaRap! DVD.**

¡A responder! TXT CD 5 track 13

1. una estatua de una diosa tolteca
2. una pirámide
3. un rascacielos
4. un semáforo
5. el calendario antiguo
6. la acera
7. una cuadra de edificios modernos

6 | ¿Adónde fue? TXT CD 5 track 15

1. Empecé mi excursión del Centro Histórico en el Gran Hotel. Salí del hotel, crucé la calle Monte de Piedad y llegué a la plaza.
2. Seguí derecho hasta el centro de la plaza y luego doblé a la izquierda. Crucé la plaza y llegué frente a un edificio grande. Crucé la calle y entré al edificio.
3. Después de tomar fotos de la escultura en la catedral, salí a la calle otra vez. De la puerta de la catedral, doblé a la izquierda y comencé a caminar hasta llegar a la esquina de la calle República de Argentina. En la esquina doblé a la izquierda y caminé una cuadra. Crucé la calle y allí llegué a las ruinas.
4. Después de ver las ruinas y tomar fotos, fui al museo al lado. El museo está en la esquina de las calles Justo Sierra y Carmen.
5. Decidí almorzar. Del museo seguí por la calle Justo Sierra hasta llegar a la calle Monte de Piedad. Doblé a la izquierda y caminé dos cuadras. En la segunda cuadra a la derecha vi un lugar bonito y allí almorcé.
6. Pagué la cuenta del almuerzo y decidí caminar un poco. Salí otra vez a la calle Monte de Piedad y caminé a la derecha. Pasé tres cuadras y doblé a la derecha. Caminé tres cuadras y doblé otra vez a la derecha. Caminé otras tres cuadras y en la esquina de la tercera cuadra encontré este rascacielos muy conocido.

18 | Integración TXT CD 5 tracks 19, 20

Fuente 2, Audio-guía

Ahora estamos en la Sala Mexica. «Mexica» es otro nombre para «azteca»; «mexica» era el nombre que ellos usaban. Los aztecas, o mexicas, construyeron su capital aquí hace muchos siglos. Hoy las ruinas del antiguo Templo Mayor de los aztecas quedan en el centro de la Ciudad de México moderna. Durante una excavación del Templo Mayor encontraron este objeto grande, la Piedra del Sol, también conocida como el Calendario Azteca. Antes estaba pintada de rojo y amarillo. Allí también encontraron esa estatua grande de la diosa Coatlicue que ves al otro lado de la sala. Ahora cruza la sala para verla de cerca.

Repaso de la lección TXT CD 5 track 22

1 Listen and understand

El mes pasado mi amiga Catarina y yo hicimos un proyecto sobre civilizaciones antiguas para la clase de historia. Primero leímos un libro sobre las ruinas en México. Yo no sabía que las civilizaciones antiguas de México eran tan avanzadas. Luego, construimos dos pirámides con la información que aprendimos y escribimos un resumen. La maestra pensó que las pirámides eran excelentes. Ella también leyó el resumen y le gustó mucho.

Para la semana siguiente, yo leí otro libro sobre la agricultura y la vida diaria de los toltecas y Catarina leyó un libro sobre los templos religiosos en Tula. Entonces, yo construí un modelo de una excavación y ella hizo una estatua como las de los toltecas. Para terminar el proyecto, escribimos un reporte sobre todo lo que aprendimos haciendo el proyecto y la maestra lo leyó. Fue una experiencia muy interesante.

Repaso inclusivo TXT CD 5 track 24

1 Listen, understand, and compare

Aquí estamos en el Zócalo, la plaza más grande de las Américas. Otro nombre para el Zócalo es la Plaza de la Constitución. Vamos a ir primero al Palacio Nacional. El presidente vive allí. Dentro del palacio, hay unos murales hermosos del artista famoso Diego Rivera. Frente al Palacio Nacional, al otro lado del Zócalo, queda el Gran Hotel. Este hotel tiene más de cien habitaciones y es muy popular para los turistas. Está en un buen lugar, con vistas excelentes de la plaza.

A la izquierda del Palacio Nacional pueden encontrar las ruinas del Templo Mayor. Fue una pirámide de los aztecas que los trabajadores encontraron durante la excavación. También hay otros edificios aztecas que encontraron en la excavación. Al lado de las ruinas queda el Museo del Templo Mayor. En el museo puedes ver más herramientas y objetos antiguos.

Delante del Templo Mayor tenemos la Catedral Metropolitana. Vamos a cruzar la plaza y la calle para entrar a esta catedral ahora. La Catedral Metropolitana es muy antigua y es la iglesia más grande en Centroamérica. Ahora vamos a entrar para ver el interior.

Everything you need to ...

Plan
TEACHER ONE STOP

✓ Lesson Plans
✓ Teacher Resources
✓ Audio and Video

Present
INTERACTIVE WHITEBOARD LESSONS

TEACHER ONE STOP WITH PROJECTABLE TRANSPARENCIES

POWER PRESENTATIONS

ANIMATEDGRAMMAR

Assess
 **ONLINE ASSESSMENT**

✓ Assessments for on-level, modified, pre-AP, and heritage learners
✓ Create customized tests with **Examview Assessment Suite**
✓ performance))space
✓ *Generate Success* Rubric Generator

 ## Print

Plan	Present	Practice	Assess
URB 4 • Video Scripts pp. 70–71 • Family Involvement Activity p. 93 • Absent Student Copymasters pp. 102–112 **Best Practices Toolkit**	**URB 4** • Video Activities pp. 58–65	• *Cuaderno* pp. 171–196 • *Cuaderno para hispanohablantes* pp. 171–196 • *Lecturas para todos* pp. 38–42 • *Lecturas para hispanohablantes* • *¡AvanzaCómics!* El misterio de Tikal, Episodio 2 **URB 4** • Practice Games pp. 38–45 • Audio Scripts pp. 78–83 • Fine Art Activities pp. 89–90	**Differentiated Assessment Program** **URB 4** • Did you get it? Reteaching and Practice Copymasters pp. 13–23

 ## Projectable Transparencies (Teacher One Stop, my.hrw.com)

Culture	Presentation and Practice	Classroom Management
• Atlas Maps 1–6 • Map: Mexico 1 • Fine Art Transparencies 4, 5	• Vocabulary Transparencies 8, 9 • Grammar Presentation Transparencies 12, 13 • Situational Transparency and Label Overlay 14, 15 • Situational Student Copymasters pp. 1–2	• Warm Up Transparencies 20–23 • Student Book Answer Transparencies 29–32

 ## Audio and Video

Audio	Video	¡AvanzaRap! DVD
• Student Book Audio CD 5 Tracks 12–24 • Workbook Audio CD 2 Tracks 31–40 • Assessment Audio CD 1 Tracks 23–28 • Heritage Learners Audio CD 1 Tracks 29–32, CD 3 Tracks 23–28 • *Lecturas para todos* Audio CD 1 Track 8, CD 2 Tracks 1–7 • Sing-along Songs Audio CD	• Vocabulary Video DVD 2 • *Telehistoria* DVD 2 • *Telehistoria, Escena 1* • *Telehistoria, Escena 2* • *Telehistoria, Escena 3* • *Telehistoria, Completa* • Culture Video DVD 2	• Video animations of all **¡AvanzaRap!** songs (with Karaoke track) • Interactive DVD Activities • Teaching Suggestions • **¡AvanzaRap!** Activity Masters • **¡AvanzaRap!** video scripts and answers

 ## Online and Media Resources

Student	Teacher
Available online at my.hrw.com • Online Student Edition • **News** Networking • **performance space** • **@HOMETUTOR** • **CULTURA** Interactiva • WebQuests • Interactive Flashcards • Review Games • Self-Check Quiz **Student One Stop** **Holt McDougal Spanish Apps**	**Teacher One Stop** (also available at my.hrw.com) • Interactive Teacher's Edition • All print, audio, and video resources • Projectable Transparencies • Lesson Plans • TPRS • Examview Assessment Suite **Available online at my.hrw.com** *Generate Success* Rubric Generator and Graphic Organizers **Power Presentations**

 ## Differentiated Assessment

On-level	Modified	Pre-AP	Heritage Learners
• Vocabulary Recognition Quiz p. 172 • Vocabulary Production Quiz p. 173 • Grammar Quizzes pp. 174–175 • Culture Quiz p. 176 • On-level Lesson Test pp. 177–183 • On-level Unit Test pp. 189–195 • On-level Midterm Test pp. 201–210	• Modified Lesson Test pp. 131–137 • Modified Unit Test pp. 143–149 • Modified Midterm Test pp. 155–164	• Pre-AP Lesson Test pp. 131–137 • Pre-AP Unit Test pp. 143–149 • Pre-AP Midterm Test pp. 155–164	• Heritage Learners Lesson Test pp. 137–143 • Heritage Learners Unit Test pp. 149–155 • Heritage Learners Midterm Test pp. 161–170

Core Pacing Guide

50 Minute (9 Day)

	Objectives/Focus	Teach	Practice	Assess/HW Options
DAY 1	**Culture:** learn about Mexican culture **Vocabulary:** words associated with early civilizations/modern cities • Warm Up OHT 20 **5 min**	Lesson Opener pp. 220–221 **Presentación de vocabulario** pp. 222–223 • Read A–D • View video DVD 2 • Play audio TXT CD 5 track 12 • *¡A responder!* TXT CD 5 track 13 **25 min**	Lesson Opener pp. 220–221 **Práctica de vocabulario** p. 224 • Acts. 1, 2 **15 min**	**Assess:** *Para y piensa* p. 224 **5 min** **Homework:** *Cuaderno* pp. 171–173 @HomeTutor
DAY 2	**Communication:** discuss objects you would find in an ancient site • Warm Up OHT 20 • Check Homework **5 min**	**Vocabulario en contexto** pp. 225–226 • *Telehistoria escena 1* DVD 2 • *Nota gramatical:* **leer** and **construir** **20 min**	**Vocabulario en contexto** pp. 225–226 • Act. 3 TXT CD 5 track 14 • Act. 4 **20 min**	**Assess:** *Para y piensa* p. 226 **5 min** **Homework:** *Cuaderno* pp. 171–173 @HomeTutor
DAY 3	**Grammar:** –car, –gar, and –zar verbs in the preterite • Warm Up OHT 21 • Check Homework **5 min**	**Presentación de gramática** p. 227 • Preterite of **–car, –gar,** and **–zar** verbs **Práctica de gramática** pp. 228–229 **Culture:** *Palabras indígenas* **20 min**	**Práctica de gramática** pp. 228–229 • Act. 5 • Act. 6 TXT CD 5 track 15 • Acts. 7, 8 **20 min**	**Assess:** *Para y piensa* p. 229 **5 min** **Homework:** *Cuaderno* pp. 174–176 @HomeTutor
DAY 4	**Communication:** discuss past activities using verbs with preterite spelling changes • Warm Up OHT 21 • Check Homework **5 min**	**Gramática en contexto** pp. 230–231 • *Telehistoria escena 2* DVD 2 • *Pronunciación* TXT CD 5 track 17 **15 min**	**Gramática en contexto** pp. 230–231 • Act. 9 TXT CD 5 track 16 • Act. 10 **25 min**	**Assess:** *Para y piensa* p. 231 **5 min** **Homework:** *Cuaderno* pp. 174–176 @HomeTutor
DAY 5	**Grammar:** more verbs with irregular preterite stems • Warm Up OHT 22 • Check Homework **5 min**	**Presentación de gramática** p. 232 • More verbs with irregular preterite stems: **venir, querer, decir,** and **traer** **15 min**	**Práctica de gramática** pp. 233–234 • Acts. 11, 12, 13,14 **25 min**	**Assess:** *Para y piensa* p. 234 **5 min** **Homework:** *Cuaderno* pp. 177–179 @HomeTutor
DAY 6	**Communication:** Culmination: discuss where people went, what happened • Warm Up OHT 22 • Check Homework **5 min**	**Todo junto** pp. 235–237 • *Escenas 1, 2: Resumen* • *Telehistoria completa* DVD 2 **15 min**	**Todo junto** pp. 235–237 • Acts. 15, 16 TXT CD 5 tracks 14, 16, 18 • Act. 17 • Act. 18 TXT CD 5 tracks 19, 20 • Act. 19 **25 min**	**Assess:** *Para y piensa* p. 237 **5 min** **Homework:** *Cuaderno* pp. 180–181 @HomeTutor
DAY 7	**Reading:** The Zapoteca and Otavaleño people **Review:** Lesson review • Warm Up OHT 23 • Check Homework **5 min**	**Lectura cultural** pp. 238–239 • *Los zapotecas y los otavaleños* TXT CD 5 track 21 **Repaso de la lección** pp. 242–243 **15 min**	**Lectura cultural** pp. 238–239 • *Los zapotecas y los otavaleños* **Repaso de la lección** pp. 242–243 • Act. 1 TXT CD 5 track 22 • Acts. 2, 3, 4 **20 min**	**Assess:** *Para y piensa* **10 min** p. 239; *Repaso de la lección* pp. 242–243 **Homework:** *En Resumen* p. 241; *Cuaderno* pp. 182–193 (optional) Review Games Online @HomeTutor
DAY 8	**Assessment**			**Assess:** Lesson 2 test or Unit 4 test **50 min**
DAY 9	**Unit Culmination**	**Comparación cultural** pp. 244–245 • TXT CD 5 track 23 • Culture video DVD 2 **Repaso inclusivo** pp. 248–249 **10 min**	**Comparación cultural** pp. 244–245 **Repaso inclusivo** pp. 248–249 • Act. 1 TXT CD 5 track 24 • Acts. 2, 3, 4, 5, 6, 7 **35 min**	**Homework:** *Cuaderno* **5 min** pp. 194–196

	Objectives/Focus	Teach	Practice	Assess/HW Options
DAY 1	**Culture:** learn about Mexican culture **Vocabulary:** words associated with early civilizations/modern cities • Warm Up OHT 20 **5 min**	Lesson Opener pp. 220–221 **Presentación de vocabulario** pp. 222–223 • Read A–D • View video DVD 2 • Play audio TXT CD 5 track 12 • *¡A responder!* TXT CD 5 track 13 **20 min**	Lesson Opener pp. 220–221 **Práctica de vocabulario** p. 224 • Acts. 1, 2 **20 min**	**Assess:** *Para y piensa* p. 224 **5 min**
	Communication: discuss objects you would find in an ancient site **5 min**	**Vocabulario en contexto** pp. 225–226 • *Telehistoria escena 1* DVD 2 • *Nota gramatical:* **leer** and **construir** **20 min**	**Vocabulario en contexto** pp. 225–226 • Act. 3 TXT CD 5 track 14 • Act. 4 **15 min**	**Assess:** *Para y piensa* p. 226 **5 min** **Homework:** *Cuaderno* pp. 171–173 @HomeTutor
DAY 2	**Grammar:** –car, –gar, and –zar verbs in the preterite • Warm Up OHT 21 • Check Homework **5 min**	**Presentación de gramática** p. 227 • Preterite of **–car, –gar,** and **–zar** verbs **Práctica de gramática** pp. 228–229 **Culture:** *Palabras indígenas* **15 min**	**Práctica de gramática** pp. 228–229 • Act. 5 • Act. 6 TXT CD 5 track 15 • Acts. 7, 8 **20 min**	**Assess:** *Para y piensa* p. 229 **5 min**
	Communication: discuss past activities using verbs w/ preterite spelling changes **5 min**	**Gramática en contexto** pp. 230–231 • *Telehistoria escena 2* DVD 2 • *Pronunciación* TXT CD 5 track 17 **15 min**	**Gramática en contexto** pp. 230–231 • Act. 9 TXT CD 5 track 16 • Act. 10 **20 min**	**Assess:** *Para y piensa* p. 231 **5 min** **Homework:** *Cuaderno* pp. 174–176 @HomeTutor
DAY 3	**Grammar:** more verbs with irregular preterite stems • Warm Up OHT 22 • Check Homework **5 min**	**Presentación de gramática** p. 232 • More verbs with irregular preterite stems: **venir, querer, decir,** and **traer** **15 min**	**Práctica de gramática** pp. 233–234 • Acts. 11, 12, 13,14 **20 min**	**Assess:** *Para y piensa* p. 234 **5 min**
	Communication: Culmination: discuss where people went, what happened **5 min**	**Todo junto** pp. 235–237 • *Escenas 1, 2: Resumen* • *Telehistoria completa* DVD 2 **15 min**	**Todo junto** pp. 235–237 • Acts. 15, 16 TXT CD 5 tracks 14, 16, 18 • Act. 18 TXT CD 5 tracks 19, 20 • Acts. 17, 19 **20 min**	**Assess:** *Para y piensa* p. 237 **5 min** **Homework:** *Cuaderno* pp. 177–179, 180–181 @HomeTutor
DAY 4	**Reading:** The Zapoteca and Otavaleño people **Projects:** Traditional songs from Mexico and Ecuador • Warm Up OHT 23 • Check Homework **5 min**	**Lectura cultural** pp. 238–239 • *Los zapotecas y los otavaleños* TXT CD 5 track 21 **Proyectos culturales** p. 240 • *Canciones tradicionales de México y Ecuador* **15 min**	**Lectura cultural** pp. 238–239 • *Los zapotecas y los otavaleños* **Proyectos culturales** p. 240 • *Proyectos 1, 2* **20 min**	**Assess:** *Para y piensa* **5 min** p. 239
	Review: Lesson review **5 min**	**Repaso de la lección** pp. 242–243 **15 min**	**Repaso de la lección** pp. 242–243 • Act. 1 TXT CD 5 track 22 • Acts. 2, 3, 4 **20 min**	**Assess:** *Repaso de la lección* **5 min** pp. 242–243 **Homework:** *En Resumen* p. 241; *Cuaderno* pp. 182–193 (optional) Review Games Online @HomeTutor
DAY 5	**Assessment**			**Assess:** Lesson 2 or Unit 4 Test **45 min**
	Unit Culmination	**Comparación cultural** pp. 244–245 • TXT CD 5 track 23 • Culture video DVD 2 **Repaso inclusivo** pp. 248–249 **10 min**	**Comparación cultural** pp. 244–245 **Repaso inclusivo** pp. 248–249 • Act. 1 TXT CD 5 track 24 • Acts. 2, 3, 4, 5, 6, 7 **30 min**	**Homework:** *Cuaderno* **5 min** pp. 194–196

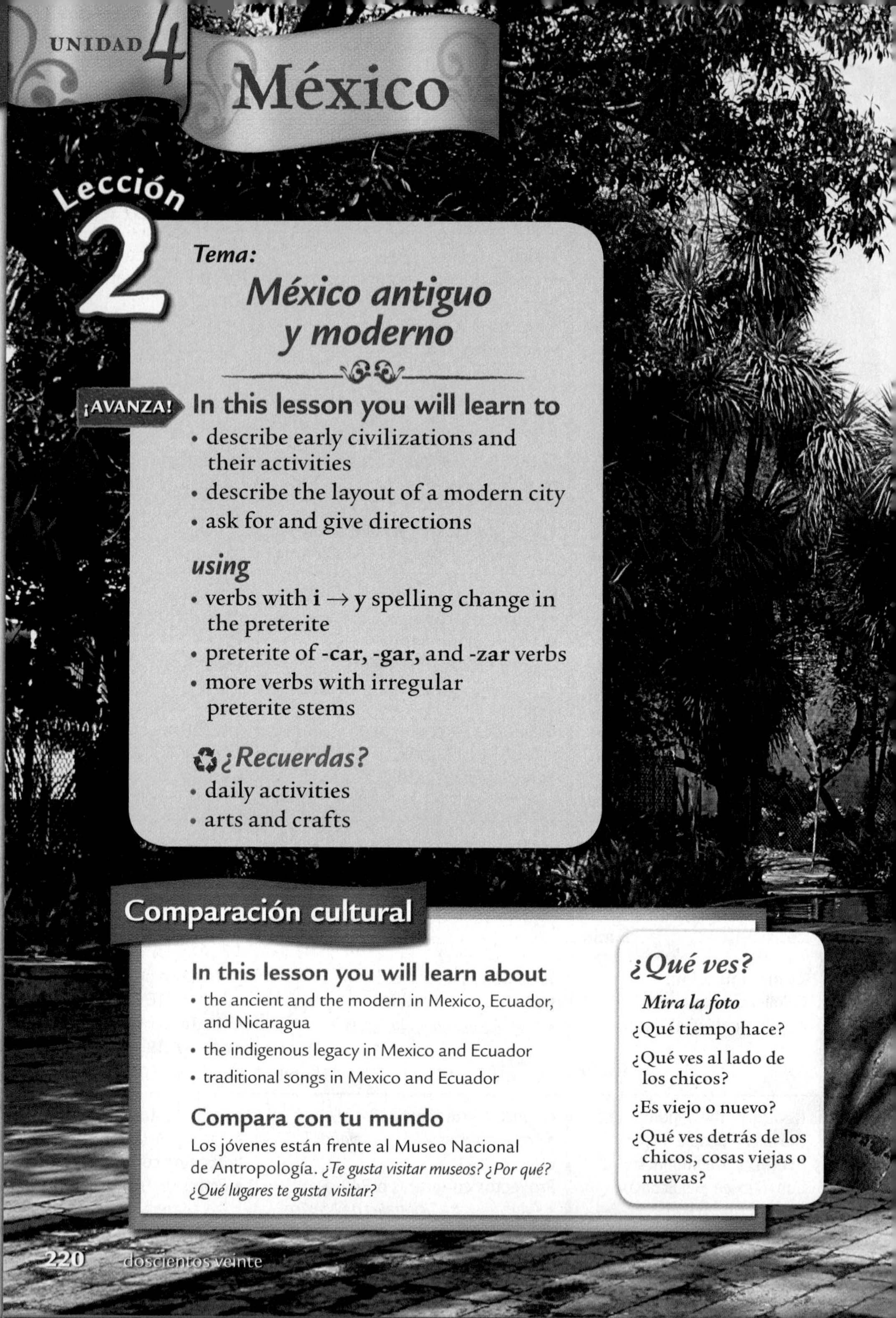

UNIDAD 4

México

Lección 2

Tema:

México antiguo y moderno

¡AVANZA! **In this lesson you will learn to**
- describe early civilizations and their activities
- describe the layout of a modern city
- ask for and give directions

using
- verbs with **i → y** spelling change in the preterite
- preterite of **-car, -gar,** and **-zar** verbs
- more verbs with irregular preterite stems

♻ *¿Recuerdas?*
- daily activities
- arts and crafts

Comparación cultural

In this lesson you will learn about
- the ancient and the modern in Mexico, Ecuador, and Nicaragua
- the indigenous legacy in Mexico and Ecuador
- traditional songs in Mexico and Ecuador

Compara con tu mundo
Los jóvenes están frente al Museo Nacional de Antropología. *¿Te gusta visitar museos? ¿Por qué? ¿Qué lugares te gusta visitar?*

¿Qué ves?

Mira la foto

¿Qué tiempo hace?

¿Qué ves al lado de los chicos?

¿Es viejo o nuevo?

¿Qué ves detrás de los chicos, cosas viejas o nuevas?

220   doscientos veinte

¡AVANZA! **Objectives**
- Introduce lesson theme: **México antiguo y moderno.**
- **Culture:** Describe early civilizations and their activities, ask for and give directions.

Presentation Strategies
- Tell students they will view further adventures in Mexico with Jorge, Sandra, and Beto in the Telehistoria.
- Discuss how we know about ancient cultures.
- Talk about what makes a city seem old or modern.

STANDARD

4.2 Compare cultures

21st CENTURY **Social and Cross-Cultural Skills,** English Learners/Heritage Language Learners

🖥 **Warm Up**   Projectable Transparencies, 4-20

Preterite and Imperfect Complete the sentences with the preterite or imperfect form of one of the verbs in the list.

pelear   transformar   estar   vivir   tener

1. En la leyenda azteca, el héroe _____ enamorado de la princesa.
2. La princesa y el emperador _____ en el palacio.
3. El enemigo _____ celos del héroe.
4. El emperador no _____ en la guerra.
5. Los dioses _____ al héroe y a la princesa en dos volcanes.

Answers: 1. estaba; 2. vivían; 3. tenía; 4. peleó; 5. transformaron

Comparación cultural

Exploring the Theme

Ask the following:
1. Have you ever visited any ruins? Where were they, and what were they like?
2. How do modern buildings look different from older ones?
3. Are there any statues in public places that you like or dislike? Explain.

¿Qué ves? Possible answers include:
- Hace buen tiempo. Hace sol.
- Veo una escultura (al lado de los chicos).
- Es vieja.
- Veo cosas nuevas (detrás de los chicos).

Differentiating Instruction

Multiple Intelligences

Naturalist Ask students if they can identify any of the trees in the photo. What kind of climate must Mexico City have in order for these trees to grow there?

Inclusion

Frequent Review/Repetition Have students take turns describing what Jorge, Sandra, and Beto are wearing in the photo. Encourage them to refer to the end vocabulary for Unidad 3, Lección 1, p. 163 to refresh their memories.

🌐 **DIGITAL SPANISH**

TEACHER TOOLS

• Interactive Whiteboard Lessons
• Generate Success!

ALSO AVAILABLE...

• Online Workbook
• Spanish InterActive Reader

SPANISH ON THE GO!

• Performance Space
• Holt McDougal Spanish Apps
• ¡Avancemos! eTextbook

El Museo Nacional
de Antropología
México, Distrito Federal

México
doscientos veintiuno 221

Using the Photo

Expanded Information

The National Museum of Anthropology in Mexico City is considered one of the best museums of archaeology and anthropology in the Western hemisphere. Since its construction in 1964, it has offered visitors a unique exposure to the art, artifacts, and cultures of the pre-Columbian Mexican world, as well as those of its descendants: the various indigenous peoples of Mexico.

The Exhibit Halls Museum has 26 exhibit halls chronicling the history of Mexico and Mesoamerica. In an ingenious design, the museum's exhibit halls are grouped around a huge central courtyard, so that visitors do not have to walk through other exhibits to reach the one they want to see. They can also rest in the patio, which has a large canopy fountain and reflecting pool, and whose walls are engraved with poetry.

The Chapultepec Museum is located in Chapultepec Park, an enormous park containing other museums, Chapultepec Castle, amusement parks, a zoo, and a lake.

Differentiating Instruction

English Learners

Increase Interaction Have students tell about ancient cultures in the countries they came from. Ask if there are archaeological sites people visit, and if there is a museum in which they can see artifacts from those cultures.

Heritage Language Learners

Support What They Know Have students describe some of the statues they have seen in their country, both ancient and modern. Have them describe where they are located, why they were placed there, and what meaning they have in that culture.

222

Presentación de VOCABULARIO

¡AVANZA! **Goal:** Learn words to discuss early civilizations and modern cities. Then use what you have learned to talk about cities, both ancient and modern. *Actividades 1–2*

VIDEO DVD

AUDIO

A En México encontramos lo **antiguo** y lo **moderno**. Vemos lo antiguo en **las ruinas** de diferentes **civilizaciones**. Puedes conocer **los templos**, **las pirámides** y otros **monumentos** a los dioses de **religiones antiguas**.

la estatua

la pirámide

el calendario azteca

las herramientas

B En **las excavaciones** de las ruinas encontramos **objetos** de estas civilizaciones antiguas. Sabemos que ellos usaron **herramientas** y eran **agricultores**. Practicaban **la agricultura** y también **cazaban** animales para su comida. Usaban **un calendario** para contar los días del año.

la excavación

las ruinas toltecas

Unidad 4 México
222 doscientos veintidós

¡AVANZA! Objectives

- Present vocabulary: ancient people and activities associated with them; layout of a modern city and structures; giving directions.
- Check for recognition.

Core Resources

- Video Program: DVD 2
- Audio Program: TXT CD 5 Tracks 12, 13

Presentation Strategies

- Point out the objectives in the ¡Avanza! section at the beginning of this vocabulary presentation, as well as the summary of skills in the Para y piensa section at the end.
- Play the audio as students read A–D.
- Show the video.

STANDARD

1.2 Understand language

 Critical Thinking and Problem Solving, Pre-AP; Information Literacy, History; Social and Cross-Cultural Skills, Multiple Intelligences/Heritage Language Learners

Culture

Expanded Information

The stone statues of Tula stand on top of a pyramid in the central complex of the Toltec capital of Tula, in central Mexico. Representing Toltec warriors, they are about 15 feet tall, each holding an **atlantl** (*spear thrower*) and engraved with the Toltec butterfly emblem.

Connections
History

Have pairs of students research the Toltec Empire on the Internet or in the library: where the Toltecs lived, when their civilization reached its height, what they built, what some of their beliefs and symbols were, the games they played.

Differentiating Instruction

Inclusion

Alphabetic/Phonetic Awareness Some of the vocabulary words may be a challenge for students to pronounce. Have them divide longer words, such as **civilizaciones, herramientas, excavaciones,** and **agricultores,** into syllables. Have them repeat each syllable, until they can pronounce the whole word.

Multiple Intelligences

Visual Learners Ask students to compare the layout of these ruins to that of the center of their town. Do they think these ancient cultures were better organized, or more informal? How important were religion and authority in daily life?

C El México moderno es **avanzado**. En **la Ciudad** de México puedes ver **edificios** nuevos, como este **rascacielos** o esta **catedral**.

el rascacielos

la catedral

Más vocabulario

la acera *sidewalk*
la cuadra *city block*
la tumba *tomb*
construir *to build*
desde *from*
(en) la esquina *(on) the corner*
entre *between*
frente a *across from*
hasta *to; until*

Expansión de vocabulario p. R9
Ya sabes p. R9

D ¿**Cómo llegas** a los lugares importantes? La mejor manera de conocer esta ciudad es visitar sus **barrios** y **plazas**. Camina por **las avenidas** o toma el metro o un autobús. Lo antiguo y lo moderno están delante de ti.

el semáforo

cruzar

doblar a la derecha | doblar a la izquierda | seguir derecho

@HOMETUTOR my.hrw.com Interactive Flashcards

¡A responder! Escuchar

Escucha esta lista de palabras. Levanta la mano derecha si lo encuentras en una ruina. Levanta la mano izquierda si lo encuentras en una ciudad moderna. *(Raise your right hand if the word you hear is found in ancient ruins; raise your left if it is found in a modern city.)*

Differentiating Instruction

Pre-AP

Relate Opinions Have students explain what they think would be the best way to visit a new country or city. Would it be better to walk around, drive, bike, or take public transportation? Ask students to explain their opinions.

Heritage Language Learners

Support What They Know Ask students to compare the ancient history of their country to what is shown here from Mexico. Are there ruins from an ancient culture? If so, how are the ruins similar to or different from those shown here? What was the culture like?

Communication
Common Error Alert

This page contains two sources of common errors. To explain the first (**el rascacielos**), tell students that **rasca** comes from the verb **rascar**, *to scrape;* and that **cielos** is equivalent to the English *heavens*. Point out that, though the word ends in an **–s,** it is singular and masculine.

Some students will confuse **derecho** and **derecha**. Explain that **derecho** means *straight ahead*, whereas **derecha** is short for **a mano derecha** (*right hand*). Ask students whether **mano** is feminine or masculine.

Comparisons
English Language Connection

Ask students what English word is similar to **doblar** (*double*). Tell them that **doblar** means *to double, fold,* or *to turn.*

TEACHER to TEACHER
Meryl Jacobson
Kingston, MA

Tips for Reviewing Vocabulary

*"**Mono en el Círculo** This is a rapid-fire, active vocabulary drill. I form a circle of chairs in the middle of the classroom. A 'monkey' is chosen to stand in the middle of the circle. I use a soft ball to throw back and forth, keeping it away from the monkey. When students catch the ball, they must immediately shout out a Spanish word or phrase pertaining to the category at hand. They cannot repeat words. I have them throw the ball to anyone in the circle except for the monkey or to someone next to them. If a student cannot provide a word immediately after catching the ball, he or she trades places with the monkey in the middle."*

Go online for more tips!

Answers Projectable Transparencies, 4-29

¡A responder! Audio Script, TE p. 219B
Students will respond by raising their hand.
1. right hand 4. left hand 7. left hand
2. right hand 5. right hand
3. left hand 6. left hand

Objective
· Practice using lesson vocabulary: early civilizations; modern cities and structures; giving directions.

Core Resource
· *Cuaderno,* pp. 171–173

Practice Sequence
· **Activity 1:** Vocabulary recognition: identify which word or phrase does not belong in the group
· **Activity 2:** Vocabulary production: identify places and objects on a map

 STANDARDS

1.2 Understand language, Act. 2
1.3 Present information, Acts. 1, 2
Communication, Act. 2: Expansión

 Get Help Online
More Practice
my.hrw.com

✓**Ongoing Assessment**

PARA Y PIENSA **Para y piensa** Have students work in pairs. One thinks of words associated with ancient civilizations, the other of words associated with modern cities. Have them alternate saying the words. Then give them time to look up additional words and switch roles. For additional practice, use Reteaching & Practice Copymasters URB 4, pp. 13, 14.

**Answers** Projectable Transparencies, 4-29

Activity 1
1. el objeto
2. el calendario
3. cazar
4. el rascacielos
5. la pirámide
6. construir

Activity 2
1. Es la catedral.
2. Es la estatua.
3. Es el rascacielos.
4. Es la avenida Sombra.
5. Es la calle Manuel (Es la esquina de la avenida Sombra y la calle Manuel).
6. Es el templo.

Para y piensa
Answers will vary. Sample words include:
1. templo, tumba, ruinas, pirámide, monumento, estatua, civilizaciones antiguas, herramientas, calendario, excavación, objeto, tolteca
2. ciudad moderna, edificio, rascacielos, catedral, templo, semáforo, monumento, estatua, avienda, plaza, barrio, cuadra

224

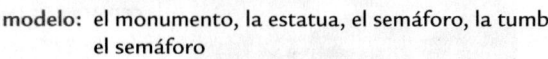
✦ Práctica de VOCABULARIO

1 ¿Cuál es?

Leer
Escribir
Identifica la palabra o la frase que no pertenece al grupo. *(Tell which word or phrase doesn't belong in the group.)*

modelo: el monumento, la estatua, el semáforo, la tumba
el semáforo

1. la plaza, el objeto, la ciudad, la avenida
2. la acera, el barrio, la cuadra, el calendario
3. cazar, cruzar, seguir derecho, doblar a la izquierda
4. la civilización antigua, las ruinas toltecas, el rascacielos, la excavación
5. la agricultura, la herramienta, la pirámide, el agricultor
6. el templo, construir, la religión, la catedral

Expansión:
Teacher Edition O
Have student pai
match one word
from item 1 with
related word in i
2; one from item
to one from 4; a
one from item 5
one from 6.
Sample answers:
Items 1 and 2: el
objeto/el
calendario; la
ciudad/el barrio

2 ¿Dónde queda?

Escribir
Mira el mapa y di el nombre del lugar o del objeto según la descripción.
(Look at the map and tell the name of the place or object being described.)

modelo: Está en la esquina de la calle María y la avenida Sombra.
Es el semáforo.

1. Está entre el café y el museo, frente a la plaza.
2. Está en el centro de la plaza.
3. Este edificio está en la esquina de la avenida Sol y la calle María.
4. Si sales del templo y doblas a la derecha, llegas a esta calle.
5. Desde el semáforo debes seguir derecho por toda la avenida Sombra hasta llegar allí.
6. Si estás en la plaza, cruzas la avenida Sol. Está en el centro de la cuadra.

Expansión
Describe how to get to the monument on the Avenida Sol from the museum.

Más práctica   Cuaderno *pp. 171–173*   Cuaderno para hispanohablantes *pp. 171–174*

 **PARA Y PIENSA**

Get Help Online
my.hrw.com

Did you get it? How many words can you say from memory . . . ?
1. about ancient civilizations   2. about modern cities

Differentiating Instruction

Pre-AP
Expand and Elaborate In Activity 1 have students choose one word from each sentence and write a short paragraph that uses all the words, then share it with the class.

Multiple Intelligences
Kinesthetic Have students take turns being blindfolded or closing their eyes and following directions from their classmates: **Debes seguir derecho; debes doblar a la derecha/izquierda; ¡Para!** Then have them guess where in the room they are before opening their eyes.

✾ VOCABULARIO en contexto

¡AVANZA!	**Goal:** Listen to Sandra, Jorge, and Beto as they ask for directions to get to the ruins in Tula. Then talk about objects you would find in an ancient site. *Actividades 3–4*

Telehistoria escena 1

@HOMETUTOR **View, Read**
my.hrw.com **and Record**

STRATEGIES

Cuando lees

Analyze the journey Try to visualize the woman's directions, or draw a map. Where do the teenagers first want to go? Why? Where do they want to go afterwards? Do you think they will get there?

Cuando escuchas

Look while you listen While listening, look at the woman's and the teenagers' gestures for giving and receiving directions. How do they help you understand? Do you use similar gestures?

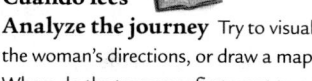
VIDEO DVD

AUDIO

Sandra Jorge Beto
Mujer

Beto: *(out of breath)* Perdón, ¿está el cine Diana en este barrio?

Mujer: *(pointing)* Sí. Cerca de ese rascacielos.

Jorge: ¿Cómo llegamos allí? ¿Seguimos derecho?

Mujer: Deben doblar a la izquierda y caminar dos cuadras. Después doblan a la derecha y van hasta el siguiente semáforo. El cine está en la esquina. Pero ¿está cerrado?

Sandra: No vamos al cine, vamos a la parada de autobuses frente al cine. Vamos para Tula.

Mujer: ¡A Tula! ¿A ver las ruinas? ¿Es para el colegio?

Jorge: No, no. Hace unos días que filmamos una película sobre leyendas mexicanas, y ahora queremos saber más sobre la historia de México.

Mujer: ¡Fantástico! ¿A qué hora sale el autobús?

Sandra: Muy pronto. ¡Gracias! *(To the boys, who are going the wrong way.)* ¡A la izquierda!

También se dice

México A woman says to the teens that their plans are **¡Fantástico!** meaning *Great!* or *Fantastic!* In other Spanish-speaking countries:
- **Argentina, Uruguay, Cuba** ¡Qué bárbaro!
- **Ecuador** ¡Qué buena nota!
- **Perú** ¡Qué bacán!

Continuará... p. 230

Differentiating Instruction

Slower-paced Learners

Memory Aids Before listening to the Telehistoria, have students read the script. Have them draw a map of the directions the woman gives to the Diana movie theater. Ask them what building is nearby (**el rascacielos**).

Heritage Language Learners

Regional Variations Have students share other words and expressions for **¡Fantástico!** Write these on the board and have students use them in sentences.

¡AVANZA!	**Objective**

- Understand active vocabulary in context.

Core Resources

- Video Program: DVD 2
- Audio Program: TXT CD 5 Track 14

Presentation Strategies

- Have students look at the picture. What kinds of buildings can they see? What do they think the climate is like, judging by the way the people in the photo are dressed?
- Show the video and/or play the audio.

✾ STANDARDS

1.2 Understand language
4.1 Compare languages

🖥 Warm Up Projectable Transparencies, 4-20

Vocabulary Write the correct word in the blank.

1. (barrios/civilizaciones) En México podemos ver ruinas de diferentes _____ .
2. (pirámides, restaurantes) En las ruinas podemos visitar _____ muy antiguas.
3. (animales, herramientas) Unas civilizaciones antiguas cazaban _____ para su comida.
4. (calendario, itinerario) Usaban un _____ para contar los días del año.
5. (aceras, estatuas) En las ruinas toltecas podemos ver _____ y otros monumentos a los dioses.

Answers: 1. civilizaciones; 2. pirámides; 3. animales; 4. calendario; 5. estatuas

---

Long-term Retention

♻ Recycle

Point out **Perdón** and **¡Gracias!** in the Telehistoria. Have students recall other expressions of courtesy, such as **De nada** and **No hay de qué**.

@HOMETUTOR
VideoPlus
my.hrw.com

Video Summary

Sandra, Jorge, and Beto want to visit the ruins at Tula. They ask a woman for directions to the bus stop in front of the Diana movie theater.

▶ ❙❙

VOCABULARIO

Objectives

· Practice using vocabulary in context.
· Practice using verbs with spelling changes (i → y) in the preterite.

Core Resource

· Audio Program: TXT CD 5 Track 14

Practice Sequence

· **Activity 3:** Telehistoria comprehension
· **Activity 4:** Vocabulary production: verbs with spelling changes (i → y) in the preterite

STANDARDS

1.1 Engage in conversation, Act. 4
1.2 Understand language
4.1 Compare languages

21ST CENTURY Communication, Act. 4: Expansión

✓ Ongoing Assessment

🌐 **Get Help Online**
More Practice
my.hrw.com

PARA Y PIENSA **Peer Assessment** Once students have completed the Para y piensa, have them exchange papers and make corrections as needed. For additional practice, use Reteaching & Practice Copymasters URB 4, pp. 13, 15.

Answers Projectable Transparencies, 4-29

Activity 3
1. a   **3.** b
2. b   **4.** b

Activity 4 Answers will vary. Sample answers:
1. Jaime y Luis construyeron una pirámide.
2. (yo) Leí un libro sobre las catedrales de México.
3. (Usted) Construyó un rascacielos.
4. (Sandra) Leyó algo sobre el calendario azteca.
5. (Nosotros) Construimos una estatua.
6. (Tú) Leíste un libro sobre la excavación arqueológica de México.

Para y piensa
1. construyeron
2. leyeron
3. construyó
4. leímos

---

3 Comprensión del episodio ¿Comprendiste?

Escuchar Leer

Escoge la respuesta correcta. *(Choose the correct answer.)*

1. Los chicos buscan _____ .
  a. el cine
  b. el rascacielos

2. El cine está _____ .
  a. abierto
  b. cerrado

3. Para llegar al cine, deben _____ .
  a. seguir derecho
  b. doblar a la izquierda

4. Los chicos van a Tula para _____ .
  a. filmar las ruinas
  b. estudiar la historia de México

Expansión:
Teacher Edition On
Ask students to write three other details from the story that they think are important.

Nota gramatical

Verbs such as **leer** *(to read)* and **construir** *(to build)* change the **i** to **y** in the **él/ella/usted** and **ellos/ellas/ustedes** forms of the preterite.

leer:	leí	leímos	construir:	construí	construimos
	leíste	leísteis		construiste	construisteis
	leyó	leyeron		construyó	construyeron

Note that the letter **i** carries an accent in the other preterite forms of the verb **leer.**

4 En la clase de historia

Hablar Escribir

Describe lo que hicieron estas personas en la clase de historia. *(Tell what people did.)*

modelo: Jorge: leer un libro sobre
Jorge leyó un libro sobre un templo.

1. Jaime y Luis: construir

2. yo: leer un libro sobre

3. usted: construir

4. Sandra: leer algo sobre

5. nosotros: construir

6. tú: leer un libro sobre

Expansión
Talk about what your English class read this year.

🌐 **Get Help Online**
my.hrw.com

PARA Y PIENSA **Did you get it?** Give the preterite forms of **leer** or **construir.**
1. Los toltecas _____ templos grandes.   **3.** La compañía _____ un rascacielos.
2. Ustedes _____ una leyenda azteca.   **4.** Nosotros _____ el calendario.

Differentiating Instruction

Pre-AP

Draw Conclusions Refer students to the preterite of irregular verbs on pages 70, 173. Ask them to look at the Nota gramatical and define the difference between the terms *irregular* and *spell-changing*.

Inclusion

Cumulative Instruction Have students write the preterite of other –er and –ir verbs they have learned, such as **comer** and **vestir.** Then have them compare these with the endings for the preterite of **leer** and **construir,** and note what is the same and what is different.

Presentación de GRAMÁTICA

AVANZA! **Goal:** Learn the spelling changes of **-car, -gar,** and **-zar** verbs in the preterite. Then use these verbs to say what you did. *Actividades 5–8*

♻ *¿Recuerdas?* Daily activities pp. 10, R9

English Grammar Connection: Some verbs are spelled differently in the past tense in order to maintain their pronunciation. English verbs that end in the letter *c*, for example, have a *k* added before the *-ed* ending to maintain the hard *c* sound.

Present: I pani**c**.   *Past:* I pani**ck**ed.

Preterite of -car, -gar, and -zar Verbs

ANIMATEDGRAMMAR
my.hrw.com

In the preterite, verbs that end in **-car, -gar,** and **-zar** are spelled differently in the **yo** form to maintain their pronunciation.

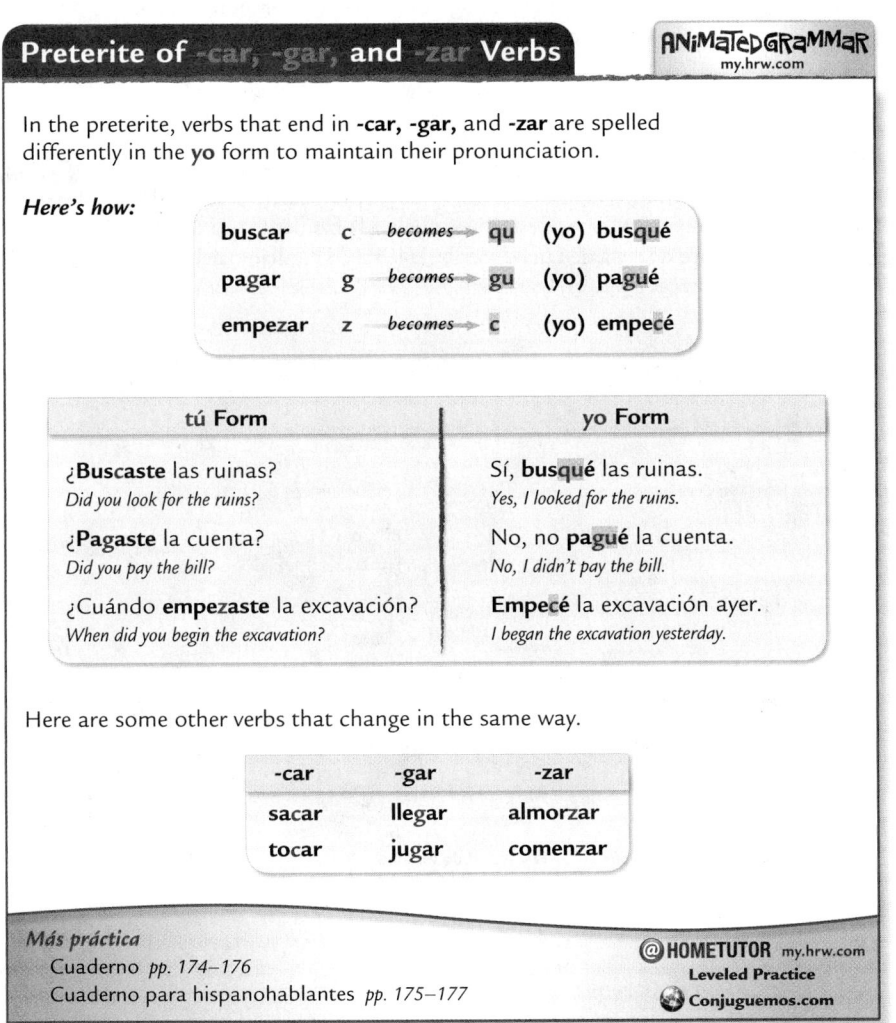

Here's how:

buscar	c	becomes →	qu	(yo) bus**qué**
pagar	g	becomes →	gu	(yo) pa**gué**
empezar	z	becomes →	c	(yo) empe**cé**

tú Form	yo Form
¿**Buscaste** las ruinas? *Did you look for the ruins?*	Sí, **busqué** las ruinas. *Yes, I looked for the ruins.*
¿**Pagaste** la cuenta? *Did you pay the bill?*	No, no **pagué** la cuenta. *No, I didn't pay the bill.*
¿Cuándo **empezaste** la excavación? *When did you begin the excavation?*	**Empecé** la excavación ayer. *I began the excavation yesterday.*

Here are some other verbs that change in the same way.

-car	-gar	-zar
sacar	llegar	almorzar
tocar	jugar	comenzar

Más práctica
Cuaderno *pp. 174–176*
Cuaderno para hispanohablantes *pp. 175–177*

@**HOMETUTOR** my.hrw.com
Leveled Practice
🌐 Conjuguemos.com

Differentiating Instruction

Heritage Language Learners

Writing Skills Have students write three sentences using the **yo** form of the preterite of verbs ending in **-car, -gar,** and **-zar.** Encourage them to use verbs not listed in the grammar presentation.

Inclusion

Clear Structure Review the preterite of **leer** and **construir** with students, emphasizing the spelling changes. Then have them, in pairs, write the complete conjugations of **buscar, pagar,** and **empezar** in the preterite. Have them exchange and correct each other's papers, paying attention to written accents.

¡AVANZA! ▶ **Objective**
· Present spelling changes in the preterite of verbs ending in **–car, –gar,** and **–zar.**

Core Resource
· *Cuaderno,* pp. 174–176

Presentation Strategies
· Explain that the **yo** form of the preterite of verbs ending in **–car, –gar,** and **–zar** is spelled differently from other forms in order to maintain the original sounds.
· Present the **yo** form of these verbs and contrast it with the **tú** form.

✿ STANDARD
4.1 Compare languages

🖥 Warm Up Projectable Transparencies, 4-21

The Preterite Complete each sentence with the preterite of **leer** or **construir.**
1. Graciela _____ un libro sobre las leyendas mexicanas.
2. Los toltecas _____ pirámides muy grandes.
3. El emperador _____ un templo en el centro de la ciudad.
4. ¿No _____ tú las direcciones al museo?
5. Nosotros _____ una historia de los aztecas.

Answers: 1. leyó; 2. construyeron; 3. construyó; 4. leíste; 5. leímos

Objectives

· Practice reading and writing the **yo** form of the preterite of verbs ending in –**car**, –**gar**, and –**zar**.
· Practice listening to directions.
· **Culture:** Read about the influence of Nahuatl and Quechua on the Spanish language in Mexico and South America, and discuss how other languages have influenced English.

Core Resources

· *Cuaderno*, pp. 174–176
· Audio Program: TXT CD 5 Track 15

Practice Sequence

· **Activity 5:** Controlled practice: the preterite of verbs with spelling changes
· **Activity 6:** Controlled practice: directions
· **Activity 7:** Transitional practice: the preterite and spelling changes; Recycle: daily activities.
· **Activity 8:** Open-ended practice: the preterite and spelling changes

STANDARDS

1.1 Engage in conversation, Acts. 7, 8
1.2 Understand language, Acts. 5, 6, CC
1.3 Present information, Act. 8
4.1 Compare languages, CC

21st CENTURY Communication, Act. 6:
Expansión/English Learners: Increase Interaction; **Social and Cross-Cultural Skills,** English Learners: Build Background; **Technology Literacy,** Pre-AP

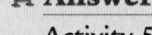

Answers Projectable Transparencies, 4-29

Activity 5
1. Almorcé
2. busqué
3. llegué
4. crucé
5. Pagué
6. empecé
7. practiqué
8. toqué

Activity 6
1. E—Zócalo
2. A—Catedral Metropolitana
3. F—Templo Mayor
4. G—Museo del Templo Mayor
5. I—Café Azteca
6. K—Torre Latinoamericana

❋ Práctica de GRAMÁTICA

5 | El día de Jorge

Leer
Escribir

Lee el párrafo sobre el día de Jorge. Luego cambia los verbos indicados para escribir el cuento desde tu perspectiva. *(Read the paragraph and then change the boldfaced verbs to tell the story from your perspective.)*

modelo: Esta mañana Jorge **apagó** la luz y **salió** de la casa.
Esta mañana yo **apagué** la luz y **salí** de la casa.

(1.) **Almorzó** temprano porque tenía mucha hambre. Luego (2.) **buscó** el cine con Sandra y Beto. Pronto (3.) **llegó** al cine y (4.) **cruzó** la calle para subir al autobús. (5.) **Pagó** el boleto y (6.) **empezó** el viaje para Tula. No (7.) **practicó** deportes hoy, pero (8.) **tocó** la guitarra.

Expansión
Tell three things yo did yesterday using three of these verb

6 | ¿Adónde fue?

Escuchar

¿Puedes encontrar los lugares que Luisa visitó en un barrio antiguo de la Ciudad de México? Mientras escuchas, dobla a la izquierda o la derecha según el punto de vista de Luisa. Escribe la letra del edificio o del lugar que Luisa visitó en cada paso. *(Note the letter of the locations on the map that Luisa visits.)*

Audio Progra
TXT CD 5 Track
Audio Script, TE
p. 219B

Clave: Centro histórico de la Ciudad de México

A Catedral Metropolitana	**E** Zócalo (Plaza de la Constitución)	**I** Café Azteca
B Palacio Nacional	**F** Pirámides Aztecas (Templo Mayor)	**J** Palacio Iturbide
C Municipio	**G** Museo del Templo Mayor	**K** Torre Latinoamericana
D Municipio nuevo	**H** Museo Ciudad de México	**L** Palacio Bellas Artes

Expansión:
Teacher Edition
Have student pa
role-play a scene
about a visitor t
centro histórico
Have the first
student look at
map, decide wh
they are and wh
they want to go,
then ask the oth
student for
directions. Then
have them switc
roles.

Differentiating Instruction

English Learners

Increase Interaction Ask students to draw maps of their home town, including street names and the names of three or four places of interest. Have them describe the places and give directions on how to get from one place to another.

Pre-AP

Relate Opinions Divide students into pairs. Have each student think of a city they would like to visit and look for a map of it on the Internet. Have them print out the map, choose three or four places that interest them, and explain why. Then have them take turns asking each other for directions to those places.

7 La semana pasada ♻ *¿Recuerdas?* Daily activities pp. 10, R9

Escribir
Hablar

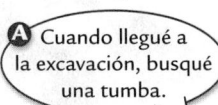

¿Hiciste estas actividades la semana pasada? Anota tus respuestas y luego compáralas con las de un(a) compañero(a). *(Tell whether or not you did these activities last week. Write your answers and compare with a partner.)*

modelo: sacar la basura

 **A** ¿Sacaste la basura?

 **B** Sí, (No, no) la saqué. ¿Y tú?

1. almorzar en un restaurante
2. tocar la guitarra
3. llegar tarde a clase
4. jugar al tenis
5. empezar la tarea
6. pagar una cuenta
7. practicar deportes
8. cruzar una avenida

Expansión
Write three things your partner did last week.

8 ¡A jugar! En la excavación

Hablar

Di lo que hiciste en la excavación. Repite lo que oyes y añade más información. *(Say something you did at the excavation. Repeat what you hear and add more information.)*

A Cuando llegué a la excavación, busqué una tumba.

B Cuando llegué a la excavación, busqué una tumba y crucé la plaza.

C Cuando llegué a la excavación, busqué una tumba, crucé la plaza y …

Expansión:
Teacher Edition Only
Has students, in groups of 3-4, repeat the exercise, saying what they did at the mall (**el centro comercial**). Model: **Cuando llegué al centro comercial, busqué una camiseta gris.**

Comparación cultural

La palabra chile *viene de náhuatl.*

Palabras indígenas

¿Cómo puede un idioma (language) influir (influence) en otro idioma? Más de un millón de mexicanos hablan náhuatl, el idioma de los aztecas. Las palabras *chocolate, tomate y chile* son de origen náhuatl. Quechua, el idioma indígena más común en Sudamérica, fue el idioma de los incas. *Llama, papa y pampa* son palabras quechuas. Muchos lugares tienen nombres indígenas también. El nombre del volcán Ixtaccíhuatl en **México** es náhuatl y significa «mujer dormida». En **Ecuador** hay un volcán con el nombre Guagua Pichincha; *guagua* es una palabra quechua que significa «bebé».

Compara con tu mundo *¿Conoces algunas palabras en inglés que vienen de otros idiomas?*

Más práctica   Cuaderno *pp. 174–176*   Cuaderno para hispanohablantes *pp. 175–177*

PARA Y PIENSA

Get Help Online
my.hrw.com

Did you get it? Complete the following sentences in the preterite.
1. Yo (apagar) _____ el radio.
2. Yo (practicar) _____ el español.
3. Yo (comenzar) _____ la tarea.
4. Yo (jugar) _____ al béisbol.

Lección 2
doscientos veintinueve   **229**

Differentiating Instruction

Multiple Intelligences

Linguistic/Verbal Have students write a list of expressions that they and their friends use, but their parents do not. Ask them how they learned these words, and where they think they came from originally.

English Learners

Build Background Have students give examples of words in their native language that originally came from another language. What kinds of words are they? How do they compare with the indigenous words adapted into Spanish?

Comparación cultural

Essential Question

Suggested Answer Si gentes de dos culturas viven cerca y trabajan juntos, un idioma puede influir en el otro. Adoptan los nombres de lugares y objetos propios de la cultura.

About the Photo

Chili peppers play an important role in the cuisines of Mexico and South America. They have also been cultivated for thousands of years for their medicinal properties.

Compara con tu mundo

Answers will vary. Examples could include: (Spanish) patio, rodeo, siesta; (French) omelette, ballet; (German) dachshund, hamburger; (Cantonese) wok, won ton.

Verbs Students Know

Activity 8 Help students generate a list of verbs ending in **–car, –gar,** and **–zar.** Refer them to Activity 7. They may also mention: **comenzar; secarse (el pelo); sacar (la basura, una buena/mala nota, etc.); pescar**

Get Help Online
More Practice
my.hrw.com

✓Ongoing Assessment

PARA Y PIENSA
Peer Assessment Have student pairs answer the four questions, then exchange papers and check their answers. For additional practice, use Reteaching & Practice Copymasters URB 4, pp. 16, 17, 22.

💻 **Answers** Projectable Transparencies, 4-30

Activity 7 Answers will vary. Responses may include:
1. Sí, (No, no) almorcé en un restaurante.
2. Sí, (No, no) toqué la guitarra.
3. Sí, (No, no) llegué tarde a clase.
4. Sí, (No, no) jugué al tenis.
5. Sí, (No, no) empecé la tarea.
6. Sí, (No, no) pagué una cuenta.
7. Sí, (No, no) practiqué deportes.
8. Sí, (No, no) crucé una avenida.

Activity 8 Answers will vary.

Para y piensa
1. apagué
2. practiqué
3. comencé
4. jugué

230

¡AVANZA! Objectives

- Practice using verbs with spelling changes in the preterite, in context.
- Practice pronouncing the Spanish **s** sound.

Core Resources

- Video Program: DVD 2
- Audio Program: TXT CD 5 Tracks 16, 17

Presentation Strategies

- Have students preview the video activities before watching the video.
- Have students look at the picture of the statue and give their first reactions to it.

Practice Sequence

- **Activity 9:** Telehistoria comprehension
- **Activity 10:** Transitional practice: verbs with spelling changes in the preterite

STANDARDS

1.1 Engage in conversation, Act. 10
1.2 Understand language, Act. 9
1.3 Present information, Act. 10
4.1 Compare languages, Pronunciación
21ST CENTURY Communication, Act. 10; **Information Literacy,** Multiple Intelligences

 Warm Up Projectable Transparencies, 4-21

Preterite Complete the sentences by using the preterite **yo** form of the verbs in the list.

cruzar   practicar   almorzar   buscar   llegar

1. _____ huevos y cereal a las siete de la mañana.
2. _____ mis libros pero no sé dónde están.
3. _____ la calle para tomar el autobús.
4. _____ al colegio un poco tarde.
5. _____ deportes después de las clases.

Answers: 1. almorcé; 2. busqué; 3. crucé; 4. llegué; 5. practiqué

Video Summary

@HOMETUTOR
VideoPlus
my.hrw.com

Beto, Sandra, and Jorge arrive by bus at the Toltec ruins of Tula. They are greeted by a tour guide, who tells them about the history of the Toltecs.

▶❙ ❙❙

❋ GRAMÁTICA en contexto

¡AVANZA! **Goal:** Listen to the history of the Toltecs in Tula. Then continue to practice the verbs with spelling changes in the preterite as you talk about activities you did. *Actividades 9–10*

@HOMETUTOR View, Read and Record
my.hrw.com

Telehistoria escena 2

STRATEGIES

Cuando lees
Seek the civilization Read the scene to learn about the Toltecs in Tula. Write down the Toltecs' activities and accomplishments. Write the things that interest you. How can you learn more?

Cuando escuchas
Listen for reasons Listen for the reasons suggested for why the statue looks unhappy. Are these reasons based on facts? What can you tell from the intonation?

VIDEO DVD

AUDIO

Guía

Jorge, Beto and Sandra get off the bus and are greeted by the tour guide.

Guía Turística: ¡Bienvenidos a Tula! Hace muchos siglos—antes de los aztecas—una civilización muy antigua, los toltecas, construyó estas pirámides y monumentos.

Beto: *(joking to Jorge)* ¡Es una estatua de mi tío!

Sandra: ¡Sshh!

Guía Turística: No sabemos mucho sobre la gente de Tula. Sabemos que eran grandes militares, algunos cazaban y otros eran agricultores. Hacían cerámica y esculturas de dioses, como ésta.

Jorge: No está muy alegre, ¿verdad?

Sandra: *(joking)* No, creo que no almorzó.

Jorge: *(laughing)* O que sacó una mala nota en la clase de matemáticas.

Beto: *(laughs)* O que pagó demasiado por ese sombrero.

Continuará... p. 235

Differentiating Instruction

Slower-paced Learners

Yes/No Questions To reinforce vocabulary and to support understanding, ask *yes/no* questions about Jorge, Sandra, and Beto: **¿Qué dicen los chicos sobra la estatua? ¿Está muy alegre? ¿Almorzó? ¿Sacó una mala nota en la clase de matematicas? ¿Pagó demasiado por su sombrero?**

Multiple Intelligences

Visual Learners Have pairs of students research Toltec statues on the Internet or in the library. Have them draw several of the statues and write a short description of what is known about each, then present it to the class.

9 Comprensión del episodio ¿Cierto o falso?

Escuchar Leer

Indica si las oraciones sobre los toltecas son ciertas o falsas. Corrige las falsas.
(Tell whether the statements are true or false. Correct the false ones.)

1. Vivían en Tula.
2. Construyeron pirámides y monumentos.
3. Peleaban con los aztecas.
4. Eran militares y agricultores.
5. Cazaban.
6. Hacían artículos de cuero.
7. Hacían esculturas de sus dioses.

Expansión:
Teacher Edition Only
Divide students into mixed-level groups of 3–4. Have them listen to the Telehistoria and write down every verb in the past tense that they hear, then separate these into two categories: preterite and imperfect.

10 ¿Qué hiciste?

Hablar Escribir

Contesta las preguntas sobre lo que hiciste la semana pasada.
(Answer questions about what you did last week.)

1. ¿Practicaste deportes? ¿Qué deportes practicaste? ¿Con quiénes jugaste?
2. ¿Compraste un artículo de ropa? ¿Qué compraste? ¿Pagaste demasiado o fue una ganga?
3. ¿Tocaste la guitarra o el piano? ¿Dónde? ¿Por cuánto tiempo?
4. ¿Buscaste un objeto perdido? ¿Qué objeto? ¿Lo encontraste?
5. ¿Comenzaste a leer un libro? ¿Qué libro leíste? ¿Te gustó?
6. ¿Fuiste a un lugar interesante? ¿Adónde fuiste? ¿Llegaste tarde o temprano?

Expansión
Choose three of your answers and explain why you did or didn't do certain activities. Include as many details as possible.

Pronunciación El sonido s

AUDIO

The Spanish **s** is pronounced like the *s* of the English word *sell*. The Spanish **c** (before **e** and **i**) and **z** make this same sound. Listen and repeat.

s	Sandra	sobre
z	azteca	cazar
ce	cero	acera
ci	ciudad	edificio

Los aztecas eran una civilización avanzada.

La princesa cruzó el río a la izquierda en busca de su palacio.

Note that in central and northern Spain, the letters **c** (before **e** and **i**) and **z** are pronounced like the *th* of the English word *think*.

Get Help Online
my.hrw.com

PARA Y PIENSA

Did you get it? Complete with the preterite forms of the verbs.
1. Yo _____ (buscar) la excavación.
2. Yo _____ (pagar) demasiado.
3. Sandra no _____ (almorzar).
4. Nosotros _____ (llegar) tarde.

Differentiating Instruction

Pre-AP

Use Transitions In Activity 10 have students create one-sentence, affirmative answers for each of the six sets of questions. Encourage them to use transitional and connecting words, and, if possible, to add information to their answers.

Inclusion

Alphabetic/Phonetic Awareness Pair weak/strong students and have them create a list of words containing **z, ce,** and **ci.** Then have them take turns pronouncing the words. Remind them that the Spanish **z** sounds like the English *s*.

Communication
⚠ Common Error Alert

Pronunciation Some students will tend to pronounce the Spanish **z** like the English *z*. Emphasize that the sound is the same as the English *s*. Model: **zona, zorro, azucar, azteca, azul, izquierda.**

Get Help Online
More Practice
my.hrw.com

✓ Ongoing Assessment

PARA Y PIENSA **Intervention** Encourage students who are having difficulties mastering verbs with spelling changes in the preterite to get extra practice: have them review the Nota gramatical on p. 226 and the grammar presentation on p. 227. For additional practice, use Reteaching & Practice Copymasters URB 4, pp. 16, 18.

Communication
Regionalisms

Las letras c y z In central and northern Spain, the letters **c** and **z** are pronounced like the *th* sound in the English word *think*. You will hear examples in Unit 5.

🖥 Answers Projectable Transparencies, 4-30

Activity 9
1. Cierta
2. Cierta
3. Falsa. No peleaban con los aztecas.
4. Cierta
5. Cierta
6. Falsa. Hacían artículos de cerámica.
7. Cierta

Activity 10 Answers will vary. Affirmative answers may include:
1. Sí, practiqué deportes (los practiqué). Practiqué el básquetbol. Jugué con unos amigos.
2. Sí, compré un artículo de ropa. Compré un abrigo. Fue una ganga.
3. Sí, toqué la guitarra. La toqué en mi cuarto. La toqué por media hora.
4. Sí, busqué un objeto perdido. Busqué mis llaves. Sí, las encontré.
5. Sí, comencé a leer un libro. Leí *Twilight*. Sí, me gustó mucho.
6. Sí, fui a un lugar interesante. Fui a un restaurante mexicano. Llegué temprano.

Para y piensa
1. busqué
2. pagué
3. almorzó
4. llegamos

¡AVANZA! Objectives

· Present more verbs with irregular preterite stems and endings.
· Explain that **querer** usually has a different meaning in the preterite (*tried*).

Core Resource

· *Cuaderno*, pp. 177–179

Presentation Strategies

· Present four verbs that are irregular in the preterite: **venir, querer, decir,** and **traer.** Point out that both **venir** and **querer** have the same preterite endings as other **–er** and **–ir** verbs they have learned.
· Explain that the preterite of **querer** usually means *tried unsuccessfully.*
· Point out that the preterite stems of **decir** and **traer** end in *j,* and that they drop the *i* in the third-person plural form.

STANDARD

4.1 Compare languages

🖥 **Warm Up** Projectable Transparencies, 4-22

Preterite Rewrite these sentences by changing the verb to the **yo** form.
1. Beto cruzó la calle.
2. Ellos sacaron el mapa.
3. Comenzaron a leer de las pirámides.
4. Ayer jugamos al béisbol.
5. Buscaste el monumento.

Answers: 1. Yo crucé la calle. **2.** Yo saqué el mapa. **3.** Comencé a leer de las pirámides. **4.** Ayer jugué al beisbol. **5.** Busqué el monumento.

Comparisons
English Grammar Connection

Have students think of other verbs that have an irregular past tense in English, such as: *sat, drank, ate, ran, thought, bought, caught, hung, leapt, made, ran, took, went.*

❋ Presentación de GRAMÁTICA

¡AVANZA! **Goal:** Learn more irregular preterite stems and endings. Then use them to describe a visit to an ancient site. *Actividades 11–14*
♻ *¿Recuerdas?* Arts and crafts p. 168

English Grammar Connection: Some English verbs completely alter their root forms in the past tense. They do not take the standard past-tense endings of *-d* and *-ed.*

| to **bring** | He **brought** | | **traer** | Él **trajo** |

More Verbs with Irregular Preterite Stems

ANIMATED GRAMMAR my.hrw.com

The verbs **venir, querer, decir,** and **traer** are irregular in the preterite.

Here's how: All four verbs have irregular **preterite stems. Venir** and **querer** take the same **preterite endings** as **estar, poder, poner, saber,** and **tener.**

Verb		Stem	Irregular Preterite Endings	
venir	*to come*	vin-	-e	-imos
querer	*to want*	quis-	-iste	-isteis
			-o	-ieron

¿Ustedes **vinieron** de la biblioteca?
***Did* you come** from the library?

The verb **querer** usually has a different meaning in the preterite. It means *tried.*

Quisimos ver las ruinas, pero no pudimos.
We **tried** to see the ruins, but we couldn't.

The **preterite stems** of **decir** and **traer** end in **j.** Use the same irregular **preterite endings** as above, but drop the **i** from the **ustedes/ellos/ellas** ending.

Verb		Stem	ustedes/ellos/ellas
decir	*to say; to tell*	dij-	dijeron
traer	*to bring*	traj-	
trajeron			

Ellos **trajeron** unas cerámicas de México.   *They **brought** some ceramics from Mexico.*
Marcos me **dijo** que están hechas a mano.   *Marcos **told** me that they're handmade.*

Más práctica
Cuaderno *pp. 177–179*
Cuaderno para hispanohablantes *pp. 178–181*

@HOMETUTOR my.hrw.com
Leveled Practice
🌐 **Conjuguemos.com**

Differentiating Instruction

Inclusion

Metacognitive Support Have students, in pairs, think of strategies for remembering the irregular preterites of **venir, querer, decir,** and **traer.** Ask them to share their strategies with the other pairs in order to get more ideas.

Multiple Intelligences

Logical/Mathematical Have students make a chart of the irregular preterites they have learned thus far, organizing it according to changes in the verb stems and/or endings. Have them indicate the position in the word in which a change occurs, as in: **poder: yo pude; querer: nosotros quisimos.**

❊ Práctica de GRAMÁTICA

11 | En el museo ♻ ¿Recuerdas? Arts and crafts p. 168

Hablar
Escribir

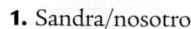

No se permite tomar fotos en el museo. Di lo que pasó.
(Tell what happened at the museum when people tried to take photos.)

modelo: Beto/el guía
Beto quiso tomar una foto de la escultura
pero **el guía** le dijo que no.

1. Sandra/nosotros

2. yo/tú

3. Jorge/mis amigos

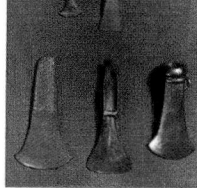

4. tú/la directora

5. mis padres/yo

6. nosotros/el profesor

> **Expansión**
> Tell something you wanted to do but couldn't, and why.

12 | Una excursión a Tula

Leer
Escribir

Sandra habla de su experiencia en Tula. Completa el párrafo con el pretérito de los verbos apropiados. Puedes usar algunos verbos más de una vez.
(Complete with the preterite forms of the appropriate verbs. Verbs may be used more than once.)

> venir   ser   traer   querer   tomar   decir

Nuestro día en Tula **1.** fantástico. Yo **2.** la cámara y **3.** fotos excelentes. El guía nos **4.** que los toltecas eran una civilización muy antigua pero avanzada. Ellos construyeron unas estatuas altísimas llamadas «Los Atlantes». Otros turistas **5.** con nosotros y ellos **6.** mucho dinero para comprar recuerdos. Nosotros **7.** comprar recuerdos, pero no tuvimos tiempo. Al final del día Beto y yo **8.** : «Estamos muy cansados».

> **Expansión:**
> **Teacher Edition Only**
> Have students choose 3–4 verbs from the list and write about a trip they have taken within the past three years.

Differentiating Instruction

English Learners

Build Background In Activity 11 have students think of an ancient culture from their country and what pictures they would substitute for those shown in Activity 11. Have them write a short description of each picture.

Slower-paced Learners

Peer-study Support In Activity 11 team students up in pairs (strong/weak) and have them complete the expanded activity together. Then have three pairs of students gather together to share their answers.

🛒 **Answers** Projectable Transparencies, 4-28 thru 4-31

Activity 11

1. Sandra quiso tomar una foto del calendario azteca pero nosotros le dijimos que no.
2. Yo quise tomar una foto de la estatua pero tú me dijiste que no.
3. Jorge quiso tomar una foto de las herramientas pero mis amigos le dijeron que no.
4. Tú quisiste tomar una foto de la pintura pero la directora te dijo que no.
5. Mis padres quisieron tomar una foto de los objetos de cerámica pero yo les dije que no.
6. Nosotros quisimos tomar una foto de las joyas (los objetos de oro) pero el profesor nos dijo que no.

Activity 12

1. fue
2. traje
3. tomé
4. dijo
5. vinieron
6. trajeron
7. quisimos
8. dijimos

Objectives

- Practice using the preterite of verbs with irregular stems and endings.
- **Culture:** How games endure through time.

Core Resource

- *Cuaderno,* pp. 177–179

Practice Sequence

- **Activity 13:** Transitional practice: verbs with irregular stems and endings
- **Activity 14:** Open-ended practice: verbs with irregular stems and endings

STANDARDS

- **1.1** Engage in conversation, Act. 13
- **1.2** Understand language, Act. 14
- **1.3** Present information, Act. 14
- **2.2** Products and perspectives, Act. 14
- **4.2** Compare cultures, Act. 14
- **21ST CENTURY Creativity and Innovation,** Acts. 13, 14

Comparación cultural

Essential Question

Suggested Answer Los deportes perduran porque los padres les enseñan un juego a sus hijos y ellos a sus hijos, etc.

About the Photos

Uxmal and Ulama Most key cities in Mesoamerica had a ball court as part of their ceremonial center. Uxmal was one of the largest cities of the Yucatan peninsula—at its height, 25,000 Maya lived there. The word **ulama** comes from the Nahuatl word **ullamaliztli** (*ballgame*).

✓ Ongoing Assessment

Get Help Online
More Practice
my.hrw.com

PARA Y PIENSA Quick Check Give a verb/subject-pronoun combination (e.g. **venir/tú**) and have students respond with the correct preterite form (e.g. **viniste**). For additional practice, use Reteaching & Practice Copymasters URB 4, pp. 19, 20, 23.

💻 Answers Projectable Transparencies, 4-30

Actividad 13 Answers will vary.

Actividad 14 Answers will vary. Students should include the preterite of **venir, traer, querer, decir, tomar, ser, ir** and **ver**.

Para y Piensa
1. vino; 2. trajeron; 3. dijeron; 4. quisimos

234

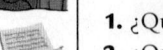

13 | Una excursión imaginaria

Hablar Escribir

Imagina que tú y tus compañeros fueron a una excavación de ruinas antiguas con el (la) profesor(a) de español. Contesten las preguntas para describir lo que pasó. *(Answer the questions to tell about an imaginary trip to an excavation of ancient ruins with your Spanish class.)*

1. ¿Quiénes vinieron?
2. ¿Quiénes quisieron venir, pero no pudieron? ¿Por qué?
3. ¿Qué trajeron los estudiantes? ¿Qué trajo el (la) profesor(a)?
4. ¿Buscaste un objeto perdido? ¿Qué objeto? ¿Lo encontraste?
5. ¿Qué encontraron en las ruinas?
6. ¿Qué dijeron todos después?

Expansión
Describe an actual field trip that you took.

14 | A las ruinas

Leer Escribir

Comparación cultural

Ruinas de Uxmal

Un deporte antiguo

¿*Cómo perduran (endure) los deportes con el tiempo?* En **México** el juego de pelota tiene una historia de más de 3000 años. Hay ruinas de más de 600 canchas antiguas donde civilizaciones como los olmecas, los toltecas, los mayas y los aztecas jugaron juegos de pelota. Los jugadores golpeaban *(hit)* una pelota pesada *(heavy)* de goma *(rubber)* con sus caderas *(hips)*, brazos o un bate especial. No podían usar ni las manos ni los pies. En algunas canchas, tenían que pasar la pelota por un aro *(ring)* en la pared. Adultos y niños en Sinaloa, México todavía juegan ulama, una versión del juego antiguo. Juegan en equipos de tres o cinco. Pierden puntos si la pelota cae *(falls)* o toca *(touches)* las manos o los pies.

Un partido de ulama

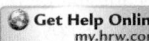

Compara con tu mundo *¿Qué es diferente y similar entre ulama y otros deportes modernos que conoces?*

Escribe lo que pasó durante una visita a las ruinas de una cancha en México. *(Write about a visit to the ruins of a ballcourt.)*

Pistas: venir, traer, querer, decir, tomar, ser, ir, ver

> **modelo:** Mis padres vinieron conmigo a las ruinas. Trajimos una cámara. Tomé una foto de...

Más práctica Cuaderno *pp. 177–179* Cuaderno para hispanohablantes *pp. 178–181*

Get Help Online
my.hrw.com

PARA Y PIENSA **Did you get it?** Write the correct preterite forms.
1. Jorge (venir) conmigo.
2. Mis amigos (traer) un mapa.
3. ¿Qué (decir) ustedes?
4. Silvia y yo (querer) tomar fotos.

234 Unidad 4 México
doscientos treinta y cuatro

Differentiating Instruction

Heritage Learners

Writing Skills Have students, in small groups of two or three, research the game of *ulama* on the Internet or in the library. Have them write a report. Ask them to share their findings with the class.

Multiple Intelligences

Kinesthetic Invite students to create their own version of *ulama* based on the information in the Comparación Cultural. Have them explain the rules to the class and demonstrate how it is played using a soft indoor ball.

✳ Todo junto

¡AVANZA! **Goal:** *Show what you know* Listen to the final scene at the ruins in Tula. Then, use what you have learned to discuss where people went and what happened. *Actividades 15–19*

Telehistoria completa

 @HOMETUTOR *View, Read and Record*
my.hrw.com

STRATEGIES

Cuando lees
Follow the plot While reading, follow the story plot. What does Jorge find and where? Responding to him, does the official give her real message directly or indirectly? What is the joke?

Cuando escuchas
Listen for seriousness Notice the seriousness in the official's voice when she mentions "a very advanced civilization." What does her face say? How does she contribute to the scene?

 **Escena 1** *Resumen*
Beto, Jorge y Sandra buscan la parada de autobuses para ir a Tula. Una mujer les dice cómo llegar. Ellos le dicen a la mujer por qué quieren ir a Tula.

 **Escena 2** *Resumen*
Una guía turística les cuenta la historia de Tula a los jóvenes. Habla de la cultura de los toltecas. Los jóvenes miran una estatua de un dios tolteca.

Escena 3

Beto: *(looking at his watch)* Tenemos que regresar. Debemos estar en casa a las seis.

Sandra: ¿Dónde está Jorge? Estaba aquí cuando fui a comprar un refresco.

Beto: Allí está.

Jorge: *(approaching Beto and Sandra)* ¡Eh! Encontré algo: ¡un objeto!

Beto: ¿Qué es? ¿Una herramienta antigua? ¿Un tesoro?

Sandra: ¿Dónde lo encontraste?

Jorge: Pues, yo estaba allí. Quería tomar una foto del templo pero no podía verlo bien desde aquí. Cuando crucé la plaza, encontré el objeto.

Guía: *(cleaning off the object Jorge found)* Ya pude limpiarlo un poco. Es de una civilización muy avanzada.

Jorge: ¿De verdad?

Guía: Sí, sí, dice: «Hecho en México, 2006».

Differentiating Instruction

Slower-paced Learners

Personalize It Ask students if, when they were younger, they ever found something that they thought was very old or very valuable— and which turned out not to be. Have them describe what happened.

Multiple Intelligences

Interpersonal Have students, in pairs, write descriptions of Jorge, Sandra, and Beto. Encourage them to refer to the end vocabulary or a dictionary for additional adjectives they might need. Ask them who, if anyone, seems to be the leader or decision-maker in the group.

¡AVANZA! **Objective**
· Integrate lesson content.

Core Resources
· Video Program: DVD 2
· Audio Program: TXT CD 5 Track 18

Presentation Strategies
· Ask students to recount what has happened in the first two episodes of the Telehistoria.
· Ask them how the last episode ended (with Jorge, Sandra, and Beto joking about the Toltec statue).
· Show the video and/or play the audio.

✿ STANDARD
1.2 Understand language
21st CENTURY Communication, Multiple Intelligences

🖳 Warm Up Projectable Transparencies, 4-22

Telehistoria Match the two columns of information about the first two episodes of the Telehistoria.

1. los toltecas ___   **a.** leyendas mexicanas
2. el cine Diana ___   **b.** la parada
3. la película de Jorge, Sandra y Beto ___   **c.** las pirámides
4. Tula ___   **d.** militares y agricultores
5. la estatua tolteca ___   **e.** el tío de Beto

Answers: 1. d; 2. b; 3. a; 4. c; 5. e

 @HOMETUTOR VideoPlus
my.hrw.com

Video Summary

Beto, Sandra, and Jorge are ready to go home after a day at the ruins of Tula. Jorge approaches them, exclaiming that he's found an object in the plaza. The tour guide dusts it off and declares that it comes from a very advanced civilization. Watch to learn which civilization that is.

 ▶❙ ❙❙

Objective
· Practice using and integrating lesson content.

Core Resources
· *Cuaderno*, pp. 180–181
· Audio Program: TXT CD 5 Tracks 14, 16, 18, 19, 20

Practice Sequence
· **Activities 15, 16:** Telehistoria comprehension
· **Activity 17:** Open-ended practice: speaking
· **Activity 18:** Open-ended practice: reading, listening, speaking
· **Activity 19:** Open-ended practice: writing

STANDARDS
1.1 Engage in conversation, Act. 17
1.2 Understand language, Acts. 15, 16
1.3 Present information, Acts. 18, 19
5.2 Life-long learners, Act. 19

21st CENTURY Communication, Acts. 17, 18, 19/
Multiple Intelligences/Pre-AP;
Information Literacy, Act. 19: Expansión

Answers Projectable Transparencies, 4-31

Activity 15
1. Los chicos deben estar en casa a las seis.
2. Sandra compró un refresco.
3. Jorge encontró un objeto.
4. Jorge quería tomar una foto del templo.
5. La guía pudo limpiar el objeto.
6. La guía dijo que el objeto era de una civilización muy avanzada.
7. El objeto fue hecho en México en 2006.

Activity 16 Answers will vary. Sample answers:
1. Ellos buscaban la parada de autobuses para ir a Tula.
2. Aprendieron que los toltecas construyeron pirámides y algunos cazaban y otros eran agricultores.
3. Jorge estaba emocionado porque encontró un objeto en la plaza.
4. La guía dijo que es de una civilización muy avanzada.

Activity 17 Questions and answers will vary.
Use the rubric to evaluate performance.

236

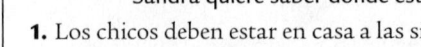

15 | *Comprensión de los episodios* ¡A corregir!

Escuchar
Leer

Corrige los errores en estas oraciones. *(Correct the errors.)*

modelo: Sandra quiere saber dónde está Beto.
Sandra quiere saber dónde está Jorge.

1. Los chicos deben estar en casa a las siete.
2. Sandra compró una herramienta.
3. Jorge encontró un calendario.
4. Jorge quería tomar una foto de la plaza.
5. La guía pudo vender el objeto.
6. La guía dijo que el objeto era de una civilización muy antigua.
7. El objeto fue hecho en Tula hace muchos siglos.

Expansión:
Teacher Edition Only
Activity 16 Have students answer other questions about the three episodes of the Telehistoria: *Whom did Sandra, Beto, and Jorge meet in each of the three episodes? What did each tell them? What do you find humorous in each episode?*

16 | *Comprensión de los episodios* ¿Qué pasó?

Escuchar
Leer

Contesta las preguntas. Usa oraciones completas. *(Answer the questions in complete sentences.)*

1. ¿Por qué buscaban los chicos la parada de autobuses?
2. ¿Qué aprendieron sobre los toltecas?
3. ¿Por qué estaba emocionado Jorge?
4. ¿Qué dijo la guía sobre el objeto que encontró Jorge?

17 | ¿Cómo llego a...?

Digital performance space

Hablar

> **STRATEGY Hablar**
> **Use your imagination** Be imaginative as you consider interesting places to go in your community and the directions you would give to others. What would make this discussion serious? Comical? Try both ways!

Eres un(a) turista en tu comunidad. Pregúntale a tu compañero(a) cómo llegar a tres lugares. Luego cambien de papel. *(You are a tourist in your community. Ask how to get to three places. Then change roles.)*

la plaza	la biblioteca	el restaurante
la edificio	el café	el cine
la catedral	el centro comercial	el parque

A ¿Cómo llego al edificio Monroe?

B Desde la escuela caminas hasta la calle Oak y doblas a la derecha. Luego debes seguir derecho por cinco cuadras hasta ...

Expansión
Write directions to somewhere near your school, then exchange papers with your partner and figure out the location each of you gave directions to.

Unidad 4 México
236 doscientos treinta y seis

Differentiating Instruction

Multiple Intelligences

Visual/Spatial Have student pairs draw maps of the area near their school that they wrote about in the Activity 17 Expansión. Have them include visual markers on the map, such as a store or a traffic light at the corner of two streets. Then have them take turns giving directions between locations, including references to these markers.

Pre-AP

Sequence Information Divide students into pairs. Have each student write a chronological list of what happened in the three Telehistoria episodes—but without mentioning any names. Then have them take turns reading their sentences to each other and guessing who performed the various actions.

18 | Integración

Digital Performance space

**Leer
Escuchar
Hablar**

Mira el mapa y escucha a la guía. Luego describe tu visita al museo, lo que viste y lo que aprendiste. *(Look at the map, listen to the audio guide, and describe your museum visit.)*

Fuente 1 Mapa del museo

MUSEO NACIONAL DE ANTROPOLOGÍA

Zona B, Planta baja

Sala Mexica
La Piedra del Sol
Estatua de la diosa Coatlicue
Sala Tolteca — esculturas
Sala Teotihuacán — objetos de piedra
Sala Preclásico — objetos de cerámica
Sala Orígenes
Sala Mesoamérica
Sala de Introducción a la Antropología

Fuente 2 Audio-guía

Listen and take notes
• ¿Qué quiere decir «Mexica»?
• ¿Dónde queda el Templo Mayor? ¿Qué objetos encontraron allí?

modelo: Fui al museo de antropología y aprendí muchas cosas. Primero entré a la Sala de...

🎧 **Audio Program**
TXT CD 5 Tracks 19, 20
Audio Script, TE p. 219B

19 | Una ciudad interesante

Digital Performance space

Escribir

Describe un viaje que hiciste a una ciudad real o imaginaria. Describe los edificios que viste, los lugares que visitaste y lo que hiciste allí. *(Write a description of a trip to a real or imaginary city. Describe what you saw and what you did.)*

modelo: El año pasado mi familia y yo hicimos un viaje a la capital de México, el Distrito Federal. Vi rascacielos modernos y otros...

Writing Criteria	Excellent	Good	Needs Work
Content	Your description is in the preterite and includes a wide variety of city-related vocabulary.	Your description is mostly in the preterite and includes some city-related vocabulary.	Your description has many errors in the preterite and not much city-related vocabulary.
Communication	Your description is organized and easy to follow.	Parts of your description are organized and easy to follow.	Your description is not well organized and is hard to follow.
Accuracy	Your description has few mistakes in grammar and vocabulary.	Your description has some mistakes in grammar and vocabulary.	Your description has many mistakes in grammar and vocabulary.

Expansión
Research a historic site in Mexico before you write. Use drawings or photos to illustrate your description.

Más práctica Cuaderno *pp. 180–181* Cuaderno para hispanohablantes *pp. 182–183*

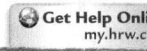
🌐 **Get Help Online** my.hrw.com

PARA Y PIENSA

Did you get it? 1. Name one thing the Toltecs did. **2.** Describe an ancient object you've seen. **3.** Give directions to a modern place in your city.

Lección 2
doscientos treinta y siete **237**

Differentiating Instruction

Inclusion

Cumulative Instruction Before doing Activity 19, work with students to generate a list of verbs they know, and write these on the board. Then do a rapid-response drill with students to review the **tú** and **yo** forms of the preterite of these verbs. Model: **comer:** ¿Comiste? –Sí, comí. **venir:** ¿Viniste? –Sí, vine.

Slower-Paced Learners

Read before Listening In Activity 18 ask student pairs to read the audio script and look at the pictures in the text before listening to the audio description of the museum. Tell them to identify any words or terms they don't know and look them up in the end vocabulary or a dictionary.

Pre-AP Integration

Activity 18 Before students listen to the audio guide, ask them if they have heard of the **Templo Mayor.** If so, ask them for a description. If not, explain that it was the main Aztec pyramid and temple of Tenochtitlán. Its ruins are open excavations next to the Zócalo, and the objects found there are in the Museo Nacional de Antropología.

✓ Ongoing Assessment

Rubric Activity 18

Listening/Speaking

Proficient	Not There Yet
Student takes detailed notes and mentions most or all of the main points of the museum.	Student takes few notes and only names some of the main points of the museum.

To customize your own rubrics, use the **Generate Success** *Rubric Generator and Graphic Organizers.*

✓ Ongoing Assessment

🌐 **Get Help Online** More Practice my.hrw.com

PARA Y PIENSA Intervention If students have problems using the preterite in either Activity 18 or 19, have them review the grammar presentations on pp. 227 and 232. For additional practice, use Reteaching & Practice Copymaster URB 4, pp. 19, 21.

💻 **Answers** Projectable Transparencies, 4-31

Activity 18 Answers will vary. Students should include information such as:

«Mexica» era el nombre para «azteca».

El Templo Mayor queda en el centro de la ciudad de México moderna. Allí encontraron la Piedra del Sol.

Activity 19 Answers will vary. Pair students according to ability (weak/weak, strong/strong, etc.) and have them complete the rubric to evaluate each other's descriptions. Then ask them to rewrite their descriptions in order to improve them.

Para y piensa Answers will vary. Sample answers:
1. Los toltecas construyeron templos grandes.
2. Yo vi herramientas antiguas en el Museo de Antropología.
3. Si sales de mi casa, doblas a la derecha y sigues derecho por tres cuadras vas a ver un rascacielos grande a la izquierda.

237

Objectives

- **Culture:** Compare the indigenous cultures of Oaxaca, Mexico and Otavalo, Ecuador.
- Read about the indigenous cultures of Oaxaca and Otavalo, past and present.
- Answer reading comprehension questions about these two cultures.

Core Resource
- Audio Program: TXT CD 5 Track 21

Presentation Strategies
- Point out Oaxaca, Mexico and Otavalo, Ecuador on the map.
- Ask students to comment on what they notice about the photos.
- You may have students read the descriptions, listen to the audio, or access them online.

STANDARDS
1.2 Understand language
2.1 Practices and perspectives
4.2 Compare cultures
21st CENTURY Communication, Pre-AP (Economic Literacy); **Critical Thinking and Problem Solving,** Critical Thinking; **Information Literacy,** Multiple Intelligences; **Technology Literacy,** Group Work

---

Warm Up Projectable Transparencies, 4-23

Vocabulary Complete the sentences with one of the words in the list.

sigue	izquierda	cuadras
avenida	frente	

1. Cruzas la _____ Sol.
2. Caminas dos _____ más.
3. A la esquina de la avenida Sol y la calle María, debes doblar a la _____ .
4. _____ derecho por tres cuadras.
5. El restaurante está _____ al museo.

Answers: 1. avenida; 2. cuadras;
3. izquierda; 4. Sigue; 5. frente

Long-term Retention
Critical Thinking

Analyze Ask students to think of reasons why some indigenous groups have survived in the U.S., Mexico, and Ecuador, while others have not.

Lectura cultural

Additional readings at my.hrw.com
SPANISH
InterActive Reader

¡AVANZA! **Goal:** Read about the presence of indigenous cultures in Oaxaca and Otavalo. Then discuss the contributions of indigenous societies to Mexico, Ecuador, and the United States.

Comparación cultural

 AUDIO

Los zapotecas y los otavaleños

STRATEGY Leer
Draw a chart On a separate sheet, make a chart of the various aspects of the indigenous cultures in Oaxaca and Otavalo. Follow the chart below.

Información	Oaxaca	Otavalo
civilización antigua		
qué producen ahora		
ceremonias ancestrales		

México

La región de Oaxaca tiene base sobre[1] antiguas civilizaciones como la zapoteca. Monte Albán, la antigua capital zapoteca, es una zona de ruinas de más de 1.300 años. Allí hay un campo de pelota, una gran plaza, un palacio, varios templos y otros edificios y estructuras. Todavía hoy, la presencia de los zapotecas es muy fuerte en Oaxaca. Hoy continúan la tradición de trabajo en cerámica con técnicas tradicionales: usan, por ejemplo, decoraciones zapotecas auténticas. También, todos los años, los oaxaqueños celebran la Guelaguetza, una ceremonia indígena ancestral. La palabra «guelaguetza» es zapoteca y quiere decir[2] «regalo».

[1] is based on   [2] means

Ceremonia de la Guelaguetza

La famosa cerámica oaxaqueña de barro (clay) negro

Unidad 4 México
238 trescientos treinta y ocho

Differentiating Instruction

Multiple Intelligences

Linguistic/Verbal In groups, have students research either the Guelaguetza or the Fiesta de Yamor online. They should find out when the festival takes place, how many days it lasts, and what is being celebrated. Each group should focus on one aspect of the festival that they then present in an oral report to the class.

Pre-AP

Summarize Ask students to explain the ways in which traditional celebrations and products are being used in modern ways to help support the local economies of indigenous groups in both Mexico and Ecuador.

Ecuador

Hoy muchos otavaleños pueden vender sus artesanías por Internet al mercado internacional.

El pasado y el presente de los otavaleños es parte esencial del Ecuador moderno. Los indígenas de Otavalo vivían en Ecuador antes del imperio inca y su civilización prospera magníficamente en el presente. Hoy en día, los otavaleños están muy bien organizados comercialmente. Producen artículos de ropa y de decoración con tejidos[3] de colores únicos. Venden estos productos en Ecuador, pero también por otros países de Latinoamérica, Estados Unidos y Europa. Se consideran[4] internacionalmente un modelo para el progreso económico de los pueblos. También, todavía celebran ceremonias ancestrales. Todos los años, al final del verano, celebran la fiesta del Yamor, en honor a la madre tierra.[5]

Una vendedora en un mercado de textiles, Otavalo

[3] fabrics   [4] **Se...** They are regarded   [5] **madre...** mother earth

PARA Y PIENSA

¿Comprendiste?
1. ¿Cuál es una de las civilizaciones que son la base de Oaxaca?
2. ¿Qué es Monte Albán? ¿Qué puedes ver en Monte Albán?
3. ¿Cómo puedes ver la presencia de la cultura zapoteca hoy en Oaxaca?
4. ¿Dónde venden los otavaleños los productos que hacen?
5. ¿Qué es el Yamor? ¿Cuándo lo celebran los otavaleños?

¿Y tú?
¿Cuáles son las contribuciones de la gente indígena en Estados Unidos?

Lección 2
trescientos treinta y nueve   **239**

Comparación cultural

About the Photos
La Guelaguetza is celebrated in Oaxaca during the last two weekends of July. In addition to lavish parades, there are performances at Cerro del Fortín, an amphitheater offering sweeping views of the city. Dancers from the seven regions of Oaxaca perform traditional dances in their regional dress. During the dances, local gifts are tossed to the crowd to symbolize the traditional Oaxacan commitment to giving and sharing.

Communication
Group Work

Divide students into groups of three to four. Have them research on the Internet how the Otavaleños use technology for commerce, and report back to the class.

Answers Projectable Transparencies, 4-32

Para y piensa ¿Comprendiste? Answers will vary. Sample answers:
1. La zapoteca es una de las civilizaciones que son la base de Oaxaca.
2. Monte Albán es la antigua capital zapoteca y es una zona de ruinas de más de 1.300 años. Puedes ver un campo de pelota, una gran plaza, un palacio, varios templos y otros edificios y estructuras.
3. Puedes ver la tradición de trabajo en cerámica con técnicas tradicionales. También los oaxaqueños celebran la Guelaguetza todos los años.
4. Los otavaleños venden sus productos a otros países de Latinoamérica, Estados Unidos y Europa.
5. El Yamor es una fiesta en honor a la madre tierra. Los otavaleños lo celebran al final del verano.

¿Y tú? Answers will vary. Answers may include: cerámica, joyas, esculturas, pinturas

Differentiating Instruction

Heritage Language Learners

Literacy Skills Ask students to pay attention to what they are thinking as they read. Ask them to note the answers to these questions: *What images come to mind as you read? What questions are you asking? When do you pause and think?*

Slower-paced Learners

Memory Aids Ask student pairs to create a Venn diagram: one circle for the zapotecas and the other for the otavaleños. Have them write details about each group in its circle, and write ways in which the two groups are similar in the overlapping space.

✤ Proyectos culturales

Objective

· **Culture:** Compare traditional songs in different countries.

Presentation Strategy

· Give examples of traditional songs in the U.S., such as *Mary Had a Little Lamb*. Ask students to name other traditional songs.

❋ STANDARDS

1.2 Understand language
2.2 Products and perspectives
3.1 Knowledge of other disciplines
5.2 Life-long learners

21st CENTURY Information Literacy, La música/ Multiple Intelligences; **Social and Cross-Cultural Skills,** English Learners

Connections
La música

Ask students to research what instruments have been used in the traditional music of the U.S., Mexico, and Ecuador. If possible, have them download from the Internet examples of traditional songs from each country featuring these instruments. Tell them to categorize the instruments by type (string, wind, etc.) and share their findings with the class. (Also see pages C6 and C14.)

Comparación cultural

Essential Question

Suggested Answer
Las canciones tradicionales varían de un país al otro porque las culturas de cada país varían. Depende también en el país donde empezaron a cantar las canciones y el grupo que sigue cantándolas.

Proyecto 2 This song originally came from Spain, where it was called *La Virgen de la Cueva.*

Comparación cultural

Canciones tradicionales de México y Ecuador

¿Por qué a veces varían de un país a otro las canciones tradicionales de los países hispanohablantes? Hay canciones que puedes escuchar en todos los países hispanohablantes. Muchas de estas canciones llegaron de España; otras empezaron en América y se extendieron por todo el continente. Hay otras canciones que son de una región o país específico. Estas canciones son productos de una cultura local y no extienden más allá *(beyond)* de su región de origen.

▸ Proyecto **1** *Allá en el Rancho Grande*

México Una categoría de canción regional es **la ranchera.** Es típica de México. Aquí tenemos una de las rancheras más famosas.

> **Allá en el rancho grande**
> Allá en el rancho *(ranch)* grande,
> Allá donde vivía,
> Había una rancherita *(ranch girl)*,
> Que alegre me decía,
> Que alegre me decía:
>
> Te voy a hacer los calzones *(riding pants)*
> Como los usa el ranchero *(rancher)*.
> Te los comienzo de lana *(wool)*
> Te los acabo *(finish)* de cuero.

ALLÁ EN EL RANCHO GRANDE

A - llá   en   el   rancho   gran - de,

a - llá   don - de   vi - ví - a,

▸ Proyecto **2** *Que llueva*

Ecuador Esta canción para niños tiene sus orígenes en España. Los niños de Ecuador y de otros países de Latinoamérica la cantan con versos diferentes de los originales.

> **Que llueva** *(Let it rain)*
> Que llueva, que llueva,
> **El quetzal** está en
> la cueva *(cave)*,
> Los pajaritos *(birds)* cantan,
> Las nubes *(clouds)* se levantan.
> Que sí, que no,
> que caiga un chaparrón
> *(let it pour)*.

> Repite y sustituye
> **el quetzal** con:
> · el cóndor
> · la tortuga
> · la serpiente
> · el jaguar

▸ En tu comunidad

Hay canciones en español que cantamos en Estados Unidos. ¿Cuáles son las canciones en español que conoces?

Differentiating Instruction

Multiple Intelligences

Musical/Rhythmic Have students research the song *Que llueva* on the Internet or in the library, and compare it to the traditional U.S. song, *It's Raining, It's Pouring*. Have them compare and contrast the melodies, the phrasing, and the rhymes.

English Learners

Increase Interaction Encourage students to talk about—or bring in audio clips of— traditional songs from their countries. Ask them what instruments are typically used, and what the popular themes are.

Lección 2

En resumen
Vocabulario y gramática

ANiMaTeD GRaMMaR
Interactive Flashcards
my.hrw.com

Vocabulario

Ancient Civilizations

Characteristics

antiguo(a)	ancient	el objeto	object	
avanzado(a)	advanced	la pirámide	pyramid	
el calendario	calendar	la religión	religion	
la civilización	civilization	las ruinas	ruins	
la estatua	statue	el templo	temple	
la herramienta	tool	la tumba	tomb	
el monumento	monument			

Activities

la agricultura	agriculture
cazar	to hunt
construir	to build
la excavación	excavation

People

el (la) agricultor(a)	farmer
los toltecas	Toltecs

Modern Civilization

City Layout

la acera	sidewalk
la avenida	avenue
el barrio	neighborhood
la catedral	cathedral
la ciudad	city
la cuadra	city block
el edificio	building
moderno(a)	modern
la plaza	plaza; square
el rascacielos	skyscraper

Ask For and Give Directions

¿Cómo llego a...?	How do I get to...?	desde	from
cruzar	to cross	entre	between
doblar...	to turn...	frente a	across from
a la derecha	to the right	hasta	to
a la izquierda	to the left	(en) la esquina	(on) the corner
seguir (i) derecho	to go straight	el semáforo	traffic light

Gramática

Nota gramatical: Verbs with **i → y** spelling change in the preterite *p. 226*

Preterite of   and   verbs

In the preterite, verbs that end in **-car, -gar,** and **-zar** are spelled differently in the **yo** form to maintain the pronunciation.

buscar	c	becomes	qu	(yo)	bus**qu**é
pagar	g	becomes	gu	(yo)	pa**gu**é
empezar	z	becomes	c	(yo)	empe**c**é

More Verbs with Irregular Preterite Stems

The verbs **venir, querer, decir,** and **traer** have irregular **preterite stems.**

Verb	Stem	Irregular Preterite Endings	
venir	vin-	-e	-imos
querer	quis-	-iste	-isteis
		-o	-ieron

Verb	Stem	ustedes/ellos/ellas
decir	dij-	dijeron
traer	traj-	trajeron

Practice Spanish with Holt McDougal Apps!

Lección 2
doscientos cuarenta y uno **241**

DIGITAL SPANISH

Objective
· Review lesson vocabulary and grammar.

Interactive Flashcards Students can hear every target vocabulary word pronounced in authentic Spanish. Flashcards have Spanish on one side, and a picture or a translation on the other.

Review Games Matching, concentration, hangman, and word search are just a sampling of the fun, interactive games students can play to review for the test.

performance) space

News Networking

@HOMETUTOR

CulTuRa Interactiva

- **Audio and Video Resources**
- **Interactive Flashcards**
- **Review Activities**
- **WebQuest**
- **Conjuguemos.com**

Long-term Retention

Critical Thinking

Evaluate Have students, in pairs, create a Venn diagram, labeling the oval on the left **antiguo(a)** and the oval on the right **moderno(a).** Have them write as many vocabulary words as possible in the appropriate oval. Words that apply to both categories should be written in the overlapping area.

Differentiating Instruction

Inclusion

Synthetic/Analytic Support Have students, in pairs, take one of the categories of vocabulary words, such as *City Layout,* and divide the words into syllables. Then have them take turns pronouncing each word.

Pre-AP

Support Ideas with Details Have students, in groups of three, write the dialog for a tour guide and two visitors to an ancient site in Mexico. Have them use as many of the vocabulary words as possible, and look up new ones to use as well.

Objective
· Review lesson grammar and vocabulary.

Core Resources
· *Cuaderno*, pp. 182–193
· Audio Program: TXT CD 5 Track 22

Presentation Strategies
· Draw students' attention to the ¡Llegada!
· Have students give sample sentences to demonstrate their understanding of each point.
· Ask students to use the information given in Activity 1 to generate questions for their classmates.
· Review verbs presented in the unit and ask students to explain how these verbs differ from regular verbs in the preterite.

STANDARDS
1.2 Understand language, Act. 1
1.3 Present information, Act. 2
2.1 Practices and perspectives, Act. 4
2.2 Products and perspectives, Act. 4

🖥 Warm Up Projectable Transparencies, 4-23

Preterite Choose a verb from the list and write the preterite tense in the blanks.

querer   decir   ir   llegar   pagar   buscar

1. La semana pasada (yo) _____ a unas ruinas toltecas.
2. Entonces, cuando yo _____ a las ruinas, _____ la pirámide.
3. Yo _____ diez pesos para entrar en las tumbas dentro de la pirámide.
4. Yo _____ tomar fotos de las tumbas, pero el guía me _____ que no.

Answers: 1. fui; 2. llegué, busqué; 3. pagué; 4. quise, dijo

Lección 2 Repaso de la lección

@HOMETUTOR
my.hrw.com

¡LLEGADA!

Now you can
· describe early civilizations and their activities
· describe the layout of a modern city
· ask for and give directions

Using
· verbs with **i → y** spelling changes in the preterite
· preterite of **-car**, **-gar**, and **-zar** verbs
· more verbs with irregular preterite stems

🎧 **Audio Progr.**
TXT CD 5 Track
Audio Script, TE
p. 219B

To review
· verbs with **i → y** spelling change in the preterite, p. 226

AUDIO

1 Listen and understand

Rosario describe una lección sobre civilizaciones antiguas. Escucha y luego combina frases de las columnas para describir lo que pasó. *(Listen and combine phrases from each column to describe Rosario's lesson.)*

modelo: Catarina y Rosario leyeron un libro sobre las ruinas.

Catarina
Rosario
Catarina y Rosario
la maestra

construir
leer

la agricultura y la vida
los templos religiosos
un modelo de una excavación
las ruinas
unas pirámides
un resumen
una estatua
un reporte

To review
· more verbs with irregular preterite stems, p. 232

2 Describe early civilizations and their activities

Beto hizo una excursión a Teotihuacán. Completa su tarjeta con el pretérito de **venir, querer, traer** y **decir.** *(Complete the postcard with the preterite forms of the correct verbs.)*

> Queridos primos,
> Ayer estuvimos en Teotihuacán. Una guía **1.** con nosotros y nos **2.** que hace mucho tiempo Teotihuacán era un centro religioso. Isabel y yo **3.** una cámara y fuimos a la parte más alta de la Pirámide del Sol para tomar fotos. Mi amigo Paco **4.** ir también pero la pirámide era demasiado alta y no pudo. Después fuimos a la Pirámide de la Luna y al Palacio de los Jaguares. Nosotros **5.** ver también el templo de Quetzalcóatl, pero no tuvimos tiempo. Me encantó Teotihuacán . ¿Por qué no **6.** ustedes conmigo?
> Hasta pronto, Beto

Differentiating Instruction

Slower-paced Learners

Read Before Listening Before students listen to the Activity 1 audio, have them preview the phrases they will be asked to combine in the activity. If they have difficulties doing the exercise, give them the audio script to read.

Pre-AP

Timed Answer For Activity 2, divide students into groups of three. Have them time each other as they do the activity. For each wrong answer, they get ten seconds added to their overall time.

To review
• preterite of **-car, -gar,** and **-zar** verbs, p. 227

3 Describe the layout of a modern city

Mira el mapa de Coyoacán. Hay cinco rutas de diferentes colores. Describe dónde empezaste y cómo llegaste a cada lugar. *(Describe where you started and how you got to the places on the map.)*

| empezar | caminar | cruzar | llegar | doblar | almorzar |

1. ¿Dónde empezaste?
2. ¿Cómo llegaste a la casa de Frida Kahlo desde el museo?
3. ¿Cómo fuiste de la casa de Frida Kahlo a la casa histórica?
4. ¿Cómo fuiste de la casa histórica al mercado?
5. ¿Dónde almorzaste?
6. ¿Cómo llegaste a la Plaza Hidalgo desde el mercado?

To review
• Artistas mexicanas, p. 195
• Comparación cultural, pp. 229, 234
• Lectura cultural, pp. 238–239

4 Mexico and Ecuador

Comparación cultural

Contesta estas preguntas culturales. *(Answer these culture questions.)*

1. ¿Quiénes son dos artistas mexicanos famosos?
2. ¿Cuáles son algunas palabras de origen náhuatl y de origen quechua?
3. ¿Qué es ulama?
4. ¿Cuáles son algunas celebraciones importantes de los oaxaqueños y los otavaleños?

Más práctica   Cuaderno *pp. 182–193*   Cuaderno para hispanohablantes *pp. 184–193*

Get Help Online
my.hrw.com

Lección 2
doscientos cuarenta y tres   **243**

🖥 **Answers** Projectable Transparencies, 4-28 thru 4-31

Activity 1 Answers will vary. Sample sentences:
Catarina leyó un libro sobre las ruinas en México.
Rosario construyó un modelo.
Rosario y Catarina construyeron pirámides.
La maestra leyó el reporte.

Activity 2
1. vino
2. dijo
3. trajimos
4. quiso
5. quisimos
6. vinieron

Activity 3 Answers will vary. Sample answers:
1. Empecé en el museo de Culturas Populares.
2. Doblé a la izquierda, caminé por seis cuadras, doblé a la izquierda otra vez y caminé por una cuadra más.
3. Doblé a la izquierda y caminé por una cuadra. Luego, doblé a la izquierda y caminé por dos cuadras. En la calle Viena, doblé a la derecha. Llegué a la casa histórica en cinco minutos.
4. Fui de la casa histórica y caminé dos cuadras hasta la esquina de Viena y Allende. Allí doblé a la izquierda y caminé tres cuadras al mercado.
5. Almorcé en el restaurante.
6. Crucé la calle, doblé a la izquierda y a la derecha en Allende. Continué derecho por cuatro cuadras para llegar a la Plaza Hidalgo.

Activity 4 Answers will vary but may include:
1. Son Diego Rivera y Frida Kahlo.
2. Algunas palabras son *chocolate, tomate* y *chile*.
3. Es una versión de un juego antiguo de pelota.
4. La fiesta del Yamor es una celebración importante.

Differentiating Instruction

Inclusion

Multisensory Input/Output Have students locate the starting point of the activity by touching it on the map. Tell them to trace each route with their finger as they read the questions out loud. Confirm with students the color of the routes to insure they are following the correct one.

Multiple Intelligences

Intrapersonal Have students draw a family tree that includes information (written or visual) about each generation that an archaeologist might find interesting. Possible details include: the type of house they lived in, tools and dishes they used, written records, or pictures they left. Then ask students to share these with the class.

Objectives

- **Culture:** compare cities.
- Practice reading about cities in Mexico, Ecuador, and Nicaragua.
- Practice writing a description.

Core Resources

- *Cuaderno*, pp. 194–196
- Audio Program: TXT CD 5 Track 23
- Video Program: DVD 2

Presentation Strategies

- Point out Granada, Nicaragua; Quito, Ecuador; and Cancún, Mexico on the map.
- Have students find similarities and differences between the three photos.
- You may have students read the descriptions, listen to the audio, or access them online.

STANDARDS

1.2 Understand language
1.3 Present information
4.2 Compare cultures

Information Literacy, History/English Learners/Slower-paced Learners

---

Connections

History

Students will probably need to research the history of their town in order to write about it. Suggest that they go to their local town library, as well as contact the local historical society and any historical museums. Encourage them to locate old newspapers, maps, and diaries of the early settlers of their town—and to talk to any older residents they know.

Comparación cultural

AUDIO

Lo *antíguo* y lo moderno en mi ciudad

Lectura y escritura

WebQuest
my.hrw.com

1 **Leer** Cities vary around the world. Some are old, some are modern. Others exhibit buildings or structures from the present and the past. Read the descriptions of the cities where Martín, Elena, and Raúl live.

2 **Escribir** Using the three descriptions as models, write a short paragraph about the city or town where you live and about its history. If there are examples of modern architecture or historic buildings and structures, describe them.

STRATEGY Escribir	Mi ciudad en el presente	Mi ciudad en el pasado
Use a T-table To compare how your city or town was in the past and how it is in the present, use a T-table like the one shown here.		

Step 1 On the left, describe your city or town in the present (buildings, monuments, rivers, parks, etc.). On the right, write about its history or those who lived there.

Step 2 Use the information in the two columns to help you write your paragraph. Check your writing by yourself or with help from a friend. Make final additions and corrections.

Compara con tu mundo

Use the paragraph you wrote about a city or town and compare it with the place where Raúl, Elena, or Martín lives. In which ways is your city or town similar to the other one? In which ways is it different?

Cuaderno *pp. 194–196* Cuaderno para hispanohablantes *pp. 194–196*

Differentiating Instruction

Multiple Intelligences

Logical/Mathematical Have students, in groups of three, read the descriptions of the three cities on p. 245 and make a chart that includes the information given for each. Ask them to then make a chart that compares the structures and ages of the three.

Heritage Language Learners

Writing Skills Have students write descriptions similar to those on p. 245 of three cities in their home country. Have them focus on the history of each place as evidenced in the architecture.

CULTURA Interactiva
my.hrw.com
See these pages come alive!

Nicaragua — *Martín*

¡Saludos desde Nicaragua! Soy Martín y vivo en Granada. Ésta es la ciudad colonial más antigua construida en América. Todavía puedes ver edificios y catedrales que tienen más de 300 años. Las puertas y las ventanas de las casas tienen diseños[1] coloniales típicos. Muchas personas que viven aquí prefieren viajar por la ciudad en coches tirados por caballos[2] como lo hacían antes. ¡A veces pienso que estoy viviendo en otro siglo!

[1] designs   [2] **tirados**...horse-drawn carriages

Ecuador — *Elena*

¿Qué tal? Me llamo Elena y vivo en Quito, una ciudad de contrastes. En el barrio histórico, los templos, edificios y monumentos antiguos me dan una idea de cómo era la ciudad en el pasado. ¡Me encanta! Pero también me gusta caminar por el área moderna y admirar los rascacielos grandes.

México — *Raúl*

¡Hola! Soy Raúl. Vivo en Cancún, México, muy cerca de la playa. Vivir aquí es muy interesante. Es un lugar moderno pero con mucha historia. Hace muchos siglos los mayas vivieron aquí y construyeron palacios y templos. Es posible ver las ruinas aquí, pero el edificio que me gusta más es este hotel moderno inspirado en las pirámides mayas. ¡Qué original!

México
doscientos cuarenta y cinco   **245**

Comparación cultural

Regional Accents Have students listen to the audio to hear the different accents of Nicaragua, Ecuador, and Mexico. Ask if they notice any particular sounds or letters that are pronounced differently.

✓ Ongoing Assessment

Get Help Online
More Practice
my.hrw.com

Rubric Lectura y escritura

Writing Criteria	Maximum Credit	Partial Credit	Minimum Credit
Content	Includes multiple details about many places.	Includes some details about several places.	Describes one to two places including one detail/place.
Communication	Information is well-organized and presented clearly. Uses linking words.	Some of the information is clear and well-organized. Other information is hard to follow. Uses few connectors.	Information is incomplete and/or hard to follow. Uses no connectors.
Accuracy	Makes few mistakes in grammar and vocabulary.	Makes some mistakes in grammar and vocabulary.	Makes many mistakes in grammar and vocabulary.

To customize your own rubrics, use the *Generate Success Rubric Generator and Graphic Organizers.*

Differentiating Instruction

English Learners

Provide Comprehensible Input Encourage students to use available resources to research the history of their home town: family members, the library, the Internet. Ask them to include images, if they can find them, of their home towns today and in the past.

Slower-paced Learners

Peer-study Support Team students up in pairs (strong/weak) and have them do the writing activity together. Have them research the history of their towns together, and comment on what is particularly interesting to them. When they have written their reports, ask them to review each other's and comment on it.

Objectives

- Introduce the Gran Desafío contest.
- Introduce the characters who will participate in the Gran Desafío contest.

Presentation Strategies

- Tell students that they are going to read about the reality video they will watch in subsequent units. Explain that **desafío** means *challenge*. Discuss which reality shows students watch and what they like/dislike about them.
- Have students read the summary on p. 246. Ask what UNAM stands for (the answer—la Universidad Nacional Autónoma de México—is in the text for Miguel Dávila on this page). Ask if anyone knows what 100,000.00 pesos a year is equal to in U.S. dollars.
- Have students read the quotes from the video characters and study the photos. Ask them to describe what each person looks like.

Communication
Role-playing and Skits

Divide students into groups of seven and have them role-play the dialogs from the text. Tell them to consider how each person might talk, given the way they describe themselves.

Long-term Retention
Critical Thinking

Conceptualize Have students, in pairs, discuss whether they would like to take part in a reality show. Ask them to think of what kinds of challenges they would like to participate in, and why. Have them describe their ideal partner and say why they would work well together.

EL GRAN DESAFÍO
MÉXICO

EL GRAN DESAFÍO

In this video you will meet six teenagers from Mexico who are going to take part in the first phase of a competition. Each team will participate in four different challenges and each challenge is worth one point. The team that wins the most points will move on to participate in the final Gran Desafío competition where they will compete against winners from other countries. The grand prize is a year of studies at the UNAM, an apartment in Mexico City, and 100,000.00 pesos for living expenses for one year.

Meet the participants!

El profesor: ¡Hola a todos! Me llamo Miguel Dávila. Soy colombiano y profesor de historia contemporánea en la Universidad Nacional Autónoma de México. Soy el director de la competencia.

Angelica

246 Unidad 4
doscientos cuarenta y seis

Differentiating Instruction

Heritage Language Learners

Support What They Know Discuss what reality shows there are in students' home countries. Discuss whether the prize for El Gran Desafío is one they would like, and why or why not. Ask if the stipend of 100,000.00 pesos/year—given that they will also have an apartment for free—is a generous one, or not.

Inclusion

Sequential Organization Have students create a chart of the video characters and take notes on what they know about each so far. Have them update this chart with each new episode, adding information they gather from both the text and the video.

Equipo 1

Luis: Me llamo Luis. Soy trabajador y tranquilo.

Ana: ¡Hola! Soy Ana. Soy artística y muy simpática.

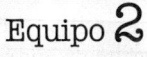

Equipo 2

Marta: Yo soy Marta. Me gustan las cosas fáciles. No quiero trabajar demasiado.

Carlos: Me llamo Carlos. Soy muy organizado, pero soy un poco tímido.

Equipo 3

Raúl: Hola. Yo soy Raúl. Soy muy cómico, pero también soy desorganizado.

Mónica: Me llamo Mónica. Soy inteligente y seria.

Prólogo: El Gran Desafío
doscientos cuarenta y siete **247**

Communication

Interpersonal Mode

Divide students into groups of three. Have them discuss these questions, giving reasons for their answers: *Are the members of each team very similar or very different? How? Who do you think will work the hardest to win each challenge? Who do you think might not work very hard? Which team do you think will prove to be the best?*

Experiences

Spanish in the Media

Have students, in pairs, use the Internet or a library to research what Spanish-language reality shows are broadcast in the U.S. Ask them to write a description of one or two and share it with the class.

Differentiating Instruction

Pre-AP

Vary Vocabulary Have students write a description of each character using language other than what is provided in the text. They can use other adjectives or phrases, such as, for **trabajador, Le gusta mucho trabajar.** Then have them share their descriptions with a partner.

Slower-paced Learners

Sentence Completion Reinforce the descriptions of the characters by having students complete sentences about each, such as: **Luis es (trabajador) y (tranquilo). Ana es (artística) y (muy simpática).**

Objective
· Cumulative review

Core Resource
· Audio Program: TXT CD 5 Track 24

Review Options
· **Activity 1:** Listening comprehension
· **Activity 2:** Open-ended practice: writing
· **Activity 3:** Open-ended practice: speaking
· **Activity 4:** Open-ended practice: speaking, writing
· **Activity 5:** Open-ended practice: writing
· **Activity 6:** Open-ended practice: speaking, writing
· **Activity 7:** Open-ended: reading, writing

STANDARDS
1.1 Engage in conversation, Acts. 3, 6
1.2 Understand language, Act. 1
1.3 Present information, Acts. 2, 3, 4, 5, 7
2.2 Products and perspectives, Act. 2
3.1 Knowledge of other disciplines, Acts. 2, 3
5.2 Life-long learners, Act. 6

21st CENTURY Communication, Acts. 4, 5, 6, 7; **Creativity and Innovation,** Acts. 3, 5; **Flexibility and Adaptability,** Acts. 4, 6; **Information Literacy,** Act. 2; **Technology Literacy,** Using Technology

Communication
Reluctant Speakers

Activity 3 Place reluctant speakers in mixed-level groups. Encourage them to take an active role in drawing the city maps and in holding the drawings and pointing to places as others describe them. Suggest they practice 1 to 2 sentences they can say about the map before the group presents it to the class.

UNIDADES **1-4**

Repaso inclusivo
♻ Options for Review

Digital performance space

¡AvanzaRap!
DVD
Sing and Learn

1 | Listen, understand, and compare

Escuchar

Listen to this guide give a tour of Mexico City's Zócalo and then answer the following questions.

1. ¿Cuál es el otro nombre para el Zócalo?
2. ¿Quién vive en el Palacio Nacional?
3. ¿Qué está frente al Palacio Nacional?
4. ¿Dónde hay muchos objetos antiguos?
5. ¿Qué está delante del Templo Mayor?

🎧 **Audio Program**
TXT CD 5 Track 24
Audio Script,
TE p. 219B

Does your town have a main square or center? What can you find there?

2 | Plan a tour

Escribir

Research an ancient site in Mexico, draw a map of the site, and plan a tour of the area. The map should include any plazas, temples, pyramids, and other important buildings on the site. Then write a script of what you would tell tourists about each spot on the tour.

3 | Create a city

Hablar

In your group, think of a name for a new city. Discuss what buildings and places are important to include in your city and how the layout should be organized. Think about where people in the community will live and work, as well as where they will participate in recreational activities. Draw a plan or map of your city. Present your design to the class, explaining the various elements you included and why your group included them.

4 | Interview a hero

Escribir
Hablar

Role-play an interview between a reporter and someone, real or imaginary, whom you consider a hero. First, you and your partner should create a list of questions to ask the hero. Include questions about what he or she was like as a child and questions about important past events and current activities. Then, role-play the interview.

Differentiating Instruction

Multiple Intelligences

Visual/Learners Have students illustrate their maps for Activity 2 with whatever visual representations they can think of, such as of the buildings, the people, activities, plants, and animals from the area.

English Learners

Build Background Suggest students write about a hero (real or imaginary) from their country. Encourage them to supply contextual information that listeners might not know, such as where the hero grew up and what was happening in the country during their lives.

5 | Write a story

Escribir

Write a short story with a young child as a main character. Narrate your story in the past as you tell about an event or events that happened. Be sure to include descriptions of your characters. Possible settings for your story may include during school or after school, during a sports activity, or during a special event. Add illustrations and share your story with the class.

6 | Plan a trip

Hablar
Escribir

Role-play a conversation between a travel agent and a new customer. The customer has gone on the same trip every year and now wants to go somewhere new. As the customer, describe where you used to go and what you used to do on vacation. As the travel agent, ask the customer about what activities he or she likes and doesn't like. Based on the customer's preferences, recommend a new vacation destination. Work with the customer to design an itinerary that includes flights, hotels, and activities. You may do research on travel in Spanish-speaking countries to help in your role-play.

7 | Draw a map and give directions

Leer
Escribir

A new student at your school has a list of things to do but needs help finding where to go to complete each task. Look over the list to determine the locations in your community that the student should visit. Then, sketch a map of the area involved and prepare a set of written directions to each place starting from your school. Include the street names and any other information that would help the student arrive at a location.

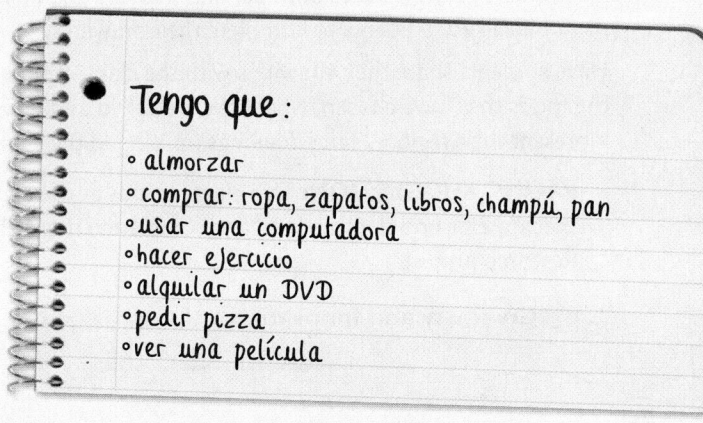

Tengo que:

- almorzar
- comprar: ropa, zapatos, libros, champú, pan
- usar una computadora
- hacer ejercicio
- alquilar un DVD
- pedir pizza
- ver una película

Differentiating Instruction

Pre-AP

Cause and Effect Have students, in pairs, write a legend about a young couple in love. They should include what obstacle(s) they face and how these were resolved. They can base their legend on one they already know. Then have them share their story with the class.

Inclusion

Sequential Organization Have students complete a "5Ws" chart for Activity 5 before they start writing, with these categories: Who (is the main character, are other characters)? What (happened)? Why (did it happen)? When (did it happen)? Where (did it happen)?

Communication
Using Technology

Activity 6 Have students use the Internet to research information on actual flights, hotels, and activities for their new vacation destinations.

✓Ongoing Assessment

Integrated Performance Assessment Rubric
Oral Activities 3, 4, 6
Written Activities 2, 4, 5–7

Very Good	Proficient	Not There Yet
Thoroughly develops all requirements of the task.	Develops most requirements of the task.	Develops few of the requirements of the task.
Demonstrates mastery of verb forms.	Demonstrates good to fair control of verb forms.	Demonstrates poor control of verb forms.
Uses a good variety of appropriate vocabulary.	Uses an adequate variety of appropriate vocabulary.	Uses inappropriate and very limited vocabulary.
Pronunciation is excellent to very good.	Pronunciation is good to fair.	Pronunciation is poor.

To customize your own rubrics, use the **Generate Success** Rubric Generator and Graphic Organizers.

Activity 1
1. la Plaza de la Constitución
2. el Presidente de México
3. el Gran Hotel
4. el Museo del Templo Mayor
5. la Catedral Metropolitana

Activities 2–7
Answers will vary.

Proyectos adicionales

❧ Web Research

Spain's Regional Cuisine Spain is famous for the unique cultures of its major regions. Have students conduct online research to explore Spain's regional cuisine.

- Split the class into pairs or groups, depending on class size. Assign each group one of the following regions: Andalucía, Aragón, Asturias, Cantabria, Castilla-La Mancha, Castilla-León, Cataluña, Extremadura, El País Vasco, Galicia, Madrid, Murcia, Navarra, Valencia, Baleares, Canarias, Madrid, La Rioja.
- If students are working in pairs, have them research the cuisine of their assigned region. If students are working in larger groups, have each group member research a different aspect of the region's food, such as fruits and vegetables, meats, cheeses, seafood, or typical desserts.
- As students conduct their research, have them think about the following questions: What is the region's most famous dish? How does the region's climate, soil, or geography explain its cuisine? Has the region's food been influenced by outside cultures?

Have students report what they have learned about their region's cuisine. How is the cuisine of their regions similar to or different from other regions in Spain?

Search Key Words: "regional cuisine of Spain", "foods of Spain", "gastronomy of Spain"

> **PACING SUGGESTION:** One 90-minute class period at the end of Lección 2.

 Technology Literacy

❧ (Virtual) Bulletin Board

Recetas De La Familia Have students ask their parents or other family members if their family has any special family recipes. Tell students to write down the ingredients for each recipe and method of preparation. If there are family stories associated with the recipes, have students write them down as well. After you've created the bulletin board, go around the class and ask each student to elaborate on their recipes and/or stories. As a tech alternative, you may wish to have students create their projects on a class wiki page.

> **PACING SUGGESTION:** One 30-minute class period at the end of Lección 1.

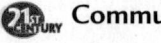 **Communication**

❧ Art Project

La naturaleza muerta As explained in Lección 1, **La naturaleza muerta**, or still life, is a style of painting that often features a variety of foods. Combining their knowledge of this style of painting, as well as their knowledge of Spain's regions and the vocabulary they have learned to describe food, students will create their own **naturaleza muerta** that features a variety of foods from one of Spain's regions.

1. Have students review pages 260 and 272 of their text, as well as the unit's vocabulary.
2. Ask students to choose one of Spain's regions, and research its cuisine. If students have already completed the Web Research project, they can refer to their notes.
3. Tell students to choose a variety of foods that best represent the region they have chosen, making sure to include at least one main dish and a side dish, as well as a beverage and fruit or vegetable found in their region.
4. Pass out large pieces of paper and markers and colored pencils for students to complete their drawings.

Have students share their drawings with the class, explaining the foods they have chosen, what they are called and why they represent their region. Hang drawings up around the classroom.

> **PACING SUGGESTION:** Two class periods at the end of Lección 2 or one class period after completing the Web Research project.

 Creativity and Innovation

❧ Game

Tongue Twisters Have students practice the pronunciation of *d*, *g*, and *j* by reciting the following tongue twisters.

De Guadalajara vengo, jara traigo, jara vendo, a medio doy cada jara. ¡Qué jara tan cara traigo de Guadalajara! *(From Guadalajara I come, bringing flowers, selling flowers, for flowers. What expensive flowers I bring from Guadalajara.)*

Del pelo al codo y del codo al pelo, del codo al pelo y del pelo al codo. *(From the hair to the elbow and from the elbow to the hair, from the elbow to the hair and from the hair to the elbow.)*

Jaime baja la jaula. *(Jaime lowers the cage.)*

❧ Storytelling

¡Un restaurante horrible! After reviewing the vocabulary from Lección 2, present this mini-strory as a model that the students will revise, retell and expand.

Anoche fui al nuevo restaurante Café Carlos en mi barrio y no me gustó. El camareo no era **muy atento.** Pedí **un filete a la parrilla** pero me trajo **la chuleta de cerdo.** Cuando me la sirvió estaba **cruda. ¡Qué asco!** Entonces, pedí una ensalada. Me trajo la ensalada pero no podía comerla porque no tenía un **tenedor.** Salí y fui a comer a orto restaurante. Luego decidí ir a **una pastelería** para comer un postre **dulce** y **delicioso.** ¡Nunca voy a volver al Café Carlos!

As you present the model, pause to allow the students to act out gestures. Students should then write, narrate, and read aloud a longer story. They can also illustrate or act out their story. Encourage them to use the new vocabulary from Lección 2.

PACING SUGGESTION: 30 minutes of class time at the end of Lección 2.

❧ Music

Flamenco Perhaps one of the most popular cultural icons of Spain is flamenco. Flamenco, a song, music and dance style that originated with the *gitanos,* or gypsies, of Southern Spain, also has roots in traditional Moorish and Jewish music. Flamenco music is characterized by guitar playing and hand clapping, as well as rhythmic foot stomping. Play several samples of flamenco music for students, including different styles. You can also read more about flamenco on pages C10–C11 of the student text. If possible, show students video clips of flamenco dancing that accompany each piece. Afterwards, ask students the following questions:

- What mood does the music have? How did the music make you feel?
- How did the songs you heard differ from each other?
- How were the songs the same? What elements did all of the selections have in common?

PACING SUGGESTION: 20–30 minutes of class time after Lección 2.

¡AvanzaRap! DVD
- Video animations of all **¡AvanzaRap!** songs (with Karaoke track)
- Teaching Suggestions
- **¡AvanzaRap!** Activity Masters
- **¡AvanzaRap!** Video Scripts and Answers

Also available on the **Teacher One Stop**

❧ Recipe

Gazpacho andaluz, a cold raw vegetable soup, is typical of Andalucía. It is said to have originated with the laborers in the olive plantations, vineyards and citrus groves of Southern Spain, who soaked bread in water and added oil, garlic, salt, and fresh vegetables to create a hearty and refreshing lunch.

Gazpacho andaluz

Ingredientes
1 pimiento verde
1 pepino pelado
1 cebolla pelada
1 libra de tomates maduros
1 lata grande de tomates
5 cucharadas de vinagre de vino
4 cucharadas de aceite de oliva
1/2 cucharadita de comino
2 dientes de ajo
2 cucharaditas de azúcar
1 taza de agua fría
sal al gusto
2 rebanadas de pan cortadas en cuadraditos

Instrucciones
Pique los vegetales y combínelos con los otros ingredientes, menos el pan, en un procesador de comida. Haga puré de la mezcla. Si quiere, puede añadir más sal o vinagre al gusto. Pase la mezcla por un colador y viértala en una jarra o en una fuente honda. Enfríela en el frigorífico por 3 o 4 horas. Para servirla, adórnela con un poco de pimiento verde. Luego, sírvala con pepino picado y cuadraditos de pan encima.

Tiempo de preparación: 20 minutos
Tiempo total: 3 o 4 horas
(para enfriarlo)

UNIT THEME
Let's eat!

UNIT STANDARDS
COMMUNICATION
- Identify and describe ingredients
- Talk about food preparation and follow recipes
- Give instructions and make recommendations
- Order meals in a restaurant
- Talk about meals and dishes
- Describe food and service

CULTURES
- Still life and Catalán artist Àngel Planells
- Tapas of Spain
- Food in the poetry of Pablo Neruda
- Spanish artist María Blanchard
- Dining schedules and specialties in Spain, Uruguay, and El Salvador
- Culinary traditions in Spain and Uruguay
- Recipes from Spain and El Salvador

CONNECTIONS
- Geography: Read a map and answer questions about Spain's autonomous communities
- Health: Research and write about healthy regional dishes in Spain
- History: Research and write about the different groups that have lived in Spain from 800 B.C. to 1492 A.D.
- Music: Listen to and describe various types of Spanish music

COMPARISONS
- Parks and plazas
- Typical foods
- The Spanish **d** and the English sounds *d* and *th*
- Appetizers in Spain, Mexico and Central America
- Outdoor restaurants
- The Spanish sounds **g** and **j** and the English *h*. The silent Spanish *h*
- Meal times
- Traditional dishes

COMMUNITIES
- Supermarkets and foods from Spanish-speaking countries

250

UNIDAD 5
España
¡A comer!

Lección 1
Tema: **¡Qué rico!**

Lección 2
Tema: **¡Buen provecho!**

Océano Atlántico

España

Francia

Andorra

Portugal

Madrid ★

Toledo

Barcelona

Valencia

Islas Baleares

Islas Canarias

Sevilla

Granada

Mar Mediterráneo

Ceuta

Melilla

Argelia

Marruecos

«¡Hola!
Nosotros somos José Luis y Beatriz.
Somos de España.»

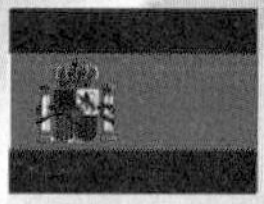

Población: 40.491.052

Área: 194.897 millas cuadradas

Capital: Madrid

Moneda: el euro (lo comparte con otros 11 países)

Idiomas: castellano (español), catalán, gallego, vasco

Comida típica: ensaladilla rusa, gazpacho, paella

Gente famosa: Pedro Almodóvar (director), Antonio Banderas (actor), Penélope Cruz (actriz), Miguel Cervantes de Saavedra (escritor), Pablo Picasso (artista), Carmen Laforet (escritora)

Ensaladilla rusa

250 doscientos cincuenta

Cultural Geography

Setting the Scene
- ¿De dónde son José Luis y Beatriz? (Son de España.)
- ¿Cuál es la capital de España? (Madrid)
- ¿Conoces la comida española?

Teaching with Maps
- ¿Qué países están al lado de España? (Andorra, Portugal y Francia)
- ¿Cómo se llaman las islas españolas en el Mar Mediterráneo? (Islas Baleares)
- ¿Qué país africano está al sur de España? (Marruecos)

CULTURA Interactiva
my.hrw.com
See these pages come alive!

◀ **Churros y chocolate** Los españoles salen a veces a las **churrerías** por la tarde y por la noche después de la cena. Allí comen **churros** o **porras**, dos tipos de masa frita *(fried dough)*, y beben un chocolate muy espeso *(thick)* y muy rico. También les gusta comer churros para el desayuno. *¿Hay una comida especial que te gusta compartir con amigos?*

Una churrería en Madrid

El Greco y Toledo Doménikos Theotokópoulos, «El Greco» (1541–1614), nació en Grecia, pero llegó a ser un artista importante para España. Vivió muchos años en Toledo, una ciudad medieval a 44 millas de Madrid. Su pintura *Vista de Toledo* es especial por su aspecto dramático e irreal, que la hace parecer mucho más moderna de lo que es. *¿Qué pinturas famosas conoces?* ▶

Vista de Toledo (1597), El Greco

◀ **Gaudí y la arquitectura de Barcelona** Un arquitecto famoso de Cataluña es Antoni Gaudí (1852–1926). Gaudí era modernista y construyó muchos edificios interesantes y decorativos en Barcelona. Usaba curvas y otras formas, texturas y colores de la naturaleza y de la fantasía. *¿Qué casas o edificios interesantes hay en tu comunidad?*

Casa Batlló, Barcelona

España
doscientos cincuenta y uno   **251**

Cultura Interactiva

CULTURA Interactiva
my.hrw.com

Cultura Interactiva Send your students to my.hrw.com to explore authentic Spanish culture. Tell them to click Cultura interactiva to see these pages come alive!

Cultura

About the Photos

Casa Batlló, designed by Antoni Gaudí, was finished in 1906. From the outside of this building on Passeig de Gracia in Barcelona, you might notice features that look like skulls and bones. The skulls are actually balconies and the bones are the pillars. The colors and shapes were inspired by corals and other sea life.

About the Painting

Vista de Toledo is the only independent landscape by El Greco. At first glance it may look like an exact representation of Toledo, Spain, but upon further inspection you can see that the artist has placed the cathedral to the left of the Alcázar instead of its actual position.

Expanded Information

Churros y porras The difference between **churros** and **porras** is in their size and shape. **Churros** are long and thin while **porras** are shorter and rectangular.

Gaudí Because of Gaudí's outrageous and sometimes bizarre style, people often mistakenly link the designer with the origin of the English word *gaudy*. It is, however, not the case. Some of Gaudí's other famous creations are the Temple of the Sagrada Familia, Parc Güell and La Pedrera.

Bridging Cultures

English Learners

Build Background Discuss with students the term *landscape*. Have students compare the landscape by El Greco to typical scenes and landscapes in their country of origin. Ask students to share information about painters they know.

Heritage Language Learners

Support What They Know Ask students to describe dishes from their home countries that are similar to **churros y chocolate** or **porras.**

Lesson Overview

Culture at a Glance ❈

Topic & Activity	Essential Question
In the main plaza of Toledo, Spain pp. 252–253	Donde vives, ¿hay una plaza o un lugar donde los jóvenes pueden pasar su tiempo libre?
Still lifes of the Spanish artist Àngel Planells i Cruanyes p. 260	¿Qué revelan el estilo *(style)* y el tema de una naturaleza muerta sobre un(a) artista?
Appetizers in Spain p. 266	¿Cuál es la relación entre las tradiciones y la comida?
Two odes of poet Pablo Neruda pp. 270–271	¿Cómo son los poemas de Pablo Neruda?
Culture review p. 275	¿Cómo es la cultura de España?

COMPARISON COUNTRIES  **España**    **El Salvador**    **Uruguay**

Practice at a Glance ❈

	Objective	Activity & Skill
Vocabulary	Food	1: Speaking/Writing; 2: Reading/Writing; 3: Speaking/Writing; 5: Speaking/Writing; 8: Speaking/Writing; 13: Speaking/Writing; 16: Speaking; 19: Speaking; Repaso 1: Listening
	Food Preparation	2: Reading/Writing; 6: Speaking/Writing; 7: Listening; 8: Speaking/Writing; 11: Speaking/Writing; 13: Speaking/Writing; 17: Listening/Speaking; 20: Reading/Listening/Speaking; 21: Writing; Repaso 1: Listening
Grammar	Adjectives ending in **-ísimo**	5: Speaking/Writing; 19: Speaking; Repaso 2: Writing
	Usted/ustedes commands	6: Speaking/Writing; 7: Listening; 8: Speaking/Writing; 9: Speaking/Writing; 10: Listening/Reading; 11: Speaking/Writing; 12: Speaking/Writing; 17: Listening/Reading; 19: Speaking; 20: Reading/Listening/Speaking; 21: Writing; Repaso 1: Listening; Repaso 3: Writing; Repaso 4: Writing
	Pronoun placement with commands	13: Speaking/Writing; 14: Speaking/Writing; 15: Writing; 16: Speaking; 17: Listening/Reading; 19: Speaking; 20: Reading/Listening/Speaking; Repaso 1: Listening; Repaso 4: Writing
Communication	Identify and describe ingredients	1: Speaking/Writing; 3: Speaking/Writing; 5: Speaking/Writing; 13: Speaking/Writing; 16: Speaking; 19: Speaking; 20: Reading/Listening/Speaking; 21: Writing; Repaso 2: Writing
	Talk about food preparation and follow recipes	2: Reading/Writing; 6: Speaking/Writing; 7: Listening; 8: Speaking/Writing; 11: Speaking/Writing; 13: Speaking/Writing; 17: Listening/Reading; 20: Reading/Listening/Speaking; 21: Writing; Repaso 4: Writing
	Give instructions and make recommendations	6: Speaking/Writing; 7: Listening; 8: Speaking/Writing; 9: Speaking/Writing; 11: Speaking/Writing; 12: Speaking/Writing; 13: Speaking/Writing; 14: Speaking/Writing; 15: Writing; 16: Speaking; 19: Speaking; 20: Reading/Listening/Speaking; 21: Writing; Repaso 3: Writing; Repaso 4: Writing
	Pronunciation: The letter **d**	*Pronunciación: La letra **d**,* p. 261: Listening
Recycle	Staying healthy	12: Speaking/Writing
	Chores	14: Speaking/Writing

The following presentations are recorded in the Audio Program for *¡Avancemos!*

- ¡A responder! *page 255*
- 7: Unas espinacas deliciosas *page 260*
- 20: Integración *page 269*
- Repaso de la lección *page 274*
  1: Listen and understand

For ¡**AvanzaRap!** scripts, see the ¡**AvanzaRap! DVD.**

¡A responder! TXT CD 6 track 2

1. Es muy dulce.
2. Tiene que freírlos.
3. Es picante.
4. Vamos a añadirlos.
5. ¿Te parece salado?
6. ¡Qué agrio!
7. ¿Puedes hervirlas?
8. Hay que mezclarlos.

7 | Unas espinacas deliciosas

TXT CD 6 track 4

Estas espinacas son fáciles de preparar y siempre salen sabrosas. Primero, hierva las espinacas frescas en agua salada. Luego, fría el ajo en aceite y fría la cebolla con el ajo. Añada las espinacas. Luego, añada pimienta y un poco de limón. Mezcle bien todos los ingredientes. Pruebe las espinacas antes de servirlas. Mmmmm. ¡Estas espinacas están riquísimas! Finalmente, sirva el plato bien caliente.

20 | Integración TXT CD 6 tracks 8, 9

Fuente 2, Programa de cocina

Es fácil hacer una vinagreta sabrosísima. Primero, mezcle bien la mostaza con la sal, la pimienta y el vinagre rojo. Añada el aceite lentamente y bátalo bien con la mostaza y el vinagre. Al final, corte el ajo y la cebolla y añádalos con el zumo de limón. Mézclelo todo. Y ya está la vinagreta, pero es bueno hacerla una hora antes de servirla, o más. Si usted la sirve antes, la cebolla y el ajo van a estar demasiado picantes. Entonces, después de una hora, sírvala con una ensalada de lechuga o espinacas y tomate. Si quiere, hierva y corte un huevo y añádalo también. Mmm... ¡Riquísimo!

Repaso de la lección TXT CD 6 track 10

1 Listen and understand

1. Hierva las patatas y la zanahoria en agua por diez minutos. Luego sáquelas del agua y póngalas a un lado.
2. Corte una cebolla muy pequeña.
3. Para preparar la mayonesa, mezcle el aceite, un huevo, una cuchara de vinagre y sal. Bata todos los ingredientes de la mayonesa por unos minutos.
4. Para hacer la ensalada, mezcle las patatas y las zanahorias con la mayonesa.
5. Pruebe la ensalada y añada sal si es necesario.
6. Ponga la ensalada de patatas en un plato grande.
7. Para decorar la ensalada añada un huevo cocido y cortado, la cebolla cortada, y pimienta roja.
8. Sírvala fría.

Resource List

Everything you need to ...

Plan
TEACHER ONE STOP

✓ Lesson Plans
✓ Teacher Resources
✓ Audio and Video

Present
INTERACTIVE WHITEBOARD LESSONS

TEACHER ONE STOP WITH PROJECTABLE TRANSPARENCIES

POWER PRESENTATIONS

ANiMATeDGRaMMaR

Assess
 ONLINE ASSESSMENT

✓ Assessments for on-level, modified, pre-AP, and heritage learners
✓ Create customized tests with **Examview Assessment Suite**
✓ *performance* space
✓ *Generate Success* Rubric Generator

 ## Print

Plan	Present	Practice	Assess
URB 5 • Video Scripts pp. 69–71 • Family Letter p. 91 • Absent Student Copymasters pp. 93–100 **Best Practices Toolkit**	**URB 5** • Video Activities pp. 49–56	• *Cuaderno* pp. 197–219 • *Cuaderno para hispanohablantes* pp. 197–219 • *Lecturas para todos* pp. 43–47 • *Lecturas para hispanohablantes* • *AvanzaCómics El misterio de Tikal Episodio 2* **URB 5** • Practice Games pp. 29–36 • Audio Scripts pp. 75–77 • Map/Culture Activities pp. 83–84 • Fine Art Activities pp. 86–87	**Differentiated Assessment Program** **URB 5** • Did you get it? Reteaching and Practice Copymasters pp. 1–11

 ## Projectable Transparencies (Teacher One Stop, my.hrw.com)

Cultura	Presentation and Practice	Classroom Management
• Atlas Maps 1–6 • Map: Spain 1 • Fine Art Transparencies 2, 3	• Vocabulary Transparencies 6, 7 • Grammar Presentation Transparencies 10, 11	• Warm Up Transparencies 16–19 • Student Book Answer Transparencies 24–27

Audio and Video

Audio	Video	¡AvanzaRap! DVD
• Student Book Audio CD 6 Tracks 1–10 • Workbook Audio CD 3 Tracks 1–10 • Assessment Audio CD 2 Tracks 1–2 • Heritage Learners Audio CD 2 Tracks 1–4, CD 4 Tracks 1–2 • *Lecturas para todos* Audio CD 2 Tracks 1–7 • Sing-along Songs Audio CD	• Vocabulary Video DVD 2 • *Telehistoria* DVD 2 • *Telehistoria, Escena 1* • *Telehistoria, Escena 2* • *Telehistoria, Escena 3* • *Telehistoria, Completa*	• Video animations of all ¡**AvanzaRap!** songs (with Karaoke track) • Interactive DVD Activities • Teaching Suggestions • ¡**AvanzaRap!** Activity Masters • ¡**AvanzaRap!** video scripts and answers

Online and Media Resources

Student	Teacher
Available online at my.hrw.com • Online Student Edition • **News** Networking • **performance space** • @**HOMETUTOR** • **CulTuRa** Interactiva • WebQuests • Interactive Flashcards • Review Games • Self-Check Quiz **Student One Stop** **Holt McDougal Spanish Apps**	**Teacher One Stop (also available at my.hrw.com)** • Interactive Teacher's Edition • All print, audio, and video resources • Projectable Transparencies • Lesson Plans • TPRS • Examview Assessment Suite **Available online at my.hrw.com** *Generate Success* Rubric Generator and Graphic Organizers **Power Presentations**

Differentiated Assessment

On-level	Modified	Pre-AP	Heritage Learners
• Vocabulary Recognition Quiz p. 216 • Vocabulary Production Quiz p. 217 • Grammar Quizzes pp. 218–219 • Culture Quiz p. 220 • On-level Lesson Test pp. 221–227	• Modified Lesson Test pp. 170–176	• Pre-AP Lesson Test pp. 170–176	• Heritage Learners Lesson Test pp. 176–182

Core Pacing Guide

	Objectives/Focus	Teach	Practice	Assess/HW Options
DAY 1	**Culture:** learn about Spanish culture **Vocabulary:** recipe ingredients, food preparation, flavors • Warm Up OHT 16 **5 min**	Unit Opener pp. 250–251 Lesson Opener pp. 252–253 **Presentación de vocabulario** pp. 254–255 • Read A–D • View video DVD 2 • Play audio TXT CD 6 track 1 • *¡A responder!* TXT CD 6 track 2 **25 min**	Lesson Opener pp. 252–253 **Práctica de vocabulario** p. 256 • Acts. 1, 2, 3 **15 min**	**Assess:** *Para y piensa* p. 256 **5 min** **Homework:** *Cuaderno* pp. 197–199 @HomeTutor
DAY 2	**Communication:** add emphasis to descriptions of food using **-ísimo** • Warm Up OHT 16 • Check Homework **5 min**	**Vocabulario en contexto** pp. 257–258 • *Telehistoria escena 1* DVD 2 • *Nota gramatical:* **-ísimo (a, os, as)** **20 min**	**Vocabulario en contexto** pp. 257–258 • Act. 4 TXT CD 6 track 3 • Act. 5 **20 min**	**Assess:** *Para y piensa* p. 258 **5 min** **Homework:** *Cuaderno* pp. 197–199
DAY 3	**Grammar:** learn how to make Usted/Ustedes commands • Warm Up OHT 17 • Check Homework **5 min**	**Presentación de gramática** p. 259 • Usted/Ustedes **Práctica de gramática** pp. 260–261 **Culture:** *La naturaleza muerta* • *Pronunciación* TXT CD 6 track 5 **20 min**	**Práctica de gramática** pp. 260–261 • Act. 6 • Act. 7 TXT CD 6 track 4 • Acts. 8, 9 **20 min**	**Assess:** *Para y piensa* p. 261 **5 min** **Homework:** *Cuaderno* pp. 200–202 @HomeTutor
DAY 4	**Communication:** use commands to complete a recipe, give advice • Warm Up OHT 17 • Check Homework **5 min**	**Gramática en contexto** pp. 262–263 • *Telehistoria escena 2* DVD 2 **15 min**	**Gramática en contexto** pp. 262–263 • Act. 10 TXT CD 6 track 6 • Acts. 11, 12 **25 min**	**Assess:** *Para y piensa* p. 263 **5 min** **Homework:** *Cuaderno* pp. 200–202 @HomeTutor
DAY 5	**Grammar:** learn how to do pronoun placements with commands • Warm Up OHT 18 • Check Homework **5 min**	**Presentación de gramática** p. 264 • Pronoun placement with commands **15 min**	**Práctica de gramática** pp. 265–266 • Acts. 13, 14, 15, 16 **25 min**	**Assess:** *Para y piensa* p. 266 **5 min** **Homework:** *Cuaderno* pp. 203–205 @HomeTutor
DAY 6	**Communication:** Culmination: talk about preparing & tasting food, write a recipe of your own • Warm Up OHT 18 • Check Homework **5 min**	**Todo junto** pp. 267–269 • *Escenas 1, 2: Resumen* • *Telehistoria completa* DVD 2 **15 min**	**Todo junto** pp. 267–269 • Acts. 17, 18 TXT CD 6 tracks 3, 6, 7 • Act. 19 • Act. 20 TXT CD 6 tracks 8, 9 • Act. 21 **25 min**	**Assess:** *Para y piensa* p. 269 **5 min** **Homework:** *Cuaderno* pp. 206–207 @HomeTutor
DAY 7	**Reading:** Two odes by Pablo Neruda **Connections:** Geography • Warm Up OHT 19 • Check Homework **5 min**	**Lectura** pp. 270–271 • *Dos odas de Pablo Neruda* **Conexiones** p. 272 • *La geografía* **15 min**	**Lectura cultural** pp. 270–271 • *Dos odas de Pablo Neruda* **Conexiones** p. 272 • *Proyectos 1, 2, 3* **25 min**	**Assess:** *Para y piensa* **5 min** p. 271 **Homework:** *Cuaderno* pp. 211–213 @HomeTutor
DAY 8	**Review:** Lesson review • Warm Up OHT 19 **5 min**	**Repaso de la lección** pp. 274-275 **15 min**	**Repaso de la lección** pp. 274-275 • Act. 1 TXT CD 6 track 10 • Acts. 2, 3, 4, 5 **25 min**	**Assess:** *Repaso de la lección* **5 min** pp. 274–275 **Homework:** *En resumen* p. 273; *Cuaderno* pp. 208–210, 214–219 (optional) Review Games Online @HomeTutor
DAY 9	**Assessment**			**Assess:** Lesson 1 Test **50 min**

Core Pacing Guide

	Objectives/Focus	Teach	Practice	Assess/HW Options
DAY 1	**Culture:** learn about Spanish culture **Vocabulary:** recipe ingredients, food preparation, flavors • Warm Up OHT 16 **5 min**	Unit Opener pp. 250–251 Lesson Opener pp. 252–253 **Presentación de vocabulario** pp. 254–255 • Read A–D • View video DVD 2 • Play audio TXT CD 6 track 1 • *¡A responder!* TXT CD 6 track 2 **15 min**	Lesson Opener pp. 252–253 **Práctica de vocabulario** p. 256 • Acts. 1, 2, 3 **20 min**	**Assess:** *Para y piensa* p. 256 **5 min**
	Communication: add emphasis to descriptions of food using **-isimo** **5 min**	**Vocabulario en contexto** pp. 257–258 • *Telehistoria escena 1* DVD 2 • *Nota gramatical:* review **-isimo** (a, os, as) **15 min**	**Vocabulario en contexto** pp. 257–258 • Act. 4 TXT CD 6 track 3 • Act. 5 **20 min**	**Assess:** *Para y piensa* p. 258 **5 min** **Homework:** *Cuaderno* pp. 197–199 @HomeTutor
DAY 2	**Grammar:** Usted/Ustedes commands • Warm Up OHT 17 • Check Homework **5 min**	**Presentación de gramática** p. 259 • Usted/Ustedes **Práctica de gramática** pp. 260–261 **Culture:** *La naturaleza muerta* • *Pronunciación* TXT CD 6 track 5 **15 min**	**Práctica de gramática** pp. 260–261 • Act. 6 • Act. 7 TXT CD 6 track 4 • Acts. 8, 9 **20 min**	**Assess:** *Para y piensa* p. 261 **5 min**
	Communication: use commands to complete a recipe, give advice **5 min**	**Gramática en contexto** pp. 262–263 • *Telehistoria escena 2* DVD 2 **15 min**	**Gramática en contexto** pp. 262–263 • Act. 10 TXT CD 6 track 6 • Acts. 11, 12 **20 min**	**Assess:** *Para y piensa* p. 263 **5 min** **Homework:** *Cuaderno* pp. 200–202 @HomeTutor
DAY 3	**Grammar:** Learn how to do pronoun placement with commands • Warm Up OHT 18 • Check Homework **5 min**	**Presentación de gramática** p. 264 • Pronoun placement with commands **15 min**	**Práctica de gramática** pp. 265–266 • Acts. 13, 14, 15, 16 **20 min**	**Assess:** *Para y piensa* p. 266 **5 min**
	Communication: Culmination: talk about preparing & tasting food, write a recipe of your own **5 min**	**Todo junto** pp. 267–269 • *Escenas 1, 2: Resumen* • *Telehistoria completa* DVD 2 **15 min**	**Todo junto** pp. 267–269 • Acts. 17, 18 TXT CD 6 tracks 3, 6, 7 • Act. 19 • Act. 20 TXT CD 6 tracks 8, 9 • Act. 21 **20 min**	**Assess:** *Para y piensa* p. 269 **5 min** **Homework:** *Cuaderno* pp. 203–205, 206–207 @HomeTutor
DAY 4	**Reading:** Two odes by Pablo Neruda • Warm Up OHT 19 • Check Homework **5 min**	**Lectura** pp. 270–271 • *Dos odas de Pablo Neruda* **15 min**	**Lectura** pp. 270–271 • *Dos odas de Pablo Neruda* **20 min**	**Assess:** *Para y piensa* p. 271 **5 min**
	Review: Lesson review **5 min**	**Repaso de la lección** pp. 274–275 **15 min**	**Repaso de la lección** pp. 274–275 • Act. 1 TXT CD 6 track 10 • Acts. 2, 3, 4, 5 **20 min**	**Assess:** *Repaso de la lección* **5 min** pp. 274–275 **Homework:** *En resumen* p. 273 *Cuaderno* pp. 208–219 (optional) Review Games Online @HomeTutor
DAY 5	**Assessment**			**Assess:** Lesson 1 Test **45 min**
	Connections: Geography	**Conexiones** p. 272 • *La geografía* **20 min**	**Conexiones** p. 272 • *Proyectos 1, 2, 3* **25 min**	

¡AVANZA! Objectives
· Introduce lesson theme: **¡Qué rico!**
· **Culture:** compare town centers or popular meeting places for young people.

Presentation Strategies
· Ask students to say what the people in the photograph are doing.
· Have students predict what topics might be included in the lesson.
· Brainstorm recycled vocabulary: staying healthy and chores.

STANDARDS
1.3 Present information
4.2 Compare cultures, CC
21st CENTURY Productivity and Accountability, English Learners

🖳 Warm Up Projectable Transparencies, 5-16

Descifrar Descifra las palabras en negritas en el párrafo de abajo.

La plaza queda frente a la **deratacl**. En la esquina, dobla a la **rcaedhe**. Sigue derecho por dos cuadras, hasta el **defioici** muy moderno. A la **qiduraiez** hay un edificio alto y muy viejo. Es la catedral. La plaza mayor está en el otro lado de la **dvaniea**.

Answers: catedral; derecha; edificio; izquierda; avenida.

Comparación cultural

Exploring the Theme
Ask the following:
1. What are some of your favorite foods?
2. What recipes are you familiar with?
3. Where do you and your family usually go to buy groceries?

¿Qué ves? Possible answers include:
· La chica tiene un regalo en la mano. El chico tiene una cesta de frutas.
· Pienso que el chico está comiendo un pastel o una galleta.
· Sí, hay muchas personas.
· (Answers will vary.) Hablan, caminan, comen...

UNIDAD 5
España

LECCIÓN 1

Tema:
¡Qué rico!

¡AVANZA! In this lesson you will learn to
· identify and describe ingredients
· talk about food preparation and follow recipes
· give instructions and make recommendations

using
· adjectives ending in **-ísimo**
· **usted / ustedes** commands
· pronoun placement with commands

♻ ¿Recuerdas?
· staying healthy
· chores

Comparación cultural

In this lesson you will learn about
· still life painting and the Catalán artist Àngel Planells
· tapas of Spain
· food in the poetry of Pablo Neruda

Compara con tu mundo
Los chicos en la foto están en la plaza principal de Toledo, España. *Donde vives, ¿hay una plaza o un lugar donde los jóvenes pueden pasar su tiempo libre?*

¿Qué ves?
Mira la foto
¿Qué tienen los chicos en las manos?

¿Qué piensas que está comiendo el chico?

¿Hay muchas personas en este lugar?

¿Qué están haciendo?

252 doscientos cincuenta y dos

Differentiating Instruction

Multiple Intelligences

Interpersonal Have small groups of students "people watch" in the plaza by using clues in the photo to propose details about the figures they see: who they are, what they are doing and where they might be going. Prompt students with questions such as: **¿Qué está haciendo el chico? Describe a la chica.**

Inclusion

Cumulative Instruction Use the photo to review city vocabulary from Unit 4. Have students point out and name elements of the scene such as **plaza, avenida, acera, edificios.** Ask questions such as **¿Son antiguos o modernos los edificios? ¿Son de piedra o de madera?**

DIGITAL SPANISH my.hrw.com
ONLINE STUDENT EDITION with...

performance space
News Networking
@HOMETUTOR
CULTURA Interactiva

- Audio and Video Resources
- Interactive Flashcards
- Review Activities
- WebQuest
- Conjuguemos.com

PRACTICE SPANISH WITH HOLT MCDOUGAL APPS!

Plaza Zocodover
Toledo, España

España
doscientos cincuenta y tres **253**

DIGITAL SPANISH

TEACHER TOOLS
- Interactive Whiteboard Lessons
- Generate Success!

ALSO AVAILABLE...
- Online Workbook
- Spanish InterActive Reader

SPANISH ON THE GO!
- Performance Space
- Holt McDougal Spanish Apps
- ¡Avancemos! eTextbook

Using the Photo

Location Information
Plaza Zocodover is located in the heart of the ancient city of Toledo. With more than thirteen hundred years of history, the plaza still flourishes, as tourists and citizens enjoy its views and numerous shops.

Expanded Information
The Plaza's name Zocodover comes from the Arabic for cattle market, "souq ad-dawab." Arab influence is evident in the architecture of the city as well; among other ancient buildings is a mosque-turned-cathedral with medieval-looking spires and an intricate geometric design.

The Spanish Monarchy, now seated in Madrid, ruled from Toledo until 1561, not far from Plaza Zocodover.

La palmera is a heart-shaped puff-pastry cookie popular in Spain. Some are dipped in chocolate, like the one in the photo that Beatriz offers to José Luis. The word **palmera** literally means palm tree.

Connections
Word Origins

Spanish contains many words of Arabic origin because of the Moorish people who settled in Spain hundreds of years ago. Some words that came to Spanish from Arabic are **café, azúcar, naranja, albahaca, zanahoria.**

Differentiating Instruction

Heritage Language Learners

Support What They Know Ask students if they can think of famous or popular plazas in their country of origin. What can you usually find in plazas? Are there statues and monuments there? What buildings can you find nearby? What can you do at a plaza? Invite students to describe typical scenes to the rest of the class.

English Learners

Build Background Tell students that in this lesson they will learn to name foods in Spanish. They will also read about preparing meals. Encourage them to keep a list of key words for this lesson in Spanish, English, and their native language to keep track of their growing vocabulary in all three languages.

¡AVANZA! Objectives
· Present vocabulary: foods, flavors, and food preparation.
· Check for recognition.

Core Resources
· Video Program: DVD 2
· Audio Program: TXT CD 6 Tracks 1, 2

Presentation Strategies
· Ask students what their favorite dishes are. Have them describe the ingredients needed to make them. What do they taste like?
· Play the audio as students read A–D.
· Show the video.

STANDARD
1.2 Understand language

21st **CENTURY** Information Literacy, Pre-AP; Social and Cross-Cultural Skills, Common Error Alert

Communication
Interpretive Mode

Ask students to examine the photographs and skim the text for cognates and other meaning clues. Then instruct them to listen and follow along as you read the text captions. Remind them that their goal for the day is simply to recognize the new vocabulary.

Communication
Common Error Alert

You may need to correct misconceptions about the Spanish tortilla because students may be more familiar with Mexican tortillas. Explain that while the two foods have the same name, they contain very different ingredients. The Spanish tortilla is made from potatoes, eggs, and onions. It is more like a potato omelet and is often eaten as a **tapa** or a light lunch. In contrast, Mexican tortillas are made from corn or wheat flour, rolled thin.

Nota gramatical

Point out that **freír, hervir, probar** are stem-changing verbs. Review conjugations with students.

254

❀ Presentación de VOCABULARIO

¡AVANZA! **Goal:** Learn new words about recipe ingredients, food preparation, and flavors. Then identify and describe foods you like and dislike. *Actividades 1–3*

VIDEO DVD

AUDIO

Ⓐ ¡Hola! Soy José Luis y voy a entrar en este **supermercado** porque aquí venden las verduras y frutas más **frescas.** Más tarde, Beatriz y yo vamos a preparar una comida **deliciosa.**

el supermercado

las espinacas   el ajo

las fresas   la lechuga

Ⓑ Beatriz **bate** los huevos para **una tortilla de patatas. Los ingredientes** son patatas, **cebolla,** huevos y **sal.** Y claro, ella necesita **el aceite** para cocinarla. Para preparar la ensalada voy a **mezclar** el aceite con **el vinagre** y un poco de **limón.** Lo **añado** a la ensalada con sal y **pimienta.** Siempre **pruebo** la comida. ¡Qué deliciosa!

probar
la receta

Tortilla de patatas

Receta fácil (para 3 personas)
Ingredientes
4 huevos
3 patatas
1 cebolla
Aceite (1/4 litro)
Sal

Paso 1: Lavar y cortar las patatas...

los ingredientes

batir

la sal

el aceite   el vinagre   la pimienta

la tortilla de patatas

Differentiating Instruction

Heritage Language Learners

Regional Variations Call students' attention to the term **patatas,** which is used in Spain instead of **papas.** Ask if students know of any other foods that have different names in different countries. List the terms on the board and review them as a class.

Pre-AP

Draw Conclusions Ask students where else they see the word **aceite** on the page (on a sign in the supermarket aisle). If the supermarket has a special aisle for **aceite,** what might students conclude? Have volunteers research and report back to the class about different aspects of Spanish olive oil: Where it is produced in Spain? How it is made? What are the varieties of oils? What is its importance in Spanish cuisine?

C Hay ingredientes necesarios en la cocina como **el azúcar** para los postres y **la mayonesa** y **la mostaza** para los sándwiches. Es necesario saber cómo cocinar los ingredientes. Por ejemplo, los puedes **freír** en aceite **caliente** o **hervir** en agua. Ahora, frío la cebolla y hiervo **las zanahorias**.

En España se dice...
En España otra palabra para **sándwich** es **el emparedado**.

la mostaza

la mayonesa

el azúcar

la cebolla
freír
las zanahorias
hervir

D Todas las comidas tienen **sabor.** ¿Cuál es el sabor que prefieres? ¿Algo **agrio** como un limón o **dulce** como el chocolate? ¿Algo **picante** como la mostaza o algo **salado** como las patatas fritas? Para ti, ¿cuál es la comida más deliciosa?

el limón
agrio

dulce

Más vocabulario

la merienda *afternoon snack*
cenar *to have dinner*
desayunar *to have breakfast*
sabroso(a) *tasty*
¡Qué asco! *How disgusting!*

Expansión de vocabulario p. R10
Ya sabes p. R10

@HOMETUTOR
my.hrw.com
Interactive Flashcards

¡A responder! Escuchar

Escucha las siguientes frases. Decide si habla del sabor de una comida o de cómo preparar la comida. Levanta la mano derecha si es un sabor. Levanta la mano izquierda si es cómo preparar algo.

Lección 1
doscientos cincuenta y cinco **255**

Differentiating Instruction

Objective
· Practice vocabulary: foods, flavors, and food preparation.

Core Resource
· *Cuaderno*, pp. 197–199

Practice Sequence
· **Activity 1:** Vocabulary recognition: identify food
· **Activity 2:** Vocabulary production: correct false statements
· **Activity 3:** Vocabulary production: express preferences

STANDARDS
1.1 Engage in conversation, Act. 3
1.2 Understand language, Acts. 1, 2
1.3 Present information, Act. 1

✓ Ongoing Assessment

Get Help Online
More Practice
my.hrw.com

PARA Y PIENSA **Peer Assessment** After students have completed the Para y Piensa, have partners exchange papers to correct each other's work while you go over the answers. For additional practice, use Reteaching & Practice Copymasters URB 5, pp. 1, 2.

Answers Projectable Transparencies, 5-24

Activity 1
1. el limón; las fresas; el azúcar
2. las zanahorias; las espinacas
3. el limón; las fresas
4. las espinacas; la lechuga
5. las fresas; el azúcar
6. el limón; la mostaza; el vinagre
7. la mostaza
8. la lechuga; la mostaza

Activity 2
1. Las fresas con azúcar tienen sabor dulce.
2. Es lógica.
3. Hervimos las zanahorias en agua caliente.
4. Es lógica.
5. Desayunamos por la mañana.
6. Mezclamos la mostaza con el vinagre para tener un sabor agrio.

Activity 3 Answers will vary.
1. -¿Te gusta el helado con ajo?
   -No, ¡qué asco! ¿Y a ti?
   -No, lo prefiero con crema de chocolate.
2. -¿Te gusta la sopa con zanahorias?
   -Sí, ¡qué sabrosa! ¿Y a ti?
   -No, ¡que asco! La prefiero con frijoles...

Para y piensa
1. dulces; 2. probar

256

❋ Práctica de VOCABULARIO

1 | Muchos sabores

Hablar Escribir | Identifica las comidas o los ingredientes que corresponden a las descripciones.

las zanahorias	el azúcar
las espinacas	la lechuga
el limón	la mostaza
las fresas	el vinagre

> **modelo:** Es de color amarillo.
> el limón, la mostaza

1. Es un ingrediente en los postres.
2. Las puedes comer calientes o frías.
3. Son frutas.
4. Son de color verde.
5. Tienen sabor dulce.
6. Tienen sabor agrio.
7. Puede ser picante.
8. Es rica en sándwiches.

2 | ¿Es lógico?

Leer Escribir | ¿Son lógicas estas oraciones? Si no, cámbialas a oraciones lógicas.

> **modelo:** Freímos la lechuga.
> No es lógico. Freímos la cebolla.

1. Las fresas con azúcar tienen sabor picante.
2. Comemos la merienda por la tarde.
3. Hervimos las zanahorias en vinagre caliente.
4. Compramos los ingredientes para la receta en el supermercado.
5. Desayunamos por la noche.
6. Mezclamos la mostaza con el vinagre para tener un sabor dulce.

3 | ¡Qué asco!

Hablar Escribir | ¿Te gustan estas combinaciones? Si no te gustan, explica lo que prefieres.

> **modelo:** las hamburguesas (cebolla)

1. el helado (ajo)
2. la sopa (zanahorias)
3. la pizza (mayonesa)
4. los huevos (pimienta)
5. las papas fritas (azúcar)
6. la ensalada (aceite y vinagre)

A ¿Te gustan las hamburguesas con cebolla?
B Sí, ¡qué sabrosas! ¿Y a ti?
¡Qué asco! Las prefiero con mostaza.

Expansión
List the ingredients that would be in your most delicious meal and in your least delicious meal.

Más práctica   Cuaderno *pp. 197–199*   Cuaderno para hispanohablantes *pp. 197–200*

PARA Y PIENSA

Get Help Online
my.hrw.com

¿Comprendiste? Completa las frases con la palabra más lógica.
1. Las fresas con azúcar son (picantes/dulces/saladas).
2. Quiero (batir/probar/hervir) la mostaza.

Differentiating Instruction

Multiple Intelligences

Logical/Mathematical Have students divide a piece of paper into four rectangles and label them with the headings **agrio, dulce, picante, salado.** Then have them add the names of at least five foods to each rectangle according to how they taste. Encourage them to use both Lesson vocabulary and recycled vocabulary.

Pre-AP

Expand and Elaborate After completing Activities 1–3, tell students to think of foods they already know (also see *Ya sabes* on p. R10) and to describe their taste and appearance. Have them exchange descriptions with a partner or read them to the class so that others can identify the food.

VOCABULARIO en contexto

Goal: Notice the descriptions and foods that Beatriz and José Luis mention. Then, learn how to add emphasis to your own descriptions of foods using **-ísimo**. *Actividades 4–5*

Telehistoria escena 1

 View, Read and Record

STRATEGIES

Cuando lees
Use acronyms for lists Invent acronyms to remember lists that you read. What colorful things go on the table? (Example: TEZ for **tomates, espinacas, zanahorias.**) What did Virginia buy at the supermarket?

Cuando escuchas
Consider your own preferences While listening, think about the foods mentioned in this scene. Which ones have you eaten? Which do you like? Which do you dislike?

Juan | José Luis | Beatriz

Beatriz: ¡Todo está bellísimo!

José Luis: Sí. Los actores están arreglándose para la escena. Vamos a ver si está todo: la tortilla de patatas, el postre de fresas...

Beatriz: Una tortilla de patatas. ¿Tú sabes cocinar?

José Luis: Sí, un poco.

Beatriz: Mi tío Vicente, el chef, hace una tortilla de patatas sabrosísima.

José Luis: *(to his friend, Juan)* Juan, quiero muchas verduras en la mesa. Necesitamos mucho color: espinacas, zanahorias, tomates...

Beatriz: *(to José Luis)* Mira, Virginia llegó del supermercado. *(unloading groceries)* Gracias. Aceite, mostaza, mayonesa, pimienta, sal, lechuga...

José Luis: Esa lechuga, ¿está fresca?

Beatriz: ¡Fresquísima! *(tries to hide it from him)* Allí está todo, señor director. ¿Empezamos?

José Luis: *(doubtful)* Sí. Pero, ¿la lechuga está fresca?

Continuará... p. 262

Lección 1
doscientos cincuenta y siete **257**

Differentiating Instruction

Slower-paced Learners

Memory Aids After reading or listening to the scene, ask students to write down four items that Virginia bought at the store. Then read through the Cuando lees strategy. Encourage students to use the acronym technique to remember details from the story.

Inclusion

Alphabetic/Phonetic Awareness Review the difference between the sounds of **ay** in **mayonesa** and the **ei** in **aceite.** To keep students from reverting to an English pronunciation of **mayonesa**, remind them of familiar words that contain the **ay** sound: **playa, ayer, mayor.**

¡AVANZA! **Objective**
· Understand descriptions with **-ísimo.**

Core Resources
· Video Program: DVD 2
· Audio Program: TXT CD 6 Track 3

Presentation Strategies
· Read the Telehistoria and discuss the characters' roles before listening to the audio.
· Ask ¿Qué están haciendo los chicos? ¿Qué hay en la mesa?

STANDARD
1.2 Understand language

Warm Up Projectable Transparencies, 5-16

¿Cierto o falso? Decide si cada oración es **cierta** o **falsa.**
1. El ajo es un líquido.
2. Es fácil batir las zanahorias.
3. Las espinacas son muy saludables.
4. Es necesario hervir la lechuga para hacer un sándwich.
5. Compramos sal y pimienta en el supermercado.
6. La tortilla de patatas es agria.

Answers: 1. falso; 2. falso; 3. cierto; 4. falso; 5. cierto; 6. falso

Communication
Interpretive Mode

Read through the text with students once. Then list the names of the Telehistoria characters on the board. Ask who the main players are in this scene (José Luis and Beatriz). Listen to the audio as students read along in their books. Then ask which characters don't say anything (Juan and Virginia). Who is mentioned, but never seen? (Tío Vicente)

 VideoPlus my.hrw.com
Video Summary

Beatriz, José Luis, and Juan are setting up foods, for a scene they want to shoot. Beatriz unpacks the groceries that Virginia has just returned with.

VOCABULARIO

Objective
· Use descriptions with **-ísimo.**

Core Resource
· Audio Program: TXT CD 6 Track 3

Practice Sequence
· **Activity 4:** Telehistoria comprehension
· **Activity 5:** Vocabulary production: food names and adjectives in context.

STANDARDS

1.1 Engage in conversation, Act. 5
1.3 Present information, Act. 5

21st CENTURY Communication, Heritage
Language Learners

Nota gramatical

The note only includes regular adjectives; the adjectives **agrio, frío,** and **caliente** have exceptions to the rule: **agrio** = **agrísimo** (drop **io,** add **-ísimo**); **frío** = **frísimo** (drop the **io,** add **-ísimo**); **caliente,** both **calentísimo** and **calientísimo** are accepted.

**Get Help Online
More Practice
my.hrw.com**

✓ Ongoing Assessment

PARA Y PIENSA **Quick Check** Remind students that, like all adjectives, these need to agree with the nouns they modify. For additional practice, use Reteaching & Practice Copymasters URB 5, pp. 1, 3.

---

4 | *Comprensión del episodio*   **Preparando la escena**

Escuchar
Leer

Escoge la respuesta correcta.

1. Los actores están _____ .
 a. bellísimos
 b. arreglándose
 c. cocinando

2. José Luis cocina _____ .
 a. todos los días
 b. mucho
 c. un poco

3. El tío Vicente es _____ .
 a. chef
 b. maestro
 c. director

4. José Luis piensa que hay un problema con _____ .
 a. las espinacas
 b. la mayonesa
 c. la lechuga

Nota gramatical

To add emphasis to some **adjectives,** you can attach the ending **-ísimo(a, os, as).** If the adjective ends in a vowel, drop it before adding the ending.

   bello(a)   ¡Esta cocina es **bellísima**!   *This kitchen is **very (extremely) beautiful**!*

When the last consonant in the adjective is **c, g,** or **z,** spelling changes are required before adding **-ísimo(a, os, as).**

c→qu **rico→riquísimo**   **g→gu** **largo→larguísimo**   **z→c** **feliz→felicísimo**

5 | **¡Está sabrosísimo!**

Hablar
Escribir

Describe las comidas que encuentras en una fiesta. Usa adjetivos con **-ísimo.**

dulce	rico	salado
fresco	picante	sabroso
	bueno	

modelo: Esta sopa de cebolla está buenísima.

1.    **2.**   **3.**

4.    **5.**    **6.**

Expansión
Use an **-ísimo** adjective to describe your favorite food.

**Get Help Online
my.hrw.com**

PARA Y PIENSA **¿Comprendiste?** Usa adjetivos diferentes con **-ísimo** para describir estas cosas: las espinacas, el helado, el supermercado, la cocina.

Answers Projectable Transparencies, 5-24 and 5-25

Activity 4
 1. b   **2.** c   **3.** a
 4. c

Activity 5 Adjectives used in answers will vary, but sentences should follow this format:
 1. Las fresas están dulcísimas.
 2. Esta ensalada está fresquísima.
 3. Estas papas fritas están saladísimas.
 4. Esta mostaza está picantísima.
 5. Esta lechuga está riquísima.
 6. Esta tortilla de patatas está sabrosísima.

Para y piensa Answers will vary.

Differentiating Instruction

Pre-AP

Vary Vocabulary Build vocabulary and comprehension skills by pointing out the relationship between forms of words. For example, **sabroso** is related to **sabor** (*flavor*) and **saber** (*to taste,* as in **sabe a limón** = *it tastes like lemon*). **Caliente** is related to **calor** and **calentar.** See if students can guess the meaning of **asqueroso,** based on what they know about **¡qué asco!**

Heritage Language Learners

Support What They Know Ask heritage speakers to describe foods they would expect to find at a party in their country of origin. What foods are typically served to guests? How do they taste? Have them use **-ísimo** adjectives in their descriptions.

✵Presentación de GRAMÁTICA

¡AVANZA! **Goal:** Learn how to make **usted** and **ustedes** commands. Then use them to give instructions and make recommendations. *Actividades 6–9*

English Grammar Connection: Both English and Spanish have verb forms for **commands.** In English commands, you omit the subject *you.*

Usted/Ustedes **Commands**

ANIMATEDGRAMMAR
my.hrw.com

To tell someone respectfully to do or not do something, use **usted commands.** Commands require a change in verb endings.

Here's how: You form **usted commands** with the **yo** form of verbs in the present tense. Drop the **-o** and add the following **endings.**

		Commands	
Infinitive	**Present Tense**	**usted**	**ustedes**
probar (ue)	yo pruebo	prueb**e**	prueb**en**
comer	yo como	com**a**	com**an**
añadir	yo añado	añad**a**	añad**an**

Pruebe el té.
Taste the tea.

Coman la merienda.
Eat the snack.

Añada más sal.
Add more salt.

Add **no** before the verb to make commands negative.

No añada más sal.
Don't add more salt.

Some common verbs have irregular **usted/ustedes** command forms.

	dar	**estar**	**ir**	**saber**	**ser**
usted	dé	esté	vaya	sepa	sea
ustedes	den	estén	vayan	sepan	sean

Vaya a la cocina. *Go to the kitchen.*

No **estén** tristes. *Don't be sad.*

Verbs ending in **-car, -gar,** and **-zar** have a spelling change in the command form.

buscar → busqu**e**   pagar → pagu**e**   empezar → empie**c**e

Más práctica
Cuaderno *pp. 200–202*
Cuaderno para hispanohablantes *pp. 201–203*

@HOMETUTOR my.hrw.com
Leveled Practice
🔵 Conjuguemos.com

Lección 1
doscientos cincuenta y nueve   **259**

Differentiating Instruction

Multiple Intelligences

Musical/Rhythmic Have students repeat a little chant to a tune they like to help them remember how to form **usted** commands:

Take the **yo,**
Drop the **–o,**
Add the opposite ending.

Have students form groups and share their tunes with the class.

Slower-paced Learners

Memory Aids Help students summarize how to form commands from regular infinitives. Have them create a two-column chart with the headings **Infinitive** and **Command.** Ask them to list **-ar, -er,** and **-ir** in the left column and **e/en, a/an,** and **a/an** in the right column. Have them refer to the chart as they practice forming commands.

¡AVANZA! ## Objectives
- Present **usted/ustedes** commands.
- Practice using them to give instructions and recommendations.

Core Resource
- *Cuaderno,* pp. 200–202

Presentation Strategies
- Read through the grammar point, pausing for comprehension checks.
- Have students take notes and repeat verb forms after you.

✵ STANDARD
4.1 Compare languages

🖥 Warm Up Projectable Transparencies, 5-17

Lo contrario Cambia los adjetivos de las oraciones al significado contrario.
1. Las clases son difícilísimas este año.
2. Este helado es buenísimo.
3. Esta plaza es grandísima.
4. Compré una camisa carísima.
5. Aquella panadería es malísima.

Answers: 1. facilísimas; 2.malísimo; 3.pequeñísima; 4.baratísima;   5.buenísima

Comparisons
English Grammar Connection

Tell students that the pronoun **usted** or **ustedes** is almost always omitted in a Spanish command. If used, the pronoun follows the verb. **Haga usted la tarea.**

Communication
Common Error Alert

Note that the **usted** command of **dar—dé—** has an accent to distinguish it from the pronoun **de.**

Communication
Regionalism

Tell students that **usted** commands are formal and used between adult strangers or to show respect between two people. Everywhere except Spain, **ustedes** commands are used for more than one person *regardless of the formality of the situation.* In Spain, **vosotros** commands are used for more than one person your age or that you know.

259

Objectives

· Practice using **usted/ustedes** commands.
· **Culture:** Spanish still life
· **Pronunciation:** The letter *d*

Core Resources

· *Cuaderno*, pp. 200–202
· Audio Program: TXT CD 6 Tracks 4, 5

Practice Sequence

· **Activity 6:** Controlled practice: **ustedes** commands
· **Activity 7:** Controlled practice: listening comprehension
· **Activity 8, 9:** Transitional practice: **ustedes** commands
· **Activity 10:** Open-ended practice: **ustedes** commands

STANDARDS

1.1 Engage in conversation, Act. 8
1.2 Understand language, Acts. 7, 9, CC
1.3 Present information, Acts. 6, 7, 8, 9
2.2 Products and perspectives, CC
4.1 Compare languages, Pronunciación
4.2 Compare cultures, CC
21ST CENTURY Social and Cross-Cultural Skills, Compara con tu mundo

Comparación cultural

Essential Question

Suggested Answer Una naturaleza muerta puede revelar las cosas que le gustan más al artista o las cosas que tienen significados especiales para él o ella.

Background Information

Some items in the painting are: artichoke (**alcachofa**), mortar and pestle (**mortero y mano de mortero**), and walnut (**nuez de nogal**).

 Answers Projectable Transparencies, 5-25

Activity 6
1. Vaya
2. Busque
3. Ponga
4. Sea
5. Lea
6. Añada
7. Mezcle
8. Pruebe
9. No esté

Activity 7
1. c; 2. a; 3. f;
4. b; 5. e; 6. d

260

✥ Práctica de GRAMÁTICA

6 Recomendaciones

Hablar
Escribir

Estás escribiendo un libro de cocina básica. Haz recomendaciones sobre cómo preparar la comida. Usa la forma de **usted.**

modelo: llevar la receta al supermercado
Lleve la receta al supermercado.

Recomendaciones para tener éxito en la cocina
(✗)

1. ir a un supermercado bueno
2. buscar los ingredientes más frescos
3. poner los ingredientes en la cocina
4. ser organizado
5. leer bien la receta
6. añadir los ingredientes uno por uno
7. mezclar bien los ingredientes
8. probar el plato frecuentemente
9. no estar triste si el plato no está perfecto

Expansión
Write another food preparation tip using a formal command.

7 Unas espinacas deliciosas

Escuchar

Escucha lo que dice el cocinero y pon los pasos de la receta en orden.

a. Hay que freír el ajo y la cebolla.
b. Hay que mezclar todo.
c. Hay que hervir las espinacas.
d. Hay que servirlo muy caliente.
e. Hay que probar el plato.
f. Hay que añadir pimienta y limón.

🎧 Audio Program
TXT CD 6 Track 4
Audio Script, TE
p. 251B

Comparación cultural

La naturaleza muerta

¿Qué revelan el estilo (style) y el tema de una naturaleza muerta sobre un(a) artista? Una naturaleza muerta *(still life)* es una pintura de artículos inanimados. Algunos temas frecuentes son flores *(flowers)*, frutas, platos o instrumentos. Esta pintura del artista Àngel Planells muestra una mesa con varias comidas. En otras obras, Planells fue influido *(influenced)* por su amigo Salvador Dalí, el pintor surrealista famoso. Los dos eran de Cataluña, una región en el noreste de **España.**

Compara con tu mundo *¿Qué debe estar en una naturaleza muerta de una comida típica para ti? Compara esa comida con la comida de esta pintura.*

Naturaleza muerta
(circa 1925), Àngel Planells
i Cruanyes

Differentiating Instruction

Pre-AP

Expand and Elaborate Ask students to change the sentences in Activity 7 into **usted** commands. Then have them put the commands in order, using words that indicate sequence, such as **primero, después, luego, finalmente.**

Heritage Language Learners

Regional Variations Have students from Spanish-speaking families bring in a favorite family recipe in Spanish and compare the way that it is written to the listening script for Activity 7. Have students point out any examples of the vocabulary and grammar presented in the chapter.

8 Necesito ayuda

Hablar Escribir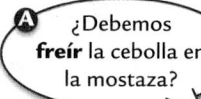

Estás en la cocina con unas personas que no saben cocinar. Ayúdalos con mandatos (*commands*) en la forma de **ustedes**.

modelo: freír la cebolla en la mostaza

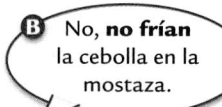
A ¿Debemos **freír** la cebolla en la mostaza?

B No, **no frían** la cebolla en la mostaza.

1. batir la lechuga
2. comprar ingredientes frescos
3. mezclar el azúcar y las fresas
4. añadir agua al aceite caliente
5. hervir la mayonesa
6. probar el plato antes de servirlo

> **Expansión**
> Choose two of your friends' incorrect statements and indicate what they should do instead.

9 ¿Qué hacemos?

Hablar Escribir

Contesta las preguntas de una familia nueva en tu comunidad. Usa mandatos en la forma de **ustedes**.

modelo: ¿Adónde vamos para comer una merienda dulce?
Vayan a la panadería Maggie's.

1. ¿A qué restaurante llamamos para pedir una pizza deliciosa?
2. ¿Dónde pedimos hamburguesas sabrosas?
3. ¿Adónde vamos y qué pedimos si tenemos mucha sed?
4. ¿Dónde cenamos si queremos comida picante?
5. ¿Dónde desayunamos si tenemos mucha hambre?
6. ¿En qué supermercado compramos ingredientes frescos?

> **Expansión**
> Teacher Edition Only
> Have students say where NOT to go for four of the items.

Pronunciación · La letra d

AUDIO

The Spanish **d** can have a hard sound or a soft sound. At the beginning of a sentence, after a pause, or after the letters **l** or **n**, the **d** has a hard sound like the *d* of the English word *day*. In all other cases, the **d** sounds like the soft *th* sound of the English word *the*.

Listen to and repeat these phrases, noticing the soft and hard sounds of **d**.

Daniela, ¿vas al merca**d**o?
A**d**iós, Davi**d**.
¡La merien**d**a está **d**eliciosa!
Nos vemos el **d**omingo.

Más práctica Cuaderno *pp. 200–202* Cuaderno para hispanohablantes *pp. 201–203*

PARA Y PIENSA

Get Help Online
my.hrw.com

¿Comprendiste? Da los mandatos de **usted** y **ustedes**:
1. hacer: _____ una tortilla.
2. empezar: _____ a cocinar.
3. ir: _____ al supermercado.
4. batir: _____ los huevos.

Differentiating Instruction

Multiple Intelligences

Kinesthetic Have groups of six students form two teams of three. Give each group a set of **ustedes** commands (**lloren, coman**). Have a student from each team act out the same clue at the same time. The team to guess the command says it to the other team (**Coman, por favor.**), and everyone on that team mimes the action.

English Learners

Increase Accuracy Review the Pronunciation note with students, focusing on the sound of the hard *d* in English. Have students repeat words that have this sound: *deliver, drive, good, dish*. Model making the *d* sound in Spanish and then in English to help students distinguish between the two.

Long-term Retention

♲ Recycle

Review vocabulary for giving directions (Unit 4) and use it with **usted** commands to tell someone how to get from school to a particular destination in town.

Communication

Common Error Alert

Remind students that they won't read or write a *th* blend in Spanish, and that the closest sound is that produced by a soft *d*. Dictate to them a number of words that demonstrate this principle: **Adela, cascada, oda, actividad, leído, variedad**

✓ Ongoing Assessment

 **Get Help Online**
More Practice
my.hrw.com

PARA Y PIENSA **Peer Assessment** Have students exchange papers with a partner to check each other's work on the Para y Piensa questions. For additional practice, use Reteaching & Practice Copymasters URB 5, pp. 4, 5.

🖳 Answers Projectable Transparencies, 5-25

Activity 8
1. ¿Debemos batir la lechuga?/No, no batan la lechuga.
2. ¿Debemos comprar ingredientes frescos?/Sí, compren ingredientes frescos.
3. ¿Debemos mezclar el azúcar con las fresas?/Sí, mezclen el azúcar con las fresas.
4. ¿Debemos añadir agua al aceite caliente?/No, no añadan agua al aceite caliente.
5. ¿Debemos hervir la mayonesa?/No, no hiervan la mayonesa.
6. ¿Debemos probar el plato antes de servirlo?/Sí, prueben el plato antes de servirlo.

Activity 9 Answers will be specific to your community, but should begin with the following phrases:
1. Llamen a...
2. Pidan hamburguesas en...
3. Vayan a (restaurante) y pidan ...
4. Cenen en...
5. Desayunen en...
6. Compren ingredientes frescos en...

Para y piensa
1. Haga/Hagan
2. Empiece/Empiecen
3. Vaya/Vayan
4. Bata/Batan

¡AVANZA! Objectives

- Practice **usted** and **ustedes** commands in context.
- Recycle: Staying healthy

Core Resources

- Video Program: DVD 2
- Audio Program: TXT CD 6 Track 6

Presentation Strategies

- Ask ¿Quiénes están sentados en la mesa? ¿Qué ven en la mesa?
- Play the video as students read along to answer specific questions.

Practice Sequence

- **Activity 10:** Telehistoria comprehension
- **Activity 11:** Transitional practice: **usted** commands to give instructions
- **Activity 12:** Open-ended practice: **usted** commands; Recycle: staying healthy

STANDARDS

1.1 Engage in conversation, Acts. 11, 12
1.2 Understand language, Act. 10
1.3 Present information, Acts. 11, 12

21st CENTURY Communication, Grammar Activity/Pre-AP

🖥 **Warm Up** Projectable Transparencies, 5-17

Receta Usa mandatos en la forma de **usted** para completar esta receta.

1. _____ (cortar) dos o tres cebollas.
2. _____ (freír) ajo en aceite.
3. _____ (añadir) la cebolla.
4. _____ (cocinar) por cinco minutos.
5. _____ (poner) agua en la olla.
6. _____ (hervir) el agua con la cebolla.

Answers: 1. Corte; 2. Fría; 3. Añada; 4. Cocine; 5. Ponga; 6. Hierva

---

Video Summary

@**HOMETUTOR** VideoPlus my.hrw.com

José Luis's actors are all ready to begin filming, but when they try to eat the food on the table, they can't. The tortilla is too salty and the salad too vinegary. José sends the actors home, asking them to come back the next morning.

▶ ❚❚

262

GRAMÁTICA en contexto

¡AVANZA! **Goal:** Notice the commands that José Luis and the actors use. Then, use **usted** and **ustedes** commands to complete a recipe and give advice. *Actividades 10–12*

♻ *¿Recuerdas?* Staying healthy p. 90

Telehistoria escena 2

@**HOMETUTOR** View, Read and Record my.hrw.com

STRATEGIES

Cuando lees
Identify structure and events Identify where in the scene the events shift from preparing to acting. What happens after the acting starts? Does it go as planned?

Cuando escuchas
Listen for true feelings Listen for the positive and negative comments made by the guests. What do they say? Do any feelings not correspond with the words spoken?

VIDEO DVD

AUDIO

Sra. García
Sr. García
Sra. Vega
Sr. Vega

José Luis: *(reviewing premise of film for actors)* Bueno. Los señores Vega invitaron a los señores García a una comida en su jardín. Los señores García son personas muy importantes. ¿Vale? ¡Acción!

Sra. Vega: Por favor, coman.

Sra. García: ¡Está deliciosa!

Sr. García: *(to José Luis, breaking character)* ¡No! No está sabrosa. ¿Frieron las patatas para la tortilla?

José Luis: Corte. *(meekly)* No. Las hervimos... en agua.

Sr. Vega: ¡Está saladísima! ¡Qué asco!

José Luis: Entonces, no coma la tortilla, señor Vega. Coma la ensalada...

Sr. Vega: *(apologetically)* Perdón... pero la ensalada está un poco agria. Tiene demasiado vinagre. Y la lechuga no está fresca.

Beatriz: Beban un poco de agua, por favor.

Sra. Vega: *(whispering to the others)* ¡Estos chicos no cocinan nada bien!

Beatriz: Esperen un momento. No coman más, por favor. *(to José Luis)* José Luis, necesitamos ayuda. Vamos al restaurante de mi tío, ¿vale?

José Luis: Señoras, señores, vamos a filmar la escena mañana. Por favor, vayan a casa, y regresen mañana a las siete de la mañana.

Sra. García: *(wanting them to feel better)* Pero... ¡está todo delicioso!

Sr. García laughs.

Continuará... p. 267

También se dice

España Los jóvenes dicen «¿Vale?» para decir «¿Está bien?». En otros países:
- **México** ¿Sale?
- **Colombia** ¿Bueno?

Differentiating Instruction

Slower-paced Learners

Read Before Listening Go over the Cuando lees strategy before reading the Telehistoria. Then call on volunteers to read the script, stopping them intermittently to ask the class comprehension questions. Move on to the audio once you feel the whole class has a grasp of the main idea.

English Learners

Provide Comprehensible Input Review the adverbs in parentheses in the script and check for comprehension. Provide synonyms or elaborate on the meaning of each phrase (such as "sounding sorry" for *apologetically*), or pantomime words (such as *whispering*) so that students can listen for appropriate intonation as they listen to the audio.

10 Comprensión del episodio ¡Qué asco!

Escuchar
Leer

¿Quiénes reciben estos mandatos (*commands*)? Puede haber más de una respuesta correcta.

1. Diga: «Por favor, coman.»
2. No coma la tortilla.
3. Prueben la tortilla.
4. Beban un poco de agua.
5. Digan: «Está deliciosa.»
6. Prueben el postre.
7. Empiecen todos a comer.
8. Coma la ensalada.

a. el señor García
b. la señora García
c. el señor Vega
d. la señora Vega

Expansión:
Teacher Edition Only
Have students tell who (if anyone) issued each command.

11 ¿Cómo se hace una tortilla de patatas?

Hablar
Escribir

Usa los dibujos para explicar los pasos de la receta. Usa mandatos en la forma de **usted**.

1.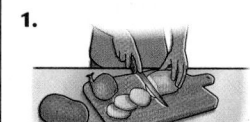
2.
3.
4.
5.
6.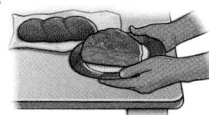

Expansión
Come up with four steps for a simple recipe you like.

12 En la clase de ejercicio

Hablar
Escribir

♻ ¿Recuerdas? Staying healthy p. 90

Están en la clase de educación física. Uno de ustedes es el instructor y tiene que contestar las preguntas de los estudiantes. Usa mandatos. Luego cambien de papel.

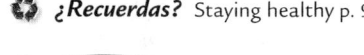
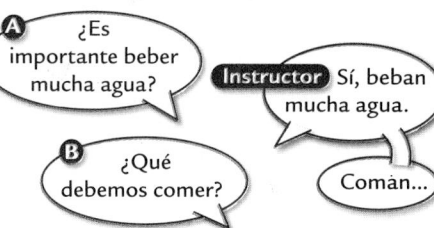

A ¿Es importante beber mucha agua?

Instructor Sí, beban mucha agua.

B ¿Qué debemos comer?

Coman...

Expansión:
Teacher Edition Only
Have students give alternate responses to the set of questions they have written, this time coming from a friend or sibling.

PARA
Y
PIENSA

¿Comprendiste? Usa seis mandatos en la forma de **ustedes** para decirles a tus amigos qué tienen que hacer para preparar una ensalada.

🖥 Get Help Online
my.hrw.com

Differentiating Instruction

Pre-AP

Sequence Information Have students use **usted** commands to write plans to leave for a substitute teacher in case you are absent. Brainstorm everyday activities: close the door, review homework, answer questions, etc. Ask students to write their own version of the plans, sequencing the instructions to make them as clear and complete as possible.

Multiple Intelligences

Interpersonal Have pairs of students take turns using usted commands to give a new classmate advice on how to do well in Spanish class. (**Llegue a tiempo. Traiga los libros. Estudie mucho.**)

Grammar Activity

Ask students about how the actors behaved in the **Telehistoria.** Some students may have perceived the guests as impolite. Have students write five **usted(es)** commands telling the actors how to behave more politely.

 Get Help Online
More Practice
my.hrw.com

✓ Ongoing Assessment

 Peer Assessment After students check their own work on Para y Piensa, have them exchange papers with a classmate and describe the salad they would have if they followed their partner's instructions. For additional practice, use Reteaching & Practice Copymasters URB 5, pp. 4, 6, 10.

🖥 **Answers** Projectable Transparencies, 5-25 and 5-26

Activity 10
1. d;
2. c;
3. todos;
4. todos;
5. b;
6. nadie;
7. todos;
8. c

Activity 11 Answers will vary slightly.
1. Corte dos patatas.
2. Fría las patatas en aceite.
3. Bata cuatro huevos.
4. Añada los huevos a las patatas.
5. Cocine por diez minutos.
6. Sirva la tortilla.

Activity 12 Answers will vary, but should include several questions from a student and answers from a phys. ed. teacher. Examples:
· ¿Adónde vamos para practicar?/Vayan al campo de fútbol.
· ¿Por cuánto tiempo jugamos?/Jueguen...
Para y piensa Answers will vary.

Objective
· Present pronoun placement with commands.

Core Resource
· *Cuaderno,* pp. 203–205

Presentation Strategies
· Ask students to name object pronouns and list them on the board.
· Model commands such as **Dame el libro** with clear gestures to aid comprehension.

STANDARD
4.1 Compare languages

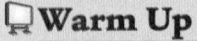

Warm Up Projectable Transparencies, 5-18

Mandatos Escoge los mandatos en forma de **usted** para completar las oraciónes siguientes.
1. Por favor, señora, **pasa/pase** al comedor.
2. **Comí/Coma** algo.
3. **Tome/Toma** un té o un café.
4. **Prueba/Pruebe** el postre.

Answers: pase; coma; Tome; Pruebe

Long-term Retention

Recycle

Remind students of the difference between direct and indirect object pronouns (See Unit 1, Lesson 1). Review pronoun placement with direct object pronouns (see page 41) and indirect object pronouns (see page 46).

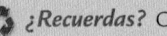
Presentación de GRAMÁTICA

¡AVANZA! **Goal:** Learn where to place pronouns with **usted** and **ustedes** commands. Then use pronouns in your instructions to people you don't know well, to your teacher, and to your friends and family. *Actividades 13–16*

♻ *¿Recuerdas?* Chores p. R7

English Grammar Connection: You often use **pronouns** with **commands** to direct the action of the **verb** at someone or something. For both affirmative and negative commands in English, you place pronouns *after* the verb.

after → **Give me** the ball.   *attached* → **Déme** la pelota.   *after* → Don't **touch them.**   *before* → No **los toque.**

Pronoun Placement with Commands

ANIMATEDGRAMMAR
my.hrw.com

In Spanish, the placement of pronouns depends on whether a **command** is **affirmative** or **negative**.

Here's how:

In **affirmative commands,** you *attach* object pronouns to the end of the **verb.**

attached →
Affirmative: **Llévenos** al supermercado.
Take us to the supermarket.

Pónganlas en la mesa.
Put them on the table.

Note that when a pronoun is attached to an affirmative command of two syllables or more, the stressed vowel carries an accent.

In **negative commands,** you place **object pronouns** *before* the **verb** and after **no.**

before →
Negative: **No le venda** esta camisa.
Don't sell her this shirt.

No lo prueben.
Don't taste it.

Más práctica
Cuaderno *pp. 203–205*
Cuaderno para hispanohablantes *pp. 204–207*

@HOMETUTOR my.hrw.com
Leveled Practice

264 Unidad 5 España
doscientos sesenta y cuatro

Differentiating Instruction

Inclusion

Cumulative Instruction Write imperative sentences on the board using **lo, la, los,** and **las,** such as **Dénmelos. Cómprela, por favor. Cómalo.** Call on students to name five things that the pronoun in each command could stand for (**e.g., libros, camisa, postre**).

Heritage Language Learners

Increase Accuracy Point out the written accents used in commands with object pronouns. Tell students that the stressed syllable always carries a written accent. Say some commands (**Cómelo, Dénmela, Tómalos**) and call on volunteers to write the commands on the board.

Práctica de GRAMÁTICA

13 | ¡A cocinar!

Hablar
Escribir

Dile a la señora Vega lo que debe y no debe hacer con estos ingredientes.
Usa mandatos en la forma de **usted**.

modelo: freír

A ¿Qué hago con los huevos? ¿Los frío?

B Sí, fríalos.

1. hervir

2. probar

3. batir

4. no freír

5. no añadir

6. no servir

Expansión
Now tell señora Vega to do the opposite:
¿Los huevos?
No los fría.

14 | ¡Mucho trabajo! ♻ *¿Recuerdas?* Chores p. R7

Hablar
Escribir

Tú y tu hermano(a) tienen que hacer unos quehaceres antes de salir.
¿Cuáles son? Pregúntale a tu madre o a tu padre si ustedes tienen que
hacer estas actividades.

modelo: limpiar los baños

A ¿Tenemos que limpiar los baños?

B Sí, límpienlos. (No, no los limpien.)

1. barrer el suelo
2. cortar el césped
3. sacar la basura
4. lavar los platos

5. hacer las camas
6. pasar la aspiradora
7. poner la mesa
8. darle de comer al perro

Expansión:
Teacher Edition Only
Repeat the commands with object pronouns using the **usted** form.

Lección 1
doscientos sesenta y cinco **265**

Differentiating Instruction

Inclusion

Frequent Review/Repetition Before doing
Activity 14, review chore vocabulary with an
idea web on the board. Write **Los quehaceres**
in the center, with rooms (**la cocina, el
comedor,** etc.) in smaller circles around it.
Have students connect each chore listed in
the activity to the room where it is done. Ask
them for the **yo** form of each verb and have
them write the stem to use in their answers.

Slower-paced Learners

Peer-study Support Have students write
three affirmative and three negative
commands with object pronouns. Then have
them pair up and switch papers to practice
converting the commands from affirmative to
negative and vice-versa. (**Hágalo** becomes **No
lo hagas**). Finally have partners get together
to check each other's work.

Objectives
· Practice using formal commands with pronouns.
· Recycle: Chores.

Practice Sequence
· **Activity 13:** Controlled practice: responding to questions using commands and pronouns
· **Activity 14:** Transitional practice: responding to questions using commands and pronouns

 ### STANDARDS
1.1 Engage in conversation, Acts. 13, 14
1.3 Present information, Acts. 13, 14

💻 **Answers** Projectable Transparencies, 5-26

Activity 13
1. ¿Qué hago con las zanahorias? ¿Las hiervo?/Sí, hiérvalas.
2. ¿Qué hago con las fresas? ¿Las pruebo?/Sí, pruébelas.
3. ¿Qué hago con los huevos? ¿Los bato?/Sí, bátalos.
4. ¿Qué hago con las cebollas? ¿Las frío?/No, no las fría.
5. ¿Qué hago con la sal? ¿La añado?/No, no la añada.
6. ¿Qué hago con la lechuga? ¿La sirvo?/No, no la sirva.

Activity 14 Answers should begin with
¿Tenemos que and the infinitive phrase. The
second part will vary.
1. Sí, bárranlo./No, no lo barran.
2. Sí, córtenlo./No, no lo corten.
3. Sí, sáquenla./No, no la saquen.
4. Sí, lávenlos./No, no los laven.
5. Sí háganlas./No, no las hagan.
6. Sí pásenla./No, no la pasen.
7. Sí, pónganla./No, no la pongan.
8. Sí, denle de comer./No, no le den de comer.

265

Objectives
· Practice **usted**/**ustedes** commands.
· Compare the Spanish **tapas** tradition to food traditions in other countries.

Objectives
· Practice **usted**/**ustedes** commands.
· Compare the Spanish **tapas** tradition to food traditions in other countries.

Core Resource
· *Cuaderno*, pp. 203–205

Practice Sequence
· Activities 15, 16: Open-ended practice: commands

⚛ STANDARDS
1.2 Understand language, Act. 16
1.3 Present information, Act. 15
2.1 Practices and perspectives, Act. 16
2.2 Products and perspectives, Act. 16
4.2 Compare cultures, Act. 16
🌐 Flexibility and Adaptability, Act. 16

Comparación cultural

Essential Question
Suggested Answer Todas las culturas tienen sus platos típicos que son importantes en sus tradiciones sociales. Cuando se reúne la familia para una celebración y otras ocasiones, sirven sus comidas especiales.

Background Information
Tapar means *to cover*. The term **tapa** is said to have originated hundreds of years ago from its purpose: to cover a glass to keep flies from getting into a drink.

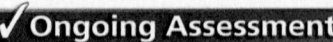

✓ Ongoing Assessment
🌐 **Get Help Online**
More Practice my.hrw.com

PARA Y PIENSA **Alternative Strategy** Have students write out step-by step instructions for preparing their favorite snack, using formal commands and at least two object pronouns. For additional practice, use Reteaching & Practice Copymasters URB 5, pp. 7, 8, 11.

Activity 15 Answers will vary.
Activity 16 Answers will vary.
Para y piensa Answers will vary.
 1. Sí, córtelas./No, no las corte.
 2. Sí, bátalos./No, no los bata.

---

15 | Nuevas reglas

Escribir

Pídele a tu maestro(a) de español que haga o no haga cinco cosas para la clase. Escribe tus ideas en una lista.

> **modelo:** 1. No nos dé tarea todos los días.
> 2. Ayúdenos con...

Expansión
List in Spanish the five most frequent commands used by your teacher.

16 | ¡Prueben las tapas!

Hablar

Comparación cultural

Aceitunas

Las tapas
¿Cuál es la relación entre las tradiciones y la comida? Una tradición en **España** es comer tapas, que son porciones pequeñas de comida. A muchos españoles les gusta ir a un restaurante con los amigos para conversar y comer tapas antes de cenar. Las aceitunas (*olives*), el jamón, los calamares (*squid*) y los pulpos (*octopus*) son tapas típicas. Otra tapa es la ensaladilla rusa, una mezcla de patatas, zanahorias, guisantes (*peas*) y mayonesa. Una tapa muy popular es la tortilla de patatas. Este tipo de tortilla es muy diferente a las tortillas que encontramos en **México** y en **Centroamérica,** que son delgadas y de maíz (*corn*) o harina (*flour*).

Pulpos

Compara con tu mundo
¿Qué tapa te gustaría probar y por qué? ¿Comes alguna comida similar a las tapas?

Tortilla de patatas

Vas a probar unas tapas en tu clase de español. En tu grupo, hagan los papeles de un(a) profesor(a) y sus estudiantes. Hablen sobre las tapas y usen mandatos.

Pistas: probar, comer, poner, dar, servir

> **Profesor** Las tapas están calientes. Pónganlas en la mesa.

> **A** Señor, déme la tortilla de patatas.

> La ensalada rusa es deliciosa también. Pruébenla.

> **B** Sírvame más, por favor.

Expansión:
Teacher Edition Onl
Ask students to switch roles and substitute Spanish **tapas** with foods from another Spanish-speaking country.

Más práctica Cuaderno *pp. 203–205* Cuaderno para hispanohablantes *pp. 204–207*

🌐 **Get Help Online**
my.hrw.com

PARA Y PIENSA **¿Comprendiste?** Contesta en el afirmativo y luego en el negativo. Cada vez usa un mandato de **usted** y un pronombre de objeto directo.
 1. ¿Corto las zanahorias?   2. ¿Bato los huevos?

Differentiating Instruction

Multiple Intelligences
Interpersonal Have groups of three to four students role-play a meeting of business associates meeting for tapas in the evening. Before beginning, have them each write down a question or conversation starter, as well as a formal command, such as **Pásenme la mayonesa, por favor.**

Heritage Language Learners
Writing Skills Tell students that a recipe has two parts: a list of ingredients and instructions. Ask students to think of a dish that is easy to prepare. Have them list the ingredients needed in the order in which they are used and write down in numbered steps how to prepare the dish.

❖ Todo junto

¡AVANZA! **Goal:** *Show what you know.* Listen as the kids prepare a Spanish tortilla from a recipe. Use what you have learned to talk about preparing and tasting food and to write a recipe of your own. *Actividades 17–21*

Telehistoria completa

@HOMETUTOR View, Read
my.hrw.com and Record

STRATEGIES

Cuando lees
Remember someone from a prior scene
Remember Beatriz's uncle, who was mentioned in Scenes 1 and 2. What is his profession? How does that relate to his role in Scene 3? Why is he an authority here?

Cuando escuchas
Listen for the surprise ending
Tío Vicente wants to be helpful to José Luis. What does he want to tell him? Do you think José Luis gets the message?

Escena 1 *Resumen*
José Luis y Beatriz se preparan para filmar su película. Ponen una mesa con mucha comida que preparó José Luis.

Escena 2 *Resumen*
En la escena, los actores están comiendo. Prueban algunos platos, pero todos están horribles. No pueden terminar la escena.

VIDEO DVD

AUDIO

Escena 3

José Luis: Ahora vamos a usar una receta. *(reading from a cookbook)* «Ingredientes: aceite, cuatro patatas grandes, una cebolla grande, cuatro huevos y sal.» «Primero, corte las patatas y las cebollas. Fríalas despacio en el aceite caliente.»
Beatriz mixes and adds ingredients.

José Luis: *(reading)* «Bata los huevos, mézclelos con las patatas y la cebolla, y añada la sal. Fríalo, pero no lo cocine demasiado.»

Tío Vicente: ¿Qué estáis haciendo?

Beatriz: Estamos preparando una tortilla de patatas, tío Vicente, para el video. ¿Y tú?

Tío Vicente: Estoy comiendo la merienda.

Time has passed and the tortilla is ready.

José Luis: *(cutting a little piece)* Pruébela. ¿No tiene un sabor buenísimo?

Tío Vicente: No. ¡Está malísima! ¿Queréis saber el ingrediente secreto para hacer una tortilla perfecta?

Tío Vicente's assistant prepares a dish and turns on the blender.

José Luis: Perdón, repítalo por favor. ¿Cuál es el ingrediente secreto?

Just as Tío Vicente starts to speak, the assistant turns the blender on again.

Lección 1
doscientos sesenta y siete **267**

Differentiating Instruction

Slower-paced Learners

Personalize It Have groups of three tell about a time when they tried to make or do something (e.g., a recipe) that somehow went wrong. Have them write three pieces of advice using **ustedes** commands so others don't make the same mistake. Finally, have them share their advice with another group.

Pre-AP

Identify Main Idea Have advanced students write a summary of the video for other students who are absent. Have them underline the sentences that communicate the main idea of the segment.

TODO JUNTO

¡AVANZA! **Objective**
· Integrate lesson content.

Core Resources
· Video Program: DVD 2
· Audio Program: TXT CD 6 Track 7

Presentation Strategies
· Review the first two parts of the Telehistoria.
· Ask **¿Dónde están Beatriz y José Luis? ¿Qué están haciendo?**
· Show the video, replaying as necessary for students to complete activities.

✿ STANDARD

1.2 Understand language

21° Communication, Slower-paced Learners; Critical Thinking and Problem Solving, Pre-AP

🖥 **Warm Up** Projectable Transparencies, 5-18

Mandatos Cambia los siguientes mandatos negativos a mandatos afirmativos.
1. No la añada.
2. No los bata.
3. No lo sirva.
4. No la fría.
5. No las compre.
6. No la prepare.
7. No los beba.
8. No lo pruebe.

Answers: 1. Añádala.; 2. Bátalos.; 3. Sírvalo.; 4. Fríala.; 5. Cómprelas.; 6. Prepárela.; 7. Bébalos.; 8. Pruébelo.

Communication
Interpretive Mode

Regionalisms Point out the word **queréis**. Ask what word would be used in a Latin American country (**quieren**).

@HOMETUTOR
VideoPlus
my.hrw.com

Video Summary

José Luis and Beatriz are following a recipe to make a **tortilla de patatas.** Just as tío Vicente is about to share with them the secret to a good tortilla, his assistant turns on the blender and drowns out his voice.

Objectives
· Practice using and integrating lesson grammar and vocabulary.

Core Resources
· *Cuaderno*, pp. 206–207
· Audio Program: TXT CD 6 Tracks 3, 6–9

Practice Sequence
· **Activities 17, 18:** Telehistoria comprehension
· **Activity 19:** Open-ended practice: speaking
· **Activity 20:** Open-ended practice: reading, listening, speaking
· **Activity 21:** Open-ended practice: writing a recipe

STANDARDS

1.1 Engage in conversation, Act. 19
1.2 Understand language, Acts. 17, 18
1.3 Present information, Acts. 18, 19, 20, 21

21ST CENTURY Communication, Act. 21; **Creativity and Innovation,** Act. 19

⌨ **Answers** Projectable Transparencies, 5-26 and 5-27

Activity 17
1. d   **2.** f   **3.** a
4. e   **5.** b   **6.** c

Activity 18
1. Antes de empezar a filmar, los chicos sacan la receta y los ingredientes.
2. El tío Vicente necesita probar las comidas.
3. José Luis dice que la tortilla está buenísima; el tío Vicente dice que está malísima.
4. Preparan una tortilla de patatas.
5. Dice que está malísima.
6. No sabemos cuál es el ingrediente secreto porque uno de los cocineros enciende la licuadora en el momento en que tío Vicente va a hablar, y hace mucho ruido.

Activity 19 Answers will vary but should reflect the following format:

           Chef: Miren esta sopa de ajo. Pruébenla, por favor.
Sr. Nadalegusta: Tiene un sabor muy salado. No me sirva más.
Sra. Pruébalotodo: ¡Qué deliciosa! ¿Qué ingredientes tiene?...

268

Escuchar
Leer

Pon los pasos de la receta en orden cronológico.

  a. Bata los huevos.
  b. Añada la sal.
  c. No lo cocine demasiado.
  d. Corte las patatas y las cebollas.
  e. Mézclelos con las patatas y la cebolla.
  f. Fríalas despacio en el aceite caliente.

> **Expansión:**
> Teacher Edition Only
> Have students rewrite **a**, **b**, and **d** using object pronouns and **e** and **f** as negative commands.

---

18 | *Comprensión de los episodios* ¡A cocinar!

Escuchar
Leer

Contesta las preguntas en oraciones completas.

  1. ¿Qué hacen los chicos antes de filmar?
  2. ¿Quiénes necesitan probar las comidas?
  3. ¿Qué dicen ellos del sabor de las diferentes comidas?
  4. ¿Qué preparan los chicos en la cocina del tío Vicente?
  5. ¿Qué dice el tío Vicente sobre la tortilla de patatas?
  6. ¿Sabes cuál es el ingrediente secreto? ¿Por qué?

> **Expansión:**
> Teacher Edition Only
> Have students use their answers as part of a summary of the entire Telehistoria.

---

19 | En la cocina

Digital performance space

Hablar

STRATEGY Hablar
Use an order for remembering and speaking Decide on a sequence for serving the foods in the meal. Organize the role-play based on this expected order of foods to make remembering and speaking easier.

Ustedes están en la cocina de un nuevo chef. Preparen una conversación entre el (la) chef, la Señora Pruébalotodo (a quien le gusta todo) y el Señor Nadalegusta (a quien no le gusta nada). Hablen de un mínimo de cinco comidas.

  modelo:

            Chef: Ésta es mi tortilla deliciosa. Pruébenla.
  Sra. Pruébalotodo: ¡Está sabrosísima!
    Sr. Nadalegusta: En mi opinión está saladísima. No me dé más, por favor.
            Chef: Pues, beba usted un poco de agua antes de comer las espinacas.
  Sra. Pruébalotodo: Me encantan las espinacas. Sírvame más, por favor.
    Sr. Nadalegusta: ¡Qué asco! Tienen un sabor muy...

Differentiating Instruction

Heritage Language Learners

Writing Skills Have native speakers work in pairs to write stage directions for actors presenting the Telehistoria, including facial expressions, vocal intonation, and body movements. Remind them to use **usted** or **ustedes** commands in their instructions.

Inclusion

Clear Structure Refer students to the strategy in Activity 19 and have them outline their conversation before speaking. Have them note each food they will be discussing/serving, what it might taste like, their reaction to the food, and whether they will ask for more or ask not to be served any.

20 Integración

Leer
Escuchar
Hablar

Digital Performance space

Lee la lista de ingredientes y escucha el programa «Cocinando con Nacho». Luego da instrucciones para preparar una ensalada con vinagreta (vinaigrette) para la cena.

Audio Program
TXT CD 6 Tracks 8, 9
Audio Script, TE p. 251B

Fuente 1 Lista de ingredientes

```
VINAGRETA
INGREDIENTES:
8 CENTILITROS (CL.) DE ACEITE
4 CL. DE VINAGRE ROJO
1 GRAMO (G.) DE MOSTAZA
1 DIENTE DE AJO
20 G. DE CEBOLLA
2 CL. DE ZUMO DE LIMÓN
SAL
PIMIENTA
```

Fuente 2 Programa de cocina

Listen and take notes
• ¿Es difícil hacer la vinagreta?
• ¿Cuándo debes prepararla?
• ¿Qué ingredientes recomienda Nacho para la ensalada?

modelo: Escúchenme, amigos. Vamos a empezar a hacer la ensalada para esta noche. Primero...

Expansión:
Teacher Edition Only
Have students write down as many verbs as they can remember from the audio clip.

21 Mi receta

Escribir

Digital Performance space

Escribe la receta de uno de tus platos favoritos. Incluye una lista de los ingredientes (un mínimo de cinco) y los pasos que hay que seguir.

Receta para ___Arroz con pollo___
De la cocina de ___Daniel Torres___
Ingredientes: pollo, una cebolla...
Pasos: 1. Corte el pollo.
        2. Fría...

Writing Criteria	Excellent	Good	Needs Work
Content	You include five or more ingredients and a good range of vocabulary.	You include three to four ingredients and a fair range of vocabulary.	You include one or two ingredients and the vocabulary is very limited.
Communication	Your recipe is organized and easy to follow.	Parts of your recipe are organized and easy to follow.	Your recipe is disorganized and hard to follow.
Accuracy	Your recipe has few mistakes in grammar and vocabulary.	Your recipe has some mistakes in grammar and vocabulary.	Your recipe has many mistakes in grammar and vocabulary.

Expansión
Write two sentences to describe the flavor of the food you are writing a recipe for.

Más práctica Cuaderno *pp. 206–207* Cuaderno para hispanohablantes *pp. 208–209*

Get Help Online
my.hrw.com

PARA Y PIENSA

¿Comprendiste? Usa mandatos en la forma de **ustedes** para darles dos consejos a José Luis y Beatriz.

Differentiating Instruction

Multiple Intelligences

Logical/Mathematical Have students rewrite the recipe in Activity 20 using tablespoons instead of centiliters, and ounces or pounds instead of grams.

Pre-AP

Circumlocution Remind students that while they may not know specific terms for actions or tools related to cooking, they can describe many activities using vocabulary they already know. For example, *deep-frying* can be described as **freír en mucho aceite caliente.** Have them describe the following actions in Spanish: peel, chop, chill, and stir.

Long-term Retention

Pre-AP Integration

Activity 20 Before students listen to the audio, have them review the recipe for *vinagreta*. Ask them to take notes and organize them so that they look like a recipe card.

✓ Ongoing Assessment

Rubric Activity 20

Listening/Speaking	
Proficient	**Not There Yet**
Student takes detailed notes and names most or all of the ingredients and steps for the recipe.	Student takes few notes and names some of the ingredients and steps for the recipe.

To customize your own rubrics, use the **Generate Success** *Rubric Generator and Graphic Organizers.*

✓ Ongoing Assessment

 **Get Help Online**
More Practice
my.hrw.com

PARA Y PIENSA

Peer Assessment Have pairs of students read aloud their commands and correct each other. For additional practice, use Reteaching & Practice Copymasters URB 5, pp. 7, 9.

Answers Projectable Transparencies, 5-24 thru 5-27

Activity 20 Monologues will vary. **Para empezar, corte la cebolla y el ajo.**

Activity 21 Recipes will vary. Example:

Espaguetis Primavera	
1 libra espaguetis 1 pimiento rojo 1 pimiento verde 1 tomate maduro 2 dientes ajo 1 cucharada mantequilla 1/4 taza queso parmesano	Llene una olla grande de agua hasta la mitad y póngala a hervir. Luego corte los pimientos y el ajo. Fríalos en una sartén con la mantequilla. Corte el tomate y añádalo a la sartén...

269

 ¡AVANZA! **Objectives**

- Read works by a famous Chilean poet.
- Analyze the poems' references to food and think about the writer's craft.

Presentation Strategies

- Read aloud the poem, stressing vocabulary that students already know.

STANDARDS

1.2 Understand language
1.3 Present information
CENTURY Critical Thinking and Problem Solving, Critical Thinking; **Creativity and Innovation,** ¿Y tú?; **Information Literacy,** Science

▢ Warm Up Projectable Transparencies, 5-19

Mandatos Empareja las palabras en la primera columna con el mandato apropiado en la segunda columna.

1. la sal   a. Hiérvalas.
2. los ingredientes   b. Añádala.
3. las espinacas   c. Fríala.
4. la cebolla   d. Pruébelas.
5. las tortillas   e. Mézclelos.

Answers: 1. b 2. e 3. a 4. c 5. d

Cultura

About the Poet

Pablo Neruda began writing poetry in Chile at the age of ten. He is best known for his love poems, but his poetry also covers topics such as poverty and social injustice.

Neruda in Spain Neruda was a friend of Spanish poet Federico García Lorca and lived in Spain for several years as a diplomat. When the Spanish Civil War began in 1936, he sided with the Republicans and published a book called **España en el corazón,** expressing solidarity with their cause. The odes printed here are from a happier stage in Neruda's life, a few decades later, when he was living in Chile again.

 ❖ **Lectura**

¡AVANZA! **Goal:** Read the following two poems by Chilean poet Pablo Neruda. Then discuss the poems and write one of your own to describe a food or condiment you appreciate.

Dos odas de Pablo Neruda

Pablo Neruda (1904–1973) fue un famoso poeta chileno (Premio Nobel de Literatura, 1971). Neruda escribió muchas odas[1]. En sus odas, Neruda describe las cosas más básicas de la vida[2]. Por ejemplo, escribió una oda a la mesa y otra a la silla, objetos que usamos todos los días. También escribió odas a muchos alimentos[3] esenciales como la cebolla, el limón, la sal y el aceite. Lee los siguientes versos de Neruda.

STRATEGY Leer
Make a comparison chart
In a chart, list at least four images or metaphors per ode. Compare them by (a) meaning and (b) impact on you. Which are your favorites?

	sal	aceite
1	canta con una boca ahogada por la tierra	
2		
3		
4		

Oda a la sal

Esta sal   canta
del salero[4]   con una boca ahogada[6]
yo la vi en los salares[5].   por la tierra[7].
Sé que   Me estremecí[8] en aquellas
no van a creerme,   soledades[9]
pero   cuando escuché
canta,   la voz[10]
canta la sal, la piel   de
de los salares,   la sal
                                  en el desierto...

[1] odes   [2] life   [3] food items   [4] saltshaker   [5] salt mines
[6] stifled   [7] earth   [8] **Me...** I shuddered   [9] lonely places   [10] voice

Salares en el Caribe

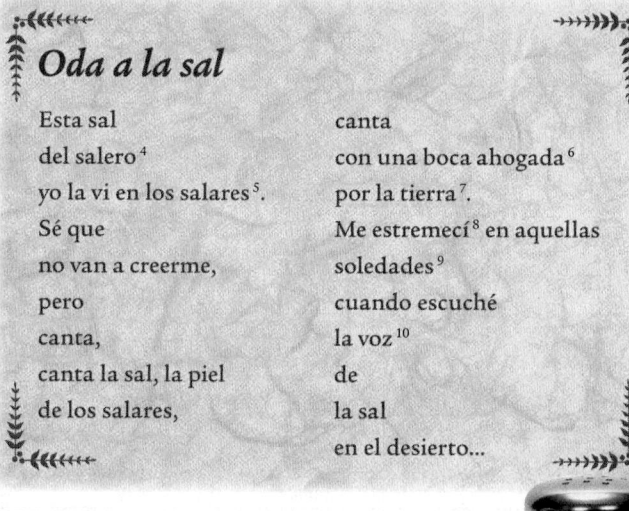

Differentiating Instruction

Slower-paced Learners

Peer-study Support Pair less proficient students with stronger ones and ask partners to read **Oda a la sal** aloud to each other. Have each partner listen carefully to the lines and write down words they hear related to the word **sal,** including the word itself. Ask partners to share each other's answers and talk about how the words are related.

English Learners

Provide Comprehensible Input If students have difficulty understanding the meanings of the English words in the footnotes, encourage them to look up definitions in their native language and use the information to create a picture glossary.

Oda al aceite

...allí	Aceite, [...]
en	llave celeste de la mayonesa,
los secos [1]	suave y sabroso
olivares [2], [...]	sobre las lechugas, [...]
la cápsula	Aceite, [...]
perfecta	eres idioma
de la oliva	castellano [7]:
llenando [3]	hay sílabas de aceite,
con sus constelaciones el follaje [4]:	hay palabras
más tarde	útiles [8] y olorosas [9]
las vasijas [5],	como tu fragante materia...
el milagro [6],	
el aceite. [...]	

Olivar en Extremadura, España

[1] dry	[2] olive groves	[3] filling up	[4] foliage	[5] containers
[6] miracle	[7] **idioma...** Spanish language	[8] useful	[9] fragrant	

PARA Y PIENSA

¿Comprendiste?
1. ¿Quién es Pablo Neruda? ¿Qué hace Neruda en sus odas?
2. ¿Sobre qué cosas escribió Neruda algunas odas?
3. Según Neruda, ¿qué hace la sal? ¿Dónde puedes escuchar la sal?
4. ¿De qué tipo de aceite escribe Neruda?

¿Y tú?
¿Qué otros alimentos conoces? ¿Cómo describes sus características básicas? Escribe un pequeño poema para rendirle homenaje *(pay homage)* a uno de estos alimentos.

Differentiating Instruction

Heritage Language Learners
Support What They Know Ask if students know any odes, poems, or the lyrics to a traditional song about food. Have them share any information about the poem's origins and the meaning of any of the verses with the rest of the class.

Inclusion
Synthetic/Analytic Support Write **salares** and **olivares** on the board. Circle the first part of each word and underline the **-ares** endings. Point out that both words mean "places where" things are stored or produced. Remind students that breaking down words into smaller parts and comparing endings is a good way to infer the meaning of words.

Connections

Science
Have students research which other countries are significant producers of olive oil. What kind of climate is preferable for the cultivation of olive trees?

Long-term Retention
Critical Thinking
Analyze Compare the tone of **Oda a la sal** to that of **Oda al aceite.** Draw a Venn diagram on the board and help students compare and contrast the style and imagery in each poem. Prompt them by writing examples of words or phrase in the center oval, such as **voz, sílabas,** or **idioma.**

✓ Ongoing Assessment
PARA Y PIENSA **Peer Assessment** After students have completed their own poems according to the instructions in **¿Y tú?,** have them partner up to edit one another's work. Instruct peer editors to respond to their partner's poem with three positive things and also note any errors.

Answers
Para y piensa
¿Comprendiste?
1. Pablo Neruda es un poeta chileno. En sus odas describe cosas básicas de la vida.
2. Escribió odas sobre muebles de la casa y alimentos como verduras, aceite y sal.
3. En su oda Neruda dice que la sal canta. La puedes escuchar en el desierto.
4. Neruda escribió una oda al aceite de oliva.

¿Y tú?
Answers will vary. Should list other kinds of food. Poem should contain personification and metaphors to describe the food item.

271

Objective
· Learn about cultural and linguistic differences among the various **comunidades autónomas** in Spain

Presentation Strategies
· Create a Spanish historical timeline as a class with some new and some recycled material (from lesson opener).

 STANDARDS

1.2 Understand language
1.3 Present information
2.1 Practices and perspectives
2.2 Products and perspectives
3.1 Knowledge of other disciplines
5.2 Life-long learners

21st CENTURY Information Literacy, Proyectos 1 (Health Literacy), 2

Connections
La historia

Important dates in Spanish history:
9th Century BC: Celts enter modern-day Spain through the Pyrenees.
2nd Century BC: Roman empire rules the peninsula as the province of Hispania.
500 AD: Visigoths have replaced Roman rulers throughout the peninsula.
711 AD: Moors conquer all of the peninsula except a few northern territories.
1085 AD: Islamic rule ends in the north with the reconquest of Toledo.
1492 AD: Isabella and Ferdinand capture Granada, the last Moorish stronghold.

Answers

Conexiones Answers will vary:
Castellano is spoken throughout the country.
Vasco or **euskera** is spoken in the communities of the Basque Country and Navarra.
Catalán is spoken in Cataluña, Valencia and on the Balearic Islands.
Gallego is spoken in Galicia.
Valenciano is considered the co-official language of Valencia, and **aragonés** the co-official language of Aragón. It has been debated whether these two examples are languages or dialects.

Proyecto 1 Answers will vary but should include dishes from various regions in Spain.

Proyecto 2 Answers will vary.

Proyecto 3 Answers will vary, but may include: Flamenco from Andalucía; Sevillanas from Sevilla; Sardana from Cataluña; Fandango and Jota from Valencia; El aurresku from País Vasco; La jota aragonesa from Aragón.

272

Conexiones *La geografía*

Las comunidades autónomas

El país de España se divide *(is divided)* en diecisiete comunidades autónomas *(autonomous communities)*. En una comunidad autónoma, el gobierno *(government)* tiene mucho control sobre las leyes *(laws)* y la economía. Cada *(each)* una de las comunidades autónomas tiene su propia manera *(own way)* de gobernar y su propia cultura. Siete comunidades tienen un idioma *(language)* oficial además del *(in addition to)* español. Los cinco idiomas regionales son aragonés, catalán, gallego, valenciano y vasco.

Mira el mapa y lee los nombres de las comunidades autónomas. ¿Qué comunidades hablan los idiomas regionales? Para cada idioma, escribe la(s) comunidad(es) donde se habla. ¿Puedes adivinar *(guess)* cuáles idiomas son similares al portugués y al francés?

España

OCÉANO ATLÁNTICO
FRANCIA
CANTABRIA
ASTURIAS
PAÍS VASCO
GALICIA
ANDORRA
NAVARRA
LA RIOJA
CASTILLA-LEÓN
ARAGÓN
CATALUÑA
E S P A Ñ A
MADRID
ISLAS BALEARS
PORTUGAL
EXTREMADURA
CASTILLA-LA MANCHA
COMUNIDAD VALENCIANA
MAR MEDITERRÁNEO
MURCIA
ANDALUCÍA
OCÉANO ATLÁNTICO
OCÉANO ATLÁNTICO
ISLAS CANARIAS
0 75 150 millas
0 75 125 kilómetros
0 60 mi
0 60 km
ÁFRICA

Proyecto 1 *La salud*
Busca tres comidas o platos de diferentes regiones de España. Anota los platos y las comunidades autónomas donde se preparan *(they are prepared)*. Luego, investiga uno y describe cómo se prepara. ¿Cuáles ingredientes son buenos para la salud? ¿Por qué?

Proyecto 2 *La historia*
Muchos españoles se identifican *(identify)* con su comunidad autónoma más que con su país. Esta actitud *(attitude)* es el resultado de una larga historia política y social. Muchos grupos distintos han vivido *(have lived)* en diferentes partes de España. Investiga sobre la historia de España en una enciclopedia o la biblioteca. Haz una cronología *(timeline)* de los grupos que vivieron en España desde el año 800 a.C. hasta el año 1492.

Proyecto 3 *La música*
Hay muchos tipos de música en España, como el flamenco, el fandango y la sardana. Escucha un ejemplo de música española y describe la música: los instrumentos, el ritmo y otros detalles. Escribe la(s) comunidad(es) autónoma(s) donde se toca la música que escuchaste.

Una bailaora de flamenco con castañuelas

272 Unidad 5 España
doscientos setenta y dos

Differentiating Instruction

English Learners
Provide Comprehensible Input When discussing music from the various regions of Spain, give as much context as possible. The school music teacher may have a classical guitar or castanets you could borrow. A flamenco video might establish a cultural connection with students from non-Western countries that share similar musical traditions.

Multiple Intelligences
Kinesthetic Have students researching music also find out about dances that traditionally accompany each type of music. Offer extra credit for students willing to teach the class a Cataluñan sardana, or demonstrate a Galician dance.

En resumen
Vocabulario y gramática

ANIMATED GRAMMAR
Interactive Flashcards
my.hrw.com

Vocabulario

Ingredients

el aceite	oil	la mayonesa	mayonnaise
el ajo	garlic	la mostaza	mustard
el azúcar	sugar	la pimienta	pepper
la cebolla	onion	la sal	salt
las espinacas	spinach	el vinagre	vinegar
la fresa	strawberry	la zanahoria	carrot
la lechuga	lettuce	el ingrediente	ingredient
el limón	lemon	el supermercado	supermarket

Discuss Food Preparation

añadir	to add
batir	to beat
freír (i)	to fry
hervir (ie)	to boil
mezclar	to mix
probar (ue)	to taste
la receta	recipe
la tortilla de patatas	potato omelet

Describe Food

el sabor	flavor	fresco(a)	fresh
agrio(a)	sour	picante	spicy; hot
caliente	hot (temperature)	sabroso(a)	tasty
delicioso(a)	delicious	salado(a)	salty
dulce	sweet	¡Qué asco!	How disgusting!

Having Meals

cenar	to have dinner
desayunar	to have breakfast
la merienda	afternoon snack

Gramática

Nota gramatical: Adjectives ending in **-ísimo** *p. 258*

Commands

You form **usted** commands with the **yo** form of verbs in the present tense. Drop the **-o** and add the following **endings.**

Infinitive	Present Tense	usted	ustedes
probar (ue)	yo pruebo	pruebe	prueben
comer	yo como	coma	coman
añadir	yo añado	añada	añadan

Pronoun Placement with Commands

In **affirmative commands,** you *attach* **object pronouns** to the end of the **verb.**

attached

Affirmative: **Llévenos** al supermercado.
Take us to the supermarket.

In **negative commands,** you place **object pronouns** *before* the **verb** and after **no.**

before

Negative: **No le venda** esta camisa.
Don't sell her this shirt.

Practice Spanish with Holt McDougal Apps!

Lección 1
doscientos setenta y tres **273**

 DIGITAL SPANISH

Interactive Flashcards Students can hear every target vocabulary word pronounced in authentic Spanish. Flashcards have Spanish on one side, and a picture or a translation on the other.
Review Games Matching, concentration, hangman, and word search are just a sampling of the fun, interactive games students can play to review for the test.

performance space

News Networking

@HOMETUTOR

CULTURA Interactiva

- **Audio and Video Resources**
- **Interactive Flashcards**
- **Review Activities**
- **WebQuest**
- **Conjuguemos.com**

Communication
Presentational Mode

Offer students the opportunity to earn extra credit by presenting a portion of the review page in an engaging way to the class. Allow them access to any transparencies and visual aids that you have, and encourage them to create some of their own materials. Be sure to screen their presentation privately a day before to help them troubleshoot.

Long-term Retention
Study Tip

Suggest that students use the review page and completed text activities to write their own practice tests. Select the best ones and have students complete the test(s) either in class or as homework.

Differentiating Instruction

Slower-paced Learners

Memory Aids Have students identify the vocabulary items that are the most difficult for them to remember, and have them create word art on 5x7 cards with those terms. This involves writing the word in large letters and animating it to describe itself. Have students color their word art and share it with the class.

Inclusion

Frequent Review/Repetition Type out ten affirmative and ten negative **usted/ustedes** commands with pronouns, cut apart, and place in paper bags. Put students into groups of three and give each group a bag. Have them take turns pulling out a command and stating its reverse (**Díganlo: No lo digan**).

Lección 1

Repaso de la lección

Objective
· Review lesson grammar and vocabulary.

Core Resources
· *Cuaderno,* pp. 208–219
· Audio Program: TXT CD 6 Track 10

Presentation Strategies
· Draw students' attention to the objectives listed under the **¡Llegada!** banner

STANDARDS
1.2 Understand language, Acts. 1, 2
1.3 Present information, Acts. 1, 3, 4
2.1 Practices and perspectives, Act. 5
2.2 Products and perspectives, Act. 5
21ST CENTURY Flexibility and Adaptability, Ongoing Assessment: Alternative Assessment

 **Warm Up** Projectable Transparencies, 5-19

¿Cierto o falso? Para cada oración escribe **cierto** o **falso.** Si es una oración falsa cámbiala a una oración cierta.
1. Las tortillas de patatas son saladas.
2. Las espinacas son rojas.
3. Las fresas son verdes.
4. El azúcar es dulce.
Answers: 1. cierto; 2. Falso. Las espinacas son verdes.; 3. Falso. Las fresas son rojas.; 4. cierto.

✓ **Ongoing Assessment**

Intervention and Remediation If students miss more than one activity in any section, have them consult my.hrw.com for a review that meets their needs.

Answers Projectable Transparencies, 5-27

Activity 1
1. hiérvalas
2. córtela
3. mézclelos, bátalos
4. mézclelas
5. pruébela, añádala
6. póngala en un plato
7. añádalos
8. sírvala

Activity 2
1. Está fresquísima.
2. Está dulcísimo.
3. Está malísimo.
4. Está riquísimo.
5. Está picantísima.
6. Está sabrosísimo.

274

Now you can
· identify and describe ingredients
· talk about food preparation and follow recipes
· give instructions and make recommendations

Using
· adjectives ending in **-ísimo**
· **usted / ustedes** commands
· pronoun placement with commands

To review
· **usted** commands, p. 259
· pronoun placement with commands, p. 264

AUDIO

1 Listen and understand

Escucha una receta para ensaladilla rusa: una ensalada de patatas con mayonesa. ¿Qué debes hacer con los ingredientes en cada paso? Escoge el verbo o los verbos apropiados y escribe mandatos.

cortar	hervir	freír
mezclar	batir	probar
añadir	poner	servir

modelo: cuatro patatas y una zanahoria: _____
Córtelas.

1. las patatas y la zanahoria: _____
2. la cebolla: _____
3. 1/4 de litro de aceite, un huevo, un poco de vinagre y sal: _____ y _____
4. las patatas, las zanahorias y la mayonesa: _____
5. la ensalada y la sal: _____ y _____
6. la ensalada de patatas, un plato: _____
7. un huevo, la cebolla y pimienta roja: _____
8. la ensalada: _____

To review
· adjectives ending in **-ísimo,** p. 258

2 Identify and describe ingredients

Lee las reacciones a la comida. Describe la comida con el adjetivo correcto con **-ísimo.**

modelo: La tortilla de patatas tiene demasiada sal. (dulce / salado)
Está saladísima.

1. La ensalada está perfecta. (salado / fresco)
2. El postre tiene demasiado azúcar. (dulce / agrio)
3. ¡Qué asco! Este plato no tiene buen sabor. (fresco / malo)
4. Hmmm. El helado está muy sabroso. (malo / rico)
5. Hay mucha pimienta en la sopa. (dulce / picante)
6. ¡Qué delicioso está el pollo! (salado / sabroso)

Differentiating Instruction

Pre-AP

Timed Answer Have students study the steps involved in making a tortilla española and quiz them on it verbally one on one. Let them use picture card clues to remind them of the order of steps, or the pictures from Activity 11 (p. 263). Give them two to three minutes to tell you the recipe, using **usted** commands.

Inclusion

Cumulative Instruction Have students write an example of a food to go with each adjective listed in parentheses in Activity 2. They should not use the food mentioned in the corresponding numbered sentence. Prompt them with a few examples: **fresco/ jugo; dulce/helado.**

► review
stedes
ommands, p. 259

3 Give instructions and make recommendations

Hay nuevos jóvenes trabajando en el supermercado. Su jefe les da instrucciones. ¿Qué dice?

modelo: empezar a lavar las zanahorias
Empiecen a lavar las zanahorias.

1. probar la lechuga
2. ir a traer más espinacas
3. buscar esta mostaza
4. escribir los precios correctos

5. darle unas fresas a la señora.
6. saber los precios de limones
7. ser organizados con el aceite y vinagre
8. estar contentos cuando trabajan

► review
sted commands,
. 259
ronoun
lacement with
ommands,
. 264

4 Talk about food preparation and follow recipes

Los señores Díaz nunca están de acuerdo. El señor Díaz es positivo y la señora Díaz es negativa. ¿Qué dice cada uno sobre cómo preparar la comida?

modelo: poner/en el sándwich
el señor Díaz: **Póngala** en el sándwich.
La señora Díaz: **No la ponga** en el sándwich.

1. poner/en la hamburguesa

2. cortar/para la ensalada

3. freír/para la tortilla

4. mezclar/en la ensalada de frutas

5. hervir/para la merienda

6. añadir/a la sopa

► review
Churrerías, p. 251
Comparación
cultural, pp. 260,
266
Lectura,
p. 270–271

5 Spain and Chile

Comparación cultural

Contesta estas preguntas culturales.

1. ¿Qué piden los españoles en las churrerías?
2. ¿De dónde era Àngel Planells? ¿Qué hay en su naturaleza muerta?
3. ¿Cuándo comen tapas los españoles?
4. ¿Cómo describe Pablo Neruda el aceite?

Get Help Online
my.hrw.com

ás práctica Cuaderno pp. 208–219 Cuaderno para hispanohablantes pp. 210–219

Differentiating Instruction

Multiple Intelligences

Kinesthetic Have groups of five students do team charades with the vocabulary. Each team should have the same clues, written on slips of paper in a bag. The first team to finish guessing all of their clues wins. After all groups have finished, start a second round with new clues which are all commands.

Slower-paced Learners

Peer-study Support Have pairs of different proficiency levels complete review activities. Circulate to make sure that partners take turns suggesting answers. When finished, have each pair team up with another pair to go over answers together and identify any problems.

✓ **Ongoing Assessment**

Alternative Assessment Have students imagine that they are the star chef of a TV cooking show, and they have to leave a list of tasks for their two assistants, who arrive on the set two hours before they do. Have students decide on the recipe of the day and write a list of commands in the **ustedes** form in order to have all the ingredients bought, washed, cut, measured, and pre-cooked so the show will go as smoothly as possible.

Answers Projectable Transparencies, 5-27

Activity 3
1. Prueben las lechugas.
2. Vayan a traer más espinacas.
3. Busquen esta mostaza.
4. Escriban los precios correctos.
5. Denle unas fresas a la señora.
6. Sepan los precios de limones.
7. Sean organizados con el aceite y vinagre.
8. Estén contentos cuando trabajan.

Activity 4
1. Póngala en la hamburguesa./No la ponga en la hamburguesa.
2. Córtelo para la ensalada./No lo corte para la ensalada.
3. Fríalas para la tortilla./No las fría para la tortilla.
4. Mézclelo en la ensalada de frutas./No lo mezcle en la ensalada de frutas.
5. Hiérvalas para la merienda./No las hierva para la merienda.
6. Añádala a la sopa./No la añada a la sopa.

Activity 5
1. churros y chocolate
2. España (Cataluña)
3. Antes de cenar.
4. Answers will vary. Sample answers: suave, sabroso.

Culture at a Glance ❖

Topic & Activity	Essential Question
An open-air restaurant in Toledo, pp. 276–277	¿Te gusta comer en restaurantes?
Artistic inspiration, p. 284	¿Cómo escogen los artistas los temas de sus pinturas?
Mealtimes in Spain, Uruguay, and El Salvador, p. 290	¿Cómo varían los horarios de la comida entre países?
Two culinary traditions, pp. 294–295	¿Cuáles son unos platos tradicionales de Madrid y Montevideo?
Foods from Spain and El Salvador, p. 296	¿Cómo puede la comida representar el estilo de vida de una cultura?
Culture review, p. 299	¿Qué son algunos aspectos de la cultura de España, El Salvador, y Uruguay?

COMPARISON COUNTRIES   España  El Salvador 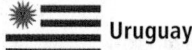 Uruguay

Practice at a Glance ❖

	Objective	Activity & Skill
Vocabulary	Restaurant phrases	2: Reading/Writing; Repaso Inclusivo 3: Speaking, Writing; 15: Listening/Writing
	Restaurant dishes	1: Speaking/Writing; 3: Speaking/Writing; 4: Listening/Reading; 6: Speaking/Writing; 7: Listening/Writing; 8: Reading/Speaking/Writing; 10: Listening/Reading; 14: Speaking/Writing; 19: Speaking
	Table setting terms, food preparation	1: Speaking/Writing; 5: Writing/Speaking; 13: Speaking/Writing; Repaso 4: Writing
Grammar	Affirmative and negative words	6: Speaking/Writing; 7: Listening/Writing; 8: Reading/Speaking/Writing; 9: Speaking/Writing; 10: Listening/Reading; 11: Speaking/Writing; 12: Speaking; Repaso Inclusivo 7: Reading, Writing, Speaking
	Double object pronouns	13: Speaking/Writing; 14: Speaking/Writing; 15 Listening/Writing; 16: Writing/Speaking; 20: Reading/Listening/Speaking; Repaso 1: Listening; Repaso 3: Writing; Repaso 4: Writing
Communication	Order meals in a restaurant	2: Reading/Writing; 14: Speaking/Writing; 15: Listening/Writing; 17: Listening/Reading; 19: Speaking; Repaso 1: Listening
	Talk about meals and dishes	1: Speaking/Writing; 4: Listening/Reading; 8: Reading/Speaking/Writing; 13: Speaking/Writing; 16: Writing/Speaking; 19: Speaking; 21: Writing; Repaso 3: Speaking; Repaso 4: Writing; Repaso Inclusivo 5: Writing
	Describe food and service	2: Reading/Writing; 3: Speaking/Writing; 6: Speaking/Writing; 7: Listening/Writing; 10: Listening/Reading; 12: Speaking; 17: Listening/Reading; 18: Listening/Reading; 20: Reading/Listening/Speaking; 21: Writing; Repaso 2: Writing; Repaso Inclusivo 5: Writing
	Pronunciation: The letters **h, g,** and **j**	*Pronunciación: Las letras h, g, and j,* p. 289: Listening/Speaking
Recycle	Prepositions of location	5: Writing/Speaking
	Pronoun placement with commands	14: Speaking/Writing

The following presentations are recorded in the Audio Program for *¡Avancemos!*

- **¡A responder!** *page 279*
- **7: ¡Me encanta el flan!** *page 284*
- **15: ¡No se lo recomiendo!** *page 290*
- **20: Integración** *page 293*
- **Repaso de la lección** *page 298*
  1: Listen and understand
- **Repaso inclusivo** *page 304*
  1: Listen, understand, and compare

For **¡AvanzaRap!** scripts, see the **¡AvanzaRap!** DVD.

¡A responder! TXT CD 6 track 12

1. la paella
2. el flan
3. la cuchara
4. el caldo
5. el cuchillo
6. el gazpacho
7. la servilleta
8. el tenedor

7 ¡Me encanta el flan! TXT CD 6 track 14

En mi familia hay alguien famoso: mi tío, el chef Vicente. Si algún día tienes hambre y quieres comer algo sabrosísimo, ven a comer a su restaurante. Nadie cocina como mi tío: ni mi madre ni mi abuela. Tampoco yo.... Y no hay ningún postre más rico que el flan que hace mi tío. Mmmmm.... No hay nada mejor que esto...

15 ¡No se lo recomiendo! TXT CD 6 track 17

Chica: ¿Nos recomienda la ensalada de verduras?

Camarero(a): No, señorita, no se la recomiendo. La lechuga no está muy fresca hoy. Pero el gazpacho está rico.

Chica: ¿Me la trae, por favor? Y una hamburguesa con patatas fritas.

Camarero(a): Como no. ¿Y usted, señor?

Chico: No sé... ¿Cómo es el pollo a la mexicana?

Camarero(a): Es muy picante. ¿Se lo traigo?

Chico: Hmmm, creo que no... ¿Hay algún plato vegetariano?

Camarero(a): Sí. Tenemos un sándwich de queso.

Chico: Hmmm... Sándwich de queso... sí, tráigamelo, por favor. Con verduras.

Camarero(a): Excelente. Y ¿para beber?

Chico: Para mí, nada, gracias.

Chica: ¿Me trae un vaso de agua?

Camarero(a): Claro que sí, señorita. Se lo traigo ahora.

Chica: Muy amable.

20 Integración TXT CD 6 tracks 19, 20

Fuente 2, Radio

Hola, soy Ana Gil, aquí otra vez para hablar de los restaurantes de nuestra ciudad. ¿Usted ya probó el restaurante España Antigua? Si no, yo se lo recomiendo. El lugar es bellísimo, como un viejo palacio español, y la comida es sabrosísima. Si quiere alguna especialidad española, se la pueden servir. Pero no es barato. Comparta una paella con alguien si usted quiere comer bien pero no quiere pagar tanto. El servicio es un poco lento de jueves a sábado porque están ocupadísimos durante esos días. Haga una reservación o vaya otro día... ¡pero vaya!

Repaso de la lección TXT CD 6 track 22

1 Listen and understand

1. Bienvenidos. ¿Le puedo servir algo para beber?
2. Muy bien. ¿Y para comer? De entremés tenemos un gazpacho riquísimo y la especialidad de la casa es el pollo asado.
3. Aquí tiene el gazpacho. ¿Necesita algo más?
4. Permiso señor. Aquí tiene el pollo asado.
5. ¿Todo está bien?¿Le gustaría algo más?
6. De postre, ofrecemos una torta de chocolate. Se la traigo?
7. Aquí tiene la cuenta. Muy buenas noches.

Repaso inclusivo TXT CD 6 track 24

1 Listen, understand, and compare

Carmen: ¿Qué debemos servir en nuestra fiesta, Ignacio?

Ignacio: Debemos servir gazpacho, pollo asado, y ¡muchos postres!

Carmen: ¿Postres? No son muy saludables. ¿Qué piensas de una ensalada de espinaca?

Ignacio: ¿Espinaca? ¡Qué asco! Si tenemos que tener una ensalada, prefiero una ensalada de lechuga. Mira... esta lechuga aquí es fresquísima.

Carmen: Bueno, la podemos comprar. Pero quiero la espinaca también. Podemos mezclarlas en la ensalada.

Ignacio: Carmen, compra estos tomates y cebollas. Podemos ponerlos en la ensalada y también en el gazpacho.

Carmen: Buena idea. También necesitamos aceite y vinagre para la ensalada.

Ignacio: Están allí... pero, ¿dónde están las carnes?

Carmen: Están al otro lado del supermercado. ¿Necesitamos un pollo o dos?

Ignacio: Uno está bien...porque todos van a comer los postres riquísimos que voy a preparar. El flan, la tarta de chocolate, helado de fresa, helado de chocolate, helado de...

Carmen: [interrupts] ¡Ignacio! ¿Flan, helado, tarta? ¡Uy! Pienso que unas frutas son buenas para el postre. Son muy saludables.

Ignacio: ¡Ay, por favor! ¿Frutas para el postre?

Carmen: Sí, quiero comprar uvas, manzanas y fresas.

Ignacio: Puedes comprarlas si yo puedo servir otros postres.

Carmen: Está bien. Podemos tener frutas, flan, y una tarta pequeña... ¡pero ningún helado! Ya tenemos demasiado.

Resource List

Everything you need to ...

Plan
TEACHER ONE STOP

✓ Lesson Plans
✓ Teacher Resources
✓ Audio and Video

Present
INTERACTIVE WHITEBOARD LESSONS

TEACHER ONE STOP WITH PROJECTABLE TRANSPARENCIES

POWER PRESENTATIONS

ANiMaTeDGRaMMaR

Assess
 ONLINE ASSESSMENT

✓ Assessments for on-level, modified, pre-AP, and heritage learners
✓ Create customized tests with **Examview Assessment Suite**
✓ **performance space**
✓ *Generate Success* Rubric Generator

 **Print**

Plan	Present	Practice	Assess
URB 5 • Video Scripts pp. 72–74 • Family Involvement Activity p. 92 • Absent Students pp. 101–111 **Best Practices Toolkit**	**URB 5** • Video Activities pp. 57–66	• *Cuaderno* pp. 220–245 • *Cuaderno para hispanohablantes* pp. 220–245 • *Lecturas para todos* pp. 48–52 • *Lecturas para hispanohablantes* • *AvanzaCómics El misterio de Tikal Episodio 2* **URB 5** • Practice Games pp. 37–44 • Audio Scripts pp. 78–82 • Fine Art Activities pp. 88–89	**Differentiated Assessment Program** **URB 5** • Did you get it? Reteaching and Practice Copymasters pp. 12–22

 **Projectable Transparencies** (Teacher One Stop, my.hrw.com)

Culture	Presentation and Practice	Classroom Management
• Atlas Maps 1–6 • Map: Spain 1 • Fine Art Transparencies 4, 5	• Vocabulary Transparencies 8, 9 • Grammar Presentation Transparencies 12, 13 • Situational Transparancy and Label Overlay 14, 15 • Situational Student Copymasters pp. 1–2	• Warm Up Transparencies 20–23 • Student Book Answer Transparencies 28–31

 Audio and Video

Audio	Video	¡AvanzaRap! DVD
• Student Book Audio CD 6 Tracks 11–24 • Workbook Audio CD 3 Tracks 11–20 • Assessment Audio CD 2 Tracks 3–6 • Heritage Learners Audio CD 2 Tracks 5–8, CD 4 Tracks 3–6 • *Lecturas para todos* Audio CD 1 Track 9, CD 2 Tracks 1–7 • Sing-along Songs Audio CD	• Vocabulary Video DVD 2 • *Telehistoria* DVD 2 • *Telehistoria, Escena 1* • *Telehistoria, Escena 2* • *Telehistoria, Escena 3* • *Telehistoria, Completa* • Culture Video DVD 2 • *El Gran Desafío* DVD 2	• Video animations of all **¡AvanzaRap!** songs (with Karaoke track) • Interactive DVD Activities • Teaching Suggestions • **¡AvanzaRap!** Activity Masters • **¡AvanzaRap!** video scripts and answers

 Online and Media Resources

Student	Teacher
Available online at my.hrw.com • Online Student Edition • News Networking • performance space • @HOMETUTOR • Cultura Interactiva • WebQuests • Interactive Flashcards • Review Games • Self-Check Quiz **Student One Stop** **Holt McDougal Spanish Apps**	**Teacher One Stop (also available at my.hrw.com)** • Interactive Teacher's Edition • All print, audio, and video resources • Projectable Transparencies • Lesson Plans • TPRS • Examview Assessment Suite **Available online at my.hrw.com** *Generate Success* Rubric Generator and Graphic Organizers **Power Presentations**

Differentiated Assessment

On-level	Modified	Pre-AP	Heritage Learners
• Vocabulary Recognition Quiz p. 233 • Vocabulary Production Quiz p. 234 • Grammar Quizzes pp. 235–236 • Culture Quiz p. 237 • On-level Lesson Test pp. 238–244 • On-level Unit Test pp. 250–256	• Modified Lesson Test pp. 182–188 • Modified Unit Test pp. 194–200	• Pre-AP Lesson Test pp. 182–188 • Pre-AP Unit Test pp. 194–200	• Heritage Learners Lesson Test pp. 188–194 • Heritage Learners Unit Test pp. 200–206

Core Pacing Guide

50 Minute (9 Day)

	Objectives/Focus	Teach	Practice	Assess/HW Options
DAY 1	**Culture:** learn about Spanish culture **Vocabulary:** words involving place settings, various dishes, ordering in a restaurant • Warm Up OHT 20 **5 min**	Lesson Opener pp. 276–277 **Presentación de vocabulario pp. 278–279** • Read A–D • View video DVD 2 • Play audio TXT CD 6 track 11 • *¡A responder!* TXT CD 6 track 12 **25 min**	Lesson Opener pp. 276–277 **Práctica de vocabulario p. 280** • Acts. 1, 2, 3 **15 min**	**Assess:** *Para y piensa* p. 280 **5 min** **Homework:** *Cuaderno* pp. 220–222 @HomeTutor
DAY 2	**Communication:** tell someone how to set a table • Warm Up OHT 20 • Check Homework **5 min**	**Vocabulario en contexto pp. 281–282** • *Telehistoria escena 1* DVD 2 **20 min**	**Vocabulario en contexto pp. 281–282** • Act. 4 TXT CD 6 track 13 • Act. 5 **20 min**	**Assess:** *Para y piensa* p. 282 **5 min** **Homework:** *Cuaderno* pp. 220–222 @HomeTutor
DAY 3	**Grammar:** learn affirmative and negative words • Warm Up OHT 21 • Check Homework **5 min**	**Presentación de gramática p. 283** • Affirmative and negative words **Culture:** *La inspiración artística* **20 min**	**Práctica de gramática pp. 284–285** • Act. 6 • Act. 7 TXT CD 6 track 14 • Acts. 8, 9 **20 min**	**Assess:** *Para y piensa* p. 285 **5 min** **Homework:** *Cuaderno* pp. 223–225 @HomeTutor
DAY 4	**Communication:** use affirmative and negative words to talk about restaurants in your community • Warm Up OHT 21 • Check Homework **5 min**	**Gramática en contexto pp. 286–287** • *Telehistoria escena 2* DVD 2 **15 min**	**Gramática en contexto pp. 286–287** • Act. 10 TXT CD 6 track 15 • Acts. 11, 12 **25 min**	**Assess:** *Para y piensa* p. 287 **5 min** **Homework:** *Cuaderno* pp. 223–225 @HomeTutor
DAY 5	**Grammar:** learn how to place two object pronouns in a sentence • Warm Up OHT 22 • Check Homework **5 min**	**Presentación de gramática p. 288** • Double object pronouns **Práctica de gramática pp. 289–290** • *Pronunciación* TXT CD 6 track 16 **15 min**	**Práctica de gramática pp. 289–290** • Acts. 13, 14 • Act. 15 TXT CD 6 track 17 • Act. 16 **25 min**	**Assess:** *Para y piensa* p. 290 **5 min** **Homework:** *Cuaderno* pp. 226–228 @HomeTutor
DAY 6	**Communication:** Culmination: have a conversation with a waiter, recommend restaurants • Warm Up OHT 22 • Check Homework **5 min**	**Todo junto p. 291** • *Escenas 1, 2: Resumen* • *Telehistoria completa* DVD 2 **15 min**	**Todo junto pp. 292–293** • Acts. 17, 18 TXT CD 6 tracks 13, 15, 18 • Act. 19 • Act. 20 TXT CD 6 tracks 19, 20 • Act. 21 **25 min**	**Assess:** *Para y piensa* p. 293 **5 min** **Homework:** *Cuaderno* pp. 229–230 @HomeTutor
DAY 7	**Reading:** Two culinary traditions **Review:** Lesson review • Warm Up OHT 23 • Check Homework **5 min**	**Lectura cultural pp. 294–295** • *Dos tradiciones culinarias* TXT CD 6 track 21 **Repaso de la lección pp. 298–299** **15 min**	**Lectura cultural pp. 294–295** • *Dos tradiciones culinarias* **Repaso de la lección pp. 298–299** • Act. 1 TXT CD 6 track 22 • Acts. 2, 3, 4, 5 **25 min**	**Assess:** *Para y piensa* **5 min** p. 295; *Repaso de la lección* pp. 298–299 **Homework:** *En resumen* p. 297; *Cuaderno* pp. 231–242 (optional) Review Games Online @HomeTutor
DAY 8	**Assessment**			**Assess:** Lesson 2 test or Unit 5 test **50 min**
DAY 9	**Unit Culmination**	**Comparación cultural pp. 300–301** • TXT CD 6 track 23 • Culture video DVD 2 **El Gran Desafío pp. 302–303** • Show video DVD 2 **Repaso inclusivo pp. 304–305** **20 min**	**Comparación cultural p. 301** **Repaso inclusivo pp. 304–305** • Act. 1 TXT CD 6 track 24 • Acts. 2, 3, 4, 5, 6, 7 **25 min**	**Homework:** *Cuaderno* **5 min** pp. 243–245

	Objectives/Focus	Teach	Practice	Assess/HW Options
DAY 1	**Culture:** learn about Spanish culture **Vocabulary:** words involving place settings, various dishes, ordering in a restaurant • Warm Up OHT 20 **5 min**	Lesson Opener pp. 276–277 **Presentación de vocabulario** pp. 278–279 • Read A–D • View video DVD 2 • Play audio TXT CD 6 track 11 • *¡A responder!* TXT CD 6 track 12 **15 min**	Lesson Opener pp. 276–277 **Práctica de vocabulario** p. 280 • Acts. 1, 2, 3 **20 min**	**Assess:** *Para y piensa* p. 280 5 min
	Communication: tell someone how to set a table **5 min**	**Vocabulario en contexto** pp. 281–282 • *Telehistoria escena 1* DVD 2 **15 min**	**Vocabulario en contexto** pp. 281–282 • Act. 4 TXT CD 6 track 13 • Act. 5 **20 min**	**Assess:** *Para y piensa* p. 282 5 min **Homework:** *Cuaderno* pp. 220–222 @HomeTutor
DAY 2	**Grammar:** review affirmative and negative words • Warm Up OHT 21 • Check Homework **5 min**	**Presentación de gramática** p. 283 • Affirmative and negative words **Culture:** *La inspiración artística* **15 min**	**Práctica de gramática** pp. 284–285 • Act. 6 • Act. 7 TXT CD 6 track 14 • Acts. 8, 9 **20 min**	**Assess:** *Para y piensa* p. 285 5 min
	Communication: use affirmative and negative words to talk about restaurants in your community **5 min**	**Gramática en contexto** pp. 286–287 • *Telehistoria escena 2* DVD 2 **15 min**	**Gramática en contexto** pp. 286–287 • Act. 10 TXT CD 6 track 15 • Acts. 11, 12 **20 min**	**Assess:** *Para y piensa* p. 287 5 min **Homework:** *Cuaderno* pp. 223–225 @HomeTutor
DAY 3	**Grammar:** learn how to place two object pronouns in a sentence • Warm Up OHT 22 • Check Homework **5 min**	**Presentación de gramática** p. 288 • Double object pronouns **Práctica de gramática** pp. 289–290 • *Pronunciación* TXT CD 6 track 16 **15 min**	**Práctica de gramática** pp. 289–290 • Acts. 13, 14 • Act. 15 TXT CD 6 track 17 • Act. 16 **20 min**	**Assess:** *Para y piensa* p. 290 5 min
	Communication: Culmination: have a conversation with a waiter, recommend restaurants **5 min**	**Todo junto** p. 291 • *Escenas 1, 2: Resumen* • *Telehistoria completa* DVD 2 **15 min**	**Todo junto** pp. 292–293 • Acts. 17, 18 TXT CD 6 tracks 13, 15, 18 • Acts. 19, 21 • Act. 20 TXT CD 6 tracks 19, 20 **20 min**	**Assess:** *Para y piensa* p. 293 5 min **Homework:** *Cuaderno* pp. 226–230 @HomeTutor
DAY 4	**Reading:** Two culinary traditions **Projects:** Food from Spain and El Salvador • Warm Up OHT 23 • Check Homework 5 min	**Lectura cultural** pp. 294–295 • *Dos tradiciones culinarias* TXT CD 6 track 21 **Proyectos culturales** p. 296 • *Comida en España y El Salvador* **15 min**	**Lectura cultural** pp. 294–295 • *Dos tradiciones culinarias* **Proyectos culturales** p. 296 • *Proyectos 1, 2* **20 min**	**Assess:** *Para y piensa* 5 min p. 295
	Review: Lesson review **5 min**	**Repaso de la lección** pp. 298–299 **15 min**	**Repaso de la lección** pp. 298–299 • Act. 1 CD 6 track 22 • Acts. 2, 3, 4, 5 **20 min**	**Assess:** *Repaso de la lección* 5 min pp. 298–299 **Homework:** *En resumen* p. 297; *Cuaderno* pp. 231–242 (optional) Review Games Online @HomeTutor
DAY 5	**Assessment**			**Assess:** Lesson 2 test or Unit 5 Test **45 min**
	Unit Culmination	**Comparación cultural** pp. 300–301 • TXT CD 6 track 23 • Culture video DVD 2 **El Gran Desafío** pp. 302–303 • Show video DVD 2 **Repaso inclusivo** pp. 304–305 **15 min**	**Comparación cultural** pp. 300–301 **Repaso inclusivo** pp. 304–305 • Act. 1 TXT CD 6 track 24 • Acts. 2, 3, 4, 5, 6, 7 **25 min**	**Homework:** *Cuaderno* 5 min pp. 243–245

¡AVANZA! ▶ Objectives
- Introduce lesson theme: ¡Buen provecho!
- **Culture:** favorite eating places.

Presentation Strategies
- Ask **¿Qué restaurantes conocen? ¿Qué tipo de comida y bebidas pueden pedir en un restaurante?**
- Have students predict what topics might be included in the lesson.
- Brainstorm recycled material: prepositions of location.

STANDARD
2.1 Practices and perspectives

Communication, Compara con tu mundo/Pre-AP

🖥 **Warm Up** Projectable Transparencies, 5-20

Receta Completa la receta con mandatos en forma de *usted*. Usa la forma de *usted* de los verbos siguientes para completar las oraciones.
cortar secar añadirlos servir mezclarla

Lave y (1)_____ la lechuga. Entonces (2)_____ con un poco de aceite de oliva. Luego (3)_____ una cebolla y un tomate. (4)_____ a la lechuga. (5)_____ la ensalada con pan.

Answers: 1. seque; 2. mézclela; 3. corte; 4. Añádalos; 5. Sirva

Comparación cultural

Exploring the Theme
Ask the following:
1. What are your favorite foods?
2. What kinds of eating places can you think of?
3. At what time do you and your family usually have dinner?

¿Qué ves? Possible answers include:
- Las personas en la foto están hablando con la camarera.
- Hay casas, tiendas y una catedral. Hay edificios nuevos y viejos en la ciudad.
- Es una ciudad moderna
- Es una ciudad antigua.

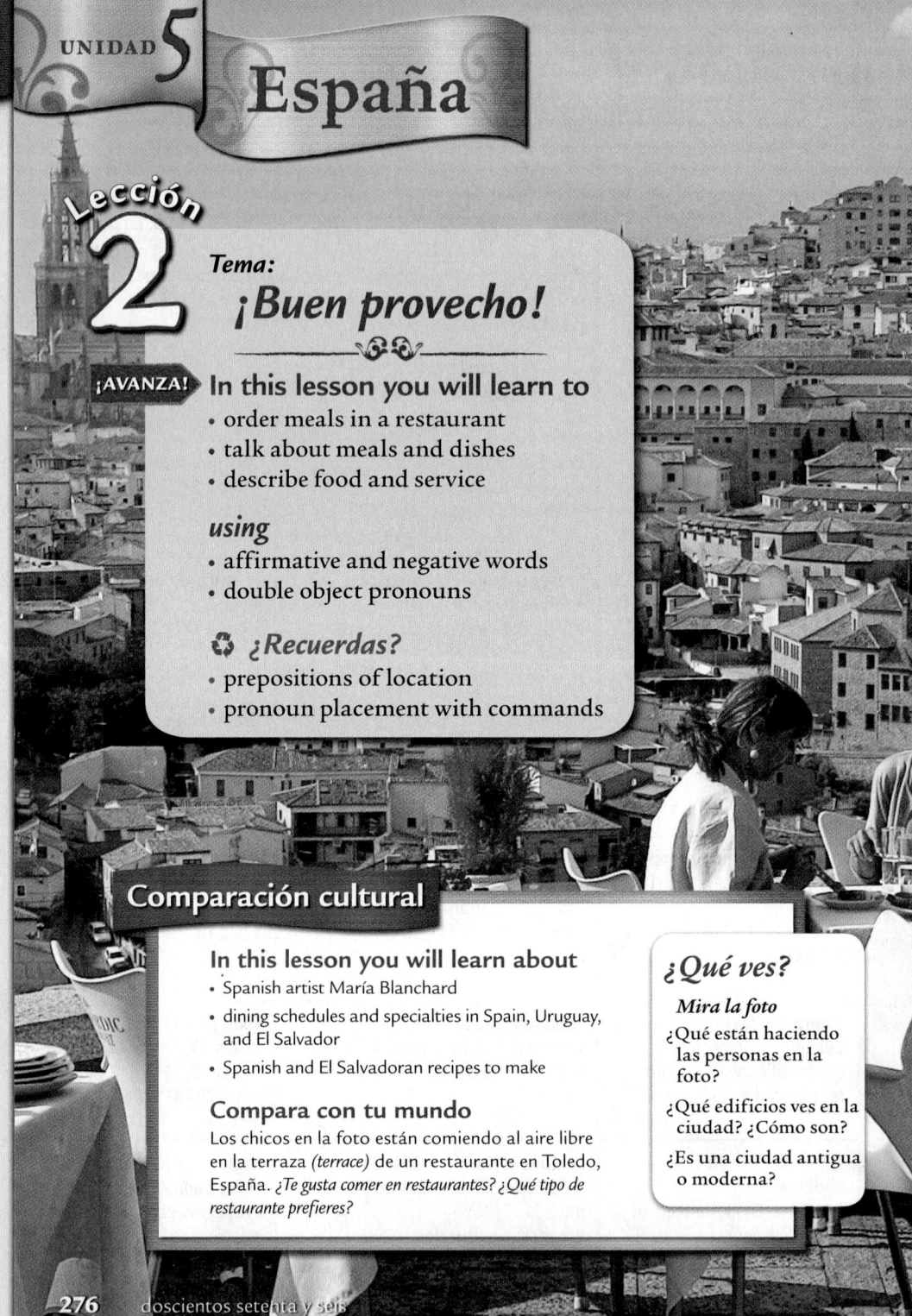

UNIDAD 5
España

Lección 2

Tema:
¡Buen provecho!

¡AVANZA! **In this lesson you will learn to**
- order meals in a restaurant
- talk about meals and dishes
- describe food and service

using
- affirmative and negative words
- double object pronouns

♻ *¿Recuerdas?*
- prepositions of location
- pronoun placement with commands

Comparación cultural

In this lesson you will learn about
- Spanish artist María Blanchard
- dining schedules and specialties in Spain, Uruguay, and El Salvador
- Spanish and El Salvadoran recipes to make

Compara con tu mundo
Los chicos en la foto están comiendo al aire libre en la terraza *(terrace)* de un restaurante en Toledo, España. *¿Te gusta comer en restaurantes? ¿Qué tipo de restaurante prefieres?*

¿Qué ves?
Mira la foto
¿Qué están haciendo las personas en la foto?

¿Qué edificios ves en la ciudad? ¿Cómo son?

¿Es una ciudad antigua o moderna?

276 doscientos setenta y seis

Differentiating Instruction

English Learners
Provide Comprehensible Input Review the lesson objectives to make sure students understand what new vocabulary and grammar they can expect to learn. Explain that *dishes* means *plates* as well as foods that are prepared, e.g., soups. Brainstorm Spanish names of dishes students already know and have them say when they are typically eaten.

Inclusion
Cumulative Instruction Review prepositions of location by playing a simplified version of **Veo, veo** with items in the photo. Ask students, for example, **¿Hay aceite en la foto?** Once a student has located the item, use yes/no questions to help the rest of the class find it. (**¿Está detrás de los edificios? ¿Está encima de la mesa?**)

DIGITAL SPANISH my.hrw.com
ONLINE STUDENT EDITION with...

performance space
News + Networking
@HOMETUTOR
CULTURa Interactiva

- Audio and Video Resources
- Interactive Flashcards
- Review Activities
- WebQuest
- Conjuguemos.com

PRACTICE SPANISH WITH HOLT MCDOUGAL APPS!

Un restaurante al aire libre
Toledo, España

España
doscientos setenta y siete **277**

DIGITAL SPANISH

TEACHER TOOLS

- Interactive Whiteboard Lessons
- Generate Success!

ALSO AVAILABLE...

- Online Workbook
- Spanish InterActive Reader

SPANISH ON THE GO!

- Performance Space
- Holt McDougal Spanish Apps
- ¡Avancemos! eTextbook

Using the Photo

Location Information

Toledo is the capital of the central Spanish province of Castilla-La Mancha. It is a city steeped in history and has been protected as a Spanish national monument since 1941 to limit industrial development and modernization.

Expanded Information

The Cathedral at the top left of page 276 was begun in the year 1226, but took 300 years to be completed. Its intricately carved altarpiece and choir stalls are national treasures, as are many of the paintings that the cathedral houses, such as works by Francisco de Goya and el Greco, who lived in Toledo from 1577 until his death in 1614.

The Alcázar, or fortress, visible at the other end of the skyline, is now a military museum. In 1531, Charles V had the building redesigned as a royal palace, although the site's history as a palace and fortress goes back to Roman times. Its most recent reconstruction took place after the Spanish Civil War, when it was destroyed during a three-month siege by Nationalist forces.

Differentiating Instruction

Pre-AP

Expand and Elaborate Ask students to describe what is happening in the foreground of the photograph in detail. Prompt them with questions such as **¿Qué están haciendo las mujeres a la izquierda? ¿Qué cosas hay en las mesas? ¿Qué está haciendo la camarera?** Remind students to use circumlocution.

Multiple Intelligences

Cumulative Instruction Brainstorm vocabulary related to eating that students already know. Hold up the book, point to things students should be able to identify or describe (clothing, objects, people), and ask questions such as **¿Qué es esto? ¿De qué color es?**

Objectives
- Present vocabulary: place settings, restaurant dishes, ordering.
- Check for recognition.

Core Resources
- Video Program: DVD 2
- Audio Program: TXT CD 6 Track 11, 12

Presentation Strategies
- Ask if students recognize or have eaten any of the pictured foods.
- Ask **¿Qué palabra es como heladería?** **¿Qué palabras son como pastelería?**
- Brainstrom food terms.

STANDARD
1.2 Understand language

21st CENTURY **Communication,** Heritage Language Learners/Health (Health Literacy); **Creativity and Innovation,** Motivating with Music

Communication
Common Error Alert

Remind students that **gustar** does not mean *to like,* but *to please,* and that the same rule applies to **encantar.** Stress that when talking about what foods they enjoy, they will not use the first person with these verbs. Model by saying: **Me gusta el helado. No me gusta el pan.**

Communication
Regionalisms

Cake is referred to as **tarta, pastel, torta,** or **bizcocho** (sometimes interchangeably) in many countries.

Communication
Motivating with Music

The **¡AvanzaRap!** song for this unit targets vocabulary from both Lección 1 and Lección 2. After presenting the vocabulary in Lección 2, play the **¡AvanzaRap!** animated video for students. As a follow-up activity, have groups of students add one or two lines to the rap song or have them revise one or two existing lines of the song. Ask volunteers to "perform" their added or edited lyrics for the class.

278

❋ Presentación de **VOCABULARIO**

¡AVANZA! **Goal:** Learn to identify items in a place setting, describe various dishes, and order in a restaurant. Then, talk about your restaurant and dining preferences. *Actividades 1–3*

VIDEO DVD

AUDIO

A Estamos en el restaurante del tío Vicente. El camarero es **muy atento.** Nos trae el menú y pedimos. Beatriz pide **la paella** y yo pido **un plato vegetariano, los espaguetis.** Es **una especialidad de la casa.** Todo parece riquísimo.

¿Me puede traer más agua?

Sí, claro. ¿Y para comer?

los espaguetis

la paella

B De **entremés** pedimos **el gazpacho.** Es una sopa fría de tomates y otras verduras frescas, **mezcladas** y **molidas.** Para prepararla, usas verduras **crudas,** no **cocidas.**

Más vocabulario

el caldo *broth*	**¡Buen provecho!** *Enjoy!*
frito(a) *fried*	**¡Excelente!** *Excellent!*
hervido(a) *boiled*	**Muy amable.** *Very kind.*
batido(a) *beaten*	**Gracias por atenderme.**
¿Cuál es la especialidad de la casa? *What is the specialty of the house?*	*Thank you for your service.*

Expansión de vocabulario p. R11

Ya sabes p. R11

el gazpacho

278 Unidad 5 España
doscientos setenta y ocho

Differentiating Instruction

Slower-paced Learners

Yes/No Questions Ask whether a number of different foods pictured on the page are **vegetariano(a)** or not. Then ask whether they are **dulce, salado(a), delicioso(a).**

Heritage Language Learners

Support What They Know Ask students what dishes would be included on a typical restaurant menu in their places of origin. Have them work together to make a poster-sized display with dish names and country/city labels, so that the class can refer to it throughout the rest of the unit.

C Hay más especialidades en este restaurante. A nosotros nos encantan **el filete a la parrilla, el pollo asado** y **las chuletas de cerdo.** ¡Son muy deliciosos!

el pollo asado

el tenedor
el vaso
la cuchara
el filete a la parrilla
la servilleta
el cuchillo

las chuletas de cerdo

D ¿Qué pedimos de postre? ¿**El flan** o **la tarta de chocolate**? ¿Y **un té** para beber?

el flan

la tarta de chocolate

el té

la heladería

la pastelería

E ¿Por qué no vamos a otro lugar para el postre? Podemos ir a **una heladería** para comer helado o a **una pastelería** para pasteles. ¡Vamos!

@HOMETUTOR my.hrw.com **Interactive Flashcards**

¡A responder! Escuchar

Escucha esta lista de palabras. Levanta la mano derecha si es una comida. Levanta la mano izquierda si es un objeto que usas para comer.

Differentiating Instruction

Inclusion

Cumulative Instruction Point out that **hervido, molido, batido, frito, cocido,** and **mezclado** are all past participles used as adjectives. Remind students that they learned how to form these in Unit 4, Lesson 1. Ask students to guess what **molidas** means. Have them return to Unit 4 while you point to pictures, if necessary.

English Learners

Build Background Point to the Más vocabulario on p. 278 and remind students of strategies they can use to clarify and / or remember the meanings of the English words on the list. They can illustrate items and label them in Spanish, English, and their native language, looking for cognates or similar word parts.

Connections
Health

Have students answer the question **¿Es saludable?** by rating the dishes presented on a scale of 1–10, with 10 being the healthiest. Have students support their ratings by asking **¿Por qué?**

Long-term Retention
Interest Inventory

Brainstorm the types of businesses that end in **-ía** in Spanish: **heladería, pastelería, cafetería, panadería, librería, papelería, pescadería, carnicería,** etc. Then have students decide which type of business they would like to open if they had a chance. Have them write down their preference (i.e. **librería**) and ask other students' for theirs. Pair students with matching choices later in the lesson for pair or group work.

TEACHER to TEACHER

Jane Margraf
Mason, Ohio

Tips for Reviewing Vocabulary

The Plunger Game When reviewing vocabulary, I write all of the terms on the board, and divide the class into two teams. Each team member gets one small plunger. When I say **¿Cómo se dice en español ... ?**, the students run to the board and "plunge" the correct vocabulary word.

Go online for more tips!

Answers Projectable Transparencies, 5-28

¡A responder! Audio Script, TE p. 275B
Students should raise their right hand if they hear the word for a food item or their left hand if they hear the word for an object.
1. right hand raised
2. right hand raised
3. left hand raised
4. right hand raised
5. left hand raised
6. right hand raised
7. left hand raised
8. left hand raised

279

Objective
· Practice vocabulary: place settings, restaurant dishes, ordering.

Core Resource
· *Cuaderno* pp. 220–222

Practice Sequence
· **Activities 1, 2:** Vocabulary recognition: restaurant vocabulary
· **Activity 3:** Vocabulary production: express preferences

STANDARDS
1.1 Engage in conversation, Acts. 1, 3
1.2 Understand language, Act. 2
1.3 Present information, Act. 3

Get Help Online
More Practice
my.hrw.com

✓ **Ongoing Assessment**

PARA Y PIENSA **Alternative Strategy** Give students a random sampling of menu items and have them rearrange the dishes in the order in which they would be served during a meal. For additional practice, use Reteaching & Practice Copymasters URB 5, pp. 12, 13.

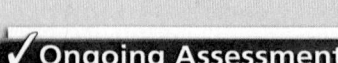
Answers Projectable Transparencies, 5-28

Activity 1 Answers may vary slightly.
1. Cuando como un flan, uso una cuchara.
2. Cuando como los espaguetis, uso un tenedor (y una cuchara).
3. Cuando como la paella, uso un tenedor y un cuchillo.
4. Cuando como una tarta, uso un tenedor.

Activity 2
1. especialidad
2. asado
3. frito
4. traer
5. entremés
6. gazpacho
7. té
8. atenderme
9. amable
10. provecho

Activity 3 Answers will vary.
1. En restaurantes pido platos con carne.
2. El filete a la parilla es un plato que me gusta.
3. Prefiero las verduras crudas.
4. Prefiero ir a una pastelería. Pido una tarta de chocolate.

Para y piensa
1. ¿Cuál es la especialidad de la casa?
2. Muy amable. Usted es muy atento.

280

✿ Práctica de VOCABULARIO

1 | **¿Qué usas?**

Hablar
Escribir

Explica qué usas cuando comes estas comidas.

modelo: Cuando como un filete a la parrilla, uso un tenedor y un cuchillo.

1.   **2.**   **3.**   **4.**

Expansión:
Teacher Edition Only
Make fewer dishes to wash. Have students say what they do NOT need for each item.

2 | **¡Muy atento!**

Leer
Escribir

Completa la conversación.

amable	atenderme	entremés	gazpacho	té
asado	especialidad	frito	provecho	traer

Cliente: ¿Cuál es la **1.** de la casa?
Camarero(a): El pollo. Lo servimos **2.** o **3.** .
Cliente: ¿Me puede **4.** el pollo asado, por favor?
Camarero(a): Sí, ¡cómo no! ¿Quiere un **5.** ?
Cliente: Sí, el **6.** . Y para beber, un vaso de **7.** frío. Gracias por **8.** . Muy **9.** .
Camarero(a): ¡Buen **10.** !

Expansión
Play the roles with a partner. Change the items of food that are discussed.

3 | **¿Y tú?**

Hablar
Escribir

Contesta las preguntas, indicando tus preferencias.
1. En restaurantes, ¿pides platos vegetarianos o platos con carne?
2. ¿Cuál es un plato que te gusta?
3. ¿Cómo prefieres las verduras? ¿Hervidas, fritas o crudas?
4. ¿Prefieres ir a una heladería o una pastelería? ¿Qué pides allí?

Expansión:
Teacher Edition Only
Have students answer ¿Por qué? for each item.

Más práctica Cuaderno *pp. 220–222* Cuaderno para hispanohablantes *pp. 220–223*

Get Help Online
my.hrw.com

PARA Y PIENSA **¿Comprendiste?** ¿Qué le dices al camarero si... ?
1. quieres saber qué plato especial tienen   **2.** él hizo un buen trabajo

Differentiating Instruction

Inclusion

Clear Structure Remind students of the term **plato principal** so they can categorize the new food items they're learning. Have them write each food or drink on an index card and sort them into piles: one pile each for **bebida, entremés, plato principal,** and **postre.**

Multiple Intelligences

Logical/Mathematical Bring in a number of supermarket flyers (preferably in Spanish) and have groups of students find the prices of different main-dish ingredients included in the vocabulary. Have them sequence the menu items from **más barato** to **más caro.**

VOCABULARIO en contexto

¡AVANZA! **Goal:** Focus on tío Vicente's instructions to the kids in the following scene. Then tell someone how to set a table. *Actividades 4–5*

♻ *¿Recuerdas?* Prepositions of location p. R9

Telehistoria escena 1

@HOMETUTOR my.hrw.com **View, Read and Record**

STRATEGIES

Cuando lees
Make it personal How many types of food are mentioned or implied in this scene? Which ones would you like to try, including those at the **heladería** and the **pastelería**?

Cuando escuchas
Listen for the real meaning What do you think Beatriz really means when she whispers about working in other places? Is she serious or playful? How do you know?

Tío Vicente / Beatriz / José Luis

Tío Vicente: Debéis poner la servilleta aquí. El tenedor va a la izquierda. El cuchillo va encima de la servilleta. La cuchara al lado del cuchillo. Y... el vaso aquí.

Beatriz: *(whispering to José Luis)* ¿Por qué estamos trabajando aquí?

José Luis: ¡Porque necesitamos más dinero para terminar la película!

Tío Vicente: A escribir...

Beatriz: *(whispering)* ¿Por qué no trabajamos en una heladería? ¡Así, mientras trabajamos, podemos comer helado!

Tío Vicente: A escribir. Las especialidades para hoy son: filete a la parrilla, pollo asado y espaguetis.

Beatriz: *(whispering)* O en una pastelería. ¡Mmmm! *(José Luis shushes her.)*

Tío Vicente: De entremés tenemos gazpacho. *(José Luis makes a face.)* Tenéis que servirlo. No tenéis que comerlo.

Beatriz: Muy amable, gracias.

Continuará... p. 286

Differentiating Instruction

Pre-AP

Expand and Elaborate Talk about the concept of a **menú del día,** where for a set price, diners are given an appetizer, a main dish, a dessert and sometimes a beverage. Have students expand on the daily specials mentioned by Tío Vicente by including two other courses and a drink, using old and new vocabulary.

English Learners

Provide Comprehensible Input Before reading the Telehistoria, check students' comprehension of the English terms in parentheses. Pantomime making a face or "shushing" to reinforce meaning.

¡AVANZA! **Objectives**
- Understand lesson vocabulary in context.
- Learn to describe a table setting.

Core Resources
- Video Program: DVD 2
- Audio Program: TXT CD 6 Track 13

Presentation Strategies
- Read and discuss strategies before reading or listening to the Telehistoria.
- Check for comprehension before showing video.

STANDARD
1.2 Understand language
21ST CENTURY Flexibility and Adaptability, Recycle

Warm Up Projectable Transparencies, 5-20

¿Qué es? Indica si cada oración se refiere a un(a) (a.) entremés, (b.) postre, o (c.) bebida.
1. Me encanta el flan.
2. ¿Prefieres helado o un pastel?
3. El té es más rico que el café.
4. El gazpacho es un plato de España.

Answers: 1.b; 2.b; 3.c; 4.a

Long-term Retention
 Recycle

Tell students to imagine they work in a restaurant and have to tell a new kitchen staff person how to make **espaguetis.** Have students write down instructions using vocabulary and grammar from Unit 5, Lesson 1.

@HOMETUTOR **VideoPlus** my.hrw.com

Video Summary

Beatriz and José Luis are going to wait tables in Tío Vicente's. As Tío Vicente gives instructions, Beatriz nervously makes comments to José Luis about other jobs they might enjoy more.

VOCABULARIO

Objectives

- Demonstrate comprehension of the Telehistoria.
- Talk about setting a table.
- Recycle: prepositions of location.

Core Resource

- Audio Program: TXT CD 6 Track 13

Practice Sequence

- **Activity 4:** Telehistoria comprehension
- **Activity 5:** Vocabulary production: terms for utensils; Recycle: Prepositions of location

 STANDARDS

1.1 Engage in conversation, Act. 5
1.2 Understand language, Act. 4
1.3 Present information, Act. 5

21st Century Creativity and Innovation, Act. 5: Expansión

Long-term Retention
Connect to Previous Learning

Remind students that in the last chapter they learned to attach object pronouns to the end of affirmative commands. Point out that they are doing the same thing in Activity 5.

Get Help Online
More Practice
my.hrw.com

✓ Ongoing Assessment

PARA Y PIENSA **Intervention** If a student has one or both items in the Para y Piensa wrong, give him or her two more items to try. For additional practice, use Reteaching & Practice Copymasters URB 5, pp. 12, 14, 21.

💻 **Answers** Projectable Transparencies, 5-28

Activity 4
1. a **2.** c **3.** c **4.** b

Activity 5 Answers may vary slightly.
1. ¿Dónde pongo el tenedor? / Ponlo encima de la servilleta.
2. ¿Dónde pongo el cuchillo? / Ponlo entre el plato y la cuchara.
3. ¿Dónde pongo la cuchara? / Ponlo a la derecha del cuchillo.
4. ¿Dónde pongo el vaso? / Ponlo encima y a la derecha del plato.

Para y piensa
1. un tenedor; un cuchillo 2. una cuchara

---

4 | *Comprensión del episodio* Los nuevos camareros

Escuchar Leer | Escoge la respuesta correcta.

1. Tío Vicente les enseña a José Luis y a Beatriz dónde poner _____ .
  a. la servilleta, el tenedor, el cuchillo, la cuchara y el vaso
  b. las especialidades para hoy
  c. el dinero que les dan los clientes

2. Una de las especialidades para hoy es _____ .
  a. chuletas de cerdo
  b. paella
  c. espaguetis

3. José Luis y Beatriz trabajan en el restaurante porque necesitan _____ .
  a. aprender a cocinar
  b. comer helado
  c. dinero para hacer su película

4. A José Luis no le gusta _____ .
  a. la carne molida
  b. el gazpacho
  c. el filete a la parrilla

Expansión:
Teacher Edition Only
Have students write three more questions about the Telehistoria for a classmate to answer.

---

5 | ¿Dónde pongo...? ♻ **¿Recuerdas?** Prepositions of location p. R9

Escribir Hablar  | Explícale a tu compañero(a) cómo poner la mesa.

modelo: la servilleta

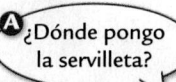 Ⓐ ¿Dónde pongo la servilleta? Ⓑ Ponla al lado del plato.

1. el tenedor   **3.** la cuchara
2. el cuchillo   **4.** el vaso

Expansión
Draw an unusual place setting, and don't let your partner see it. Your partner will draw it based on your verbal instructions. Compare your drawings.

Get Help Online
my.hrw.com

PARA Y PIENSA **¿Comprendiste?** ¿Qué usas para comer las siguientes comidas?
1. Como un filete con _____ y _____ . **2.** Como caldo con _____ .

282 Unidad 5 España
doscientos ochenta y dos

Differentiating Instruction

Inclusion

Multisensory Input/Output After reviewing Activity 5, hand out a plastic spoon, fork, knife, plate, cup, and a napkin to each student. Give commands such as **Pongan la cuchara en el vaso,** or **Pongan la servilleta debajo del plato.** After students follow the directions for a while, ask volunteers to give the commands to the rest of the class.

Heritage Language Learners

Writing Skills Discuss Beatriz's suggestion about working in an **heladería** or **pastelería.** Have students write a journal entry about a job they would like to have someday. Have them say why they think it would be fun or interesting. Also encourage them to write about what they could do now that might help them get such a job in the future.

Presentación de GRAMÁTICA

¡AVANZA! **Goal:** Learn affirmative and negative words and how to use them correctly. Then use them to talk about restaurant offerings and to discuss your plans for the weekend. *Actividades 6–9*

English Grammar Connection: To express a negative idea in English, you often use a **negative word** followed by an **affirmative word.** In Spanish, negative ideas sometimes require two **negative words,** called a **double negative.**

Affirmative and Negative Words

Indefinite words refer to non-specific people, things, or situations and can be **affirmative** or **negative.** How do you use them in Spanish?

Here's how:

Affirmative Words		Negative Words	
algo	*something*	nada	*nothing*
alguien	*someone*	nadie	*no one*
algún/alguno(a)	*some*	ningún/ninguno(a)	*none, not any*
o... o	*either . . . or*	ni... ni	*neither . . . nor*
siempre	*always*	nunca	*never*
también	*also*	tampoco	*neither, either*

Alguno(a) and **ninguno(a)** have different forms before masculine singular **nouns.**

alguno *becomes* → **algún**   ninguno *becomes* → **ningún**

¿Quieres **algún** filete?   No, no quiero **ningún** plato con carne.
*Do you want **some** steak?*   *No, I do **not** want **any** dish with meat.*

A **double negative** is required in Spanish when **no** comes before the verb. Indefinite words that follow **no** must be negative.

No veo **nada.**   *I do **not** see **anything.***

When **alguien** or **nadie** is the object of a verb, it is preceded by the personal **a.**

¿Conoces **a alguien** de España?   No, no conozco **a nadie** de España.
*Do you know **anyone** from Spain?*   *No, I do **not** know **anyone** from Spain.*

Más práctica
Cuaderno *pp. 223–225*
Cuaderno para hispanohablantes *pp. 224–226*

@**HOMETUTOR** my.hrw.com
Leveled Practice

Differentiating Instruction

Multiple Intelligences

Visual Learners Hand out a newspaper article and two colors of highlighters. Have students skim the article and highlight all the instances of affirmative words in one color and all negative words in a second color, starting with the word **no** and including the verb.

English Learners

Provide Comprehensible Input Simplify the terms **affirmative** and **negative** for students by connecting them to the words **sí** and **no.** Reinforce that a double negative is usually incorrect in English, but it is correct in Spanish.

· Present affirmative and negative words.
· Use affirmative and negative words to talk about restaurant menu items and weekend plans.

Core Resource
· *Cuaderno,* pp. 223–225

Presentation Strategy
· Read the English Grammar Connection and have a student paraphrase it.

STANDARD
4.1 Compare languages

Warm Up Projectable Transparencies, 5-21

¿Qué pasó? Pon en orden los eventos siguientes, según la Telehistoria.
a. La cara de José Luis indica que a él no le gusta el gazpacho.
b. Tío Vicente explica cómo poner la mesa.
c. Beatriz quiere trabajar en una heladería.
d. José Luis dice que necesitan más dinero para hacer la película.
e. Escriben las especialidades del día.

Answers: 1.b; 2.d; 3.c; 4.e; 5.a

Comparisons
English Grammar Connection

Help students compare English and Spanish to remember meanings of terms. Remind them that most negative words begin with the letter *n* in English (*nobody, nothing, never*) as well as in Spanish (**nadie, nada, nunca**).

✓ Ongoing Assessment

Alternative Strategy Instead of reading through the list of affirmative and negative words, have students close their books while you use each word in a sentence. Have students say whether the words are affirmative or negative, write them on the board, and copy them into their notebooks under the appropriate heading (Affirmative/Negative).

Objectives
- Practice using affirmative and negative expressions.
- **Culture:** artistic inspiration.

Core Resource
- *Cuaderno,* pp. 223–225
- Audio Program: TXT CD 6 Track 14

Practice Sequence
- **Activities 6, 7:** Controlled practice: affirmatives and negatives
- **Activity 8:** Transitional practice: affirmatives and negatives
- **Activity 9:** Open-ended practice: affirmatives and negatives

STANDARDS
1.1 Engage in conversation, Acts. 6, 8, 9
1.2 Understand language, Acts. 7, 8, CC
1.3 Present information, Act. 7
2.2 Products and perspectives, CC
3.1 Knowledge of other disciplines, CC
21st CENTURY Social and Cross-Cultural Skills, Multiple Intelligences

Comparación cultural

Essential Question
Suggested Answer A veces los artistas escogen temas basados en las experiencias que tenían cuando eran niños.

Background Information
La niña con pasteles represents a return to traditional figures for Blanchard, although its abstract nature is reminiscent of Diego Rivera, with whom she shared a studio in Paris.

Answers Projectable Transparencies, 5-28 and 5-29

Activity 6
1. Algún cliente me va a decir <<Muy amable>>./Nadie te va a decir nada.
2. Alguien va a darme una buena propina./Nadie va a darte nada.
3. Los clientes van a pedir el pollo asado o los espaguetis./Los clientes no van a pedir ni el pollo asado ni los espaguetis.
4. También van a pedir el filete a la parilla./Tampoco van a pedir el filete a la parilla.
5. De postre servimos algo sabroso hoy./De postre no servimos nada sabroso hoy.
6. No vamos a tener ningún problema./Vamos a tener algún problema.

Answers continue on p. 285

284

✳ Práctica de GRAMÁTICA

6 ¡Qué pesimista!

Hablar
Escribir

Tú y tu amigo(a) pesimista trabajan en un restaurante. ¿Qué dicen? Usen palabras afirmativas o negativas.

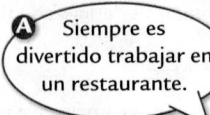

A Siempre es divertido trabajar en un restaurante.

B Nunca es divertido trabajar en un restaurante.

1. Algún cliente me va a decir: «Muy amable.»
2. Alguien va a darme una buena propina.
3. Los clientes van a pedir o el pollo asado o los espaguetis.
4. También van a pedir el filete a la parrilla.
5. De postre servimos algo sabroso hoy.
6. No vamos a tener ningún problema.

Expansión:
Teacher Edition Only Have students write two more optimistic sentences using negative words. (¡No hay nadie más amable que mi profesor!)

7 ¡Me encanta el flan!

Escuchar
Escribir

Escucha lo que dice Beatriz e indica si las oraciones son ciertas o falsas. Corrige las oraciones falsas.

1. No hay nadie famoso en la familia de Beatriz.
2. Si algún día tienes hambre, debes comer en la casa de Beatriz.
3. Nadie cocina como el tío de Beatriz.
4. La madre y la abuela de Beatriz preparan comidas sabrosísimas.
5. No hay nada más rico que el flan que hace Beatriz.

🎧 Audio Program
TXT CD 6 Track 14
Audio Script, TE
p. 275B

Expansión
Create two additional optimistic statements and two pessimistic statements.

Comparación cultural

La inspiración artística

¿*Cómo escogen* (choose) *los artistas los temas de sus pinturas?* La artista española María Blanchard estudió pintura en Madrid, **España** y París, Francia. Era amiga del pintor mexicano Diego Rivera y otros artistas famosos. Además *(besides)* de pintar, enseñó clases de arte. Con el dinero que recibió de la venta *(sale)* de sus pinturas, Blanchard pudo ayudar a su familia, y su hermana y sus hijos vinieron a vivir con ella. Uno de sus temas preferidos era escenas de familias y niños. En esta pintura vemos una chica joven que está probando unos postres y tartas dulces.

Compara con tu mundo ¿Qué piensas de la pintura? ¿Representa un día especial? ¿Qué comes en un día especial para ti?

La niña con pasteles (circa 1921), María Blanchard

Differentiating Instruction

Pre-AP
Support Ideas with Details Have students work in pairs to examine the painting by María Blanchard and describe it with as many affirmative and negative expressions as possible, such as **No hay ninguna amiga con la chica. Alguien tiene un cumpleaños.** Have them record their sentences and share them with the class before handing them in.

English Learners
Provide Comprehensible Input The rules for using affirmative and negative words may be difficult for students still mastering English. Allow new English speakers to consult dictionaries to gain an understanding of the abstract terms.

8 ¡Venga a vernos!

Leer
Hablar
Escribir

Lee este anuncio del restaurante Casa Isabel y contesta las preguntas.

Casa Isabel ¡Venga a vernos!

Siempre estamos cocinando algo delicioso en el restaurante Casa Isabel. No hay nada como nuestro gazpacho, un entremés sabrosísimo. También tenemos algunas especialidades riquísimas de la casa, como nuestra paella grandísima- ¡es única! Si le gusta la carne, puede pedir o las chuletas de cerdo o el filete a la parrilla. ¡Nunca va a encontrar carnes más frescas y sabrosas! Servimos platos vegetarianos, como los espaguetis. ¡Nadie prepara espaguetis como éstos! Si prefiere algo pequeño, tenemos un rico caldo de pollo con verduras. En fin, no hay ningún otro restaurante como el nuestro, ¡ni en España ni en todo el mundo!

Horas Comida: 12:00–16:00 Cena: 20:00–24:00 Avenida América 20 • Toledo Tel: 925-555-222

1. ¿Es verdad que nunca preparan comida deliciosa en el restaurante Casa Isabel?
2. ¿Hay algún entremés sabroso? ¿Cuál es?
3. ¿El anuncio recomienda la paella? ¿Cómo sabes?
4. Si alguien no tiene mucha hambre, ¿qué puede pedir?
5. ¿Por qué son especiales los platos con carne? ¿Y los espaguetis?
6. ¿Hay muchos restaurantes como éste? ¿Por qué?

Expansión:
Teacher Edition Only
Have students take the part of a competing restaurant and answer each question from the opposite point of view.

9 ¿Qué vais a hacer?

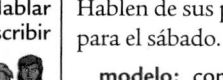

Hablar
Escribir

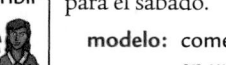

Hablen de sus planes para el sábado.

A ¿Tu y tu amigo(a) vais a comer algo en un restaurante?

B No, no vamos a comer nada en un restaurante. (Sí, vamos a comer pollo asado en un restaurante.)

modelo: comer algo en un restaurante

1. ver alguna película nueva
2. visitar a alguien
3. comprar algo
4. mirar la televisión
5. ir a alguna fiesta
6. hacer algo interesante

Expansión
For your "yes" answers, describe your plans further. For "no" answers, explain why you will not do the activity.

Más práctica   Cuaderno *pp. 223–225*   Cuaderno para hispanohablantes *pp. 224–226*

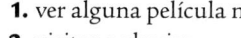

Get Help Online
my.hrw.com

PARA Y PIENSA

¿Comprendiste? Da lo contrario *(opposite)* de…

1. alguien: _____
2. nunca: _____
3. ningún: _____
4. algo: _____
5. o… o: _____
6. también: _____

Lección 2
doscientos ochenta y cinco   **285**

Differentiating Instruction

Multiple Intelligences

Kinesthetic Discuss the fact that a gesture which is benign or meaningless in one culture might be offensive in another. Talk about moving the index finger back and forth when making a negative statement. In the United States this may be interpreted as rude or condescending. In parts of Spain, however, the gesture is common.

Slower-paced Learners

Personalize It Have students evaluate the advertisement for Casa Isabel, stating whether it would win their business and why. Have them write down at least three specific portions of the text from the ad and comment on them, indicating any changes that they might suggest to the restaurant owner.

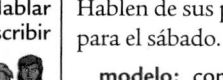

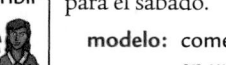

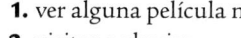

✓ Ongoing Assessment

Get Help Online
More Practice
my.hrw.com

PARA Y PIENSA

Intervention If students have more than one error in Para y Piensa, they should make flash cards with affirmative words on one side and their opposites on the other. For additional practice, use Reteaching & Practice Copymasters URB 5, pp. 15, 16.

Answers Projectable Transparencies, 5-28 and 5-29

Answers continued from p. 284

Activity 7 Answers will vary. Examples:
1. Falsa. Hay alguien famoso en la familia de Beatriz.
2. Falsa. Debes comer en el restaurante del Tío Vicente.
3. Cierta.
4. Falsa. El Tío Vicente cocina comidas sabrosísimas.
5. Falsa. No hay nada más rico que el flan que hace el Tío Vicente.

Activity 8
1. No, siempre preparan comida deliciosa.
2. Sí, hay un entremés sabroso. Es el gazpacho.
3. Sí, el anuncio recomienda la paella. Dice que es única.
4. Si alguien no tiene mucha hambre, puede pedir el caldo de pollo con verduras.
5. Los platos con carne son especiales porque son frescos y sabrosos. Los espaguetis son especiales porque es un plato vegetariano.
6. No, no hay ningún restaurante como éste, porque su comida es la mejor.

Activity 9 Questions begin with ¿Vais a ...?
Answers vary but should follow this format:
1. No, no vamos a ver ninguna película./Sí, vamos a ver...
2. No, no vamos a visitar a nadie./Sí, vamos a visitar a...
3. No, no vamos a comprar nada./Sí, vamos a comprar...
4. No, no vamos a mirar nada en la televisión./ Sí, vamos a mirar...
5. No, no vamos a ninguna fiesta./Sí, vamos a la fiesta de...
6. No, no vamos a hacer nada interesante./ Sí, vamos a...

Para y piensa
1. nadie
2. siempre
3. algún
4. nada
5. ni...ni
6. tampoco

285

Objective

· Practice using affirmative and negative words in context.

Core Resources

· Video Program: DVD 2
· Audio Program: TXT CD 6 Track 15

Presentation Strategies

· Read the Telehistoria as a class to gain an overview.
· Play the audio three times as students apply the Cuando escuchas Strategy.

Practice Sequence

· **Activity 10:** Telehistoria comprehension
· **Activity 11:** Transitional practice: affirmative and negative words
· **Activity 12:** Open-ended practice: affirmative and negative words

STANDARDS

1.1 Engage in conversation, Acts. 11, 12
1.2 Understand language, Act. 10
1.3 Present information, Act. 11

Collaboration, Role-Playing and Skits; **Critical Thinking and Problem Solving,** Pre-AP

Warm Up Projectable Transparencies, 5-21

Lo contrario Empareja cada palabra con la palabra con el sentido contrario.

1. alguien
2. o... o
3. también
4. algo
5. algún / alguno(a)
6. siempre

a. nunca
b. ningún / ninguno(a)
c. nada
d. nadie
e. tampoco
f. ni... ni

Answers: 1.d; 2.f; 3.e; 4.c; 5.b; 6.a

Video Summary

@HOMETUTOR
VideoPlus
my.hrw.com

Beatriz's first day at the restaurant is going poorly. We hear one of the customers asking if anybody is working there. When Beatriz gets to him, she confuses the ways that the different dishes are prepared. After walking away from the table, she forgets what the customer ordered.

▶❙ ❙❙

286

GRAMÁTICA en contexto

Goal: Notice the affirmative and negative words in Beatriz's conversation with a restaurant customer. Then, use affirmative and negative words to talk about restaurants in your community. *Actividades 10–12*

Telehistoria escena 2

@HOMETUTOR
my.hrw.com
View, Read and Record

STRATEGIES

Cuando lees
Read for specific details While reading, identify and count the errors Beatriz makes while serving. What do you think her problem is: little knowledge, lack of interest, or something else?

Cuando escuchas
Alternate general and focused attention Use general and focused attention for understanding and memory. Listen three times, placing attention on (a) the scene, (b) the customer, (c) Beatriz.

VIDEO DVD

AUDIO

Cliente

Cliente: ¿Nadie trabaja aquí? ¿Cuál es la especialidad de la casa?

Beatriz: Ninguna. Pero las chuletas de cerdo están muy buenas.

Cliente: ¿Cómo las preparan?

Beatriz: *(searching her notes)* Las preparan...o hervidas en caldo, o molidas y batidas con huevo. *(Customer looks shocked; Beatriz checks again.)* No. Perdón. Están crudas.

Cliente: *(disgusted)* ¿Y el filete también está crudo?

Beatriz: *(reading her notes)* Lo preparan frito en aceite con algo...alguna verdura, creo.

Cliente: No me gusta ni el pollo asado ni el plato vegetariano. Me gustaría la paella.

Beatriz: ¡Excelente! ¿Y para beber? ¿Un refresco?

Cliente: No, gracias.

Beatriz: ¿Tal vez un té frío con limón?

Cliente: No, tampoco. Nada, gracias.

Beatriz: Muy bien. *(walks away then returns)* Perdone. ¿Qué pidió?

Cliente: ¡La PAELLA!

Continuará... p. 291

También se dice

España Beatriz recomienda las chuletas **de cerdo.** En otros países la carne de cerdo es:
·**México, Cuba** el puerco
·**Chile, Ecuador, Perú** el chancho
·**Venezuela** el cochino
·**El Salvador** el cuche

286
Unidad 5 España
doscientos ochenta y seis

Differentiating Instruction

Pre-AP

Support Ideas with Details The strategy asks students to speculate on why Beatriz is having a hard time with her new job. Advanced students should support their theory with a well-reasoned argument.

Inclusion

Metacognitive Support After a first reading, have students flag unfamiliar words with sticky notes. Then play the audio and talk as a class about the main idea. Have students look at their flagged words and see if the meanings are clear. If necessary, let them look up their flagged words in a dictionary.

10 Comprensión del episodio   En el restaurante

scuchar
Leer

Empareja la descripción con la persona.

1. Quiere saber cómo preparan las chuletas de cerdo.
2. No le gusta ni el pollo asado ni el plato vegetariano.
3. Hace la pregunta, «¿Nadie trabaja aquí?»
4. Dice que las chuletas están crudas.
5. No comprende bien lo que escribió.
6. Dice que no hay ninguna especialidad.
7. Pide la paella.
8. No pide nada para beber.

Beatriz

Cliente

Expansión:
Teacher Edition Only
Have students describe the other character's response to each line.

11 Una investigación

Hablar
Escribir

Alguien se llevó una receta secreta del chef Vicente. Contesta las preguntas del detective desde la perspectiva del chef. Usa palabras negativas.

modelo: ¿Alguien trabaja aquí toda la noche?
No, **nadie** trabaja aquí toda la noche.

1. ¿Las ventanas siempre están abiertas por la noche?
2. ¿Hay algún perro aquí?
3. ¿Algo especial pasó en el restaurante anoche?
4. ¿Alguien habló con usted en la cocina?
5. ¿Usted vio a alguien nervioso?
6. ¿Tiene usted alguna pregunta para mí?

Expansión:
Teacher Edition Only
Have students write what the detective might conclude from each statement.

12 Los restaurantes

Hablar

Hablen de tres restaurantes de su comunidad. ¿Cuál prefieres? Usen palabras afirmativas y negativas.

A Me encanta comer en El Arco. Siempre tienen algo delicioso.

B Pues, a nadie de mi familia le gusta comer allí. La comida nunca está caliente.

C A mí tampoco me gusta comer en El Arco. El pollo frito no está bien cocido y tiene un sabor muy...

Expansión
Write down your group's opinion of one of the restaurants and share it with the class. Include at least three affirmative or negative words.

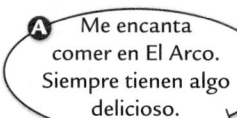
PARA Y PIENSA

Get Help Online
my.hrw.com

¿Comprendiste? Escribe lo contrario en español:
1. Voy a pedir **algo** frito.   2. **Nadie** me dio una buena propina.

Differentiating Instruction

Heritage Language Learners

Literacy Skills Beatriz mentions some unconventional ways to prepare pork chops. Have native speakers find an interesting pork recipe in Spanish. Have them use a dictionary to look up unfamiliar words. Then have them write why it would or would not be an easy recipe to follow, using affirmative and negative words.

Slower-paced Learners

Memory Aids Have students repeat correct answers chorally when going over homework. Draw attention to required double negatives by having students circle them in their homework. Pair students up to read through activities a second time after being corrected.

Role-Playing and Skits

Have students form groups of three and write a skit, wherein the customer has decided to order the very unique sounding **chuleta molida y batida con huevo,** and the kitchen staff tries to accommodate him. Remind students that they can go back to Lesson 1 to review cooking vocabulary and commands.

Get Help Online
More Practice
my.hrw.com

✓**Ongoing Assessment**

PARA Y PIENSA

Quick Check Draw students' attention to the double negative by having them correct their own papers for **Activity 11.** For additional practice, use Reteaching & Practice Copymasters URB 5, pp. 15, 17.

Answers Projectable Transparencies, 5-29

Activity 10
1. Cliente 3. Cliente 5. Beatriz 7. Cliente
2. Cliente 4. Beatriz 6. Beatriz 8. Cliente

Activity 11 Answers will vary.
1. No, las ventanas nunca están abiertas por la noche.
2. No, no hay ningún perro aquí.
3. No, nada especial pasó en el restaurante anoche.
4. No, nadie habló conmigo en la cocina anoche.
5. No, no vi a nadie nervioso.
6. No, no tengo ninguna pregunta para usted.

Activity 12 Answers will vary, but should include all members' opinions on a given restaurant, using affirmative and negative words. Example:
—A mí siempre me gusta cenar en Papa Gallo.
—A mí, no. Nunca tienen lo que yo quiero pedir.
—A mí tampoco me gusta. Ni el servicio ni la comida vale el precio.

Para y piensa
1. No voy a pedir nada frito.
2. Alguien me dio una buena propina.

¡AVANZA! **Objective**
· Present double object pronouns.

Core Resource
· *Cuaderno,* pp. 226–228

Presentation Strategies
· Encourage students to take notes as you explain the grammar point.
· Have students repeat sentences containing double object pronouns.

 STANDARD
4.1 Compare languages

💻 **Warm Up** Projectable Transparencies, 5-22

¿Qué palabra? Completa las oraciones con la palabra apropiada.
1. ¿Hay **algo/algún** camarero en el restaurante?
2. No, no tenemos **ninguna/alguna** receta española.
3. Sí, conozco bien a los maestros. ¿**También/Tampoco** conocen bien a ellos?
4. **Siempre/Nunca** hablamos con sus hermanos. Somos amigos.
5. Pues, **nadie/nada** sabe dónde estaban.

Answers: 1. algún; 2. ninguna; 3. También; 4. Siempre; 5. nadie

Long-term Retention
♻ **Recycle**

Remind students again of the difference between direct and indirect object pronouns. (See Unit 1, Lesson 1). List object pronouns on the board to help students know what you're talking about when you refer to one.

❋ Presentación de GRAMÁTICA

¡AVANZA! **Goal:** Learn how to place two object pronouns in a sentence. Then use both pronouns to talk about food and service. *Actividades 13–16*

♻ **¿Recuerdas?** Pronoun placement with commands p. 264

English Grammar Connection: When two object pronouns are used in the same sentence in English, the **direct object pronoun** often appears first after the verb, and the **indirect object pronoun** becomes the object of a preposition.

The waiter brings **Elena the bill.**   The waiter brings **it to her.**

Double Object Pronouns

ANiMaTeDGRaMMaR
my.hrw.com

In Spanish, **direct object pronouns** and **indirect object pronouns** appear before the **conjugated verb.** How do you place both in the same sentence?

Here's how: In sentences with both object pronouns, the **indirect object pronoun** comes first.

La camarera **nos trajo el caldo** a **Juan** y a **mí.**
The waitress brought the broth to Juan and me.

indirect object ⌐ ⌐ direct object
La camarera **nos lo trajo.**
The waitress brought it to us.

When a conjugated verb appears with an **infinitive** or a verb in the **-ndo** form, you can put the **pronouns** *before* the conjugated verb, or you can *attach* them to the **infinitive** or **-ndo** form.

before ⌐
Me los vas a **pedir.**   *or*   *attached* ⌐ Vas a **pedírmelos.**

Me los estás **pidiendo.**   *or*   Estás **pidiéndomelos.**

When you attach pronouns, you need to add an **accent** to the stressed vowel.

If both pronouns start with the letter **l**, change the **indirect object pronoun** to **se.**

Le pedí **la cuenta** al **camarero.**   le *becomes* ➤ se   **Se la** pedí.
*I asked the **waiter** for the **bill.***   *I asked **him** for **it.***

¿**Les** puedes llevar **el té** a esas **mujeres?**   les *becomes* ➤ se   ¿Puedes llevár**selo?**
*Can you take the **tea** to those **women?***   *Can you take **it** to **them?***

Más práctica
Cuaderno *pp. 226–228*
Cuaderno para hispanohablantes *pp. 227–230*

@**HOMETUTOR** my.hrw.com
Leveled Practice

Differentiating Instruction

Multiple Intelligences
Linguistic/Verbal The French phrase *C'est la vie* is heard often enough that some students may be able to use it as a mnemonic to remember which pronoun is sometimes converted to **se. Se + la** is an allowable construction; **la + se** is not. Be sure that students are familiar with the French phrase.

English Learners
Provide Comprehensible Input Use concrete objects and students in the room to present the concept of object pronouns. When writing a sentence on the board to be simplified with pronouns, draw arrows from the noun or noun phrase to the pronoun that replaces it.

Práctica de GRAMÁTICA

13 | ¿A quién?

Hablar
Escribir

Hay un grupo de siete clientes y el camarero le da instrucciones al asistente. ¿Qué es lo que dice? Sigue el modelo.

modelo: ¿A quién le vamos a servir el gazpacho? / el señor
Vamos a servírselo al señor. (Se lo vamos a servir al señor.)

1. ¿A quién le vamos a servir el entremés? / a todos
2. ¿A quién le vamos a dar la especialidad de la casa? / a la señora
3. ¿A quién le vamos a traer los filetes a la parrilla? / a esos hombres
4. ¿A quién le vamos a traer más servilletas? / al chico
5. ¿A quién le vamos a poner otro tenedor? / a la abuela
6. ¿A quién le vamos a dar la cuenta? / a los padres

Expansión:
Teacher Edition Only
For each item, have students move the pronouns to the opposite side of the conjugated verb. (**Vamos a servírselo** becomes **Se lo vamos a servir**, and vice versa.)

14 | ¡Sírvanselo! ♻ ¿*Recuerdas?* Pronoun placement with commands p. 264

Hablar
Escribir

Los señores Cruz están dando una fiesta en un restaurante y no están de acuerdo *(they don't agree)*. ¿Qué le dicen al camarero?

modelo: la señora / el señor

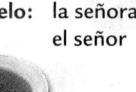

Camarero ¿Le sirvo el caldo a la señora?

Sra. Cruz Sí, sírvaselo.

Sr. Cruz No, no se lo sirva a la señora. Sírvaselo al señor.

1. la chica / el chico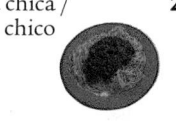
2. el chico / la chica
3. los señores / nosotros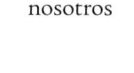

4. Sara y Juan / mí
5. ustedes / ellos
6. los jóvenes / las señoras

Expansión
Using double object pronouns, give a command to the waiter for each item as if you were the guest(s).

Pronunciación Las letras h, g y j

 AUDIO

We know that the Spanish **h** is silent. To form the sound that approximates the English *h*, Spanish uses the letter **g** (before **e** and **i**) or **j**. Listen and repeat.

h →	hola	huevo	zanahoria	hervido
g →	Geraldo	vegetariano	página	gimnasio
j →	junio	jardín	ajo	mujer

Lección 2
doscientos ochenta y nueve **289**

Differentiating Instruction

Heritage Language Learners

Increase Accuracy Native speakers may have difficulty spelling words with *h*, *g*, and *j*. Give them additional practice by dictating the words under Pronunciación for them to spell, instead of having them pronounce what they see.

Inclusion

Frequent Review/Repetition At-risk students might benefit from extended practice with examples of the Spanish *h, g* and *j*. The following are words you might want to write on the board for practice in pronunciation: **h**ace, **h**ermana, **v**ehículo, **h**ora, **h**ay, **p**rohibir, **h**ola, **h**ielo, **g**ente, **G**irona, **g**itano, **v**egetales, **g**eneral, **j**ueves, **l**ujo, **l**enguaje, **e**jemplo.

Objectives
- Practice using formal commands with pronouns.
- Practice pronouncing and spelling words with the letters *h*, *g* and *i*.
- Recycle: Pronoun placement

Core Resource
- Audio Program: TXT CD 6 Track 16

Practice Sequence
- **Activity 13:** Controlled practice: double object pronouns
- **Activity 14:** Transitional practice: double object pronouns; Recycle: pronoun placement with commands

STANDARDS

1.1 Engage in conversation, Act. 14
1.3 Present information, Acts. 13, 14
4.1 Compare languages, Acts. 13, 14

🖥 **Answers** Projectable Transparencies, 5-30

Activity 13
1. Vamos a servírselos. (Se lo vamos a servir.)
2. Vamos a dársela. (Se la vamos a dar.)
3. Vamos a traérselos. (Se los vamos a traer.)
4. Vamos a traérselas. (Se las vamos a traer.)
5. Vamos a ponérselo. (Se lo vamos a poner.)
6. Vamos a dársela. (Se la vamos a dar.)

Activity 14 Answers will vary.
1. -¿Le sirvo los espaguetis a la chica?
   -Sí, sírvaselos.
   -No, no se los sirva. Sírvaselos al chico.
2. -¿Le sirvo pollo asado al chico?
   -Sí, sírvaselo.
   -No, no se lo sirva. Sírvaselo a la chica.
3. -¿Les sirvo la paella a los señores?
   -Sí, sírvasela.
   -No, no se la sirva. Sírvanosla a nosotros.
4. -¿Les sirvo la tarta de chocolate a Sara y Juan?
   -Sí, sírvasela.
   -No, no se la sirva. Sírvamela a mí.
5. -¿Les sirvo el flan a ustedes?
   -Sí, sírvanoslo.
   -No, no nos lo sirva. Sírvaselo a ellos.
6. -¿Les sirvo la chuleta de cerdo a los jóvenes?
   -Sí, sírvasela.
   -No, no se la sirva. Sírvasela a las señoras.

Objectives
· Practice using double object pronouns.
· **Culture:** Compare Spanish meal times to those in Uruguay and El Salvador.

Core Resource
· *Cuaderno,* pp. 226–228
· Audio Program: TXT CD 6 Track 17

Practice Sequence
· **Activity 15:** Transitional practice: restaurant vocabulary
· **Activity 16:** Open-ended practice: asking and answering questions

 STANDARDS
1.2 Understand language, Acts. 15, 16
1.3 Present information, Act. 15
2.1 Practices and perspectives, Act. 16
4.2 Compare cultures, Act. 16
21st CENTURY Social and Cross-Cultural Skills, Compara con tu mundo

Comparación cultural

Essential Question
Suggested Answer En algunos países, comen una comida grande al mediodía y cenan muy poco. En otros países comen mucho para el desayuno y la cena pero muy poco para el almuerzo.

Get Help Online
More Practice
my.hrw.com

✓ Ongoing Assessment

PARA Y PIENSA **Intervention** If students have difficulty answering the Para y Piensa questions with double object pronouns, direct them to my.hrw.com. For additional practice use, Reteaching & Practice Copymasters URB 5, pp. 18, 19.

🖥 **Answers** Projectable Transparencies, 5-30

Activity 15 Answers will vary. Example: La chica pide la ensalada de huevos y una hamburguesa con patatas fritas, y un vaso de agua. El chico pide un sándwich de queso con verduras. Él no quiere ninguna bebida.

Activity 16 Times for meals should be:
España: desayuno (9:00 A.M.), almuerzo (3:00 P.M.), cena (9:00 P.M.)
Uruguay: desayuno (8:00 A.M.), almuerzo (1:00 P.M.), cena (8:00 P.M.)
El Salvador: desayuno (7:00 A.M.), almuerzo (2:00 P.M.), cena (6:30 P.M.)
Answers continue on p. 291.

290

---

 15 ¡No se lo recomiendo!

Escuchar
Escribir

Escucha la conversación y escribe lo que piden la chica y el chico.

Especialidades del día
Entremeses
Ensalada de verduras ✿ Ensalada de huevos
Gazpacho ✿ Tortilla de patatas

Platos principales
Cada plato viene con arroz, patatas o verduras.
Hamburguesas ✿ Pescado Vicente
Pollo a la mexicana ✿ Sándwich de queso

🎧 **Audio Program**
TXT CD 6 Track 17
Audio Script, TE
p. 275B

16 ¿Cuándo comemos?

Escribir
Hablar

Comparación cultural

Las horas de comer
¿Cómo varían (vary) los horarios de la comida entre países? En **España,** muchas personas no cenan hasta las 9:00 o las 10:00 de la noche. Comen un desayuno pequeño entre las 7:00 y las 9:00 y un almuerzo grande entre la 1:30 y las 3:30. En **Uruguay** normalmente cenan después de las 8:00. En **El Salvador** cenan más temprano, entre las 6:00 y las 7:00. En los dos países las personas desayunan entre las 7:00 y las 9:00 y almuerzan entre las 12:00 y las 2:00. Generalmente el almuerzo es la comida principal. El almuerzo y la cena pueden durar (last) una o dos horas en estos tres países.

Cenando en la Plaza Mayor de Salamanca, España

Compara con tu mundo *¿A qué hora comes el desayuno, el almuerzo y la cena? Compara tu horario con estos países.*

Pregúntale a otro(a) estudiante sobre las horas que un camarero en España, Uruguay y El Salvador le sirve las comidas diferentes.

Pistas: servir, dar, traer

A ¿En Uruguay, cuándo te sirve el almuerzo el camarero?

B El camarero me lo sirve a la una. ¿En España, cuándo...?

Más práctica Cuaderno *pp. 226–228* Cuaderno para hispanohablantes *pp. 227–230*

Get Help Online
my.hrw.com

 PARA Y PIENSA

¿Comprendiste? Contesta con pronombres de objeto directo e indirecto.
1. ¿Les vas a servir las chuletas a los señores? No, _____ .
2. ¿Me vas a traer el flan? Sí, _____ .

290 Unidad 5 España
doscientos noventa

Differentiating Instruction

Inclusion

Clear Structure Before directing students to complete Activity 16, have them organize the times from the reading selection in a chart. Suggest a three-column chart with the headings **desayuno, almuerzo,** and **cena.** This way students will be able to access the information more easily, both for the activity and for class discussion.

Pre-AP

Summarize After listening to the audio clip for Activity 15, have advanced students paraphrase the whole dialog among the two customers and the waiter, including discussion of the dishes that were not ordered, and their descriptions.

Todo junto

¡AVANZA! **Goal:** *Show what you know.* Identify the expressions José Luis and his customers use. Then use what you have learned to have a conversation with a waiter and to recommend restaurants. *Actividades 17–21*

Telehistoria completa

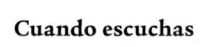 **@HOMETUTOR** my.hrw.com — **View, Read and Record**

STRATEGIES

Cuando lees

Track the change of mind As you read, notice that Beatriz's mind seems to change about the job. What causes this? Do you think the change will be permanent?

Cuando escuchas

Compare characters' speech Compare how José Luis (this scene) and Beatriz (Scene 2) talk to customers. Who is more helpful and professional? How do customers respond?

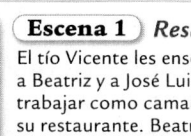

Escena 1 *Resumen*

El tío Vicente les enseña a Beatriz y a José Luis a trabajar como camareros en su restaurante. Beatriz no lo escucha.

Escena 2 *Resumen*

Beatriz empieza su nuevo trabajo, pero tiene problemas. Ella está muy desorganizada y hace muchos errores.

VIDEO DVD

AUDIO

Escena 3

José Luis: Aquí están sus filetes. ¡Buen provecho! *(A customer calls to him.)*

Cliente 2: Necesito la cuenta. ¿Me la puede traer, por favor? Tengo prisa.

José Luis nods and goes to table two.

Cliente 3: Por favor, ¿me puede traer el flan? *(to her dinner partner)* ¿Lo compartimos? *(Partner nods.)*

José Luis goes to table seven.

Cliente 4: Perdón. Gracias por atendernos. ¡Eres muy atento, y un camarero excelente!

José Luis smiles. Beatriz approaches.

José Luis: *(quickly)* Beatriz, ésta es la cuenta del señor de la mesa cinco. ¿Se la puedes dar? Y en la mesa dos quieren un flan. ¿Se lo puedes servir?

Beatriz: No quiero trabajar en un restaurante.

José Luis: Ni yo tampoco. Es un trabajo muy difícil.

Beatriz: ¿Qué podemos hacer? *(José Luis reaches into pocket and finds a fifty euro note.)* ¿Alguien te dio una buena propina?

José Luis: Sí... me la dieron unas señoras muy simpáticas de la mesa siete.

A waiter approaches with numerous plates.

Beatriz: *(brightly)* ¿Te podemos ayudar?

Lección 2
doscientos noventa y uno **291**

Differentiating Instruction

Multiple Intelligences

Logical/Mathematical Have students do Internet research to identify the current exchange ratio between the dollar and the euro. Then have them figure out how many dollars a fifty-euro note would be worth.

Heritage Language Learners

Support What They Know Discuss Beatriz's reaction to José Luís's big tip. Students may think that **¿Alguien te dio una buena propina?** sounds rather sedate. Ask students how they hear others express surprise or excitement in Spanish, and come up with a list of alternative responses.

Unidad 5 Lección 2
TODO JUNTO

¡AVANZA! **Objective**

· Present grammar and vocabulary in context.

Core Resources

· Video Program: DVD 2
· Audio Program: TXT CD 6 Track 18

Presentation Strategies

· Review the first two parts of the Telehistoria.
· Implement Cuando lees and Cuando escuchas strategies.
· Show the video, replaying as necessary.

STANDARD

1.2 Understand language

21ST CENTURY **Technology Literacy,** Multiple Intelligences (Financial Literacy)

 **Warm Up** Projectable Transparencies, 5-22

¿Qué necesitas? Beatriz le pide a José Luis que le traiga las cosas que ella necesita. Escribe sus preguntas.

1. Necesito un tenedor. _____
2. No tengo una servilleta. _____
3. Los vasos están en la cocina. _____
4. Necesito cucharas más grandes. _____
5. Necesito platos nuevos. _____

Answers: 1. ¿Me lo puedes traer? (¿Puedes traérmelo?)
2. ¿Me la puedes traer? (¿Puedes traérmela?)
3. ¿Me los puedes traer? (¿Puedes traérmelos?)
4. ¿Me las puedes traer? (¿Puedes traérmelas?)
5. ¿Me los puedes traer? (¿Puedes traérmelos?)

@HOMETUTOR **VideoPlus** my.hrw.com

Video Summary

José Luis is busy with his customers. Beatriz complains that she doesn't like waiting tables. José Luis agrees that it's hard work, but he pulls a fifty-euro tip out of his pocket, which gives Beatriz a new outlook on the benefits of restaurant work.

▶ ❙❙

 Answers Projectable Transparencies, 5-30

Answers continued from p. 290.

Para y piensa

1. No, no se las voy a servir (No, no voy a servírselas.)
2. Sí, te lo voy a traer. (Sí, voy a traértelo.)

291

Objective
· Present vocabulary and grammar in context.

Core Resources
· *Cuaderno,* pp. 229–230
· Audio Program: TXT CD 6 Tracks 13, 15, 18–20

Practice Sequence
· **Activities 17, 18:** Telehistoria comprehension
· **Activity 19:** Open-ended practice: speaking
· **Activity 20:** Open-ended practice: reading, listening, speaking
· **Activity 21:** Open-ended practice: writing

STANDARDS
1.1 Engage in conversation, Act. 19
1.2 Understand language, Acts. 17, 18
1.3 Present information, Acts. 17, 18, 19, 20

21ST CENTURY Collaboration, Act. 19; **Creativity and Innovation,** Act. 21

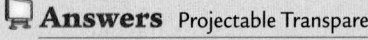

Answers Projectable Transparencies, 5-30

Activity 17
1. prisa   4. restaurante
2. un flan   5. propina
3. camarero   6. ayudar

Activity 18 Some answers will vary.
1. Están trabajando porque necesitan dinero para terminar la película de José Luis.
2. Para Beatriz el trabajo es muy difícil.
3. Algunos de los clientes de José Luis y Beatriz piden paella, filete y flan.
4. Dos señoras dicen que José Luis es muy atento y que es un camarero excelente.
5. No, no les gusta trabajar en un restaurante.
6. Al final están contentos porque José Luis recibió una buena propina.

Activity 19 Dialog will vary. (See rubric.)

Activity 20 Recommendations will vary.
Example:
He leído que el nuevo restaurante tiene especialidades excelentes. Creo que los postres no son tan buenos como las comidas.

Answers continue on p. 293.

292

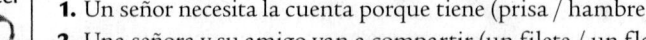

17 | *Comprensión de los episodios*   En el restaurante

Escuchar
Leer

Completa las oraciones.

1. Un señor necesita la cuenta porque tiene (prisa / hambre).
2. Una señora y su amigo van a compartir (un filete / un flan).
3. Dos señoras le dicen a José Luis que es un (chef / camarero) excelente.
4. Beatriz dice que no quiere trabajar en un (restaurante / cine).
5. Beatriz piensa que alguien le dio una buena (cuenta / propina) a José Luis.
6. Al final Beatriz y José Luis quieren (conocer / ayudar) a otro camarero.

> **Expansión:**
> Teacher Edition Only
> Ask students to write a sentence with the unused word from each pair of options.

18 | *Comprensión de los episodios*   ¡Eres muy atento!

Escuchar
Leer

Contesta las preguntas.

1. ¿Por qué están trabajando en un restaurante Beatriz y José Luis?
2. ¿El trabajo de camarera es fácil o difícil para Beatriz?
3. ¿Qué piden algunos de los clientes de Beatriz y José Luis?
4. ¿Qué dicen dos señoras de José Luis?
5. ¿A Beatriz y a José Luis les gusta trabajar en un restaurante?
6. ¿Por qué están contentos al final?

> **Expansión:**
> Teacher Edition Only
> Have students use their answers as a basis to write a summary of the three Telehistoria scenes.

19 | **¡Buen provecho!**

Digital performance space

Hablar

> **STRATEGY Hablar**
> **Decide the intonations to use** Choose each person's intonation (serious, light, factual, uncertain). Vary the intonations in your group. When ready, each person employs his or her chosen intonation. What are the effects?

Ustedes están en un restaurante. Preparen una conversación entre un(a) nuevo(a) camarero(a) y dos clientes que van a pedir un entremés, un plato principal, algo para beber y un postre. Incluyan algunos problemas. Usen un mínimo de diez expresiones del vocabulario nuevo.

> modelo: **Camarero(a):** ¿En qué les puedo servir?
> **Cliente 1:** ¿Cuál es la especialidad de la casa?
> **Camarero(a):** No sé. Un momento... La especialidad para hoy son chuletas hervidas.
> **Cliente 1:** ¿Chuletas hervidas? ¡Qué asco! No me las traiga.
> **Cliente 2:** Tampoco quiero las chuletas. ¿Me puede traer...?

> **Expansión**
> Act out your conversation, adding props. The customers should comment on the food and ask for the bill.

Differentiating Instruction

Slower-paced Learners
Peer Study Support Have students work on their script for Activity 19 in class. Let each character take responsibility for writing his or her own lines, though group members can help edit the text once he or she has finished. Remind students to check the rubric as they work.

English Learners
Increase Interaction Instead of going over Activities 17 and 18 as a whole class, have students pair with a classmate and take turns reading their answers to one another. Circulate to make sure students are reading aloud, as well as to address questions or problems that may arise.

20 | **Integración**

Leer
Escuchar
Hablar

Lee la crítica (*review*) en una revista (*magazine*) y escucha otra en la radio. Compara los dos restaurantes, decide en cuál quieres cenar y recomiéndaselo a alguien.

Fuente 1 Revista

El señor Sabor visita...
EL RESTAURANTE LA MADRILEÑA

Llegué a las 20:00 un sábado a este restaurante simple y moderno. Vi que no había nadie allí cenando, pero quería probar sus especialidades. Pedí un gazpacho y un camarero atento me lo trajo rápidamente. Estaba riquísimo y muy diferente. Después pedí el filete a la parrilla con huevo frito porque me lo recomendaron. ¡Estaba excelente! Al final quería algo dulce y pedí la tarta de chocolate, pero no estaba cocida en el centro. Le pregunté al camarero si tenían algún otro postre y me trajo el flan. Tampoco me gustó. Mi recomendación: no pida los postres. Pero las especialidades son deliciosas.

comida: ♪♪♪
decoración: ♪♪
servicio: ♪♪♪

♪ = malo   ♪♪♪♪♪ = excelente

Fuente 2 Radio

Listen and take notes
- ¿Es bello o feo el restaurante España Antigua?
- ¿Cómo es la comida?
- ¿Cuándo debes ir al restaurante? ¿Por qué?

modelo: El restaurante España Antigua me parece muy interesante. Yo te lo recomiendo. Allí sirven...

🎧 **Audio Program**
TXT CD 6 Track 19, 20 Audio Script, TE p. 275B

---

21 | **Un anuncio**

Escribir

Prepara un anuncio de radio para tu restaurante favorito (o un restaurante inventado). Incluye información sobre las especialidades, la preparación de la comida y el servicio.

modelo: ¡Visítenos en Super Sports Grill! Nuestro restaurante tiene muchas especialidades deliciosas. Servimos pizza, hamburguesas y espaguetis. Preparamos las hamburguesas con carne molida fresca. Son sabrosísimas.

Writing Criteria	Excellent	Good	Needs Work
Content	You include many details and an excellent range of vocabulary.	You include some details and a fair range of vocabulary.	The details and vocabulary are very limited.
Communication	Most of your ad is organized and easy to follow.	Parts of your ad are organized and easy to follow.	Your ad is disorganized and hard to follow.
Accuracy	Your ad has few mistakes in grammar and vocabulary.	Your ad has some mistakes in grammar and vocabulary.	Your ad has many mistakes in grammar and vocabulary.

Expansión
Post your ads in the classroom. Draw a graph showing the number of times each restaurant was chosen.

Más práctica Cuaderno *pp. 229–230* Cuaderno para hispanohablantes *pp. 231–232*

🖥 **Get Help Online**
my.hrw.com

PARA Y PIENSA

¿Comprendiste? Da tres frases que puedes usar y tres preguntas que puedes hacer si eres cliente en un restaurante.

Differentiating Instruction

Multiple Intelligences

Musical/Rhythmic Offer students the option of setting their radio advertisement in Activity 21 to music and recording it onto a tape or CD to hand in. With the student's permission, play the ad for the class, asking questions afterwards about the restaurant.

Heritage Language Learners

Regional Variations Have native speakers write their advertisement for a restaurant in their place of origin, including information on local dishes and using any appropriate regional vocabulary. Suggest that, if possible, a parent or other relative might take a look at the advertisement and make suggestions for additional authentic touches.

Long-term Retention
Pre-AP **Integration**

Activity 20 After listening and taking notes, ask students to create a Venn diagram to compare the two restaurants. Encourage them to use the graphic organizer to make their recommendations.

✓ Ongoing Assessment

Rubric Activity 20

Listening/Speaking

Proficient	Not There Yet
Student takes detailed notes and mentions most or all of the important information about the restaurants.	Student takes few notes and only mentions some of the important information about the restaurants.

To customize your own rubrics, use the *Generate Success* Rubric Generator and Graphic Organizers.

Get Help Online More Practice my.hrw.com

✓ Ongoing Assessment

PARA Y PIENSA

Peer Assessment Have students ask each other the three questions that they created in the Para y piensa activity. Encourage them to correct each other's errors. For additional practice, use Reteaching & Practice Copymasters URB 5, pp. 18, 20.

📖 **Answers** Projectable Transparencies, 5-30

Answers continued from p. 292.

Activity 21 Advertisements will vary. The following is an example:
Tienen que visitar el restaurante La sirenita. El gazpacho es la especialidad de la casa. El flan siempre está bueno. Además, no hay nadie más atento que nuestros camareros.

Para y piensa Answers will vary.
Frases: 1. Gracias por atenderme.
2. Muy amable
3. ¡Excelente! Me gustaría...
Preguntas: 1. ¿Cuál es la especialidad de la casa?
2. ¿Me puede traer...?
3. ¿Cómo preparan...?

- Learn about culinary traditions in Madrid and Montevideo.
- Compare with local culinary traditions.

Core Resource
- Audio Program: TXT CD 6 Track 21

Presentation Strategy
- Read, listen to and respond to selection.

STANDARDS

1.2 Understand language
2.2 Products and perspectives
4.2 Compare cultures

CENTURY **Critical Thinking and Problem Solving,** Critical Thinking/Heritage Language Learners; **Technology Literacy,** Pre-AP/Slower-paced Learners

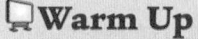

Warm Up Projectable Transparencies, 5-23

¿Que es? Para cada comida, indica si es **entremés, plato principal** o **postre.**

1. el flan
2. los espaguetis
3. la paella
4. el gazpacho
5. la tarta de chocolate
6. el pollo asado

Answers: 1. postre; 2. plato principal; 3. plato principal; 4. entremés; 5. postre; 6. plato principal

Comparación cultural

Casa Botín is often a good place to experience a dinner serenade by a **tuna,** a group of musicians, usually university students, dressed in medieval-style clothes and singing and playing in a traditional style that goes back to the time of Cervantes. **Tunas** specialize in romantic ballads and play different types of guitars, as well as tambourines and other instruments. The tradition of the **tuna** serenade originated in the city of Salamanca, but can be found near virtually any Spanish university.

✤ Lectura cultural

Additional readings at **my.hrw.com**
SPANISH
InterActive **Reader**

¡AVANZA! **Goal:** Read about and compare some local foods and traditional dishes in Madrid and Montevideo. Then discuss the traditional dishes that you eat where you live.

Comparación cultural

🎧 AUDIO

Dos tradiciones culinarias

STRATEGY Leer
Use a mind map for comparisons Draw a mind map with connecting circles and lines to provide all the facts about the traditional restaurants and foods found in Madrid and Montevideo.

El cocido madrileño es la comida más típica de Madrid. Este guiso[1] es de garbanzos,[2] diferentes verduras y carnes. Se hierve en agua y se sirve en tres platos separados, o vuelcos: la sopa, las verduras con los garbanzos y la carne. Estos platos forman la base del típico menú madrileño. El mejor lugar para probar un menú madrileño es el restaurante Sobrino de Botín. Este restaurante se abrió en el año 1725. Está en un edificio del año 1590 y queda en un barrio histórico, en la calle de los Cuchilleros, cerca de la Plaza Mayor. Según el *Libro Guinness de los récords,* la Casa Botín, como también se conoce, es el restaurante más antiguo del mundo. En la Casa Botín sirven platos tradicionales de carne como el cochinillo[3] asado y el cordero[4] asado. Es un restaurante favorito de muchos españoles. Pero también muchos turistas lo visitan todos los días.

---

[1] stew   [2] chickpeas   [3] suckling pig   [4] lamb

El restaurante madrileño Sobrino de Botín

El cordero asado con verduras, un plato típico madrileño

Differentiating Instruction

Pre-AP

Persuade Have students imagine that they are planning a trip to Madrid with friends who think that Casa Botín will be too expensive. Have students write an email convincing their friends that a visit to the restaurant will be worth the price. Suggest that they do Internet research to find out about the restaurant's food, atmosphere, service and history.

English Learners

Build Background Making a **guiso** or stew is an efficient, economical way to prepare food. The ingredients simmer together in a single pot, the end result is tender and flavorful. Make sure students understand the term and have them offer ways their culture either prepares foods economically or prepares recipes similar to the **guiso.**

*Un restaurante en Colonia
del Sacramento, una ciudad
en la costa de Uruguay*

Uruguay

La carne, el pescado y los mariscos[5] son los alimentos[6] básicos de la región donde queda Montevideo. La parrillada (carne asada en una parrilla) es el plato de carne tradicional de la región. Como[7] Montevideo queda en la costa, el pescado y los mariscos siempre están muy accesibles y son, por eso[8], los otros alimentos básicos. Un lugar muy especial para ir a comer parrilladas, pescado y mariscos en Montevideo es el Mercado del Puerto. El Mercado del Puerto se construyó en 1868. Es grande y muy bello: está hecho de metal, de piedra y de vidrio[9]. Generalmente, la gente va al Mercado del Puerto para almorzar, no para cenar; muy pocos restaurantes están abiertos para la cena.

Un plato con tomate y mariscos

---

[5] shellfish   [6] foods   [7] Since   [8] **por...** therefore   [9] glass

PARA Y ENSA

¿Comprendiste?
1. ¿Cuál es una especialidad de Madrid?
2. ¿En qué restaurante de Madrid puedes ir a comer platos madrileños?
3. ¿Cuáles son dos productos que comen mucho en Montevideo?
4. ¿Cuándo construyeron el Mercado del Puerto?
5. ¿Cuál es una comida básica de España y Uruguay?

¿Y tú?
¿Qué platos o comidas tradicionales hay en la región donde vives?

Lección 2
doscientos noventa y cinco   **295**

Differentiating Instruction

Slower-paced Learners

Personalize It Have students research Mercado del Puerto on the Internet and follow links to menus for different restaurants there. Ask them to choose one restaurant to focus on, noting foods that they recognize as well as some they do not. Finally, have students write a plan of what they will order if they have the opportunity to visit.

Heritage Language Learners

Literacy Skills Discuss the concluding statement of the reading selection. Ask why students think so few restaurants in Montevideo are open for dinner, referring them back to what they read previously in the lesson about mealtimes in Uruguay. Have them draw conclusions based on information from the reading combined with their own knowledge.

295

Objective
- Learn to make typical foods from Spain and El Salvador.

Presentation Strategies
- Read through the selection as a class, pausing for comprehension checks.
- Divide students into groups to delegate responsibilities for making either **Pan con tomate, ajo y jamón,** or **Tortillas sincronizadas.**
- Have students work together to follow the recipe in class.

STANDARDS
1.2 Understand language
2.2 Products and perspectives
21st Century **Critical Thinking and Problem Solving,** La salud (Health Literacy); **Productivity and Accountability,** En tu comunidad

Connections
La salud
Make available nutrition labels from all ingredients. Have groups summarize the nutritional value of the recipe they make. Compare protein, vitamins, and fiber to fat and calories to determine which dish is more healthy.

Comparación cultural

Essential Question
Suggested Answer Un tipo de comida como las tapas puede representar un estilo de vida más sociable. Normalmente grupos de amigos pasan un rato compartiendo las tapas.

Background Information
Long loaves of bread, similar to the French baguette, have been staples of the Spanish diet for centuries. In addition to providing a base for **bocadillos** (sandwiches) and many tapas, crusty bread is often served with both lunch and dinner.

Tortillas sincronizadas Students may notice how similar it is to the more familiar **quesadilla**. The main difference between the two is that **sincronizadas** are usually made with flour (as opposed to corn) tortillas.

Proyectos culturales

Comparación cultural

Comida en España y El Salvador

¿Cómo puede la comida representar el estilo de vida (lifestyle) *de una cultura?* Las tapas de **España** son pequeños platos individuales. Su presentación tiene tanta importancia como su sabor y generalmente se sirven en restaurantes. Los españoles comen tapas entre *(between)* comidas. En **El Salvador**, las tortillas son pequeñas y hechas de maíz *(corn)* o harina *(flour)*. Los salvadoreños las comen diariamente *(daily)*, generalmente en casa. Las sirven para acompañar una comida o las usan como ingrediente de un plato principal.

Proyecto 1 *Tapas*

España Los ingredientes de esta **tapa** son muy típicos de la cocina *(cuisine)* española. Es fácil hacer esta receta en casa.

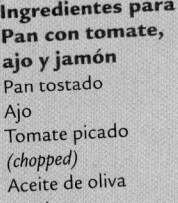

Ingredientes para Pan con tomate, ajo y jamón
Pan tostado
Ajo
Tomate picado *(chopped)*
Aceite de oliva
Jamón

Instrucciones
1. Frota *(rub)* el pan tostado, todavía caliente, con el ajo y pon el tomate encima.
2. Unta *(brush)* el pan y tomate con aceite de oliva.
3. Pon una tajada *(slice)* de jamón encima.

Proyecto 2 *Sincronizadas*

El Salvador ¿Qué resulta si añades queso y jamón a dos tortillas? ¡Resulta **Sincronizadas**!

Ingredientes para Sincronizadas
2 tortillas
¼* taza de queso blanco, cheddar o mozzarella, rallado *(grated)*
1 tajada de jamón

Instrucciones
1. Pon el queso rallado y el jamón en una tortilla.
2. Pon otra tortilla encima y ponlas en una sartén *(pan)* sin aceite.
3. Cocina las tortillas hasta derretir *(melt)* el queso.
4. Si quieres, puedes añadir ingredientes adicionales encima de la sincronizada como salsa, frijoles o guacamole.

* un cuarto de

En tu comunidad

Visita un supermercado en tu comunidad para ver si vende comidas típicas de países hispanohablantes. ¿Cuáles son? ¿En qué idiomas están las etiquetas *(labels)*?

Differentiating Instruction

Inclusion
Multisensory Input/Output Have students taste each recipe, stating the foods' names before and after each bite. Then have each student try to identify individual ingredients by smell or taste.

Heritage Language Learners
Support What They Know Have students think about cuisine that is unique to their country of origin. Have them choose one of their favorite foods and explain why it is so special, and what ingredients they would need to make it.

Lección 2

En resumen
Vocabulario y gramática

ANIMATED GRAMMAR
Interactive Flashcards
my.hrw.com

Vocabulario

Phrases used in Restaurants

Ordering		Compliments	
¿Cuál es la especialidad de la casa?	What is the specialty of the house?	¡Excelente!	Excellent!
		Muy amable.	Very kind.
¿Me puede traer...?	Can you bring me . . .?	Muy atento(a).	Very attentive.
Y para comer (beber)...	And to eat (drink) . . .	Gracias por atenderme.	Thank you for your service.
¡Buen provecho!	Enjoy!		

Dessert Places

la heladería	ice cream shop
la pastelería	pastry shop

Setting the Table

la cuchara	spoon
el cuchillo	knife
la servilleta	napkin
el tenedor	fork
el vaso	glass

Restaurant Dishes

el caldo	broth	el gazpacho	cold tomato soup
la chuleta de cerdo	pork chop	la paella	traditional Spanish rice dish
el entremés	appetizer	el plato vegetariano	vegetarian dish
los espaguetis	spaghetti	el pollo asado	roasted chicken
la especialidad	specialty	la tarta de chocolate	chocolate cake
el filete a la parrilla	grilled steak		
el flan	custard	el té	tea

Food Preparation

batido(a)	beaten
cocido(a)	cooked
crudo(a)	raw
frito(a)	fried
hervido(a)	boiled
mezclado(a)	mixed
molido(a)	ground

Gramática

Affirmative and Negative Words

Indefinite words refer to non-specific people, things, or situations and can be **affirmative** or **negative**.

Affirmative Words		Negative Words	
algo	something	nada	nothing
alguien	someone	nadie	no one
algún / alguno(a)	some	ningún / ninguno(a)	none, not any
o... o	either . . . or	ni... ni	neither . . . nor
siempre	always	nunca	never
también	also	tampoco	neither, either

Double Object Pronouns

In sentences with both object pronouns, the **indirect object pronoun** comes first.

indirect object⌐ ⌐direct object
La camarera **nos lo** trajo.
The waitress brought it to us.

You can put the **pronouns** *before* the conjugated verb or *attach* them to the **infinitive** or **-ndo** form.

⌐before
Me **los** vas a **pedir.**   *or*   Vas a **pedírmelos.**
attached⌐

Practice Spanish with Holt McDougal Apps!

DIGITAL SPANISH

Interactive Flashcards Students can hear every target vocabulary word pronounced in authentic Spanish. Flashcards have Spanish on one side, and a picture or a translation on the other.

Review Games Matching, concentration, hangman, and word search are just a sampling of the fun, interactive games students can play to review for the test.

performance space

News + Networking

@HOMETUTOR

CULTURA Interactiva

- **Audio and Video Resources**
- **Interactive Flashcards**
- **Review Activities**
- **WebQuest**
- **Conjuguemos.com**

Long-term Retention
 Recycle

Play whole-class charades to review vocabulary.

Long-term Retention
Study Tip

When students make their own study materials, be sure that they include articles (**el, la, los, las**) with vocabulary items. Remind them that in order to use the terms correctly in sentences, they will need to know whether they are masculine or feminine.

Differentiating Instruction

Slower-paced Learners

Memory Aids Encourage students to study in a place where they can freely read aloud from their notes or their text, since pronouncing and hearing the material should help them to retain it.

Pre-AP

Determine Cause and Effect Have students choose a nearby eating establishment that is either very busy or generally very empty. Have them write a paragraph telling what they determine to be the cause of the place's popularity or lack thereof.

Objective
· Review lesson grammar and vocabulary.

Core Resources
· *Cuaderno,* pp. 231–242
· Audio Program: TXT CD 6 Track 22

Presentation Strategies
· Draw students' attention to the benchmarks listed under the ¡Llegada! banner.
· Complete review activities.

 STANDARDS

1.2 Understand language, Act. 1
1.3 Present information, Acts. 2, 3, 4
2.1 Practices and perspectives, Act. 5
2.2 Products and perspectives, Act. 5

21st CENTURY Collaboration, Ongoing Assessment: Alternative Assessment; **Creativity and Innovation,** Multiple Intelligences

Warm Up Projectable Transparencies, 5-23

Pronombres Contesta estas preguntas diciendo que ya hiciste lo que te preguntan.
modelo: ¿Le pediste una ensalda al camarero?
        Sí, ya se la pedí.
1. ¿Le diste una propina a la camarera?
2. ¿Me trajiste el flan?
3. ¿Les serviste el entremés?
4. ¿Nos pediste los espaguetis?
5. ¿Me compraste las chuletas de cerdo?

Answers: 1. Sí, ya se la di.; 2. Sí, ya te lo traje.; 3. Sí, ya se lo serví.; 4. Sí, ya se(os) los pedí.; 5. Sí, ya te las compré.

✔ Ongoing Assessment
Get Help Online More Practice my.hrw.com

Intervention and Remediation
Students who miss more than one activity in any section should consult my.hrw.com for extended review.

Answers Projectable Transparencies, 5-30 and 5-31

Activity 1
1. b	**4.** b	**7.** b
2. a	**5.** b	
3. a	**6.** a	

Answers continue on p. 299.

298

 ¡AvanzaRap! DVD Sing and Learn

¡LLEGADA!

@ HOMETUTOR
my.hrw.com

Now you can
· order meals in a restaurant
· talk about meals and dishes
· describe food and service

Using
· affirmative and negative words
· double object pronouns

To review
· double object pronouns, p. 288

1 Listen and understand

 AUDIO

Escucha lo que dice la camarera en un restaurante y escoge la respuesta lógica.

1. **a.** Sí, me gustaría la especialidad de la casa.
   b. Me gustaría agua por favor.
2. **a.** ¡Excelente! Tráigamelos, por favor.
   b. ¡Buen provecho!
3. **a.** ¿Me puede traer una cuchara, por favor?
   b. ¿Me puede traer un tenedor, por favor?
4. **a.** Gracias. Sí, tráigamelos, por favor.
   b. ¡Qué sabroso! Parece muy rico.
5. **a.** ¿Cuál es la especialidad de la casa?
   b. Sí, un té por favor, y dígame, ¿qué hay de postre?
6. **a.** ¡Qué rico! Sí, tráigamela, por favor.
   b. ¡Qué sabroso! Sí, tráigaselos, por favor.
7. **a.** ¿Me lo puede traer, por favor?
   b. Gracias por atenderme.

🎧 Audio Program
TXT CD 6 Track 22
Audio Script, TE
p. 275B

To review
· affirmative and negative words, p. 283

2 Describe food and service

Este restaurante tiene muchos problemas pero hay soluciones. Cambia las oraciones para solucionar los problemas.

modelo: No hay ni flan ni tarta.
        Hay **o** flan **o** tarta.

1. Nadie nos dice «buenas tardes» cuando entramos.
2. Nunca hay servilletas en la mesa.
3. El pollo asado siempre está crudo.
4. No hay nada bonito sobre la mesa.
5. Nunca hay ningún entremés sabroso.
6. Tampoco están frescas las ensaladas.
7. Siempre sirven el caldo frío.
8. Algunos clientes salen enojados.

Differentiating Instruction

Slower-paced Learners

Read Before Listening Before playing the audio for Activity 1, have students read the response options and jot down a key word for each option. For instance, a key word for 1.a. might be **especialidades,** while for 1.b it might be **beber.** Previewing the options will make it easier for students to focus on critical information when they hear it.

Pre-AP

Vary Vocabulary Remind students that restaurant workers are often from different countries, and might need directions rephrased, as they are working to master Spanish. Have advanced students use different words to express both the problems and the solutions in Activity 2.

3 | Talk about meals and dishes

Hay un nuevo camarero y no sabe cómo servirles a los clientes. Contesta sus preguntas lógicamente con **sí** o **no** y dile qué debe hacer.

> **A** Ustedes quieren un entremés. ¿Les sirvo el caldo?
>
> **B** Sí, sírva**noslo**.
>
> Ustedes quieren postre. ¿Les sirvo el caldo?
>
> No **nos lo** sirva.

1. Ustedes piden el postre. ¿Les sirvo los espaguetis?
2. La niña quiere sopa. ¿Le sirvo el gazpacho?
3. Usted tiene ganas de comer comida cruda. ¿Le traigo una ensalada?
4. El joven busca un plato vegetariano. ¿Le doy el filete a la parrilla?
5. Al señor le encanta el postre. ¿Le traigo el flan?
6. Usted prefiere platos con arroz. ¿Le sirvo la paella?

4 | Talk about meals and dishes

Estas personas necesitan algo para poder comer. Completa las oraciones con el objeto que necesitan y los pronombres apropiados.

modelo: La señora necesita _____ para servir el flan. Su hijo _____ _____ da.
La señora necesita **platos** para servir el flan. Su hijo **se los** da.

1. Yo necesito _____ para comer el caldo. El camarero _____ _____ trae.
2. ¿Necesitas _____ para limpiarte las manos? La camarera _____ _____ da.
3. Los niños necesitan _____ para beber su leche. Su padre _____ _____ trae.
4. Usted necesita _____ para cortar las chuletas de cerdo. Yo _____ _____ doy.
5. Nosotros necesitamos _____ para comer los espaguetis. Nuestra amiga _____ _____ va a traer.

5 | Spain, El Salvador, and Uruguay

Comparación cultural

Contesta estas preguntas culturales.

1. ¿De dónde era el artista «El Greco»? ¿Dónde vivió por muchos años?
2. ¿Dónde estudió la artista María Blanchard?
3. Generalmente, ¿cuándo cenan los españoles, los uruguayos y los salvadoreños?
4. ¿Dónde está la Casa Botín? ¿Por qué es especial?

Get Help Online my.hrw.com

Más práctica Cuaderno *pp. 231–242* Cuaderno para hispanohablantes *pp. 233–242*

Differentiating Instruction

Multiple Intelligences

Interpersonal Have groups of students write skits in which an unresponsive waiter is unconcerned about the problems that a couple encounters on a visit to their favorite restaurant. Encourage groups to devise a creative ending to their skit.

Inclusion

Clear Structure For Activity 3, have at-risk students work together and give them prewriting goals for their answers. Have all group members take turns contributing lines.

Alternative Assessment Have groups of students make a training video for new servers in a popular restaurant chain. Instruct them to use **usted** commands to tell trainees the order in which to do things, what to say to customers, and how to respond when something goes wrong.

Answers Projectable Transparencies, 5-30 and 5-31

Answers continue from p. 298.

Activity 2
1. Alguien les dice buenas tardes cuando entran.
2. Siempre hay servilletas en la mesa.
3. El pollo asado nunca está crudo.
4. Hay algo bonito sobre la mesa.
5. Siempre hay algún entremés sabroso.
6. También están frescas las ensaladas.
7. Nunca sirven el caldo frío.
8. Ningún cliente sale enojado.

Activity 3 Numbers one and four may vary slightly.
1. No, no nos los sirva. Sírvanos la tarta de chocolate.
2. Sí, sírvaselo.
3. Sí, sírvamela.
4. No, no se lo sirva. Sírvale una tortilla de patatas y un gazpacho.
5. Sí, sírvaselo.
6. Sí, sírvamela.

Activity 4
1. Yo necesito una cuchara para comer el caldo. El camarero me la trae.
2. ¿Necesitas una servilleta para limpiarte las manos? La camarera te la da.
3. Los niños necesitan vasos para beber su leche. Su padre se los trae.
4. Usted necesita un cuchillo para cortar las chuletas de cerdo. Yo se lo doy.
5. Nosotros necesitamos unos tenedores para comer los espaguetis. Nuestra amiga va a traérnoslos.

Activity 5
1. El Greco era de Grecia. Vivió por muchos años en Toledo, España.
2. Ella estudió en Madrid, España y Paris, Francia.
3. Los españoles cenan a las 9:00–10:00, los uruguayos cenan después de las 8:00, y los salvadoreños cenan entre las 6:00 y las 7:00.
4. La Casa Botín está en Madrid, España. Es el restaurante más antiguo del mundo.

Review sidebar notes:
- review — Double object pronouns, p. 288
- review — Double object pronouns, p. 288
- review — El Greco, p. 251 / Comparación cultural, pp. 284, 290 / Lectura cultural, pp. 294–295

Objectives
- Read about typical foods in Uruguay, El Salvador and Spain.
- Write about a typical dish from the United States.
- Compare your piece with the original reading selections.

Core Resources
- *Cuaderno,* pp. 243–245
- Audio Program: TXT CD 6 Track 23
- Video Program: Culture Video DVD 2

Presentation Strategies
- Read each paragraph on text p. 137, pausing for comprehensions checks.
- Have students organize their ideas by following the strategy under Escribir.
- After peer editing and final drafting, compare students' work with Danilo, Juan and Saskia's entries.

STANDARDS
1.2 Understand language
1.3 Present information
4.2 Compare cultures

21st CENTURY Information Literacy Pre-AP; **Social and Cross-Cultural Skills,** Compara con tu mundo/English Learners

✓ Ongoing Assessment

Alternative Strategy Have students decide, among **asado, pupusas,** and **paella,** which appears to be the most difficult to make, and write a short paragraph defending their opinion.

Comparación cultural

España

Uruguay

El Salvador

¡Qué delicioso!

AUDIO

Lectura y escritura

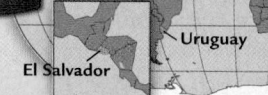
WebQuest
my.hrw.com

1 Leer Every country has its own typical foods. Read the descriptions of different foods by Danilo, Juan, and Saskia.

2 Escribir Write a brief paragraph on a typical dish of your country. You may include a recipe or just talk about a special dish and how it is prepared. Use the three descriptions as models.

> **STRATEGY Escribir**
> **Gather all the details** Use a pyramid like the one shown to gather all the necessary details for your paragraph about food.
>
>
> plato
> ingredientes
> cómo prepararlo
> información interesante

Step 1 At the top, write the name of the food or dish (example: spaghetti). Below that, write the ingredients, then how to prepare it, and finally any interesting facts about it.

Step 2 Use the information in the pyramid to help you write the paragraph. Check your writing by yourself or with help from a friend. Make final additions and corrections.

Compara con tu mundo
Use the paragraph you wrote about a typical food and compare that dish to the typical dish described by Danilo, Juan, or Saskia. In what ways are they alike? In what ways are they different?

Cuaderno pp. 243–245   Cuaderno para hispanohablantes pp. 243–245

300 Unidad 5
trescientos

Differentiating Instruction

Multiple Intelligences

Logical/Mathematical After completing their own paragraphs under Lectura y escritura, have students create a Venn diagram comparing their food to Danilo's, Juan's or Saskia's. Have them consider such questions as when or where it is eaten, how it is prepared, and what ingredients it includes.

Pre-AP

Expand and Elaborate Have advanced students do library research on mate. Break them into two groups; the first to identify what kinds of herbs it is comprised of and how it is served, the second to find out where it comes from, and what history and culture surrounds it. After completing their research, have students share their findings.

COMPARACIÓN CULTURAL

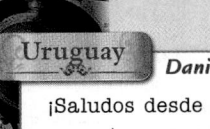

CULTURa Interactiva
my.hrw.com
See these pages come alive!

Uruguay — *Danilo*

¡Saludos desde Montevideo! Yo me llamo Danilo. Me encanta comer asado[1] con amigos en un buen restaurante. Es un plato simple pero sabroso de carne sazonada[2] con sal, pimienta y vinagre. Después del asado, todos compartimos un mate, una bebida caliente de hierbas[3]. ¡Buen provecho!

[1] barbecue   [2] seasoned   [3] herbs

El Salvador — *Juan*

¡Hola! Me llamo Juan y soy de El Salvador. Aquí comemos muchas tortillas de maíz[4]. A veces las comemos solas pero muchas veces las rellenamos[5] con carne, frijoles y queso. Entonces se llaman pupusas. Las comemos con curtido, que es repollo[6], zanahoria y cebolla en vinagre salado. ¡Mmmm, qué ricas!

[4] corn   [5] stuff   [6] cabbage

España — *Saskia*

¡Qué tal! Soy Saskia y vivo en Valencia. Me parece que la comida más rica de España es la paella. Para hacerla, voy al mercado y compro ingredientes como pollo, tomate, arroz y muchos mariscos[7] fresquísimos. Los domingos me gusta preparar una paella grande. La llevo a la playa y se la sirvo a toda mi familia. ¡Nos encanta!

[7] seafood

España
trescientos uno **301**

Comparación cultural

Mate, also known as **yerba mate,** is made principally from a dried, ground-up evergreen plant related to the holly leaf. It is drunk through a special strainer-straw called a **bombilla,** and has a stimulant effect similar to that of coffee. It is popular in Uruguay, as well as in Argentina, Paraguay and Brazil.

The Salvadoran corn tortillas used for **pupusas** are usually hand made and slightly thicker than Mexican tortillas. One popular pupusa filling is **chicharrones,** or fried pork rind, along with the standard refried beans and cheese.

One of the great misconceptions about **paella** throughout the world is that it was originally a seafood dish. Valencians draw a distinction between **paella de mariscos** and **paella valenciana,** the latter of which is made with chicken and rabbit, but no seafood. The **paella** made by Saskia, containing both chicken and seafood, would be called a **paella mixta.**

✓ Ongoing Assessment

Rubric Lectura y escritura

Writing Criteria	Maximum Credit	Partial Credit	Minimum Credit
Content	Paragraph includes a lot of information.	Paragraph includes some information.	Paragraph includes little information.
Communication	Paragraph is well organized and easy to follow.	Paragraph is fairly well organized and easy to follow.	Paragraph is disorganized and hard to follow.
Accuracy	Few mistakes in grammar and vocabulary.	Some mistakes in grammar and vocabulary.	Many mistakes in grammar and vocabulary.

To customize your own rubrics, use the ***Generate Success*** *Rubric Generator and Graphic Organizers.*

Differentiating Instruction

Inclusion

Cumulative Instruction Have at-risk students jot down words and phrases that they recognize from the Unit as they read each vignette. Of their listed words, have them check off all those whose meanings they know. Then let them work with a partner to try to figure out other word meanings from their context in the passage.

English Learners

Build Background Allow English learners to write about a dish from their culture of origin rather than the United States. Encourage them to draw a comparison to a food familiar to the class in order to enhance understanding.

Objective
· Introduce the first challenge of the Gran Desafío contest.

Core Resource
· El Gran Desafío video: DVD 2

Presentation Strategies
· **Previewing** Direct students' attention to the photos and background images. Ask them to guess what the teams' first challenge is and predict how well they will perform based on what they see. Then ask student volunteers to read and answer the Antes del video questions on p. 302 and have them give reasons to support their predictions.
· **Viewing** Direct students' attention to the Toma apuntes section on p. 303. Review each bulleted item, then play the video. While students watch the video, have them take notes on a separate sheet of paper. Have them review their notes before watching the video again.
· **Post-viewing** Play the video again, then have students read aloud and answer the Después del video comprehension questions on p. 303. Discuss answers.

STANDARDS
1.2 Understand language
3.2 Acquire information
5.2 Life-long learners
4.2 Compare cultures, Act. 16
21st CENTURY Critical Thinking and Problem Solving, Multiple Intelligences; **Flexibility and Adaptability**, Personalize It

Video Summary
@HOMETUTOR
VideoPlus
my.hrw.com

Students are introduced to the leader of the **Gran Desafío** contest, Professor Miguel Dávila and the six contestants, Luis, Ana, Marta, Carlos, Raúl, and Mónica. The contestants learn who they will team up with: Luis and Ana are **Equipo 1,** Marta and Carlos are **Equipo 2,** Raúl and Mónica are **Equipo 3.** Their first challenge is in two parts. For the first part, a member of each team must set a table for four while running with trays. For the second, the other member of the team partakes in a taste-test while blindfolded. Ana is the winner of the first part of the challenge and Luis is the winner of the second part.
Equipo 1 wins the first challenge.

▶❙ ❙❙

UNIDAD 5

EL GRAN DESAFÍO MÉXICO

EL DESAFÍO
VIDEO DVD

El desafío de hoy tiene dos partes. En la primera parte, una persona de cada equipo debe preparar una mesa para cuatro personas. El equipo que lleva todo en menos tiempo, gana. En la segunda parte, la otra persona debe probar varios platos de comida y decir qué son.

Antes del video

1. Mira la foto y di dónde piensas que está. ¿Qué piensas que Raúl va a hacer?

2. Describe lo que hace Carlos. Compáralo con Raúl.

3. ¿Qué comida piensas tiene que probar Món...

Unidad 5
302 trescientos dos

Differentiating Instruction

Multiple Intelligences

Identify Main Idea Have students write a brief summary of this Gran Desafío episode. Tell them to start by listing the most important events that happened. They should include any significant details such as the people involved, where they were, and what they did. When they finish, have students try to sum up the entire challenge in one or two sentences.

Heritage Learners

Support What They Know Two of the foods mentioned in the video are **flan** and **sopa azteca.** Ask students to share what they know about these foods with the class. Encourage them to explain how each is prepared and when they are typically eaten. (**Flan** is a custard-style dessert and **sopa azteca** is a Mexican tomato-based soup that contains avocados, onions, garlic, and chili peppers.)

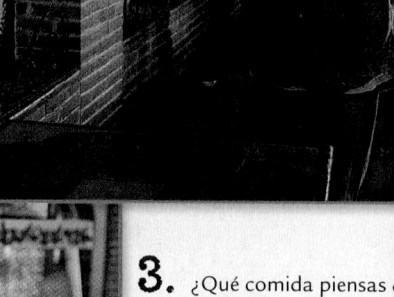

El grupo llega al primer desafío.

Mira el video: Toma apuntes

- Describe lo que pasa con Raúl.
- Escribe cómo es Carlos.
- Escribe lo que prueba Marta.
- Escribe lo que prueba Mónica.
- ¿Quién prueba la fresa con mostaza y sal?
- Escribe los diferentes tipos de sabores que escuchas.

Después del video

1. ¿Qué equipo ganó este primer desafío?
2. ¿Quién pensabas que iba a ganar la primera parte del desafío? ¿Y la segunda parte?
3. ¿Por qué tenía Luis que ganar la segunda parte del desafío?
4. ¿Cuál es tu opinión de Marta? ¿Piensas que su equipo puede ganar?

@**HOMETUTOR** **View, Read**
my.hrw.com **and Record**

El Gran Desafío
trescientos tres **303**

Communication
Regionalisms

Remind students that in this unit they learned the word **tarta,** the word used in Spain for *cake*. Explain that in this episode they will hear **pastel,** the word used in Mexico to mean *cake*.

Communication
Group Work

After students have watched the video, have them work in groups to compare each other's notes based on the **Mira el video** guidelines. Check their work and replay the video if there are discrepancies among students' responses.

Long-term Retention
Personalize It

Ask student pairs to choose two characters from the challenge and imagine what they would do if they were those characters. Have them rewrite part of the Gran Desafío, substituting themselves for the characters. Ask for volunteers to act out the new part in the challenge.

Differentiating Instruction

Slower-paced Learners

Read Before Viewing Ask students to read aloud the Después del video questions before watching the video. Tell them to think about and listen for the answers to these questions as they watch the video. Have students write down predictions for the answers to the questions.

Multiple Intelligences

Interpersonal Mode Ask students to act out this episode of the Gran Desafío. Choose volunteers for the parts of the professor and contestants. As students read or recite their lines, encourage them to emphasize the tone of voice, facial expressions and gestures of the characters they are playing.

Answers

Después del video
1. Ana y Luis ganaron este primer desafío.
2. Yo pensaba que . . .
3. Luis tenía que ganar la segunda parte del desafío porque Ana ganó la primera parte.
4. Marta es inteligente . . .

¡AVANZA! Objective
- Cumulative review

Core Resource
- Audio Program: TXT CD 6 Track 24

Review Options
- **Activity 1:** Transitional practice: listening
- **Activity 2:** Open-ended practice: speaking
- **Activity 3:** Open-ended practice: speaking, writing
- **Activity 4:** Open-ended practice: speaking
- **Activity 5:** Open-ended practice: writing
- **Activity 6:** Open-ended practice: speaking
- **Activity 7:** Open-ended practice: reading, writing, speaking

STANDARDS
1.1 Engage in conversation, Acts. 2, 3, 4, 6, 7
1.2 Understand language, Acts. 1, 7
1.3 Present information, Acts. 1, 2, 3, 4, 5
4.2 Compare cultures, Act. 1
21st Century **Collaboration,** Act. 4; **Communication,** Heritage Language Learners; **Flexibility and Adaptability,** Acts. 2, 3

Communication
Role-Playing and Skits

Divide the class into groups of five. Cluster four desks together and put a tablecloth over them. Choose a server for each group and have him / her seat the other students in the group. After taking their orders, have the waiter come back and ask **¿Para quién es (el pollo asado)?** Have the students at the table take turns responding **Es para mí** or **Es para ella**. (See Unit 3 Lesson 1.)

UNIDADES 1-5

Repaso inclusivo

Options for Review

¡AvanzaRap! DVD Sing and Learn

Digital performance space

1 Listen, understand, and compare

Escuchar

Listen to this conversation between a brother and sister in a supermarket in Spain and then answer the following questions.

1. ¿Qué quiere servir Ignacio en la fiesta?
2. ¿Qué compran Carmen y Ignacio para la ensalada?
3. ¿Cuántos pollos compran?
4. ¿Qué quiere servir Carmen para el postre? ¿Por qué?
5. ¿Qué postres van a servir en la fiesta?

What would you buy if you were preparing for a party? Compare with what Carmen and Ignacio purchase.

Audio Program
TXT CD 6 Track 24
Audio Script, TE p. 275B

2 Host your own cooking show

Hablar

You are the star of a cooking show. Decide on a dish to make for your audience and then present your show. The show should teach your audience how to prepare the specialty that you have selected. Use **ustedes** commands when telling your audience what to do.

3 Open a restaurant

Hablar
Escribir

Role-play a conversation between two friends who are going to open a restaurant. Choose a name and location for your restaurant. Discuss the foods you will serve and hours you will be open. Also talk about the furniture, utensils, and waitstaff you will need. Try to use as many object pronouns as possible to avoid repeating the same nouns over and over. Then design a menu listing some of your specialties in each category: appetizers, main course, dessert, and beverages.

4 Prepare for a camping trip

Hablar

Your class is going on a three-day trip to a wilderness camp. In groups of four or more, come up with a list of food, clothing, and other supplies that you will need to bring. Then divide your group in half and discuss what each half of the group will need to do in order to prepare for the trip. Use **ustedes** commands to tell the other half of your group what to do.

Differentiating Instruction

Slower-paced Learners

Sentence Completion To review **-mente** adverbs and double object pronouns together, start a sentence and have different students provide its various components.

Heritage Language Learners

Writing Skills Have students imagine that they had dinner reservations, but at the last second, they need to change the reservation time. Have them write an email explaining the situation. Discuss different ways to express regret and be polite in this kind of situation (Unit 3 Lesson 2).

5 Write a restaurant guide

cribir

Create a guide that includes reviews of four to five restaurants in your area. Describe each restaurant and some of its specialties. Be sure to mention each restaurant's location and price range. Use the preterite and imperfect to describe a past experience at each restaurant. Give each restaurant a rating, such as a number of stars or grade (1–10). Conclude your reviews with a suggestion to your reader, using an **usted** command.

6 Run an auction

ablar

Your class is going to hold an auction to raise money for a class trip. Each member of your group should think of three to five items to include in your auction and then draw a picture of each item on a separate sheet of paper. Choose one person in your group to be the auctioneer, who will hold up each item one by one and describe it. As bidders, take turns offering different amounts of money (**Le doy cinco dólares, Le doy diez dólares,...**). The auctioneer will declare an item as sold (**¡Vendido(a)!**) and give it to the winner, confirming the final price (**Se lo (la) doy a usted por veinte dólares**).

7 Take a survey

**Leer
cribir
ablar**

The survey below is about students' activities and preferences. Answer each question with a complete sentence. Then compare your answers in a group with other classmates. Compile your results in a graph or chart and share your information with the class.

Las preferencias de los estudiantes

1. ¿Qué es algo que te gusta comprar en el centro comercial?
2. ¿Tienes alguna comida favorita? ¿Qué?
3. ¿Practicas algún deporte?
4. ¿Tocas algún instrumento?
5. ¿Cuál es alguna película que te gusta?
6. ¿Quién es alguien que te ayuda con la tarea?
7. ¿Hay algún color que prefieres?
8. ¿Quién es alguien famoso que quieres conocer?
9. ¿Qué es algo que haces después de las clases?
10. ¿Vas a algún lugar especial para pasar un rato con los amigos?

Differentiating Instruction

Pre-AP

Circumlocution Bring in magazine cut-outs of desserts mounted on folded oak tag so that they stand up. Arrange them as if they were in a dessert case, but do not label them. Have students come up in groups. Have each student order by pointing and using **éste, ése,** or **aquél** with enough description to determine which dessert they're pointing to.

Multiple Intelligences

Logical/Mathematical Have ten mathematically-inclined students take the information presented on each group's graph or chart from Activity 7 and add or average them out to get a whole-class breakdown for each question. Have one student make a bar graph showing the different things that the class likes to buy, and a second student make a pie chart showing favorite colors.

Communication
Tip for Classroom Management

When assigning group work, set a time limit to complete the task. "You have twenty minutes to finish this assignment" makes for better focus and concentration, especially when you make it a contest for the whole class. The first group done gets 5 extra points. Note that all groups have to present their work, regardless of whether they were first or last!

✓Ongoing Assessment

Integrated Performance Assessment Rubric
Oral Activities 2, 3, 4, 6, 7
Written Activities 3, 4, 5, 7

Very Good	Proficient	Not There Yet
Thoroughly develops all requirements of the task.	Develops most requirements of the task.	Develops few requirements of the task.
Demonstrates mastery of grammatical structures.	Demonstrates good to fair control of grammatical structures.	Demonstrates poor control of grammatical structures.
Uses a good variety of appropriate vocabulary.	Uses an adequate variety of appropriate vocabulary.	Uses inappropriate and limited vocabulary.
Pronunciation is excellent to very good.	Pronunciation is good to fair.	Pronunciation is poor.

To customize your own rubrics, use the **Generate Success** *Rubric Generator and Graphic Organizers.*

Answers

Activity 1
1. Ignacio quiere servir gazpacho, pollo asado y muchos postres.
2. Compran lechuga, espinaca, tomates y cebollas.
3. Compran un pollo.
4. Carmen quiere servir frutas.
5. Van a servir frutas, flan, y una tarta pequeña.

Activities 2–7 Answers will vary.

305

Proyectos adicionales

Art Project

Create a movie poster Have students come up with an idea for a movie and create a Hollywood-style movie poster to promote it.

1. Pair students up. Have each pair choose a genre for their movie from the following: science-fiction, fantasy, comedy, horror, drama and action/adventure.

2. Explain to students that they must come up with a title for their movie, as well as a brief synopsis or description. Along with an illustration that depicts the movie, their poster should also include the names of the director and the stars, the studio, and at least three positive reviews or comments from critics. Their reviews should be 2–3 sentences and include enthusiastic and descriptive language.

Hang the posters around the classroom. As each pair shares their poster, ask other members of the class how the poster would make them interested in seeing the film.

PACING SUGGESTION: One 90-minute class period at the end of Lección 2 to complete and share posters. Give students some class time to plan their posters ahead of time, or assign it as homework.

Creativity and Innovation

Storytelling

¡Luces, cámara, acción! After reviewing the vocabulary from Lección 1, present this mini-story as a model that the students will revise, retell and expand.

El verano pasado fui con mi familia a Universal Studios. Fue muy interesante. **Filmaban una película de ciencia ficción. El director** nos explicó que iban a poner **los efectos especiales** después. Había un actor con mucho **maquillaje** porque **hacía el papel** de un monstruo. **Le dio miedo** a mi hermano menor. Quiero ser **una estrella de cine** algún día.

As you present the model, pause to allow the students to act out gestures. Students should then write, narrate, and read aloud a longer story. They can also illustrate or act out their story. Encourage them to use the new vocabulary from Lección 1, and encourage them to refer to the Expansión de vocabulario on p. R12.

PACING SUGGESTION: 30 minutes of class time at the end of Lección 1.

Communication

 Web Research

The ALMA Awards The ALMA Awards (American Latino Media Arts) honor actors, directors, and musicians who promote positive portrayals of Latinos in the media. The awards were created in 1995 by the National Council of La Raza (NCLR), and are given during an awards ceremony held in June of each year. Have students go online to research the ALMA awards. Guide their research by asking these questions:

• What is the purpose of the NCLR, the organization that sponsors the awards?
• How and why did the awards originate?
• What is the meaning of the word **alma** in Spanish? How does this meaning reflect the spirit of the awards?
• What are some of the awards that are given during the ceremony?
• Look at recent and past winners of ALMA awards. Do you recognize any of the names?

Have students take notes on their findings. Hold a class discussion, using the research questions as a guide. As a follow-up, ask students to choose Hispanic media figures to "nominate" for an ALMA award. Who would they choose? Why? What awards would they nominate them for?

Search Key Words: "ALMA awards", "National Council of La Raza", "Latinos in the media"

PACING SUGGESTION: One 50-minute class period at the end of Lección 1.

Technology Literacy

❈ Game

Categorías

Preparation: Write 5 questions based on the content of the unit for each of the following categories: Vocabulario, Gramática, Telehistoria, Cultura, Repaso. For example, questions can be clues (**una película que te hace reír -comedia**), fill in the blank sentences (**Gilberto y Tamara van a hacer una película de ___. [terror]**), general knowledge questions about the content (**¿Quién escribió «La casa de los espíritus»? [Isabel Allende]**) or questions that ellicit specific grammar points (Change the following into a negative command- **Escribe otra escena. [No escribas otra escena.]**).

Questions within each category should range from 1-5 points, with the easiest question worth 1 point and the most difficult worth 5 points. On the board or on an overhead transparency, write the 5 categories, with the numbers 1-5 underneath each of them.

To play: Divide students into 2 or 3 teams and have each team choose a spokesperson. Toss a coin to determine which team will get the first question. For each turn, students must choose a category and a point value, for example, *vocabulario, cuatro puntos.* Read the question aloud and allow teams time to discuss an answer, with the spokesperson giving the final answer. If the team answers correctly, they receive the appropriate number of points and play moves to the next team. If they do not answer the question correctly, the opposing team gets a chance to answer it. As each question is chosen, cross it off. The team with the most points after all questions have been asked wins the game.

> **PACING SUGGESTION:** 30–40 minutes of class time. Can be used at the end of each Lección or as a review at the end of the unit.

❈ Recipe

Natilla, a soft custard that is very similar to flan, is a traditional dessert served in restaurants and homes throughout the Spanish-speaking world. This easy-to-make recipe should be served well chilled. It can be prepared the day before serving it.

Natilla

Ingredientes
4 huevos separados
1 taza de leche
1/8 cucharadita de sal
1/4 taza de harina
3/4 taza de azúcar
1 cucharadita de nuez
    moscada

Instrucciones
En una fuente, haga una pasta con las yemas de los huevos, la harina y la leche. En una cacerola mediana, añada el azúcar y la sal a la leche sobrante y caliéntela a temperatura mediana. Añada la mezcla de yemas a la leche y continue cociendo a temperatura mediana hasta que cobre una consistencia cremosa. Retire la cacerola del fuego y enfríe a temperatura ambiente. Bata las claras de los huevos hasta que se endurezcan pero no sequen y envuelva en la crema. Enfríe antes de servir. Sirva porciones con cuchara en platos individuales. Eche una pizca de nuez moscada sobre cada porción. Para 6 personas.

Tiempo de preparación: 10 minutos
Tiempo total: 30 minutos

¡AvanzaRap! DVD
- Video animations of all **¡AvanzaRap!** songs (with Karaoke track)
- Teaching Suggestions
- **¡AvanzaRap!** Activity Masters
- **¡AvanzaRap!** Video Scripts and Answers
  Also available on the **Teacher One Stop**

UNIT THEME
Do you like the movies?

UNIT STANDARDS

COMMUNICATION
· Tell others what to do and what not to do
· Make suggestions and future plans
· Talk about movies and how they affect you
· Express hopes and wishes
· Influence others
· Extend and respond to invitations
· Talk about technology

CULTURES
· Los Angeles film studios and theaters
· Chicano art of Gilbert "Magu" Lujan and Patssi Valdez
· International film festivals in Los Angeles and Buenos Aires, Argentina
· The movie adaptation of *La casa de los espíritus*
· Hispanic actors in Hollywood
· Film awards and activities in L.A., México, and Argentina
· Travel and tourism

CONNECTIONS
· Social Studies: Learn and write about *The History of California* mural
· Art: Make a mural with social themes
· Science: Explain how people and the environment can damage murals and how to prevent this damage
· History: Describe a historical Mayan mural

COMPARISONS
· The Spanish **f** and the English *f*
· Artistic expressions and mediums
· Heritage of Hollywood actors
· Film awards

COMMUNITIES
· Resources for tourists in the community

Video Character Guide
Gilberto and Tamara work on the opening scene of their film.

▶❙ ❙❙

UNIDAD

6 Estados Unidos

¿Te gusta el cine?

Lección 1
Tema: **¡Luces, cámara, acción!**

Lección 2
Tema: **¡Somos estrellas!**

Alaska

Islas Hawai

«¡Hola!

Nosotros somos Tamara y Gilberto. Somos de Estados Unidos.»

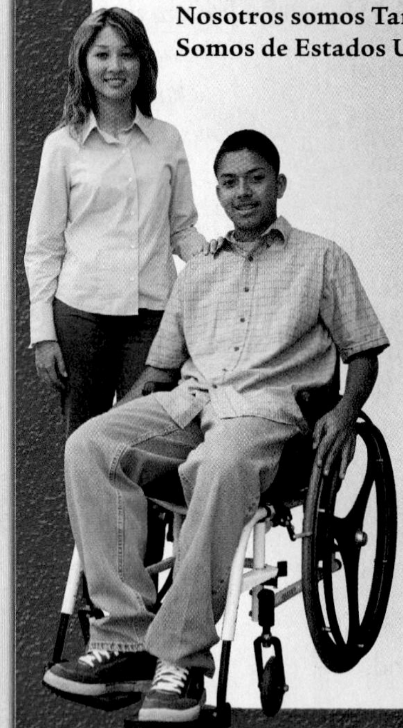

Chicago   Filadelfia   Nu Yor

Denver   Estados Unidos

San José

Los Ángeles   Phoenix   Albuquerque   Océa Atlán

San Diego   Tucson   Dallas Houston
El Paso

San Antonio   Tampa
Miami

Golfo de México

México

Océano Pacífico   Mar Caribe

Honduras

Guatemala   Nicara
Co
Ric

El Salvador

Panamá

Población: 304.059.724

Población de ascendencia hispana: 41.322.070

Población latina de Los Ángeles: 1.719.073 (46,5% de la población general)

Ciudad con más latinos: Nueva York (más de 2.000.000)

Comida de inspiración latina: fajitas, burritos, nachos

Fajitas

Gente famosa: Luis Álvarez (físico), César Chávez (activista), Ellen Ochoa (astronauta), Luis Valdez (director)

306   trescientos seis

Cultural Geography

Setting the Scene
· ¿Qué hacen en Hollywood? (Hacen películas.)
· ¿Necesitan muchas personas para hacer una película? (Sí, en general necesitan muchas personas para hacer una película.)
· ¿Te gustaría hacer una película? (Sí, me gustaría. [No, no me gustaría.])

Teaching with Maps
· ¿Qué país está cerca de California? (México está cerca de California.)
· ¿Cuáles estados tienen fronteras con California? (Arizona, Nevada y Oregon tienen frontera con California.)
· ¿Cómo es el clima en Los Angeles? (Hace buen tiempo; hace sol; hace calor.)

◄ **El nombre de Los Ángeles** Este mural, pintado en el garaje Brunswig, representa la historia de la ciudad de Los Ángeles. Cuando fundaron la ciudad, los españoles la llamaron «El Pueblo *(town)* de Nuestra Señora la Reina *(queen)* de los Ángeles del Río de Porciúncula». El río Porciúncula ahora se llama el río de Los Ángeles. *¿Conoces la historia del nombre de tu calle, ciudad o estado?*

Recuerdos de Ayer, Sueños de Mañana (1982), Judithe Hernández

Celebraciones mexicoamericanas En el condado *(county)* de Los Ángeles, aproximadamente un 45 por ciento de la población es latino. La mayoría *(majority)* son mexicanos y mexicoamericanos. Por eso, hay muchas celebraciones públicas para días festivos mexicanos, como el Día de la Independencia y el Cinco de Mayo. *¿Hay celebraciones de otros países en tu comunidad? ¿Cuáles?* ►

Mujeres vestidas con ropa tradicional mexicana para un desfile

John Leguizamo con Renee Chabria; América Ferrera; Gael García Bernal

◄ **Hispanos en Hollywood** Hay muchos actores y directores de países hispanos o de origen hispano en Hollywood hoy. El cine latino, hecho en Hollywood o importado de otros países, es cada día más popular en Estados Unidos. *¿Qué películas, actores o directores hispanos conoces?*

Estados Unidos
trescientos siete 307

Cultura Interactiva Send your students to my.hrw.com to explore authentic American culture. Tell them to click Cultura interactiva to see these pages come alive!

Culture

About the Mural

The Brunswig garage is at the back of El Pueblo de Los Angeles Historical Monument, near where 44 farmers first settled in Los Angeles in 1781. Since then, LA has been governed by three nations—Spain, Mexico, and the U.S.

The mural portrays La Reina de Los Ángeles, the patroness of LA, with symbols of the history of the area fanning out across her veil. Symbols include palm trees; a brilliant sunset; athletes from the 1932 and 1984 Olympics; Mexican campesinos; a freeway that connects to the ribbons weaving through La Reina's hands; and a number of well known buildings, such as City Hall (on the right), the Griffith Park Observatory (on the left), and the Plaza Church (center).

About the Photos

El Cinco de Mayo is now celebrated more enthusiastically in the U.S. than in Mexico. Cinco de Mayo celebrates the Mexican defeat of the French army that invaded Mexico soon after the Mexican-American War. In the U.S., the day is marked by parades, parties, and lavish Mexican meals.

Latinos in Hollywood John Leguizamo, though from Colombia, has made most of his films in English. He is accompanied on the red carpet by his director from the movie *Sueño.* América Ferrera is of Honduran heritage and is best known for appearing in *The Sisterhood of the Travelling Pants.* Gael García Bernal is a famous Mexican actor who starred as Che Guevara in *Diarios de Motocicleta (The Motorcycle Diaries).*

Bridging Cultures

Heritage Language Learners

Support What They Know Ask students about moviegoing habits in their home countries. Do many people go to see movies? Do they go as a family, or just with friends? Do the movie theaters serve food? Are the movies in their language, or in another language, with subtitles?

Support What They Know Ask students to describe how people celebrate a holiday, such as the Day of the Dead or Christmas, both in this country and in the home country. Ask them to describe both public celebrations, such as parades, and celebrations in the home, such as special meals.

Lesson Overview

Culture at a Glance ❈

Topic & Activity	Essential Question
A film studio in Los Angeles, pp. 308–309	¿Visitaste alguna vez un estudio de cine?
Chicano art, p. 316	¿Cómo expresan los artistas su identidad cultural?
International film festivals, p. 322	¿Cuál es la importancia de los festivales de cine?
La casa de los espíritus, pp. 326–327	¿Cómo es la novela *La casa de los espíritus*?
Culture review, p. 331	¿Cómo es la cultura hispana en Los Ángeles?

COMPARISON COUNTRIES  Estados Unidos  Argentina  México

Practice at a Glance ❈

	Objective	Activity & Skill
Vocabulary	On a movie set	1: Reading/Speaking/Writing; 3: Listening/Reading; 4: Speaking/Writing; 6: Listening/Writing; 15: Listening/Reading; 16: Listening/Reading; Repaso 2: Writing; Repaso 4: Writing
	People and equipment in movies	1: Reading/Speaking/Writing; 4: Speaking/Writing; 5: Speaking/Writing; 9: Listening/Reading; 11: Speaking/Writing; Repaso 3: Writing
	Types of movies	1: Reading/Speaking/Writing; 2: Speaking/Writing; 3: Listening/Reading; 17: Speaking; Repaso 1: Listening;
Grammar	**Vamos + a +** infinitive	4: Speaking; 15: Listening/Reading; 18: Reading/Listening/Speaking; 19: Writing; Repaso 2: Writing
	Affirmative **tú** commands	5: Speaking/Writing; 6: Listening/Writing; 7: Speaking; 8: Speaking/Writing; 10: Reading/Speaking/Writing; 11: Speaking/Writing; 17: Speaking; 19: Writing; Repaso 3: Writing; Repaso 4: Writing
	Negative **tú** commands	11: Speaking/Writing; 12: Speaking/Writing; 13: Speaking/Writing; 14: Reading/Writing; 17: Speaking; 19: Writing; Repaso 3: Writing; Repaso 4: Writing
Communication	Tell others what to do and what not to do	5: Speaking/Writing; 6: Listening/Writing; 7: Speaking; 11: Speaking/Writing; 12: Speaking/Writing; 13: Speaking/Writing; 14: Reading/Writing; Repaso 4: Writing
	Make suggestions	4: Speaking; 8: Speaking/Writing; 10: Reading/Speaking/Writing; 17: Speaking; 18: Reading/Listening/Speaking; Repaso 2: Writing
	Talk about movies and how they affect you	3: Listening/Reading; 9: Listening/Reading; 15: Listening/Reading; 16: Listening/Reading; 17: Speaking; 18: Reading/Listening/Speaking
	Pronunciation: The letter **f**	*Pronunciación: La letra f,* p. 317: Listening/Speaking
Recycle	Daily routines	7: Speaking
	Telling time	7: Speaking

The following presentations are recorded in the Audio Program for *¡Avancemos!*

- **¡A responder!** *page 311*
- **6: Así se hace** *page 316*
- **18: Integración** *page 325*
- **Repaso de la lección** *page 330*
  1: Listen and understand

For **¡AvanzaRap!** scripts, see the **¡AvanzaRap!** DVD.

¡A responder! TXT CD 7 track 2

1. El guión describe los papeles y las escenas.
2. La actriz hace el papel de una profesora.
3. La camarógrafa filma a los actores.
4. La película de fantasía tuvo buenísimos efectos especiales.
5. El director da instrucciones a los actores.
6. El sonido está fuerte.
7. La cámara digital toma fotos bonitas.
8. Este guionista siempre tiene éxito.
9. La comedia me hizo reír.
10. Esa estrella de cine es mexicana.

6 | Así se hace TXT CD 7 track 4

Primero, compra una cámara de video si no tienes una. Después, piensa en qué tipo de película quieres hacer. Debe ser una película fácil de filmar. Luego, escribe el guión. Es mejor tener pocos personajes. Busca a los actores y a las actrices entre tus amigos. Ayúdalos con la ropa y el maquillaje. Luego, filma las escenas con tu cámara de video. Finalmente, edita la película usando el software de tu computadora. Haz una buena película y después invítame a verla. Si tienes algún problema, ven a pedirme ayuda. ¿Está bien?

18 | Integración TXT CD 7 tracks 8, 9

Fuente 2 Las críticas

Hoy estamos hablando de la nueva película de Elías Godoy: Los del otro mundo. Pienso que es una película divertida con efectos especiales fantásticos. Raquel Delgado hace el papel de una joven estudiante, la primera persona que encuentra a los enemigos del otro mundo. Iván Guerrero es el chico que la ayuda a pelear contra ellos. ¿Mi recomendación? ¡Ve a verla hoy!

Espera. Esta película es horrible. No es una comedia, pero me hizo reír. El argumento no es original. ¿Y los efectos especiales? Parece que el director los editó con software barato en su computadora. ¿Mi recomendación? ¡No pagues para ver esta película!

Repaso de la lección TXT CD 7 track 10

1 Listen and understand

1. ¡Esta película fue excelente! Cada minuto me hizo reír.
2. Vimos esta película en la clase de historia. Aprendimos mucho sobre la Guerra Civil.
3. Esta película ganó un premio por el maquillaje y los efectos especiales.
4. No me gustó esta película. ¡Me dio mucho miedo y ahora no puedo dormir por la noche!
5. Esta película fue muy cómica y me encantaron los dibujos.
6. Esta película cuenta de una chica que tiene un gato que habla. Viajan por todo el mundo buscando aventuras.
7. Vamos a alquilar esta película. Es sobre dos policías en Los Ángeles que buscan a un criminal peligroso. Tiene mucha acción.
8. Ésta le hizo llorar a mi mamá cuando el héroe murió, pero para mí fue aburrido.

Everything you need to ...

Plan
TEACHER ONE STOP

✓ Lesson Plans
✓ Teacher Resources
✓ Audio and Video

Present
INTERACTIVE WHITEBOARD LESSONS

TEACHER ONE STOP WITH PROJECTABLE TRANSPARENCIES

POWER PRESENTATIONS

ANiMaTeDGRaMMaR

Assess
 ONLINE ASSESSMENT

✓ Assessments for on-level, modified, pre-AP, and heritage learners
✓ Create customized tests with **Examview Assessment Suite**
✓ performance space
✓ *Generate Success* Rubric Generator

 **Print**

Plan	Present	Practice	Assess
URB 6 • Video Scripts pp. 70–72 • Family Letter p. 92 • Absent Student Copymasters pp. 94–101 **Best Practices Toolkit**	**URB 6** • Video Activities pp. 50–57	• *Cuaderno* pp. 246–268 • *Cuaderno para hispanohablantes* pp. 246–268 • *Lecturas para todos* pp. 58–62 • *Lecturas para hispanohablantes* • *AvanzaCómics El misterio de Tikal*, Episodio 2 **URB 6** • Practice Games pp. 30–37 • Audio Scripts pp. 76–78 • Map/Culture Activities pp. 84–85 • Fine Art Activities pp. 87–88	**Differentiated Assessment Program** **URB 6** • Did you get it? Reteaching and Practice Copymasters pp. 1–11

 **Projectable Transparencies** (Teacher One Stop, my.hrw.com)

Culture	Presentation and Practice	Classroom Management
• Atlas Maps 1–6 • Map: United States 1 • Fine Art Transparencies 2, 3	• Vocabulary Transparencies 6, 7 • Grammar Presentation Transparencies 10, 11	• Warm Up Transparencies 16–19 • Student Book Answer Transparencies 24–27

Audio and Video

Audio	Video	¡AvanzaRap! DVD
• Student Book Audio CD 7 Tracks 1–10 • Workbook Audio CD 3 Tracks 21–30 • Assessment Audio CD 2 Tracks 7–8 • Heritage Learners Audio CD 2 Tracks 9–12, CD 4 Tracks 7–8 • *Lecturas para todos* Audio CD 2 Tracks 1–7 • Sing-along Songs Audio CD	• Vocabulary Video DVD 2 • *Telehistoria* DVD 2 • *Telehistoria, Escena 1* • *Telehistoria, Escena 2* • *Telehistoria, Escena 3* • *Telehistoria, Completa*	• Video animations of all ¡AvanzaRap! songs (with Karaoke track) • Interactive DVD Activities • Teaching Suggestions • ¡AvanzaRap! Activity Masters • ¡AvanzaRap! video scripts and answers

Online and Media Resources

Student	Teacher
Available online at my.hrw.com • Online Student Edition • News Networking • performance space • @HOMETUTOR • Cultura Interactiva • WebQuests • Interactive Flashcards • Review Games • Self-Check Quiz **Student One Stop** **Holt McDougal Spanish Apps**	**Teacher One Stop (also available at my.hrw.com)** • Interactive Teacher's Edition • All print, audio, and video resources • Projectable Transparencies • Lesson Plans • TPRS • Examview Assessment Suite **Available online at my.hrw.com** *Generate Success* Rubric Generator and Graphic Organizers **Power Presentations**

Differentiated Assessment

On-level	Modified	Pre-AP	Heritage Learners
• Vocabulary Recognition Quiz p. 262 • Vocabulary Production Quiz p. 263 • Grammar Quizzes pp. 264–265 • Culture Quiz p. 266 • On-level Lesson Test pp. 267–273	• Modified Lesson Test pp. 206–212	• Pre-AP Lesson Test pp. 206–212	• Heritage Learners Lesson Test pp. 212–218

	Objectives/Focus	Teach	Practice	Assess/HW Options
DAY 1	**Culture:** learn about Hispanic culture in the United States **Vocabulary:** words about movies and moviemaking • Warm Up OHT 16 **5 min**	Unit Opener pp. 306–307 Lesson Opener pp. 308–309 **Presentación de vocabulario** pp. 310–311 • Read A–C • View video DVD 2 • Play audio TXT CD 7 track 1 • *¡A responder!* TXT CD 7 track 2 **25 min**	Lesson Opener pp. 308–309 **Práctica de vocabulario** p. 312 • Acts. 1, 2 **15 min**	**Assess:** *Para y piensa* p. 312 **5 min** **Homework:** *Cuaderno* pp. 246–248 @HomeTutor
DAY 2	**Communication:** make suggestions to your friends about how to make a movie • Warm Up OHT 16 • Check Homework **5 min**	**Vocabulario en contexto** pp. 313–314 • *Telehistoria escena 1* DVD 2 • *Nota gramatical:* **vamos** + **a** + infinitive **20 min**	**Vocabulario en contexto** pp. 313–314 • Act. 3 TXT CD 7 track 3 • Act. 4 **20 min**	**Assess:** *Para y piensa* p. 314 **5 min** **Homework:** *Cuaderno* pp. 246–248 @HomeTutor
DAY 3	**Grammar:** learn how to form affirmative **tú** commands • Warm Up OHT 17 • Check Homework **5 min**	**Presentación de gramática** p. 315 • Affirmative **tú** commands **Práctica de gramática** pp. 316–317 **Culture:** *El arte chicano* • *Pronunciación* TXT CD 7 track 5 **20 min**	**Práctica de gramática** pp. 316–317 • Act. 5 • Act. 6 TXT CD 7 track 4 • Acts. 7, 8 **20 min**	**Assess:** *Para y piensa* p. 317 **5 min** **Homework:** *Cuaderno* pp. 249–251 @HomeTutor
DAY 4	**Communication:** use commands to give advice to teens who ask for help • Warm Up OHT 17 • Check Homework **5 min**	**Gramática en contexto** pp. 318–319 • *Telehistoria escena 2* DVD 2 **15 min**	**Gramática en contexto** pp. 318–319 • Act. 9 TXT CD 7 track 6 • Act. 10 **25 min**	**Assess:** *Para y piensa* p. 319 **5 min** **Homework:** *Cuaderno* pp. 249–251 @HomeTutor
DAY 5	**Grammar:** learn how to form negative **tú** commands • Warm Up OHT 18 • Check Homework **5 min**	**Presentación de gramática** p. 320 • Negative **tú** commands **15 min**	**Práctica de gramática** pp. 321–322 • Acts. 11, 12, 13, 14 **25 min**	**Assess:** *Para y piensa* p. 322 **5 min** **Homework:** *Cuaderno* pp. 252–254 @HomeTutor
DAY 6	**Communication:** Culmination: discuss films with classmates, write your own mini-screenplay • Warm Up OHT 18 • Check Homework **5 min**	**Todo junto** pp. 323–325 • *Escenas 1, 2: Resumen* • *Telehistoria completa* DVD 2 **15 min**	**Todo junto** pp. 323–325 • Acts. 15, 16 TXT CD 7 tracks 3, 6, 7 • Act. 17 • Act. 18 TXT CD 7 tracks 8, 9 • Act. 19 **25 min**	**Assess:** *Para y piensa* p. 325 **5 min** **Homework:** *Cuaderno* pp. 255–256 @HomeTutor
DAY 7	**Reading:** The House of the Spirits **Connections:** Social Sciences • Warm Up OHT 19 • Check Homework **5 min**	**Lectura** pp. 326–327 • *La casa de los espíritus* **Conexiones** p. 328 • *Las ciencias sociales* **20 min**	**Lectura** pp. 326–327 • *La casa de los espíritus* **Conexiones** p. 328 • *Proyectos 1, 2, 3* **20 min**	**Assess:** *Para y piensa* p. 327 **5 min** **Homework:** *Cuaderno* pp. 260–262 @HomeTutor
DAY 8	**Review:** Lesson review • Warm Up OHT 19 **5 min**	**Repaso de la lección** pp. 330–331 **20 min**	**Repaso de la lección** pp. 330–331 • Act. 1 TXT CD 7 track 10 • Acts. 2, 3, 4, 5 **20 min**	**Assess:** *Repaso de la lección* **5 min** pp. 330–331 **Homework:** *En resumen* p. 329; *Cuaderno* pp. 257–259, 263-268 (optional) Review Games Online @HomeTutor
DAY 9	**Assessment**			**Assess:** Lesson 1 test **50 min**

Objectives/Focus	Teach	Practice	Assess/HW Options
DAY 1			
Culture: learn about Hispanic culture in the United States **Vocabulary:** words about movies and moviemaking • Warm Up OHT 16 <div align="right">**5 min**</div>	Unit Opener pp. 306–307 Lesson Opener pp. 308–309 **Presentación de vocabulario** pp. 310–311 • Read A–C • View video DVD 2 • Play audio TXT CD 7 track 1 • *¡A responder!* TXT CD 7 track 2 <div align="right">**20 min**</div>	Lesson Opener pp. 308–309 **Práctica de vocabulario** p. 312 • Acts. 1, 2 <div align="right">**20 min**</div>	**Assess:** *Para y piensa* p. 312 5 min
Communication: make suggestions to your friends about how to make a movie <div align="right">**5 min**</div>	**Vocabulario en contexto** pp. 313–314 • *Telehistoria escena 1* DVD 2 • *Nota gramatical:* **vamos + a +** infinitive <div align="right">**15 min**</div>	**Vocabulario en contexto** pp. 313–314 • Act. 3 TXT CD 7 track 3 • Act. 4 <div align="right">**15 min**</div>	**Assess:** *Para y piensa* p. 314 5 min **Homework:** *Cuaderno* pp. 246–248 @HomeTutor
DAY 2			
Grammar: learn how to form affirmative **tú** commands • Warm Up OHT 17 • Check Homework <div align="right">**5 min**</div>	**Presentación de gramática** p. 315 • Affirmative **tú** commands **Práctica de gramática** pp. 316–317 **Culture:** *El arte chicano* • *Pronunciación* TXT CD 7 track 5 <div align="right">**20 min**</div>	**Práctica de gramática** pp. 316–317 • Act. 5 • Act. 6 TXT CD 7 track 4 • Acts. 7, 8 <div align="right">**15 min**</div>	**Assess:** *Para y piensa* p. 317 5 min
Communication: use commands to give advice to teens who ask for help <div align="right">**5 min**</div>	**Gramática en contexto** pp. 318–319 • *Telehistoria escena 2* <div align="right">**15 min**</div>	**Gramática en contexto** pp. 318–319 • Act. 9 TXT CD 7 track 6 • Act. 10 <div align="right">**20 min**</div>	**Assess:** *Para y piensa* p. 319 5 min **Homework:** *Cuaderno* pp. 249–251 @HomeTutor
DAY 3			
Grammar: learn how to form negative **tú** commands • Warm Up OHT 18 • Check Homework <div align="right">**5 min**</div>	**Presentación de gramática** p. 320 • Negative **tú** commands <div align="right">**15 min**</div>	**Práctica de gramática** pp. 321–322 • Acts. 11, 12, 13, 14 <div align="right">**20 min**</div>	**Assess:** *Para y piensa* p. 322 5 min
Communication: Culmination: discuss films with classmates, write your own mini-screenplay <div align="right">**5 min**</div>	**Todo junto** pp. 323–325 • *Escenas 1, 2: Resumen* • *Telehistoria completa* DVD 2 <div align="right">**15 min**</div>	**Todo junto** pp. 323–325 • Acts. 15, 16 TXT CD 7 tracks 3, 6, 7 • Act. 17 • Act. 18 TXT CD 7 tracks 8, 9 • Act. 19 <div align="right">**20 min**</div>	**Assess:** *Para y piensa* p. 325 5 min **Homework:** *Cuaderno* pp. 252–254, 255–256 @HomeTutor
DAY 4			
Reading: The House of the Spirits • Warm Up OHT 19 • Check Homework <div align="right">**5 min**</div>	**Lectura** pp. 326–327 • *La casa de los espíritus* <div align="right">**15 min**</div>	**Lectura** pp. 326–327 • *La casa de los espíritus* <div align="right">**20 min**</div>	**Assess:** *Para y piensa* p. 327 5 min
Review: Lesson review <div align="right">**5 min**</div>	**Repaso de la lección** pp. 330–331 <div align="right">**15 min**</div>	**Repaso de la lección** pp. 330–331 • Act. 1 TXT CD 7 track 10 • Acts. 2, 3, 4, 5 <div align="right">**20 min**</div>	**Assess:** *Repaso de lección* 5 min pp. 330–331 **Homework:** *En resumen* p. 329; *Cuaderno* pp. 257–268 (optional) Review Games Online @HomeTutor
DAY 5			
Assessment			**Assess:** Lesson 1 Test 45 min
Connections: Social sciences	**Conexiones** p. 328 • *Las ciencias sociales* <div align="right">**20 min**</div>	**Conexiones** p. 328 • *Proyectos 1, 2, 3* <div align="right">**25 min**</div>	

Objectives

- Introduce lesson theme: **¡Luces, cámara, acción!**
- **Culture:** Learning about Chicano art and film festivals.

Presentation Strategies

- Identify video characters: Gilberto, Tamara
- Discuss movies and how they affect people.

STANDARD

2.2 Products and perspectives

Communication, Compara con tu mundo/Inclusion; **Information Literacy,** Critical Thinking

---

🖥 Warm Up   Projectable Transparencies, 6-16

A lo contrario Escribe lo contrario de las oraciones siguientes:

1. Alguien nos va a dar la cuenta.
2. Hay o té o café.
3. Siempre piden el postre.
4. No me gusta el caldo tampoco.
5. Algunos camareros son muy atentos.

Answers: 1. Nadie nos va a dar la cuenta.
2. No hay ni té ni café. 3. Nunca piden el postre. 4. Me gusta el caldo también.
5. Ningún camarero es muy atento.

Comparación cultural

Exploring the Theme

Ask the following:

1. What movie-making equipment and props can you see in this photo?
2. Look at the woman behind the camera. What is her job called in the film industry?
3. Where can you see films in Spanish?

¿Qué ves? Possible answers include:
- Están haciendo una película.
- El chico lleva una camisa roja y jeans. Está hablando con la chica. La chica tiene el pelo rubio. Está escuchando al chico.
- Están haciendo un drama.

308

UNIDAD 6

Estados Unidos

Lección 1

Tema:

¡Luces, cámara, acción!

¡AVANZA! **In this lesson you will learn to**

- tell others what to do and what not to do
- make suggestions
- talk about movies and how they affect you

using

- **vamos** + **a** + infinitive
- affirmative **tú** commands
- negative **tú** commands

♻ *¿Recuerdas?*

- daily routines
- telling time

Comparación cultural

In this lesson you will learn about

- the Chicano art of Gilbert "Magu" Lujan
- international film festivals in Los Angeles and Buenos Aires, Argentina
- the movie adaptation of *La casa de los espíritus*

Compara con tu mundo

Los chicos en la foto están en un estudio de cine en Los Ángeles. *¿Visitaste alguna vez un estudio de cine? ¿Sabes hacer películas? ¿Te gustaría aprender?*

¿Qué ves?

Mira la foto

¿Qué está pasando en la foto?

Describe al chico y a la chica a la derecha.

¿Qué tipo de película están haciendo?

308 trescientos ocho

Differentiating Instruction

Inclusion

Cumulative Instruction Have students, in pairs, describe the people in the photo: what they look like physically, what they're wearing, where they are standing in relationship to each other.

Multiple Intelligences

Interpersonal Have students look at the opening photo and identify what role each person is possibly fulfilling on the film (actor/actress, director, cinematographer).

DIGITAL SPANISH my.hrw.com
ONLINE STUDENT EDITION with...

performance space
News Networking
@HOMETUTOR
CULTURA Interactiva

- Audio and Video Resources
- Interactive Flashcards
- Review Activities
- WebQuest
- Conjuguemos.com

PRACTICE SPANISH WITH HOLT MCDOUGAL APPS!

Un estudio de cine
Los Ángeles, California

Estados Unidos
trescientos nueve 309

DIGITAL SPANISH

TEACHER TOOLS
- Interactive Whiteboard Lessons
- Generate Success!

ALSO AVAILABLE...
- Online Workbook
- Spanish InterActive Reader

SPANISH ON THE GO!
- Performance Space
- Holt McDougal Spanish Apps
- ¡Avancemos! eTextbook

Using the Photo

Location Information
Film Studies The U.S. motion picture is still dominated by several large studios, mostly based in Hollywood—but this is changing. The tools for making films are now available to many more people—tools such as digital video cameras and computer graphics and editing software. The distribution channels are changing, also, thanks to film festivals and the Internet.

Expanded Information
Filmmaking The actual making of a film often is done by hundreds of small businesses and independent contractors hired by the studios on an as-needed basis. These companies provide a wide range of services, such as equipment rental, lighting, special effects, set construction, and costume design, as well as much of the creative and technical talent that go into producing a film.

Differentiating Instruction

English Learners
Provide Comprehensible Input Direct students' attention to the objectives listed on p. 308. Focus on the terms *affirmative* and *negative* and explain that one refers to what you *do* want and the other to what you *don't* want. Brainstorm examples of commands students already know.

Heritage Language Learners
Support What They Know Have students identify, in Spanish, as many of the movie tools and props as they can, as well as the functions/jobs of the various people pictured.

Long-term Retention
Critical Thinking

Evaluate Have students, in groups of three, research programs for learning filmmaking in the U.S.

¡AVANZA! **Objectives**

¡AVANZA! **Objectives**
- Present vocabulary: terms for movies and movie making.
- Check for recognition.

Core Resources
- Video Program: DVD 2
- Audio Program: TXT CD 7 Tracks 1, 2

Presentation Strategies
- Play the audio as students read A–C.
- Show the video.

STANDARD
1.2 Understand language

21st CENTURY Communication, Pre-AP/ Slower-paced Learners: Personalize It/ Group Work

---

Long-term Retention

Critical Thinking

Categorize Review with students that a lot of the new vocabulary on p. 310 names things people need to do their job in a movie. Create a two-column chart with the heads **persona** and **cosas que necesita**. List **actor/ actriz, director, camarógrafa, guionista** in the first column. Have students list the items each person will need to do their part in making a film.

Long-term Retention

Recycle

Review the indirect object pronouns (**me, te le, nos, les**) with students and help them create sentences using **hace reír, hace llorar,** and **da miedo** and different pronouns, such as **El drama nos hace llorar.**

Presentación de **VOCABULARIO**

¡AVANZA! **Goal:** Learn some words about movies and moviemaking. Then, talk with your classmates about what kinds of movies you like. *Actividades 1–2*

VIDEO DVD

AUDIO

A Es mucho trabajo hacer una película, pero es divertido. Si una película **tiene éxito,** y mucha **gente** va al cine para verla, **el director** y **los actores** pueden ser **famosos.** Muchos directores prefieren usar **una cámara de cine** para **filmar** películas muy profesionales.

el micrófono

la cámara de cine

el actor   la actriz   la camarógrafa   el director

B También es posible usar **una cámara de video** para filmar, y algunas **cámaras digitales** también filman **escenas** cortas. Una buena película empieza con una buena historia: **el argumento.** Entonces, **el guionista** escribe **el guión.** Los actores estudian el guión y practican sus **papeles.** Antes de filmar, ellos se visten y se ponen **el maquillaje.** Luego, el director los ayuda a **hacer los papeles** frente a la cámara.

la cámara de video   la cámara digital   el maquillaje

el guión

Differentiating Instruction

Pre-AP

Communicate Preferences Have students ask each other questions about movies they like and dislike and say why. **¿Qué películas te gustan? ¿Por qué? ¿Cuántas veces viste tu película favorita? ¿Cuál es tu escena favorita?**

Slower-paced Learners

Personalize It Have students think of their favorite film and summarize key information about it. List the following terms on the board and have students copy them, listing appropriate examples next to each item: **película favorita, director, guionista, actor (papel), actriz (papel).** Have them share the information with the rest of the class.

C ¿Cómo sabes si una película es buena? **Una comedia** es buena si **te hace reír,** y **un drama** es bueno si **te hace llorar. Una película de terror** tiene éxito si **te da miedo,** y **un documental** es interesante si aprendes mucho sobre algo.

la película de fantasía

el drama

la película de terror

la película de ciencia ficción

Más vocabulario

los efectos especiales *special effects*
la estrella de cine *movie star*
el software *software*
el sonido *sound*
editar *to edit*
esperar *to wait (for)*
fracasar *to fail*

Expansión de vocabulario p. R12
Ya sabes p. R12

la película de aventuras

la animación

la comedia

@HOMETUTOR my.hrw.com **Interactive Flashcards**

¡A responder! Escuchar

Escucha las descripciones. Levanta la mano izquierda si describe a una persona. Levanta la mano derecha si describe una cosa.

Comparisons
English Language Connection

Cognates Remind students that true cognates can help them remember the meanings of any new Spanish words they encounter. List **fantasía** and **drama** as examples, then call on volunteers to name other cognates they find.

Communication
Group Work

Divide students into groups of three or four and come up with a casting plan for a movie. Ask them to decide on what type of movie they will be casting for and then come up with a list of characteristics the actors should have. Have groups share their work with the rest of the class.

Long-term Retention
Recycle

Brainstorm vocabulary students know for describing appearances. Ask them to describe the actors shown on p. 311 using as many adjectives and phrases as they can. Model an example: **La chica en la película de fantasía tiene el pelo rubio.**

Differentiating Instruction

Multiple Intelligences

Intrapersonal Ask students to think of movies they have seen that fall into one or more of the categories featured on p. 311. Did they like the movie? Why or why not? Ask them to write the name of movie, give its genre, and say why they did or did not enjoy it.

Slower-paced Learners

Memory Aids List the six types of films and have students note the cognates: **fantasía, drama, terror, animación, comedia, aventuras.** Have them complete this sentence: **Me gustan las películas de ___ .**

Answers Projectable Transparencies, 6-24

¡A responder! Audio Script, TE p. 307B
Students should raise their right hand for questions 1, 4, 6, 7, 9 and their left hand for questions 2, 3, 5, 8, 10.

Objective

· Practice vocabulary: terms for movies and movie making.

Core Resource

· *Cuaderno*, pp. 246–248

Practice Sequence

· **Activity 1:** Vocabulary recognition: movie vocabulary
· **Activity 2:** Vocabulary production: movie genres

STANDARDS

1.1 Engage in conversation, Act. 2
1.2 Understand language, Act. 1
1.3 Present information, Acts. 1, 2

21st Century Communication, Act. 2; **Social and Cross-Cultural Skills**, English Learners

Long-term Retention

Critical Thinking

Categorize Have students think about making a film of the Aztec legend of Ixta and Popo from Unit 4. Describe the genre, plot and who would star.

Get Help Online
More Practice
my.hrw.com

✓ Ongoing Assessment

PARA Y PIENSA Quick Check If students have trouble giving the opposite of either sentence, have them reread A and C of the Vocabulary Presentation. Encourage them to use context clues to find the opposite of **fracasar** and **reír.** For additional practice, use Reteaching & Practice Copymasters URB 6 pp. 1, 2.

🖥 Answers Projectable Transparencies, 6-24

Activity 1
1. la estrella de cine
2. la directora
3. el guionista
4. el documental
5. el camarógrafo
6. la comedia
7. el micrófono
8. el argumento

Activity 2 Answers will vary. Sample answers:
1. ¿Te gustan las películas de ciencia ficción?/ Sí. Son interesantes.
2. las películas de aventuras/Sí. Son divertidas.
3. las películas de fantasía/No. Son interesantes.
4. las películas de terror/No. Me dan miedo.
5. las animaciones/Sí. Me hacen reír.
6. los dramas/No. Me hacen llorar.

Para y piensa
1. tuvo éxito
2. me hizo llorar

✦ Práctica de VOCABULARIO

1 | ¿Quién es?

Leer
Hablar
Escribir

Identifica la persona o el objeto que se describe. Usa oraciones completas.

| el documental | el guionista | la directora | el camarógrafo |
| la estrella de cine | la comedia | el micrófono | el argumento |

1. Es un actor famoso.
2. Les dice a todos qué deben hacer.
3. Escribe el guión.
4. Esta película te da información.
5. Filma las escenas.

6. Esta película te hace reír.
7. Lo necesitas para hacer el sonido.
8. Es lo que cuenta el guión.

Expansión
Write definitions for four more vocabulary words.

2 | ¿Y tú?

Hablar
Escribir

¿Te interesa el cine? ¿Qué tipo de películas prefieres? Da una razón para explicar si te gusta o no. Cambien de papel.

Pistas para el Estudiante B: Son... aburridos(as), interesantes, divertidos(as). Me hacen... llorar, reír. Me dan miedo.

A ¿Te gustan los documentales?

B Sí, me gustan los documentales. Son interesantes.

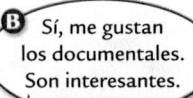

1.

2.

3.

4.

5.

6.

Expansión:
Teacher Edition Only
Have students, in pairs, name a movie in 2 of the genres that they liked or disliked. Have them give the movie title and the names of the lead actor(s) and/or actresses. Have them say who were the hero(es) and heroine(s) of the movie.

Más práctica Cuaderno *pp. 246–248* Cuaderno para hispanohablantes *pp. 246–249*

Get Help Online
my.hrw.com

PARA Y PIENSA

¿Comprendiste? Para cada oración, da la idea opuesta *(opposite).*
1. La película **fracasó.**
2. La película **me hizo reír.**

Unidad 6 Estados Unidos
312 trescientos doce

Differentiating Instruction

Pre-AP

Circumlocution Have students, in pairs, take turns asking and answering questions about a movie they have seen recently. Have them describe what they liked and disliked about the movie and the stars' performances.

English Learners

Build Background Have students say which genres of movies, which directors, and which stars are most popular in their home countries.

VOCABULARIO en contexto

¡AVANZA! **Goal:** Notice the language Gilberto and Tamara use as they decide what kind of movie to make. Then, imagine you are making a movie, and make suggestions to your friends about what to do. *Actividades 3–4*

Telehistoria escena 1

@**HOMETUTOR** View, Read
my.hrw.com and Record

STRATEGIES

Cuando lees
Chart the key information Based on this scene, make a chart showing (a) three film types, (b) who prefers each type, and (c) what's necessary for each type.

Cuando escuchas
Listen for persuasion tactics While listening, notice the characters' persuasion tactics. What do Gilberto and Tamara do or say to persuade each other?

VIDEO DVD

AUDIO

Tamara: *(aghast)* ¿Una película de terror? ¡No! ¡No me gustan las películas de terror!

Gilberto: Vimos una película de terror la semana pasada.

Tamara: Sí. Y me dio miedo. ¡Vamos a hacer una película de fantasía! ¡O de ciencia ficción!

Gilberto: ¡No tenemos dinero para los efectos especiales! Para una película de terror necesitamos algo de maquillaje, nada más.

Tamara: Entonces, un drama. O una comedia. A mí me gustan las comedias.

Gilberto: Para hacer una comedia necesitamos actores o actrices cómicos.

Tamara: Yo soy cómica. Mira... *(makes a funny face)*

Gilberto: ¿Eso es cómico? Nuestra película va a fracasar. *(Tamara makes a face.)* ¡Vamos a filmar la película de terror! Yo sé que la podemos hacer bien.

Tamara: ¿Tú piensas que puedo ser una buena actriz para una película de terror?

Gilberto: ¡Corre! ¡Rápido!

Tamara: *(terrified)* ¿Qué?

Gilberto: *(laughing)* ¡Eres la actriz perfecta! **Continuará...** p. 318

También se dice

Los Ángeles Tamara dice que no le gustan las **películas de terror**. Otras frases que se usan son **películas de horror** o **películas de miedo**.

Differentiating Instruction

Slower-paced Learners

Sentence Completion Review adjectives with **ser** that students already know in Lección preliminar. Then have students, in pairs, take turns completing these sentences from the Telehistoria, miming different states:
Yo soy ___ . Mira...[mimes]
¿Eso es ___ ? ¡Nuestra película va a fracasar!

Heritage Language Learners

Regional Variations Have students share other words and expressions people use where they are from for: **¡Mira! ¡Rápido! ¿Qué?, dar miedo,** and **fracasar**.

¡AVANZA! ## Objective

· Understand active vocabulary in context.

Core Resources

· Video Program: DVD 2
· Audio Program: TXT CD 7 Track 3

Presentation Strategies

· Have students look at the picture. Where are Tamara and Gilberto?
· Show the video and/or play the audio.

STANDARDS

1.2 Understand language
4.1 Compare languages
21st CENTURY Communication, Personalize It

Warm Up Projectable Transparencies, 6-16

Vocabulario Empareja el tipo de película con la reacción típica.
a. reír **b.** aprender mucho
c. tener miedo **d.** llorar **e.** divertirse
1. las películas de terror _____
2. las comedias _____
3. las películas de aventuras _____
4. los dramas _____
5. los documentales _____
Answers: 1. c; 2. a; 3. e; 4. d; 5. b

Long-term Retention

Personalize It

Have students name **películas de terror** that they have seen and say whether they liked or disliked them, and whether the movies scared them or not.

@**HOMETUTOR**
VideoPlus
my.hrw.com

Video Summary

Gilberto and Tamara discuss what type of movie each wants to make. Watch to see who is the most persuasive.

Objectives
· Practice using vocabulary in context
· Practice using **vamos + a + infinitive**

Core Resource
· Audio Program: TXT CD 7 Track 3

Practice Sequence
· **Activity 3:** Telehistoria comprehension
· **Activity 4:** Vocabulary production: **vamos + a + infinitive + vocabulary**

STANDARDS
1.2 Understand language, Act. 3
4.1 Compare languages, Nota
21st CENTURY Communication, Act. 4

Nota gramatical

Tell students that many Spanish speakers also use the **vamos + a + infinitive** construction in question form to suggest something, as in **¿Vamos a comer?** (Do you want to eat?/Why don't we eat?)

Introduce the common expression **Vamos a ver** (We'll see/Let's see) and its shortened version, **A ver.**

Get Help Online
More Practice
my.hrw.com

✓ Ongoing Assessment

Intervention If students have difficulty completing the last part of each sentence, direct them to pp. 310–313 to review lesson vocabulary. For additional practice, use Reteaching & Practice Copymasters URB 6, pp. 1, 3.

314

---

3 | *Comprensión del episodio* **¿Qué película hacemos?**

Escuchar Leer

Escoge la respuesta correcta.

1. A Tamara no le gustan _____ .
  a. las películas de terror
  b. las comedias
2. La película que vio Tamara la semana pasada _____ .
  a. la hizo reír
  b. le dio miedo
3. Tamara y Gilberto necesitan efectos especiales para hacer _____ .
  a. una película de ciencia ficción
  b. una película de terror
4. Para una película de terror sólo necesitan _____ .
  a. algo de maquillaje
  b. una cámara digital

Expansión:
Teacher Edition Only
Have students list 3–5 types of films and tell what is needed to make each type.

Nota gramatical

When you want to say *Let's . . . !,* use **vamos + a + infinitive.**
¡Vamos a ver una película! **Let's see** a movie!

4 | **¡A trabajar!**

Hablar Escribir

Tú y tus amigos tienen que hacer una película. Diles tus ideas de cómo hacerla.

modelo: hacer
¡Vamos a hacer una película de terror!

1. escribir
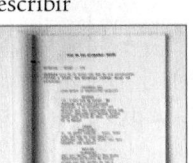

2. comprar

3. tomar fotos con

4. filmar con
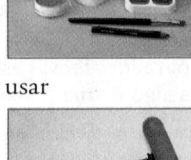

5. usar

6. buscar

Expansión
Use **vamos a** to make five suggestions you might say to your friends about weekend plans.

Get Help Online
my.hrw.com

PARA Y PIENSA

¿Comprendiste? Completa estas sugerencias *(suggestions)* para tus amigos.
  1. ¡ _____ ver un _____ !
  2. ¡ _____ filmar una _____ !
  3. ¡ _____ escribir un _____ !
  4. ¡ _____ buscar el _____ !

Unidad 6 Estados Unidos
314 trescientos catorce

Differentiating Instruction

Inclusion

Frequent Review/Repetition Before doing Activity 4, have students, in groups of three, write lists of verbs they know, referring to the end vocabulary of previous lessons. Then have them take turns completing sentences with the **vamos + a + infinitive** construction.

Slower-paced Learners

Peer-study Support Have students do the extended activity in equal-level pairs (strong/strong, weak/weak, etc.). Have them first write a list of things they might like to do on the weekend, then take turns forming sentences with the **vamos + a + infinitive** construction.

❄ Presentación de GRAMÁTICA

Goal: Learn how to form affirmative **tú** commands. Then practice using them to tell someone you know well to do something. *Actividades 5–8*

♻ *¿Recuerdas?* Daily routines p. 114, telling time p. R12

English Grammar Connection: Remember that you use commands to tell someone to do something. In English, there is only one command form. In Spanish, there are formal commands (**usted**) and **familiar commands (tú).**

♻ REPASO Affirmative tú Commands

ANIMATEDGRAMMAR
my.hrw.com

You use **affirmative tú commands** to tell someone you know well to do something. How do you form these commands?

Here's how: Regular **affirmative tú commands** are the same as the **usted/él/ella** form of a verb in the present tense.

Present Tense	Affirmative tú Command
Él **escribe** el guión y **filma** la película. *He **writes** the script and **films** the movie.*	**Escribe** el guión y **filma** la película. *Write the script and film the movie.*

The verbs **hacer, ir,** and **ser** are irregular in the **tú command** form.

hacer	**Haz** un documental.	*Make a documentary.*
ir	**Ve** al cine.	*Go to the movie theater.*
ser	**¡Sé** bueno!	*Be good!*

Some irregular **tú commands** are based on the present-tense **yo** form. For these verbs, drop the **-go** ending to form the commands.

	yo Form	tú Command
decir	**digo**	di
poner	**pongo**	pon
salir	**salgo**	sal
tener	**tengo**	ten
venir	**vengo**	ven

The rules of pronoun placement also apply to **affirmative tú commands.**

Attach **pronouns** to affirmative commands.

Dime. **Tell me.**

When you attach **pronouns** to verbs with two or more syllables, add an **accent** to show stress.

Preséntanos a la directora. *Introduce us to the director.*

Más práctica
Cuaderno *pp. 249–251*
Cuaderno para hispanohablantes *pp. 250–252*

@HOMETUTOR my.hrw.com
Leveled Practice
Conjuguemos.com

Differentiating Instruction

Inclusion

Metacognitive Support Give students the mnemonic device *Darn Silly T.V. Program* to remember irregular **tú** commands, or have them create their own. Also, provide them with a rhyme to help with accents and attached pronouns: "count back three, accent me."

English Learners

Provide Comprehensible Input Remind students that a command is a statement directed at someone. Review that in both Spanish and English, you drop the subject pronoun to give a command. Write an example: **Dame el libro.** Give me the book. Ask students which pronoun(s) is/are implied.

- Present affirmative **tú** commands.

Core Resource
- *Cuaderno:* pp. 249–251

Presentation Strategies
- Point out that students already know the verb form for **tú** commands: it is the same as the third person singular (**usted/él/ella**) form of a verb in the present tense
- Present some verbs are irregular in the **tú** command form.
- The same rules of pronoun placement and accents apply to **tú** commands as they do to formal commands.

☘ STANDARD
4.1 Compare languages

🖥 **Warm Up** Projectable Transparencies, 6-17

Mandatos Completa esta receta para tortilla de patatas con mandatos (commands) afirmativos en la forma **usted**.
1. (poner) _____ un poco de aceite en un sartén (frying pan).
2. (añadir) _____ las patatas, la cebolla, sal y pimienta.
3. (freír) _____ todo por diez minutos.
4. (batir) _____ los huevos.
5. (mezclar) _____ todo junto y (cocinar) _____ la tortilla por diez minutos más.
Answers: 1. Ponga; 2. Añada; 3. Fría; 4. Bata; 5. Mezcle, cocine

---

Comparisons
English Grammar Connection

Remind students that, in Spanish as in English, commands can sound bossy or rude, and should be used with discretion. Tell them that they can soften commands by adding **por favor.**

🖥 **Answers** Projectable Transparencies, 6-24

Answers continued from p. 314.

Para y piensa Answers for the second term will vary. Sample answers include:
1. Vamos a/drama
2. Vamos a/película de ciencia ficción
3. Vamos a/guión
4. Vamos a/director

Objectives

· Practice listening to and using affirmative **tú** commands
· **Culture:** Learn about a Chicano artist and discuss cultural identity
· Recycle: daily routines, telling time
· Practice pronouncing the Spanish *f* sound

Core Resources

· *Cuaderno,* pp. 249–251
· Audio Program: TXT CD 7 Tracks 4, 5

Practice Sequence

· **Activities 5, 6:** Controlled practice: affirmative **tú** commands
· **Activity 7:** Transitional practice: affirmative **tú** commands; Recycle: daily routines, telling time
· **Activity 8:** Open-ended practice: affirmative **tú** commands

STANDARDS

1.1 Engage in conversation, Acts. 7, 8
1.2 Understand language, Act. 6
1.3 Present information, Acts. 5, 7, 8
2.2 Products and perspectives, CC
4.1 Compare languages, Pronunciación
4.2 Compare cultures, CC

21st CENTURY Communication, Pre-AP; **Social and Cross-Cultural Skills,** Comparación cultural/Multiple Intelligences

Comparación cultural

Essential Question

Suggested Answer Los artistas expresan su identidad cultural por su arte y los objetos, personas y lugares que pintan.

About the Artist

Gilbert "Magu" Lujan seeks to actively express pride in his cultural heritage through his art. He uses the bold primary colors of Mexican art and images of, among other cultural icons, wild lowrider cars covered with graffiti.

See Activity answers on p. 317.

✤ Práctica de GRAMÁTICA

5 Muchas instrucciones

Hablar Escribir

Eres un(a) director(a). Dale instrucciones a tu compañero(a) y él o ella va a hacer la acción. Cambien de papel.

¡Empieza a llorar!

modelo: empezar a llorar

1. correr
2. decir qué hora es
3. poner una mano en el escritorio
4. hacer el papel de un profesor

5. tener prisa
6. ser cómico(a)
7. cerrar los ojos
8. bailar

Expansión
Give each other two more instructions to act out.

6 Así se hace

Escuchar Escribir

Escucha lo que le dice Gilberto a alguien que quiere aprender a hacer películas. Escribe los mandatos *(commands)* que él da.

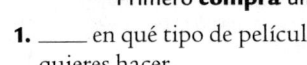

modelo: Primero _____ una cámara de video.
Primero **compra** una cámara de video.

1. _____ en qué tipo de película quieres hacer.
2. _____ el guión.
3. _____ a los actores y a las actrices.
4. _____ con la ropa y el maquillaje.

5. _____ las escenas con tu cámara de video.
6. _____ la película con software.
7. _____ una buena película.
8. _____ a pedirme ayuda.

Audio Program
TXT CD 7 Track 4
Audio Script, TE
p. 307B

Comparación cultural

El arte chicano

¿Cómo expresan los artistas su identidad cultural?
La palabra **chicano** se usa para una persona de Estados Unidos de herencia *(heritage)* mexicana. Gilbert «Magu» Lujan es un artista chicano. Formó Los Four, un grupo de artistas que tuvo la primera exposición de arte chicano en **Los Ángeles** en 1974 y pintó muchos murales en la ciudad. Aztlán, un tema frecuente en el arte chicano, es el lugar de origen de los aztecas según *(according to)* sus leyendas. En *Returning to Aztlán,* vemos un coche *lowrider,* un icono de la cultura chicana. También hay una imagen al revés *(upside down)* de **México.** Esto expresa la forma especial de los chicanos de ver el mundo.

Returning to Aztlán (1983),
Gilbert «Magu» Lujan

Compara con tu mundo *¿Cómo afecta tu herencia la forma en que ves el mundo?*

Differentiating Instruction

Inclusion

Frequent Review/Repetion Before students complete Activity 5, review how to form commands. List the verbs from the activity on the board and ask students what the command would be for each item. Then have students open their books and complete the activity in pairs.

Multiple Intelligences

Visual Learners Have students create their own piece of art work that expresses their heritage. Encourage them to think about things important to their culture and have them depict them visually. Collect the individual pieces of art work and assemble a mural to display in class. Have students explain to the class why they chose what they did.

7 ¡Arréglate! ♻ ¿Recuerdas? Daily routines p. 114, telling time p. R12

Hablar

Ayuda a tu compañero(a) a estar listo(a) para la película que se va a filmar mañana a las ocho de la mañana. Recomienda siempre una hora antes de lo que él o ella dice.

A ¿Debo despertarme a las siete y diez?

B No, despiértate a las seis y diez.

 1.

 2.

 3.

> **Expansión:**
> Teacher Edition Only
> Have students write five pieces of advice, using **tú** commands, for someone who has trouble getting to school on time in the morning.

 4.

 5.

 6.

8 Estrella de cine

Hablar Escribir

Tu amigo(a) quiere ser estrella de cine. Dile qué debe hacer.

modelo: mirar
Mira muchas películas para aprender más del cine.

1. hablar	3. practicar	5. hacer	7. empezar	9. ir
2. leer	4. aprender	6. salir	8. esperar	10. ponerse

> **Expansión**
> Organize your ideas into a letter of advice to the friend.

Pronunciación La letra f

AUDIO

The Spanish **f** sounds like the *f* in the English word *fix*. Unlike English, when you hear /f/ in Spanish, it is represented by a single **f**. There is no *ph*, *gh*, or *ff* in Spanish. Listen and repeat.

teléfono   efectos   micrófono   diferente   profesor

Más práctica Cuaderno *pp. 249–251*   Cuaderno para hispanohablantes *pp. 250–252*

Get Help Online my.hrw.com

PARA Y PIENSA

¿Comprendiste? Dile al actor qué tiene que hacer para tu película.
1. aprender bien el papel
2. venir aquí a las 7:00
3. ponerse este sombrero
4. contarle el argumento a la actriz

Lección 1
trescientos diecisiete **317**

Differentiating Instruction

Pre-AP

Persuade Have students think of their favorite movie star. Tell them that they are the star's agent and they have to give the actor or actress advice on their next film. Have students write a letter using **tú** commands to give the star advice, such as what role he or she should play in the film, who should be the director, and how much money they should ask for.

Multiple Intelligences

Kinesthetic Using Activity 7 as a model, play a game of "Simón dice" (Simon Says). Students stand up and follow commands, only performing the action if "Simón dice" is said first. (e.g., **Simón dice: cepíllate los dientes;** students act out brushing their teeth) After modeling the activity, have students volunteer to be Simón.

Communication
Common Error Alert

Point out that the command form of **ser** and the **yo** form of **saber** are both spelled the same: **sé**, with an accent.

Get Help Online
More Practice
my.hrw.com

✓ Ongoing Assessment

PARA Y PIENSA

Intervention If students have difficulty completing the sentences, direct them to pp. 310–313 to review lesson vocabulary. For additional practice, use Reteaching & Practice Copymasters URB 6, pp. 4, 5, 10, 11.

📖 Answers Projectable Transparencies, 6-24 and 6-25

Answers for Activities on pp. 316, 317.

Activity 5
1. Corre.
2. Di qué hora es.
3. Pon una mano en el escritorio.
4. Haz el papel de un profesor.
5. Ten prisa.
6. Sé cómico(a).
7. Cierra los ojos.
8. Baila.

Activity 6
1. Piensa	5. Filma
2. Escribe	6. Edita
3. Busca	7. Haz
4. Ayúdalos	8. Ven

Activity 7 Answers will vary. Sample answers:
1. ¿Debo levantarme a las siete y cuarto? No, levántate a las seis y cuarto.
2. ¿Debo ducharme a las siete y veinte? No, dúchate a las seis y veinte.
3. ¿Debo cepillarme los dientes a las siete y media? No, cepíllate los dientes a las seis y media.
4. ¿Debo secarme el pelo a las ocho menos cuarto? No, sécate el pelo a las siete menos cuarto.
5. ¿Debo peinarme a las ocho? No, péinate a las siete.
6. ¿Debo ponerme la chaqueta a las ocho y cuarto? No, ponte la chaqueta a las siete y cuarto.

Activity 8 Answers will vary. Sample answers:
1. Habla con directores.
2. Lee muchos guiones.
3. Practica mucho.
4. Aprende el diálogo.
5. Haz el papel.
6. Sal con actores.
7. Empieza temprano.
8. Espera un buen papel.
9. Ve a festivales de cine.
10. Ponte maquillaje.

Para y piensa 1. Aprende bien el papel.
2. Ven aquí a las siete. 3. Ponte este sombrero.
4. Cuéntale el argumento a la actriz.

317

Objective
· Practice using affirmative **tú** commands.

Core Resources
· Video Program: DVD 2
· Audio Program: TXT CD 7 Track 6

Presentation Strategies
· Ask students to preview the Telehistoria activities before watching the video.
· Tell students to look at the pictures from the Telehistoria on p. 318 and identify what Gilberto is doing and using.
· Show the video and/or play the audio.

Practice Sequence
· **Activity 9:** Telehistoria comprehension
· **Activity 10:** Transitional practice: affirmative **tú** commands

STANDARDS
1.1 Engage in conversation, Act. 10
1.2 Understand language, Acts. 9, 10
Communication, Act. 10/Heritage Language Learners; **Creativity and Innovation,** Pre-AP

Warm Up Projectable Transparencies, 6-17

Mandatos Escribe mandatos afirmativos (affirmative commands) en la forma **tú** con los verbos siguientes:

1. ser _____   **3.** poner _____   **5.** ir _____
2. dar _____   **4.** hacer _____

Answers: 1. sé; 2. da; 3. pon; 4. haz; 5. ve

Long-term Retention
Recycle

Have students, in pairs, take turns giving the commands Gilberto does at the start of the Telehistoria, but use the formal **usted** form instead of the informal **tú** form.

Video Summary

Gilberto and Tamara begin rehearsing the scene for their film. Two other people arrive—one of them a famous actress, Antonia Reyes. When Niki calls to say she can't make it, Antonia offers to help out.

▶Ⅰ ⅠⅠ

✸ GRAMÁTICA en contexto

Goal: Notice the commands Gilberto uses to direct Tamara as they practice a scene. Then use commands to give advice to teens who ask for help. *Actividades 9–10*

Telehistoria escena 2

STRATEGIES

Cuando lees
Consider roles List sequentially all the roles Gilberto takes. Could he share any of these roles with others? If so, how? What is Tamara's role?

Cuando escuchas
Listen for cause and effect How does Tamara respond to Gilberto's directions? What positive and negative effects does Niki's absence have?

Antonia

Héctor

VIDEO DVD

AUDIO

Gilberto: ¿Dónde está Niki? *(Tamara shrugs.)* ¡Vamos a practicar la escena! *(to the soundperson)* No necesitamos el micrófono todavía. *(to Tamara)* Ve allí. Empieza a caminar. Ahora espera. Escucha. Mira detrás de ti. Ahora corre rápidamente. *(Tamara runs by quickly.)* Bien, ahora necesitamos...

Héctor: ¡Gilberto! ¿Qué tal? Alguien me dijo que estás haciendo una película.

Gilberto: Hola, Héctor. Sí, estamos haciendo una película corta.

Héctor: ¡Muy bien! ¿Y tú eres el director?

Gilberto: Primero fui el guionista. Y ahora soy el director y el camarógrafo. Luego voy a editar la película.

Tamara puts her cell phone away and shakes her head.

Tamara: Niki no puede venir. ¿Qué vamos a hacer?

Gilberto: *(to Héctor)* Necesitamos a una actriz. Es un papel pequeño, de una página, pero es un papel importante.

Antonia: ¿Puedo ayudar? Soy actriz. Me llamo...

Tamara: *(recognizing her)* ¡Antonia Reyes!   **Continuará...** p. 323

Differentiating Instruction

Pre-AP

Vary Vocabulary Have students, in groups of three, write the opening scene for their own thriller. Then have one be the director and give commands to the other two. Encourage them to use different verbs than those used in the Telehistoria.

English Learners

Increase Interaction If students were making their own movies, what actress or actor from their country would they want to have show up on their set? What role would that person play?

9 Comprensión del episodio Filmando la escena

Escuchar Leer

Empareja la descripción con el personaje. Puedes usar las respuestas más de una vez.

1. Hoy es camarógrafo.
2. Es una actriz famosa.
3. Es el director de esta película.
4. Hace lo que le dice el director.
5. Escribió el guión.
6. Es un amigo de Gilberto.

a. Tamara
b. Gilberto
c. Héctor
d. Antonia

Expansión:
Teacher Edition Only
Have students write two more sentences to describe each person from the Telehistoria.

10 ¿Qué hago?

Leer Hablar Escribir

Dales consejos (*advice*) a estos jóvenes.

modelo: Andrés, diles a tus padres que vas a limpiar tu cuarto y hazlo.
Limpia un poco todos los días.

Quiero invitar a una persona a salir conmigo, pero no sé qué decirle. ¿Qué me recomiendas?

Laura, 16 años

Saco malas notas en casi todas mis clases. ¿Qué debo hacer?

Mis padres están enojados porque mi cuarto está desorganizado. ¿Qué hago?

Andrés, 16 años

Rigoberto, 18 años

Nunca tengo dinero para comprar las cosas que quiero. ¿Qué hago?

Ana María, 14 años

Samuel, 15 años

Me gustaría tener más amigos. ¿Qué me recomiendas?

Mariela, 17 años

No me gusta hablar mucho en clase, pero mis maestros siempre me hacen preguntas. ¿Qué hago?

Expansión
Write down another situation. Exchange with a partner and have him or her respond with appropriate advice.

PARA Y PIENSA

Get Help Online
my.hrw.com

¿Comprendiste? Usa mandatos para darle algunos consejos a tu amiga sobre:
1. qué película debe ir a ver y cuándo
2. lo que debe hacer antes, durante y después de la película

Differentiating Instruction

Heritage Language Learners

Support What They Know Have students write at least five affirmative **tú** commands that their parents often gave them when they were children. Ask them to share these with the class, and note if there are any in common.

Slower-paced Learners

Personalize It Have students, in pairs, write down at least four verbs describing things they like to do, such as **comer dulces, jugar voleibol, ir de vacaciones,** or **practicar deportes.** Then have them take turns asking and answering questions about what they can do, using the format: **¿Puedo comer dulces?** **–Sí, come dulces.**

Communication

Humor/Creativity

Activity 10 Have students, in groups of three, write a list of at least five "recommendations" of things to do to make your parents/guardians mad at you. Then have them share these with the class, and vote on the top three suggestions.

✓ Ongoing Assessment

Get Help Online
More Practice
my.hrw.com

PARA Y PIENSA

Intervention Encourage students who are having difficulties mastering **tú** commands to review the grammar presentation on p. 315. For additional practice, use Reteaching & Practice Copymasters URB 6, pp. 4, 6.

TEACHER to TEACHER

Jeanne Hughes
Downers Grove, Illinois

Tips for Forming Commands

I use a mnemonic strategy to help students recall how to form commands. For affirmative commands, I tell students to remember "AAA3": A = affirmative command; A= attach pronouns; A3 = add accent if there are 3 syllables or more in the new word. For negative commands, I teach "NA". NA = pronouns not attached, before conjugation, and no accent.

Go online for more tips!

Answers Projectable Transparencies, 6-25

Activity 9
1. b
2. d
3. b
4. a
5. b
6. c

Activity 10 Answers will vary. Answers should include the affirmative **tú** command form.

Para y piensa Answers will vary. Sample answers:
1. Ve a ver la nueva comedia de Antonia Reyes este fin de semana.
2. Compra las entradas en Internet. Llega temprano. Después, llámame para decirme si te gustó.

319

Objective

· Present negative **tú** commands

Core Resource

· *Cuaderno,* pp. 252–254

Presentation Strategies

· Remind students that to form both the affirmative and negative **usted** commands they need to change to the opposite verb endings. The negative **tú** commands follow the same pattern, but the verb endings add an **–s**.

· Present how to form negative **tú** commands.

· Present how to form negative **tú** commands for verbs ending in **–car, –gar,** and **–zar.**

· Present the negative **tú** commands of **dar, estar, ir, saber** and **ser.**

· Explain that pronoun placement with negative **tú** commands is the same as with negative **usted** commands.

STANDARD

4.1 Compare languages

21st CENTURY Social and Cross-Cultural Skills, English Learners

Warm Up Projectable Transparencies, 6-18

¿Cierto o falso? Indica si las siguientes oraciones sobre la Telehistoria son ciertas o falsas.

1. Gilberto hace un documental.
2. Antonia Reyes es amiga de Tamara.
3. Gilberto le dice a Tamara: «Empieza a llorar».
4. Niki no pudo venir.
5. La amiga de Héctor quiere ayudar a Gilberto y Tamara.

Answers: 1. F; 2. F; 3. F; 4. C; 5. C

Presentación de GRAMÁTICA

Goal: Learn how to form negative **tú** commands. Then practice using them to tell someone you know well not to do something. **Actividades 11–14**

English Grammar Connection: To form a negative command in English, you add *do not* or *don't* before the verb. In Spanish, you add **no** before the verb and change the verb ending.

Negative tú Commands

ANIMATED GRAMMAR
my.hrw.com

You learned that negative **usted** commands begin with the word **no** and change the verb ending. **Negative tú commands** follow a similar pattern.

Here's how: You form **negative tú commands** with the **yo** form of verbs in the present tense.

-ar verbs   -o *changes to* **-es**
-er, -ir verbs   -o *changes to* **-as**

Infinitive	Present Tense	Negative tú Commands
mirar	yo miro	¡No **mires** esa película de terror! *Don't watch that horror film!*
poner	yo pongo	¡No **pongas** el micrófono allí! *Don't put the microphone there!*
escribir	yo escribo	¡No **escribas** otra escena! *Don't write another scene!*

Verbs that end in **-car, -gar,** and **-zar** have spelling changes.

tocar → no to**qu**es   jugar → no jue**gu**es   almorzar → no almuer**c**es

The **negative tú command** forms of some **verbs** are irregular.

dar	no des	saber	no sepas
estar	no estés	ser	no seas
ir	no vayas		

Pronouns with **negative tú commands** appear before the **verb.**

¿Ves esta cámara? No **se la des.**   *Do you see this camera? Don't **give it to her.***

Más práctica
  Cuaderno *pp. 252–254*
  Cuaderno para hispanohablantes *pp. 253–256*

@HOMETUTOR my.hrw.com
Leveled Practice
Conjuguemos.com

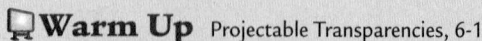

Differentiating Instruction

English Learners

Increase Interaction Have students write the negative **tú** command forms for the top three to four things children are not supposed to do when in school in their home country. Ask them to share these with the class, and discuss whether they are the same as or different from expectations in the U.S.

Multiple Intelligences

Interpersonal Have students, in groups of three or four, discuss with whom and in what situations they would use negative **tú** commands—and would not. Have them discuss what other ways they use to communicate their desires that someone do something, other than use a direct command.

Práctica de GRAMÁTICA

11 | ¡La estrella quiere mandar!

Hablar
Escribir

El director tiene problemas con su estrella de cine. La estrella les da mandatos a las personas que trabajan en la película, pero el director no está de acuerdo. ¿Qué le dicen a cada persona?

modelo: comprar el almuerzo ahora

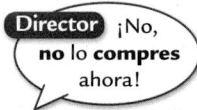

Estrella ¡Compra el almuerzo ahora!

Director ¡No, no lo compres ahora!

Expansión:
Teacher Edition Only
Have students give 3 more affirmative and negative commands from the director and star.

1. filmar la escena otra vez
2. apagar la cámara
3. sacar al actor de aquí
4. usar la cámara digital
5. traer más maquillaje
6. hacer más café
7. llamar a (mi) agente
8. editar el guión

12 | En el estudio

Hablar
Escribir

Estás mirando la filmación de una película. ¿Qué les dice el director enojado a los estudiantes en tu grupo?

modelo: ¡Miguel! No salgas, por favor.

escuchar	hablar
comer	beber
dormir	salir
tomar	jugar

Miguel
Paula
Luis
Timoteo
Rosa
Susana
Mario
Raúl

Expansión
Think of some off-limits activities for your Spanish class and the negative commands that your teacher might give.

Differentiating Instruction

Inclusion

Metacognitive Support Remind students that the negative **tú** commands are based on the **yo** form of the present tense. Also remind them that the *a* in **–ar** verbs and the *e* and *i* in **–er** and **–ir** verbs change to their opposite (*a to e* and *e or i to a*) and take the *s* ending. Have them take turns generating the negative **tú** commands for verbs from the lesson.

Heritage Language Learners

Increase Accuracy Students from some countries, such as Puerto Rico and Cuba, may tend to drop the final *–s*. Pair them with non-native speakers for Activity 12, and have students listen for the final *–s* in the negative commands.

Objective
· Practice using negative **tú** commands

Practice Sequence
· **Activity 11:** Controlled practice: negative **tú** commands
· **Activity 12:** Transitional practice: negative **tú** commands

 STANDARDS
1.1 Engage in conversation, Acts. 11, 12
1.3 Present information, Acts. 11, 12
21 Communication, Act. 12

Communication
Grammar Activity

Have students give the **usted** form of the negative commands.

📺 **Answers** Projectable Transparencies, 6-25

Activity 11
1. ¡Filma la escena otra vez! ¡No, no la filmes otra vez!
2. ¡Apaga la cámara! ¡No, no la apagues!
3. ¡Saca el actor de aquí! ¡No, no lo saques de aquí!
4. ¡Usa la cámara digital! ¡No, no la uses!
5. ¡Trae más maquillaje! ¡No, no traigas más maquillaje!
6. ¡Haz más café! ¡No, no hagas más café!
7. ¡Llama a mi agente! ¡No, no lo(la) llames!
8. ¡Edita el guión! ¡No, no lo edites!

Activity 12 Answers may vary. Possible answers:
1. ¡Susana! No escuches música, por favor.
2. ¡Timoteo! No comas, por favor.
3. ¡Raúl! No duermas, por favor.
4. ¡Luis! No tomes fotos, por favor.
5. ¡Paula! No hables (por teléfono), por favor.
6. ¡Rosa! No bebas, por favor.
7. ¡Mario! No juegues con el micrófono, por favor.

321

Objectives
- Practice using negative **tú** commands
- **Culture**: The importance of film festivals

Core Resource
- *Cuaderno*, pp. 252–254

Practice Sequence
- **Activity 13**: Transitional practice: negative **tú**
- **Activity 14**: Transitional practice: negative **tú** commands

STANDARDS
1.1 Engage in conversation, Act. 13
1.3 Present information, Act.13
2.2 Products and perspectives, Act. 14
4.2 Compare cultures, Act. 14

21st CENTURY Communication, Acts. 13, 14; **Information Literacy**, Multiple Intelligences; **Social and Cross-Cultural Skills**, Compara con tu mundo (Economic Literacy)

Comparación cultural

Essential Question
Suggested Answer En los festivales de cine puedes ver películas nuevas y diferentes.

✓ Ongoing Assessment

Peer Assessment Have students write the answers using complete sentences. Then have groups or pairs of students correct each other's work. For additional practice, use Reteaching & Practice Copymasters, URB 6, pp. 7, 8.

---

13 **¡No lo hagas!**

Hablar
Escribir

Hay un(a) estudiante nuevo(a) en su escuela. Hablen de las cosas que no debe hacer para tener éxito. Hagan una lista de sus diez mejores ideas.

modelo:
1. No hables inglés en la clase de español.
2. No vayas a la biblioteca los viernes por la tarde.
3. No seas un(a) estudiante perezoso(a).
4. No...

Expansión
Give affirmative commands of things to do to succeed in school.

---

14 **¡No te portes mal en el festival!**

Leer
Escribir

Comparación cultural

Festivales internacionales de cine

¿Cuál es la importancia de los festivales de cine? El Festival Internacional de Cine Latino de **Los Ángeles** es una oportunidad para los directores latinos de Estados Unidos, España y Latinoamérica para presentar sus películas. El actor famoso Edward James Olmos fue uno de sus fundadores *(founders)* y muchas otras estrellas de cine vienen al festival cada año. Algunos eventos son galas, talleres *(workshops)* de cine para jóvenes y entrevistas *(interviews)* abiertas al público con directores y guionistas. En **Argentina**, el Festival Internacional de Cine de Mar del Plata tiene eventos similares. Este gran festival está abierto a directores de todos los países. Al final del festival hay una ceremonia que presenta premios en categorías como mejor actor y actriz, mejor guión y mejor director.

Edward James Olmos con la actriz puertorriqueña Lymari Nadal en el Festival de Cine Latino

Compara con tu mundo ¿Qué oportunidades hay en tu región para alguien que quiere hacer una película?

Tu amigo va a venir al festival contigo, pero no sabe cómo portarse *(behave)*. Dile lo que no debe hacer.

Pistas: llegar, traer una mochila, tomar fotos, hablar, ser nervioso(a), vestirse, ponerse

modelo: No llegues tarde. No te pongas una gorra.

Expansión:
Teacher Edition Only
Have students tell their friend 3 things to do in the festival, using affirmative **tú** commands.

Más práctica Cuaderno *pp. 252–254* Cuaderno para hispanohablantes *pp. 253–256*

PARA Y PIENSA

¿Comprendiste? Dile a tu hermano(a) menor lo que no debe hacer durante una película en el cine:
1. hablar   2. correr   3. tener miedo   4. dormirse

Unidad 6 Estados Unidos
322 trescientos veintidós

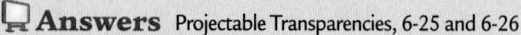

Answers Projectable Transparencies, 6-25 and 6-26

Activity 13 Answers will vary. All answers should include a negative **tú** command. Sample answers:
No comas en el pasillo.
No duermas en clase.

Activity 14 Answers will vary. Sample answers include:
No tomes fotos de las estrellas.
No hables durante una película.

Para y piensa
1. No hables.   3. No tengas miedo.
2. No corras.   4. No te duermas.

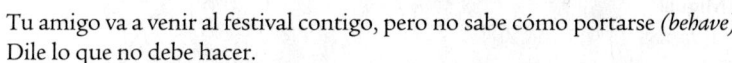
Differentiating Instruction

Pre-AP
Persuade Have students, in small groups of two or three, write the copy for an ad for their film, which they are entering in a film festival. Have them use affirmative and negative **tú** commands, then present it to the class.

Multiple Intelligences
Logical/Mathematical Have students, in groups of three, research the most recent winners of the LA Latino International Film Festival online. Have them chart the winners in the various categories by country, and report back to the class on the countries with the most and least representation.

❖ Todo junto

¡AVANZA! **Goal:** *Show what you know* Listen as Tamara works with a movie star in Gilberto's film. Then, use what you have learned to discuss films with classmates and to write your own mini-screenplay. *Actividades 15–19*

Telehistoria completa

 **@HOMETUTOR** my.hrw.com — View, Read and Record

STRATEGIES

Cuando lees
Describe and compare personalities
Make notes about the personalities of Antonia and Tamara. How are their personalities similar or different?

Cuando escuchas
Listen for disruptions Notice the two disruptions during this scene. Who is responsible? What happens? Does he or she need more self-control? How might the others feel?

Escena 1 *Resumen*
Gilberto y Tamara se preparan para filmar una película de terror. A Tamara no le gustan las películas de terror porque le dan miedo.

Escena 2 *Resumen*
Antes de filmar, los jóvenes esperan a una actriz, pero nunca llega. Otra actriz, la famosa Antonia Reyes, los ayuda.

 VIDEO DVD / AUDIO

Escena 3

Gilberto: ¡Esto es excelente! Ahora sé que vamos a tener éxito con esta película.

Tamara: *(looking at Antonia in awe)* ¡Pero ella es una estrella de cine!

Gilberto: No estés nerviosa. Ella es la prima de Héctor. Las personas famosas también pueden ser simpáticas.

Antonia: Aquí está tu guión, Gilberto. Me gusta el argumento.

Gilberto: Pues... ¡gracias! Bueno, vamos a empezar. *(The girls take their places.)* No empiecen antes de escuchar «acción». Bueno, tú sabes eso, ¿no? ¡Acción!

Antonia: ¡Espera! No salgas. Es peligroso. *(Tamara laughs.)*

Gilberto: ¡Corte! Tamara, esto no es una comedia.

Tamara: Lo siento. ¡Me hizo reír!

Gilberto: Pues, no la mires. ¿Está bien? Y no respondas rápidamente. ¡Acción!

Antonia: ¡Espera! ¡No salgas! Es peligroso.

Tamara: *(trying to calm her)* Regreso en diez minutos.

Antonia: *(fighting tears)* Tengo miedo.

Gilberto: *(whispering)* Tamara, di: «Tengo que salir».

Tamara: *(sniffling)* ¡Perdón! ¡Me hizo llorar!

Gilberto: Pues, ¡ahora sabemos por qué Antonia es una estrella de cine!

Differentiating Instruction

Slower-paced Learners

Yes/No Questions Ask students simple comprehension questions with yes/no answers about the Telehistoria, such as: **¿Está nerviosa Tamara? ¿Es amable Antonia? ¿Le gusta a Antonia el guión de Gilberto?**

English Learners

Provide Comprehensible Input Students may not be familiar with the English terms in the script. Elaborate on or simplify the definitions of *sniffling, whispering,* and *fighting tears,* pantomiming the actions if needed. Encourage students to look for those expressions as they view the Telehistoria.

¡AVANZA! **Objective**
· Integrate lesson content.

Core Resources
· Video Program: DVD 2
· Audio Program: TXT CD 7 Track 7

Presentation Strategies
· Ask students to recount what has happened in the first two episodes of the Telehistoria.
· Ask them how the last episode ended. Do they think Antonia will be the star of Gilberto's film?

❖ STANDARD
1.2 Understand language

Warm Up Projectable Transparencies, 6-18

Mandatos Cambia las oraciones a mandatos (commands) negativos con **tú.**
modelo: Llama al hombre. *No llames al hombre.*

1. Estás enojado. _____
2. Ponte el abrigo. _____
3. Ve a la puerta. _____
4. Apaga la luz. _____
5. Sal inmediatamente. _____

Answers: 1. No estés enojado.; 2. No te pongas el abrigo.; 3. No vayas a la puerta.; 4. No apagues la luz.; 5. No salgas inmediatamente.

 **@HOMETUTOR** VideoPlus my.hrw.com

Video Summary
Tamara works with the film star, Antonia Reyes, in the opening scene of Gilberto's film. Antonia has an unexpected effect on Tamara: She makes her cry.

 ▶ ‖

323

Objective
· Practice using and integrating lesson vocabulary and grammar.

Core Resources
· *Cuaderno*, pp. 255–256
· Audio Program: TXT CD 7
Tracks 3, 6, 7, 8, 9

Practice Sequence
· **Activities 15, 16:** Telehistoria comprehension
· **Activity 17:** Transitional practice: speaking
· **Activity 18:** Transitional practice: reading, listening, speaking
· **Activity 19:** Open-ended practice: writing

STANDARDS
1.1 Engage in conversation, Act. 17
1.2 Understand language, Acts. 15, 16
1.3 Present information, Acts. 17, 18
21ᵗ Communication, Act. 17; **Creativity and Innovation**, Act. 19/Multiple Intelligences

---

15 *Comprensión de los episodios*   ¡Acción!

Escuchar
Leer

Corrige los errores en estas oraciones.

> **modelo:** Gilberto dice que esto es malo.
> Gilberto dice que esto es excelente.

1. Gilberto sabe que van a fracasar con esta película.
2. Tamara es una estrella de cine.
3. Antonia está nerviosa.
4. Antonia es la prima de Tamara.
5. A Antonia le gusta la animación.
6. Las actrices no deben empezar antes de escuchar «corte».

16 *Comprensión de los episodios*   La película

Escuchar
Leer

Contesta las preguntas.

1. ¿Qué tipo de película prefiere hacer Gilberto? ¿Por qué?
2. ¿Quiénes llegan durante la filmación?
3. ¿Quién es Antonia?
4. Tamara no puede hacer su papel fácilmente. ¿Por qué no?
5. ¿Cómo sabes que Antonia es buena actriz?

17 ¿Cuál es mejor?

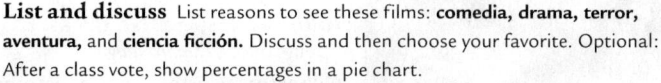
Digital performance space

Hablar

> **STRATEGY Hablar**
> **List and discuss** List reasons to see these films: **comedia, drama, terror, aventura,** and **ciencia ficción**. Discuss and then choose your favorite. Optional: After a class vote, show percentages in a pie chart.

Tu grupo quiere alquilar un video este sábado, pero ustedes no pueden decidir qué película seleccionar. ¿Qué dicen?

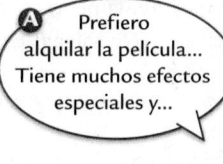

A Prefiero alquilar la película... Tiene muchos efectos especiales y...

B Si te gustan los efectos especiales, alquila la película...

C Esa película me hizo llorar. No la alquiles. Busca...

Expansión
Once you agree on a movie, tell the class which one you chose and why.

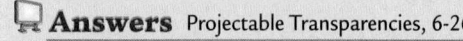
Answers Projectable Transparencies, 6-26

Activity 15 Answers will vary. Sample answers:
1. Gilberto sabe que va a tener éxito esta película.
2. Antonia es una estrella de cine.
3. Tamara está nerviosa.
4. Antonia es la prima de Héctor.
5. A Antonia le gusta el argumento.
6. Las actrices no deben empezar antes de escuchar «acción».

Activity 16 Answers will vary.
1. Gilberto prefiere hacer una película de terror porque no necesita más que un poco de maquillaje.
2. Héctor y Antonia llegan durante la filmación.
3. Antonia es una estrella de cine.
4. Tamara no puede hacer su papel fácilmente porque Antonia le hace reír y llorar.
5. Sé que Antonia es buena actriz porque le hace llorar a Tamara.

Activity 17 Answers will vary. Sample answer:
A. Prefiero alquilar la película de horror. Tiene muchos efectos especiales y me da miedo.
B. Si te gustan los efectos especiales, alquila la película de ciencia ficción.
C. Esa película me hizo llorar. No la alquiles. Busca una comedia.

Differentiating Instruction

Pre-AP
Relate Opinions Have students write a short review of a film they either liked or disliked. Have them give some facts about the movie (title, genre, director, actors), summarize the plot, and say what was good or bad about the film.

Inclusion
Clear Structure Help students prepare their answers for Activity 17 by encouraging them to first classify the different film genres, and then give reasons why they should be seen. Help them create a simple graphic organizer such as a chart or word web and then brainstorm words to go with each category.

18 Integración

Leer Escuchar Hablar

Digital performance space

Lee el horario del cine y escucha las críticas de la película. Describe las críticas para tu amigo y explícale por qué quieres o no quieres ir a ver esta película.

Fuente 1 Horario de cine

"...una película divertida... ¡Ve a verla hoy!"
E. Castillo, WAUU

LOS del OTRO MUNDO

Raquel Delgado   Iván Guerrero

Los del otro mundo (Ciencia ficción): Una joven estudiante encuentra problemas y aventuras cuando un ejército extraterrestre llega a Los Ángeles en secreto. Con Raquel Delgado, Iván Guerrero. Director: Elías Godoy.

Horario: 12:15 2:30 4:45 7:00 9:15

Fuente 2 Las críticas

Listen and take notes
- ¿Quién recomienda la película? ¿Por qué le gustó?
- ¿Qué dicen los dos de los efectos especiales?
- ¿Qué dice la segunda crítica sobre el argumento?

 Audio Program
TXT CD 7
Tracks 8, 9
Audio Script,
TE p. 307B

modelo: ¡Vamos a ver *Los del otro mundo* esta noche! Es la nueva película de...

Expansión:
Teacher Edition Only
Have students give the opposite of each statement the reviewers make.

19 ¡Soy guionista!

Escribir

Digital performance space

Escribe el guión de una escena corta para una comedia, un drama o una película. Debe incluir un mínimo de ocho mandatos familiares.

modelo: (Dentro de una casa antigua, por la noche...)
Federico: ¿Cómo vamos a salir? ¡Escucha! ¿Viene alguien?
Aurora: Espera. No estés nervioso. Yo sé qué hacer. (Alguien abre la puerta)
Enemigo: ¡Ja! Los encontré. ¡Dame el mapa...!

Writing Criteria	Excellent	Good	Needs Work
Content	You include eight or more **tú** commands and an excellent range of vocabulary.	You include five to seven **tú** commands and a fair range of vocabulary.	You include only a few **tú** commands and the vocabulary is very limited.
Communication	Your script is organized and easy to follow.	Parts of your script are organized and easy to follow.	Your script is disorganized and hard to follow.
Accuracy	Your script has few mistakes in grammar and vocabulary.	Your script has some mistakes in grammar and vocabulary.	Your script has many mistakes in grammar and vocabulary.

Expansión
Your classmates will help you present your scene to the class.

Más práctica Cuaderno *pp. 255–256*   Cuaderno para hispanohablantes *pp. 257–258*

PARA Y PIENSA

Get Help Online
my.hrw.com

¿Comprendiste? Dale dos consejos a Tamara y dos a Gilberto sobre su película usando mandatos afirmativos y negativos.

Differentiating Instruction

Inclusion

Sequential Organization Divide students into groups of three to complete Activity 19. Have them create a story map for their scene before writing it, and list at least eight commands the actors will give. Help them with the exercise by brainstorming a sequence of events. Organize the events in chronological order and together place them in a story map.

Multiple Intelligences

Visual Learners Have students, in pairs, create story boards for their scene, and present them to the class along with their script.

Long-term Retention

Pre-AP **Integration**

Activity 18 Before listening to the audio, encourage students to first carefully read the activity. Have them anticipate what they may hear in the audio so that they can think about how they will take notes beforehand. What information is needed to complete the exercise?

✓ **Ongoing Assessment**

Rubric Activity 18

Listening/Speaking

Proficient	Not There Yet
Student takes detailed notes, answers all questions and provides a complete description.	Student takes few notes, answers only one or two questions and does not provide a complete description.

To customize your own rubrics, use the **Generate Success** *Rubric Generator and Graphic Organizers.*

✓ **Ongoing Assessment**

Get Help Online
More Practice
my.hrw.com

PARA Y PIENSA **Quick Check** Ask students to read their sentences aloud. Write their commands on the board to check their work. For additional practice, use Reteaching & Practice Copymasters URB 6, pp. 7, 9.

Answers Projectable Transparencies, 6-26

Activity 18
1. El primer crítico recomienda la película. Le gustó porque es una película divertida.
2. El primer crítico dice que son fantásticos. La segunda crítica dice que parece que el director los editó con software barato en computadora.
3. Dice que el argumento no es original.

Activity 19 Answers will vary. Pair students according to ability (weak/weak, strong/strong, etc.) and have them use the rubric to evaluate each other's descriptions.

Para y piensa Answers will vary. Sample answers:
Tamara, haz bien tu papel. No nos hagas reír. Gilberto, termina de editar la película. No estés nervioso.

325

 **Lectura**

Additional readings at **my.hrw.com**
SPANISH
InterActive Reader

Objectives

- Read an excerpt from a contemporary Latin American novel that was made into an American film.
- Answer reading comprehension questions about the main character.

Presentation Strategies

- Explain to students that the excerpt they are about to read is from the first novel of a Chilean female writer, and that it was made into an American film.
- Preview the reading selection with the class. Tell students that the main character in this passage is a young girl, Clara, who has decided not to talk. She does, however, love to read, and she keeps notes about daily events in a countless number of notebooks.
- Preview the reading strategy with students.

STANDARDS

1.2 Understand language
1.3 Present information

21st Century Communication, Para y piensa: ¿Y tú?

Warm Up Projectable Transparencies, 6-19

Mandatos Cambia las oraciones siguientes a mandatos (commands) con **tú**.
modelo: No debes ir allá. No vayas allá.
1. No debes estar nerviosa.
2. Debes esperar.
3. No debes salir.
4. No debes tener miedo.
5. Debes hablar lentamente.

Answers: 1. No estés nerviosa.; 2. Espera.; 3. No salgas.; 4. No tengas miedo.; 5. Habla lentamente.

Long-term Retention

Recycle

Have students, in pairs, list all the verbs from the reading that are in the preterite and imperfect tenses. Ask them to choose one of each and say whether the verb describes an action completed in the past, or an ongoing action in the past.

Lectura

¡AVANZA! **Goal:** Read excerpts from a contemporary Latin American novel that was made into an American film. Then talk about this novel and others you know that have been made into movies.

La casa de los espíritus

La película estadounidense The House of the Spirits *(1993) es una adaptación de la primera novela de la escritora chilena Isabel Allende,* La casa de los espíritus. *En estos fragmentos, conocemos a Clara, un personaje importante del libro.*

STRATEGY Leer
Summarize to understand
To help you manage this complex passage, try to restate each paragraph in a few short phrases or sentences as you go along. If you are having trouble, go back and reread, jotting down notes or questions.

Primer párrafo:
1. Clara decidió no hablar.
2.
3.

Clara tenía diez años cuando decidió que no valía la pena hablar y se encerró en el mutismo[1]. Su vida[2] cambió notablemente. El médico de la familia, el gordo y afable doctor Cuevas, intentó curarle el silencio con píldoras[3] de su invención, con vitaminas en jarabe[4] y tocaciones de miel[5] de bórax en la garganta pero sin ningún resultado aparente [...]

La nana tenía la idea de que un buen susto[6] podía conseguir que la niña hablara[7] y se pasó nueve años inventando recursos[8] desesperados para aterrorizar[9] a Clara, con lo cual sólo consiguió[10] inmunizarla contra la sorpresa y el espanto[11]. Al poco tiempo Clara no tenía miedo de nada [...]

---

[1] **se...** shut herself into silence   [2] life   [3] pills   [4] syrup
[5] applications of honey-based remedy   [6] fright, scare
[7] **podía...** would make the girl talk again   [8] ways
[9] terrify, frighten   [10] managed to   [11] fright

Differentiating Instruction

Inclusion

Clear Structure Encourage students, in mixed-level groups of three, to look for and write down the answers to specific questions in each paragraph: (first paragraph) **¿Cuántos años tenía Clara? ¿En qué se encerró? ¿Con qué intentó curarle el médico?** (second paragraph) **La nana trató de aterrorizar a Clara. ¿Tenía Clara miedo?**

Heritage Language Learners

Literacy Skills Have students write a synopsis of the excerpt, identifying the main idea, characters, and plot. Write the headings **Idea principal, Personajes,** and **Trama** on the board to help students organize their ideas before they write a summary.

La pequeña Clara leía mucho. Su interés por la lectura era indiscriminado y le daban lo mismo [12] los libros mágicos de los baúles encantados [13] de su tío Marcos, que los documentos del Partido Liberal que su padre guardaba [14] en su estudio. Llenaba incontables [15] cuadernos con anotaciones [16] privadas, donde fueron quedando registrados [17] los acontecimientos [18] de ese tiempo, que gracias a eso no se perdieron borrados por la neblina del olvido [19], y ahora yo puedo usarlos para rescatar [20] su memoria [...]

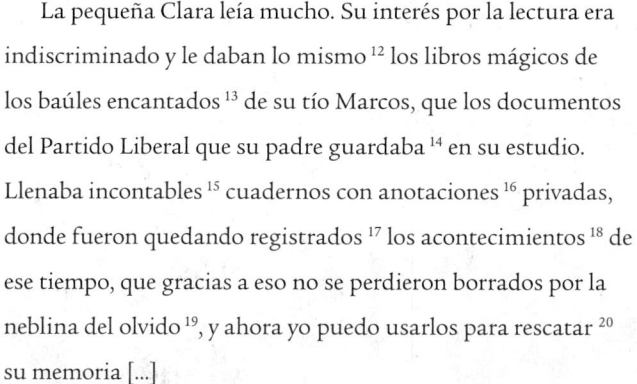

---

[12] **le...** they were the same to her   [13] **baúles...** magical chests
[14] kept   [15] countless   [16] annotations, entries
[17] **fueron...** were being recorded   [18] happenings, events
[19] **borrados...** erased by the fog of oblivion   [20] rescue

PARA Y PIENSA

¿Comprendiste?
1. ¿Quién es la autora de *La casa de los espíritus*? ¿De dónde es?
2. ¿Cómo es el personaje de Clara?
3. ¿Qué le pasa a Clara a los diez años?
4. ¿Por qué le pierde Clara el miedo a todo?
5. ¿Qué cosas le ayudan a Clara a recordar en la vida?

¿Y tú?
¿Qué otras películas conoces que son adaptaciones de novelas? En general, ¿te gustan las películas basadas en novelas o te gustan más las novelas originales? ¿Por qué?

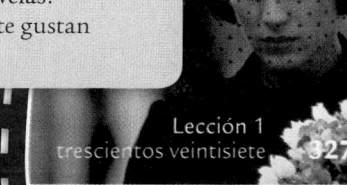

Lección 1
trescientos veintisiete 327

Differentiating Instruction

Slower-paced Learners

Sentence Completion Write down sentences for students to complete from the reading, such as: **Clara tenía _____ años. Al poco tiempo Clara no _____ _____ de nada. La pequeña Clara _____ mucho.** Have students work in pairs, and then take turns reading the sentences to each other.

Multiple Intelligences

Linguistic/Verbal Have students, in pairs, write descriptions of what the nanny in the reading might have looked like, what she might have done to scare Clara, and how Clara might have responded.

327

Objective

· **Cross-curricular connections:** social science, art, sciences, history

Presentation Strategy

· Ask students about murals they have seen. Where were they? What did they illustrate? Did they have a theme?

STANDARDS

1.2 Understand language
1.3 Present information
2.2 Products and perspectives
3.1 Knowledge of other disciplines
21ST CENTURY Communication, Proyectos 1, 2; **Information Literacy,** Heritage Language Learners; **Social and Cross-Cultural Skills,** English Learners

Cultura

Expanded Information

· **Proyecto 2** Cave paintings are much more sheltered than modern murals. Modern urban murals face many environmental challenges like sun, rain, wind, and even pollution. In addition, they are often exposed to passing people, who can damage them by simply touching them or vandalizing them.

· **Proyecto 3** Mayan and Aztec paintings were often religious in nature, and the painter's purpose or message is not often known. Mexican muralists often painted in order to convey themes of social and economic justice.

Answers

Proyecto 2 Answers will vary. Sample answers: Un proceso del medio ambiente que hace daño es la polución. Hay muchos coches en Los Ángeles. Las personas que ponen grafitti en los murales también hacen daño. Necesitan leyes contra el vandalismo y la polución.

Proyecto 3 Answers will vary. Sample answers: Llevan herramientas porque van a construir un monumento. Llevan banderas porque hacen un desfile.

328

❊ Conexiones *Las ciencias sociales*

Los murales de Los Ángeles

La ciudad de Los Ángeles se conoce como «la capital de murales» *(murals)* del mundo *(world)*. Durante los años sesenta, algunos artistas mexicoamericanos empezaron a pintar *(paint)* murales para expresar sus opiniones sobre los derechos civiles *(civil rights)* y otros temas sociales. En 1974, un grupo de artistas y estudiantes empezó *The History of California,* un mural que documenta la historia de la región desde tiempos prehistóricos.

En esta sección del mural hay una hacienda *(plantation)* típica del siglo diecinueve. Mira al hombre que está a la izquierda. ¿Quién piensas que es? ¿Cómo es? ¿Qué ropa lleva? ¿Qué está mirando? ¿Cómo es la casa? ¿Qué pasa en el patio? Escribe tres párrafos en que contestas estas preguntas y explicas los detalles del mural.

Union Station, Los Ángeles

El patio

Proyecto 1 *El arte*

Haz un mural pequeño de temas sociales. Escribe un párrafo en que explicas el significado del mural.

Proyecto 2 *Las ciencias*

Algunos murales en Los Ángeles están dañados *(damaged)*. Escribe una composición sobre la deterioración de los murales. Nombra los procesos del medio ambiente *(environment)* que dañan *(damage)* los murales. ¿Cómo son responsables las personas? ¿Cómo podemos evitar *(avoid)* estos daños?

Proyecto 3 *La historia*

Los artistas de Los Ángeles se inspiraron en la tradición muralista mexicana. Esta tradición empezó con los mayas y los aztecas, y siguió con artistas como Diego Rivera, David Siqueiros, José Orozco y otros. Escribe dos párrafos que describen este mural maya. ¿Qué llevan las personas? ¿Qué piensas que hacen?

Detalle de un mural maya en Bonampak, Chiapas

Differentiating Instruction

English Learners

Build Background Have students describe murals or other forms of public art from their home countries. Have them describe where the pieces are located and what the theme of each is.

Heritage Language Learners

Writing Skills Have students, in pairs, research the murals painted in this country by Diego Rivera, and write a detailed description of one of them. Encourage them to recycle or use vocabulary they know for colors, shapes, and sizes. Brainstorm descriptions with them as needed.

Lección 1

En resumen
Vocabulario y gramática

ANiMaTeDGRaMMaR
Interactive Flashcards
my.hrw.com

Vocabulario

Making Movies

On the Set

el argumento	plot	fracasar	to fail
editar	to edit	el guión	screenplay
los efectos especiales	special effects	hacer un papel	to play a role
la escena	scene	el maquillaje	makeup
esperar	to wait (for)	el sonido	sound
filmar	to film	tener éxito	to be successful

Equipment

la cámara de cine	movie camera
la cámara digital	digital camera
la cámara de video	video camera
el micrófono	microphone
el software	software

People Involved with Movies

el actor	actor
la actriz	actress
el (la) camarógrafo(a)	cameraman / camerawoman
el (la) director(a)	director
la estrella de cine	movie star
famoso(a)	famous
la gente	people
el (la) guionista	screenwriter

Types of Movies

la animación	animation
la comedia	comedy
el documental	documentary
el drama	drama
la película...	. . . film
de aventuras	action
de ciencia ficción	science fiction
de fantasía	fantasy
de terror	horror

How Movies Affect You

Me da miedo.	It scares me.
Me hace reír.	It makes me laugh.
Me hace llorar.	It makes me cry.

Gramática

Nota gramatical: Vamos + a + infinitive *p. 314*

♻ REPASO Affirmative Commands

Regular **affirmative tú commands** are the same as the **usted/él/ella** form in the present tense.

Present Tense	Affirmative tú command
Él **escribe** el guión y **filma** la película. *He **writes** the script and **films** the movie.*	**Escribe** el guión y **filma** la película. ***Write** the script and **film** the movie.*

Some irregular **tú commands** are based on the present-tense **yo** form.

	yo form	tú command
decir	digo	di
poner	pongo	pon
salir	salgo	sal
tener	tengo	ten
venir	vengo	ven

Negative Commands

Negative tú commands begin with the word **no** and change the verb ending.

-ar verbs	-o *changes to* → **-es**
-er, -ir verbs	-o *changes to* → **-as**

Infinitive	Present Tense	Negative tú Commands
mir**ar**	yo mir**o**	¡No mir**es** esa película de terror!
com**er**	yo pong**o**	¡No pong**as** el micrófono allí!
escrib**ir**	yo escrib**o**	¡No escrib**as** otra escena!

Practice Spanish with Holt McDougal Apps!

Objective
· Review lesson vocabulary and grammar.

 DIGITAL SPANISH

Interactive Flashcards Students can hear every target vocabulary word pronounced in authentic Spanish. Flashcards have Spanish on one side, and a picture or a translation on the other.
Review Games Matching, concentration, hangman, and word search are just a sampling of the fun, interactive games students can play to review for the test.

performance space	• **Audio and Video Resources**
News ⊕ Networking	
@HOMETUTOR	• **Interactive Flashcards**
CuLTuRa Interactiva	• **Review Activities**
	• **WebQuest**
	• **Conjuguemos.com**

Communication
Humor/Creativity

Divide the class into two teams. Alternate having one student from a team come forward. Give him/her one of the vocabulary words to draw on the board for his/her team to guess. Set a time limit and give a point if a student from the team calls out the correct word. Continue until all students have had a chance to draw or all words have been reviewed.

Differentiating Instruction

Pre-AP

Communicate Preferences Have students, in pairs, communicate what they like or dislike about each genre of film. Encourage them to use terms other than those listed in the end vocabulary. If needed, help them brainstorm phrases they already know to express feelings or reactions. For example: **me hace dormir, es aburrido(a), me interesa.**

Slower-paced Learners

Personalize it Have students, in pairs, take turns saying what role in making a film they would most like to have: the director, the star, the cinematographer, etc.

329

Lección 1

Repaso de la lección

@HOMETUTOR
my.hrw.com

Repaso de la lección

¡AVANZA! Objective

· Review lesson content.

Core Resources

· *Cuaderno* pp. 257–268
· Audio Program: TXT CD 7 Track 10

Presentation Strategies

· Review may be done in class or given as homework.
· You may want students to access the Review Games online.

STANDARDS

1.2 Understand language, Act. 1
1.3 Present information, Acts. 2, 4
2.1 Practices and perspectives, Act. 5
2.2 Products and perspectives, Act. 5

21st CENTURY Critical Thinking and Problem Solving, Pre-AP; Social and Cross-Cultural Skills, English Learners

🖥 Warm Up Projectable Transparencies, 6-19

Vocabulario Empareja palabras de las dos columnas.

1. la película de ciencia ficción
2. el argumento
3. hacer un papel
4. la cámara de cine
5. el software

a. la actriz
b. el camarógrafo(a)
c. los efectos especiales
d. editar
e. el guión

Answers: 1. c; 2. e; 3. a; 4. b; 5. d

✓ Ongoing Assessment

Get Help Online
More Practice
my.hrw.com

Intervention/Remediation If students achieve less than 75% accuracy in each activity, direct them to review pages called out in the left margins and to get help online at my.hrw.com

See Activity answers on p. 331.

330

¡LLEGADA!

Now you can
· tell others what to do and what not to do
· make suggestions
· talk about movies and how they affect you

Using
· **vamos** + **a** + infinitive
· affirmative **tú** commands
· negative **tú** commands

To review
· movies and how they affect you, p. 311

AUDIO

1 Listen and understand

Escucha las descripciones de las películas y escoge el tipo de película que corresponde a cada descripción.

1. drama / comedia
2. fantasía / documental
3. ciencia ficción / animación
4. terror / aventuras
5. comedia / animación
6. documental / fantasía
7. aventuras / terror
8. comedia / drama

🎧 **Audio Pr**
TXT CD 7 Tr
Audio Script,
TE p. 307B

To review
· **vamos** + **a** + infinitive, p. 314

2 Make suggestions

Es difícil hacer una película. Lee cada problema y sugiere una solución.

modelo: La cámara de cine no sirve. (usar la cámara digital / usar la cámara de video)
Vamos a usar la cámara de video.

1. Es difícil escuchar a los actores. (poner el micrófono más cerca / ponerles más maquillaje)
2. El argumento no es muy interesante. (editar el guión / esperar el software nuevo)
3. No pueden ver las caras de los actores. (usar los efectos especiales / filmar con luces)
4. Quisimos hacer una buena película de ciencia ficción, pero nuestra película es aburrida. (añadir efectos especiales / hacer una película de aventuras)
5. Necesitamos una actriz famosa. (llamar a una estrella de cine / buscar una camarógrafa)
6. Es necesario editar la escena después de filmarla. (tener éxito / usar el software)

Differentiating Instruction

Multiple Intelligences

Linguistic/Verbal Before listening to the audio, have students look over the types of films named in Activity 1. How do they anticipate these films will be described? What adjectives do they think they will hear for each different genre of film?

Pre-AP

Expand and Elaborate In pairs or in groups of three, have students select a type of film discussed in this chapter. Using Activity 2 as a model, have them brainstorm what kind of problems they could encounter making this type of film, and how they would deal with them. They can write these points on index cards and then present them to the class.

3 Tell others what to do and what not to do

review
affirmative **tú**
commands, p. 315
negative **tú**
commands, p. 320

Los jóvenes hacen una película en una clase de drama y el maestro les dice qué deben hacer. ¿A quién le habla?

> el camarógrafo   la directora   el actor   la guionista

1. Escribe una escena de batalla. Escríbela con mucha acción.
2. Haz el papel del profesor viejo. Sé una persona simpática pero desorganizada.
3. Usa esta nueva cámara de video. No tenemos cámara de cine.
4. Hay unos problemas con esta escena. Edítala, por favor.
5. Trabaja con la guionista, el camarógrafo y los actores para hacer cada escena perfecta.
6. Lee el guión muchas veces para saber qué tienes que decir.
7. No filmes todavía; estamos practicando.
8. Diles a todos dónde tienen que estar y qué deben hacer.

4 Tell others what to do and what not to do

review
affirmative **tú**
commands, p. 315
negative **tú**
commands, p. 320

Tu amiga es actriz y tiene entrevista con un director. Dale consejos.

> modelo: llegar tarde a la entrevista
>   No llegues tarde.

1. usar micrófono
2. beber mucha agua antes de la entrevista
3. hacer reír al director
4. practicar con el guión
5. ponerse mucho maquillaje
6. tener miedo

5 The United States, Mexico and Argentina

review
Hispanos en L.A.
p. 307
Comparación
cultural, pp. 316,
322
Lectura, pp.
326–327

Comparación cultural

Contesta estas preguntas culturales.

1. ¿Qué días festivos mexicanos celebran en Los Ángeles? ¿Por qué?
2. ¿Qué quiere decir la palabra **chicano?**
3. ¿Qué eventos tienen el Festival Internacional de Cine Latino de Los Ángeles y el Festival Internacional de Cine de Mar del Plata?
4. ¿Cómo se llama la novela de Isabel Allende que también es una película? Describe el personaje de Clara.

Más práctica   Cuaderno pp. 257–268   Cuaderno para hispanohablantes pp. 259–268

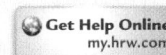 Get Help Online
my.hrw.com

Answers Projectable Transparencies, 6-26 and 6-27

Answers for Activities on pp. 330, 331.

Activity 1
1. comedia; 2. documental; 3. ciencia ficción;
4. terror; 5. animación; 6. fantasía;
7. aventuras; 8. drama

Activity 2
1. Vamos a poner el micrófono más cerca.
2. Vamos a editar el guión.
3. Vamos a filmar con luces.
4. Vamos a añadir efectos especiales.
5. Vamos a llamar a una estrella de cine.
6. Vamos a usar el software.

Activity 3
1. la guionista; 2. el actor; 3. el camarógrafo;
4. la guionista; 5. la directora; 6. el actor; 7. el camarógrafo; 8. la directora

Activity 4 Answers will vary. Sample answers:
1. Usa un micrófono.
2. No bebas mucha agua antes de la entrevista.
3. Haz(le) reír al director.
4. Practica con el guión.
5. No te pongas mucho maquillaje.
6. No tengas miedo.

Activity 5 Answers will vary.
1. Celebran el Día de la Independencia y el Cinco de Mayo porque muchos mexicanos viven en Los Ángeles.
2. La palabra **chicano** se usa para una persona de los Estados Unidos que es de herencia mexicana.
3. Tienen galas, talleres de cine y entrevistas abiertas al público con directores y guionistas.
4. Se llama *La casa de los espíritus*. Clara lee y escribe mucho pero no habla. No tiene miedo de nada.

Differentiating Instruction

Inclusion

Synthetic/Analytic Support As students do Activity 3, suggest that they read each sentence, identify the command, then decide to whom it is most likely directed. Then have them reread the sentence for context clues that support their initial answer or that indicate a different answer.

English Learners

Increase Interaction Ask students to name holidays from their countries that they celebrate here. Have them share the customs, special foods, traditions, and significance of these holidays with the class.

331

Lesson Overview

Culture at a Glance ❈

Topic & Activity	Essential Question
Grauman's Chinese Theater in Hollywood, pp. 332–333	¿Te gusta ir al cine?
Artistic mediums and Patssi Valdez, p. 340	¿Por qué usan los artistas diferentes medios?
Spanish-speaking actors in Hollywood, p. 346	¿Cuánto sabes sobre la herencia de los actores populares?
The Oscar and the Ariel, pp. 350–351	¿Cómo son similares y diferentes los premios Óscar y Ariel?
Travel and tourism, p. 352	¿Cuáles son los beneficios del turismo para el turista y para los residentes de un lugar?
Culture review p. 355	¿Qué influencia tienen los hispanos en la industria del cine?

COMPARISON COUNTRIES  Estados Unidos 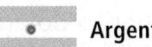 Argentina México

Practice at a Glance ❈

	Objective	Activity & Skill
Vocabulary	Invitations, convincing others	2: Listening; 5: Speaking; 10: Listening/Reading; 19: Speaking; 20: Reading/Listening/Speaking; Repaso 1: Listening
	Using e-mail and the telephone	3: Speaking/Writing; 5: Speaking; 10: Listening/Reading; Repaso 1: Listening
	Movie premieres, acceptance speeches	1: Writing/Speaking; 4: Listening/Reading; 6: Writing; 7: Listening; 13: Speaking/Writing; 17: Listening/Reading; 18: Listening/Reading; 21: Writing; Repaso 3: Writing;
Grammar	Present subjunctive with **ojalá**	6: Writing; 7: Listening; 8: Writing; 9: Speaking/Writing; 11: Speaking/Writing; 12: Writing/Speaking; 13: Speaking/Writing; 14: Reading/Speaking; 15: Speaking/Writing; 16: Reading/Speaking; 17: Listening/Reading; 20: Reading/Listening/Speaking; 21: Writing; Repaso 1: Listening; Repaso 2, 3, 4: Writing
	Spelling changes in the subjunctive	8: Writing; 9: Speaking/Writing; 11: Speaking/Writing; Repaso 2, 4: Writing
	Subjunctive of stem-changing verbs	6: Writing; 7: Listening; 9: Speaking/Writing; 12: Writing/Speaking; Repaso 3, 4: Writing
	Subjunctive of irregular verbs	13: Speaking/Writing; 14: Reading/Speaking; 15: Speaking/Writing; 16: Reading/Speaking; Repaso 3, 4: Writing
Communication	Make future plans	2: Listening; 10: Listening/Reading; 15: Speaking/Writing; 20: Reading/Listening/Speaking; 21: Writing;
	Express hopes and wishes	6: Writing; 7: Listening; 8: Writing; 9: Speaking/Writing; 11: Speaking/Writing; 12: Writing/Speaking; 13: Speaking/Writing; 14: Reading/Speaking; 15: Speaking/Writing; 16: Reading/Speaking; 17: Listening/Reading; 20: Reading/Listening/Speaking; 21: Writing; Repaso 2: Writing
	Extend and respond to invitations and influence others	5: Speaking; 19: Speaking; 20: Reading/Listening/Speaking; 21: Writing; Repaso 1: Listening
	Talk about technology	2: Speaking/Writing; Repaso 1: Listening Repaso 2: Writing;
	Pronunciation: Linking vowels	*Pronunciación: Linking vowels,* p. 345: Listening/Speaking
Recycle	School subjects	11: Speaking/Writing;
	Vacation activities and sports	12: Writing/Speaking;

Student Text Audio Scripts

The following presentations are recorded in the Audio Program for *¡Avancemos!*

For **¡AvanzaRap!** scripts, see the **¡AvanzaRap! DVD.**

¡A responder! TXT CD 7 track 12

1. Está escribiendo un mensaje.
2. Lleva un corbatín.
3. Está usando un teclado.
4. Está llamando por teléfono celular.
5. Tiene una invitación en la mano.
6. Están en una gala.
7. El mensajero instantáneo está en la pantalla.
8. Quiere ir al estreno con Tamara y Gilberto.

2 | ¿Qué dices? TXT CD 7 track 13

1. ¿Puedo hablar con Silvia?
2. ¿Dónde hago clic?
3. Julián no puede ir a la fiesta. Le duele el estómago.
4. Tengo una invitación para la gala. ¿Quieres ir?
5. Las críticas van a ser buenas.
6. ¿Me pongo ropa elegante para el estreno?

7 | Antes del estreno TXT CD 7 track 15

1. Ojalá que mis amigos reciban una invitación para el estreno. Ya tengo mi invitación.
2. No conozco a ninguna persona famosa. Ojalá que conozcamos a una estrella de cine en la gala.
3. Mis abuelos vienen mañana a visitarme. Ojalá que me traigan un regalo.
4. Ojalá que haga sol mañana. Quiero ir a la playa.
5. Muchos directores estrenan sus películas en Los Ángeles. Ojalá que yo pueda ir a un estreno algún día.
6. Ojalá que mi amigo me llame este viernes. A veces me llama los viernes para ir al cine.
7. Ahh, ¿tú trabajas con el festival de cine este año? ¡Ojalá que pienses invitarnos a las fiestas!
8. Ojalá que yo gane el premio del festival este año. ¡No gano nunca!
9. Pienso que la gala empieza a las siete. Ojalá que tenga tiempo para cenar antes de ir.

20 | Integración TXT CD 7 tracks 19, 20

Fuente 2 Mensaje en tu teléfono

¡Hola! Soy Teresa. Te llamo para ver si recibiste mi invitación para la gala el próximo fin de semana. ¡Ojalá que vengas! Durante la fiesta —más o menos a las 8:00— vamos a estrenar la película que hicimos sobre nuestro viaje con mi cámara de video. ¡Va a ser muy cómico, te lo juro! Ahora, como es un estreno importante, si tienes ropa elegante ¡póntela, por favor! Muchas chicas van a venir vestidas elegantemente, ¡y muchos chicos en traje y corbata o corbatín! Bueno...si no sabes cómo llegar a mi casa, mira la invitación y haz clic en el icono al lado de la dirección. Debe salir un mapa. ¡Nos vemos! ¡Chau!

Repaso de la lección TXT CD 7 track 22

1 Listen and understand

1. ¿Quieres venir al estreno este fin de semana? Me parece muy divertido.
2. Vamos a estrenar nuestra película. Te invito a la gala después.
3. ¿Te gustaría ir a un concierto mañana? Es en el centro a las ocho.
4. Invité a Maca a la fiesta, pero no sé si puede ir.
5. La gala va a ser muy elegante, te lo aseguro.
6. La crítica de la película fue buena. Estoy convencido que te gustaría. ¿Vamos?

Repaso inclusivo TXT CD 7 track 24

1 Listen, understand, and compare

Buenas noches señoras y señores. Muchas gracias por este premio para el mejor director. Estoy muy emocionado pero tengo que decir que no soy la única persona responsable por el éxito de esta película. El proyecto fue un gran éxito por muchas razones. No fue el trabajo de una sola persona. Mucha gente me ayudó a filmar y hacer esta película. Primero quiero dar las gracias a los camarógrafos por su trabajo en las escenas de acción. Segundo, debo también decir gracias al equipo de los efectos especiales. También quiero dar las gracias a los guionistas por un guión muy original y un diálogo natural. Y a los actores y las actrices: gracias; ustedes dejaron a sus familias por seis meses para entrenarse y prepararse para este proyecto difícil. Y finalmente, quiero dar las gracias a mi familia. ¡Qué lástima! No pudieron estar aquí conmigo. ¡Ojalá que sepan cuánto me ayudan! Gracias y buenas noches.

Everything you need to ...

Plan
TEACHER ONE STOP

✓ Lesson Plans
✓ Teacher Resources
✓ Audio and Video

Present
INTERACTIVE WHITEBOARD LESSONS

TEACHER ONE STOP WITH PROJECTABLE TRANSPARENCIES

POWER PRESENTATIONS

ANiMaTeDGRaMMaR

Assess
 ONLINE ASSESSMENT

✓ Assessments for on-level, modified, pre-AP, and heritage learners
✓ Create customized tests with **Examview Assessment Suite**
✓ performance))space
✓ *Generate Success* Rubric Generator

 ## Print

Plan	Present	Practice	Assess
URB 6 • Video Scripts pp. 73–75 • Family Involvement Activity p. 93 • Absent Student Copymasters pp. 102–112 **Best Practices Toolkit**	**URB 6** • Video Activities pp. 58–67	• *Cuaderno* pp. 269–294 • *Cuaderno para hispanohablantes* pp. 269–294 • *Lecturas para todos* pp. 58–62 • *Lecturas para hispanohablantes* • *¡AvanzaCómics! El misterio de Tikal,* Episodio 2 **URB 6** • Practice Games pp. 38–45 • Audio Scripts pp. 79–83 • Fine Art Activities pp. 89–90	**Differentiated Assessment Program** **URB 6** • Did you get it? Reteaching and Practice Copymasters pp. 12–23

 ## Projectable Transparencies (Teacher One Stop, my.hrw.com)

Culture	Presentation and Practice	Classroom Management
• Atlas Maps 1–6 • Map: United States 1 • Fine Art Transparencies 4, 5	• Vocabulary Transparencies 8, 9 • Grammar Presentation Transparencies 12, 13 • Situational Transparencies and Label Overlay 14, 15 • Situational Student Copymasters pp. 1–2	• Warm Up Transparencies 20–23 • Student Book Answer Transparencies 28–31

 Audio and Video

Audio	Video	¡AvanzaRap! DVD
• Student Book Audio CD 7 Tracks 11–24 • Workbook Audio CD 3 Tracks 31–40 • Assessment Audio CD 2 Tracks 9–12 • Heritage Learners Audio CD 2 Tracks 13–16, CD 4 Tracks 9–12 • *Lecturas para todos* Audio CD 1 Track 10, CD 2 Tracks 1–7 • Sing-along Songs Audio CD	• Vocabulary Video DVD 2 • *Telehistoria* DVD 2 • *Telehistoria, Escena 1* • *Telehistoria, Escena 2* • *Telehistoria, Escena 3* • *Telehistoria, Completa* • Culture Video DVD 2 • *El Gran Desafío* DVD 2	• Video animations of all **¡AvanzaRap!** songs (with Karaoke track) • Interactive DVD Activities • Teaching Suggestions • **¡AvanzaRap!** Activity Masters • **¡AvanzaRap!** video scripts and answers

Online and Media Resources

Student	Teacher
Available online at my.hrw.com • Online Student Edition • **News**➕ Networking • **performance**))**space** • **@HOMETUTOR** • **Cultura** Interactiva • WebQuests • Interactive Flashcards • Review Games • Self-Check Quiz **Student One Stop** **Holt McDougal Spanish Apps**	**Teacher One Stop (also available at my.hrw.com)** • Interactive Teacher's Edition • All print, audio, and video resources • Projectable Transparencies • Lesson Plans • TPRS • Examview Assessment Suite **Available online at my.hrw.com** *Generate Success* Rubric Generator and Graphic Organizers **Power Presentation**

✓ Differentiated Assessment

On-level	Modified	Pre-AP	Heritage Learners
• Vocabulary Recognition Quiz p. 279 • Vocabulary Production Quiz p. 280 • Grammar Quizzes pp. 281–282 • Culture Quiz p. 283 • On-level Lesson Test pp. 284–290 • On-level Unit Test pp. 296–302	• Modified Lesson Test pp. 218–224 • Modified Unit Test pp. 230–236	• Pre-AP Lesson Test pp. 218–224 • Pre-AP Unit Test pp. 230–236	• Heritage Learners Lesson Test pp. 224–230 • Heritage Learners Unit Test pp. 236–242

Core Pacing Guide

	Objectives/Focus	Teach	Practice	Assess/HW Options
DAY 1	**Culture:** learn about Hispanic culture in the United States **Vocabulary:** expressions for making and receiving invitations by phone, computer • Warm Up OHT 20 **5 min**	Lesson Opener pp. 332–333 **Presentación de vocabulario** pp. 334–335 • Read A–E • View video DVD 2 • Play audio TXT CD 7 track 11 • *¡A responder!* TXT CD 7 track 12 **25 min**	Lesson Opener pp. 332–333 **Práctica de vocabulario** p. 336 • Act. 1 • Act. 2 TXT CD 7 track 13 • Act. 3 **15 min**	**Assess:** *Para y piensa* p. 336 **5 min** **Homework:** *Cuaderno* pp. 269–271 @HomeTutor
DAY 2	**Communication:** make an invitation by phone to a friend • Warm Up OHT 20 • Check Homework **5 min**	**Vocabulario en contexto** pp. 337–338 • *Telehistoria escena 1* DVD 2 **20 min**	**Vocabulario en contexto** pp. 337–338 • Act. 4 TXT CD 7 track 14 • Act. 5 **20 min**	**Assess:** *Para y piensa* p. 338 **5 min** **Homework:** *Cuaderno* pp. 269–271 @HomeTutor
DAY 3	**Grammar:** learn how to form the present subjective • Warm Up OHT 21 • Check Homework **5 min**	**Presentación de gramática** p. 339 • Present subjective with **ojalá** **Culture:** *Medios artísticos* **Práctica de gramática** pp. 340–341 • *Nota gramatical:* spelling change of –**car**, –**gar**, –**zar** verb stems **20 min**	**Práctica de gramática** pp. 340–341 • Act. 6 • Act. 7 TXT CD 7 track 15 • Acts. 8, 9 **20 min**	**Assess:** *Para y piensa* p. 341 **5 min** **Homework:** *Cuaderno* pp. 272–274 @HomeTutor
DAY 4	**Communication:** express hopes about your friends' movie, discuss own hopes for school, vacation • Warm Up OHT 21 • Check Homework **5 min**	**Gramática en contexto** pp. 342–343 • *Telehistoria escena 2* DVD 2 **15 min**	**Gramática en contexto** pp. 342–343 • Act. 10 TXT CD 7 track 16 • Acts. 11, 12 **25 min**	**Assess:** *Para y piensa* p. 343 **5 min** **Homework:** *Cuaderno* pp. 272–274 @HomeTutor
DAY 5	**Grammar:** learn the subjunctive forms of some irregular verbs and –**ir** stem-changing verbs • Warm Up OHT 22 • Check Homework **5 min**	**Presentación de gramática** p. 344 • More subjunctive verbs with **ojalá** **Práctica de gramática** pp. 345–346 • *Pronunciación* TXT CD 7 track 17 **15 min**	**Práctica de gramática** pp. 345–346 • Acts. 13, 14, 15, 16 **25 min**	**Assess:** *Para y piensa* p. 346 **5 min** **Homework:** *Cuaderno* pp. 275–277 @HomeTutor
DAY 6	**Communication:** Culmination: create a speech of your own, convince someone to accept your invitation to an event • Warm Up OHT 22 • Check Homework **5 min**	**Todo junto** pp. 347–349 • *Escenas 1, 2: Resumen* • *Telehistoria completa* DVD 2 **15 min**	**Todo junto** pp. 347–349 • Acts. 17, 18 TXT CD 7 tracks 14, 16, 18 • Acts. 19, 21 • Act. 20 TXT CD 7 tracks 19, 20 **25 min**	**Assess:** *Para y piensa* p. 349 **5 min** **Homework:** *Cuaderno* pp. 278–279 @HomeTutor
DAY 7	**Reading:** The Oscar and The Ariel: Two Prestigious Awards **Review:** Lesson Review • Warm Up OHT 23 • Check Homework **5 min**	**Lectura cultural** pp. 350–351 • *El Óscar y el Ariel: dos premios prestigiosos* TXT CD 7 track 21 **Repaso de la lección** pp. 354–355 **20 min**	**Lectura cultural** pp. 350–351 • *El Óscar y el Ariel: dos premios prestigiosos* **Repaso de la lección** pp. 354–355 • Act. 1 TXT CD 7 track 22 • Acts. 2, 3, 4, 5 **20 min**	**Assess:** *Para y piensa* p. 35; **5 min** *Repaso de la lección* pp. 354–355 **Homework:** *En resumen* p. 353 *Cuaderno* pp. 280–291 (optional) Review Games Online @Home Tutor
DAY 8	**Assessment**			**Assess:** Lesson 2 test or Unit 6 test **50 min**
DAY 9	**Unit Culmination**	**Comparación cultural** pp. 356–357 • TXT CD 7 track 23 • Culture video DVD 2 **El Gran Desafío** pp. 358–359 • Show video DVD 2 **Repaso inclusivo** pp. 360-361 **20 min**	**Comparación cultural** pp. 356–357 **Repaso inclusivo** pp. 360–361 • Act. 1 TXT CD 7 track 24 • Acts. 2, 3, 4, 5, 6, 7 **25 min**	**Homework:** *Cuaderno* **5 min** pp. 292–294

	Objectives/Focus	Teach	Practice	Assess/HW Options
DAY 1	**Culture:** learn about Hispanic culture in the United States **Vocabulary:** expressions for making/receiving invitations by phone, computer • Warm Up OHT 20 **5 min**	Lesson Opener pp. 332–333 **Presentación de vocabulario** pp. 334–335 • Read A–E • View video DVD 2 • Play audio TXT CD 7 track 11 • ¡A responder! TXT CD 7 track 12 **15 min**	Lesson Opener pp. 332–333 **Práctica de vocabulario** p. 336 • Act. 1 • Act. 2 TXT CD 7 track 13 • Act. 3 **20 min**	**Assess:** Para y piensa p. 336 **5 min**
	Communication: make an invitation by phone to a friend **5 min**	**Vocabulario en contexto** pp. 337–338 • Telehistoria escena 1 DVD 2 **15 min**	**Vocabulario en contexto** pp. 337–338 • Act. 4 TXT CD 7 track 14 • Act. 5 **20 min**	**Assess:** Para y piensa p. 338 **5 min** **Homework:** Cuaderno pp. 269–271 @HomeTutor
DAY 2	**Grammar:** learn how to form the present subjective • Warm Up OHT 21 • Check Homework **5 min**	**Presentación de gramática** p. 339 • Present subjective with **ojalá** **Culture:** Medios artísticos **Práctica de gramática** pp. 340–341 • Nota gramatical: spelling change of –**car**, –**gar**, –**zar** verb stems **15 min**	**Práctica de gramática** pp. 340–341 • Act. 6 • Act. 7 TXT CD 7 track 15 • Acts. 8, 9 **20 min**	**Assess:** Para y piensa p. 341 **5 min**
	Communication: express hopes about your friends' movie & school/vacation **5 min**	**Gramática en contexto** pp. 342–343 • Telehistoria escena 2 DVD 2 **15 min**	**Gramática en contexto** pp. 342–343 • Act. 10 TXT CD 7 track 16 • Acts. 11, 12 **20 min**	**Assess:** Para y piensa p. 343 **5 min** **Homework:** Cuaderno pp. 272–274 @HomeTutor
DAY 3	**Grammar:** irregular, –**ir** stem-changing subjunctive verbs • Warm Up OHT 22 • Check Homework **5 min**	**Presentación de gramática** p. 344 • **Ojalá** with subjunctive irregular verbs & –**ir** stem-changing verbs • Pronunciación TXT CD 7 track 17 **15 min**	**Práctica de gramática** pp. 345–346 • Acts. 13, 14, 15, 16 **20 min**	**Assess:** Para y piensa p. 346 **5 min**
	Communication: Culmination: create a speech/convince someone to accept your invitation to an event **5 min**	**Todo junto** pp. 347–349 • Escenas 1, 2: Resumen • Telehistoria completa DVD 2 **15 min**	**Todo junto** pp. 347–349 • Acts. 17, 18 TXT CD 7 tracks 14, 16, 18 • Acts. 19, 21 • Act. 20 TXT CD 7 tracks 19, 20 **20 min**	**Assess:** Para y piensa p. 349 **5 min** **Homework:** Cuaderno pp. 275–277, 278–279 @HomeTutor
DAY 4	**Reading:** The Oscar and The Ariel: Two Prestigious Awards **Projects:** Travel and tourism • Warm Up OHT 23 • Check Homework **5 min**	**Lectura cultural** pp. 350–351 • El Óscar y el Ariel: dos premios prestigiosos TXT CD 7 track 21 **Proyectos culturales** p. 352 • Viajes y turismo **15 min**	**Lectura cultural** pp. 350–351 • El Óscar y el Ariel: dos premios prestigiosos **Proyectos culturales** p. 352 • Proyectos 1, 2 **20 min**	**Assess:** Para y piensa p. 351 **5 min**
	Review: Lesson review **5 min**	**Repaso de la lección** pp. 354–355 **15 min**	**Repaso de la lección** pp. 354–355 • Act. 1 TXT CD 7 track 22 • Acts. 2, 3, 4, 5 **20 min**	**Assess:** Repaso de la lección pp. 354–355 **5 min** **Homework:** En resumen p. 353 Cuaderno pp. 280–291 (optional) Review Games Online @HomeTutor
DAY 5	**Assessment**			**Assess:** Lesson 2 test or Unit 6 test **45 min**
	Unit Culmination	**Comparación cultural** pp. 356–357 • TXT CD 7 track 23 • Culture video DVD 2 **El Gran Desafío** pp. 358–359 • Show video DVD 2 **Repaso inclusivo** pp. 360–361 **15 min**	**Comparación cultural** pp. 356–357 **Repaso inclusivo** pp. 360–361 • Act. 1 TXT CD 7 track 24 • Acts. 2, 3, 4, 5, 6, 7 **25 min**	**Homework:** Cuaderno pp. 292–294 **5 min**

¡AVANZA! **Objectives**

¡AVANZA! **Objectives**
- Introduce lesson theme: **¡Somos estrellas!**
- **Culture:** Discuss movie theaters.

Presentation Strategies
- Introduce characters' names: Gilberto and Tamara
- Ask students if they recognize the theater in the photo.
- Ask students to make a list of words related to movies that they would like to learn in Spanish.

STANDARD
2.2 Products and perspectives

21ST CENTURY **Communication,** Compara con tu mundo; **Social and Cross-Cultural Skills,** English Learners

Warm Up   Projectable Transparencies, 6-20

Affirmative tú Commands Completa las oraciones.
1. _____ (Dar) el micrófono.
2. _____ (Leer) la escritura.
3. _____ (Decir) lo que piensas.
4. _____ (Tomar) una foto del estudio.
5. _____ (Enseñar) lo que compraste.

Answers: 1. Dale; 2. Lee; 3. Dime;
4. Toma; 5. Enséñame

Comparación cultural

Exploring the Theme
Ask the following:
1. Can you name any Spanish-speaking actors? Where are they originally from?
2. In addition to acting and directing, what other kinds of jobs do you think people can find in Hollywood?
3. Where can you see films in Spanish?

¿Qué ves? Possible answers include:
- El lugar está decorado de colores brillantes.
- Veo nombres de personas famosas.
- La chica lleva jeans, una camiseta y un sombrero. El chico lleva jeans y una chaqueta.
- Sí. Están mirando la acera. Están hablando.

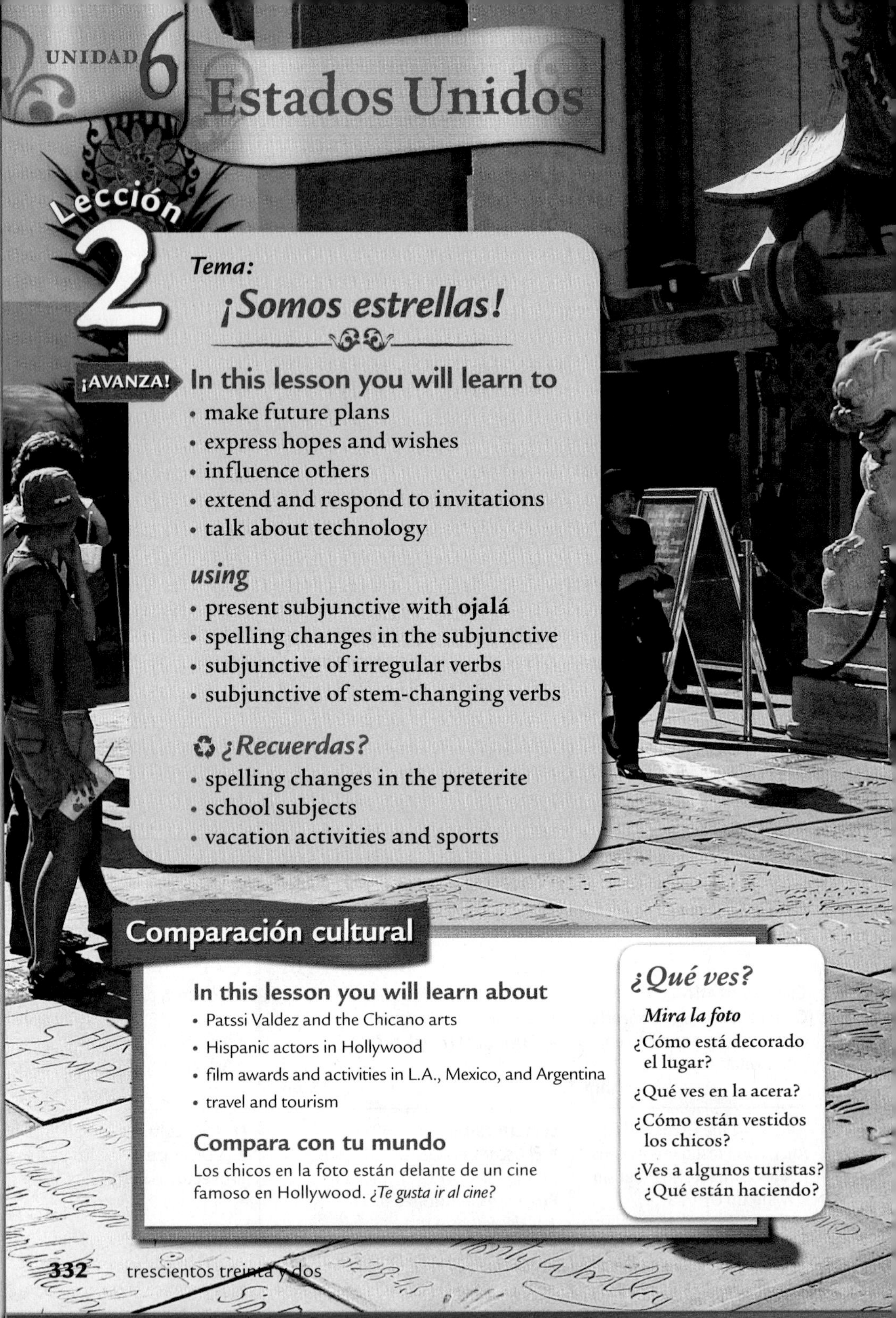

UNIDAD **6**
Estados Unidos

Lección **2**

Tema:
¡Somos estrellas!

¡AVANZA! ## In this lesson you will learn to
- make future plans
- express hopes and wishes
- influence others
- extend and respond to invitations
- talk about technology

using
- present subjunctive with **ojalá**
- spelling changes in the subjunctive
- subjunctive of irregular verbs
- subjunctive of stem-changing verbs

♲ ¿Recuerdas?
- spelling changes in the preterite
- school subjects
- vacation activities and sports

Comparación cultural

In this lesson you will learn about
- Patssi Valdez and the Chicano arts
- Hispanic actors in Hollywood
- film awards and activities in L.A., Mexico, and Argentina
- travel and tourism

Compara con tu mundo
Los chicos en la foto están delante de un cine famoso en Hollywood. *¿Te gusta ir al cine?*

¿Qué ves?
Mira la foto
¿Cómo está decorado el lugar?

¿Qué ves en la acera?

¿Cómo están vestidos los chicos?

¿Ves a algunos turistas? ¿Qué están haciendo?

332 trescientos treinta y dos

Differentiating Instruction

Inclusion
Cumulative Instruction Have students, in pairs, describe the people in the photo: what do they look like physically? What are they wearing? Where are they standing in relationship to each other?

Heritage Language Learners
Support What They Know Ask students to share any famous landmarks, that they know of which host or hosted movie premieres or award shows. Is the site a cultural or historic landmark? Does the site still host such events? If so, what are these events?

DIGITAL SPANISH my.hrw.com
ONLINE STUDENT EDITION with...

performance space
News ⊕ Networking
@HOMETUTOR
CULTURA Interactiva

- Audio and Video Resources
- Interactive Flashcards
- Review Activities
- WebQuest
- Conjuguemos.com

PRACTICE SPANISH WITH HOLT MCDOUGAL APPS!

Grauman's Chinese Theater
Hollywood, California

Estados Unidos
trescientos treinta y tres   333

DIGITAL SPANISH

TEACHER TOOLS
- Interactive Whiteboard Lessons
- Generate Success!

ALSO AVAILABLE...
- Online Workbook
- Spanish InterActive Reader

SPANISH ON THE GO!
- Performance Space
- Holt McDougal Spanish Apps
- ¡Avancemos! eTextbook

Using the Photo

Location Information
Grauman's Chinese Theater was founded in 1927 and is a world-famous landmark that has hosted thousands of movie premieres and gala events like the Academy Awards. The theater, a historic and cultural site, resembles a red Chinese pagoda, and has a seating capacity of 2,200. It is famous for its collection of stars' footprints, including those of Elizabeth Taylor, Humphrey Bogart, and Marilyn Monroe.

Expanded Information
The Hollywood Walk of Fame, created in 1958, is a strip along Sunset Boulevard that features bronze star plaques honoring individuals in the entertainment industry for achievement in film, theater, radio, television, and music. Walk of Fame honorees are selected by the Hollywood Chamber of Commerce, which has awarded stars to more than 2,000 celebrities.

Differentiating Instruction

Pre-AP

Support Ideas with Details In groups, have students discuss why they think Tamara and Hector are at the Grauman Chinese Theater and what they think will happen in the next three episodes of the Telehistoria. They should support their opinions with reasons why. Finally they should present their predictions and reasons to the class.

English Learners

Build Background Discuss with students their perceptions of the Oscar Awards and movie premieres in the U.S. Ask if they have watched a movie awards show. Also ask about movies in their native country. Is there a large film industry? How are movies recognized and awarded?

334

Communication
Pair Work

Have students, in pairs, think of three events or occasions that they would consider inviting someone to, then take turns inviting each other to them, using the constructions **Quiero invitarte a** _____ or **¿Quieres venir a** _____ ?

Long-term Retention
Critical Thinking

Conceptualize Have students, in groups of three, think of what Gilberto's film, *Salió de las pirámides,* could be about, and share their ideas with the class.

Communication
Motivating with Music

The **¡AvanzaRap!** song for this unit targets vocabulary from both Lección 1 and Lección 2. After presenting the vocabulary in Lección 2, play the **¡AvanzaRap!** animated video to students. Then have them complete the Activity Master for Unidad 6.

✳ Presentación de VOCABULARIO

¡AVANZA! **Goal:** Learn some expressions for making and accepting invitations by phone and computer. Then use the expressions in conversation, and talk to your classmates about your telephone and computer activities. *Actividades 1–3*

VIDEO
DVD

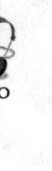
AUDIO

A Los invitamos al **estreno** de nuestra película este **fin de semana.** Vamos a **estrenar,** o presentar por primera vez, nuestra película de terror, *Salió de las pirámides.*

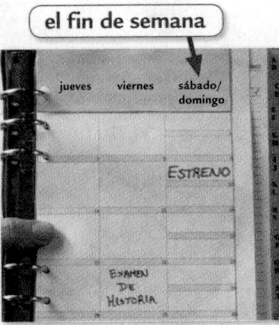

B Invitamos a todos nuestros amigos. Tamara llama a algunas amigas por **teléfono celular.**

Madre:	¿Aló?
Tamara:	Hola, soy Tamara. ¿**Está** Silvia?
Madre:	**Un momento,** Tamara. ¡Silvia! ¡Silvia!... No, no está.
Tamara:	¿Puedo **dejar un mensaje**?
Madre:	¡Cómo no!
Tamara:	Por favor, dígale que yo la llamé para invitarla a nuestro estreno. ¡Gracias!

C

Andrea:	¿Diga?
Tamara:	Hola, soy Tamara. ¿**Puedo hablar con** Andrea?
Andrea:	Soy Andrea. ¡Hola! Recibí tu invitación.
Tamara:	Ah, ¿sí? Entonces, ¿quieres venir al estreno?
Andrea:	**Sí, me encantaría.** Me parece muy divertido.
Tamara:	**¡Claro que sí!** Va a ser muy divertido. **¡Te lo juro!**
Andrea:	**¡Estoy convencida!** Nos vemos allí.

Differentiating Instruction

D Estoy en línea para invitar a otros amigos. Prefiero usar **el mensajero instantáneo** porque es rápido, pero no todos mis amigos lo tienen, como Héctor. A él le mando un correo electrónico. Pero, ¿cuál es su **dirección electrónica**? Pienso que es: hector5@film4la.edu.

estar en línea

el teclado

el ratón

Se dice...

Para decir una dirección electrónica:
hector@film4la.edu

@ = **arroba** **.** = **punto**

el mensajero instantáneo

hacer clic en

E Por fin estamos en **la gala** para el estreno. Por eso estamos vestidos con **ropa elegante.** ¡Mira, nos dieron un premio por nuestra película!

Estoy muy emocionado. ¡Te digo la verdad! ¡Quisiera darles las gracias a todos mis amigos por hacer posible este día tan especial!

la ropa elegante

el corbatín

Más vocabulario

el (la) próximo(a) *next*
la corbata *tie*
la crítica *review*
el icono *icon*
¡Qué lástima! *What a shame!*
Te lo aseguro. *I assure you.*
¿Bueno? *Hello? (when answering the telephone)*
¡Ojalá! *I hope so!*

Expansión de vocabulario p. R13
Ya sabes p. R13

@HOMETUTOR my.hrw.com
Interactive Flashcards

¡A responder! Escuchar

Escucha cada oración e indica la foto que le corresponde.

Lección 2
trescientos treinta y cinco **335**

Connections

Language

Have students research and report on the Spanish terms for: **monitor, server, web site,** and **blog.** Provide search terms if needed, such as "**monitor definición**" or "**servidor definición**" to aid their research. Encourage students to come up with their own definitions for or description of each item they find.

Communication

TPR Activity

Have students go up to a computer and then respond to commands you give such as: **Muéstrame el teclado** or **muéstrame el ratón.**

Long-term Retention

Connect to Previous Learning

Ask students to recall what kind of film Gilberto and Tamara were making in the last installment of the Telehistoria. Have them name the actors in the film, and describe the opening scene.

TEACHER to TEACHER
Ken Stewart
Durham, North Carolina

Tips for Classroom Management

To encourage class participation, I give students two index cards and ask them to write their name on both. The cards are then placed on the students' desks. During debates, class discussions, or partner activities, I discreetly collect a card without interrupting the flow of discussion as the student participates. In order to earn a top grade or full participation points for the day, I must have both cards from a student. 2 cards = A, 1 card = B, and 0 cards = C for passive listening.

Go online for more tips!

Differentiating Instruction

Pre-AP

Vary Vocabulary Have students, in groups of four, take turns giving the first three lines of their acceptance speech at the Oscars.

Inclusion

Multisensory Input/Output Have students, in pairs, write their e-mail addresses and then dictate them to each other.

Answers Projectable Transparencies, 6-28

¡A responder! Audio Script, TE p/ 331B
Students should point to the following photos:
1. d; 2. e; 3. d; 4. b; 5. a; 6. e; 7. d; 8. c

Objective
- Practice vocabulary: extending and responding to invitations via the phone and online.

Core Resources
- *Cuaderno*, pp. 269–271
- Audio Program: TXT CD 7 Track 13

Practice Sequence
- **Activity 1:** Vocabulary recognition: extending and responding to invitations to the opening of a film
- **Activity 2:** Vocabulary recognition: extending and responding to invitations
- **Activity 3:** Vocabulary production: using the Internet

STANDARDS
1.2 Understand language, Acts. 1, 2
1.3 Present information, Act. 1

21th CENTURY Flexibility and Adaptability, Pair Work; Social and Cross-Cultural Skills, English Learners

Communication
Pair Work

Have students, in pairs, act out the opening phrases of a phone call. Then ask them to sit back-to-back and act out a call.

Get Help Online
More Practice
my.hrw.com

✓ Ongoing Assessment

PARA Y PIENSA **Quick Check** If students cannot write two phrases for each situation, have them reread B and C of p. 334. Then have them practice saying a phrase for each situation. For additional practice, use Reteaching & Practice Copymasters URB 6, pp. 12, 13.

📖 Answers Projectable Transparencies, 6-28 thru 6-31

Activity 1
1. un mensaje	5. fin de semana
2. la invitación	6. ropa elegante
3. la gala	7. la crítica
4. corbata	8. el teclado

Activity 2
1. a	3. b	5. a
2. a	4. a	6. a

Para y piensa
1. Sí, me encantaría. ¡Claro que sí! (¡Cómo no!)
2. Te lo aseguro. Te lo juro. (¡Te digo la verdad! ¡Estoy convencido[a]!)
3. ¿Aló? ¿Bueno? (¿Diga?)

336

✤ Práctica de VOCABULARIO

1 | ¿Vienes al estreno?

Escribir Hablar

Completa las oraciones para saber cómo responden los amigos de Tamara y Gilberto a su invitación.

fin de semana	ropa elegante
corbata	la crítica
la invitación	un mensaje
la gala	el teclado

1. ¿Me dejaste _____ ? No lo escuché.
2. No recibí _____ para la fiesta. ¡Qué lástima!
3. ¡Claro que sí! Me encantaría ir a _____ .
4. No me voy a poner ni corbatín ni _____ . ¡Te lo juro!
5. No podemos ir el próximo _____ .
6. ¿Ir al estreno? ¡Cómo no! Me encanta llevar _____ .
7. Estoy ocupado esa noche, pero voy a leer _____ el próximo día.
8. No pude contestar tu correo electrónico porque tuve un problema con _____ de mi computadora.

Expansión
Tell how you would respond to an invitation to a movie premiere.

2 | ¿Qué dices?

Escuchar

Responde a lo que escuchas con la respuesta más lógica.

1. **a.** Un momento.
   b. ¡Te digo la verdad!
2. **a.** En este icono.
   b. En línea.
3. **a.** ¡Claro que sí!
   b. ¡Qué lástima!
4. **a.** Sí, me encantaría.
   b. No, no está.
5. **a.** ¡Ojalá!
   b. ¿Bueno?
6. **a.** ¡Cómo no!
   b. ¡Estoy convencido!

🎧 **Audio Program**
CD 7 Track 13
Audio Script, TE
p. 331B

3 | ¿Y tú?

Hablar Escribir

Contesta las preguntas en oraciones completas.

1. ¿Mandas muchos correos electrónicos? ¿A quiénes?
2. ¿Qué haces con el ratón y con el teclado para mandar un correo electrónico?
3. ¿Cuál es tu dirección electrónica?
4. ¿Prefieres hablar con tus amigos por mensajero instantáneo o por teléfono celular? ¿Por qué?
5. ¿Mandas invitaciones por Internet?
6. ¿Haces algunas tareas en línea? ¿Qué más haces en línea?

Expansión:
Teacher Edition Only
Ask students which smileys they use in their emails and/or instant messages. Have them draw two of these and say what they express. For example: **quiere decir** *triste*.

Más práctica Cuaderno *pp. 269–271* Cuaderno para hispanohablantes *pp. 269–272*

Get Help Online
my.hrw.com

PARA Y PIENSA **¿Comprendiste?** Escribe dos frases para...
1. aceptar una invitación   2. convencer a alguien   3. contestar el teléfono

Differentiating Instruction

English Learners

Build Background Ask students about the use of the Internet in their home countries: Do many people use the Internet? Do they access the Internet from a computer at home, or do they go somewhere to use another computer? What do people use the Internet for—e-mail, information, shopping?

Multiple Intelligences

Intrapersonal Have students compare extending an invitation to someone by phone and by e-mail. Ask them why they might choose one method over the other. Provide them with sentence starters such as **Yo prefiero mandar correo electrónico porque...**

✳ VOCABULARIO en contexto

¡AVANZA! **Goal:** Notice the expressions Tamara uses to convince Gilberto as she prepares an invitation. Use the expressions you have learned to make an invitation by phone to a friend. *Actividades 4–5*

Telehistoria escena 1

 @HOMETUTOR my.hrw.com **View, Read and Record**

STRATEGIES

Cuando lees
Consider differences in attitude
How do Tamara's and Gilberto's attitudes contrast? Who is more optimistic? List three points on which they differ, and what each says to show his/her opinion.

Cuando escuchas
Listen for content, tone, and effect
What does Tamara say to convince Gilberto? What tone (examples: enthusiastic, factual, angry, pleasant) does she use? Is she successful? How do you know?

Gilberto · Tamara

Tamara: Gilberto, estoy escribiendo las invitaciones para nuestro estreno. ¿Qué te parece esto? *(reading)* «Vengan a celebrar con nosotros el estreno de nuestra película. La gala comienza a las 7:00.»

Gilberto: ¿Gala? ¿Va a ser una gala?

Tamara: ¡Claro que sí! Ahora, ¿cuándo puede ser? ¿El próximo fin de semana?

Gilberto: ¡No! Sabes que debemos terminar la película primero, ¿no? Necesito tres o cuatro semanas para editarla.

Tamara: Estoy muy emocionada. ¡Las críticas van a ser buenas!

Gilberto: Nadie va a escribir una crítica de nuestra película.

Tamara: ¡Claro que sí! Vamos a tener muchas críticas. Y muy buenas. ¡Estoy convencida!

Gilberto: Tenemos que terminar la película primero.

Tamara: *(continues typing)* «Por favor lleven ropa elegante y corbata.»

Gilberto: Nuestros amigos no se van a poner ropa elegante.

Tamara: ¡Cómo no! ¡Te lo aseguro! Van a venir a ver a las estrellas de cine.

Gilberto: ¿Estrellas de cine? ¿En nuestro estreno?

Tamara: ¡Cómo no! Tenemos una actriz famosa en nuestra película: ¡Antonia Reyes!

Gilberto: Sí, ¡por dos minutos!

Continuará... p. 342

Lección 2
trescientos treinta y siete **337**

Differentiating Instruction

Slower-paced Learners

Read Before Listening Have students read the script before listening to the audio or viewing the video. Have them list in their notebooks words or phrases they do not know, and find them in the vocabulary presentation on pp. 334–335. Model the vocabulary in sentences.

Inclusion

Frequent Review/Repetition Have students choose one expression, such as **¡Claro que sí!**, and use it at least three times during the day. Ask them to keep track of when and why they used the expression and share their results with the class.

¡AVANZA! **Objective**
· Understand vocabulary in context.

Core Resources
· Video Program: DVD 2
· Audio Program: TXT CD 7 Track 14

Presentation Strategies
· Have students look at the picture. Describe Gilberto and Tamara's moods. What is Tamara doing?
· Have students support their answers to the strategies by citing specific dialog from the Telehistoria.
· Show the video and/or play the audio.

✳ STANDARD
1.2 Understand language

🖥 Warm Up Projectable Transparencies, 6-20

Vocabulario Elige la respuesta logica para cada pregunta.

1. ¿Aló? _____
2. ¿Puedo hablar con Andrea? _____
3. ¿Puedo dejar un mensaje para ella? _____
4. ¿Quieres venir al estreno? _____
5. Adiós. _____

   a. Sí, me encantaría.
   b. Adiós. Nos vemos.
   c. Hola, soy Tamara.
   d. ¡Claro que sí!
   e. Lo siento. Andrea no está.

Answers: 1. c; 2.e; 3. d; 4. a; 5. b

Long-term Retention

Personalize It

Have students say whether, if they held an opening for a film, they think their friends would come dressed formally or informally.

 @HOMETUTOR VideoPlus my.hrw.com

Video Summary

Tamara is writing invitations to the opening of her film with Gilberto. Gilberto is less excited about the film's prospects than Tamara is.

Objective
· Practice using vocabulary in context.

Core Resource
· Audio Program: TXT CD 7 Track 14

Practice Sequence
· **Activity 4:** Telehistoria comprehension
· **Activity 5:** Vocabulary production: extending and accepting invitations over the phone

STANDARDS
1.1 Engage in conversation, Act. 5
1.2 Understand language, Act. 4

21st Century Communication, Act. 5;
Information Literacy, Social Studies

Connections
Social Studies

Have students research what numbers they would need to dial to call someone in two different cities in two different countries, and then share this information with the class.

**Get Help Online
More Practice
my.hrw.com**

✓ Ongoing Assessment

PARA Y PIENSA Quick Check If students cannot answer the questions, refer them to the photos. Have them translate the questions, with a partner if necessary, and then look at the photos to answer them. For additional practice, use Reteaching & Practice Copymasters URB 6, pp. 12, 14.

💻 Answers Projectable Transparencies, 6-28

Activity 4

1. f	**5.** d
2. g	**6.** a
3. h	**7.** c
4. b	**8.** e

Activity 5 Answers will vary.

Para y piensa Answers will vary. Sample answers:
1. el teclado, el ratón (from Lección 1: el software; from Unidad 1: la pantalla)
2. hago click, mando correos electrónicos, uso el mensajero instantáneo, estoy en línea
3. una corbata, un corbatín (ropa elegante)
4. Answers will vary. Sample answer: miguelf@correo2.com, daly@web1.com.cu

338

Escuchar Leer

Escoge la respuesta correcta.

1. Tamara está escribiendo las invitaciones para ____ .
2. La gala comienza a ____ .
3. La gala no puede ser ____ .
4. Tamara está muy ____ .
5. Tamara piensa que las críticas van a ser ____ .
6. Tienen que terminar la película ____ .
7. Gilberto dice que sus amigos no se van a poner ____ .
8. En la película hay una actriz ____ .

a. primero
b. emocionada
c. ropa elegante
d. buenas
e. famosa
f. el estreno
g. las siete
h. el próximo fin de semana

**Expansión:
Teacher Edition Only**
Have students give their response to Tamara's invitation and explain why they responded that way.

---

5 Por teléfono

Hablar Invita a tu compañero(a) a una gala. Usa el vocabulario nuevo.

¿Quieres ir a...?	¿Puedo dejar un mensaje?	¿Está...?
Nos vemos a las...	Soy...	No, no está.
¡Te lo aseguro!	¿Puedo hablar con...?	Un momento.
¡Claro que sí!	¿Aló? / ¿Diga? / ¿Bueno?	¡Qué lástima!

A ¿Aló?

Soy Andrea.

B Buenos días. ¿Puedo hablar con Andrea?

Hola, Andrea. Soy Tomás. ¿Quieres...?

Expansión
Switch roles and have a new conversation with a different outcome.

**Get Help Online
my.hrw.com**

PARA Y PIENSA **¿Comprendiste?** ¿Cuáles son...?
1. dos partes de una computadora
2. dos cosas que haces con una computadora
3. dos cosas que un chico se puede poner para ir a una gala
4. dos direcciones electrónicas que sabes

338 Unidad 6 Estados Unidos
trescientos treinta y ocho

Differentiating Instruction

Inclusion

Clear Structure Before doing Activity 5, have students, in pairs, diagram the sequence of exchanges in a typical phone conversation. Have them include at least one *if/then* scenario, as in: If X is home, then... if X is not home, then... Then have them act out a short phone conversation in Spanish.

Multiple Intelligences

Logical/Mathematical Have students, in pairs, map out *if/then* scenarios for the phone call in Activity 5, scripting the appropriate responses to each variation. Encourage them to think of novel situations and how people might respond to them.

✣ Presentación de GRAMÁTICA

¡AVANZA!

Goal: Learn how to form the present subjunctive. Then use the subjunctive with **ojalá que...** to express hopes. *Actividades 6–9*

♻ *¿Recuerdas?* Spelling changes in the preterite p. 227

English Grammar Connection: In English, you say *I hope that . . .* to express hopes or wishes. Verbs that follow such expressions of hope do not require a special verb form. In Spanish, they do, and it is called the **present subjunctive.**

Present Subjunctive with Ojalá

ANIMATED GRAMMAR my.hrw.com

One way to express a hope or wish is to use the phrase **ojalá que...** with the **present subjunctive.** How do you form the **subjunctive** of regular verbs?

Here's how: Use what you already know about forming **usted** commands.

-**ar** verbs = **-e** endings   -**er**, -**ir** verbs = **-a** endings

Present Subjunctive of Regular Verbs

	hablar	tener	escribir
yo	hable	tenga	escriba
tú	hables	tengas	escribas
usted, él, ella	hable	tenga	escriba
nosotros(as)	hablemos	tengamos	escribamos
vosotros(as)	habléis	tengáis	escribáis
ustedes, ellos(as)	hablen	tengan	escriban

These forms are the same in the subjunctive.

Fact: Ganamos un premio hoy.
We're winning a prize today.

Hope: ¡**Ojalá que ganemos** un premio hoy!
I hope that we win a prize today!

Stem-changing -**ar** and -**er** verbs in the present tense also change in the **subjunctive.**

pensar	e → ie
piense	pensemos
pienses	penséis
piense	piensen

poder	o → ue
pueda	podamos
puedas	podáis
pueda	puedan

Más práctica
Cuaderno *pp. 272–274*
Cuaderno para hispanohablantes *pp. 273–275*

@**HOMETUTOR** my.hrw.com
Leveled Practice
🌐 Conjuguemos.com

Differentiating Instruction

Heritage Language Learners

Support What They Know Have students give examples of when they would use **Ojalá** in their daily lives. Encourage them to use language the rest of the class will understand.

Slower-paced Learners

Memory Aids Remind students that they have already learned the **usted** command forms, and that these are the same as the subjunctive. To help them remember that -**ar** verbs change to -**e** endings and that -**er**, -**ir** verbs change -**a** endings, have them conjugate five verbs and color the -**a** and the -**e** endings.

¡AVANZA! **Objectives**
· Present the present subjunctive.
· Use the subjunctive **ojalá que...** to express hopes.

Core Resource
· *Cuaderno,* pp. 272–274

Presentation Strategies
· Tell students that, in Spanish, the subjunctive is used after expressions of hopes or wishes.
· Explain how to form the present subjunctive of regular verbs.
· Present the subjunctive of –**ar** and –**er** verbs that have stem changes in the present tense.

 STANDARD
4.1 Compare languages

🖥**Warm Up** Projectable Transparencies, 6-21

Vocabulario Escribe las siguientes palabras o frases en español.
1. mouse
2. email address
3. to be online
4. to send an email
5. instant messaging

Answers: 1. el ratón 2. dirección electrónica 3. estar en linea 4. mandar un correo electrónico 5. mensajero instantáneo

Comparisons
English Language Connection

Tell students that Spanish is very different from English in its use of the subjunctive. Explain that they have already learned how, in Spanish, verbs can differ in person (**yo, usted, nosotros**), number (singular, plural), gender, and tense. In Spanish, verbs can also differ in *mood*. If the speaker has strong feelings about something, this will be reflected in the verb.

Long-term Retention
 Recycle

Remind students that they have already learned stem-changing verbs in the present tense (indicative). The stem-changing –**ar** and –**er** verbs undergo the same changes in the stem in the subjunctive as they do in the indicative.

339

Objectives

- Practice listening to and using the present subjunctive with **ojalá.**
- **Culture:** Learn about a Chicana artist and discuss working in different artistic mediums.
- Practice using the present subjunctive of verbs ending in **-car, -gar,** and **-zar.**

Core Resources

- *Cuaderno,* pp. 272–274
- Audio Program: TXT CD 7 Track 15

Practice Sequence

- **Activity 6:** Controlled practice: present subjunctive with **ojalá**
- **Activity 7:** Controlled practice: subjunctive and indicative
- **Activity 8:** Transitional practice: the present subjunctive with **ojalá**
- **Activity 9:** Open-ended practice: present subjunctive with **ojalá**

STANDARDS

1.1 Engage in conversation, Act. 9
1.2 Understand language, Act. 7
1.3 Present information, Acts. 6, 8, 9
2.2 Products and perspectives, CC

21st CENTURY Communication, Comparación cultural/Act. 9/Pre-AP; **Information Literacy,** Multiple Intelligences: Visual Learners and Musical/Rhythmic

Comparación cultural

Essential Question

Suggested Answer Los artistas usan medios diferentes para expresar diferentes ideas. A los artistas les gusta experimentar y usar todos sus talentos artísticos.

About the Artist

Patssi Valdez's artistic career began when she was in high school in East L.A., in the 70s. She was one of four members of the Chicano art group ASCO. She has created a style of painting that is greatly admired, using intense, vibrant colors and elements of Chicano and Mexican culture.

See Activity answers on p. 341.

❋ Práctica de GRAMÁTICA

6 ¡Estoy preocupado!

Escribir

Gilberto está preocupado sobre el estreno de la película. ¿Qué dice?

modelo: Ojalá que yo _____ (poder) editar la película fácilmente.
Ojalá que yo **pueda** editar la película fácilmente.

1. Ojalá que mis amigos _____ (tomar) muchas fotos.
2. Ojalá que Julián _____ (recibir) su invitación por correo electrónico.
3. Ojalá que mis padres _____ (pensar) que el estreno es divertido.
4. Ojalá que algunas estrellas de cine _____ (mirar) nuestra película.
5. Ojalá que yo _____ (ver) a mucha gente famosa esa noche.
6. Ojalá que a Antonia le _____ (gustar) la película.
7. Ojalá que tú _____ (encontrar) fácilmente el lugar del estreno.
8. Ojalá que la película no _____ (fracasar).

> **Expansión:**
> Teacher Edition Only
> Have students, in pairs, choose which of the wishes would be most important to them and which the least, and say the sentences.

7 Antes del estreno

Escuchar

En cada número, Gilberto va a decir dos oraciones sobre el estreno este fin de semana. Escoge el verbo que usa en cada oración.

1. **a.** reciben/reciban
   b. tengo/tenga
2. **a.** conozco/conozca
   b. conocemos/conozcamos
3. **a.** vienen/vengan
   b. traen/traigan

4. **a.** hace/haga
   b. quiero/quiera
5. **a.** estrenan/estrenen
   b. puedo/pueda
6. **a.** llama/llame
   b. llama/llame

7. **a.** trabajas/trabajes
   b. piensas/pienses
8. **a.** gano/gane
   b. gano/gane
9. **a.** pienso/piense
   b. tengo/tenga

> 🎧 **Audio Program**
> TXT CD 7 Track 15
> Audio Script, TE
> p. 331B

> **Expansión**
> Express another hope that you might have.

Comparación cultural

Medios artísticos

¿Por qué usan los artistas diferentes medios? Patssi Valdez es una artista chicana de **Los Ángeles.** Ella es pintora, pero empezó con otros medios *(mediums).* Participó en el arte interpretativo *(performance art)* y en la fotografía. También trabajó como diseñadora *(designer)* de ropa y de escenarios *(sets)* de cine. Ella fue la artista oficial para la quinta edición de los Premios Grammy Latino. Sus diseños estaban en las invitaciones, las entradas y en el programa para el evento. Valdez dice que la música es una inspiración en la creación de su arte.

Valdez presenta su arte oficial para los Premios Grammy Latino.

Compara con tu mundo *¿Cuál de los medios artísticos que usa Valdez te interesa y por qué?*

Differentiating Instruction

Multiple Intelligences

Visual Learners Have students find other examples of Patssi Valdez's work in the library or on the Internet and then create a picture in her style and share it with the class.

Multiple Intelligences

Musical/Rhythmic Have students, in pairs, research one of the winners of last year's Latin Grammy Awards on the Internet, and report back to the class on what that person's music is like.

Nota gramatical ♻ ¿Recuerdas? Spelling changes in the preterite p. 227

When forming the present subjunctive of verbs ending in -car, -gar, or -zar, change the spelling of the verb stem.

sacar	c	*becomes*	qu	saque, saques...
pagar	g	*becomes*	gu	pague, pagues...
empezar	z	*becomes*	c	empiece, empieces...

8 | ¡Buena suerte!

Escribir

Lee las oraciones y usa **ojalá** para expresar tus deseos *(wishes)*.

modelo: Miguel toca en el concierto mañana. (tocar su canción nueva)
Ojalá que él **toque** su canción nueva.

1. Mi hermana no debe hablar por teléfono durante la película.
   (apagar su teléfono celular)
2. Nosotros tenemos que llegar al estreno a las siete. (llegar a tiempo)
3. La película debe ser interesante. (comenzar con efectos especiales)
4. Nuestros amigos tienen que buscarnos en la entrada del cine.
   (no buscarnos dentro del cine)
5. Los actores van a almorzar a las doce y media. (almorzar con nosotros)
6. Yo voy a ver una película peruana. (practicar el español)

> **Expansión:**
> Teacher Edition Only
> Have students write 3 things they hope for a relative or friend.

9 | ¡Ojalá!

Hablar
Escribir

Tú y tu compañero(a) van al estreno. Hablen de lo que desean.

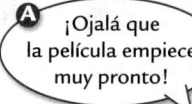
A ¡Ojalá que la película empiece muy pronto!

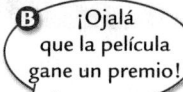
B ¡Ojalá que la película gane un premio!

el director	empezar	estrellas de cine
yo	hacer	los papeles
tú	ganar	temprano
los actores	conocer	un premio
nosotros(as)	ponerse	ropa elegante
la película	venir	un corbatín
¿?	¿?	¿?

> **Expansión:**
> Teacher Edition Only
> Have students, in pairs, recycle the preterite by creating sentences telling what really happened at the premiere, as in: **Los actores no ganaron un premio.**

Más práctica Cuaderno *pp. 272–274* Cuaderno para hispanohablantes *pp. 273–275*

PARA Y PIENSA

¿Comprendiste? Da la forma correcta del subjuntivo.
1. Ojalá que tú (venir) al estreno. 2. Ojalá que tus amigos no (pagar).

Get Help Online
my.hrw.com

Differentiating Instruction

English Learners

Provide Comprehensible Input In Activity 8 make sure students understand that, in each of the six items, they are to use **ojalá** + *only* the subject from the first sentence + the phrase in parentheses. The first sentence sets the scene—but they do not manipulate that sentence at all. You may examine the model more closely with students to help them.

Pre-AP

Relate Opinions In Activity 9, have pairs take turns expressing what they hope the film they are about to see will contain (such as good actors, a great screenplay, special effects, etc.). Encourage them to use a variety of verbs and adjectives.

✓ Ongoing Assessment

Quick Check If students are unable to give the correct form of the subjunctive, have them do the following: Rewrite the sentences on a separate sheet and underline the subject of each. Then, have them write each of the verbs in the **yo** form of the present tense. Instruct them to drop the "*o*" from each verb and refer to p. 339 to add the correct ending. Once they have this information, they can rewrite the sentence. For additional practice, use Reteaching & Practice Copymasters URB 6, pp. 15, 16, 21.

🖥 Answers Projectable Transparencies, 6-28 and 6-29

Answers for Activities on pp. 340, 341.

Activity 6
1. tomen   5. vea
2. reciba   6. guste
3. piensen   7. encuentres
4. miren   8. fracase

Activity 7
1. a. reciban   b. tengo
2. a. conozco   b. conozcamos
3. a. vienen   b. traigan
4. a. haga   b. quiero
5. a. estrenan   b. pueda
6. a. llame   b. llama
7. a. trabajas   b. pienses
8. a. gane   b. gano
9. a. pienso   b. tenga

Activity 8
1. Ojalá que (mi hermana/ella) apague su teléfono celular.
2. Ojalá que (nosotros) lleguemos a tiempo.
3. Ojalá que (la película) comience con efectos especiales.
4. Ojalá que (nuestros amigos / ellos) no nos busquen dentro del cine.
5. Ojalá que (los actores / ellos) almuercen con nosotros.
6. Ojalá que (yo) practique el español.

Activity 9 Answers will vary.

Para y piensa
1. vengas; 2. paguen

¡AVANZA! Objectives

· Practice using the present subjunctive after **ojalá** in context.
· Recycle: school subjects, vacation activities, and sports.

Core Resources

· Video Program: DVD 2
· Audio Program: TXT CD 7 Track 16

Presentation Strategies

· Have students preview the Telehistoria activities before watching the video.
· Have students look at the picture on p. 342 and say what Gilberto and Tamara are doing.
· Show the video and/or play the audio.

Practice Sequence

· **Activity 10:** Telehistoria comprehension
· **Activity 11:** Transitional practice: the present subjunctive after **ojalá**; Recycle: school subjects
· **Activity 12:** Open-ended practice: the present subjunctive after **ojalá**; Recycle: vacation activities, sports

STANDARDS

1.1 Engage in conversation, Acts. 11, 12
1.2 Understand language
1.3 Present information, Acts. 11, 12

21st CENTURY Communication, Acts. 11, 12/ Humor/Creativity/Heritage Language Learners

Warm Up Projectable Transparencies, 6-21

Ojalá Completa las siguientes oraciones.
1. Ojalá que nosotros _____ (llegar) a tiempo para ver *La leyenda de Ixta y Popo*.
2. Ojalá que la película _____ (empezar) a las ocho, y no a las siete.
3. Ojalá que el héroe _____ (ser) valiente.
4. Ojalá que el cine _____ (vender) refrescos.
5. Ojalá que los jovenes _____ (poder) casarse.

Answers: 1. lleguen; 2. empiece; 3. sea; 4. venda; 5. puedan

Video Summary

@HOMETUTOR
VideoPlus
my.hrw.com

Tamara and Gilberto invite friends to their film opening. Gilberto, however, has some concerns about the event.

▶❙ ❙❙

342

GRAMÁTICA en contexto

¡AVANZA! **Goal:** Listen to how the friends make invitations and express hopes about their movie. Talk about your own hopes for school and vacation. *Actividades 10–12*

¿Recuerdas? School subjects p. R14, activities p. 60, sports p. 90

Telehistoria escena 2

@HOMETUTOR
my.hrw.com
View, Read and Record

STRATEGIES

Cuando lees
Evaluate the success Determine whether Gilberto and Tamara meet their goals. In this scene, do they work further on the film? Do they reach their friends?

Cuando escuchas
Notice the "phone voice" Can you notice any differences when Tamara talks on the phone as compared to when she talks with Gilberto?

VIDEO DVD

AUDIO

Tamara: *(to Gilberto)* Tú escríbele a Julián, y yo llamo a Amanda. *(on the phone)* ¿Bueno? ¿Está Amanda?

Gilberto: Hmmm... ¿Cuál es la dirección electrónica de Julián? *(starts typing)* Bueno... ¡Ojalá que llegue mi correo electrónico!

Tamara: *(on the phone)* Amanda, ¿estás allí? Soy Tamara. ¿Recibiste mi invitación? Ojalá que puedas venir al estreno. ... ¿Sí? ¡Muy bien! Hasta luego. *(hangs up)*

Gilberto: ¿Tienes mensajero instantáneo?

Tamara: Sí. Con el ratón, haz clic en ese icono amarillo. ¿Lo ves?

Gilberto: Ah, sí, lo veo. Pero Tamara...

Tamara: Un momento. Estoy llamando a Silvia.

Gilberto: Debemos estar trabajando en la película.

Tamara: ¿Bueno? Hola, señora. ¿Puedo hablar con Silvia, por favor?... ¿No está? Ay, ¡qué lástima! Pues, ¿puedo dejarle un mensaje? ... Sí, espero. *(to Gilberto)* ¡Ojalá que ganemos el premio del festival!

Gilberto: Si termino la película, vamos a ganar. ¿Practicaste lo que vas a decir? **Continuará...** p. 347

También se dice

Los Ángeles Tamara, una mexicoamericana, contesta el teléfono con **¿Bueno?** En otros países:
· **España ¿Dígame?** o **¿Diga?**
· **Cuba, Uruguay ¿Oigo?**
· **Ecuador, Colombia, Perú ¿Aló?**

Differentiating Instruction

Slower-paced Learners

Yes/No Questions Ask students simple yes/no questions in order to direct their attention to the sequence of events in the Telehistoria such as: **Cuando empieza la escena, ¿llama Tamara a Amanda? ¿Escribe Gilberto un correo electrónico? ¿Le escribe a Tamara?**

Pre-AP

Expand and Elaborate Have students, in pairs, act out Tamara's phone conversation with Silvia's mother, completing the conversation. Then have them act out the conversation assuming Silvia *is* at home and they get to speak with her.

10 Comprensión del episodio   Invitando a los amigos

Escuchar
Leer

Completa las oraciones con las palabras más apropiadas.

1. Gilberto quiere mandarle un correo electrónico a ____ .
2. Tamara habla por teléfono con Amanda sobre ____ .
3. Para usar el mensajero instantáneo, Gilberto tiene que hacer clic en ____ amarillo.
4. Tamara no puede hablar con ____ porque no está.
5. Tamara quiere ganar ____ del festival.
6. Gilberto quiere terminar ____ .

Expansión:
Teacher Edition Only
Have students say what Tamara and Gilberto are going to have to do about the opening—and about having invited all their friends to the opening—if they do not finish editing the film in time.

11 Mañana   ♻ ¿Recuerdas?   School subjects p. R14

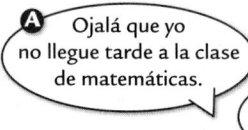

Hablar
Escribir

Tú y tu compañero(a) están usando el mensajero instantáneo para hablar de sus clases mañana. ¿Qué dicen?

enseñar	sacar	hacer
contestar	tomar	tener
llegar	usar	ver
necesitar		

Ⓐ Ojalá que yo no llegue tarde a la clase de matemáticas.

Ⓑ Ojalá que veamos una película en la clase de...

12 Durante el verano   ♻ ¿Recuerdas?   Vacation activities pp. 60, R3, sports pp. 90, R4

Escribir
Hablar

Escribe cinco deseos que tienes para este verano. Luego habla con dos compañeros sobre sus esperanzas (hopes).

Ⓐ Ojalá que mi equipo de fútbol juegue en el campeonato este verano.

Ⓑ Ojalá que mis amigos y yo nademos en la playa.

Ⓒ Ojalá que yo...

Expansión
For each hope you expressed, give a reason why you want it to happen.

Get Help Online
my.hrw.com

PARA Y PIENSA

¿Comprendiste?   Expresa tus esperanzas para el fin de semana.
1. él / tener / mensajero instantáneo
2. tú / pagar / mi entrada para el cine
3. todos / ponerse / ropa elegante
4. la gala / empezar / temprano

Differentiating Instruction

Heritage Language Learners

Writing Skills In Activity 12, have students write a paragraph describing their wishes for the summer. Encourage them to include details and to give reasons for what they want, such as: **Ojalá que mis amigos y yo visitemos la playa Manuel Antonio en Costa Rica este julio que viene porque es una de las playas más bonitas en todo el mundo.**

Multiple Intelligences

Logical/Mathematical Have students, in pairs, write down the meanings of the computer terms that follow, and then take turns giving each other commands using them: **cortar, copiar, pegar, seleccionar todo, abrir, cerrar, texto, documento, programa, ventana.**

Communication

Humor/Creativity

Activity 11 Have students, in groups of three, write two outrageous, funny things that they "wish" would happen in class tomorrow, and take turns reading them aloud.

Get Help Online
More Practice
my.hrw.com

Ongoing Assessment

PARA Y PIENSA

Intervention Students who are having difficulties mastering the present subjunctive after **ojalá** will benefit from extra practice: Have them review the grammar presentation on p. 339. For additional practice, use Reteaching & Practice Copymasters URB 6, pp. 15, 17, 22, 23.

📺 **Answers** Projectable Transparencies, 6-29

Activity 10
1. Julián
2. el estreno
3. icono
4. Silvia
5. el premio
6. la película

Activity 11 Answers will vary, but should include the present subjunctive of the verbs in the list.

Activity 12 Answers will vary. Sample answer: Ojalá que yo pueda visitar a mis primas.

Para y piensa
1. Ojalá que él tenga mensajero instantáneo.
2. Ojalá que tú pagues mi entrada para el cine.
3. Ojalá que todos se pongan ropa elegante.
4. Ojalá que la gala empiece temprano.

343

❋ Presentación de GRAMÁTICA

¡AVANZA! **Goal:** Learn the subjunctive forms of some irregular verbs and **-ir** stem-changing verbs. Use them with **ojalá que...** to express more wishes for the future. *Actividades 13–16*

English Grammar Connection: In English, hope is often expressed with the present tense (*I hope that he* **comes***.*). In Spanish, hope requires the **subjunctive**.

More Subjunctive Verbs with Ojalá

ANIMATED GRAMMAR
my.hrw.com

The verbs **dar, estar, ir, saber,** and **ser** are irregular in the subjunctive.

Here's how:

dar	estar	ir	saber	ser
dé	esté	vaya	sepa	sea
des	estés	vayas	sepas	seas
dé	esté	vaya	sepa	sea
demos	estemos	vayamos	sepamos	seamos
deis	estéis	vayáis	sepáis	seáis
den	estén	vayan	sepan	sean

Ojalá que **vayan** a la gala. *I hope they **go** to the gala.*

Stem-changing **-ir** verbs in the present tense also change stems in the **subjunctive**.

The **e → i** stem change applies to all forms.

Ojalá que ellos **pidan** un entremés.
*I hope they **order** an appetizer.*

pedir	e → i
pida	pidamos
pidas	pidáis
pida	pidan

The **e → ie** stem change applies to all forms except **nosotros** and **vosotros**. Those forms change **e → i**.

preferir	e → ie, i
prefiera	prefiramos
prefieras	prefiráis
prefiera	prefieran

The **o → ue** stem change applies to all forms except **nosotros** and **vosotros**. Those forms change **o → u**.

dormir	o → ue, u
duerma	durmamos
duermas	durmáis
duerma	duerman

Más práctica
Cuaderno *pp. 275–277*
Cuaderno para hispanohablantes *pp. 276–279*

@HOMETUTOR my.hrw.com
Leveled Practice
Conjuguemos.com

💻 **Warm Up** Projectable Transparencies, 6-22

¿Cierto o falso? Indica si las siguientes oraciones sobre la Telehistoria son ciertas o falsas.
1. Tamara invita a sus padres al estreno.
2. Gilberto invita a Amanda.
3. Tamara no habla con Silvia.
4. Gilberto está preocupado.
5. Tamara piensa que van a ganar un premio.

Answers: 1. F; 2. F; 3. C; 4. C; 5. C

Communication
Common Error Alert

Remind students that they have learned several tenses of the irregular verbs **dar, estar, ir, saber,** and **ser.** Tell them that the present subjunctive of these irregular verbs is *not* based on the **yo** form for the present tense. Ask them to look at the accent marks used in **dé, esté,** and **estén.** What could **dé** and **esté** mean without the accents?

Long-term Retention
Recycle

Review stem-changing –ir verbs in the indicative. **E** to **i** verbs have the same stem change in the subjunctive as the indicative. **E** to **ie** verbs have the same changes as the indicative, except for **nosotros/vostoros,** which change **e** to **i**. **O** to **ue** verbs have the same changes as the indicative, except for **nosotros/vosotros,** which change **o** to **u**.

344

Differentiating Instruction

Slower-paced Learners

Sentence Completion Have students practice the six irregular verbs by completing sentences, substituting different forms, as in:
estar, tú: Ojalá que _____ _____ alegre.
(Ojalá que tú estés alegre.) estar, él: Ojalá que _____ _____ alegre.

English Learners

Provide Comprehensible Input Tell students that when you say what you hope or wish for in most languages, you are using a form known as the subjunctive. The subjunctive allows you to talk about something that is possible, such as dreams or wishes, but has not yet happened.

Práctica de GRAMÁTICA

13 | El estreno

Hablar
Escribir

Expresa los deseos de los amigos de Gilberto y Tamara para el estreno.

modelo: Antonia Reyes: estar en la gala
Ojalá que Antonia Reyes esté en la gala.

1. ellos: servir comida buena
2. nosotros: saber qué decir
3. la película: ser buena
4. Gilberto: dar las gracias a Antonia
5. los personajes de la película: no morir
6. tú: no dormirse durante la película

Expansión:
Teacher Edition Only
Have students give three of Antonia's wishes for the premiere.

14 | Un estudiante de intercambio

Leer
Hablar

Un estudiante de intercambio viene a tu escuela por seis meses. Lee su información y habla con un(a) compañero(a) sobre sus esperanzas para su visita. Usen **ojalá**.

modelo: darnos (información, un recuerdo)

A Ojalá que nos dé más información sobre sus intereses.

B Ojalá que nos dé un recuerdo de Argentina.

Nombre: Marcelo Gutiérrez
Edad: 16 años
Ciudad: La Plata, Argentina
Dirección electrónica: mgu12@correocentro7.com

Clase favorita: el álgebra
Comida favorita: carne a la parrilla
Intereses: las computadoras, los deportes, el cine, viajar
Familia: mis padres, un hermano menor
Información adicional: Mi familia y yo esquiamos en Bariloche cada año. Me encantan los deportes. También me interesa estar en línea y hablar con mis amigos por mensajero instantáneo. Este año quiero practicar mi inglés y conocer a nuevos amigos en Estados Unidos.

Expansión:
Teacher Edition Only
Tell students that *they* are now the exchange students, going to another country to live with a family. Have pairs take turns using the **ellos** form of the six verbs with a new phrase to express wishes about their host family.

1. ser (simpático, aburrido)
2. saber (hablar inglés, jugar)
3. estar (en nuestra clase, triste)
4. preferir (la música, las películas)
5. vivir (cerca, con mi familia)
6. ir (al cine, a la gala)

AUDIO

Pronunciación Linking vowels

In spoken Spanish, words are generally linked together. This is especially true if a word that ends with a **vowel** comes *before* a word that starts with a **vowel** or the letter **h.** Listen and repeat, noticing the linking of words.

¿Puedo hablar con la amiga de Alicia?   Me encantaría hablar con ella.

Differentiating Instruction

Pre-AP

Timed Answer Give students a list of verbs: **ser, saber, dar, estar, dormir, vestirse, ir,** and **preferir.** Divide them into groups of three, and tell them they are going to create sentences expressing their wishes for their future roomate. They will each have two minutes. The person who forms complete sentences using the most verbs wins.

Multiple Intelligences

Intrapersonal Have students write their responses to complete an application like Marcelo's in Activity 14. Then ask them to describe where they would hope to go as an exchange student using **ojalá** and give reasons for their choice.

Unidad 6 Lección 2
GRAMÁTICA

Objective
· Practice using the subjunctive of some irregular verbs and –**ir** stem-changing verbs with **ojalá que...**

Core Resource
· Audio Program: TXT CD 7 Track 17

Practice Sequence
· **Activity 13:** Controlled practice: subjunctive of irregular verbs with **ojalá que...**
· **Activity 14:** Transitional practice: subjunctive with **ojalá que**

STANDARDS
1.1 Engage in conversation, Act. 14
1.3 Present information, Acts. 13, 14

Communication
Pronunciation

A good expression to illustrate linking of words ending in a vowel with words beginning with *h* is **mi hijo/a:** when pronounced, it sounds like **mijo/a.**

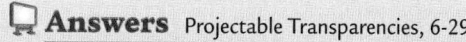
Answers Projectable Transparencies, 6-29

Activity 13
1. Ojalá que ellos sirvan comida buena.
2. Ojalá que nosotros sepamos qué decir.
3. Ojalá que la película sea buena.
4. Ojalá que Gilberto dé las gracias a Antonia.
5. Ojalá que los personajes de la película no mueran.
6. Ojalá que tú no duermas durante la película.

Activity 14 Answers will vary. Sample answers:
1. A: Ojalá que sea simpático.
   B: Ojalá que no sea aburrido.
2. A: Ojalá que sepa hablar inglés bien.
   B: Ojalá que sepa jugar al fútbol.
3. A: Ojalá que esté en nuestra clase de álgebra.
   B: Ojalá que no esté triste sin su familia.
4. A: Ojalá que prefiera la música rock.
   B: Ojalá que prefiera las películas de aventuras.
5. A: Ojalá que viva cerca de la escuela.
   B: Ojalá que viva con mi familia.
6. A: Ojalá que vaya al cine conmigo.
   B: Ojalá que vaya a la gala con nosotros.

345

Objectives
· Practice using the subjunctive with **ojalá que...**
· **Culture:** Hispanic actors in Hollywood

Core Resource
· *Cuaderno,* pp. 275–277

Practice Sequence
· **Activities 15, 16:** Open-ended practice: the subjunctive of irregular verbs and **ojalá que...**

STANDARDS
1.1 Engage in conversation, Act. 15
1.2 Understand language, Acts. 15, 16
1.3 Present information, Act. 15
2.2 Products and perspectives, Act. 16
21ST CENTURY Communication, Acts. 15, 16; **Information Literacy,** Heritage Language Learners

Comparación cultural

Essential Question
Suggested Answer Muchos actores son de otros países o vienen de familias que son de otros países. Por ejemplo, Nicole Kidman es de Australia.

Expanded Information
Alexis Bledel worked as a model through high school, then went on to film school at NYU. In 2000, she landed the role of Rory on the *Gilmore Girls.* Wilmer Valderrama has also acted in independent and feature films, including *CHiPs* (2007).

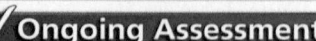

✓Ongoing Assessment
🌐 Get Help Online
More Practice
my.hrw.com

Quick Check If students are having difficulty with the sentences, have them reread the grammar boxes on pp. 339 and 344, paying close attention to the charts. For additional practice, use Reteaching & Practice Copymasters URB 6, pp. 18, 19.

Answers Projectable Transparencies, 6-30

Activity 15 Answers will vary. Sample answers:
Ojalá que todos tomen muchas fotos en el baile.
Ojalá que Miguel se ponga una corbata.
Ojalá que todo sea perfecto.

Answers continue on p. 347.

346

---

15 ¡Vamos a bailar!

Hablar
Escribir

Tú y tu amigo(a) van a un baile elegante este sábado. Hablen de sus esperanzas para este evento especial.

servir refrescos	ser
ponerse una corbata	ir
saber bailar	estar
tomar fotos	dar

Ⓐ Ojalá que todos vayamos a un restaurante.

Ⓑ Ojalá que Álex me dé flores.

Ojalá que...

Expansión
Create an invitation to this dance.

16 Las estrellas de cine y televisión

Leer
Hablar

Comparación cultural

Wilmer Valderrama

Los actores hispanos en Hollywood

¿Cuánto sabes sobre la herencia de los actores populares? Muchas estrellas de televisión y cine americano tienen herencia *(heritage)* hispana. La mayoría trabaja en **Los Ángeles,** el centro de la industria del cine. El actor venezolano Wilmer Valderrama vino a Estados Unidos cuando tenía 13 años y no podía hablar inglés. Lo aprendió en el colegio y en sus clases de drama. Luego tuvo mucho éxito en el programa *That '70s Show.* La actriz Alexis Bledel hace muchas películas y también trabaja en televisión. Su primer papel importante fue en el programa *Gilmore Girls.* Ella aprendió el español como primer idioma. Su padre es argentino y su madre es mexicana.

Compara con tu mundo *¿Conoces a otros actores hispanos? ¿Quiénes son?*

Alexis Bledel

Habla con otro(a) estudiante sobre tus esperanzas para estos actores y otros que conoces.

Pistas: conocer, hacer, tomar fotos, ver, hablar, poder, ir

Ⓐ Ojalá que pueda conocer a Wilmer Valderrama.

Ⓑ Ojalá que Alexis Bledel haga el papel de...

Más práctica Cuaderno *pp. 275–277* Cuaderno para hispanohablantes *pp. 276–279*

🌐 Get Help Online
my.hrw.com

PARA Y PIENSA

¿Comprendiste? Da las formas del subjuntivo.
1. Ojalá que nosotros (pedir) pizza.
2. Ojalá que ustedes (estar) contentos.
3. Ojalá que tú (ir) también.
4. Ojalá que él (saber) cómo llegar.

Differentiating Instruction

Heritage Language Learners
Writing Skills Have students research and write about Latinos in the following industries: U.S. film and television. Have them include information about what positions they hold, what percentage of overall roles are filled by Latinos, the types of roles they play, and changes in representation over the past ten years.

English Learners
Increase Interaction Ask students to talk about people from their home countries who work in film or television in the U.S. Encourage them to mention popular newscasters or hosts of famous game shows.

◈ Todo junto

¡AVANZA! **Goal:** *Show what you know.* Listen to Tamara's acceptance speech. Then use what you have learned to create a speech of your own and to convince someone to accept your invitation to an event. *Actividades 17–21*

Telehistoria completa

@HOMETUTOR · my.hrw.com · View, Read and Record

STRATEGIES

Cuando lees
Imagine the triumph Think about how Tamara feels and notice all the people she thanks. Have you witnessed stars thanking lots of people at award ceremonies? How is her speech similar or different?

Cuando escuchas
Separate believing and dreaming Listen carefully to Tamara. Does she believe what she says, or is she merely "dreaming aloud" about something she wants? What happens when Gilberto reminds her of their work?

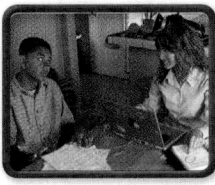

Escena 1 *Resumen*
Tamara está preparando las invitaciones para el estreno de su película. Gilberto le dice que necesitan terminar la película primero.

Escena 2 *Resumen*
Gilberto y Tamara invitan a sus amigos al estreno. Gilberto piensa que va a ganar el premio del festival si terminan la película.

Escena 3

VIDEO DVD
AUDIO

Tamara: *(emotional, holding a statuette)* Muchas gracias a todos. Muchas gracias. Estoy muy emocionada. Ojalá que sepan lo importante que este premio es para mí. Quisiera dar las gracias a mi familia, a mi profesor el señor Galván, al resto del equipo, a mis amigos y a todos los que hicieron posible esta película. ¡Ojalá que estén todos aquí! Y quisiera dar las gracias... ¡a Gilberto, el director! Gilberto, ¡ojalá que estés contento! *(raising the statuette in the air)* ¡Gracias!

Gilberto: ¡Muy bien! Y muy bonito vestido. Hablas bien, pero ojalá que me des un minuto para hablar yo también.

Tamara: ¿Qué? ¿Quieres hablar tú también?

Gilberto: ¡Claro que sí! Pero primero tengo que hacer otra cosa.

Tamara: ¿Qué cosa?

Gilberto: *(exasperated)* ¡Tengo que terminar de editar esta película! ¡Debemos mandarla mañana!

Tamara: ¡Ay, Gilberto! ¡Qué aburrido!

Differentiating Instruction

Slower Paced Learners

Personalize It Based on awards shows they have seen, have students suggest phrases they would expect a star or director to say when receiving an award. Have students write three suggestions using **ojalá** and **quisiera**...

Pre-AP

Sequence Information Have students summarize Tamara's speech for a friend who missed it. What did she say? Who did she thank?

¡AVANZA! **Objective**
· Integrate vocabulary and grammar.

Core Resources
· Video Program: DVD 2
· Audio Program: TXT CD 7 Track 18

Presentation Strategies
· Have students give brief summaries of Escena 1 and Escena 2.
· Have students brainstorm a list of predictions based on the photos.
· As they watch the video or listen to the audio, have them check their predictions to see if they were right.

✿ STANDARD
1.2 Understand language

📺 Warm Up Projectable Transparencies, 6-22

Ojalá que Completa las siguientes oraciones con la forma correcta del verbo.
1. Ojalá que mis padres me (dar) ...
2. Ojalá que algun día yo (saber) ...
3. Ojalá que mis amigos (tener) ...
4. Ojalá que yo (poder) ...

Answers will vary. Sample answer:
Ojalá que mis padres me den un perro.

1. den...; 2. sepa...; 3. tengan...; 4. pueda...

Video Summary

@HOMETUTOR · VideoPlus · my.hrw.com

Tamara gives her acceptance speech. Gilberto is happy with her speech and hopes he gets a chance to speak as well. He tells her that he needs to finish editing the movie.

📺 Answers Projectable Transparencies, 6-30

Answers continued from p. 346.

Activity 16 Answers will vary. Sample answers:
Ojalá que vaya a Los Ángeles un día para ver a Wilmer Valderarrama.
Ojalá que pueda tomar fotos y hablar con Alexis Bledel.

Para y piensa
1. Ojalá que nosotros pidamos pizza. 2. Ojalá que ustedes estén contentos. 3. Ojalá que tú vayas también. 4. Ojalá que él sepa cómo llegar.

TODO JUNTO

Objective
· Practice using and integrating lesson vocabulary and grammar.

Core Resources
· *Cuaderno,* pp. 278–279
· Audio Program: TXT CD 7 Tracks 14, 16, 18, 19, 20

Practice Sequence
· **Activities 17, 18:** Telehistoria comprehension
· **Activity 19:** Open-ended practice: speaking
· **Activity 20:** Open-ended practice: reading, listening, speaking
· **Activity 21:** Open-ended practice: writing

 STANDARDS

1.1 Engage in conversation, Act. 19
1.2 Understand language, Acts. 17, 18
1.3 Present information, Acts. 18, 20, 21

Communication, Acts. 19, 21/ Pre-AP; **Social and Cross-Cultural Skills, English Learners**

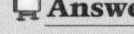 **Answers** Projectable Transparencies, 6-30

Activity 17
1. Estoy muy emocionada.
2. Ojalá que sepan lo importante que este premio es para mí.
3. Quisiera darles las gracias a todos los que hicieron posible esta película.
4. Ojalá que estén todos aquí.
5. Gilberto, ¡ojalá que estés contento!
6. ¡Ay, Gilberto! ¡Qué aburrido!

Activity 18
1. Gilberto y Tamara preparan las invitaciones antes de su estreno.
2. Gilberto y Tamara invitan a sus amigos al estreno.
3. Gilberto piensa que la película va a ganar el premio del festival.
4. En la última escena Tamara le da gracias a todos cuando recibe el premio.
5. Gilberto está contento porque le gusta lo que dice Tamara.
6. Gilberto tiene que terminar de editar la película.

Activity 19 Answers will vary. Sample answer:
—¿Te gustaría ir al concierto de «JP» conmigo? Va a ser muy divertido. ¡Te digo la verdad!
—Sí, ¡cómo no! Me encantaría.

---

17 Comprensión de los episodios ¡A corregir!

Escuchar Leer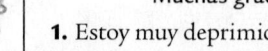

¿Qué dice Tamara? Corrige los errores en estas oraciones.

> **modelo:** Muchas gracias a Antonia Reyes.
> Muchas gracias a todos.

1. Estoy muy deprimida.
2. Ojalá que sepan lo importante que este amigo es para mí.
3. Quisiera darles las gracias a todos los que hicieron posible esta gala.
4. Ojalá que estén mis padres aquí.
5. Gilberto, ¡ojalá que estés enojado!
6. ¡Ay, Gilberto! ¡Qué lástima!

Expansión: Teacher Edition Only
Have students work in pairs. Have each write two additional sentences with incorrect information about the Telehistoria. Then have them take turns reading and correcting each other's sentences.

18 Comprensión de los episodios ¡Vamos a ganar!

Escuchar Leer

Contesta las preguntas.

1. ¿Qué hacen Tamara y Gilberto antes de su estreno?
2. ¿A quiénes invitan al estreno?
3. ¿Qué piensa Gilberto de la película?
4. ¿Qué hace Tamara en la última escena?
5. ¿Está contento Gilberto? ¿Por qué?
6. ¿Qué tiene que hacer Gilberto?

Expansión: Teacher Edition Only
Have students write or tell what they think Gilberto would say in his acceptance speech.

19 Por teléfono

Digital performance space

Hablar

> **STRATEGY Hablar**
> **Use different approaches** When trying to persuade your partner to accompany you, use different approaches (examples: urgent, polite, overly insistent, secretive). Try different ways to say no, too. Which approaches are most comfortable to you? Which have better results with your partner?

Ganaste dos entradas a un evento. Habla por teléfono y convence *(convince)* a tu compañero(a) que vaya contigo. Usen expresiones como **¡te digo la verdad!, ¡te lo aseguro!** y **¡cómo no!** Después cambien de papel.

A ¿Aló?

B Hola, soy yo. ¿Te gustaría ir al concierto de «J.P.» conmigo?

No, sus conciertos son aburridos. ¡Te lo aseguro!

¿Aburridos? Son muy divertidos. ¡Te digo la verdad! Ojalá que vayas porque....

Expansión Write a brief review of the event.

Unidad 6 Estados Unidos
348 trescientos cuarenta y ocho

Differentiating Instruction

Pre-AP
Persuade In Activity 19 have students, in pairs, act out the dialog between two friends, both with agendas: one wants to do one thing, and the other wants to do something else. Have them use different persuasion techniques such as commands and suggestions.

Slower-paced Learners
Peer-study Support Pair weaker students with stronger ones for Activity 19. Before they act out their dialog, have them write down what kind of event they will be talking about, as well as some adjectives and verbs they can use to describe it.

20 Integración

Digital performance space

Leer
Escuchar
Hablar

Lee la invitación y escucha el mensaje de Teresa. Luego llama a tu amigo(a) para darle la información sobre la fiesta y decirle cuáles son tus esperanzas.

Fuente 1 Invitación

Invitenlínea

¡Vamos a celebrar!
Teresa y Enrique te invitan a...
La Gran Gala
Lugar: la casa de Teresa
Avda. Los Olivos 22, #4
Fecha: sábado, el 4 de agosto
Hora: a las 7:00 de la tarde

Acabamos de llegar de nuestro viaje a Argentina. Ven a celebrar con nosotros nuestra llegada. Vamos a tener música de tango, refrescos, decoraciones y meriendas argentinas. ¡Ojalá que te veamos allí!

Haz clic aquí para responder: Sí No Tal vez

Fuente 2 Mensaje en tu teléfono celular
Listen and take notes

- ¿Qué van a hacer a las ocho?
- ¿Cómo te debes vestir?
- ¿Qué debes hacer para saber cómo llegar?

🎧 Audio Program
TXT CD 7
Tracks 19, 20
Audio Script, TE
p. 331B

Expansión:
Teacher Edition Only
Have students express wishes about two things they hope will not happen at the party.

modelo: Aló, ¿Paty? Tengo la información para ti sobre la gala en casa de Teresa el próximo sábado. Empieza a las 7:00 de la tarde...

21 La graduación

Digital performance space

Escribir

Vas a hablar en tu graduación. Escribe lo que vas a decir. Describe cinco recuerdos de tus clases, profesores, amigos o actividades. Expresa tres esperanzas para el futuro usando **ojalá.**

modelo: Hoy celebramos todo el trabajo que hicimos en la escuela. Ojalá que ustedes tengan éxito en el futuro... Quisiera darles las gracias a...

Writing Criteria	Excellent	Good	Needs Work
Content	You include more than five memories, three hopes, and an excellent range of vocabulary.	You include three to five memories, two to three hopes, and a fair range of vocabulary.	You include only a few memories and hopes, and the vocabulary is very limited.
Communication	Most of your speech is organized and easy to follow.	Parts of your speech are organized and easy to follow.	Your speech is disorganized and hard to follow.
Accuracy	Your speech has few mistakes in grammar and vocabulary.	Your speech has some mistakes in grammar and vocabulary.	Your speech has many mistakes in grammar and vocabulary.

Expansión
Write five things your friends might say to you after your speech.

Más práctica Cuaderno *pp. 278–279* Cuaderno para hispanohablantes *pp. 280–281*

PARA Y PIENSA

Get Help Online
my.hrw.com

¿Comprendiste? Completa la conversación entre dos amigos.
Ana: ¿Vas a la gala?
José: ¡ **1.** ! ¿Y tú?
Ana: Creo que no.
José: ¡Qué **2.** ! Va a ser divertido.
Ana: ¿Te vas a poner ropa **3.** ?
José: Sí, me pongo un **4.** .

Differentiating Instruction

English Learners

Build Background Before completing Activity 20, have students describe parties they might give or go to in their home countries. Have them describe details such as what events might be celebrated, who would be invited, what food they would serve, and what music they would play.

Inclusion

Sequential Organization For Activity 21 have students create a 3Ws chart (who, what, when) for the three memories and three hopes for the future. Have them refer to their chart while writing their answer.

Pre-AP Integration

Activity 20
- Challenge students to avoid reading the text and try only listening to it.
- Teach students to use context clues or make educated guesses at unknown words.

✓ Ongoing Assessment

Rubric Activity 20
Listening/Speaking

Proficient	Not There Yet
Students' messages show that they utilized information from both sources to provide information about the party and their hopes for it.	Students' messages did not provide sufficient information about the event or their hopes for it.

To customize your own rubrics, use the *Generate Success* Rubric Generator and Graphic Organizers.

✓ Ongoing Assessment

Get Help Online
More Practice
my.hrw.com

PARA Y PIENSA **Quick Check** Have students read the short conversation in pairs to check their answers. For additional practice, use Reteaching & Practice Copymasters URB 6, pp. 18, 20.

💬 Answers Projectable Transparencies, 6-30

Activity 20
1. Van a estrenar la película.
2. Se van a vestir elegantemente.
3. Hacer el clic en el icono.

Activity 21 Answers will vary. Sample answers include:
Ojalá que tengan buenas notas.
Nuestros profesores nos enseñaron mucho.

Para y piensa
1. Cómo no (Claro que sí)
2. lástima
3. elegante
4. corbatín

LECTURA CULTURAL

❖ Lectura cultural

Comparación cultural

AUDIO

El Óscar y el Ariel:
dos premios prestigiosos

STRATEGY Leer
Compare Oscar and Ariel
Use a Venn diagram to compare the two great prizes, the Oscar and the Ariel. In the center, write down similarities. In the non-overlapping parts of the circles, write down differences. Make sure you have included all key information.

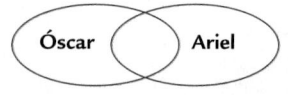
Óscar   Ariel

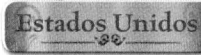
Estados Unidos

*Ceremonia del Óscar,
Los Ángeles*

Todo el mundo conoce el Óscar, el premio de la Academia de Hollywood. Pero no todos conocen su simbolismo e historia.

La estatuilla[1] representa a un caballero[2] con una espada[3], sobre un carrete[4] de película de cinco radios[5]. Los radios simbolizan las cinco profesiones originales de la Academia: los actores, los guionistas, los directores, los productores y los técnicos.

En su origen, «Óscar» era solamente un sobrenombre[6] que inició Margaret Herrick, la bibliotecaria[7] de la Academia; decía que la estatuilla del caballero era como su tío Óscar. Luego, otros empezaron a referirse a la estatuilla y al premio como «el Óscar».

El primer premio fue otorgado[8] en 1929. El puertorriqueño José Ferrer fue el primer actor hispano que recibió el Óscar de Mejor Actor, en el año 1950, por su papel en *Cyrano de Bergerac*. Rita Moreno, también puertorriqueña, fue la primera actriz hispana en ganar el premio por su papel en *West Side Story* en 1961.

[1] statuette	[2] knight	[3] sword
[4] reel	[5] spokes	[6] nickname
[7] librarian	[8] awarded	

STANDARDS
1.2 Understand language
1.3 Present information
2.1 Practices and perspectives
4.2 Compare cultures
21ST CENTURY Critical Thinking and Problem Solving, Critical Thinking; **Information Literacy,** Art; **Media Literacy,** Heritage Language Learners

▶ Objectives
· Practice reading about and comparing two important prizes for film in the U.S. and Mexico.
· Answer reading comprehension questions about the film industry and awards ceremonies in both countries.

Core Resource
· Audio Program: TXT CD 7 Track 21

Presentation Strategies
· Explain to students that they are going to read about two important prizes for film: the Oscar and the Ariel awards.
· Discuss what students know about the Oscars.
· Have students look at the picture on p. 351, and explain that the Ariel statue is winged. Ask what the wings might symbolize.
· Preview the reading strategy with students.

🖳 Warm Up Projectable Transparencies, 6-23

Mandatos Cambia los siguientes mandatos en la forma **tú** a oraciones con **ojalá que.**
 modelo: No estés nervioso.
        Ojalá que no estés nervioso.
 1. Ve a la gala este fin de semana.
 2. Vístete con ropa elegante.
 3. Llega a las siete.
 4. Ve la película.
 5. No traigas tu teléfono celular.
Answers: Ojalá que... 1. vayas a la gala este fin de semana.; 2. te vistas con ropa elegante.; 3. llegues a las siete.; 4. veas la película.; 5. no traigas tu teléfono celular.

Connections
Art

Have students research and then draw pictures of the Oscar and Ariel statues. Have them either write or speak about the symbolism of each.

Differentiating Instruction

Inclusion

Clear Structure Read the selection aloud, or have a volunteer read it, as students follow in their texts. After each paragraph, pause to review new words and have students add notes to their Venn diagrams. After reading, ask volunteers what information belongs in the overlapping portion of the diagram.

Slower-paced Learners

Yes/No Questions Guide students toward recognizing key points in the reading by asking yes/no questions about each paragraph, such as: **¿Representa la estatuilla a un caballero con una espada?**

Ceremonia del Ariel, en el Palacio de Bellas Artes, Ciudad de México

México

En México, el premio nacional de cine es el Ariel. Se lo otorga la Academia Mexicana de Artes y Ciencias Cinematográficas a las estrellas de cine mexicano cada primavera.

Como el Óscar, la estatuilla del Ariel es simbólica. El hombre alado[9] representa la libertad del espíritu y del arte, un deseo de ascender[10] y también la unidad de la cultura hispanoamericana.

La Academia se creó[11] durante la «Época de Oro» en los años 40. El cine mexicano prosperaba con un grupo de grandes estrellas, como María Félix, Dolores del Río, Pedro Infante y Cantinflas (Mario Moreno). Hoy día, la Academia reconoce[12] a los mejores del cine con los premios Ariel.

---

[9] winged   [10] **deseo...** desire to soar   [11] was created   [12] recognizes

PARA Y PIENSA

¿Comprendiste?
1. ¿Cuáles son las cinco profesiones de la Academia de Hollywood?
2. ¿Cuándo empezaron a dar el premio Óscar?
3. ¿Quiénes son los primeros hispanos en recibir el premio?
4. ¿Qué representa el Ariel?

¿Y tú?
¿Te gusta ver la ceremonia de los premios Óscar o de otros premios? ¿Por qué? ¿Qué película que te gusta recibió un premio?

Lección 2
trescientos cincuenta y uno **351**

351

Objective
· Identify some of the benefits of tourism for visitors and residents of a country.

Presentation Strategy
· Discuss the benefits of tourism for both tourists and the residents of the places they are visiting. Create two columns on the board—"tourists" and "residents." Have students brainstorm a list of benefits for each group and record them in the appropriate column. After reading the content on p. 352, have them add more.

STANDARDS
1.2 Understand language
1.3 Present information
5.1 Spanish in the community

21ST CENTURY **Communication,** Proyecto 2/En tu comunidad; **Creativity and Innovation,** Proyecto 1; **Flexibility and Adaptability,** English Learners; **Information Literacy,** Multiple Intelligences

Connections
Geography

In preparation for Proyecto 1, have students, in pairs, draw a map of the country they would like to visit. Their maps should identify neighboring countries, large bodies of water, some of the major cities, and several different terrains, such as mountains or deserts.

Comparación cultural

Essential Question
Suggested Answer El turista puede aprender mucho de un lugar y conocer otra cultura. Los residentes de un lugar pueden trabajar en turismo y los turistas ayudan su economía.

Expanded Information
Economic Impact of Travel and Tourism on the U.S. Tell students that in 2003, the U.S. travel industry received more than $554.5 billion from domestic and international travelers (excluding international passenger fares).

✻ Proyectos culturales

Comparación cultural

Viajes y turismo

¿Cuáles son los beneficios del turismo para el turista y para los residentes de un lugar? Una manera (way) excelente de conocer otro país es visitarlo. Ya aprendiste algo sobre varios países. ¿Hay algún país que te gustaría visitar? Antes de viajar es una buena idea informarte. Hacer una feria de viajes (travel fair) te ayudará a entender los dos lados del turismo: la experiencia del turista como huésped (guest) en otro país y la experiencia de los residentes del país que acogen (welcome) a los turistas.

Proyecto 1 Los residentes

¿En qué país te gustaría ser residente? ¿Qué información puedes presentar a los turistas para darles la mejor imagen de tu país? Prepara un folleto (brochure) o póster para una feria de viajes que enseña a posibles visitantes cómo es tu país, cómo es la gente y cómo es su cultura. Puedes incluir información sobre el clima, la ropa, las comidas y atracciones turísticas.

Materiales para hacer tu folleto turístico
Papel de construcción o póster
Fotos
Pegamento (glue)
Marcadores (markers) o lápices de diferentes colores
Tijeras (scissors)
Instrucciones
1. Busca información sobre el país que representas. Puedes usar Internet o buscar guías y folletos turísticos de agencias de viajes o de aerolíneas.
2. Haz un folleto o póster con la información que encontraste. Sé creativo.
3. El día de la feria, prepara una caseta (booth) para presentar la información a tus compañeros.

Proyecto 2 Los turistas

¿Qué país te gustaría visitar como turista? Planea un itinerario para una visita de cinco días en ese país. Luego, escribe un diario personal (journal) de los eventos de cada día.

Instrucciones para tu diario personal
1. Busca información sobre el país que quieres visitar. Piensa en qué debe saber un turista: ¿Qué atracciones hay? ¿En qué fechas hay días festivos? ¿Qué transporte hay? ¿Qué tiempo hace? ¿A qué hora come la gente?
2. Planea el itinerario para tu visita.
3. Ahora, imagina que fuiste allí. Escribe en tu diario personal qué hiciste cada día, qué viste y qué comiste.

En tu comunidad

¿Qué recursos (resources) existen en tu comunidad para turistas? ¿Están disponibles (available) en español?

Differentiating Instruction

English Learners

Increase Interaction Have students write a brochure about their home country. Then divide students into groups of three, with one English learner per group, and have them role-play two tourists visiting a travel agent (the English learner). Have them make arrangements for a hotel, tours, and restaurants.

Multiple Intelligences

Naturalist Have students research and write about the natural attractions in the country they chose for their project. Encourage them to include information about activities visitors can engage in to enjoy and learn about the ecology of the country.

Lección 2

En resumen
Vocabulario y gramática

ANiMATedGRammaR
Interactive Flashcards
my.hrw.com

Vocabulario

Extending and Responding to Invitations

By E-mail

la dirección electrónica	e-mail address
estar en línea	to be online
hacer clic en	to click on
el icono	icon
el mensajero instantáneo	instant messaging
el ratón	mouse
el teclado	keyboard

On the Telephone

dejar un mensaje	to leave a message
el teléfono celular	cellular phone
¿Aló?; ¿Bueno?; ¿Diga?	Hello?
¿Está...?	Is . . . there?
No, no está.	No, he's / she's not.
Un momento.	One moment.
¿Puedo hablar con...?	May I speak to . . .?

Convincing Others

¡Cómo no!	Of course!
¡Estoy convencido(a)!	I'm convinced!
¡Te digo la verdad!	I'm telling you the truth!
Te lo aseguro.	I assure you.
¡Te lo juro!	I swear to you!

The Movie Premiere

la corbata	tie
el corbatín	bow tie
la gala	gala; formal party
la ropa elegante	formalwear
estrenar	to premiere
el estreno	premiere
la crítica	review

The Invitation

la invitación	invitation
el fin de semana	weekend
el (la) próximo(a)	next

Accepting and Declining

¡Claro que sí!	Of course!
¡Qué lástima!	What a shame!
Sí, me encantaría.	Yes, I would love to.

Express Hopes and Wishes

¡Ojalá!	I hope so!

Acceptance Speech Phrases

Estoy muy emocionado(a).	I'm overcome with emotion.
Quisiera darle(s) las gracias a...	I would like to thank . . .

Gramática

Nota gramatical: Spelling changes in the subjunctive *p. 341*

Present Subjunctive with Ojalá

Use **ojalá que...** with the **present subjunctive** to express hopes and wishes.

-ar verbs = **-e** endings   **-er, -ir** verbs = **-a** endings

hablar	tener	escribir
hable	tenga	escriba
hables	tengas	escribas
hable	tenga	escriba
hablemos	tengamos	escribamos
habléis	tengáis	escribáis
hablen	tengan	escriban

More Subjunctive Verbs with Ojalá

The verbs **dar, estar, ir, saber,** and **ser** are irregular in the subjunctive.

dar	estar	ir	saber	ser
dé	esté	vaya	sepa	sea
des	estés	vayas	sepas	seas
dé	esté	vaya	sepa	sea
demos	estemos	vayamos	sepamos	seamos
deis	estéis	vayáis	sepáis	seáis
den	estén	vayan	sepan	sean

Practice Spanish with Holt McDougal Apps!

Differentiating Instruction

Slower-paced Learners

Memory Aids To practice the present subjunctive with **ojalá,** have students create two sets of flashcards; the first set for regular verbs and the second for irregular verbs. Have students use different colored index cards—one color for regular verbs and the other for irregular verbs—when conjugating the different forms.

Inclusion

Cumulative Instruction Have students, in pairs, script and act out two phone conversations: one in which the person is not there, and they leave a message, the other in which they talk to the person. Have them include one sentence using **ojalá que**.

Objective

- Review lesson vocabulary and grammar.

DIGITAL SPANISH

Interactive Flashcards Students can hear every target vocabulary word pronounced in authentic Spanish. Flashcards have Spanish on one side, and a picture or a translation on the other.

Review Games Matching, concentration, hangman, and word search are just a sampling of the fun, interactive games students can play to review for the test.

performance)space

News + Networking

@HOMETUTOR

CuLTuRa Interactiva

- **Audio and Video Resources**
- **Interactive Flashcards**
- **Review Activities**
- **WebQuest**
- **Conjuguemos.com**

Long-term Retention

Recycle

Have students, in pairs, take turns giving affirmative and negative **usted** commands about using the computer. Help students generate a list of verbs they might use with online activities, such as **mandar, escribir, leer, esperar, abrir, usar.** Model: **Mándeme su dirección electrónica, por favor.**

REPASO DE LA LECCIÓN

Objective
· Review lesson grammar and vocabulary.

Core Resources
· *Cuaderno* pp. 280–291
· Audio Program: TXT CD 7 Track 22

Presentation Strategies
· Review may be done in class or given as homework.
· You may want students to go online for additional practice.

✿ STANDARDS
1.2 Understand language, Act. 1
1.3 Present information, Acts. 2, 3, 4
2.1 Practices and perspectives, Act. 5
2.2 Products and perspectives, Act. 5
3.1 Knowledge of other disciplines, Act. 5
21ST CENTURY Social and Cross-Cultural Skills, Heritage Language Learners/English Learners

🖥 Warm Up Projectable Transparencies, 6-23

Match the words from the two columns.
1. la dirección _____ a. instantáneo
2. el mensajero _____ b. en línea
3. hacer _____ c. celular
4. estar_____ d. electrónica
5. el teléfono _____ e. clic en
Answers: 1. d; 2. a; 3. e; 4. b; 5. c

✓ Ongoing Assessment

🌐 Get Help Online
More Practice
my.hrw.com

Intervention/Remediation If students achieve less than 80% accuracy in each activity, direct them to the review pages listed in the margins and to get help online at my.hrw.com.

Lección 2

Repaso de la lección

@HOMETUTOR
my.hrw.com

¡AvanzaRap!
DVD
Sing and Learn

¡LLEGADA!

Now you can
· make future plans
· express hopes and wishes
· influence others
· extend and respond to invitations
· talk about technology

Using
· present subjunctive with **ojalá**
· spelling changes in the subjunctive
· subjunctive of irregular verbs
· subjunctive of stem-changing verbs

To review
· present subjunctive with **ojalá**, p. 339

1 Listen and understand

🎧 AUDIO

Escucha las conversaciones por teléfono y escoge las respuestas más lógicas.

1. a. ¡Cómo no! ¿Necesito llevar un corbatín?
   b. Sí, prefiero usar el mensajero instantáneo.
2. a. Lo siento. No puedo ir.
   b. ¿Puedo dejarle mensaje, por favor?
3. a. ¡Qué lástima! Ya recibí otra invitación.
   b. ¡Te lo juro!
4. a. Sí, me encantaría.
   b. Ojalá que vaya.
5. a. Estoy convencido.
   b. Quisiera darle las gracias a mi familia.
6. a. ¡Claro que sí!
   b. Estoy muy emocionado.

🎧 **Audio Progr**
TXT CD 7 Track
Audio Script, TE
p. 331B

To review
· present subjunctive with **ojalá**, p. 339
· spelling changes in the subjunctive, p. 341

2 Make future plans and express hopes and wishes

La madre de Silvia expresa sus esperanzas para un espectáculo en la escuela el próximo fin de semana. ¿Qué le dice a Silvia?

modelo: todos / pagar antes de entrar
Ojalá que todos paguen antes de entrar.

1. nosotros / llegar temprano
2. el programa / empezar a las 7:00
3. los padres / apagar sus teléfonos celulares
4. tú / practicar mucho antes del evento
5. Raúl / tocar la guitarra
6. la gala / comenzar después del programa

Differentiating Instruction

Inclusion

Alphabetic/Phonetic Awareness Have students, in pairs, write down the subjunctive of the six verbs used in the sentences in Activity 2. Ask them to circle or underline letters they must add or change when forming the subjunctive. Then have them take turns "teaching" each other about the spelling changes of the six verbs.

Pre-AP

Relate Opinions Tell students that they will be going to a gala with a group of friends. Have them, in pairs or small groups, take turns expressing their opinions about the event.

3 Express hopes and wishes

Completa estas oraciones de unas personas que hacen una película.

> **modelo:** yo / pensar en un buen argumento
> Ojalá que yo piense en un buen argumento.

1. yo / ser cómico
2. el guión / no ser aburrido
3. todos / ir al estreno
4. yo / filmar bien las escenas
5. la estrella del cine / querer el papel
6. los actores / saber qué decir y hacer
7. esta comedia / tener éxito
8. ellos / darme un premio

o review
present subjunctive with **ojalá,** p. 339
subjunctive of irregular verbs, p. 344
subjunctive of stem-changing verbs, pp. 339, 344

4 Talk about technology

Estás con Gilberto en un cibercafé. Primero empareja sus comentarios a la izquierda con tus reacciones a la derecha. Luego forma oraciones completas con **ojalá.**

1. Esta computadora no tiene ratón.
2. Hice clic en el icono correcto. Ahora estoy esperando.
3. Quiero hablar con Marisa por mensajero instantáneo.
4. Estoy esperando un correo de Toño sobre la gala.
5. Tina me tiene que llamar hoy.
6. Ay, pero ¡mi teléfono celular está en casa!

a. ella / saber tu número de teléfono celular
b. él / tener tu dirección electrónico
c. nosotros / poder usar el teclado para hacer clic
d. ella / estar en línea
e. ella / dejarte un mensaje
f. tú / llegar a la página web que buscas

o review
present subjunctive with **ojalá,** p. 339
subjunctive of irregular verbs, p. 344
subjunctive of stem-changing verbs, pp. 339, 344
spelling changes in the subjunctive p. 341

5 The United States and Mexico

Comparación cultural

Contesta estas preguntas culturales.

1. ¿Cuál fue el nombre original de Los Ángeles?
2. ¿Para qué evento hizo Patssi Valdez el arte oficial?
3. ¿De dónde son Alexis Bledel y Wilmer Valderrama?
4. ¿Cuáles son los premios de cine importantes en Estados Unidos y México? Describe las estatuas.

o review
El nombre de L.A., p. 307
Comparación cultural, pp. 340, 346
Lectura cultural, pp. 350–351

Get Help Online
my.hrw.com

ás práctica Cuaderno *pp. 280–291* Cuaderno para hispanohablantes *pp. 282–291*

Lección 2
trescientos cincuenta y cinco **355**

Differentiating Instruction

Heritage Language Learners

Support What They Know Have students share what they know about the film and TV industries in their home countries, such as the names of major studios and where they are located; who some of the top directors, actors, screenwriters and cinematographers are; and whether many films are shot in the country, or filmed somewhere else.

English Learners

Increase Interaction Ask students to describe cell phone use in their home countries: whether many people have cell phones; whether people their age tend to have cell phones; what kinds of phones are available; whether service is costly or not; whether reception is good or not.

Answers Projectable Transparencies, 6-31

Answers for Activities on p. 354, 355.

Activity 1
1. a
2. a
3. a
4. b
5. a
6. a

Activity 2 Ojalá que...
1. nosotros lleguemos temprano.
2. el programa empiece a las 7:00.
3. los padres apaguen sus teléfonos celulares.
4. tú practiques mucho antes del evento.
5. Raúl toque la guitarra.
6. la gala comience después del programa.

Activity 3 Ojalá que...
1. yo sea cómico.
2. el guión no sea aburrido.
3. todos vayan al estreno.
4. yo filme bien las escenas.
5. la estrella de cine quiera el papel.
6. los actores sepan qué decir y hacer.
7. esta comedia tenga éxito.
8. ellos me den un premio.

Activity 4 Ojalá que...
1. (c) Ojalá que nosotros podamos usar el teclado para hacer clic.
2. (f) Ojalá que tú llegues a la página web que buscas.
3. (d) Ojalá que ella esté en línea.
4. (b) Ojalá que él tenga tu dirección electrónica.
5. (a) Ojalá que ella sepa tu número de teléfono celular.
6. (e) Ojalá que ella te deje un mensaje.

Activity 5 Answers will vary. Sample answers include:
1. El nombre original de Los Ángeles fue "El Pueblo de Nuestra Señora la Reina de los Ángeles del Río Porciúncula."
2. Patssi Valdez hizo el arte oficial para la quinta edición de los Premios Grammy Latino.
3. Alexis Bledel es de los Estados Unidos, y Wilmer Valderrama es de Venezuela.
4. Los premios de cine importantes en Estados Unidos y México son el Oscar y el Ariel.

355

Objectives
- **Culture:** Compare likes in movies and interests in movie-related work to those of three students who live in L.A., Argentina, and Mexico
- Practice reading about what three students hope to do.

Core Resources
- *Cuaderno* pp. 292–294
- Audio Program: TXT CD 7 Track 23
- Video Program: Culture video DVD 2

Presentation Strategies
- Have students look at the photos and make predictions about the interests of Álex, Mariano, and Estela.
- Ask students to describe the scenes depicted in the photos.

STANDARDS
1.2 Understand language
1.3 Present information
4.2 Compare cultures

Communication, Heritage Language Learners/Pre-AP; **Information Literacy**, Science/Multiple Intelligences

Connections
Science

Have students, in pairs, research and report on a technical job with a film studio: what the technicians do, what knowledge and training they need for the job, and different types of technology needed in order to do the job.

Comparación cultural

Aficionados al cine y a la televisión
AUDIO

Lectura y escritura

WebQuest
my.hrw.com

1. **Leer** Many people are involved in making the television shows and movies you like to watch. Read the descriptions about movies and television by Alex, Mariano, and Estela.

2. **Escribir** Write a brief paragraph about what you like about movies or television and what you would do if you worked in these fields. Use the three descriptions as models.

> **STRATEGY Escribir**
> **Organize your likes and work-related interests** Use a table to organize what you like about movies and television and what you would like to do if you worked in these fields.

Step 1 In the table, write what you like about movies and TV (first column) and then what you'd do (examples: write scripts, act, produce, direct, film) if you worked in the field of movies and TV (second column).

Step 2 Use the information in the two columns to help you write your paragraph. Check your writing by yourself or with help from a friend. Make final additions and corrections.

Compara con tu mundo
Use the paragraph you wrote about movies or television and compare it to the one by Alex, Mariano, or Estela. In what ways are your likes and work-related interests similar to that person's? In what ways are they different?

Cuaderno pp. 292–294   Cuaderno para hispanohablantes pp. 292–294

Unidad 6
356 trescientos cincuenta y seis

Differentiating Instruction

Inclusion
Sequential Organization Have students make a second, composite table with three columns: (1) person's name; (2) likes and interests; and (3) work interests. Have them transfer the information about themselves from their first table, then add information about Alex, Mariano, and Estela. Then have them compare and contrast everyone's interests.

Multiple Intelligences
Musical/Rhythmic Who composes, performs, and records the music used in films? Do musicians work on staff for a studio, or independently? Have students research and write about the professional lives of musicians whose work is used in films.

CULTURA Interactiva
my.hrw.com
See these pages come alive!

Estados Unidos — Álex

¡Hola! Mi nombre es Álex y vivo en Los Ángeles. Algún día me gustaría trabajar para un estudio donde hacen películas de animación, como «Shrek». En mi computadora estoy editando una película animada que hice. Hacer las escenas en la computadora es difícil y necesito software más avanzado. Pero espera algunos años, y ¡vas a ver mi nombre en la pantalla grande!

Argentina — Mariano

¡Saludos desde Buenos Aires! Me llamo Mariano y me gustaría trabajar como camarógrafo. Ahora estoy tomando clases en el Taller de Cine El Mate[1]. Mi maestro es muy bueno y me enseña a filmar con una cámara de cine profesional. Quiero hacer documentales sobre gente famosa de Argentina, como Evita. ¿Viste la película de Hollywood sobre ella? Mi documental va a contar su historia desde otra perspectiva. ¡Ojalá que tenga éxito!

[1] **Taller...** film school that offers workshops for teens

México — Estela

¿Qué tal? Soy Estela y vivo en México. Soy aficionada a las telenovelas[2] mexicanas. Siempre me hacen llorar. A diferencia de las telenovelas de Estados Unidos, las mexicanas tienen menos episodios y duran[3] un año como máximo. La popularidad de las telenovelas mexicanas es enorme, y los actores y actrices en estos dramas son tan populares como las estrellas de Hollywood. ¡A mí me gustaría ser una estrella de telenovelas!

[2] soap operas   [3] last

Comparación cultural

Regional Accents Before students listen to the audio, tell them that they are going to hear students from three different countries speak: the U.S., Argentina, and Mexico. Ask them to listen for any differences in pronunciation, particularly any words or letters that sound different, and make notes of these. Then discuss these differences with the class.

✓ Ongoing Assessment

Rubric Lectura y escritura

Writing Criteria	Maximum Credit	Partial Credit	Minimum Credit
Content	Includes all the requested information.	Includes some of the requested information.	Includes little of the requested information.
Communication	Paragraph is organized and easy to follow.	Most of the paragraph is organized and easy to follow.	Paragraph is disorganized and difficult to follow.
Accuracy	Few mistakes in grammar and vocabulary	Some mistakes in grammar and vocabulary	Many mistakes in grammar and vocabulary

To customize your own rubrics, use the *Generate Success* Rubric Generator and Graphic Organizers.

Differentiating Instruction

Heritage Language Learners

Writing Skills Ask students to write a short description of a telenovela or series they have seen. Have them describe the main characters and some typical conflicts and problems those characters encounter. Have them describe what the characters look like and how they dress.

Pre-AP

Communicate Preferences Have students write 1 to 2 paragraphs in which they describe what kind of movies they would like to work on, and why; and why they chose the type of work they'd like to do in movies.

Objective
· Introduce the second challenge of the Gran Desafío contest.

Core Resource
· El Gran Desafío video: DVD 2

Presentation Strategies
· **Previewing** Have students look at the photos and guess what the challenge might be. Ask them to identify what some of the people in the first photo are doing, and what equipment they are using. Then invite volunteers to read and answer the Antes del video questions on p. 358. Ask them to give reasons to support their answers.
· **Viewing** Review the Toma apuntes questions on p. 359. Tell students that they might like to write each question down in their notebooks or on a piece of paper, leaving space for the notes they will write. Play the video, then allow students time to review their notes.
· **Post-viewing** Play the video again. Have volunteers read each of the Después del video questions and elicit answers from the class. Encourage students to say if they agree or disagree with any given answer.

STANDARDS
1.2 Understand language
3.2 Acquire information
5.2 Life-long learners
21st CENTURY Flexibility and Adaptability, El desafío

Video Summary

The scene opens with Professor Dávila and the six contestants entering a television studio. The studio producer, señor Rivas, greets them and shows them the equipment they'll be using to film their scenes. For the challenge each team will draw a card from a hat that will tell them what kind of film they are going to make. Then they will be given a script, and will have time to rehearse the scene before presenting it. The best performance wins. The pairs practice, with varying levels of success. Marta and Carlos's performance of a drama wins, hands down.

▶∥ ∥

UNIDAD **6**

EL DESAFÍO
VIDEO DVD

En el desafío de hoy, cada equipo va a tener que actuar una escena de una película. Cada equipo va a tomar un papel de un sombrero. El papel dice qué película van a hacer. Luego el profesor les va a dar un guión, y después van a practicar y actuar la escena.

Antes del video

1. ¿Qué escena crees que están actuando Marta y Carlos?

2. ¿Por qué piensas que Luis está enojado?

3. ¿Qué está haciendo Raúl? ¿Por qué crees que Mónica está enojada? ¿Qué equipo crees que va a ganar este desafío?

Unidad 6
358 trescientos cincuenta y ocho

Differentiating Instruction

Inclusion

Clear Structure To help students keep track of information, have them create a chart to take notes. Fill in the information for the first team with the class, and write this on the board:

	Equipo 1	Equipo 2	Equipo 3
Personas	Mónica Raúl		
Película	drama		
Notas			

Multiple Intelligences

Visual Learners Ask student pairs to analyze how each team uses body language, movement, and onstage space in their performances. Have them "block" (chart the movements of) each pair in order to improve the performances.

Preparando para hacer películas

Mira el video: Toma apuntes
- Según Mónica, ¿por qué no le gustan a Raúl las películas de terror?
- ¿Qué tipo de película practican Raúl y Mónica?
- Describe la película que están practicando Carlos y Marta.
- ¿Quién practica una película de aventuras?
- ¿Por qué no pueden terminar Ana y Luis de actuar su escena?

Después del video
1. ¿Qué equipo ganó este desafío? ¿Por qué ganó?
2. ¿Qué grupo pensabas que iba a ganar este desafío?
3. ¿Por qué piensas que Luis está un poco deprimido al final de este desafío?
4. ¿Cuál es tu opinión de Raúl? ¿Por qué piensas que quiere participar en el Gran Desafío?

@HOMETUTOR View, Read and Record
my.hrw.com

El Gran Desafío
trescientos cincuenta y nueve **359**

Communication
Humor/Creativity

Have students, in pairs, think of one or two disastrous things that could happen in each of the three performances in the video. Ask the pairs to report their answers back to the class and explain why they responded in the manner they did. Finally, have them say how the characters would respond.

Long-term Retention
Personalize It

Categorize Ask students if they know anyone who is always on their cell phone, as Ana is. Discuss what they think of that behavior, and how other people might react to that person.

Differentiating Instruction

Heritage Language Learners
Support What They Know Ask students to imagine that they are the producers of a very popular **telenovela**. Have them say what roles in that **telenovela** they would assign each of the six team members in the Gran Desafío video. Who do they think would prove to be very popular with audiences? Who do they think would not?

Multiple Intelligences
Interpersonal In pairs, ask students to decide which characters in the video would work best together, and which film type would be most appropriate for each team. Then have them create the worst possible combinations of team members and film types and share these with the class. Ask them to explain the reasoning behind their choices.

Answers
Después del video
Answers will vary. Sample answers:
1. Marta y Carlos ganaron este desafío. Lo ganaron porque Marta hizo su papel muy bien–casi les hizo llorar a todos.
2. Pensaba que iba a ganar...
3. Pienso que Luis está un poco deprimido porque Ana habló por su teléfono celular y no practicó su papel seriamente.
4. Me parece que Raúl no es una persona muy seria. Quiere participar porque le parece divertido.

Objective
· Cumulative review

Core Resource
· Audio Program: TXT CD 7, Track 24

Review Options
· **Activity 1:** Listening comprehension
· **Activity 2:** Open-ended practice: writing, speaking
· **Activity 3:** Open-ended practice: speaking
· **Activity 4:** Open-ended practice: speaking, writing
· **Activity 5:** Open-ended practice: speaking
· **Activity 6:** Open-ended practice: writing, speaking
· **Activity 7:** Open-ended practice: reading, writing

STANDARDS
1.1 Engage in conversation, Acts. 3, 5
1.2 Understand language, Act. 1
1.3 Present information, Acts. 2, 3, 4, 5, 6, 7

21ST CENTURY Communication, Acts. 2, 5, 6, 7/ Pre-AP: Persuade; **Creativity and Innovation,** Act. 4; **Flexibility and Adaptability,** Act. 3/Role-Playing and Skits

Communication
Humor/Creativity

Activity 2 Have students do an over-the-top version of their scene. For example, for a horror film, have the character give away all the clues about what is to happen: **Ojalá que no esté alguien afuera de mi casa. Ojalá que mi hermana no salga de mi casa.**

Activity 3 Have students do extreme versions of the teen and parent: the teen who wants every possible cell phone feature and a very strict parent.

360

UNIDADES
1-6

Repaso inclusivo
♻ Options for Review

¡AvanzaRap! DVD
Sing and Learn

Digital performance space

1 | Listen, understand, and compare

Escuchar

🎧 Audio Progra
TXT CD 7 Track
Audio Script, TE
p. 331B

Listen to the speech and then answer the following questions:
1. ¿Por qué habla esta persona?
2. ¿En qué tipo de gala está la persona que habla?
3. ¿Quién es esta persona?
4. ¿Tuvo éxito el proyecto?
5. ¿Por qué dice que no es la única persona responsable?
6. ¿A quiénes les da gracias esta persona?

Think about a prize that you have won or a difficult job or project that you completed. Who helped you in some way? How would you thank the people who helped you?

2 | Write and act out a dramatic scene

Escribir
Hablar

Write a short dramatic scene for an action, horror, or adventure movie that you will present with your partner. In your script, write lines to express what your characters hope will or won't happen. Finally present your scene to the class and try to deliver your lines as if you were a famous actor or actress!

3 | Role-play a parent-teen conversation

Hablar

Role-play a conversation between a parent and a teen about cell phones. The teen tells the parent what he or she hopes for the cell phone: color, size, connection to e-mail and Internet, hours of use. The parent gives the teen rules for using the phone, such as how much the phone should cost, how many hours it can be used, how not to lose it, and whom to call or not call.

4 | Create a movie poster

Escribir

Create a poster for your favorite movie. You can either draw or paste images as in a collage. Include a title in Spanish, and an image and description for each of the main characters. Complete your poster with a review describing the kind of movie, the basic plot, the important events that happened in the movie, how the movie made you feel, and why you chose it for your poster.

Differentiating Instruction

Inclusion
Read Before Listening Distribute copies of the audio script with the characters' names blacked out (TE p. 331B) before playing the audio. Have students read the script. Ask them to underline or circle each instance of the word **gracias.** Then have them go back and identify who is being thanked, and for what.

Pre-AP
Persuade For Activity 4, ask volunteers to present their posters to the class. Those who choose not to present their posters to the class will serve as film critics. Students should persuade the critics to watch their movie over their opponent's movie. After the presentations, have the critics vote on which movie they will see and have them explain why.

360

5 | Invite your friends

ablar

Choose one of the following scenarios: organizing a group of friends to play a game of soccer, to play together in a rock band, or to spend the afternoon shopping. Role-play different phone conversations to invite members of the group to do the activity. They should accept or decline by the end of each conversation.

6 | Report on a red carpet event

ablar
cribir

Talk about the stars as they walk down the red carpet before a big awards gala. Describe what they are wearing, with whom they are walking and talking, and how the crowd is reacting. Present your report to the class or write it as a news article.

7 | Write to your parents

Leer
cribir

You want your parents to buy you a new computer, a digital video camera, and software for editing movies. They are reluctant to make such an expensive purchase. Write them a short letter of ten lines that explains why you want this equipment and what you hope to do with it.

¡OFERTA ELECTRÓNICA!
Sé director de películas en tu tiempo libre.

Compra una computadora y una cámara de video digital y recibe, sin costo, el software para editar películas. Incluidos: el software para la animación, el sonido, los efectos especiales. Compatible con la mayoría de las cámaras de video.
¡Llámanos ya! 1-880-555-1234

Differentiating Instruction

Slower-paced Learners

Personalize It Have students discuss actual phone conversations they have had recently in which they have asked people to do things. Have them write down what they asked and how the people responded. Then have them script the conversation in Spanish and perform it.

Pre-AP

Support Ideas with Details To further persuade their parents in Activity 7, have students explain how each piece of equipment will help them to succeed in school or to achieve their career goals.

Communication
Role-Playing and Skits

Activity 6 Have students, in groups of four, act out reporting on attendees at the Academy Awards.

✓ Ongoing Assessment

Integrated Performance Assessment
Rubric Oral Activities 2, 3, 5, 6
    Written Activities 2, 4, 6, 7

Very Good	Proficient	Not There Yet
Thoroughly develops all requirements of the task.	Develops most requirements of the task.	Develops few of the requirements of the task.
Demonstrates mastery of verb forms.	Demonstrates good to fair control of verb forms.	Demonstrates poor control of verb forms.
Uses a good variety of appropriate vocabulary.	Uses an adequate variety of appropriate vocabulary.	Uses inappropriate and very limited vocabulary.
Pronunciation is excellent to very good.	Pronunciation is good to fair.	Pronunciation is poor.

To customize your own rubrics, use the **Generate Success** *Rubric Generator and Graphic Organizers.*

Answers

Activity 1 Answers will vary.
1. (Esta persona) habla porque ganó el premio para el mejor director.
2. La persona que habla está en una gala de cine.
3. Esta persona es un director.
4. Sí, el proyecto tuvo éxito.
5. (Dice que no es la única persona responsable) porque la película no fue el trabajo de una sola persona.
6. (Esta persona) les da gracias a los camarágrafos, al equipo de efectos especiales, a los guionistas, a los actores y las actrices y a su familia.

Activities 2–7 Answers will vary.

361

Proyectos adicionales

❖ Art Project

Travel Poster The Dominican Republic is a popular tourist destination in the Caribbean. It is known for its beautiful beaches, but it also has a lot more to offer a vacationer. In groups of 3 or 4, have the students research other tourist attractions that would interest a tourist in the Dominican Republic. Some suggestions:

- the colonial and historical areas of Santo Domingo
- museums
- its national parks and wildlife

On their poster students should include information in Spanish about the area they selected that would attract tourists, as well as photographs and artwork. One person per group can explain their featured attraction to the class and then display it in the classroom.

> **PACING SUGGESTION:** Two 50-minute class periods (one for research and one for putting posters together) after Lección 1.

 Creativity and Innovation; Information Literacy

❖ (Virtual) Bulletin Board

El periódico Have students find articles from Spanish language newspapers. Use resources in your community, such as Spanish language newspapers, newstands that sell international papers, the public library or the internet if necessary. Each student will look for a short article, advertisement or captioned photo that interests them and cut it out, photocopy or print it if using an internet resource. They will then say a few words about it to the class, e.g. where they found it, what they think it is about, why they are interested in it. After presenting their piece, they can post it in the classroom. As a tech alternative, you may wish to have students create their projects on a class wiki page.

> **PACING SUGGESTION:** Have students find their article as a homework assignment after Lección 1. Allow 30–40 minutes for class discussion.

 Communication; Information Literacy

❖ Web Research

Family Culture Around The World Explain to the students that they will be doing online research on different family cultures in Spanish-speaking countries from around the world. Divide the class up into pairs and assign a Spanish-speaking country to each pair. Guide students' research by asking the following questions:

- When people marry, do their names change? How? Why are there two last names in Spanish-speaking countries? How are their children named?
- What sort of wedding rituals are practiced in this country?
- Do the grandparents usually live with their children? Do new wives move in with their husband's family, or vice-versa?

After students have completed their research, guide the class in a discussion. Have each group report on what they learned about the customs in their assigned countries.

> **PACING SUGGESTION:** One 90-minute class period at the end of Lección 2.

 Social and Cross-Cultural Skills; Technology Literacy

❧ Storytelling

Una cita After reviewing the Lección 2 vocabulary, model the following mini-story that the students will later revise, retell, and expand.

Tengo mucho que hacer esta tarde. Voy a acompañar a mi tía al centro comercial. **Me llevo bien** con ella; es muy simpática y **sincera. Tiene una cita** con la dentista y debe estar en **el consultorio** a las cinco. Espero que la cita sea corta porque soy muy **impaciente.** Después vamos al **correo** para mandarle un regalo a su **sobrino.** Es su cumpleaños, y mi tía siempre es muy **generosa.** Bueno, ya es tarde. **¡me voy!**

> **PACING SUGGESTION:** One 50-minute class period at the end of Lección 2.

❧ El periódico Divide the class into groups of 3 or 4.
Students are going to put together a newspaper in Spanish. The paper should include at least 4 of the following:

* an interview
* news in the community
* an opinion piece
* an advice column
* sports
* advertisements
* photographs/illustrations

Encourage students to use as much vocabulary from the lesson as possible. Students should make enough copies of their newspaper to distribute at least one for each group.

> **PACING SUGGESTION:** Two 50-minute class periods (one for research and writing and one for creating the newspapers).

¡AvanzaRap! DVD

* Video animations of all **¡AvanzaRap!** songs (with Karaoke track)
* Teaching Suggestions
* **¡AvanzaRap!** Activity Masters
* **¡AvanzaRap!** Video Scripts and Answers
    Also available on the **Teacher One Stop**

❧ Recipe

Tartas de coco dominicanas Coconut is used in many sweets in the Dominican Republic and other Caribbean countries. The coconut is actually a seed that was dispersed by ocean currents. Its region of origin is unknown.

Tartas de coco dominicanas

Ingredientes
2 huevos, ligeramente revueltos
1 1/2 tazas de leche
1/2 taza de queso cabaña
1/4 taza de azúcar
1/2 taza de coco rallado
6 masas de tarta pequeñas

Instrucciones
Caliente el horno a 325 Fahrenheit. En una olla, caliente la leche a fuego lento hasta hervir. Quítela del fuego. Mezcle la leche con los huevos. Añade el queso, el azúcar y el coco. Ponga la mezcla en las masas de tarta y luego hornee las masas por veinte minutos. Refrésquelas 30 minutos antes de servir.

Tiempo de preparación: 20 minutos
Tiempo total: 40 minutos

❧ Music

Merengue Mention to students that the Dominican Republic and Haiti are credited with having developed merengue. Merengue, a rhythm-oriented music played with maracas, accordions, saxophones, and drums, became widespread in the Dominican Republic in the 1930s. If possible, play some merengue recordings for students. You may also want to read about merengue on pages C8–C9 of the student text. Afterward, guide discussion by asking these questions:

* What instruments could they recognize?
* What was the tempo like?
* What was the tone of the music? Did it seem happy, sad, or excited?

Record students' responses on the board.

> **PACING SUGGESTION:** One 30-minute class period.

UNIT THEME
· I am a journalist

UNIT STANDARDS
COMMUNICATION
· Discuss school-related issues
· State and respond to opinions
· Present logical and persuasive arguments
· Identify and explain relationships
· Compare personalities, attitudes, and appearance
· Describe things and people

CULTURES
· Tourist sites in Santo Domingo
· Taíno art
· Resolving problems in school
· Neighborhood parks
· The oldest university in the Americas
· How illustrations tell a story
· **Los padrinos** and other adults
· Playing word games
· Important people in your life

CONNECTIONS
· Art: Design an outfit influenced by the tropics.
· Social Studies: Research and write about Oscar de la Renta's humanitarian contributions.
· Mathematics: Calculate the cost of three designer outfits in Dominican pesos.
· Language Arts: Create a Spanish perfume slogan.

COMPARISONS
· School activities
· The Spanish **b** and **v**
· Influence of indigenous cultures on modern art
· Advice columns in newspapers
· Spanish diphthongs **ie** and **ue**
· How universities change over time
· Illustrations and story-telling
· Bonds among families and friends

COMMUNITIES
· Spanish tongue twisters

Video Character Guide
Tania, Victor, and Lorena are friends who share a common interest in journalism.

► ❙❙

UNIDAD 7
República Dominicana
Soy periodista

Lección 1
Tema: **Nuestro periódico escolar**

Lección 2
Tema: **Somos familia**

Océano Atlántico

República Dominicana

Puerto Rico

Cuba

Golfo de México

México

El Salvador
Honduras

Mar Caribe

Guatemala

Nicaragua
Costa Rica

Panamá

Venezuela

«¡Hola!
Nosotros somos Víctor y Lorena.
Somos de la República Dominicana.»

Colombia

Océano Atlántico

Cabarete
Salcedo
Samaná
Haití
República
Dominicana
Punta
Cana
Santo
Domingo
Juan
Dolio

Mar Caribe

Población: 9.507.133

Área: 18.815 millas cuadradas; comparte la isla de Hispañola con Haití

Capital: Santo Domingo

Moneda: el peso dominicano

Idioma: español

Comida típica: camarones con tayota, casabe, mangú

Gente famosa: Julia Álvarez (escritora), Juan Pablo Duarte (patriota), Juan Luis Guerra (cantante), Pedro Martínez (beisbolista), Oscar de la Renta (diseñador)

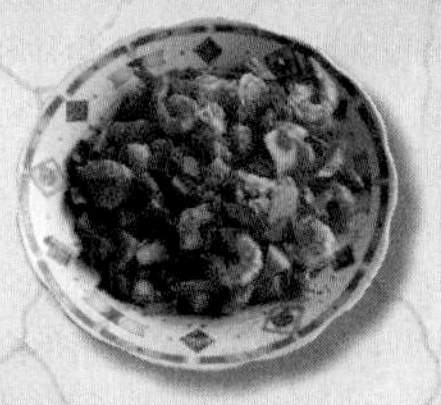

Camarones con tayota

362 trescientos sesenta y dos

Cultural Geography

Setting the Scene
· ¿Dónde estamos? (República Dominicana)
· ¿Cómo se llaman el chico y la chica? (Víctor y Lorena)

Teaching with Maps
· ¿Qué otro país comparte la isla con la República Dominicana? (Haití) ¿Qué otros países hispanohablantes están cerca? (Cuba y Puerto Rico)
· ¿Cuál es la capital de la República Dominicana? (Santo Domingo)

Jóvenes jugando al básquetbol en Santo Domingo

Cultura Interactiva
my.hrw.com
See these pages come alive!

◄ **La vida tranquila** Los dominicanos tienen una cultura relajada *(relaxed)*, abierta y cálida *(warm)*. Siempre ofrecen una sonrisa *(smile)* de bienvenida para la gente de otros países. A los jóvenes les importa pasar el tiempo con sus familias y con sus amigos. *¿Cómo es la gente de tu comunidad?*

La colonia más antigua La isla de la República Dominicana fue el primer lugar de las Américas donde llegaron los exploradores españoles. Santo Domingo tiene una zona colonial de gran importancia histórica. Allí puedes encontrar bellas casas de la época colonial y también los edificios europeos más antiguos de Latinoamérica. *¿Hay una zona o calle histórica donde vives?* ►

Una calle de la Zona Colonial de Santo Domingo

El surf de vela en Cabarete

◄ **Deportes acuáticos** La República Dominicana es un destino popular para turistas de todo el mundo. Conocida por sus bellas playas caribeñas, la isla ofrece muchos deportes acuáticos como el surf de vela, el esquí acuático, el buceo y la pesca submarina *(deep sea fishing)*. *¿Vives cerca del mar o de un lago o río? ¿Qué actividades haces allí?*

República Dominicana **363**
trescientos sesenta y tres

Bridging Cultures

Heritage Language Learners

Support What They Know If there are students from the Dominican Republic in your class, encourage them to talk about the island and where their family is from. Ask them to share some "typical" Dominican cultural information. Ask students to investigate where the largest Dominican immigrant populations of the U.S. are located.

Literacy Skills Ask students to reread the paragraphs on p. 363. Ask them to note details about popular attractions as they read. Help them make inferences about the island's tourist industry by asking questions such as **¿Qué piensan que hacen los turistas allí?**

Cultura Interactiva
my.hrw.com

Cultura Interactiva Send your students to my.hrw.com to explore authentic Dominican culture. Tell them to click Cultura interactiva to see these pages come alive!

Culture

About the Photos

· **Sports** Baseball is a very popular sport in the Dominican Republic. However, basketball is becoming extremely popular on the island as well. Ask students for the names of some well-known Dominican baseball players (Manny Ramirez—Boston Red Sox, Bartolo Colon—Anaheim Angels). Next ask them if they know any famous Dominican basketball players (Luis Felipe López—Orlando Magic, Francisco García—Sacramento Kings).

· **Santo Domingo** The heart of the city, founded in 1496, might remind students of other colonial cities they have studied. Ask them to compare architectural styles with buildings they have seen featured from other places in Latin America, such as San Juan, Puerto Rico.

Expanded Information

· **Then and Now** Santo Domingo is on the Caribbean coast. It is the capital of the Dominican Republic, and is the oldest city in the Americas. Christopher Columbus founded the city in 1496 under the auspices of the Spanish crown. Santo Domingo's colonial center is surrounded by a thoroughly modern environment with some outstanding examples of 21st century architecture. It is a vibrant modern city with a rich historical heritage.

· **Tourism** The Dominican Republic has a lot to offer visitors. The island is noted for its pristine beaches where visitors often snorkel, scuba dive, and swim. They can also explore the island's mountain ranges while exploring the rivers and saltwater lakes that dot the island. If outdoor activities do not appeal to visitors, they can walk around the oldest European-style city in the new world.

Lesson Overview

Culture at a Glance ❖

Topic & Activity	Essential Question
A school in Santo Domingo, pp. 364–365	¿En qué actividades participas en la escuela?
Tourist sites in Santo Domingo, p. 373	¿Qué atrae a los turistas a una región?
Taíno art, p. 378	¿Qué influencia tienen las culturas indígenas en el arte moderno?
A newspaper advice column, pp. 382–383	¿Qué piensas de los consejos que dan en un periódico?
Culture review p. 387	¿Cómo es la cultura dominicana?

COMPARISON COUNTRIES  La República Dominicana  Guatemala  Paraguay

Practice at a Glance ❖

	Objective	Activity & Skill
Vocabulary	Discussing important issues	1: Reading/Writing; 4: Writing/Speaking; 13: Reading/Writing; 15: Listening/Reading; 17: Speaking
	The school newspaper	1: Reading/Writing; 2: Reading/Writing; 3: Listening/Reading; 5: Speaking/Writing; 7: Speaking/Writing; 11: Speaking
	Expressing opinions, school-related issues	1: Reading/Writing; 3: Listening/Reading; 6: Speaking/Writing; 9: Listening/Reading; 10: Listening/Writing; 18: Reading/Listening/Speaking
Grammar	Subjunctive with impersonal expressions	5: Speaking/Writing; 6: Speaking/Writing; 7: Speaking/Writing; 8: Writing; 10: Listening/Writing; 11: Speaking; 15: Listening/Reading; 17: Speaking; Repaso 1: Listening; Repaso 3: Writing
	Impersonal expressions with **haya**	7: Speaking/Writing; 11: Speaking; 14: Speaking; Repaso 2: Writing
	Por and **para**	12: Reading/Writing; 13: Reading/Writing; 14: Speaking; 17: Speaking; 19: Writing; Repaso 4: Writing
Communication	Discuss school-related issues	3: Listening/Reading; 4: Writing/Speaking; 6: Speaking/Writing; 9: Listening/Reading; 10: Listening/Writing; 11: Speaking
	State and respond to opinions	4: Writing/Speaking; 6: Speaking/Writing; 7: Speaking/Writing; 14: Speaking; 16: Listening/Reading
	Present logical and persuasive arguments	5: Speaking/Writing; 8: Writing; 15: Listening/Reading; 17: Speaking; 18: Reading/Listening/Speaking; 19: Writing
	Pronunciation: The letters **b** and **v**	*Pronunciación: Las letras b y v,* p. 372: Listening/Speaking
Recycle	Present subjunctive	5: Speaking/Writing
	Events around town	14: Speaking

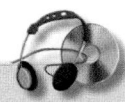

The following presentations are recorded in the Audio Program for *¡Avancemos!*

- **¡A responder!** *page 367*
- **10: Una entrevista** *page 375*
- **18: Integración** *page 381*
- **Repaso de la lección** *page 386*
  1: Listen and understand

For **¡AvanzaRap!** scripts, see the **¡AvanzaRap!** DVD.

¡A responder! TXT CD 8 track 2

1. La editora y el escritor trabajan en el periódico.
2. Es bueno que el periódico tenga información para los estudiantes.
3. No estoy de acuerdo con Víctor. No debemos llevar uniformes.
4. Los titulares y los artículos son partes del periódico.
5. Es malo que nuestro colegio no tenga periódico.
6. El periodista presenta el punto de vista de la persona de la entrevista.

10 | Una entrevista TXT CD 8 track 6

Periodista: Micaela, ¿nos puedes dar tu opinión sobre la presión de grupo? ¿Es un problema en nuestra escuela?

Micaela: Es importante que hablemos de la presión de grupo porque es un problema muy grande. Te lo juro.

Periodista: ¿Estás de acuerdo Sergio?

Sergio: Por un lado, estoy de acuerdo con Micaela. No es bueno que haya mucha presión de grupo. Pero por otro lado, yo creo que la presión no es un problema muy grande en nuestra escuela.

Periodista: Micaela, ¿puedes explicar tu punto de vista un poco más?

Micaela: Cómo no. Es que nadie quiere ser diferente. Nuestra ropa y nuestras actividades son muy similares. ¿Y por qué? Por la presión de grupo.

Periodista: Sergio, ¿qué piensas tú?

Sergio: En mi opinión mis amigos y yo somos todos muy diferentes y eso está bien. Somos únicos. Para mí, no hay ningún problema.

Periodista: Dos estudiantes con dos puntos de vista. ¿Y tú? ¿Cuál es tu opinión?

18 | Integración TXT CD 8 tracks 8, 9

Fuente 2 Mensaje de periodista

Hola. Acabo de entrevistar a Simón y tengo más información. Primero, él me explicó por qué hace tantas cosas buenas. En su opinión, es necesario que todos ayudemos a la gente que lo necesite. Si no, ¿quién nos va a ayudar si nosotros necesitamos ayuda? Segundo, es necesario que expliquemos quién es Sandra Esquivel. Ella vive cerca de Simón y es la directora de la organización Comunidades Activas. Ella le presentó el premio el sábado en una fiesta. Finalmente, le tomé una foto a Simón con su premio. Es preferible que la usemos. ¡A ver lo que dice la editora!

Repaso de la lección TXT CD 8 track 11

1 Listen and understand

Manolo: Es necesario que hagamos lo que queremos. No es necesario que los adultos nos digan qué tenemos que hacer.

Carolina: Por un lado estoy de acuerdo: es malo que nos digan siempre qué debemos hacer; pero por otro lado es malo que nosotros comamos y bebamos tanto azúcar. Es importante que haya comida saludable en la escuela y es importante que no sea tan fácil comprar dulces y postres.

Manolo: Sí, es importante que haya comidas saludables. Sin embargo, si queremos algo dulce, es bueno que lo podamos comprar. Somos jóvenes, pero no somos bebés. Es necesario que nosotros podamos tomar decisiones.

Carolina: Y es más fácil tomar buenas decisiones si tenemos buenas opciones. Por eso, es preferible que vendan sólo frutas, jugos y agua en las máquinas.

Everything you need to ...

Plan

TEACHER ONE STOP

✓ Lesson Plans
✓ Teacher Resources
✓ Audio and Video

Present

INTERACTIVE WHITEBOARD LESSONS

TEACHER ONE STOP WITH PROJECTABLE TRANSPARENCIES

POWER PRESENTATIONS

ANiMaTeD GRaMMaR

Assess

 ONLINE ASSESSMENT

✓ Assessments for on-level, modified, pre-AP, and heritage learners
✓ Create customized tests with **Examview Assessment Suite**
✓ **performance space**
✓ *Generate Success* Rubric Generator

 Print

Plan	Present	Practice	Assess
URB 7 • Video Scripts pp. 70–72 • Family Letter p. 92 • Absent Student Copymasters pp. 94–101 **Best Practices Toolkit**	**URB 7** • Video Activities pp. 50–57	• *Cuaderno* pp. 295–317 • *Cuaderno para hispanohablantes* pp. 295–317 • *Lecturas para todos* pp. 63–67 • *Lecturas para hispanohablantes* • *AvanzaCómics El misterio de Tikal, Episodio 3* **URB 7** • Practice Games pp. 30–37 • Audio Scripts pp. 76–79 • Map/Culture Activities pp. 84–85 • Fine Art Activities pp. 87–88	**Differentiated Assessment Program** **URB 7** • Did you get it? Reteaching and Practice Copymasters pp. 1–11

 **Projectable Transparencies** (Teacher One Stop, my.hrw.com)

Culture	Presentation and Practice	Classroom Management
• Atlas Maps 1–6 • Map: Dominican Republic 1 • Fine Art Transparencies 2, 3	• Vocabulary Transparencies 6, 7 • Grammar Presentation Transparencies 10, 11	• Warm Up Transparencies 16–19 • Student Book Answer Transparencies 24–27

Audio and Video

Audio	Video	¡AvanzaRap! DVD
• Student Book Audio CD 8 Tracks 1–11 • Workbook Audio CD 4 Tracks 1–10 • Assessment Audio CD 2 Tracks 13–14 • Heritage Learners Audio CD 2 Tracks 17–20, CD 4 Tracks 13–14 • *Lecturas para todos* Audio CD 1 Track 11, CD 2 Tracks 1–7 • Sing-along Songs Audio CD	• Vocabulary Video DVD 3 • *Telehistoria* DVD 3 • *Telehistoria, Escena 1* • *Telehistoria, Escena 2* • *Telehistoria, Escena 3* • *Telehistoria, Completa*	• Video animations of all ¡**AvanzaRap!** songs (with Karaoke track) • Interactive DVD Activities • Teaching Suggestions • ¡**AvanzaRap!** Activity Masters • ¡**AvanzaRap!** video scripts and answers

Online and Media Resources

Student	Teacher
Available online at my.hrw.com • Online Student Edition • News⊕ Networking • performan€e))space • @HOMETUTOR • CULTURa Interactiva • WebQuests • Interactive Flashcards • Review Games • Self-Check Quiz **Student One Stop** **Holt McDougal Spanish Apps**	**Teacher One Stop (also available at my.hrw.com)** • Interactive Teacher's Edition • All print, audio, and video resources • Projectable Transparencies • Lesson Plans • TPRS • Examview Assessment Suite **Available online at my.hrw.com** *Generate Success* Rubric Generator and Graphic Organizers **Power Presentations**

Differentiated Assessment

On-level	Modified	Pre-AP	Heritage Learners
• Vocabulary Recognition Quiz p. 308 • Vocabulary Production Quiz p. 309 • Grammar Quizzes pp. 310–311 • Culture Quiz p. 312 • On-level Lesson Test pp. 313–319	• Modified Lesson Test pp. 242–248	• Pre-AP Lesson Test pp. 242–248	• Heritage Learners Lesson Test pp. 248–254

Core Pacing Guide **50 Minute (9 Day)**

	Objectives/Focus	Teach	Practice	Assess/HW Options
DAY 1	**Culture:** learn about culture in the Dominican Republic **Vocabulary:** newspaper-related terms, phrases for stating opinions • Warm Up OHT 16 **5 min**	Unit Opener pp. 362–363 Lesson Opener pp. 364–365 **Presentación de vocabulario** pp. 366–367 • Read A–E • View video DVD 3 • Play audio TXT CD 8 track 1 • *¡A responder!* TXT CD 8 track 2 **25 min**	Lesson Opener pp. 364–365 **Práctica de vocabulario** p. 368 • Acts. 1, 2 **15 min**	**Assess:** *Para y piensa* p. 368 **5 min** **Homework:** *Cuaderno* pp. 295–297 @HomeTutor
DAY 2	**Communication:** talk to a classmate about important school-, work-, and life-related topics • Warm Up OHT 16 • Check Homework **5 min**	**Vocabulario en contexto** pp. 369–370 • *Telehistoria escena 1* DVD 3 **20 min**	**Vocabulario en contexto** pp. 369–370 • Act. 3 TXT CD 8 track 3 • Act. 4 **20 min**	**Assess:** *Para y piensa* p. 370 **5 min** **Homework:** *Cuaderno* pp. 295–297 @HomeTutor
DAY 3	**Grammar:** learn how to use the subjunctive with impersonal expressions • Warm Up OHT 17 • Check Homework **5 min**	**Presentación de gramática** p. 371 • Subjunctive with impersonal expressions **Práctica de gramática** pp. 372–373 • *Nota gramatical:* **haya** • *Pronunciación* TXT CD 8 track 4 **20 min**	**Práctica de gramática** pp. 372–373 • Acts. 5, 6, 7, 8 **20 min**	**Assess:** *Para y piensa* p. 373 **5 min** **Homework:** *Cuaderno* pp. 298–300 @HomeTutor
DAY 4	**Communication:** respond to others' opinions, talk about working for a school newspaper • Warm Up OHT 17 • Check Homework **5 min**	**Gramática en contexto** pp. 374–375 • *Telehistoria escena 2* DVD 3 **15 min**	**Gramática en contexto** pp. 374–375 • Act. 9 TXT CD 8 track 5 • Act. 10 TXT CD 8 track 6 • Act. 11 **25 min**	**Assess:** *Para y piensa* p. 375 **5 min** **Homework:** *Cuaderno* pp. 298–300 @HomeTutor
DAY 5	**Grammar:** learn the different meanings/uses of **por** and **para** • Warm Up OHT 18 • Check Homework **5 min**	**Presentación de gramática** p. 376 • **Por** and **para** **Culture:** *El arte taíno* **15 min**	**Práctica de gramática** pp. 377–378 • Acts. 12, 13, 14 **25 min**	**Assess:** *Para y piensa* p. 378 **5 min** **Homework:** *Cuaderno* pp. 301–303 @HomeTutor
DAY 6	**Communication:** Culmination: use persuasive arguments to debate with classmates, write a newspaper article about a school-related issue • Warm Up OHT 18 • Check Homework **5 min**	**Todo junto** pp. 379–381 • *Escenas 1, 2: Resumen* • *Telehistoria completa* DVD 3 **15 min**	**Todo junto** pp. 379–381 • Acts. 15, 16 TXT CD 8 tracks 3, 5, 7 • Act. 17 • Act. 18 TXT CD 8 tracks 8, 9 • Act. 19 **25 min**	**Assess:** *Para y piensa* p. 381 **5 min** **Homework:** *Cuaderno* pp. 304–305 @HomeTutor
DAY 7	**Reading:** Help me, Paulina! **Connections:** Art • Warm Up OHT 19 • Check Homework **5 min**	**Lectura cultural** pp. 382–383 • *¡Ayúdame, Paulina!* TXT CD 8 track 10 **Conexiones** p. 384 • *El arte* **15 min**	**Lectura cultural** pp. 382–383 • *¡Ayúdame, Paulina!* **Conexiones** p. 384 • *Proyectos 1, 2, 3* **25 min**	**Assess:** *Para y piensa* p. 383 **5 min** **Homework:** *Cuaderno* pp. 309–311 @HomeTutor
DAY 8	**Review:** Lesson review • Warm Up OHT 19 **5 min**	**Repaso de la lección** pp. 386–387 **15 min**	**Repaso de la lección** pp. 386–387 • Act. 1 TXT CD 8 track 11 • Acts. 2, 3, 4, 5 **25 min**	**Assess:** *Repaso de la lección* **5 min** pp. 386–387 **Homework:** *En resumen* p. 385; *Cuaderno* pp. 306–308, 312–317 (optional) Review Games Online @HomeTutor
DAY 9	**Assessment**			**Assess:** Lesson 1 test **50 min**

	Objectives/Focus	Teach	Practice	Assess/HW Options
DAY 1	**Culture:** learn about culture in the Dominican Republic **Vocabulary:** newspaper-related terms, phrases for stating opinions • Warm Up OHT 16 **5 min**	Unit Opener pp. 362–363 **20 min** Lesson Opener pp. 364–365 **Presentación de vocabulario** pp. 366–367 • Read A–E • View video DVD 3 • Play audio TXT CD 8 track 1 • *¡A responder!* TXT CD 8 track 2	Lesson Opener pp. 364–365 **Práctica de vocabulario** p. 368 • Acts. 1, 2 **20 min**	Assess: *Para y piensa* p. 368 **5 min**
	Communication: talk to a classmate about important school-, work-, and life-related topics **5 min**	**Vocabulario en contexto** pp. 369–370 • *Telehistoria escena 1* DVD 3 **15 min**	**Vocabulario en contexto** pp. 369–370 • Act. 3 TXT CD 8 track 3 • Act. 4 **15 min**	Assess: *Para y piensa* p. 370 **5 min** Homework: *Cuaderno* pp. 295–297 @HomeTutor
DAY 2	**Grammar:** learn how to use the subjunctive with impersonal expressions • Warm Up OHT 17 • Check Homework **5 min**	**Presentación de gramática** p. 371 • Subjunctive with impersonal expressions **Práctica de gramática** pp. 372–373 • *Nota gramatical:* **haya** • *Pronunciación* TXT CD 8 track 4 **20 min**	**Práctica de gramática** pp. 372–373 • Acts. 5, 6, 7, 8 **15 min**	Assess: *Para y piensa* p. 373 **5 min**
	Communication: respond to others' opinions, talk about working for a school newspaper **5 min**	**Gramática en contexto** pp. 374–375 • *Telehistoria escena 2* DVD 3 **15 min**	**Gramática en contexto** pp. 374-375 • Act. 9 TXT CD 8 track 5 • Act. 10 TXT CD 8 track 6 • Act. 11 **20 min**	Assess: *Para y piensa* p. 375 **5 min** Homework: *Cuaderno* pp. 298–300 @HomeTutor
DAY 3	**Grammar:** learn the different meanings, uses of **por** and **para** • Warm Up OHT 18 • Check Homework **5 min**	**Presentación de gramática** p. 376 • **Por** and **para** **Culture:** *El arte taíno* **15 min**	**Práctica de gramática** pp. 377–378 • Acts. 12, 13, 14 **20 min**	Assess: *Para y piensa* p. 378 **5 min**
	Communication: Culmination: use persuasive arguments to debate with classmates, write a newspaper article about a school-related issue **5 min**	**Todo junto** pp. 379–381 • *Escenas 1, 2: Resumen* • *Telehistoria completa* DVD 3 **15 min**	**Todo junto** pp. 379–381 • Acts. 15, 16 TXT CD 8 tracks 3, 5, 7 • Act. 17 • Act. 18 TXT CD 8 tracks 8, 9 • Act. 19 **20 min**	Assess: *Para y piensa* p. 381 **5 min** Homework: *Cuaderno* pp. 301–303, 304-305 @HomeTutor
DAY 4	**Reading:** Help me, Paulina! • Warm Up OHT 19 • Check Homework **5 min**	**Lectura cultural** pp. 382–383 • *¡Ayúdame, Paulina!* TXT CD 8 track 10 **15 min**	**Lectura cultural** pp. 382–383 • *¡Ayúdame, Paulina!* **20 min**	Assess: *Para y piensa* p. 383 **5 min**
	Review: Lesson review **5 min**	Repaso de la lección pp. 386–387 **15 min**	**Repaso de la lección** pp. 386–387 • Act. 1 TXT CD 8 track 11 • Acts. 2, 3, 4, 5 **20 min**	Assess: *Repaso de la lección* pp. 386–387 **5 min** Homework: *En resumen* p. 385; *Cuaderno* pp. 306–317 (optional) Review Games Online @HomeTutor
DAY 5	**Assessment**			Assess: Lesson 1 test **45 min**
	Connections: Art	Conexiones p. 384 • *El arte* **20 min**	Conexiones p. 384 • *Proyectos 1, 2, 3* **25 min**	

¡AVANZA! Objectives
- Introduce lesson theme: **Nuestro periódico escolar.**
- **Culture:** Discuss school-related issues.

Presentation Strategies
- Introduce characters' names: Tania, Víctor, Lorena.
- Ask students to name school-related activities.
- Ask students what activities they are involved in.

STANDARD
1.1 Engage in conversation

21st CENTURY Communication, Compara con tu mundo; **Critical Thinking and Problem Solving,** Pre-AP

🖥 Warm Up Projectable Transparencies, 7-16

Ojalá Completa cada oración con la forma apropiada del verbo.
1. Ojalá que _____ tú (hacer) la tarea de español.
2. Ojalá que la profesora no nos _____ (dar) un examen de sorpresa.
3. Ojalá que yo _____ (conocer) a alguien interesante.
4. Ojalá que nosotros _____ (encontrar) la cámara.
5. Ojalá que ustedes _____ (tener) tiempo para ver la película.

Answers: 1. hagas; 2. dé; 3. conozca; 4. encontremos; 5. tengan

Comparación cultural

Exploring the Theme
Ask the following:
1. What activities do you engage in at school? Which do you prefer and why?
2. What activities require special skills or talents and which are open to all?
3. What activities do you wish were available at your school and what can you do to have them considered?

¿Qué ves? Possible answers include:
- Los estudiantes llevan uniformes.
- Están leyendo un periódico llamado *La Semana*.
- Es después de las clases.

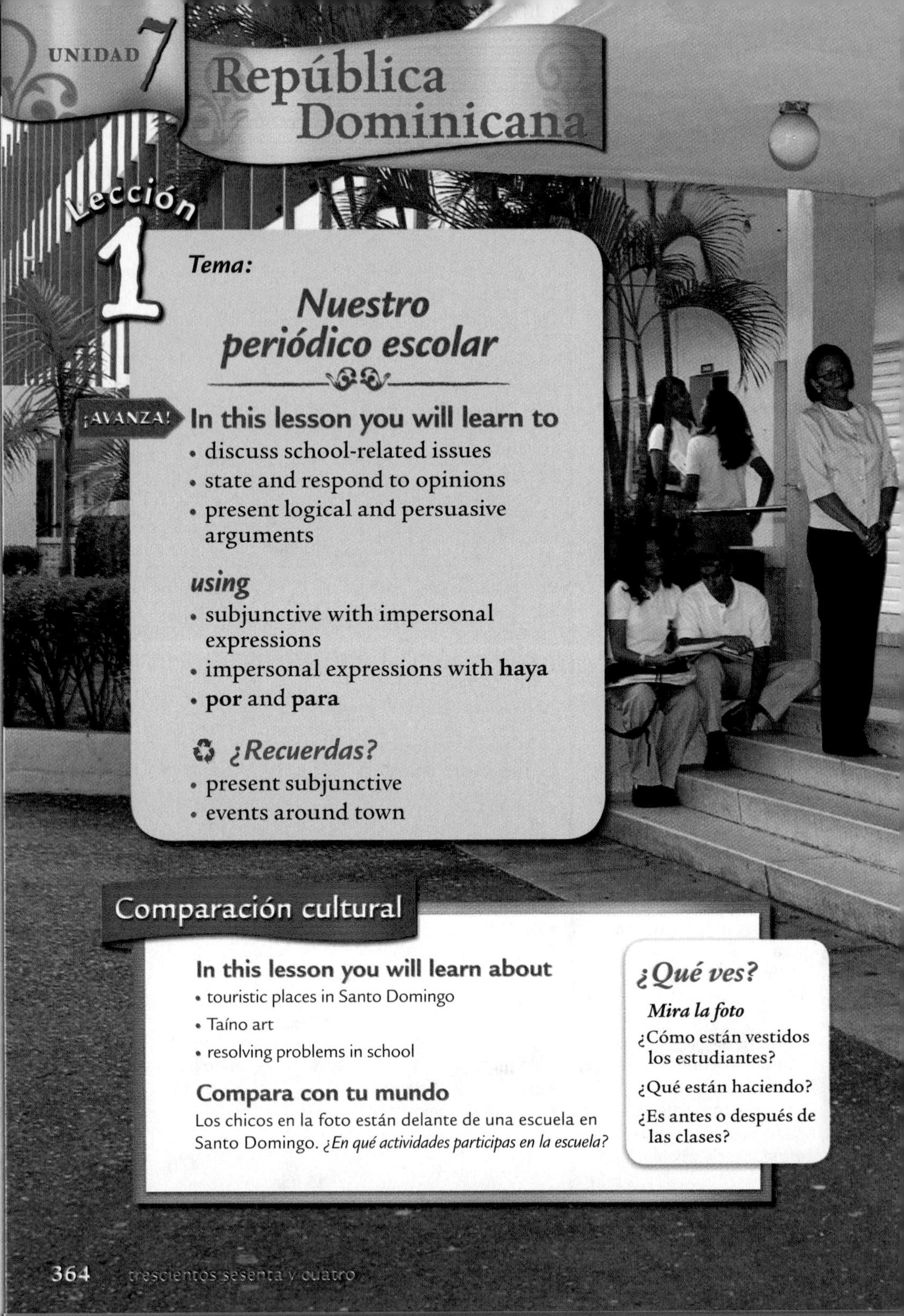

364

UNIDAD **7**
República Dominicana

Lección **1**

Tema:
Nuestro periódico escolar

¡AVANZA! In this lesson you will learn to
- discuss school-related issues
- state and respond to opinions
- present logical and persuasive arguments

using
- subjunctive with impersonal expressions
- impersonal expressions with **haya**
- **por** and **para**

♻ ¿Recuerdas?
- present subjunctive
- events around town

Comparación cultural

In this lesson you will learn about
- touristic places in Santo Domingo
- Taíno art
- resolving problems in school

Compara con tu mundo
Los chicos en la foto están delante de una escuela en Santo Domingo. *¿En qué actividades participas en la escuela?*

¿Qué ves?
Mira la foto
¿Cómo están vestidos los estudiantes?
¿Qué están haciendo?
¿Es antes o después de las clases?

364 trescientos sesenta y cuatro

Differentiating Instruction

Multiple Intelligences
Visual Learners After viewing and discussing the opening photo, ask students to imagine that their school is pictured here. Have them describe what a typical scene would be at the end of a school day. Who is there? What are they doing? How are they dressed?

Pre-AP
Draw Conclusions Point out the name of the newspaper on the office door. Ask students how often they think the paper is published. Ask them to talk about which of these students might work for the paper. Finally, have them discuss if they think this is a public or private school and why.

Periódico Escolar
«La Semana»

Colegio Calasanz
Santo Domingo, República Dominicana

República Dominicana
trescientos sesenta y cinco   365

Using the Photo

Location Information

La Escuela Calasanz This private Catholic school is named for San José de Calasanz, born in 1557 and ordained in 1583. Calasanz went to Rome for further study in 1592. A few years later, he returned to Santo Domingo and opened a free school with the goal of educating those who wouldn't normally have access, especially the poor.

Expanded Information

Dominican Republic The Dominican Republic occupies the eastern half of the island of Hispaniola, which it shares with Haiti. It has a long history under the Spanish flag, a period of French occupation, a return to Spanish rule, followed by U.S. occupation and eventual independence. The Republic returned to a democratic form of government in 1966.

Differentiating Instruction

Heritage Language Learners

Support What They Know Invite students to share what they know about the Dominican Republic and Santo Domingo. Ask them what they know about the history of Columbus and his voyages to the islands.

English Learners

Provide Comprehensible Input Review the lesson's ¡Avanza! objectives, simplifying all rephrasing language as needed. Explain that *argument* can mean "discussion" as well as "quarrel." In this case, it refers to discussions to support a point of view.

Objectives
- Present vocabulary: school newspaper.
- Check for recognition.

Core Resources
- Video Program: DVD 3
- Audio Program: TXT CD 8 Tracks 1, 2

Presentation Strategies
- Play the audio as students read A–E.
- Show the video.

STANDARD
1.2 Understand language
Communication, Pre-AP; **Media Literacy,** Spanish in the News

Long-term Retention
Personalize It

Ask students to discuss which newspaper-related jobs they find most interesting, and which sections of the paper they like to read and why.

Comparisons
English Language Connection

Cognates Look for cognates in the new vocabulary or make other sorts of word associations to remember new words. For example, **editora** and **fotógrafa** are obvious cognates with *editor* and *photographer*. **Escritor** can be associated with *scribe*, and **periódico** may remind you of *periodical*.

Communication
 Common Error Alert

The use of the word **cuestión** can be confusing. It means *question* when referring to a matter, point, or issue under discussion. When you want to talk about a query or direct question, use **pregunta.**

✵ Presentación de VOCABULARIO

¡AVANZA! **Goal:** Learn some newspaper-related terms and phrases for stating opinions. Then identify people that work on a school newspaper and complete an interview between an editor and a student. *Actividades 1–2*

VIDEO DVD

AUDIO

A ¡Hola! Soy Tania y trabajo para *La Semana,* **el periódico** de nuestra escuela. **Publicamos artículos** sobre **cuestiones** importantes para los estudiantes. **Es necesario que** nuestro **periodista,** Víctor, **entreviste** a diferentes estudiantes para saber sus **opiniones.**

el periodista

la entrevista

B **Es importante que** nosotros trabajemos juntos para **investigar** una idea, **presentarla** y **explicarla** bien en el periódico. **Por eso,** el papel de cada uno de nosotros es importante. **El escritor** y **el periodista** escriben los artículos. Yo, como **editora, no sólo** trabajo con ellos, **sino también** con nuestra **fotógrafa.** Ella toma todas las fotos para los artículos.

el escritor

la editora

la fotógrafa

Differentiating Instruction

Multiple Intelligences

Visual Learners Encourage students to make their own picture dictionary of new vocabulary. They can create their own drawings or use illustrations from the Internet, from their own student newspaper, or the community newspaper. Ask students to label the pictures with the corresponding vocabulary words.

Slower-paced Learners

Yes/No Questions Ask students yes/no questions to reinforce new vocabulary. Use gestures or photos to support the meaning of each question. **¿Lees el periódico escolar? ¿Te interesa ser fotógrafo(a)?** Encourage students to give reasons for their responses.

C Es preferible que nuestro periódico presente mucha **información.** Presentamos entrevistas y opiniones, pero también publicamos **noticias** importantes de la escuela y **anuncios.**

D Esta semana hay un artículo sobre **la presión de grupo** y cómo es difícil para los jóvenes. Otro es sobre **la amistad,** y se llama «Los amigos: ¿Por qué son importantes?».

el titular

el artículo

E Nuestro periódico es para toda **la comunidad escolar.** Por eso, **es bueno que** cada estudiante tenga la oportunidad de **describir** su **punto de vista** sobre **la vida** y de leer los puntos de vista de los otros. A veces no **estamos de acuerdo con** las ideas. **Sin embargo,** es necesario que publiquemos todas.

el periódico escolar

✳La Semana✳
UNA PUBLICACIÓN PARA NUESTRA COMUNIDAD ESCOLAR

Opiniones
Los amigos: ¿Por qué son importantes?

Mónica Ramírez
Una amiga es alguien que siempre te dice la verdad. Es alguien que siempre está a tu lado cuando tienes problemas y también cuando estás feliz. No sólo es una persona con quien haces actividades y pasas mucho tiempo, sino también es una persona a quien le puedes contar tus secretos, sabiendo que te va a comprender y que no se los va a decir a nadie. ¡Todo esto es muy importante!

Nelson Morales
Es importante tener a alguien que siempre te ayude durante los momentos difíciles y que siempre habla bien de ti. Los amigos nunca deben hablar mal el uno del otro. En mi opinión, si hablas mal de mi cuando no estoy presente, no eres mi amigo. Éste es un gran problema para muchos muchachos. Por eso, es importante que sepas si tus amigos son amigos de verdad.

Noticias
A investigar: la presión de grupo

Tenemos un problema en nuestra escuela: la presión de grupo. Ocurre cuando un estudiante tiene miedo de no ser aceptado por los otros estudiantes. La presión de grupo no siempre se manifesta en palabras. Dice la estudiante Aracely Ortiz: «A veces los chicos te dicen directamente que no les gusta cómo eres o cómo te vistes. Sin embargo, a veces simplemente ves que todos se visten de una manera, hablan de una manera o hacen la misma actividad. Tú empiezas a hacer lo mismo porque tienes miedo de ser diferente». Esta presión puede traer malos efectos. Muchos estudiantes dicen que a causa

de la presión de grupo están deprimidos o nerviosos. Algunos empiezan a tener problemas porque los presionan a participar en actividades negativas. Sin embargo, hay algunos, como Javier Portillo, que piensan que es malo que todos los estudiantes tengan la misma forma de vestir y de pensar. «Es importante que no tengamos miedo de decir nuestras opiniones. Por eso, hay que decir que no a la presión de grupo. Yo tengo que ser yo. Es malo que algunos estudiantes hagan lo que los otros quieren en vez de lo que quieren ellos mismos.

Anuncio
Festival de música
15 de abril, 3:00
Auditorio

Entradas 70 pesos
(35 pesos para estudiantes)
¡Vengan con sus familias!

Más noticias

Nuestro equipo de béisbol gana campeonato local (Deportes, p. 4)
Se ofrecen nuevas clases de arte para todos en el museo (Comunidad, p. 2)
Clase de ciencias hace excursión a la selva (La vida escolar, p. 6)

el anuncio

la comunidad escolar

Más vocabulario

por un lado... por otro lado
on the one hand . . . on the other hand

Es malo que...
It's not good that . . .

Expansión de vocabulario p. R14

Ya sabes p. R14

@**HOMETUTOR**
my.hrw.com
Interactive Flashcards

<u>**¡A responder!**</u> Escuchar

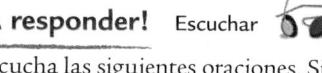

Escucha las siguientes oraciones. Si escuchas un hecho *(fact)*, señala con la mano hacia arriba. Si escuchas una opinión, señala con la mano hacia abajo.

Lección 1
trescientos sesenta y siete **367**

Differentiating Instruction

Pre-AP

Communicate Preferences Ask students to talk in small groups about which newspaper jobs they find appealing and why. Encourage them to clearly state at least two reasons for each job they like and two reasons that they find other jobs less interesting. Encourage students to ask their partners follow-up questions: **¿Por qué quieres ser escritor?**

Inclusion

Multisensory Input/Output Divide students into small groups and play the audio recording of the vocabulary presentation several times. Have each group write a short newspaper article that summarizes Tania's description of *La Semana.* Articles should include a headline and one picture. When finished, each group will post its article on the board.

Communities
Spanish in the News

Bring in a Spanish-language paper from your community or invite students to do so. Have students look for a list of the people involved in producing the paper and try to identify the different sections. Ask them to look for clues to help them recognize different sections.

Long-term Retention
Study Tips

Have students cover the identifications of each photo in the spread with sticky notes and then quiz each other on the new words using only the photo. Tell students it's better to remember new words from a visual prompt rather than an English translation.

Communication
Pair Work

Have pairs of students create brief profiles of each other by interviewing their partner as if for the school newspaper. Encourage them to ask question such as **¿Qué te gusta hacer? ¿Cuál es tu película favorita? ¿Qué tipo de música te gusta?** Have them summarize the profiles in a short paragraph.

TEACHER to TEACHER
Parthena Draggett
Masillon, Ohio

Tips for Assessing Writing

To assess student writing, I use a "coding sheet." I take their drafts, underline errors, code them, return them with a preliminary rubric grade, re-collect them after editing, and then assign a grade according to the edited version. Sometimes I also write a list of common errors they will want to avoid as a reminder for the next essay. When students are able to work through their errors, it proves to be a good way to help them learn.

Go online for more tips!

Answers Projectable Transparencies, 7-24

¡A responder! Audio Script, TE p. 363B
Students should respond as follows.
  1. hecho (hand points up)
  2. opinión (hand points down)
  3. opinión (hand points down)
  4. hecho (hand points up)
  5. opinión (hand points down)
  6. hecho (hand points up)

Objectives
· Practice vocabulary: newspapers.
· Talk about newspaper jobs.

Core Resource
· *Cuaderno,* pp. 295–297

Practice Sequence
· **Activity 1:** Vocabulary recognition: an interview
· **Activity 2:** Vocabulary recognition: job descriptions

STANDARDS
1.1 Engage in conversation, PYP
1.2 Understand language, Acts. 1, 2
1.3 Present information, Acts. 1, 2

21st CENTURY Collaboration, Multiple Intelligences

**Get Help Online
More Practice
my.hrw.com**

✓ Ongoing Assessment

PARA Y PIENSA Demonstrating Progress Students should use new vocabulary to show what they have learned. If they have trouble, direct them to get additional practice online or refer them to the pictures and captions on pp. 366–367. For additional practice, use Reteaching & Practice Copymasters URB 7, pp. 1, 2.

🖥 Answers Projectable Transparencies, 7-24

Activity 1
1. cuestiones	6. vista
2. otro	7. anuncios
3. las opiniones	8. Sin
4. sino también	9. Explica
5. acuerdo	10. la vida

Activity 2
1. Es el(la) fotógrafo(a).
2. Es el(la) editor(a).
3. Es el(la) periodista.
4. Es el(la) escritor(a).
5. Es el(la) periodista.
6. Es el(la) editor(a).

Para y piensa
Answers will vary. Possible answers:
1. Escritor: escribe los artículos
2. Fotógrafo: toma fotos para el periódico
3. Periodista: investiga las noticias; entrevista a la gente
4. Editor: corrige errores; decide qué artículos van a publicar

368

❋ Práctica de VOCABULARIO

1 ¿Quieres ser periodista?

Leer
Escribir

Completa esta entrevista entre Rosa (**R**), la editora del periódico escolar, y Pedro (**P**), un estudiante que quiere ser periodista.

R: ¿Te gusta investigar **1.** (cuestiones/titulares) importantes para los estudiantes?

P: Por un lado, sí, y por **2.** (eso/otro) lado, no. Me gusta entrevistar a los estudiantes, pero no me gusta mucho investigar por Internet.

R: En la entrevista, ¿escuchas todas **3.** (las opiniones/las noticias)?

P: No sólo escucho, **4.** (sin embargo/sino también) tomo apuntes.

R: Y si no estás de **5.** (acuerdo/amistad) con alguien, ¿qué haces?

P: Sólo describo su punto de **6.** (vista/vida) en mi artículo.

R: En tu opinión, ¿es necesario publicar un periódico escolar con **7.** (anuncios/la presión de grupo)?

P: Es preferible no tener muchos. **8.** (Sólo/Sin) embargo, algunos son necesarios.

R: **9.** (Explica/Entrevista) por qué te interesa ser periodista.

P: Para mí, es muy importante presentar información sobre la escuela, la comunidad y **10.** (el escritor/la vida).

> **Expansión**
> Explain why you think Pedro would or would not be a good reporter.

2 ¿Quién es?

Leer
Escribir

Identifica a la persona según la descripción.

modelo: Esta persona dice cuáles son los artículos que van a publicar. Es la editora.

1. Toma fotos para el periódico.
2. Decide cuáles son los titulares.
3. Entrevista a personas.

4. Escribe artículos o libros.
5. Busca e investiga las noticias.
6. Lee los artículos y busca errores.

> **Expansión:**
> **Teacher Edition Only**
> Write a short paragraph to introduce the newspaper staff, including their job titles and their responsibilities.

Más práctica Cuaderno *pp. 295–297* Cuaderno para hispanohablantes *pp. 295–298*

**Get Help Online
my.hrw.com**

PARA Y PIENSA ¿Comprendiste? ¿Quiénes son tres personas que trabajan para un periódico escolar? ¿Cuáles son sus responsabilidades?

Differentiating Instruction

Slower-paced Learners

Sentence Completion Before doing Activity 1, read the dialog aloud. Invite volunteers to play the parts of Rosa and Pedro. For additional practice, have students get together in pairs to create a similar dialog with some variations. After practicing, have them present their dialog in class.

Multiple Intelligences

Interpersonal As a class, brainstorm a list of topics that your students would like to read about in the school paper. Form pairs and have the students select a topic from the list and a type of article from the vocabulary pages. Have them generate two or three main points of interest and write a short article on the topic. Collect all of the articles and bind them together to form a class newsletter.

✵VOCABULARIO en contexto

¡AVANZA! **Goal:** Notice the words Víctor and Tania use to talk about their article on a school-related issue. Then, talk to a classmate about important topics, related to school, work, and life. *Actividades 3–4*

Telehistoria escena 1

@HOMETUTOR View, Read and Record
my.hrw.com

STRATEGIES

Cuando lees
Pay attention to influence This scene presents Tania, Lorena, and Víctor. As you read, consider who has the most influence here. How can you tell from their words?

Cuando escuchas
Listen for "do's" and "don'ts" What is Víctor supposed to do? What is Víctor not supposed to do? Do you think he will follow these instructions?

VIDEO DVD

AUDIO

Lorena

Tania

Víctor

Tania: Quiero publicar un artículo sobre la presión de grupo y la ropa en la escuela. *(stares at Lorena, annoyed)* Lorena, ¿qué estás haciendo?

Lorena: Filmando para mi documental. Es sobre el periódico escolar.

Tania: Víctor, tú eres nuestro periodista. ¿Puedes entrevistar a algunos estudiantes?

Víctor: Sí, pero voy a necesitar un fotógrafo o una fotógrafa. *(He looks toward the female photographer hopefully.)*

Tania: No. Sólo debes pedir opiniones sobre la noticia de que no vamos a usar uniforme el próximo año.

Lorena: *(still filming)* ¡Qué mala idea! Los estudiantes van a tener que ponerse ropa diferente todos los días.

Tania: Bueno, ahora sabemos la opinión de la directora del documental.

Continuará... p. 374

Lección 1
trescientos sesenta y nueve **369**

Differentiating Instruction

Inclusion

Frequent Review/Repetition Have students act out the dialog various times. Stress correct pronunciation of target vocabulary in particular. Encourage students to use appropriate gestures and intonation to enhance the meaning of their words.

Pre-AP

Expand and Elaborate Have students in pairs write a short continuation of the dialog. They can pursue Lorena's response to the news about no uniforms, write an interview between Víctor and another student, or continue the dialog of the meeting. After practicing, each pair should present their dialog to the class.

¡AVANZA! **Objective**
· Understand lesson vocabulary in context.

Core Resources
· Video Program: DVD 3
· Audio Program: TXT CD 8 Track 3

Presentation Strategies
· Ask students to look at the photo and describe what is going on.
· Show the video or play the audio.

✿ **STANDARD**
1.2 Understand language
21ST CENTURY Creativity and Innovation, Pre-AP

🖥 **Warm Up** Projectable Transparencies, 7-16

Vocabulario Completa cada oración con la palabra adecuada.

1. La _____ lee y corrige los artículos de los escritores.
2. Los _____ toman fotos para los artículos.
3. Los periodistas _____ a personas para saber sus opiniones.
4. El _____ expresa la idea central de un artículo.
5. Los periódicos venden _____ para ganar dinero y pagar sus costos.

Answers: 1. editora; 2. fotógrafos; 3. entrevistan; 4. titular; 5. anuncios

@HOMETUTOR
VideoPlus
my.hrw.com

Video Summary

Tania is holding a newspaper staff meeting to make assignments for the next edition. Lorena is filming the proceedings for her documentary about student newspapers. Tania asks Víctor to interview students about their reaction to the news that students won't wear uniforms to school next year. Lorena thinks it's a bad idea.

VOCABULARIO

Objectives
- Practice using vocabulary in context.
- Practice expressing and explaining an opinion.

Core Resource
- Audio Program: TXT CD 8 Track 3

Practice Sequence
- **Activity 3:** Telehistoria comprehension
- **Activity 4:** Vocabulary production: expressing opinions

STANDARDS
1.1 Engage in conversation, Act. 4
1.2 Understand language, Act. 3
1.3 Present information, Act. 4

21st **Collaboration,** Pre-AP; **Media Literacy,** English Learners

---

✓ **Ongoing Assessment**

🌐 **Get Help Online**
More Practice
my.hrw.com

PARA Y PIENSA **Quick Check** Have student pairs exchange answers and work together to correct any errors. For additional practice, use Reteaching & Practice Copymasters URB 7, pp. 1, 3.

💻 **Answers** Projectable Transparencies, 7-24

Activity 3
1. Víctor
2. Lorena
3. Víctor
4. Tania, Víctor, Lorena
5. Víctor
6. Tania
7. Víctor
8. Lorena

Activity 4 Answers will vary. Sample answers:
1. En mi opinión la amistad es muy importante porque todos necesitamos amigos.
2. La presión de grupo puede ser buena o mala. Es buena cuando ayuda a una persona a tomar una buena decisión. Es mala cuando convence a una persona a hacer algo malo.
3. Me gusta mucho investigar cuestiones controversiales...
4. Prefiero presentar información.
5. Sí, me gustaría mucho trabajar para cualquier periódico.
6. Me gustaría ser fotógrafa porque así puedo ir a todos los eventos para tomar fotos.

Para y piensa
1. las noticias; 2. la amistad; 3. escolar

370

---

3 | *Comprensión del episodio*   **Los personajes**

Escuchar
Leer

Empareja los personajes con las descripciones.

Tania **Víctor** **Lorena**

1. Es periodista.
2. Está haciendo un documental.
3. Prefiere tener un fotógrafo durante las entrevistas.
4. Trabaja para el periódico escolar.
5. Va a entrevistar a algunos estudiantes.
6. Quiere publicar un artículo sobre la presión de grupo y la ropa en la escuela.
7. Debe investigar sobre las opiniones de los estudiantes.
8. Piensa que nadie quiere tener que ponerse ropa diferente todos los días.

Expansión:
Teacher Edition Only
Choose one character from the Telehistoria and write a short description about him or her. Include his or her opinions on issues.

---

4 | **¿Y tú?**

Escribir
Hablar

Contesta las preguntas. Usa oraciones completas.

1. En tu opinión, ¿es importante la amistad? ¿Por qué?
2. ¿Es buena o mala la presión de grupo? ¿Hay presión de grupo entre los buenos amigos? Explica.
3. ¿Te interesa investigar cuestiones controversiales? ¿Cuáles?
4. ¿Prefieres hacer entrevistas o presentar información?
5. ¿Te gustaría trabajar para el periódico escolar o para el periódico de tu comunidad?
6. ¿Qué te gustaría ser: periodista, editor(a), fotógrafo(a) o escritor(a)? ¿Por qué?

Expansión
Interview a classmate and take notes. Use your notes to write a paragraph summarizing his or her response.

🌐 **Get Help Online**
my.hrw.com

PARA Y PIENSA **¿Comprendiste?** Escoge la palabra que no pertenezca *(doesn't belong)* al grupo.

1. la opinión	las noticias	el punto de vista
2. el titular	el artículo	la amistad
3. escolar	describir	explicar

370 Unidad 7 República Dominicana
trescientos setenta

Differentiating Instruction

English Learners

Increase Interaction Invite your English learners to talk about the newspapers produced in their home school or community. How often is the paper published? Who works for the paper? What types of content does the newspaper have? Is the paper expensive, inexpensive, free? If there are different papers available, what are the characteristics of each?

Pre-AP

Relate Opinions Organize students into groups of four to debate the topic of school uniforms. When each group has completed its discussion, one member of the group should summarize the opinions expressed. Keep a record on the board of the main ideas expressed by each group to compare one group to the other.

❁ Presentación de GRAMÁTICA

¡AVANZA! **Goal:** Learn how to use the subjunctive with impersonal expressions. Use these expressions to state opinions about school issues. *Actividades 5–8*

♻ *¿Recuerdas?* Present subjunctive pp. 339, 344

English Grammar Connection: Some **impersonal expressions** suggest that something should happen, but there is no guarantee that it actually will. In both English and Spanish, such expressions are followed by verbs in the **subjunctive.**

It's important that he **go.**   Es importante que él **vaya.**

Subjunctive with Impersonal Expressions

ANIMATED GRAMMAR
my.hrw.com

You know how to form the subjunctive and how to use it after expressions of hope. You also use the **subjunctive** after some **impersonal expressions** to show uncertainty that something will happen.

Here's how: When an **impersonal expression** gives an opinion that something should happen, the verbs that follow are in the **subjunctive.**

Fact: Mis amigos y yo **estudiamos** para los exámenes.
*My friends and I **study** for the exams.*

Opinion: **Es importante que** todos **estudiemos** para los exámenes.
*It's important that **we** all **study** for the exams.*

In the second example, the speaker thinks it is important that everyone study, but it is uncertain that everyone will.

Use the **subjunctive** with **impersonal expressions** to tell what you think is necessary, important, preferable, good, or bad.

Es necesario que presentemos la verdad.	*It's necessary that **we present** the truth.*
Es preferible que escribas tres artículos.	*It's preferable that **you write** three articles.*
Es bueno que tenga la cámara.	*It's a good idea that **she have** the camera.*
Es malo que publiquen ese titular.	*It's bad that **they may publish** that headline.*

Pronouns appear before verbs in the **subjunctive.**

Es importante que **nos expliques** tu punto de vista.
*It's important that **you explain** to **us** your point of view.*

Más práctica
Cuaderno *pp. 298–300*
Cuaderno para hispanohablantes *pp. 299–301*

@HOMETUTOR my.hrw.com
Leveled Practice
🌐 **Conjuguemos.com**

Differentiating Instruction

Slower-paced Learners

Personalize It Have students write four impersonal expressions about themselves, using **Es necesario que...**, **Es preferible que...**, **Es bueno que...**, and **Es malo que...**. Remind them how to form the subjunctive of the **yo** form. Ask them to exchange their sentences with a partner and encourage them to ask each other questions about what they wrote.

Heritage Language Learners

Increase Accuracy Encourage heritage learners to focus carefully on the use and spelling of the subjunctive so they don't confuse it with the indicative. Have students write out a good number of practice sentences using different conjugations of the subjunctive. You might want to dictate a number of sentences to test accuracy.

¡AVANZA! ▶ **Objectives**
- Present the subjunctive with impersonal expressions.
- Present object pronoun placement with subjunctive.

Core Resource
- *Cuaderno*, pp. 298–300

Presentation Strategies
- Review the formation of the subjunctive.
- List impersonal expressions on the board and solicit student responses.
- Point out that impersonal expressions are somewhat related to command forms in that they indirectly tell people what to do. Remind students that command forms are subjunctive.

 STANDARD
4.1 Compare languages

💻 **Warm Up** Projectable Transparencies, 7-17

Telehistoria Numera (*Number*) cada oración según la secuencia del diálogo de la Telehistoria.

_____ a. Sí, pero voy a necesitar un fotógrafo o una fotógrafa.
_____ b. Quiero publicar un artículo sobre la presión de grupo.
_____ c. Bueno, ahora sabemos la opinión de la directora del documental.
_____ d. ¿Puedes entrevistar a algunos estudiantes?
_____ e. Sólo debes pedir opiniones sobre la noticia de que no vamos a usar uniforme el próximo año.
_____ f. ¡Qué mala idea!

Answers: a. 2, b. 4, c. 1, d. 5, e. 6, f. 3

Comparisons
English Grammar Connection

Impersonal expressions in English and Spanish allow the speaker to express an opinion or suggest indirectly that someone do something. They are more polite than direct commands.

Objectives

- Practice using impersonal expressions with the subjunctive.
- Recycle: present subjunctive.
- Practice the pronunciation of **b** and **v**.
- Culture: Compare places of interest in Santo Domingo.

Core Resources

- *Cuaderno*, pp. 298–300
- Audio Program: TXT CD 8 Track 4

Practice Sequence

- **Activity 5:** Controlled practice: opinions; Recycle: present subjunctive
- **Activity 6:** Transitional practice: subjunctive with impersonal expressions
- **Activity 7:** Open-ended practice: impersonal expressions
- **Activity 8:** Open-ended practice: making recommendations

STANDARDS

1.1 Engage in conversation, Acts. 6, 7
1.2 Understand language, Act. 8
1.3 Present information, Acts. 5, 6
4.1 Compare languages, Acts. 5, 6, 7
4.2 Compare cultures

21ST CENTURY Communication, Compara con tu mundo

Communication
Common Error Alert

Remind students of spelling changes in the subjunctive of verbs that have irregular **yo** forms or verbs that end in **–car**, **–gar**, and **–zar**. Provide examples such as: **Es importante que almorcemos ahora.**

 Answers Projectable Transparencies, 7-24

Activity 5
1. sea
2. publiquemos
3. presentes
4. explique
5. digan
6. investiguemos

Activity 6 Answers will vary. Sample answers:
1. Es importante que los maestros expliquen...
2. Es malo que pongan muchos anuncios...
3. Es preferible que mis amigos y yo tengamos...
4. Es preferible que los estudiantes usen...
5. No es bueno que el periódico estudiantil publique información...
6. Es malo que los estudiantes siempre estén...

372

Práctica de GRAMÁTICA

5 | **Un buen periódico** ♻ *¿Recuerdas?* Present subjunctive pp. 339, 344

Hablar
Escribir

Víctor expresa sus opiniones. ¿Qué dice?

> **modelo:** Es importante que los periodistas _____ (entrevistar) a muchas personas.
> Es importante que los periodistas **entrevisten** a muchas personas.

1. Es bueno que yo _____ (ser) periodista.
2. Es necesario que nosotros _____ (publicar) un buen periódico.
3. Es necesario que tú _____ (presentar) la información.
4. Es bueno que la editora _____ (explicar) su punto de vista.
5. Es malo que algunos periodistas no _____ (decir) la verdad.
6. Es preferible que nosotros _____ (investigar) bien antes de escribir los artículos.

Expansión:
Teacher Edition Only
Write five additional statements about what is important, necessary, etc. for students and teachers to do.

6 | **En mi opinión...**

Hablar
Escribir

Trabajando en grupos, expresen sus opiniones sobre la vida escolar en su colegio. Lleguen a un acuerdo.

> **modelo:** Los estudiantes hablan español en la clase de español.
> (No) Es importante que los estudiantes hablen español en la clase de español.

(no) es bueno que...
(no) es importante que...
(no) es malo que...
(no) es necesario que...
(no) es preferible que...

1. Los maestros explican bien la tarea.
2. Ponen muchos anuncios en el periódico.
3. Mis amigos y yo tenemos una fuerte amistad.
4. Los estudiantes (no) usan uniforme para las clases.
5. El periódico escolar publica información muy personal.
6. Los estudiantes siempre están de acuerdo.

Expansión
Add three more opinions using three impersonal expressions.

Pronunciación Las letras b y v

AUDIO

In Spanish the letters **b** and **v** are pronounced almost the same. As the first letter of a word, at the beginning of a sentence, or after the letters **m** or **n**, they are pronounced like the hard *b* of the English word *balloon*. Listen and repeat.

bueno   **em**bargo   **vamos**   in**v**estigar

In the middle of a word, a softer sound is made. To make this sound, keep your lips slightly apart. Listen and repeat.

sa**b**emos   entre**v**ista   le**v**anta   Boli**v**ia

Differentiating Instruction

Heritage Language Learners

Increase Accuracy After reviewing the sounds **b** and **v**, have a spelling bee with words using the letters **b** and **v**. Because these sounds are virtually identical, heritage learners may have trouble spelling words with these letters. Remind students that they must simply memorize the spelling of these words because the pronunciation is so similar.

Inclusion

Frequent Review/Repetition After doing Activity 5, have pairs prepare recommendations for a new student newspaper. They should use impersonal expressions and the subjunctive. Provide categories such as **anuncios, periodistas, escritores, fotógrafos.** Pairs should then share their ideas with the class.

Nota gramatical

You already know that **hay** means *there is / there are*. The infinitive is **haber**. The subjunctive form is **haya**.

Es importante que **haya** entrevistas con los estudiantes en el periódico escolar.
*It's important that **there be** interviews with students in the school paper.*

Expansión:
Teacher Edition Only
Have students write five more sentences about what is necessary at your school.

7 ¿Es necesario?

Hablar
Escribir

Con tu compañero(a), hablen de lo que debe haber en un periódico escolar.

Pistas: necesario, bueno, importante, preferible, malo

modelo: titulares cortos

A ¿Es necesario que haya titulares cortos?

B Sí, (No, no) es necesario que haya titulares cortos.

1. fotos de los estudiantes
2. entrevistas con los maestros
3. noticias escolares
4. diferentes puntos de vista
5. muchos anuncios
6. información interesante

8 Recomendaciones turísticas

Escribir

Comparación cultural

Los Tres Ojos

Sitios de Santo Domingo

¿Qué atrae (attracts) a los turistas a una región? En Santo Domingo, la capital de la **República Dominicana,** muchos turistas van en bote *(boat)* para ver Los Tres Ojos, tres lagunas dentro de cuevas *(caves)* que están debajo de la tierra. También los turistas pueden ir al Faro a Colón, un monumento dedicado al explorador famoso: Cristóbal Colón. Cada noche el monumento proyecta *(projects)* luces fuertes, como un faro *(lighthouse)*, que tienen forma de cruz *(cross)*. La Ciudad Colonial, la parte antigua de la capital, atrae a muchos turistas por sus edificios históricos.

Compara con tu mundo
¿Cuáles son los lugares turísticos más interesantes de tu región?

Escribe un artículo corto con tus recomendaciones para los turistas en la República Dominicana.

modelo: Es necesario que vayas a Santo Domingo. Es importante que...

El Faro a Colón

Expansión:
Teacher Edition Only
Ask students to write three recommendations of places to visit in your area, using impersonal expressions.

Más práctica Cuaderno *pp. 298–300* Cuaderno para hispanohablantes *pp. 299–301*

Get Help Online
my.hrw.com

PARA Y PIENSA

¿Comprendiste? Da la forma correcta de los verbos.
1. Es bueno que nosotros no _____ (publicar) muchos anuncios.
2. Para mí, es preferible que los estudiantes _____ (vestirse) con uniforme.

Differentiating Instruction

English Learners

Increase Interaction Before doing the cultural activity, have students talk about the places of interest in their community or country. Encourage them to think of what would be of interest to a visitor or what places have great artistic, historic, or cultural significance.

Multiple Intelligences

Visual Learners Use pictures of important sites in the U.S. to guide students through the preliminary cultural activity discussion. Help students describe each place and discuss why they are of importance artistically, historically, or culturally.

Communication
Common Error Alert

Remind students that the verb form **hay** and its subjunctive form **haya** are used for both singular and plural subjects.

Comparación cultural

Essential Question

Suggested Answer A muchos turistas les atraen lugares donde pueden hacer muchas actividades y ver cosas diferentes e interesantes.

Background Information

Los Tres Ojos are freshwater springs that feed three lagoons in a huge underground cave. **El Faro a Colón** was inaugurated in 1992 during celebrations of the 500th anniversary of the discovery of the Americas by Columbus. Santo Domingo's colonial quarter is a UNESCO World Heritage Site.

✓ Ongoing Assessment

Get Help Online
More Practice
my.hrw.com

PARA Y PIENSA
Intervention Activity 6 and 7: If students miss two or more of the subjunctive forms on these activities, refer them to pp. 339 and 371. For additional practice, use Reteaching & Practice Copymasters URB 7, pp. 4, 5, 10.

🖥 Answers Projectable Transparencies, 7-24 and 7-25

Activity 7 Answers will vary. Sample answers:
1. Es necesario que haya fotos de los...
2. No es malo que haya entrevistas con...
3. Es importante que haya noticias...
4. Es preferible que haya diferentes puntos...
5. No es bueno que haya muchos...
6. Es importante que haya información...

Activity 8 Answers will vary. Sample answer: Es importante que visites el Faro a Colón. Es preferible que la veas por la noche para ver las luces...

Para y piensa
1. publiquemos
2. se vistan

¡AVANZA!
Objectives
- Practice impersonal expressions and subjunctive in context.
- Practice newspaper vocabulary in context.

Core Resources
- Video Program: DVD 3
- Audio Program TXT CD 8 Tracks 5, 6

Presentation Strategies
- Have students preview the video activities prior to viewing.
- Show the video. Point out gestures, intonations, and uses of impersonal expressions with subjunctive.

Practice Sequence
- **Activity 9:** Telehistoria comprehension
- **Activity 10:** Expressing opinions
- **Activity 11:** Open-ended practice: impersonal expressions with the subjunctive

STANDARDS
1.1 Engage in conversation, Act. 11
1.2 Understand language, Acts. 9, 10
4.1 Compare languages, Act. 11
21ST CENTURY Creativity and Innovation,
Slower-paced Learners: Personalize It

 Warm Up Projectable Transparencies, 7-17

Subjuntivo Completa las oraciones con un verbo en el subjuntivo.

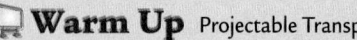

entrevistar	investigar	buscar
ser	pensar	

1. Es importante que los periodistas _____ a muchas personas.
2. No es necesario que los estudiantes _____ lo mismo sobre todas las cuestiones.
3. Es preferible que nosotros _____ muchos aspectos de una cuestión.
4. No es bueno que tú _____ editor.
5. Es malo que la fotógrafa no _____ perspectivas interesantes para sus fotos.

Answers: 1. entrevisten; 2. piensen; 3. investiguemos; 4. seas; 5. busque

---

 GRAMÁTICA en contexto

¡AVANZA!
Goal: Focus on the opinions and arguments the students make during the newspaper interview. Then, listen and respond to others' opinions and talk about working for a school newspaper. *Actividades 9–11*

Telehistoria escena 2

@HOMETUTOR View, Read
my.hrw.com and Record

STRATEGIES

Cuando lees
Consider your views Have you ever experienced peer pressure (or advertising pressure) about clothes? What is your opinion about school uniforms?

Cuando escuchas
Listen for opinions Listen for expressions for asking and giving opinions. Example: **¿Les gusta..., o prefieren... ?** List at least five, and practice them.

VIDEO
DVD

AUDIO

Raúl   Sonia

Víctor: ¿Puedo hacerles una pregunta?

Raúl: ¿Para las noticias de la televisión?

Víctor: No, soy periodista del periódico escolar. *(boasting; referring to Lorena)* Ella está haciendo un documental sobre mi vida. *(Raúl acts surprised.)* No, no. Lorena va a hacer un documental sobre el periódico de la escuela. Yo estoy haciendo entrevistas en la comunidad escolar.

Raúl: Y las entrevistas, ¿sobre qué son?

Víctor: Son sobre la cuestión del uniforme. ¿Cuál es su punto de vista? ¿Les gusta el uniforme, o prefieren no usarlo el próximo año?

Raúl: No me gusta el uniforme. En mi opinión, es muy feo. Sin embargo, es preferible que lo usemos para no tener que comprar mucha ropa nueva.

Es una cuestión de dinero para muchos estudiantes.

Sonia: A mí me gusta el uniforme. Si no usamos uniforme, todos los días vamos a tener que vestirnos con ropa de moda. Es importante que no tengamos esa presión porque ya tenemos mucha presión en nuestras vidas.

Lorena: ¡Estoy de acuerdo contigo! *(to Víctor)* Te dije que a los estudiantes no les iba a gustar la idea.

Víctor: ¡Es bueno que te tengamos aquí para explicar qué piensa todo el mundo!

Continuará... p. 379

También se dice

República Dominicana
Raúl dice que usar uniforme es una cuestión de **dinero.** En otros países:
- **Ecuador, Colombia** plata
- **España** pasta
- **México** lana
- **Puerto Rico** chavo

Differentiating Instruction

Slower-paced Learners

Read Before Listening Have students preview the text of the Telehistoria before listening to it. Instruct them to raise their hand when they read or hear an example of an impersonal expression with the subjunctive.

Heritage Language Learners

Regional Variations Direct the students' attention to the **También se dice** box. Compare and restate the sentence in the dialog with the regional variations listed in the box. Talk about whether or not the meaning of the sentence changes when regional variations are used. Ask heritage learners to add to the list of variations, or elaborate on the use of the phrase.

9 | Comprensión del episodio Opiniones

Escuchar
Leer

Escoge la respuesta correcta según la Telehistoria.

1. Víctor les hace una pregunta a los estudiantes para _____ .
   a. las noticias de la televisión
   b. el periódico escolar
2. Las entrevistas son sobre _____ .
   a. la cuestión del uniforme
   b. la presión de grupo

3. Para Raúl, es preferible que _____ .
   a. usen el uniforme
   b. no usen el uniforme porque es feo
4. Sonia prefiere _____ .
   a. vestirse con ropa de moda todos los días
   b. usar uniforme en la escuela

Expansión:
Teacher Edition Only
Have students write a brief summary of the **Telehistoria** episode.

10 | Una entrevista

Escuchar
Escribir

Escucha esta entrevista entre un periodista y dos jóvenes, Micaela y Sergio. En otro papel escribe quién da cada opinión.

1. Es importante que hablemos de la presión de grupo.
2. La presión de grupo es un problema en nuestra escuela.
3. La presión de grupo no es un problema muy grande.
4. Nadie quiere ser diferente.
5. Nuestra ropa y nuestras actividades son similares.
6. Todos somos muy diferentes y eso está bien.
7. Mis amigos y yo somos únicos.
8. Para mí, no hay ningún problema.

🎧 **Audio Program**
TXT CD 8 Track 6
Audio Script, TE p. 363B

Expansión
Explain Micaela's and Sergio's opinions about peer pressure. Which one sees it as a problem? Why? What's your opinion?

11 | ¡A trabajar!

Hablar

Van a comenzar un periódico escolar. En grupos de tres, hablen de sus planes según sus papeles: editor(a), escritor(a), periodista o fotógrafo(a). Usen expresiones impersonales con el subjuntivo.

modelo: las fotos

A Yo pienso ser el fotógrafo. Es necesario que haya buenas fotos.

B Yo pienso ser la editora. Es importante que un artículo empiece con una foto interesante.

C Prefiero ser el periodista. Es preferible que el periodista trabaje con el fotógrafo.

1. los artículos
2. las entrevistas
3. los anuncios
4. las noticias
5. los titulares
6. los puntos de vista

Expansión:
Teacher Edition Only
Have students present their plan for a newspaper to the class.

PARA Y PIENSA

🌐 Get Help Online
my.hrw.com

¿Comprendiste? Cambia estas oraciones para expresar una opinión.
1. El fotógrafo toma fotos interesantes. (Es importante que...)
2. El editor está de acuerdo con las opiniones. (No es necesario que...)

Differentiating Instruction

Slower-paced Learners

Personalize It Have students in groups of three or four create their own version of the dialog in which they can express their own opinions on the subject of school uniforms. Students should present their dialog in class.

Pre-AP

Support Ideas with Details Ask several individuals to share their thoughts on school uniforms and encourage them to support their opinions. Then divide the class into two teams to debate the topic of school uniforms more formally. Insist that each student state his or her opinion and support it with appropriate details.

Communication

Pronunciation Activity

Use a section of the dialog as a pronunciation and intonation activity. Model correct phrasing and intonation of each sentence, have students repeat as a group, and then have individuals repeat. Help students recognize how sounds are blended and words are joined in normal speech.

Video Summary

@HOMETUTOR
VideoPlus
my.hrw.com

Víctor interviews Raúl and Sonia about their opinions regarding a school uniform. Raúl doesn't like uniforms, however, he thinks it is better to have a uniform than to have to buy lots of new clothes. Sonia agrees that it is better to have a uniform so they don't have to worry about being in fashion. Lorena is happy to have her opinions confirmed by Raúl and Sonia.

✓ Ongoing Assessment

🌐 Get Help Online
More Practice
my.hrw.com

PARA Y PIENSA

Intervention If the students are not able to change the sentences to express an opinion, refer them to the grammar point on p. 371. For additional practice, use Reteaching & Practice Copymasters URB 7, pp. 4, 6.

📄 Answers Projectable Transparencies, 7-25

Activity 9
1. (b) el periódico escolar
2. (a) la cuestión del uniforme
3. (a) usen el uniforme
4. (b) usar uniforme en la escuela

Activity 10
1. Micaela
2. Micaela
3. Sergio
4. Micaela
5. Micaela
6. Sergio
7. Sergio
8. Sergio

Activity 11 Answers will vary. Sample answers:
Fotógrafo(a): Es importante que las fotos sean parte del artículo.
Editor(a): Es necesario que hagamos entrevistas.
Periodista: Es preferible que haya más artículos que anuncios.

Para y piensa
1. Es importante que el fotógrafo tome fotos interesantes.
2. No es necesario que el editor esté de acuerdo con las opiniones.

¡AVANZA! Objective

· Present **por** and **para**.

Core Resource

· *Cuaderno*, pp. 301–303

Presentation Strategies

· Point out that students need to learn the contexts in which **por** and **para** are used rather than try to match them to English.

STANDARD

4.1 Compare languages

 Warm Up Projectable Transparencies, 7-18

Opiniones Escribe una oración para cada personaje que explica su opinión.

1. Raúl: Es pre rible que/yo/(no) usar/ uniforme.
2. Sonia: Es importante que/nosotros/(no) tener/la presión de vestirse a la moda.
3. Lorena: Es malo que/los estudiantes/(no) ponerse/uniformes.
4. Víctor: Es bueno que/Lorena/(no) estar/ con ellos.

Answers: 1. Raúl: Es preferible que yo no use uniforme. 2. Sonia: Es importante que nosotros no tengamos la presión de vestirse a la moda. 3. Lorena: Es malo que los estudiantes se pongan uniformes. 4. Víctor: Es bueno que Lorena esté con ellos.

Comparisons

English Grammar Connection

Por and **para** do not necessarily translate directly into the English preposition *for*. Encourage students to avoid trying to guess which preposition to use in Spanish based on English. They need to learn the contexts for **por** and **para** with examples in Spanish.

¡AVANZA! **Goal:** Learn the different meanings and uses of **por** and **para**. Then use them to complete a story and to talk about activities. *Actividades 12–14*
♻ *¿Recuerdas?* Events around town p. 14

English Grammar Connection: In English, the preposition *for* can indicate cause (*Thanks **for** your help*) or destination (*The book is **for** you*). Spanish uses two prepositions to express these ideas: **por** and **para**.

Por and para

 ANIMATEDGRAMMAR
my.hrw.com

The prepositions **por** and **para** have similar meanings but different uses in Spanish. How do you know which one to use?

Here's how:

The preposition **por** can mean *for, through, in, because,* and *by.* Use **por** when referring to

· the **cause of** or **reason for** an action
  Por eso, ella escribió el artículo.
  For that reason, she wrote the article.
  Gracias **por** el regalo.
  *Thanks **for** the gift.*

· **means** of communication
  Te llamo **por** teléfono.
  *I'll call you **by** phone.*

· **periods of time**
  Mari fue a Samaná **por** un mes.
  *Mari went to Samaná **for** one month.*
  Vengo **por** la tarde.
  *I'll come **in** the afternoon.*

· **movement through** a place
  Los turistas pasan **por** la aduana.
  *The tourists are going **through** customs.*
  Fui a México **por** Texas.
  *I went to Mexico **through** Texas.*

The preposition **para** can mean *for, in order to, to,* and *by.* Use **para** when referring to

· **goals** to reach or **purposes** to fulfill
  Practicamos **para** ganar el partido.
  *We practice **in order to** win the game.*

· **movement toward** a place
  Salíamos **para** la escuela a las siete.
  *We used to leave **for** school at seven.*

· the **recipient** of an action or object
  Estas fotos son **para** Laura.
  *These photos are **for** Laura.*

· an **opinion**
  Para mí, es una cuestión de tiempo.
  To me, it's a question of time.

· **deadlines** to meet
  Escribe el artículo **para** el viernes.
  *Write the article **by** Friday.*

· **employment**
  Sara trabaja **para** el periódico.
  *Sara works **for** the newspaper.*

Use **por** to indicate cause rather than purpose. Think of **para** as moving you toward the word, or destination, that follows.

Más práctica
Cuaderno *pp. 301–303*
Cuaderno para hispanohablantes *pp. 302–305*

@HOMETUTOR my.hrw.com
Leveled Practice

Differentiating Instruction

Inclusion

Frequent Review/Repetition Have students brainstorm phrases they already know that use **por** and **para.** They should come up with some like **pasar** *por* **la aduana; el recuerdo es** *para* **mí/ti/él** etc.; **gracias** *por* **atenderme; y** *para* **beber.** Then ask them to determine which use presented in the grammar box applies to each example.

Heritage Language Learners

Build On What They Know Encourage Heritage Learners in particular to double check their usage of **por** and **para** . Ask them to give additional examples that are similar to each one presented to show that they understand the usage rather than simply guessing by the way it sounds.

⁂ Práctica de GRAMÁTICA

12 | Periodista por un día

Leer
Escribir

Víctor cuenta lo que pasó un día cuando encontró a Lorena. Para saber lo que cuenta, cambia los dibujos a expresiones con **por**.

El sábado pasado salí de la casa __1.__ 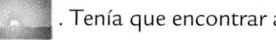 . Tenía que encontrar a

mi amiga Lorena en el parque. Llegué allí, pero no la encontré. Entonces,

la llamé __2.__  . «¿Dónde estás? », le pregunté. Me dijo, «Estoy

caminando __3.__  ». Por fin la encontré. Ella llevaba un cuaderno

y yo le pregunté por qué. Me explicó, «Estoy trabajando para el periódico

__4.__  . Tengo que entrevistar a diferentes personas sobre las

actividades de su vida diaria. Quiero pasear __5.__ . ¡Y tú me vas

a ayudar!» Me dio otro cuaderno y una pluma y salimos para el centro de

la ciudad. Llegamos a casa __6.__ 🌙 .

> **Expansión:**
> **Teacher Edition Only**
> Convert the narrative to a dialog with a partner. Practice and present your dialog in class. Feel free to make changes to personalize your conversation.

13 | Buscando trabajo

Leer
Escribir

El editor del periódico escolar entrevista a Teresa porque necesita una nueva fotógrafa. Completa su conversación con **por** o **para**.

Editor: Mucho gusto, soy David, el editor. Gracias __1.__ venir.

Teresa: Teresa Muñoz. Es un placer. Me encanta tomar fotos. __2.__ eso, me gustaría trabajar __3.__ el periódico como fotógrafa.

Editor: ¿Usas una cámara digital __4.__ tomar fotos?

Teresa: Sí. Yo sé usar todas las cámaras, pero __5.__ mí es más divertido usar la cámara digital. Traigo unas fotos conmigo que tomé __6.__ mi clase de arte. Aquí están.

Editor: ¡Qué bellas! ¡Eres una fotógrafa excelente! ¿Puedes trabajar __7.__ la tarde?

Teresa: Sí, pero necesito salir __8.__ la casa a las cinco. Vivo un poco lejos. Tengo que pasar __9.__ el parque central __10.__ llegar a mi casa.

Editor: No hay problema. ¿Puedes tener todas las fotos listas __11.__ los jueves?

Teresa: ¡Bien! Si tengo algún problema, te llamo __12.__ teléfono.

> **Expansión**
> Working with a partner and referring to the grammar explanations, explain why you chose **por** or **para**.

Differentiating Instruction

Slower-paced Learners

Yes/No Questions Model the contexts of **por** and **para** by asking students yes/no questions. Insist that they use the appropriate preposition in their response. Encourage them to write down sentences if they think the context is particularly helpful in distinguishing usage. Example: **¿Estudias español por dos años? Sí estudio español por dos años.**

Pre-AP

Summarize For Activity 13, have students explain which usage rule presented on p. 376 explains why they chose **por** or **para** for each item. Then pair them with a classmate to write their own dialog that includes at least three uses of each preposition.

Objective
· Practice **por** and **para**.

Practice Sequence
· **Activity 12:** Controlled practice: **por**
· **Activity 13:** Transitional practice: **por** vs. **para**

⚜ STANDARDS
1.2 Understand language, Acts. 12, 13
1.3 Present information, Acts. 12, 13

Long-term Retention
Connect to Previous Learning

Before students can decide whether to use **por** or **para** in Activity 12, they will need to decide what words are suggested by the illustrations in the paragraph. As a class, review the illustrations and have students suggest Spanish words they have learned in previous lessons for each drawing. They can then complete the fill-in adding **por** and **para**.

Comparisons
English Language Connection

Prepositions Inform students that the English prepositions in and on are often confusing for non-English speakers, much like **por** and **para** are confusing for non-Spanish speakers. Remind them that they automatically know to say "I am *on* the bus," even though they are really *in* a bus. In the same way, they must internalize the uses of **por** and **para**, rather then try to translate directly from English.

🖵 **Answers** Projectable Transparencies, 7-25

Activity 12
1. por la mañana
2. por teléfono
3. por el parque
4. por una semana
5. por la ciudad
6. por la noche

Activity 13
1. por	5. para	9. por
2. por	6. para	10. para
3. para	7. por	11. para
4. para	8. para	12. por

Objectives
· Practice **por** and **para** in context.
· Recycle: events around town.
· **Culture:** Taino art

Core Resource
· *Cuaderno,* pp. 301–303

Practice Sequence
· **Activity 14:** Open-ended practice: **por** and **para**

STANDARDS

1.1 Engage in conversation, Act. 14
1.2 Understand language, Act. 14, CC
2.2 Products and perspectives, CC
4.2 Compare cultures, CC

21ST CENTURY Information Literacy, Multiple Intelligences

Comparación cultural

Essential Question

Suggested Answer En algunas pinturas modernas se pueden ver símbolos de las culturas indígenas.

Background Information Remind students that they learned about the Taino culture in Unit 3 on Puerto Rico. Ask them what they remember about Taino language, clothing, and music. Remind students that the Taino Indians lived in Puerto Rico, the Dominican Republic, and other Caribbean islands.

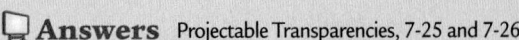

✓ Ongoing Assessment

Get Help Online
More Practice
my.hrw.com

PARA Y PIENSA **Remediation** If students have problems completing the activity, encourage them to review p. 376. For additional practice, use Reteaching & Practice Copymasters URB 7, pp. 7, 8, 11.

💻 **Answers** Projectable Transparencies, 7-25 and 7-26

Activity 14 Answers will vary. Sample:
A: Es importante que lleguemos temprano para el estreno de hoy en el Cine Centro.
B: Vamos a pasar por el cine una hora antes del estreno para comprar las entradas.
C: Podemos ir a escuchar música en vivo por la noche el sábado.

Para y piensa
1. para; **2.** para; **3.** por; **4.** por

---

14 **¿Qué hacemos?** ♻ ***¿Recuerdas?*** Events around town p. 14

Hablar Lean el calendario y hagan planes para este fin de semana. Usen expresiones con **por** y **para.**

Pistas: salir para, comprar boletos para, ir para ver (escuchar), pasar por, por la mañana (la tarde, la noche), ¿por cuántas horas?

VIERNES		

Comedia de pie
Se presentan comediantes en el Club Arroyo. Comienza a las 10:00 p.m.

Noche de merengue
Baile con orquestas en vivo en la discoteca Jet Set. A partir de las 8:00 de la noche.

Música en vivo
Los Chicos Locos llevan

Estreno de hoy
Se estrena «El premio de oro» en el Cine Centro. A las 7:25 p.m.

SÁBADO

Show de moda
Vea toda la ropa nueva que está de moda. Centro comercial Plaza Central. A las 11:00 a.m.

su rock al Café de Sol. El concierto empieza a las 8:00 p.m. Entradas a la venta a partir de las 7:00.

DOMINGO

Excursión turística
El Parque Nacional de Los Haitises es uno de los puntos más bellos del país. Conózcalo en la excursión que se organiza este domingo. Operada por MedioTours. Sale a

las 9:00 a.m. y vuelve a las 5:00 p.m.

Teatro clásico
El Grupo Shakespeare presenta *Romeo y Julieta* en el Teatro Nacional. A las 3:00 y a las 8:00 p.m.

Partido de béisbol
Los Tigres del Licey y Los Leones del Escogido juegan esta noche a las 5:00 p.m. en el Estadio Quisqueya.

Expansión:
Teacher Edition Only
Present your decisions to the class, explaining where you have decided to go, why, and what you have to do to organize your outing.

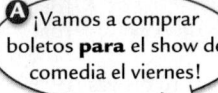

A ¡Vamos a comprar boletos **para** el show de comedia el viernes!

B Es preferible que vayamos a la discoteca **por** la noche.

C Podemos ir a la discoteca **por** dos horas antes del show.

Comparación cultural

El arte taíno

¿Qué influencia tienen las culturas indígenas en el arte? Los taínos, un grupo indígena, vivían en la **República Dominicana,** Puerto Rico y otras islas del Caribe cuando Colón llegó en 1492. En estos países puedes encontrar algunas pictografías antiguas de los taínos que representan personas, animales y elementos naturales. Hoy varios artistas dominicanos usan imágenes *(images)* y símbolos taínos en muchas de sus pinturas.

Compara con tu mundo *¿Sabes algo sobre alguna cultura indígena en Estados Unidos? ¿Qué sabes de su arte o cultura?*

Pictografía taína, Utuado, Puerto Rico

Más práctica Cuaderno *pp. 301–303* Cuaderno para hispanohablantes *pp. 302–305*

Get Help Online
my.hrw.com

PARA Y PIENSA **¿Comprendiste?** Completa el párrafo *(paragraph)* con **por** y **para.**
Trabajo **1.** el periódico de la comunidad. Tengo que escribir un artículo **2.** mañana. **3.** eso tengo que trabajar hoy **4.** la tarde.

Differentiating Instruction

Inclusion

Clear Structure/Support Encourage students to organize their ideas in a graphic organizer such as an idea web to help them respond to Activity 14 in complete sentences.

Multiple Intelligences

Visual Learners Have students research other Taíno art from Puerto Rico and compare it with the pictograph above from the Dominican Republic. How are the images similar and different? Ask students if they think the images represent a human or animal.

Todo junto

¡AVANZA! **Goal:** *Show what you know* Listen as Lorena interviews Tania about her role at the newspaper. Then use what you have learned to debate with classmates using persuasive arguments and to write a newspaper article about a school-related issue. *Actividades 15–19*

Telehistoria completa

 **@HOMETUTOR** View, Read and Record
my.hrw.com

STRATEGIES

Cuando lees
Read for opinions and logic While reading, find opinions about (a) being an editor and (b) wearing uniforms. Each opinion has logical reasons behind it. What are Tania's opinion and logic? What are Lorena's?

Cuando escuchas
Use your list Before listening, recall all the useful opinion-asking and opinion-giving expressions from Scene 2. Listen for new opinion expressions in Scene 3. Add them to your list.

Escena 1 *Resumen*
Tania, la editora del periódico escolar, y Víctor, el periodista, están preparando la próxima edición. Lorena quiere hacer un documental sobre su trabajo.

Escena 2 *Resumen*
Víctor pasa por la escuela para entrevistar a los estudiantes sobre la cuestión del uniforme. Lorena está con él y filma las entrevistas.

Escena 3

VIDEO DVD

AUDIO

Lorena: ¿Puedes explicar por qué te gusta ser la editora del periódico?

Tania: Porque me gusta investigar sobre los problemas escolares y presentar las opiniones de los estudiantes. Por un lado es divertido. Pero por otro lado...

Lorena: ¿Por otro lado?

Tania: Por otro lado es mucho trabajo. Siempre tenemos que terminar el periódico para los jueves a las cinco. Y por eso siempre estoy aquí por mucho tiempo después de las clases.

Lorena: ¿Cuál es el titular del periódico de hoy?

Tania: *(reading)* «¡Los estudiantes quieren uniformes!»

Lorena: ¡Sí! ¡Los uniformes no sólo son más bonitos, sino también más baratos! Los estudiantes no tienen dinero para comprar ropa diferente todas las semanas y...

Tania: ¡Lorena! ¡Para una directora tú hablas mucho! ¿El documental es sobre el periódico, o sobre lo que tú piensas?

Lorena: Perdón, pero también tengo mis opiniones.

Tania: Pues, por eso tal vez debes hacer una película sobre tu vida.

Lección 1
trescientos setenta y nueve **379**

Differentiating Instruction

Slower-paced Learners

Yes/No Questions Ask students yes/no questions to reinforce their understanding of the third scene of the Telehistoria. **¿A Tania le gusta ser la editora del periódico? ¿Es poco trabajo?**

Pre-AP

Expand and Elaborate Encourage students to generate a list of issues that they would like covered in their own student newspaper. For each issue they should explain why it is important and what are some of the opinions about it.

¡AVANZA! **Objective**
· Integrate lesson content.

Core Resources
· Video Program: DVD 3
· Audio Program: TXT CD 8 Track 7

Presentation Strategies
· Ask students what they remember about the Telehistoria.
· Show the video and/or play the audio.

STANDARD
1.2 Understand language

Warm Up Projectable Transparencies, 7-18

Por o para Completa cada oración con **por** o **para**.

1. Raúl quiere saber si la entrevista es _____ la televisión.
2. Víctor va a escribir un artículo _____ el periódico escolar.
3. Raúl cree que es preferible usar el uniforme _____ no tener que comprar mucha ropa.
4. En su opinión es cuestión de dinero _____ muchos estudiantes.
5. Víctor le dice a Lorena que es bueno que ella esté allí _____ explicar qué piensa todo el mundo.

Answers: 1. por; 2. para; 3. para; 4. para 5. para

Communication
Group Work

Telehistoria Activity Divide students into pairs and have them invent a dialog similar to the one in the Telehistoria. Encourage them to personalize the dialog. Each pair should then present their dialog after practicing.

@HOMETUTOR VideoPlus my.hrw.com
Video Summary

Lorena is interviewing Tania about working as an editor on the school paper. When Lorena begins to voice her own opinions, Tania suggests that the video be about Lorena's life instead.

Objective
· Practice using and integrating lesson vocabulary and grammar.

Core Resources
· *Cuaderno*, pp. 304–305
· Audio Program: TXT CD 8 Tracks 3, 5, 7, 8, 9

Practice Sequence
· **Activity 15, 16:** Telehistoria comprehension
· **Activity 17:** Open-ended practice: speaking
· **Activity 18:** Open-ended practice: reading, listening, speaking
· **Activity 19:** Open-ended practice: writing

STANDARDS
1.1 Engage in conversation, Act. 17
1.2 Understand language, Acts. 15, 16, 18
1.3 Present information, Acts. 15, 16, 18, 19

21st CENTURY Communication, Multiple Intelligences/Act. 19

Answers Projectable Transparencies, 7-26

Activity 15
1. Para Tania, es bueno que el periódico presente las opiniones de los estudiantes.
2. Siempre tienen que terminar el periódico para el jueves.
3. Es necesario que Tania pase mucho tiempo trabajando después de las clases.
4. El titular para el periódico de hoy es «Los estudiantes quieren uniformes».
5. Para Lorena, los uniformes son más bonitos y más baratos.
6. Para una directora, Lorena habla mucho.

Activity 16 Sample answers:
1. Tania y Víctor trabajan para el periódico escolar. Tania es la editora y Víctor es periodista.
2. Lorena está haciendo un documental sobre el periódico.
3. Víctor entrevista a dos estudiantes, Raúl y Sonia, para saber sus opiniones sobre la cuestión de los uniformes.
4. Es bueno que Tania trabaje para el periódico porque es dedicada.
5. Tania dice que el trabajo de editora es divertido pero es mucho trabajo.
6. Lorena piensa que los uniformes son bonitos y más baratos que ropa de moda.

Activity 17 Answers will vary.

380

---

15 | *Comprensión de los episodios* ¡A corregir!

Escuchar Leer

Corrige los errores en estas oraciones.

1. Para Tania, es bueno que el periódico presente las opiniones de los maestros.
2. Siempre tienen que terminar el periódico para los viernes.
3. Es malo que Tania pase poco tiempo trabajando después de las clases.
4. El titular para el periódico de hoy es «¡Los padres quieren uniformes!»
5. Para Lorena, los uniformes no sólo son feos, sino también son más caros.
6. Para una editora, Lorena habla mucho.

> **Expansión:**
> Teacher Edition Only
> Write three more sentences based on the Telehistoria characters and their opinions.

16 | *Comprensión de los episodios*   Tengo mis opiniones

Escuchar Leer

Contesta las preguntas. Usa oraciones completas.

1. ¿Qué hacen Tania y Víctor?
2. ¿Qué está haciendo Lorena?
3. ¿A quiénes entrevista Víctor? ¿Por qué?
4. ¿Por qué es bueno que Tania trabaje para el periódico?
5. ¿Qué dice Tania sobre su trabajo como editora?
6. ¿Cuál es la opinión de Lorena sobre los uniformes?

> **Expansión:**
> Teacher Edition Only
> Write a brief paragraph to summarize the Telehistoria. Include an introduction, transitions, and a brief conclusion.

17 | ¡No estamos de acuerdo!

Digital performance space

Hablar

> **STRATEGY Hablar**
> **Chart the reasons and the evidence** Regardless of your group's position, make a chart containing at least three or four reasons in favor of uniforms and the same number against. Knowing both sets of reasons helps your group argue more effectively. On the chart, support your group's opinions with evidence (from the Internet or library) about actual policies on school clothing.

Ustedes van a decidir si deben usar uniformes en su colegio el próximo año. Algunos piensan que es mala idea y otros piensan que es buena idea. Divídanse en grupos y expresen sus opiniones en un debate.

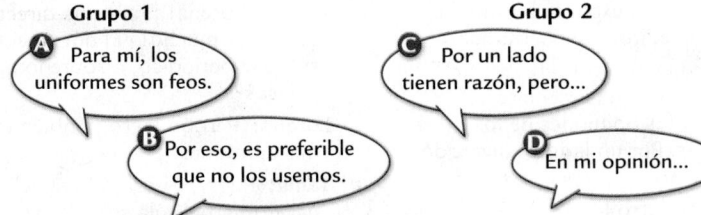

Grupo 1
A Para mí, los uniformes son feos.
B Por eso, es preferible que no los usemos.

Grupo 2
C Por un lado tienen razón, pero...
D En mi opinión...

> **Expansión**
> Take a class vote on whether or not to recommend uniforms to the administration. List the reasons.

380 Unidad 7 República Dominicana
trescientos ochenta

Differentiating Instruction

Slower-paced Learners
Read Before Listening Have students read the questions in Activity 16 before listening to the episodes. Discuss listening strategies for the kind of information needed to answer the questions. For example, to answer the question **¿Qué hacen Tania y Víctor?** listen for their roles at the school paper.

Multiple Intelligences
Interpersonal Divide students into groups of three. Each student should state three issues that are important at their school. The other two should ask follow-up questions to understand their partner's opinions. Ask each group to present the issues to the class. Write them on the board and ask the class to vote on which three are the most important.

18 | Integración

Leer
Escuchar
Hablar

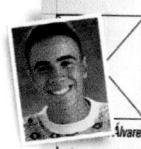

Trabajas para el periódico escolar. Escucha el mensaje del periodista y explícale al editor cómo hay que editar el artículo según la información que te da. ¿Qué otros detalles puede investigar el periodista?

Audio Program
TXT CD 8 Tracks 8, 9
Audio Script, TE p. 363B

Fuente 1 Artículo del periódico escolar

HÉROE GANA PREMIO

Simón Álvarez no sólo es un buen estudiante, sino también es un héroe local. Cada día por la tarde hace algo: visita a los enfermos en el hospital, limpia las calles con una organización ecológica, ayuda a algunos estudiantes con la tarea y toca música para jóvenes que no tienen familia. Sin embargo, tiene tiempo para estudiar y descansar.

Simón hace mucho. Por eso, la comunidad le presentó un Certificado de Mérito. Dijo Sandra Esquivez, «Es preferible que haya alguien como él en cada comunidad. Tenemos mucha suerte».

No todos tienen que ser como Simón. Sin embargo, tal vez podemos aprender algo de él.

Fuente 2 Mensaje de periodista

Listen and take notes
- ¿Por qué hace Simón todas estas actividades?
- ¿Cómo conoce Sandra a Simón?
- ¿Cuándo le dieron el premio?

modelo: Llamó el periodista. Es importante que editemos el artículo...

19 | Un artículo

Escribir

Entrevista a tus amigos sobre un problema escolar. Luego, escribe un artículo con un mínimo de ocho oraciones y un titular.

modelo: ¡Los estudiantes prefieren otro horario!
Para muchos estudiantes es preferible que las clases empiecen más tarde....

Writing Criteria	Excellent	Good	Needs Work
Content	You include several detailed opinions, an appropriate headline, and an excellent range of vocabulary.	You include some detail, a fairly appropriate headline, and a fair range of vocabulary.	The opinions and vocabulary are very limited. The headline is missing or is inappropriate.
Communication	Most of your article is organized and easy to follow.	Parts of your article are organized and easy to follow.	Your article is disorganized and hard to follow.
Accuracy	Your article has few mistakes in grammar and vocabulary.	Your article has some mistakes in grammar and vocabulary.	Your article has many mistakes in grammar and vocabulary.

Expansión
Prepare your article for publication. If possible, include a photograph of the friends you interviewed.

Más práctica Cuaderno pp. 304–305 Cuaderno para hispanohablantes pp. 306–307

PARA Y PIENSA

Get Help Online
my.hrw.com

¿Comprendiste? Da tu opinión sobre el horario de tu escuela.
1. Para mí...
2. Es preferible que...
3. Por la mañana/tarde...
4. Es bueno/malo que...

Differentiating Instruction

English Learners

Provide Comprehensible Input Review the content of the rubric for Activity 19 to ensure that students understand what parts of their article will be evaluated. Review key words such as *headline* and *topic*. Remind students that they will need to use varied vocabulary in their article, as well as words that express opinion.

Slower-paced Learners

Peer Study Support Pair stronger students with weaker students to prepare their ideas for Activity 19 before writing. Encourage students to organize the opinions they present in a clear sequence. Once students have written their first draft, have them exchange papers with their partner for peer editing before revising and turning in their work.

Long-term Retention

Pre-AP Integration

Activity 18 Suggest techniques in listening and note-taking that the students can use to facilitate answering the questions.

✓ Ongoing Assessment

Rubric Activity 18 Listening/Speaking

Proficient	Not There Yet
Student uses each hint to make a complete sentence clearly expressing his or her opinion about the school schedule.	Student has trouble using the hints and is unable to express his or her opinion on the topic very clearly.

To customize your own rubrics, use the **Generate Success** *Rubric Generator and Graphic Organizers.*

✓ Ongoing Assessment

Get Help Online
More Practice
my.hrw.com

PARA Y PIENSA **Quick Check** Have students check their answers to the Para y piensa by exchanging papers and making corrections as needed. For additional practice, use Reteaching & Practice Copymasters URB 7, pp. 7, 9.

Answers Projectable Transparencies, 7-26

Activity 18 Answers will vary.
1. Simón hace todas esas actividades porque es necesario que ayudemos a la gente que lo necesita. Si no, no habrá nadie que los ayude.
2. Sandra vive cerca de Simón y es la directora de Comunidades Activas.
3. Le dieron el premio el sábado en una fiesta.

Activity 19 Answers will vary. Sample answer: Para muchos estudiantes es preferible que las clases empiecen más tarde. Muchos estudiantes trabajan después de las clases y entonces preparan su tarea. A veces se acuestan muy tarde. Es importante que duerman lo suficiente para aprender en clase. Por eso, es necesario que las clases empiecen más tarde.

Para y piensa Answers will vary.

381

¡AVANZA! **Objectives**

· Encourage reading comprehension.
· Understanding and expressing opinions.

Core Resource
· Audio Program: TXT CD 8 Track 10

Presentation Strategies
· Ask students to describe the basic characteristics of an advice column.
· Ask students what people read advice columns and why. Ask them if they have ever written to an advice column and to explain their experience.

STANDARDS
1.1 Engage in conversation, PYP
1.2 Understand language, PYP
21st CENTURY **Critical Thinking and Problem Solving**, Strategy; **Flexibility and Adaptability**, Personalize It

 Warm Up Projectable Transparencies, 7-19

Por o para Completa las oraciones con **por** o **para.**

1. Muchas personas escriben cartas de consejos _____ saber qué deben hacer.
2. _____ muchas personas los artículos que ofrecen ayuda son muy importantes.
3. Yo nunca escribí cartas _____ pedir consejos. Prefiero pedirles consejos a mis amigos y familia.
4. Es bueno que no tengas que pagar _____ los consejos de los periódicos.

Answers: 1. para; 2. para; 3. por; 4. por

Comparación cultural

Background Information
In the reading Neomi writes that last summer her family moved from Santo Domingo, the capital of the Dominican Republic, to Salcedo, a much smaller city. Salcedo has a population of over 14,000 people as compared with the population of Santo Domingo which is over 2 million. It is located in an area that is primarily devoted to agriculture.

 **Lectura**

Additional readings at my.hrw.com
SPANISH
InterActive Reader

¡AVANZA! **Goal:** Read about a problem that a high school student has and the advice she receives from a newspaper columnist. Compare her advice with the advice you would give her.

¡Ayúdame, Paulina!

Este artículo es de la página de opiniones y consejos de un periódico. Una estudiante presenta un problema y busca los consejos. Luego, la escritora Paulina Pensativa le responde.

AUDIO

STRATEGY Leer
Summarize ideas and add your own On a separate sheet, draw three conversation boxes, one to summarize Neomi's written request, one for Paulina's response, and one for your own response. What do you think Neomi should do?

Neomi
Su problema:_____
Causa del problema: _____
Su reacción al problema: ___

Paulina
Su Solución: _____
Por qué y cómo puede ayudar a Neomi _____

Yo
Mi Solución: _____
Por qué y cómo puedo ayudar a Neomi _____

EL DIARIO QUISQUEYANO

Querida Paulina
Consejos para los jóvenes de hoy

POR PAULINA PENSATIVA

QUERIDA PAULINA: Me llamo Neomi. Tengo quince años y vivo en Salcedo. El verano pasado, mi familia y yo nos mudamos[1] aquí de Santo Domingo. En mi liceo[2] de antes, era muy estudiosa. Iba a todas mis clases, siempre hacía la tarea y sacaba buenas notas. Me gustaban todas las materias[3]. También tenía buenas amigas y practicaba deportes.

Pero después de mudarme aquí, algo cambió. En mi nuevo liceo, las clases ya no me interesan. Me encuentro[4] muy aburrida en el aula[5] y sin ganas de estudiar. A veces no estoy de acuerdo con lo que dicen los maestros, y no les escucho bien. Para mí es difícil no sólo ir al liceo, sino también quedarme allí por todo el día.

Hace poco tiempo, dejé de hacer la tarea y de ir a algunas clases. Ahora estoy empezando a reprobar[6] materias. Los maestros me dicen que si no vuelvo a estudiar, voy a tener que repetir curso[7]. Por eso pienso dejar el liceo.

Lo único que me interesa es el arte. Soy artística y me encanta dibujar. Prefiero pasar el día dibujando un retrato, no tomando un examen. Pero mis padres dicen que es importante que yo me quede en el liceo. No sé qué hacer. ¡Ayúdame, por favor!

---

[1] moved   [2] high school   [3] school subjects   [4] I find myself
[5] classroom   [6] to fail   [7] **repetir...** to repeat a grade

Unidad 7 República Dominicana
382 trescientos ochenta y dos

Differentiating Instruction

English Learners
Increase Interaction Have students read Neomi's letter in pairs and complete the first part of the Strategy together. Encourage them to talk about what they should include in Naomi's and Paulina's conversation boxes. Then have them come up with their own response together.

Pre-AP
Summarize Have students write a brief summary of Neomi's letter and then summarize the letter orally to a partner. Encourage students to ask their partners questions to help them include all important information from Neomi's letter.

EL DIARIO QUISQUEYANO

QUERIDA NEOMI: Me parece que todavía no estás adaptada[8] a tu nuevo liceo. Antes estabas contenta entre todas las personas que conocías. Todavía no conoces ni el lugar donde te encuentras ni a la gente que son tus compañeros. Es necesario que seas paciente. Te vas a adaptar; es una cuestión de tiempo.

Sin embargo, si no te gustan las clases, es bueno que hables con tus maestros. Explícales tu punto de vista, y te aseguro que ellos te van a escuchar. Tal vez enseñan cosas que ya aprendiste. Los maestros están abiertos a tus opiniones sobre lo que quieres aprender.

También, si tu pasión es el arte, ¿por qué no tomas una clase adicional? Si estudias lo que te interesa, puede ayudar tu autoestima[9] y aumentar[10] tu interés en otras materias. ¡Ojalá que haya una escuela de bellas artes en Salcedo que puedas investigar!

Tus padres tienen razón. Es importante que no dejes el liceo. Por un lado, hay que tomar tiempo para adaptarte. Por otro lado, debes hacer todo lo que puedas para estar contenta con tus estudios. Dijiste que eras buena estudiante. Yo digo que todavía lo eres. ¡Suerte!

---

[8] adjusted   [9] self-esteem   [10] to increase

PARA Y PIENSA

¿Comprendiste?
1. ¿Por qué piensa Neomi dejar el liceo?
2. ¿Qué dicen sus padres sobre su problema?
3. Nombra (name) tres cosas que Paulina dice para ayudarla.

¿Y tú?
¿Con qué consejos de Paulina estás de acuerdo? ¿Qué consejos diferentes le darías (would you give) a Neomi?

Lección 1
trescientos ochenta y tres   **383**

Teach to Remember Have students write short letters explaining a problem and asking for advice. Collect the letters and put them in a basket. Ask for two volunteers at a time to act as advice columnists on a radio show. Give them a few minutes to select and read their letter, then encourage them to give advice. They should feel free to disagree with each other to make the radio show more lively. The "audience" should vote on whose advice they think was best after each columnist team has finished.

Have students imagine that they are Neomi and write a response to Paulina's advice. They should tell her which of the things she said they agree with and why, and what advice they do not agree with and why. Tell them to consider which of Paulina's strategies are most and least practical.

Answers
Para y piensa
¿Comprendiste?
1. Piensa dejar el liceo porque no le interesan sus clases y está empezando a reprobar materias. Es posible que tenga que repetir el curso.
2. Sus padres dicen que es importante que se quede en el liceo.
3. Paulina le recomienda paciencia a Neomi para adaptarse a su nueva escuela y compañeros y compañeras. También dice que es bueno que hable con sus maestros y explicarles qué pasa. Finalmente, le recomienda una clase de arte.

¿Y tú? Answers will vary.

383

Differentiating Instruction

Inclusion

Sequential Organization In pairs, have students re-read Neomi's letter and jot down each element that calls for a response. Then have them read Paulina's letter to see how many of those elements she has responded to. For any element that has not been addressed, students should write their own response to Neomi.

Multiple Intelligences

Interpersonal Divide students into pairs or small groups to share their opinion of what they think Neomi should do. They should explain their reasons thoroughly and discuss differences of opinion with their partner(s). Teams that reach a consensus should present their recommendation to the class.

Objectives

- **Culture:** Read about the famous Dominican designer, Oscar de la Renta.
- Research humanitarian projects.
- Calculate currency equivalents.
- Compare languages.

Presentation Strategies

- Ask students if anyone is familiar with the designs of Oscar de la Renta. If there is someone, have them describe his designs to the class. If not, have students name designers they are familiar with and describe the types of clothes they design.
- Discuss with students what influences the fashions they wear.
- Brainstorm with students the type of plants and colors that they consider to be "tropical." How might they expect to see "tropical" influences in clothing.

STANDARDS

1.2 Understand language
1.3 Present information
2.2 Products and perspectives
3.1 Knowledge of other disciplines
5.2 Life-long learners

21st **Communication**, Pre-AP;
Information Literacy, Ciencias sociales;
Technology Literacy, Proyecto 2
(Financial Literacy)

Connections

Ciencias sociales

Ask students to write a short report on the life of another famous Dominican. They should detail any humanitarian work this person has done to help his or her country. Some suggestions are baseball players Pedro Martínez and Sammy Sosa, actor Andy García, singer Juan Luis Guerra, and writer Julia Álvarez.

Answers

Los diseños presentados muestran los colores vivos de la isla. También se ven flores y collares de cuentas, que son comunes en la República Dominicana

Proyecto 3 Some answers will vary.
Las palabras **rosa,** que significa *rose,* y **amor,** que significa *love,* forman el nombre del perfume de Oscar de la Renta. En español, el lema del perfume sería **Vivir, Amar, Reír.**

✿ Conexiones   *El arte*

Oscar de la Renta

Oscar de la Renta es uno de los diseñadores de moda *(fashion designers)* más famosos del mundo *(world)*. Nació *(he was born)* en la República Dominicana en 1932. Los productos del diseñador de la Renta incluyen ropa, accesorios, zapatos, joyas, perfumes y muebles. Él ha recibido *(has received)* premios no sólo por sus diseños y sus perfumes, sino también por su caridad *(charity)* y sus contribuciones a las artes.

La naturaleza *(nature)* de la República Dominicana está presente en muchos diseños del señor de la Renta. Contesta esta pregunta según los diseños que ves en las fotos: ¿cómo reflejan estos diseños la naturaleza tropical del país? Diseña un conjunto *(outfit)* con influencia tropical, explica tu diseño y escribe los nombres de los artículos de ropa.

Proyecto 1 *Las ciencias sociales*

El señor de la Renta hace mucho trabajo humanitario. Construyó dos escuelas en su país para los niños de bajos recursos *(disadvantaged)*. Busca más información sobre sus trabajos humanitarios y escribe una composición sobre estos trabajos y su importancia.

Proyecto 2 *Las matemáticas*

Busca tres artículos de ropa de Oscar de la Renta con precios en dólares. Calcula cuánto costarían en pesos dominicanos. Usa Internet para encontrar la tasa de cambio *(exchange rate)*.

Proyecto 3 *El lenguaje*

Oscar de la Renta creó un perfume que se llama Rosamor. ¿Qué palabras forman este nombre compuesto *(compound)*? ¿Qué significan? El lema *(slogan)* de este perfume es *Live, Love, Laugh*. Traduce *(Translate)* el lema al español. ¿Te gusta el lema más en español o en inglés? ¿Por qué? Escribe un lema nuevo para este perfume.

Dos vestidos para primavera y verano

El diseñador Oscar de la Renta

Differentiating Instruction

Multiple Intelligences

Visual Learners Bring some fashion magazines into class and allow pairs of students to choose pictures of different clothing styles to display in a mock fashion show. One student should describe the clothing to the class and the other student should comment on it, using impersonal expressions with the subjunctive to state his or her opinions.

Pre-AP

Relate Opinions Hold a discussion about the prices students think are fair for clothing. Are certain items of clothing worth more? Why or why not? What are students willing to pay for clothing and accessories and why? Encourage students to explain their opinions clearly, using impersonal expressions.

LECCIÓN 1

En resumen
Vocabulario y gramática

ANIMATEDGRAMMAR
Interactive Flashcards
my.hrw.com

Vocabulario

Discussing Important Issues

la cuestión	question; issue	por eso	for that reason; that's why
la opinión	opinion	sin embargo	however
el punto de vista	point of view	no sólo... sino también	not only . . . but also
por un lado... por otro lado...	on the one hand . . . on the other hand . . .	estar / no estar de acuerdo con	to agree / disagree with

School-related Issues

la amistad	friendship
la comunidad	community
escolar	school (adj.); school-related
la presión de grupo	peer pressure
la vida	life

The School Newspaper

Contents

el anuncio	advertisement
el artículo	article
la entrevista	interview
la información	information
las noticias	news
el periódico	newspaper
el titular	headline

Roles

el (la) editor(a)	editor
el (la) escritor(a)	writer
el (la) fotógrafo(a)	photographer
el (la) periodista	reporter

Expressing Opinions

Es bueno que...	It's good that . . .
Es importante que...	It's important that . . .
Es malo que...	It's not good that . . .
Es necesario que...	It's necessary that . . .
Es preferible que...	It's preferable that . . .

Functions

describir	to describe	investigar	to investigate
entrevistar	to interview	presentar	to present
explicar	to explain	publicar	to publish

Gramática

Nota gramatical: Impersonal expressions with **haya** *p. 373*

Subjunctive with Impersonal Expressions

When an **impersonal expression** gives an opinion that something should happen, the verbs that follow are in the **subjunctive.**

Fact: Mis amigos y yo **estudiamos** para los exámenes.
*My friends and I **study** for the exams.*

Opinion: Es importante que todos **estudiemos** para los exámenes.
*It's important that **we** all **study** for the exams.*

In the second example, the speaker thinks it is important that everyone study, but it is uncertain that everyone will.

Por and para

The prepositions **por** and **para** have similar meanings but different uses in Spanish. How do you know which one to use?

• Use **por** to indicate cause rather than purpose.

• Think of **para** as moving you toward the word, or destination, that follows.

Practice Spanish with Holt McDougal Apps!

Lección 1
trescientos ochenta y cinco **385**

Differentiating Instruction

Pre-AP

Circumlocution Have students give definitions for selected vocabulary, explaining its meaning without using the word. Encourage other students to come up with the vocabulary word.

Slower-paced Learners

Personalize It Encourage students to review vocabulary in contexts that are meaningful to them. Suggest that they write sentences using each of the vocabulary words and phrases. Whenever possible, they should include personal elements. For example, if they know a newspaper editor or journalist, they should make a sentence about that person.

Objective

· Review lesson vocabulary and grammar.

DIGITAL SPANISH

Interactive Flashcards Students can hear every target vocabulary word pronounced in authentic Spanish. Flashcards have Spanish on one side, and a picture or a translation on the other.

Review Games Matching, concentration, hangman, and word search are just a sampling of the fun, interactive games students can play to review for the test.

performance space	• **Audio and Video Resources**
News Networking	• **Interactive Flashcards**
@HOMETUTOR	• **Review Activities**
CULTURA Interactiva	• **WebQuest**
	• **Conjuguemos.com**

Long-term Retention
Personalize It

Review the list of phrases to express opinions combined with the subjunctive grammar point below. Then, have students write a sentence for each expression. Encourage them to express their own opinions about their life.

Communication
TPR Activity

Write all lesson vocabulary terms on index cards and distribute one card to every student. Instruct them to form sentences with their classmates' cards that include 1) an impersonal expression; 2) a noun; 3) a verb conjugated in the subjunctive; and 4) an object noun. The class should form as many logical sentences as possible in groups of four students. For example: **1) Es importante que 2) el periódico 3) presente 4) todos los puntos de vista.** Decide as a class if certain terms would work better in other sentences.

385

Objective
· Review lesson grammar and vocabulary.

Core Resources
· *Cuaderno*, pp. 306–317
· Audio Program: TXT CD 8 Track 11

Presentation Strategies
· Review may be done in class or assigned as homework.
· You may want students to access the Review Online.

⚙ STANDARDS
1.2 Understand language, Act. 1
1.3 Present information, Acts. 2, 3, 4
2.2 Products and perspectives, Act. 5
21ST CENTURY Communication, Heritage Language Learners

 Warm Up Projectable Transparencies, 7-19

Subjuntivo Completa las frases con el subjuntivo de uno de los sigiuentes verbos.

pensar	haber	tomar
querer	ayudar	

1. Muchas personas piensan que es importante que ____ cartas de consejos.
2. Para esas personas, es bueno que otra persona les ____ con sus problemas.
3. En mi opinión, es preferible que una persona con problemas ____ mucho antes de decidir qué hacer.
4. No es malo que esas personas ____ las opiniones de otras personas, pero es importante que ____ sus propias decisiones.

Answers: 1. haya; 2. ayude; 3. piense;
4. quieran, tomen

Get Help Online
More Practice
my.hrw.com

✓ Ongoing Assessment

Intervention/Remediation If students achieve less than 80% accuracy on each activity, direct them to the review pages listed in the margins or to get help online at my.hrw.com.

See Activity answers on p. 387.

386

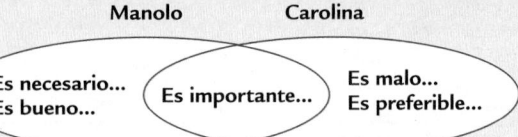 @HOMETUTOR my.hrw.com

 **¡LLEGADA!**

Now you can
· discuss school-related issues
· state and respond to opinions
· present logical and persuasive arguments

Using
· subjunctive with impersonal expressions
· impersonal expressions with **haya**
· **por** and **para**

♫ **Audio Progra**
TXT CD 8 Track 1
Audio Script, TE
p. 363B

To review
· subjunctive with impersonal expressions, p. 371

🎧 AUDIO

1 Listen and understand

El director de la escuela quiere sacar las máquinas que venden dulces y refrescos. Decide si las oraciones que siguen son **ciertas** o **falsas** y corrige las falsas. Usa el diagrama Venn para organizar los puntos de vista.

Manolo   Carolina

Es necesario...   Es malo...
Es bueno...   Es importante...   Es preferible...

1. Para Manolo, es necesario que los adultos les digan qué hacer.
2. Carolina piensa que es malo que comamos tanto azúcar.
3. Carolina dice que es importante que haya comida rápida en la escuela.
4. Manolo piensa que deben vender algunas cosas saludables.
5. Manolo dice que no es bueno que puedan comprar dulces por la tarde.
6. En la opinión de Carolina, sólo deben vender frutas, jugos y agua.

To review
· impersonal expressions with **haya**, p. 373

2 Present logical and persuasive arguments

Di lo que es necesario para hacer un buen periódico escolar.

fotógrafos	titulares interesantes	comunidad
anuncios	escritores	periódico

modelo: importante / artículos con...
Es importante que haya artículos con titulares interesantes.

1. importante / entrevista en...
2. preferible / computadoras para...
3. malo / demasiados...
4. necesario / opiniones de...
5. bueno / una cámara digital para...

Differentiating Instruction

Inclusion

Frequent Review/Repetition Instruct students to do the complete subjunctive conjugation for all six verbs presented in this lesson. Then have them write six sentences using an impersonal expression and one subjunctive form of each of these verbs.

Slower-paced Learners

Read Before Listening Have students read the situation and directions to Activity 1 before listening to the recording. Students should also read the six statements to help them focus on specific content. Encourage them to take notes about Manolo and Carolina's opinions while they are listening.

review
subjunctive with impersonal expressions, p. 371

3 State and respond to opinions

Escribe oraciones afirmativas o negativas con expresiones impersonales para expresar tu opinión.

> **modelo:** malo / el(la) maestro(a) / dar exámenes
> (No) Es malo que el maestro dé exámenes.

1. necesario / mis amigos / ser cómicos
2. preferible / mis amigos y yo / siempre estar de acuerdo
3. importante / los novios / salir en grupos
4. importante / yo / saber hablar español
5. preferible / yo / llevar ropa elegante a la escuela
6. malo / todos los estudiantes / no practicar deportes
7. necesario / los maestros / entender a los estudiantes
8. importante / tú / ir a clase todos los días

review
por and para, p. 376
subjunctive with impersonal expressions, p. 371

4 Discuss school-related issues

Completa las preguntas con **por** o **para** y contéstalas.

> **modelo:** ¿Deben tener escuelas diferentes _____ los chicos y las chicas?
> ¿Deben tener escuelas diferentes **para** los chicos y las chicas?
> (No, no) Estoy de acuerdo con eso. Es importante que ellos estudien en diferentes escuelas (tengan la misma escuela).

1. ¿Es preferible que los estudiantes no vayan al cine _____ la tarde?
2. ¿Es malo que los estudiantes hablen _____ teléfono celular en clase?
3. ¿Es importante que los estudiantes hagan la tarea _____ aprender más?
4. ¿Los estudiantes sacan malas notas _____ la presión de grupo?
5. ¿Es necesario que los estudiantes compren regalos _____ los maestros?
6. ¿Hay que estudiar _____ mucho tiempo antes de los exámenes finales?

review
la vida tranquila, deportes acuáticos, p. 363
comparación cultural, pp. 373, 378

5 Dominican Republic

Comparación cultural

Contesta estas preguntas culturales.

1. ¿Cómo es la gente dominicana en general?
2. ¿Cuáles son algunos deportes acuáticos populares en la República Dominicana?
3. ¿Adónde van muchos turistas en Santo Domingo?
4. ¿Qué símbolos se usan en las pictografías taínas?

Más práctica Cuaderno *pp. 306–317* Cuaderno para hispanohablantes *pp. 308–317*

Get Help Online
my.hrw.com

Differentiating Instruction

Pre-AP

Persuade After completing Activity 3, have students choose one of the examples and adapt it to express their own opinion. Then have students in pairs try to persuade their partner that their opinion is correct. Encourage partners to resist being persuaded as much as is reasonable. If students finish quickly, have them choose another example.

Heritage Language Learners

Writing Skills After completing Activity 4, have students write a short paragraph expressing their opinion on one of the statements. They should present their opinion clearly and explain their reasons thoroughly using at least three supporting statements. Then have students exchange papers to peer edit and help each other revise before turning in their work.

✓ Ongoing Assessment

Quick Check Go over the answers to each activity so students can assess their work right away. Encourage them to ask any questions they may have and to review material as necessary.

💻 Answers Projectable Transparencies, 7-27

Answers for Activities on p. 386.

Activity 1
1. Falsa. Para Manolo, es necesario que los estudiantes hagan lo que quieren.
2. Cierta
3. Falsa. Carolina dice que es importante que haya comida saludable en la escuela.
4. Falsa. Manolo piensa que es importante que haya comidas saludables pero también cosas dulces.
5. Falsa. Manolo dice que es bueno que los estudiantes puedan comprar algo dulce si quieren.
6. Cierta

Activity 2
1. Es importante que haya entrevistas en el periódico.
2. Es preferible que haya computadoras para los escritores.
3. Es malo que haya demasiados anuncios.
4. Es necesario que haya opiniones de la comunidad.
5. Es bueno que haya una cámara digital para los fotógrafos.

Activity 3 Answers will vary. Sample answers:
1. No es necesario que mis amigos sean cómicos.
2. No es preferible que mis amigos y yo siempre estemos de acuerdo.
3. Es importante que los novios salgan en grupos.
4. Es importante que yo sepa hablar español.
5. No es preferible que yo lleve ropa elegante a la escuela.
6. Es malo que todos los estudiantes no practiquen deportes.
7. Es necesario que los maestros entiendan a los estudiantes.
8. Es importante que tú vayas a clase todos los días.

Activity 4
1. por   3. para   5. para
2. por   4. por   6. por

Activity 5
1. La gente dominicana es relajada y siempre sonríe.
2. Algunos deportes acuáticos son el buceo, el surf de vela y el esquí acuático.
3. Muchos turistas van a visitar el Faro a Colón, Los Tres Ojos y la Ciudad Colonial.
4. Se usan personas, animales y elementos naturales.

387

Lesson Overview

Culture at a Glance

Topic & Activity	Essential Question
National Botanical Garden, Santo Domingo, pp. 388–389	¿Hay un parque cerca de tu casa?
The *Universidad Autónoma de Santo Domingo*, p. 399	¿Cómo cambian las universidades con el tiempo?
The art of Belkis Ramírez, p. 402	¿Cómo ayudan las ilustraciones a contar un cuento?
Godparents, pp. 406-407	¿Qué importancia tienen los padrinos en Latinoamérica y Estados Unidos?
Word games, p. 408	¿Cómo puedes divertirte con el español?
Culture review, p. 411	¿Cómo es la cultura dominicana?

COMPARISON COUNTRIES  La República Dominicana  Guatemala  Paraguay

Practice at a Glance

	Objective	Activity & Skill
Vocabulary	The extended family	2: Reading/Writing; 5: Speaking/Writing; 15: Writing; 17: Listening/Reading; 20: Writing; Repaso 3: Writing
	Relationships with others	3: Listening/Reading; 16: Listening/Reading; 18: Speaking; 19: Reading/Listening/Speaking; 20: Writing; Repaso 2: Writing
	Personality characteristics	1: Speaking/Writing; 6: Speaking/Writing; 9: Listening/Reading; 12: Speaking/Writing; Repaso 1: Listening
Grammar	Long form of possessive adjectives	4: Speaking/Writing; Repaso 3: Writing
	Comparatives	5: Speaking/Writing; 6: Speaking/Writing; 7: Speaking/Writing; 9: Listening/Reading; 10: Listening/Writing; 14: Speaking; 20: Writing; Repaso 1: Listening; Repaso 2: Writing
	Comparatives with **más de / menos de**	8: Speaking; Repaso 4: Writing
	Superlatives	11: Speaking/Writing; 12: Speaking/Writing; 13: Speaking/Writing; 15: Writing; Repaso 1: Listening; Repaso 4: Writing
Communication	Identify and explain relationships	2: Reading/Writing; 5: Speaking/Writing; 16: Listening/Reading; 17: Listening/Reading; 18: Speaking; 19: Reading/Listening/Speaking
	Compare personalities, attitudes, and appearance	5: Speaking/Writing; 6: Speaking/Writing; 9: Listening/Reading; 12: Speaking/Writing; 15: Writing; Repaso 1: Listening; Repaso 2: Writing
	Describe things and people	4: Speaking/Writing; 7: Speaking/Writing; 10: Listening/Writing; 11: Speaking/Writing; 13: Speaking; 14: Speaking; 20: Writing
	Pronunciation: The diphthongs **ie** and **ue**	*Pronunciación: Los diptongos ie y ue,* p. 396: Listening/Speaking
Recycle	Clothing	4: Speaking/Writing
	Family	6: Speaking/Writing
	Classroom Objects	8: Speaking

The following presentations are recorded in the Audio Program for *¡Avancemos!*

- **¡A responder!** *page 391*
- **10: Un anuncio** *page 399*
- **19: Integración** *page 405*
- **Repaso de la lección** *page 410*
  1: Listen and Understand
- **Repaso inclusivo** *page 416*
  1: Listen, understand, and compare

For **¡AvanzaRap!** scripts, see the **¡AvanzaRap! DVD.**

¡A responder! TXT CD 8 track 13

1. la suegra de José
2. el cuñado de Lorena
3. la esposa del tío Tomás
4. el esposo de la mamá de Lorena
5. el novio de Cecilia
6. los padrinos de Lorena
7. la cuñada de José
8. la sobrina de la tía Yolanda

10 | Un anuncio TXT CD 8 track 17

Rin... Rin...
—¿Aló? ¿Aló? ¡¡¡Ay!!! ¿Qué pasa con este teléfono?
—¿Está usted cansado de tener problemas con su teléfono celular? ¡Escuche! Hay buenas noticias. Con el nuevo celular «Telefontástico», usted ya no se va a enojar con ese teléfono suyo. El «Telefontástico» tiene menos problemas que todos los otros teléfonos celulares. ¡El sonido es excelente! ¡Se lo juro!
—Me encanta mi nuevo teléfono. Toma mejores fotos de personas y tiene conexiones más rápidas para Mensajero Instantáneo. Y tiene muy pocos problemas. Por eso, es más popular que los otros teléfonos. No es tan pequeño como los otros teléfonos, pero es más bonito.
—El «Telefontástico» es mucho mejor que los otros teléfonos, pero no cuesta demasiado. Es tan barato como los otros teléfonos similares. ¡Cómpreselo hoy!

19 | Integración TXT CD 8 tracks 19, 20

Fuente 2, Mensaje de su novia

Hola, Lucas, soy yo, Daly. ¿Ya terminaste la prueba? ¿Qué animal eres? Yo soy «El Ratón». Dice que soy el animal más inteligente de todos pero también el más tímido. Prefiero quedarme en casa que salir a las fiestas, y no me gusta hablar mucho en clase. A veces estoy nerviosa y les tengo miedo a las personas menos tímidas que yo. ¿Crees que es cierto? Por un lado sí...

Bueno, también dice que soy una amiga muy buena y sincera. Siempre, cuando mis amigos necesitan algo, yo les ayudo. Y ésta es la cosa más importante en una amistad. ¿Estás de acuerdo? Bueno, llámame para decirme qué sacaste. Adiós.

Repaso de la lección TXT CD 8 track 22

1 Listen and understand

Hola, soy Margarita. Aquí ves a mi familia. ¿Puedes identificar a cada persona? Jorge es el mayor. Carlos es el menor. Juan es tan alto como Daniel. Laura está menos contenta que los otros. Silvia es casi tan vieja como Jorge. Daniel es más fuerte que Juan. Tengo dos pájaros. Pique es más grande que Fufu.

Repaso inclusivo TXT CD 8 track 24

1 Listen, understand, and compare

¡Buenos días, niños! Hoy vamos a hablar sobre los apellidos. Todos ustedes tienen apellidos, pero ¿saben de dónde vienen? ¿Cuál es la historia de sus apellidos? Bueno, muchos de los niños en la República Dominicana tienen dos apellidos: el primero es de su padre y el segundo es de su madre. Por ejemplo, mi nombre es Luis Rodríguez Moreno.
Muchos apellidos terminan con los sonidos -ez, -iz o -az. Estas letras al final quieren decir «hijo de». Mi primer apellido, Rodríguez, termina con las letras -ez y quiere decir «hijo de Rodrigo». Escuchen estos apellidos: Martínez, Sánchez. «Martínez» quiere decir «hijo de Martín» y «Sánchez,» es «hijo de Sancho».
Mi segundo apellido, Moreno, es una palabra que describe el pelo castaño. En el pasado, algunas personas tenían apellidos que eran descripciones. Unos ejemplos son Rubio y Hermoso. Probablemente algunos de ustedes tienen un apellido que viene de un lugar o ciudad. Escuchen estos apellidos: Calle, Toledo. Algunos de los apellidos que representan un lugar empiezan con la palabra "de" como De la Costa y Del Campo. Finalmente, otros apellidos vienen del trabajo del padre de una familia. Por ejemplo, «Panadero» puede ser el apellido de una persona que trabaja en una panadería. ¿Quieren saber más sobre sus apellidos? Pregúntenles a sus abuelos—ellos deben tener información.

Resource List

Everything you need to ...

Plan

TEACHER ONE STOP

✓ Lesson Plans
✓ Teacher Resources
✓ Audio and Video

Present

INTERACTIVE WHITEBOARD LESSONS

TEACHER ONE STOP WITH PROJECTABLE TRANSPARENCIES

POWER PRESENTATIONS

ANIMATED GRAMMAR

Assess

 ONLINE ASSESSMENT

✓ Assessments for on-level, modified, pre-AP, and heritage learners
✓ Create customized tests with **Examview Assessment Suite**
✓ performance)) space
✓ *Generate Success* Rubric Generator

Print

Plan	Present	Practice	Assess
URB 7 • Video Scripts pp. 73–75 • Family Involvement Activity p. 93 • Absent Student Copymasters pp. 102–112 **Best Practices Toolkit**	**URB 7** • Video Activities pp. 58–67	• *Cuaderno* pp. 318–343 • *Cuaderno para hispanohablantes* pp. 318–343 • *Lecturas para todos* pp. 68–72 • *Lecturas para hispanohablantes* • *AvanzaCómics El misterio de Tikal, Episodio 3* **URB 7** • Practice Games pp. 38–45 • Audio Scripts pp. 80–83 • Fine Art Activities pp. 89–90	**Differentiated Assessment Program** **URB 7** • Did you get it? Reteaching and Practice Copymasters pp. 12–23

 Projectable Transparencies (Teacher One Stop, my.hrw.com)

Culture	Presentation and Practice	Classroom Management
• Atlas Maps 1–6 • Map: Dominican Republic 1 • Fine Art Transparencies 4, 5	• Vocabulary Transparencies 8, 9 • Grammar Presentation Transparencies 12, 13 • Situational Transparency and Label Overlay 14, 15 • Situational Student Copymasters pp. 1–2	• Warm Up Transparencies 20–23 • Student Book Answer Transparencies 28–31

Audio and Video

Audio	Video	¡AvanzaRap! DVD
• Student Book Audio CD 8 Tracks 12–24 • Workbook Audio CD 4 Tracks 11–20 • Assessment Audio CD 2 Tracks 15–18 • Heritage Learners Audio, CD 2 Tracks 21–24, CD 4 Tracks 15–18 • *Lecturas para todos* Audio CD 1 Track 12, CD 2 Tracks 1–7 • Sing-along Songs Audio CD	• Vocabulary Video DVD 3 • *Telehistoria* DVD 3 • *Telehistoria, Escena 1* • *Telehistoria, Escena 2* • *Telehistoria, Escena 3* • *Telehistoria, Completa* • Culture Video DVD 3 • *El Gran Desafío,* DVD 3	• Video animations of all **¡AvanzaRap!** songs (with Karaoke track) • Interactive DVD Activities • Teaching Suggestions • **¡AvanzaRap!** Activity Masters • **¡AvanzaRap!** video scripts and answers

Online and Media Resources

Student	Teacher
Available online at my.hrw.com • Online Student Edition • **News** Networking • **performance space** • **@HOMETUTOR** • **CULTURA** Interactiva • WebQuests • Interactive Flashcards • Review Games • Self-Check Quiz **Student One Stop** **Holt McDougal Spanish Apps**	**Teacher One Stop (also available at my.hrw.com)** • Interactive Teacher's Edition • All print, audio, and video resources • Projectable Transparencies • Lesson Plans • TPRS • Examview Assessment Suite **Available online at my.hrw.com** *Generate Success* Rubric Generator and Graphic Organizers **Power Presentations**

Differentiated Assessment

On-level	Modified	Pre-AP	Heritage Learners
• Vocabulary Recognition Quiz p. 325 • Vocabulary Production Quiz p. 326 • Grammar Quizzes pp. 327–328 • Culture Quiz p. 329 • On-level Lesson Test pp. 330–336 • On-level Unit Test pp. 342–348	• Modified Lesson Test pp. 254–260 • Modified Unit Test pp. 266–272	• Pre-AP Lesson Test pp. 254–260 • Pre-AP Unit Test pp. 266–272	• Heritage Learners Lesson Test pp. 260–266 • Heritage Learners Unit Test pp. 272–278

Core Pacing Guide **50 Minute (9 Day)**

	Objectives/Focus	Teach	Practice	Assess/HW Options
DAY 1	**Culture:** learn about culture in the Dominican Republic **Vocabulary:** words that describe people, their relationships to each other, and places in town • Warm Up OHT 20 **5 min**	Lesson Opener pp. 388–389 **Presentación de vocabulario** pp. 390–391 • Read A–D • View video DVD 3 • Play audio TXT CD 8 track 12 • *¡A responder!* TXT CD 8 track 13 **25 min**	Lesson Opener pp. 388–389 **Práctica de vocabulario** p. 392 • Acts. 1, 2 **15 min**	**Assess:** *Para y piensa* p. 392 **5 min** **Homework:** *Cuaderno* pp. 318–320 @HomeTutor
DAY 2	**Communication:** use of the long form of possessive adjectives to show relationships and ownership • Warm Up OHT 20 • Check Homework **5 min**	**Vocabulario en contexto** pp. 393–394 • *Telehistoria escena 1* DVD 3 • *Nota gramatical:* possessive adjectives **20 min**	**Vocabulario en contexto** pp. 393–394 • Act. 3 TXT CD 8 track 14 • Act. 4 **20 min**	**Assess:** *Para y piensa* p. 394 **5 min** **Homework:** *Cuaderno* pp. 318–320 @HomeTutor
DAY 3	**Grammar:** learn how to form comparisons between people or things • Warm Up OHT 21 • Check Homework **5 min**	**Presentación de gramática** p. 395 • Comparatives **Práctica de gramática** pp. 396–397 • *Pronunciación* TXT CD 8 track 15 • *Nota gramatical:* **de** instead of **que** for numbers comparisons **20 min**	**Práctica de gramática** pp. 396–397 • Acts. 5, 6, 7, 8 **20 min**	**Assess:** *Para y piensa* p. 397 **5 min** **Homework:** *Cuaderno* pp. 321–323 @HomeTutor
DAY 4	**Communication:** use comparatives to understand and discuss a radio advertisement • Warm Up OHT 21 • Check Homework **5 min**	**Gramática en contexto** pp. 398–399 • *Telehistoria escena 2* DVD 3 **Culture:** *Una universidad antigua* **15 min**	**Gramática en contexto** pp. 398–399 • Act. 9 TXT CD 8 track 16 • Act. 10 TXT CD 8 track 17 **20 min**	**Assess:** *Para y piensa* p. 399 **10 min** **Homework:** *Cuaderno* pp. 321–323 @HomeTutor
DAY 5	**Grammar:** use superlatives to describe people, places, and things •Warm Up OHT 22 • Check Homework **5 min**	**Presentación de gramática** p. 400 • Superlatives **15 min**	**Práctica de gramática** pp. 401–402 • Acts. 11, 12, 13, 14, 15 **25 min**	**Assess:** *Para y piensa* p. 402 **5 min** **Homework:** *Cuaderno* pp. 324–326 @HomeTutor
DAY 6	**Communication:** Culmination: use comparatives/superlatives to describe people/ family relationships • Warm Up OHT 22 • Check Homework **5 min**	**Todo junto** pp. 403–405 • *Escenas 1, 2: Resumen* • *Telehistoria completa* DVD 3 **20 min**	**Todo junto** pp. 403–405 • Acts. 16, 17 TXT CD 8 tracks 14, 16, 18 • Acts. 18, 20 • Act. 19 TXT CD 8 tracks 19, 20 **20 min**	**Assess:** *Para y piensa* p. 405 **5 min** **Homework:** *Cuaderno* pp. 327–328 @HomeTutor
DAY 7	**Reading:** Godparents **Review:** Lesson review • Warm Up OHT 23 • Check Homework **5 min**	**Lectura cultural** pp. 406–407 • *Los padrinos* TXT CD 8 track 21 **Repaso de la lección** pp. 410–411 **15 min**	**Lectura cultural** pp. 406–407 • *Los padrinos* **Repaso de la lección** pp. 410–411 • Act. 1 TXT CD 8 track 22 • Acts. 2, 3, 4, 5 **20 min**	**Assess:** *Para y piensa* **10 min** p. 407 *Repaso de la lección* pp. 410–411 **Homework:** *En resumen* p. 409; *Cuaderno* pp. 329–340 (optional) Review Games Online @HomeTutor
DAY 8	**Assessment**			**Assess:** Lesson 2 test or Unit 7 test **50 min**
DAY 9	**Unit Culmination**	**Comparación cultural** pp. 412–413 • TXT CD 8 track 23 • Culture video DVD 3 **Repaso inclusivo** pp. 416–417 **20 min**	**Comparación cultural** pp. 412–413 **Repaso inclusivo** pp. 416–417 • Act. 1 TXT CD 8 track 24 • Acts. 2, 3, 4, 5, 6, 7 **25 min**	**Homework:** *Cuaderno* **5 min** pp. 341–343

	Objectives/Focus	Teach	Practice	Assess/HW Options
DAY 1	**Culture:** learn about culture in the Dominican Republic **Vocabulary:** words that describe people, their relationships to each other, and places in town • Warm Up OHT 20 **5 min**	Lesson Opener pp. 388–389 **Presentación de vocabulario** pp. 390–391 • Read A–D • View video DVD 3 • Play audio TXT CD 8 track 12 • ¡A responder! TXT CD 8 track 13 **20 min**	Lesson Opener pp. 388–389 **Práctica de vocabulario** p. 392 • Acts. 1–2 **20 min**	**Assess:** Para y piensa p. 392 **5 min**
	Communication: use the long form of possessive adjectives to show relationships and ownership **5 min**	**Vocabulario en contexto** pp. 393–394 • Telehistoria escena 1 DVD 3 • Nota gramatical: possesive adjectives **15 min**	**Vocabulario en contexto** pp. 393–394 • Act. 3 TXT CD 8 track 14 • Act. 4 **15 min**	**Assess:** Para y piensa p. 394 **5 min** **Homework:** Cuaderno pp. 318–320 @HomeTutor
DAY 2	**Grammar:** how to form comparisons between people or things • Warm Up OHT 21 • Check Homework **5 min**	**Presentación de gramática** p. 395 • Comparatives **Práctica de gramática** pp. 396–397 • Pronunciación TXT CD 8 track 15 • Nota gramatical: de instead of que **20 min**	**Práctica de gramática** pp. 396–397 • Acts. 5, 6, 7, 8 **15 min**	**Assess:** Para y piensa p. 397 **5 min**
	Communication: use comparatives to understand and discuss a radio advertisement **5 min**	**Gramática en contexto** pp. 398–399 • Telehistoria escena 2 **Culture:** Una universidad antigua **20 min**	**Gramática en contexto** pp. 398–399 • Act. 9 TXT CD 8 track 16 • Act. 10 TXT CD 8 track 17 **15 min**	**Assess:** Para y piensa p. 399 **5 min** **Homework:** Cuaderno pp. 321–323 @HomeTutor
DAY 3	**Grammar:** use superlatives to describe people/places/things • Warm Up OHT 22 • Check Homework **5 min**	**Presentación de gramática** p. 400 • Superlatives **15 min**	**Práctica de gramática** pp. 401–402 • Acts. 11, 12, 13, 14, 15 **20 min**	**Assess:** Para y piensa p. 402 **5 min**
	Communication: Culmination: use comparatives/superlatives to discuss people/family relationships **5 min**	**Todo junto** pp. 403–405 • Escenas 1, 2: Resumen • Telehistoria completa DVD 3 **15 min**	**Todo junto** pp. 403–405 • Acts. 16, 17 TXT CD 8 tracks 14, 16, 18 • Acts. 18, 20 • Act. 19 TXT CD 8 tracks 19, 20 **20 min**	**Assess:** Para y piensa p. 405 **5 min** **Homework:** Cuaderno pp. 324-326, 327–328 @HomeTutor
DAY 4	**Reading:** Godparents **Projects:** Games with words • Warm Up OHT 23 • Check Homework **5 min**	**Lectura cultural** pp. 406–407 • Los padrinos TXT CD 8 track 21 **Proyectos culturales** p. 408 • Jugando con palabras **15 min**	**Lectura cultural** pp. 406–407 • Los padrinos **Proyectos culturales** p. 408 • Proyectos 1, 2 **15 min**	**Assess:** Para y piensa p. 407 **10 min**
	Review: Lesson review **5 min**	**Repaso de la lección** pp. 410–411 **15 min**	**Repaso de la lección** pp. 410–411 • Act. 1 TXT CD 8 track 22 • Acts. 2, 3, 4, 5 **20 min**	**Assess:** Repaso de la lección pp. 410–411 **5 min** **Homework:** En resumen p. 409; Cuaderno pp. 329–340 (optional) Review Games Online @HomeTutor
DAY 5	**Assessment**			**Assess:** Lesson 2 test or Unit 7 test **45 min**
	Unit Culmination	**Comparación cultural** pp. 412–413 • TXT CD 8 track 23 • Culture video DVD 3 **Repaso inclusivo** pp. 416–417 **15 min**	**Comparación cultural** pp. 412–413 **Repaso inclusivo** pp. 416–417 • Act. 1 TXT CD 8 track 24 • Acts. 2, 3, 4, 5, 6, 7 **25 min**	**Homework:** Cuaderno pp. 341–343 **5 min**

Objectives
- Introduce lesson theme: **Somos familia.**
- **Culture:** Explore important relationships.

Presentation Strategies
- Introduce characters' names: Lorena and her family.
- Have students make a list of their family members.
- Have students describe each family member.

STANDARD

1.1 Engage in conversation

Communication, Compara con tu mundo; **Creativity and Innovation,** Multiple Intelligences: Visual Learners; **Critical Thinking and Problem Solving,** Pre-AP

💬 Warm Up Projectable Transparencies, 7-20

Familia Utiliza el árbol genealógico de la página 392 para identificar a estas personas.
1. ¿Quién es la cuñada de Carmen?
2. ¿Cuántos sobrinos tiene Carmen? ¿Cómo se llaman?
3. ¿Cuántos hermanos tiene Carmen? ¿Cómo se llaman?
4. ¿Cómo se llama la novia de Julio?
5. ¿Cuáles son las mascotas de los sobrinos?

Answers: 1. Magda; 2. dos, Quico y Sarita; 3. dos, Adán y Julio; 4. Sofía; 5. Hay un pez y un pájaro.

Comparación cultural

Exploring the Theme
Ask the following:
1. What do you think the relationship between these people is?
2. Where do you think they are?
3. What are they doing?
4. What foods do you think they might have for their picnic?

¿Qué ves? Possible answers include:
- Van a hacer un picnic.
- Llevan frutas, unas bebidas, un plato de comida.
- Es un jardín botánico.
- En mi opinión, es un domingo.

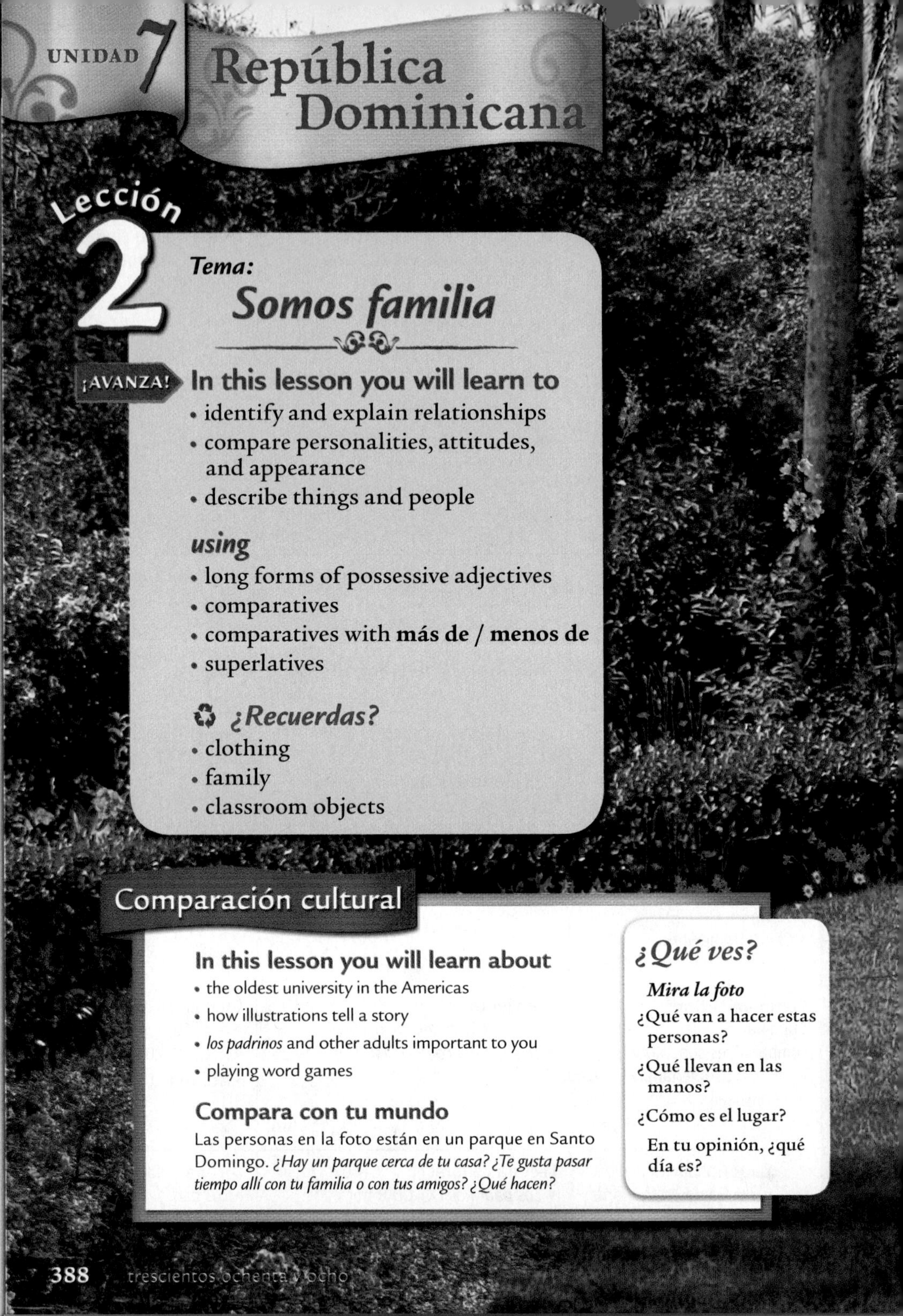

UNIDAD 7
República Dominicana

LECCIÓN 2

Tema:
Somos familia
—◦◦◦—

¡AVANZA! ## In this lesson you will learn to
- identify and explain relationships
- compare personalities, attitudes, and appearance
- describe things and people

using
- long forms of possessive adjectives
- comparatives
- comparatives with **más de / menos de**
- superlatives

♻ ¿Recuerdas?
- clothing
- family
- classroom objects

Comparación cultural

In this lesson you will learn about
- the oldest university in the Americas
- how illustrations tell a story
- *los padrinos* and other adults important to you
- playing word games

Compara con tu mundo
Las personas en la foto están en un parque en Santo Domingo. *¿Hay un parque cerca de tu casa? ¿Te gusta pasar tiempo allí con tu familia o con tus amigos? ¿Qué hacen?*

¿Qué ves?
Mira la foto
¿Qué van a hacer estas personas?
¿Qué llevan en las manos?
¿Cómo es el lugar?
En tu opinión, ¿qué día es?

388 trescientos ochenta y ocho

Differentiating Instruction

Multiple Intelligences

Visual Learners After viewing and discussing the opening photo, ask students to illustrate a picture of their favorite family activity – real or imagined. They can create a drawing or make a collage with pictures from magazines or the Internet. Ask them to identify family members and say what they are doing.

Pre-AP

Draw Conclusions Ask students to decide what the relationship between the people in the photo is and to explain how they reached their conclusions. Ask them to decide what the setting is like for the picnic and where they think it might be. They should explain their reasons.

Jardín Botánico Nacional de Santo Domingo
Santo Domingo, República Dominicana

República Dominicana
trescientos ochenta y nueve 389

Using the Photo

Location Information

Jardín Botánico de Santo Domingo The National Botanic Garden was established to provide a location for scientific study, education, and recreation. This plant and animal sanctuary covers an area of two million cubic meters.

Expanded Information

Santo Domingo This fascinating historic and modern city covers an area of 40 square kilometers along the south-central coast of the Dominican Republic.

Population Approximately two million of the country's eight million inhabitants reside in Santo Domingo.

Long-term Retention

Critical Thinking

Predict Invite students to consider the lesson theme and predict what new vocabulary they will learn. Encourage them to make a list of new vocabulary to identify their family relationships and to describe family members.

Long-term Retention

Interest Inventory

Suggest that students share their lists of family relationships with a partner. Encourage them to expand their list with information their partner has.

Differentiating Instruction

Heritage Language Learners

Support What They Know Invite students to describe their notion of family. Which relationships does the idea of family encompass? What are the differences between immediate family and extended family? Who attends which sorts of family events?

Multiple Intelligences

Naturalist Ask students to study the photo and write down the types of plants they can identify. Encourage them to look up new vocabulary in their dictionary. Suggest that students compare and contrast the flora in the photo with their own environment.

Objectives

- Present vocabulary: family relationships and personal description.
- Check for recognition.

Core Resources

- Video Program: DVD 3
- Audio Program: TXT CD 8 Tracks 12, 13

Presentation Strategies

- Draw students' attention to the ¡Avanza!
- Play the audio as students read A–D.
- Show the video.

STANDARD

1.2 Understand language

Comparisons
English Language Connection

Encourage students to check for cognates or to make any connection between new vocabulary and English that they find helpful for retention. For example: **esposo** = *spouse*; **enojarse** = *to become enraged*. **Discutir** is a false cognate and can be confused with the English verb *discuss*. Instead, **discutir** = *to argue*.

Communication

Common Error Alert

- **Pariente** is a false cognate. It means *relative*, not *parent*. Remind students that **padres** = *parents*.
- Point out the false cognate **discutir** which means *to argue* rather than *to discuss*.
- Remind students that they already know **pescado** as *fish* when referring to food. The word **pez** refers to a living fish.

Communication

Motivating with Music

The **¡AvanzaRap!** song for this unit targets vocabulary from both Lección 1 and Lección 2. To reinforce these concepts, play the **¡AvanzaRap!** animated video song for students and have them complete the Activity Master for this unit. Activity masters and teaching suggestions can be found on the **¡AvanzaRap! DVD.**

390

❖ Presentación de VOCABULARIO

¡AVANZA! **Goal:** Learn words to describe people and their relationships to each other and to talk about places in town. Then, use the words to complete descriptions of people and explain a family tree. *Actividades 1–2*

VIDEO DVD

AUDIO

A ¡Hola! Me llamo Lorena y mi **apellido** es Muñiz. Les quiero presentar algunos de mis **parientes**. Aquí hay una foto de mi hermana Cecilia con su **esposo** José. Se casaron el año pasado. Al lado de Cecilia están mis padres. ¡Qué **orgullosos están**! Ahora son los **suegros** de José, y yo soy su **cuñada**. Es un hombre simpático, y todos **nos llevamos bien.**

los parientes

el esposo
José

la esposa
Cecilia

la suegra
de José
mi mamá

el suegro
de José
mi papá

la novia

el novio

Cecilia y José
antes de casarse

B ¿Quieres ver como era yo de **niña**? Aquí hay una foto mía con mi **padrino**, Tío Tomás y mi **madrina**, Tía Yolanda. Son como padres para mí. Son muy **generosos**. Ellos me dieron mi **pez**, Inez y mi **pájaro**, Pepito. Pepito es muy **tímido** y sólo le gusta estar conmigo.

el pez
Inez

el pájaro

Pepito

el padrino

la madrina

Tío Tomás y
Tía Yolanda

la niña

Differentiating Instruction

Inclusion

Synthetic/Analytic Support Ask students to draw a family tree for Lorena including all the members she describes. The family tree should show marriage lines and parent/children connections. Encourage students to use their drawing to introduce Lorena's family.

Slower-paced Learners

Yes/No Questions Ask yes/no questions to reinforce the new vocabulary. Encourage students to correct any question they answer with no. ¿Es el apellido de Lorena «Martínez»? No, el apellido de Lorena es «Muñoz». ¿Es José el novio de Lorena? No, José es el novio de Cecilia.

C Aquí estoy con mis **compañeras del equipo** de fútbol. Son muy simpáticas y **la entrenadora** es muy **sincera** con nosotros: siempre nos dice la verdad. ¡Nos encanta jugar este deporte **popular**!

las compañeras de equipo

la entrenadora de deportes

Más vocabulario

paciente *patient*
impaciente *impatient*
enojarse *to get angry*
el cuñado *brother-in-law*
el sobrino *nephew*
la sobrina *niece*
entenderse bien *to understand each other well*
entenderse mal *to misunderstand each other*
discutir *to argue*

Expansión de vocabulario p. R15
Ya sabes p. R15

D Me gustaría **quedarme** más tiempo para ver fotos con ustedes pero tengo que **irme. Tengo una cita** en **el consultorio** del dentista y luego tengo que ir al **banco** para sacar dinero y al **correo** para mandarle un regalo a mi prima. ¡Nos vemos!

el consultorio

el banco

el correo

@HOMETUTOR my.hrw.com   Interactive Flashcards

¡A responder! Escuchar

Escucha los nombres e indica a la persona o las personas apropiadas en las fotos de la familia de Lorena.

Differentiating Instruction

Pre-AP

Expand and Elaborate Lorena mentions some places she has to go. Ask students to name places around their communities where they typically go to run errands.

Inclusion

Alphabetic/Phonetic Awareness Have students practice spelling and saying the new vocabulary words to describe people and their relationships. Then form two teams and hold a spelling bee.

Answers Projectable Transparencies, 7-28

¡A responder! Audio Script, TE. p. 387B
Los estudiantes deben indicar a las siguientes personas.
1. La mamá de Lorena
2. José
3. Tía Yolanda
4. el papá de Lorena
5. José
6. Tío Tomás y Tía Yolanda
7. Lorena
8. Lorena

Objective
· Practice vocabulary: family relationships, descriptions.

Core Resource
· *Cuaderno,* pp. 318–320

Practice Sequence
· **Activity 1:** Vocabulary recognition: descriptions
· **Activity 2:** Vocabulary recognition: interpreting a family tree

STANDARDS
1.2 Understand language, Acts. 1, 2
1.3 Present information, Acts. 1, 2

TEACHER **to** TEACHER
Pam Matheny
Lakeland, FL

Tips for Presenting Vocabulary

"I have students cut pictures out of magazines to make a mini-family album. For each family member from the vocabulary list, they choose a picture and write a descriptive sentence under it using the new word. I have them put the pictures together on construction paper and create a cover. Students have fun creating sentences about people who are not really their relatives and it is a great way to review adjectives."

Go online for more tips!

✓ Ongoing Assessment

Get Help Online
More Practice
my.hrw.com

PARA Y PIENSA **Quick Check** If students have trouble, refer them to pp. 390–391. For additional practice, use Reteaching & Practice Copymasters URB 7, pp. 12, 13.

Answers Projectable Transparencies, 7-28

Activity 1
1. tímida
2. popular
3. impaciente
4. generoso
5. paciente
6. orgullosos
7. sincera

Activity 2
1. Chávez
2. Magda
3. cuñada
4. Sergio
5. suegra
6. Sarita
7. Quico
8. sobrinos
9. pez
10. pájaro
11. Sofía

Para y piensa
Answers will vary. Sample answers:
1. Mi abuela es muy generosa. Mis padrinos son sinceros. Mi hermana es impaciente.
2. Un pájaro, un pez, (un perro, un gato, …)

392

❋ Práctica de VOCABULARIO

1 ¿Cómo es?

 Hablar Escribir

Describe a las personas. Escoge la palabra correcta que completa la oración.

impaciente	popular	paciente	tímido
orgulloso	sincero	generoso	

1. Lucía tiene miedo de conocer a personas nuevas. Es ____ .
2. Guillermo tiene muchísimas amistades. Es ____ .
3. A Claudia no le gusta esperar. Siempre tiene prisa. Es una persona ____ .
4. Ignacio siempre llega a una fiesta con muchos regalos. Es ____ .
5. Cuando Verónica tiene que esperar, no se enoja. Es una persona ____ .
6. Rafael siempre saca buenas notas y practica mucho los deportes. Sus padres están muy ____ de él.
7. Carolina es muy simpática y siempre te dice la verdad. Es ____ .

Expansión
Use two of the above adjectives to describe yourself.

---

2 La familia de Carmen

Leer Escribir

Completa la descripción de la familia de Carmen según el dibujo.

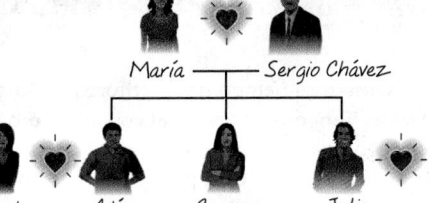

María —— Sergio Chávez

La familia Chávez   Magda —— Adán   Carmen   Julio   Sofía

Quico   Sarita

Me llamo Carmen y mi apellido es __1.__ . Hace seis años que mi hermano Adán se casó con __2.__ . Ahora yo soy la __3.__ de Magda. Ella se lleva bien con su suegro, __4.__ . Claro, es mi papá y él es muy simpático. A veces ella se entiende mal con mi mamá, su __5.__ . ¡Qué lástima! Adán y Magda tienen dos hijos hermosos, una niña, __6.__ y un niño, __7.__ . Me encantan mis __8.__ . Quico tiene un __9.__ y Sarita tiene un __10.__ . Ojalá que mi hermano Julio se case pronto con su novia, __11.__ . Ella es muy divertida.

Expansión:
Teacher Edition Only
Give the names of two people in the family tree and have students state the relationship between them. Each pairing can have two possible responses. For example, **Carmen es la tía de Sarita** or **Sarita es la sobrina de Carmen.**

Más práctica   Cuaderno *pp. 318–320*   Cuaderno para hispanohablantes *pp. 318–321*

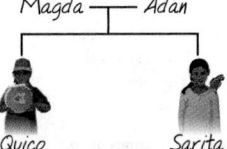

Get Help Online
my.hrw.com

PARA Y PIENSA

¿Comprendiste?
1. Describe a tres personas de tu familia usando tres adjetivos nuevos.
2. ¿Cuáles son dos animales que alguien puede tener como mascota *(pet)*?

Differentiating Instruction

Slower-paced Learners

Personalize It Instruct students to draw their own family trees based on Carmen's. After writing down their family members' names, they exchange family trees with a partner and ask him or her questions about their own families. For example, **¿Quién es mi cuñada?**

Inclusion

Frequent Review/Repetition Direct students to write four questions about Carmen's family based on her family tree. Have them ask their questions of a partner.

❖ VOCABULARIO en contexto

¡AVANZA! **Goal:** Notice the descriptions of people and things that Lorena and her mother use. Then learn how to use the long form of possessive adjectives to show relationships and ownership. *Actividades 3–4*

♻ *¿Recuerdas?* Clothing pp. 144, R6

Telehistoria escena 1

 @HOMETUTOR my.hrw.com **View, Read and Record**

STRATEGIES

 Cuando lees
Find kinship words People use nouns, like **madre** and **padre,** to show kinship (family relationships). While reading, list six Spanish kinship nouns you encounter. Add more when you read Scene 2.

 Cuando escuchas
Listen for descriptive words Listen for the adjectives Lorena's mother uses to describe her relatives, including her mother-in-law. What phrases describe how she gets along with them?

VIDEO DVD

AUDIO

Lorena
Madre

Lorena's camera is set up in the kitchen. She is trying to interview her mom.

Lorena: ¡Por favor, Mami! ¡Sólo diez minutos!

Madre: No puedo quedarme a hablar contigo. Primero, necesito ir al banco y al correo. Luego, tengo una cita con el doctor. Tengo que estar en el consultorio como a la una. Y después voy de compras con una amiga mía.

Lorena: Pero yo tengo que hacer la película. Si gano el premio, vas a estar muy orgullosa de mí, ¿no? Ahora, háblame sobre tu esposo. ¿Cómo es?

Madre: Es tu padre. ¡Pregúntale a él! Esta película tuya es sobre un periódico, ¿no?

Lorena: Ahora no. Ahora se llama «Mi vida en la República Dominicana» y es un documental sobre nuestra familia, nuestra historia y nuestros problemas.

Madre: *(speaking emphatically to the camera)* Todos nuestros parientes son muy simpáticos y nos llevamos muy bien. No tenemos problemas.

Lorena: La gente dice que las mujeres no se llevan bien con sus suegras. ¿Discutes tú con tu suegra?

Madre: *(biting her lip)* Claro que no. Tu abuela es una mujer muy sincera y muy generosa. Nos entendemos bien. Ahora me tengo que ir.

Continuará... p. 398

Continuará... p. 398

Lección 2
trescientos noventa y tres **393**

Differentiating Instruction

Slower-paced Learners

Yes/No Questions Ask students yes/no questions about Lorena and her mother to reinforce their understanding of scene 1. **¿La película que hace Lorena es sobre un periódico? ¿Su madre tiene que ir al consultorio?**

Multiple Intelligences

Linguistic/Verbal Divide students into pairs to practice the dialog. Then ask for volunteers to present the dialog in class. Encourage them to "ham it up" a bit, using intonation, gestures, and facial expressions appropriate to what they are saying and to the situation.

¡AVANZA! ▶ **Objective**
· Understand lesson vocabulary in context.

Core Resources
· Video Program: DVD 3
· Audio Program: TXT CD 8 Track 14

Presentation Strategies
· Look at the photo and have students guess what Lorena is doing.
· Show the video and/or play the audio.

❁ STANDARD
1.2 Understand language

🖥 Warm Up Projectable Transparencies, 7-20

Parientes Junta el nombre con la relación para identificar la familia de Lorena.

Inez	su hermana
José	su pez
Cecilia	su madrina
Tomás	su cuñado
Pepito	su pájaro
Yolanda	su padrino

Answers: Inez/su pez; José/su cuñado; Cecilia/su hermana; Tomás/su padrino; Pepito/su pájaro; Yolanda/su madrina

 @HOMETUTOR VideoPlus my.hrw.com

Video Summary

Lorena wants to film an interview with her mother, but she is reluctant. Lorena insists, saying she will be proud when her film wins a prize. Her mother thinks the film is about the newspaper, but Lorena has changed the topic to focus on life in the Dominican Republic, her family, their problems, and their history. Lorena begins the interview, and her mother responds with polite answers.

 ▶❙ ❙❙

VOCABULARIO

Objectives
· Practice using vocabulary in context.
· Recycle: clothing.

Core Resource
· Audio Program: TXT CD 8 Track 14

Practice Sequence
· **Activity 3:** Telehistoria comprehension
· **Activity 4:** Open-ended practice: possessive adjectives; Recycle: clothing

STANDARDS
1.1 Engage in conversation, Act. 4
1.2 Understand language, Act. 3
4.1 Compare languages, Nota

21st CENTURY Critical Thinking and Problem Solving, Pre-AP

Nota gramatical

Expanded Presentation When a possessive pronoun does not follow the verb **ser**, it is expressed with a definite article. Both the article and the pronoun must agree in gender and number with the antecedent: **¿Están sucias sus manos? No, *las mías* están limpias.**

✓ Ongoing Assessment

Get Help Online
More Practice
my.hrw.com

PARA Y PIENSA **Dictation** After students have completed the Para y piensa and practiced the mini-dialog, have them write the sentences as you dictate them. For additional practice, use Reteaching & Practice Copymasters URB 7, pp. 12, 14, 21.

💻 Answers Projectable Transparencies, 7-28

Activity 3
1. a. va al banco y al correo
2. a. su amiga
3. a. tiene que hacer la película
4. b. ella y su suegra se entienden bien.

Activity 4
Answers will vary. Sample answer includes: ¿Los libros son tuyos? No, los libros son nuestros.

Para y piensa
1. tuyas; 2. generosa

394

---

3 | Comprensión del episodio   Un documental familiar

Expansión:
Teacher Edition Only
Have students write three questions to ask a partner about the dialog.

Escuchar Leer

Escoge la respuesta correcta.

1. La madre de Lorena no puede quedarse porque ___ .
   a. va al banco y al correo
   b. tiene una cita con su esposo

2. La madre de Lorena va de compras con ___ .
   a. su amiga
   b. su suegra

3. Lorena dice que ___ .
   a. tiene que hacer la película
   b. hace una película sobre un periódico

4. La madre de Lorena dice que ___ .
   a. las mujeres discuten con sus suegras
   b. ella y su suegra se entienden bien

Nota gramatical

Possessive adjectives show relationships or possession. You know the short forms (**mi, tu, su,** etc.). They also have long forms which agree in gender and number with the **nouns** they describe. These long forms follow the **noun** for emphasis or are used without a noun as a pronoun.

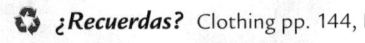

mío(a), míos(as)	**nuestro(a), nuestros(as)**
tuyo(a), tuyos(as)	**vuestro(a), vuestros(as)**
suyo(a), suyos(as)	**suyo(a), suyos(as)**

Juan es un **amigo mío.**
Juan is a friend of mine.

¿Ese **libro** es **tuyo**?
Is that book yours?

Sí, es **mío.**
Yes, it's mine.

---

4 | ¿Son tuyos?   ♻ ¿Recuerdas? Clothing pp. 144, R6

Hablar Escribir

Un(a) amigo(a) tuyo(a) está en tu casa y quiere saber si estos artículos son tuyos o si son de tu hermano. Mira el dibujo y respóndele a tu amigo(a).

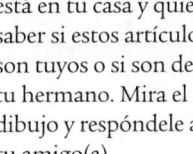

Yo   Nosotros   Mi hermano

A ¿La camiseta roja es tuya o suya?

B La camiseta roja es **suya.** La camiseta **mía** es azul.

Expansión
Following the same structure, write five sentences about items that you and your partner have.

Get Help Online
my.hrw.com

PARA Y PIENSA

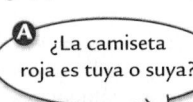

¿Comprendiste? Completa el diálogo entre la chica y su cuñada.
—¿Estas camisetas son **1.** (tuyas/suyas/mías)?
—No, no son mías, ¡son nuestras!
—¿Sí? ¡Qué **2.** (tímida/generosa/paciente) eres!

Differentiating Instruction

Slower-paced Learners

Sentence Completion Help students connect the short form of possessive adjectives with the long form. Recite one sentence using the short form and begin a second related sentence in which you omit the long form, which students will supply: **Ésas son sus botas. Son las botas _____ .**

Pre-AP

Summarize Ask students to write a summary of the dialog between Lorena and her mother. They should include all pertinent information, as well as indicate Lorena's mother's reactions.

Presentación de GRAMÁTICA

¡AVANZA! **Goal:** Review how to form comparisons between people or things. Then compare people in your family and in your classroom. *Actividades 5–8*

♻ *¿Recuerdas?* Family p. R15, classroom objects p. R14

English Grammar Connection: Comparatives are expressions used to compare two people or things. In English, comparative adjectives are formed by adding -er to the end of the word or by using *more, less,* or *as.*

♻ REPASO Comparatives

 ANIMATEDGRAMMAR
my.hrw.com

There are several phrases for making comparisons in Spanish. They compare differences and similarities between people and things.

Here's how: Use the following phrases with an **adjective** to compare *qualities.* Use them with a **noun** to compare *quantities.*

más... que *more . . . than*	Lorena es **más generosa** que yo. *Lorena is **more generous than** I.*
menos... que *less . . . than*	Tengo **menos dinero** que Tania. *I have **less money than** Tania.*
tan... como *as . . . as*	Víctor es **tan tímido como** Sonia. *Víctor is **as shy as** Sonia.*

When using **tan** to compare quantities, it changes to agree with the noun.

tanto(s)... como *as . . . as*	Tienes **tantas opiniones como** yo. *You have **as many opinions as** I.*

When a comparison does not involve qualities or quantities, use these phrases.

más que... *more than . . .*	Me gusta leer **más que** escribir. *I like to read **more than** write.*
menos que... *less than . . .*	Francisca juega al fútbol **menos que** al tenis. *Francisca plays soccer **less than** tennis.*
tanto como... *as much as . . .*	Viajo **tanto como** tú. *I travel **as much as** you.*

The following comparative words are irregular.

mayor	**menor**	**mejor**	**peor**
older	*younger*	*better*	*worse*

Mis hermanos son **menores que** yo.   *My brothers are **younger than** I.*

Más práctica
Cuaderno *pp. 321–323*
Cuaderno para hispanohablantes *pp. 322–324*

@HOMETUTOR my.hrw.com
Leveled Practice

Lección 2
trescientos noventa y cinco **395**

Differentiating Instruction

Slower-paced Learners

Personalize It Suggest that students write comparisons between themselves and their family members. Then have students share their comparisons orally with a partner. Ask them to write down any comparisons they have in common.

Inclusion

Clear Structure Encourage students to organize the comparative forms into their own chart. Point out the categories of comparisons—qualities, quantities, activities— or encourage them to find a structure that is more helpful to them. Invite them to use color to distinguish the different comparative formulas.

Core Resource
· *Cuaderno,* pp. 321–323

Presentation Strategies
· Point out that one can compare qualities, quantities, or actions.

STANDARD
4.1 Compare languages

📽 **Warm Up** Projectable Transparencies, 7-21

¿Cómo es? Decide si los adjetivos de abajo describen mejor a Lorena o a su madre.
1. tímida
2. curiosa
3. impaciente
4. sincera
5. ocupada

Answers: 1. mamá; 2. Lorena; 3. Lorena; 4. Lorena; 5. mamá

Comparisons
English Grammar Connection

Point out that the word order of comparisons in Spanish is the same as in English.

Communication
⚠ Common Error Alert

Remind students that the comparisons can never be «más . . . como» or «tan . . . que». Point out the different uses of **que** and **como**. Encourage them to write down and say many examples to reinforce the patterns.

Objectives

· Practice using comparative forms.
· Recycle: family; classroom objects
· Practice the dipthongs **ie** and **ue**.

Core Resources

· *Cuaderno*, pp. 321–323
· Audio Program: TXT CD 8 Track 15

Practice Sequence

· **Activity 5:** Controlled practice: comparisons
· **Activity 6:** Transitional practice: comparisons; Recycle: family
· **Pronunciation:** Oral comprehension and production of the diphthongs **ie** and **ue**
· **Activity 7:** Open-ended practice: comparisons
· **Activity 8:** Open-ended practice: comparisons with numbers; Recycle: classroom objects

STANDARDS

1.1 Engage in conversation, Act. 7
1.2 Understand language, Act. 7
1.3 Present information, Acts. 5–7
4.1 Compare languages, Act. 6
21st CENTURY Communication, Ongoing Assessment: Alternative Strategy

---

Communication
Common Error Alert

Remind students that **más** and **menos** are only used with **que** in comparisons, and that **tan** and **tanto** are only used with **como**.

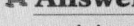
Answers Projectable Transparencies, 7-28

Activity 5

1. tantos
2. menor
3. menos
4. tanto
5. como
6. mejor
7. tan
8. que
9. mayor

Activity 6 Answers will vary. Sample answer: Mi cuñada es tan cómica como mi hermano.

396

❋ Práctica de GRAMÁTICA

5 | **Somos diferentes**

Hablar Escribir

José habla de los miembros *(members)* de su familia. ¿Qué dice?

modelo: Mi suegro es (más / mayor) paciente que mi suegra.
Mi suegro es más paciente que mi suegra.

1. Mi padre tiene (tan / tantos) años como mi madre.
2. Cecilia es (tanto / menor) que yo.
3. Tengo (menor / menos) primos que tú.
4. Hablo (tan / tanto) como mis primos.
5. Lorena es tan paciente (que / como) su madre.
6. Mi pájaro canta (mejor / tanto) que el pájaro de mi hermana.
7. Mis parientes son (más / tan) generosos como los parientes de mi esposa.
8. Cecilia es menos tímida (que / como) yo.
9. Mi padrino es (más / mayor) que mi madrina.

> **Expansión:**
> **Teacher Edition Only**
> Write five comparisons of family members in your own family.

6 | **Mi familia** ♻ **¿Recuerdas?** Family p. R15

Hablar Escribir

Habla de las características de los miembros de tu familia. ¿Cómo se comparan?

modelos: Mis abuelos son **tan** pacientes **como** mis padres.
Mi prima es **más** cómica **que** yo.

generoso
impaciente
orgulloso
paciente
artístico
popular
sincero
tímido
cómico

más
menos
tan

que
como

> **Expansión**
> Write two sentences comparing yourself to a friend.

AUDIO

❋ Pronunciación ❋ Los diptongos ie y ue

The combination of the weak vowel **i** or **u** with the strong vowel **e** forms one sound in a single syllable. This sound is called a diphthong. Listen and repeat.

pariente   paciente   bien   suegro   bueno   puedo

Differentiating Instruction

Heritage Language Learners

Increase Accuracy After practicing the words in the pronunciation activity, have students find additional words with the diphthongs **ie** and **ue** in the Telehistoria dialog. After additional practice, hold a spelling bee with these words.

Slower-paced Learners

Yes/No Questions Ask students simple **sí/no** questions about their friends and family members, such as **¿Es tu hermano tan cómico como tú? ¿Es tu amiga tan alta como tú?** You may want to elicit more language from students by varying questions and asking them **¿Quién es más paciente que tú?**

7 | Julio y Julia

Hablar
Escribir

Usen la información dada para comparar a Julio y a Julia.

CIBER@MIGOS

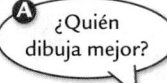

Nombre: Julio
Edad: 15 años
Hermanos: 3
Animales: 2 peces, 2 pájaros,
1 perro
¿Cómo eres? Soy alto. Soy muy
sociable, pero un poco impaciente.
No me gusta esperar—¡prefiero hacer!
¿Qué te gusta hacer? Me encanta correr,
y soy campeón de deportes. Me interesan
el arte y la música, pero no sé ni dibujar ni
cantar bien. ¡Quiero aprender! Toco un
poco la guitarra.
E-mail: perritoj@tierra2.do

Nombre: Julia
Edad: 16 años
Hermanos: 2
Animales: 1 pez, 2 pájaros,
2 gatos
¿Cómo eres? Soy baja y tengo el pelo largo.
Soy tímida, pero cómica. Soy muy paciente
y tranquila.
¿Qué te gusta hacer? Soy artística; toco el
piano, canto y dibujo muy bien. Mi padre es
entrenador de fútbol, pero yo no soy deportista.
¡Prefiero quedarme en casa y leer!
E-mail: gatita@tierra2.do

modelo: dibujar

A ¿Quién dibuja mejor?

B Julia dibuja mejor que Julio.

Expansión
Make three statements comparing yourself to either Julio or Julia.

1. pájaros
2. atlético
3. peces
4. sociable
5. alto
6. cantar
7. mayor
8. menor

Nota gramatical

To compare numbers with **más** and **menos**, you use **de** instead of **que.**

Susana tiene **más de** diez peces.
*Susana has **more than** ten fish.*

El pájaro cuesta **menos de** 500 pesos.
*The bird costs **less than** 500 pesos.*

8 | En mi mochila ♻ **¿Recuerdas?** Classroom objects p. R14

Hablar

¿Qué tienes en tu mochila? En grupos, compara lo que tienes con lo que tienen tus compañeros.

A ¿Quién tiene más de tres lápices?

B Yo tengo más de tres. Yo tengo siete.

C Tengo menos de tres. Tengo uno.

Expansión:
Teacher Edition Only
Instruct groups to combine all of their similar items and compare the quantities with other groups, using **más de** and **menos de.**

Más práctica | Cuaderno *pp. 321–323* Cuaderno para hispanohablantes *pp. 322–324*

Get Help Online
my.hrw.com

PARA Y PIENSA

¿Comprendiste?
1. Compara a dos estudiantes en tu clase usando **tan... como.**
2. Describe el número de estudiantes en tu clase usando **menos de.**

Differentiating Instruction

Inclusion

Frequent Review/Repetition After completing Activity 7, ask small groups to look around the room and form seven comparison statements about items or people in the room. Encourage them to use adjectives they already know as well as new vocabulary from the lesson.

Pre-AP

Vary Vocabulary Encourage students to make five additional comparisons between themselves and their classmates, using vocabulary terms not presented in this lesson. Remind them that they can compare quantities, characteristics, or actions.

Communication
⚠ Common Error Alert

Remind students that numbers are compared using **de** instead of **que.** Practice this rule several times by comparing the number of students in one class and another, comparing amounts of money or number of coins, books, pencils, etc. that students have.

✓ Ongoing Assessment

Alternative Strategy Instruct the students to write an e-mail to Julio or Julia from Activity 7. Use the information about Julio or Julia to form a comparative statement.

Get Help Online
More Practice
my.hrw.com

✓ Ongoing Assessment

PARA Y PIENSA **Peer Assessment** After students have completed the Para y piensa, have them work in pairs to check their work and correct any errors. For additional practice, use Reteaching & Practice Copymasters URB 7, pp. 15, 16, 22, 23.

 **Answers** Projectable Transparencies, 7-28 and 7-29

Activity 7 Answers will vary, depending on the way the question is phrased.

Activity 8 Answers will vary. Sample answers:
1. A. ¿Quién tiene más de tres cuadernos?
   B. Yo tengo más de tres. Tengo cuatro.
   C. Tengo menos de tres. Tengo dos cuadernos.
2. A. ¿Quién tiene más de dos libros? B. Yo tengo más de dos libros. Yo tengo cinco libros. C. Tengo menos de dos libros. Tengo un libro.
3. A. ¿Quién tiene más de tres bolígrafos? B. Yo tengo más de tres bolígrafos. Tengo seis. C. Tengo menos de tres bolígrafos. Tengo uno.

Para y piensa
Answers will vary. Sample answers:
1. Rebeca es tan estudiosa como Carlos.
2. Hay menos de veinte estudiantes en la clase.

397

GRAMÁTICA

 **Objectives**

- Practice using comparisons in context.
- Practice using relationship vocabulary.
- **Culture:** The University of Santo Domingo, the oldest in the Americas.

Core Resources

- Video Program: DVD 3
- Audio Program: TXT CD 8 Tracks 16, 17

Presentation Strategies

- Have students preview the video activities before viewing.
- Show the video. Remind students to be attentive to the use of gestures and intonation.

Practice Sequence

- **Activity 9:** Telehistoria comprehension
- **Activity 10:** Controlled practice: Listening comprehension and writing

 STANDARDS

1.1 Engage in conversation
1.2 Understand language, Act. 10, CC
1.3 Present information, Act. 10, PYP
2.2 Products and perspectives, CC
4.2 Compare cultures

CENTURY Communication, Heritage Language Learners; **Social and Cross-Cultural Skills,** Compara con tu mundo

Warm Up Projectable Transparencies, 7-21

Comparemos Llena los espacios en blanco con la palabra adecuada.

1. Lorena es _____ joven que sus papás.
2. La mamá de Lorena no tiene _____ entusiasmo para el documental _____ Lorena.
3. Las otras películas no son _____ interesantes como el documental de Lorena.
4. Más _____ diez estudiantes participan en la competición de películas.
5. El documental de Lorena cuesta _____ que una película comercial.

Answers: 1. más; 2. tanto, como; 3. tan; 4. de; 5. menos

Video Summary

@HOMETUTOR VideoPlus my.hrw.com

Lorena interviews her godfather about her mother. He tells her that as a girl she was as impatient as Lorena but happy and very popular. Then he reveals a secret.

 # GRAMÁTICA en contexto

¡AVANZA! **Goal:** Notice the comparisons Tío Tomás uses to describe Lorena's mother and father. Then use comparatives to understand and discuss a radio advertisement. *Actividades 16–20*

Telehistoria escena 2

@HOMETUTOR View, Read
my.hrw.com and Record

STRATEGIES

 **Cuando lees**
Read for personal information Read Tomás's descriptions of Lorena's mother and father. To what degree are Lorena's parents' personalities similar? What's your evidence? What secret does Tomás reveal?

 **Cuando escuchas**
Use a T-line for comparisons Make a T-line. On top, write **Los padres de Lorena.** As you listen, write descriptions of **su madre** on the left. On the right, write descriptions of **su padre.**

VIDEO DVD

AUDIO

Tomás

Lorena has set up her camera outside and is interviewing her godfather Tomás.

Tomás: Soy más viejo que el sol. Tus padres son mucho más jóvenes que yo. Tú sabes que tu madre es mi sobrina.

Lorena: Sí, ya sé, padrino. ¿Cómo era mi madre cuando era niña?

Tomás: ¿Tu madre? Tan impaciente como tú. Pero era muy contenta, muy popular. Le gustaba salir con muchachos más que estudiar.

Lorena: *(laughing)* ¿Mi mamá? ¡Esto es mejor que una película!

Tomás: Tu padre era tímido, pero muy sincero, más sincero que los otros muchachos en la escuela. El novio de tu madre, ése era menos serio que tu padre ...

Lorena: ¿El novio de mami? ¿Quién era?

Tomás: *(trying to remember)* Alfonso, hombre, Alfonso... ¿Cuál era su apellido?

Lorena's mom bursts in.

Madre: ¡Tomás! ¿Qué le estás diciendo a Lorena? Me voy a enojar. Eres peor que un niño. *(into the camera)* Y tú, ¡nada de películas sobre la familia!   **Continuará...** p. 403

Differentiating Instruction

Slower-paced Learners

Read Before Listening Allow students to preview the text of the Telehistoria before listening to it. Ask them to identify all the comparative forms they see in the dialog and then to raise their hand each time they hear a comparative form.

Heritage Language Learners

Writing Skills Encourage students to write their own script about a conversation they might have with a family member. When students have completed writing, instruct them to exchange papers with a partner to peer edit. After correcting the scripts, have the partners practice each other's script and then present them both in class.

9 Comprensión del episodio ¿Cómo eran?

Escuchar Leer

Corrige los errores en estas oraciones.

> **modelo:** Los padres de Lorena son menos jóvenes que Tomás.
> Los padres de Lorena son más jóvenes que Tomás.

1. Cuando era niña, la madre de Lorena era tan impaciente como José.
2. A la madre de Lorena le gustaba salir con sus amigas más que estudiar.
3. El padre de Lorena era más popular que los otros muchachos.
4. Alfonso era más serio que el padre de Lorena.
5. La madre de Lorena se va a dormir.
6. La madre de Lorena dice que Tomás es peor que un entrenador.

Expansión:
Teacher Edition Only
Write three of the comparisons in another way.

10 Un anuncio

Escuchar Escribir

🎧 **Audio Program**
TXT CD 8 Track 17
Audio Script, TE
p. 387B

Escribe los números del 1 al 6. Escucha el anuncio para Telefontástico. Luego, lee la información que sigue. Escribe **sí** si es correcta y **no** si no es correcta.

En comparación con los otros teléfonos, el Telefontástico...

1. tiene menos problemas con el sonido.
2. toma mejores fotos.
3. tiene conexiones más lentas.
4. es más bonito.
5. es tan pequeño.
6. es más barato.

Expansión
Would you like to purchase this phone? Tell why or why not.

Comparación cultural

Una universidad antigua

¿Cómo cambian las universidades con el tiempo? La Universidad Autónoma de Santo Domingo (UASD) es la universidad más antigua de las Américas y la universidad más grande de la **República Dominicana.** Fue fundada *(founded)* en 1538 con cuatro escuelas: teología *(theology)*, derecho *(law)*, artes y medicina. Hoy los estudiantes pueden estudiar éstas y otras asignaturas *(subjects)* como ciencias, arquitectura y economía. También pueden participar en deportes y actividades extracurriculares.

Compara con tu mundo *¿Qué universidades hay en tu región? Compáralas con la UASD.*

La Biblioteca Central de la UASD

🌐 **Get Help Online**
my.hrw.com

PARA Y PIENSA

¿Comprendiste? Completa las oraciones con una comparación.
1. Tu pájaro es muy inteligente, pero tu pez no es muy inteligente. El pez es _____ .
2. Ella lee mucho. Su hermano también lee mucho. Ella lee _____ .

Differentiating Instruction

Inclusion

Frequent Review/Repetition Direct students to write out all the comparisons in the dialog. For each comparison, have them work in pairs to come up with different ways to say the same thing. For example, **Tus padres son mucho más jóvenes que yo** can be expressed as **Yo soy mucho mayor que tus padres** or **Tus padres no son tan mayores como yo.**

Slower-paced Learners

Personalize It Invite students to make comparisons between several of their own relatives. Tell them to use the dialog as a model if they wish or to compare different people in different ways. Then have students share their comparisons with a partner.

Communication
Presentational Mode

Telehistoria Ask students to practice the dialog several times in groups of three, and then invite volunteers to present it in class. Encourage them to use appropriate gestures and to be attentive to their intonation.

Comparación cultural

Essential Question
Suggested Answer Las universidades se adaptan a lo que la gente necesita hoy. También ofrecen cursos para el futuro.

Background Information
Originally named the University of Saint Thomas Aquinas, the Autonomous University of Santo Domingo was founded under the reign of Carlos I of Spain. The school crest includes images of Saint Thomas, a double-headed eagle, and a greyhound with a flame in its mouth. A crossed laurel and a star, both symbols of success, are situated above the greyhound.

🌐 **Get Help Online**
More Practice
my.hrw.com

✓ Ongoing Assessment

PARA Y PIENSA **Peer Assessment** Have students check each other's sentences. For additional practice, use Reteaching & Practice Copymasters URB 7, pp. 15, 17.

📖 **Answers** Projectable Transparencies, 7-29

Activity 9
1. La madre de Lorena era tan impaciente como Lorena.
2. A la madre de Lorena le gustaba más salir con muchachos que estudiar.
3. El padre de Lorena era más tímido pero más sincero que los otros muchachos.
4. Alfonso no era tan serio como el padre de Lorena.
5. La madre de Lorena se va a enojar.
6. La madre de Lorena dice que Tomás es peor que un niño.

Activity 10
1. sí
2. sí
3. no
4. sí
5. no
6. no

Para y piensa
1. menos inteligente que el pájaro
2. tanto como su hermano

- Present the superlative forms.

Core Resource

- *Cuaderno,* pp. 324–326

Presentation Strategy

- Point out the use of the definite article with **más** and **menos**.

STANDARD

4.1 Compare languages

**Warm Up** Projectable Transparencies, 7-22

Comparación Compara tu escuela con la Universidad de Santo Domingo.

1. La Universidad de Santo Domingo es más _____ (tiene más años) que mi escuela.
2. La Universidad de Santo Domingo es _____ grande que mi escuela.
3. Mi escuela no es _____ famosa como la Universidad de Santo Domingo.
4. No hay _____ estudiantes en mi escuela como en la Universidad de Santo Domingo.

Answers: 1. vieja; 2. más; 3. tan; 4. tantos

Comparisons
English Grammar Connection

The superlative form in both English and Spanish requires the use of the definite article. Remind students to use the article in Spanish that agrees in number and gender with the noun being compared.

Comparisons
English Grammar Connection

The article **lo** with an adjective or superlative phase is the equivalent of saying *the* _____ *thing* in English: **Lo bueno** = *The good thing;* **Lo mejor** = *The best thing.*

✦ Presentación de GRAMÁTICA

¡AVANZA! **Goal:** Learn how to use superlatives to describe people, places, and things. Then compare family members, classmates, and places in your community using superlative phrases. *Actividades 16–20*

English Grammar Connection: Superlatives are expressions you use to compare three or more items. In English, you form superlatives by adding *-est* to the end of an adjective or by saying *the most* or *the least* before the adjective.

Superlatives

ANIMATEDGRAMMAR
my.hrw.com

In Spanish, you form **superlatives** by using **más** and **menos**.

Here's how: When you want to say that something has the *most* or the *least* of a certain quality, use a definite article with **más** or **menos**. You use **de** after the adjective to say from what group you are comparing.

el (la) más...	el (la) menos...
los (las) más...	los (las) menos...

Estos pájaros son **los más bellos de** la tienda.
*These birds are **the prettiest in** the store.*

When the **noun** is part of the superlative phrase, place it *between* the article and the superlative word.

Eres **la persona menos tímida** que conozco.   *You are **the least shy person** I know.*

When you refer to an idea or concept, use the neuter article **lo.**

Lo más importante es estudiar.   *The most important thing is to study.*

Use the **irregular** forms you learned with comparatives when referring to the best, worst, oldest, and youngest. You use them *without* **más** and **menos.**

Adjective		Superlative	
bueno	*good*	el (la) **mejor**	*the best*
malo	*bad*	el (la) **peor**	*the worst*
viejo	*old (for person)*	el (la) **mayor**	*the oldest*
joven	*young (for person)*	el (la) **menor**	*the youngest*

Mis botas son **buenas,** pero tus botas son **las mejores.**
*My boots are good, but your boots are **the best.***

Más práctica
Cuaderno *pp. 324–326*
Cuaderno para hispanohablantes *pp. 325–328*

@HOMETUTOR my.hrw.com
Leveled Practice

Differentiating Instruction

Heritage Language Learners

Support What They Know Invite students to list the outstanding characteristics of their school, community, and family using the superlative forms. If there are disagreements, encourage students to discuss their impressions.

English Learners

Provide Comprehensible Input Distribute magazines around the classroom and give the students a few minutes to pick out images or photos they like. Instruct them to come up with three superlatives to describe the photo. Then have each student show his or her photo to the class and read one superlative statement from the list.

❖ Práctica de GRAMÁTICA

11 | En mi comunidad

Hablar Escribir

Describe los lugares en tu comunidad. Usa superlativos.

modelo: restaurante / popular
El restaurante Casa Mamita es el más (menos) popular de la comunidad.

1. el banco / grande
2. la tienda / pequeña
3. el cine / divertido
4. los monumentos / importantes
5. el consultorio / limpio
6. el parque / bonito
7. las casas / viejas
8. los señores del correo / simpáticos

> **Expansión:**
> Teacher Edition Only
> Invite students to share their answers and to debate any differences of opinion. Students whose opinion is challenged should clearly explain the reasons for their statement.

12 | Mi familia

Hablar Escribir

Describe a la familia Romano. Usa superlativos.

modelo: bajo(a)
Toño es el más bajo de la familia.

Joaquín   Toño   Isabel   Pámela   Jorge   Ángela

1. tímido(a)
2. joven
3. impaciente
4. alto(a)
5. viejo(a)
6. orgulloso(a)

> **Expansión**
> Use these same characteristics to describe your family members with superlative statements.

13 | ¡Somos los mejores!

Hablar Escribir

Ustedes van a recibir premios cómicos al final del año. Escriban unas descripciones positivas usando el superlativo.

Miguel
El estudiante con la mochila más grande

Lina
La estudiante más estudiosa de la clase

Lección 2
cuatrocientos uno **401**

Differentiating Instruction

Multiple Intelligences

Intrapersonal Invite students to write a short analysis of themselves as language learners, outlining their best and worst qualities. In their conclusion, they should state what they wish to improve and why.

Slower-paced Learners

Personalize It Have a group of five volunteers stand in front of the class. Invite the class to make superlative statements about the five, highlighting some outstanding characteristic of each student. Continue until all students have been in front of the class.

Objective
· Practice using superlatives.

Practice Sequence
· **Activities 11, 12:** Transitional practice: superlatives
· **Activity 13:** Open-ended practice: superlatives

❂ STANDARDS
1.1 Engage in conversation, Acts. 12–13
1.3 Present information, Acts. 11–13
🄱🄱 Initiative and Self-Direction, Multiple Intelligences

Communication
Grammar Activity

Hold a "Superlatives Olympics." On several strips of paper, write different adjectives as "events." Then invite one student to draw an event and three more to draw a medal from a box: one gold, one silver, one bronze. Based on the medals and the "event", students say who is the "most" or "least".

🖵 Answers Projectable Transparencies, 7-29

Activity 11 Answers will vary. Sample answers:
1. El banco American es el más grande.
2. La tienda Expressions es la más pequeña.
3. El cine Tinseltown es el más divertido.
4. Los monumentos en el parque son los más importantes.
5. El consultorio médico es el más limpio.
6. El Jardín Botánico es el parque más bonito.
7. Las casas cerca del centro son las más viejas.
8. Los señores del correo son los menos simpáticos.

Activity 12 Answers may vary. Sample answers:
1. Isabel es la más tímida.
2. Toño es el más joven.
3. Ángela es la más impaciente.
4. Joaquín es el más alto.
5. Jorge es el más viejo.
6. Pámela es la más orgullosa.

Activity 13 Answers will vary.

401

Objectives

· Practice using superlatives.
· **Culture:** Belkis Ramírez's illustrations.

Core Resource

· *Cuaderno*, pp. 324–326

Practice Sequence

· **Activity 14:** Open-ended practice: superlative
· **Activity 15:** Open-ended practice: writing with superlatives

STANDARDS

1.2 Understand language, Act. 15
1.3 Present information, Act. 14
2.2 Products and perspectives, Act. 15
21st CENTURY **Communication,** Compara con tu mundo; **Creativity and Innovation,** Act. 14

Comparación cultural

Essential Question

Suggested Answer Las ilustraciones muestran los personajes, la acción y el lugar de un cuento. Por eso, las ilustraciones te pueden ayudar a comprender mejor el cuento.

About the Artist

Belkis Ramírez studied Graphic Design and received her degree from the University of Santo Domingo in 1978. She completed a degree in architecture in 1986. She is one of the few women artists in the Dominican Republic to gain international recognition.

About the Writer

Julia Álvarez was born in the Dominican Republic but emigrated to the U.S. when she was ten. She is the author of numerous novels and children's books, most notably *How the García Girls Lost Their Accents* and *In the Time of the Butterflies.*

✓ Ongoing Assessment

Get Help Online
More Practice
my.hrw.com

PARA Y PIENSA **Remediation** If students have problems completing the sentences in the Para y piensa, refer them to p. 400. For additional practice, use Reteaching & Practice Copymasters URB 7, pp. 18, 19.

See Activity answers on p. 403.

402

---

14 | ¡Es cierto!

Hablar

En grupos, preparen un anuncio de radio para un lugar en su comunidad. Usen superlativos. Después uno de ustedes o todo el grupo debe presentar el anuncio a la clase.

Vengan a la zapatería Vega, la mejor zapatería de nuestra comunidad.

¡Es cierto! Vega es la zapatería más popular de todas.

Esta tienda es tan popular porque no es tan cara como las otras tiendas. ¡Les decimos la verdad!

Expansión
Turn your radio ad into a magazine ad with illustrations and text.

15 | Describe a la familia

Escribir

Comparación cultural

Las ilustraciones

¿Cómo ayudan las ilustraciones a contar un cuento (story)*?* Belkis Ramírez es una artista importante de la **República Dominicana.** Ella hace esculturas y grabados sobre madera *(wood engravings).* Algunos de sus grabados, como éste de una familia, son ilustraciones en *El cuento del cafecito* por Julia Álvarez. Álvarez es una escritora que creció *(grew up)* en la República Dominicana. Ella y su esposo tienen un cafetal *(coffee farm)* allí y esto fue una inspiración para su cuento. En esta ilustración de Ramírez, un padre y una madre leen un libro con sus hijos. Por la ventana, se ve un árbol y plantas del cafetal.

Family Reading (2001),
Belkis Ramírez

Compara con tu mundo *¿Conoces algunos libros que tienen ilustraciones interesantes? ¿Cuáles? ¿Por qué te gustan las ilustraciones?*

Describe a tu familia o a otra familia que conoces. Usa superlativos.

Pistas: alto, viejo, cómico, trabajador, desorganizado

modelo: En mi familia, mi padre es el más alto. Mi madre es...

Expansión:
Teacher Edition Only
Provide students with magazines that have pictures of different families. Instruct them to choose a photo and to compare the people pictured using comparatives and superlatives.

Más práctica Cuaderno *pp. 324–326* Cuaderno para hispanohablantes *pp. 325–328*

Get Help Online
my.hrw.com

PARA Y PIENSA **¿Comprendiste?** Completa las oraciones con expresiones superlativas.
1. ____ es ____ más ____ de la familia.
2. ____ es ____ mejor ____ de la comunidad.

Unidad 7 República Dominicana
402 cuatrocientos dos

Differentiating Instruction

Pre-AP

Support Ideas with Details As students work on their announcements for Activity 14, encourage them to support each claim with appropriate details. Then have students share their ads with the class.

Multiple Intelligences

Visual Learners Encourage students to use a visual in the ad their group made in Activity 14, adapting it for use on TV. Model how visuals can help them remember the content of their ad so they can present it more naturally without having to read notes.

Todo junto

¡AVANZA! **Goal: Show what you know** Listen as Lorena uncovers more family secrets. Then use comparatives and superlatives to describe people and their family relationships. **Actividades 16–20**

Telehistoria completa

 **@HOMETUTOR** my.hrw.com · View, Read and Record

STRATEGIES

Cuando lees
Use clues to guess a secret While reading, use background clues to guess the secret Cecilia tells José. Try to figure it out *before* Lorena does. What is the secret?

Cuando escuchas
Check and list family information Listen for the family members' secrets. Afterwards, list the family members and put a check by those who have secrets. List their secrets.

 **Escena 1** *Resumen*
Lorena decide hacer su documental sobre su familia. Quiere entrevistar a su madre para saber los secretos de la familia.

 **Escena 2** *Resumen*
Lorena entrevista a su padrino Tomás. Él le dice que hace muchos años, su madre tenía un novio que se llamaba Alfonso. La madre de Lorena se enoja.

VIDEO
DVD

AUDIO

Escena 3
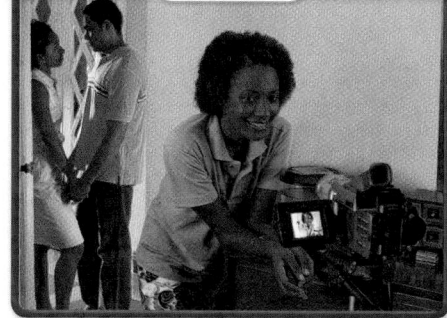

Lorena has her camera set up next to her fish bowl and is filming herself.

Lorena: *(quietly to the camera)* Me llamo Lorena Muñiz. Y esta película es sobre los secretos más grandes de mi familia. Mi madre era la muchacha más popular del barrio y mi padre el muchacho más tímido. ¿Cómo se casaron? ¿Quién era el novio secreto de mi madre? *(turns camera off and speaks to fish)* Ahora tengo que saber más. Mi pez: ¿tiene secretos?

Voices of Cecilia and José are heard in the hall; Lorena peeks out.

José: ¡Ésta es la mejor noticia de mi vida!

Cecilia: *(excited)* Sí, pero no se lo vamos a decir a nadie todavía. ¿Tú estás de acuerdo?

Lorena: *(to herself)* Parece que mi hermana y mi cuñado tienen un secreto. *(She tiptoes to their bedroom door.)*

José: Está bien. Estoy de acuerdo.

Cecilia: Lo más difícil es no poder decirle nada a nuestra familia ahora.

Lorena: *(screams happily)* ¡Voy a tener un sobrino!

Cecilia: ¡Lorena! *(Lorena runs to her room, slams and locks the door.)* Lorena, ¡Abre la puerta! ¿Lo escuchaste todo? Lorena, ¡Me voy a enojar!

Lorena: *(to her camera)* Parece que esta familia tiene secretos interesantes. ¡Hay mucho más por conocer!

Lección 2
cuatrocientos tres **403**

Differentiating Instruction

Slower-paced Learners

Yes/No Questions Ask students yes/no questions about the Telehistoria to reinforce their understanding. **¿Está Lorena filmando? ¿Cecilia y José van a hablar con la familia?**

Inclusion

Cumulative Instruction Instruct students to make a list of all of the comparisons and superlatives in the dialog. Then have them use their list to discuss with a partner the different qualities that the members of Lorena's family have.

¡AVANZA! **Objective**
· Integrate lesson content.

Core Resources
· Video Program: DVD 3
· Audio Program: TXT CD 8 Track 18

Presentation Strategies
· Ask students to summarize the first two episodes of the Telehistoria.
· Show the video or play the audio.
· Students may read to practice the strategy.

STANDARD
1.2 Understand language

Warm Up Projectable Transparencies, 7-22

Más y menos Pon las palabras en el orden correcto para formar frases.
1. ser/Lorena/impaciente/como/su mamá/tan
2. que/hablar/más/Tomás/su sobrina
3. como/tanto/filmar/Lorena/los otros estudiantes
4. todas las películas/mejor/la/la película de Lorena/ser/de

Answers: 1. Lorena es tan impaciente como su mamá. 2. Tomás habla más que su sobrina. 3. Lorena filma tanto como los otros estudiantes. 4. La película de Lorena es la mejor de todas las películas.

 **@HOMETUTOR** VideoPlus my.hrw.com

Video Summary
Lorena is working on her film and overhears a conversation between Cecilia and José.

 ▶❙ ❙❙

Answers Projectable Transparencies, 7-29

Answers continued from p. 402.

Activity 14 Answers will vary.

Activity 15 Answers will vary. Sample answers:
Mi hermano es el más alto de la familia. Mi hermana es la más baja. Mi mamá es la mayor. Yo soy la más trabajadora y mi hermana es la más desorganizada.

Para y piensa Sample answers:
1. Mamá es la más paciente de la familia.
2. «Mi Ranchito» es el mejor restaurante de la comunidad.

403

Objective
· Practice using and integrating lesson vocabulary and grammar.

Core Resources
· *Cuaderno*, pp. 327–328
· Audio Program: TXT CD 8 Tracks 14, 16, 18, 19, 20

Practice Sequence
· **Activities 16, 17:** Telehistoria comprehension
· **Activity 18:** Open-ended practice: speaking
· **Activity 19:** Open-ended practice: reading, listening, speaking
· **Activity 20:** Open-ended practice: writing

STANDARDS
1.1 Engage in conversation, Act. 18
1.2 Understand language, Acts. 16, 17, 19
1.3 Present information, Acts. 18, 19, 20
21st CENTURY Communication, Acts. 18, 20; Creativity and Innovation, Pre-AP

✓ Ongoing Assessment

Rubric Activity 18

Speaking Criteria	Maximum Credit	Partial Credit	Minimum Credit
Content	Family description is thorough.	Family description is adequate.	Family description is incomplete.
Communication	The information is well-organized and clear.	The information is mostly organized and clear.	The information is disorganized and unclear.
Accuracy	Few mistakes in grammar or vocabulary.	Some mistakes in grammar or vocabulary.	Frequent errors in grammar and vocabulary.

📖 Answers Projectable Transparencies, 7-30

Activity 16
1. El padre de Lorena era el más tímido.
2. La madre de Lorena tenía un novio.
3. José habla de la mejor noticia de su vida.
4. Cecilia y José están de acuerdo sobre el secreto.
5. Lorena piensa que va a tener un sobrino.
6. Cecilia se enoja con Lorena.

Answers continue on p. 405.

404

---

16 | *Comprensión de los episodios* Secretos

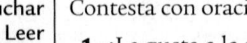

Escuchar Leer

Corrige los errores en estas oraciones.

1. La madre de Lorena era la muchacha más tímida del barrio.
2. El padre de Lorena tenía una novia secreta.
3. José habla de la peor noticia de su vida.
4. José y Cecilia no están de acuerdo sobre el secreto.
5. Lorena piensa que ella va a tener un hermano.
6. Cecilia se enoja con José.

Expansión:
Teacher Edition Only
Have students write three more false statements about the Telehistoria and then exchange them with a partner to correct them.

17 | *Comprensión de los episodios* ¡Nada de películas!

Escuchar Leer

Contesta con oraciones completas.

1. ¿Le gusta a la madre de Lorena la idea de tener un documental sobre su familia? Explica.
2. ¿Con quién habla Lorena en la segunda escena para saber más de la historia de su familia?
3. ¿Cómo describe Tomás a los padres de Lorena?
4. ¿Cuáles son algunos de los secretos de la familia de Lorena?

Expansión:
Teacher Edition Only
Invite students to give their opinions of Lorena's behavior throughout the Telehistoria. Ask them if they think her movie will be interesting and why.

18 | ¡Muy interesante!

Digital performance space

Hablar

STRATEGY Hablar
Make a family tree Decide on a famous family and draw a family tree. Add characteristics for each person. Beneath the tree, describe who gets along and who doesn't. Practice your description of the family several times with the tree, then without it.

Describan a una familia famosa, de la televisión o de las tiras cómicas. Hablen de las relaciones entre ellos y describan las características de las personas.

A En la familia Smith hay muchos problemas. Los parientes no se entienden bien.

B Es cierto. La señora Smith siempre discute con su esposo y con su suegra.

C El señor Smith es más paciente que su esposa, pero es muy tímido. Casi nunca dice nada cuando los niños pelean.

Expansión
Compare the family you discussed to your "ideal family."

Differentiating Instruction

Pre-AP

Expand and Elaborate Divide the class into groups of two or three to create a continuation of the Telehistoria. Encourage students to include at least three examples of comparisons and superlatives in their dialog. Have the students practice the continuation they wrote and present their scene to the class.

Multiple Intelligences

Kinesthetic For Activity 18, instruct students to write the name of each person in the family on separate index cards. Every time they compare two family members, have the students hold the names, one in each hand. If someone is described as **menos que...**, that name is lowered and the other name raised; if it is **más que...**, the opposite should happen. For equal comparisons, hold the cards at equal heights.

19 Integración

Leer Escuchar Hablar

Lucas y su novia hicieron una prueba *(test)* de personalidad en una revista *(magazine)*. Lee y escucha sus resultados y compara sus personalidades. ¿Piensas que se entienden bien?

Fuente 1 La prueba de Lucas

20. Los sábados por la tarde prefiero...
a. ir a una fiesta con amigos
b. jugar deportes
c. quedarme en casa para leer o ver películas
d. llevar a mis sobrinos a un museo

Ve el diagrama en la próxima página para calcular los puntos.

«El Oso» 40–50 PUNTOS:
Eres popular y muy querido porque eres sincero, generoso y les haces reír a los amigos y parientes tuyos. Sin embargo, eres el animal más impaciente y te enojas rápidamente. A veces discutes demasiado. Por eso, algunas personas más tímidas tienen miedo de ti. Si te importa llevarte mejor con todos, sé más paciente. Antes de reaccionar a algo que te enoja, espera y piensa: «Es mejor hacer reír que hacer llorar».

«El Gallo» 30–40 PUNTOS:

Fuente 2 Mensaje de su novia

Listen and take notes
• ¿Qué animal es la novia?
• ¿Cuáles son algunas características de su animal? ¿Le gustan las fiestas?
• ¿Para ella, cuál es la cosa más importante en una amistad?

modelo: Lucas y la novia suya son muy diferentes...

Expansión: Teacher Edition Only
Have students in pairs ask each other follow-up questions to the questions in the activity.

20 Entre familia

Digital performance space

Escribir

Escribe una carta a la consejera del periódico, «Sara Sábelotodo», describiendo un problema real o imaginario entre parientes.

modelo: Querida Sara,
Mi hermano Sami es menor que yo. Por eso, tengo que quedarme en casa con él cuando mi madre tiene una cita...

Writing Criteria	Excellent	Good	Needs Work
Content	Your letter is detailed with many vocabulary words, comparisons, and superlatives.	Your letter includes some details and vocabulary words and structures from the lesson.	Your letter has very few details and a limited range of lesson vocabulary and structures.
Communication	Most of your letter is organized and easy to follow.	Parts of your letter are organized and easy to follow.	Your letter is disorganized and hard to follow.
Accuracy	Your letter has few mistakes in grammar and vocabulary.	Your letter has some mistakes in grammar and vocabulary.	Your letter has many mistakes in grammar and vocabulary.

Expansión
Exchange letters with a classmate and answer his or her letter from the perspective of Sara Sábelotodo.

Más práctica Cuaderno *pp. 327–328* Cuaderno para hispanohablantes *pp. 329–330*

🌐 **Get Help Online**
my.hrw.com

PARA Y PIENSA

¿Comprendiste? Describe con un adjetivo superlativo:
1. a una persona de tu familia   2. una mascota *(pet)* tuya o de un amigo

---

Differentiating Instruction

Inclusion

Cumulative Instruction Have students write out their response to Activity 19 after saying it. Encourage them to incorporate as many examples of the lesson vocabulary and grammar as is reasonable. Then have them underline the examples of comparisons and superlatives that they use, and circle the examples of the lesson vocabulary.

Slower-paced Learners

Peer Study Support Review the writing rubric that accompanies Activity 20, and arrange students in pairs to outline the content of their letter. Encourage them to help each other identify opportunities to use the lesson grammar and vocabulary. After writing, have partners exchange papers to edit each other's work before revising.

Long-term Retention

Pre-AP **Integration**

Activity 19 Instruct students to write at least three comparison or superlative statements about the characteristics of Lucas and his girlfriend, and the animals that correspond to them.

✓ Ongoing Assessment

Rubric Activity 19

Listening/Speaking

Proficient	Not There Yet
Student takes notes and makes effective comparisons.	Student takes few notes and has difficulty making comparisons.

To customize your own rubrics, use the ***Generate Success*** *Rubric Generator and Graphic Organizers.*

🌐 **Get Help Online**
More Practice
my.hrw.com

✓ Ongoing Assessment

PARA Y PIENSA **Peer Assessment** Instruct students to work in pairs to create questions and answers using the phrases in the Para y Piensa. For additional practice, use Reteaching & Practice Copymasters URB 7, pp. 18, 20.

🖥 **Answers** Projectable Transparencies, 7-30

Answers continued from p. 404.

Activity 17 Sample answers:
1. No le gusta nada a la madre de Lorena la idea de tener un documental sobre la familia. No quiere contar los secretos de la familia.
2. Lorena habla con su tío Tomás.
3. Tomás dice que la madre de Lorena es tan impaciente como ella y que era muy popular cuando era más joven. Dice que el padre de Lorena era muy tímido pero más sincero que los otros novios de la mamá.
4. Que su mamá tenía un novio; que su papá era tímido.

Activity 18 Answers will vary.

Activity 19 Comprehension questions:
1. Daly es el ratón.
2. El ratón es inteligente y tímido. No le gustan las fiestas.
3. Daly dice que lo más importante de una amistad es ayudar a los amigos.

Activity 20 Answers will vary.

Para y Piensa Answers will vary.

¡AVANZA! Objectives
· Encourage reading comprehension.
· Compare and contrast.
· **Culture:** the different roles of **padrinos.**

Core Resource
· Audio Program: TXT CD 8 Track 21

Presentation Strategies
· Ask students if they or anyone they know have godparents.
· Ask students to talk about important friends or family members who help guide them in their lives.

STANDARDS
1.2 Understand language
2.1 Practices and perspectives
4.2 Compare cultures
Communication, Social Studies

Warm Up   Projectable Transparencies, 7-23

Familia Nombra el miembro de la familia según la descripción.
1. Es la persona con quién me voy a casar.
2. Es el padre de mi esposo.
3. Es el esposo de mi hermana.
4. Es la hija de mi hermano.
5. Es la mamá de mi esposa.

Answers: 1. mi novio(a); 2. mi suegro; 3. mi cuñado; 4. mi sobrina; 5. mi suegra

Comparación cultural

About the Photos
The two photos on these pages are family portraits, depicting those members of the family present at important events. Can you pick out the **padrinos** or godparents in these two photos? Does the photo reflect the role of the **padrinos?** In what way?

406

❖ Lectura cultural

Additional readings at **my.hrw.com**
SPANISH
InterActive Reader

¡AVANZA! **Goal:** Read about the tradition of **padrinos** in Latin America. Then discuss this relationship and compare it to the bonds that exist among American families and friends.

Comparación cultural

AUDIO

Los padrinos

STRATEGY Leer
Chart the tradition Use a chart to understand the tradition of **padrinos** in Latin America. List key information about **padrinos** and their role.

Información clave	Padrinos de boda	Padrinos de bautizo
Quiénes son		
Su papel		
Cómo ayudan a una familia		

Paraguay

Los padrinos de boda tienen un papel importante.

En los países latinoamericanos existen dos tipos de padrinos: los padrinos de boda[1] y los padrinos de bautizo[2].

En Paraguay, como en muchos otros países de Latinoamérica, cuando dos novios se casan, éstos escogen[3] a un hombre y a una mujer como los padrinos para su boda. A diferencia de las bodas estadounidenses en que los novios generalmente escogen a sus mejores amigos o hermanos para ser los testigos[4], o *best man* y *maid of honor,* en los países latinoamericanos, el padrino y la madrina son los testigos principales y casi siempre son una pareja[5] casada. Normalmente uno de ellos es pariente o del novio o de la novia.

La función de los padrinos de boda no termina con la ceremonia de matrimonio. Los padrinos tienen un papel muy importante en la vida familiar. Comparten los momentos más importantes de la vida de los esposos.

---

[1] wedding   [2] baptism   [3] choose   [4] witnesses
[5] couple

406 Unidad 7 República Dominicana
cuatrocientos seis

Differentiating Instruction

Heritage Language Learners
Use What They Know Invite Heritage Learners to share additional information about the **padrino(a)/compadre (comadre)** relationships in their family.

Multiple Intelligences
Intrapersonal Encourage students to consider the advantages and disadvantages of having godparents. Ask them to think about the responsibilities of a godparent and whether they would want to play that role in a family.

República
Dominicana

Unos padrinos orgullosos
con su ahijado

Antes del nacimiento⁶ de un niño, muchos padres dominicanos, como en otras partes de Latinoamérica, escogen a los padrinos de su futuro hijo. Los padrinos pueden ser parientes o amigos de los padres. Muchas veces éstos son los padrinos de la boda, especialmente en el caso del primer hijo del matrimonio. Es en el momento del bautizo del niño cuando los padrinos y los padres se convierten en⁷ compadres.

Los padrinos sirven como segundos padres para el niño, o el ahijado. Si los padres no pueden continuar cuidando⁸ a su hijo, los compadres se hacen cargo de criarlo⁹. Están presentes en muchas fiestas familiares y ocasiones importantes, como los cumpleaños y las graduaciones escolares.

Como vemos, el papel de los padrinos es muy especial, y la relación entre ellos y sus ahijados es una parte integral de la cultura latinoamericana.

⁶ birth   ⁷ become   ⁸ taking care of   ⁹ **se hacen...** they take charge of raising him

PARA
Y
PIENSA

¿Comprendiste?
1. ¿Quiénes son los padrinos en las bodas paraguayas?
2. ¿Por qué son importantes los padrinos después de la boda?
3. Generalmente, ¿quiénes son los padrinos de un bautizo?
4. Si los padres no pueden cuidar a su hijo, ¿qué papel toman los compadres?

¿Y tú?
¿Hay personas en tu vida que son como familia pero que no son tus parientes? ¿Por qué son importantes para ti?

Lección 2
cuatrocientos siete   **407**

Long-term Retention

Critical Thinking

Analyze Ask students to consider the new relationships created by the inclusion of godparents into a family. Based on what they read, instruct students to create a family tree with godparents among the relatives. What new relationships do godparents present?

Connections

Social Studies

Have students in small groups discuss the nature of family in the U.S. Encourage them to consider the changes that the family unit has undergone in the past century. Ask them to highlight some of the issues related to family currently.

✓ Ongoing Assessment

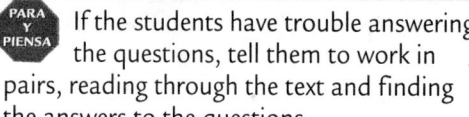
PARA
Y
PIENSA
If the students have trouble answering the questions, tell them to work in pairs, reading through the text and finding the answers to the questions.

Answers

Para y piensa
¿Comprendiste?
1. Los padrinos son casi siempre una pareja casada.
2. Después de la boda los padrinos comparten los momentos más importantes de la vida de los esposos.
3. Los padrinos de un bautizo son parientes o amigos de los padres. Muchas veces son los padrinos de la boda.
4. Los compadres tienen las responsabilidades de los padres si los padres mueren o no pueden ayudar a sus hijos. Comparten muchas de las fiestas familiares.

¿Y tú? Answers will vary.

Differentiating Instruction

Pre-AP

Relate Opinions Allow students to comment on the familial tradition of godparents in the Spanish-speaking world. Ask them to share what they see as the benefits and the drawbacks of having godparents. Instruct them to write a short essay that either defends or critiques this tradition, giving ample reasons to support their opinions.

Slower-paced Learners

Peer-study Support Have students read the Lectura in pairs and to highlight the most important information in it. They should generate a list of notes to help them respond to the questions. If their notes don't include the answers to the questions, they should help each other locate the information in the reading by scanning.

Objective
· **Culture:** animal sounds and tongue twisters.

Presentation Strategies
· Ask students to list animals and the sounds they make in English.
· Ask students to write down their favorite tongue twister in English.

STANDARDS
1.2 Understand language
1.3 Present information
4.1 Compare languages
5.1 Spanish in the community
21st CENTURY **Communication,** Spanish in the Community

Spanish in the Community

Encourage students to interview Spanish speakers in their community to learn additional animal sounds and tongue twisters. If possible, they should record these and bring them to class.

Comparisons

English Language Connection

Write a selection of the onomatopoeia on the board. Ask the students to call out the English equivalent and write each one next to its counterpart. As a class, note the similarities and differences between the two languages. Are there patterns from which you can draw up rules?

Comparisons

English Grammar Connection

Onomatopoeia in Comics and Cartoons
Sound effects are often written out in comics and cartoons, especially the old versions of Superman or other superhero comics. The cartoon for Wile E. Coyote also uses these expressions that convey sounds of explosions and other calamities. There are a few that are used in Spanish.
· ¡Ay!   · ¡pum!
· ¡plaf!   · ¡zas!
· ¡plof!
Ask students to come up with more of them.

408

Proyectos culturales

Comparación cultural

Jugando con palabras

¿Cómo puedes divertirte con el español? El español te presenta muchas posibilidades para jugar con las palabras.

Proyecto 1 *Onomatopeya*

Se llama **onomatopeya** cuando las palabras imitan sonidos. ¿Sabías que los sonidos que hacen los animales se escriben diferente en español y en inglés?

Aquí tienes unos ejemplos:

quiquiriquí

caballo	*jin*
gallina *(hen)*	*cló-cló*
gallo *(rooster)*	*quiquiriquí*
gato	*miau*
oveja *(sheep)*	*beeeee*
pájaro	*pío pío*
perro	*guau*
vaca *(cow)*	*mu*

Estos sonidos también se escriben diferente:

campana *(bell)*	*¡tilín-tilán!*
reloj	*¡tictac!*
tambor *(drum)*	*¡rataplán!*
explosión	*¡cataplúm!*
motor	*¡runrun!*
estornudo *(sneeze)*	*¡achís!*

rataplán

1. Para esta actividad, todos los participantes van a recibir una tarjeta. Algunas tarjetas van a tener ilustraciones de animales y otras van a tener una palabra que representa un sonido.
2. Después de recibir una tarjeta, camina por la clase y busca la pareja *(match)* de tu tarjeta. Si recibes una tarjeta con un sonido, repite el sonido en voz alta *(out loud)* cuando buscas la pareja.

Proyecto 2 *Trabalenguas*

Los trabalenguas son expresiones y frases que son difíciles de pronunciar. Cuando aprendes un trabalenguas, primero trata *(try)* de entender el significado *(meaning)*. Luego, di las palabras lentamente y pronúncialas correctamente. Después, di la frase lo más rápido posible, pero sin errores de pronunciación. ¿Cuántos trabalenguas puedes memorizar?

1. ¿Usted no nada nada? No, no traje traje.
2. Debajo del puente de Guadalajara había un conejo debajo del agua.
3. Juan tuvo un tubo y el tubo que tuvo se le rompió.
4. Pepe puso un peso en el piso del pozo.
5. A mí me mima mi mamá.

En tu comunidad

Existen muchos otros trabalenguas en español. Si conoces a algún hispanohablante en tu comunidad, pregúntale cuáles otros trabalenguas conoce él o ella. Luego, trata de decirlos.

Differentiating Instruction

Multiple Intelligences
Musical/Rhythmic Have students practice making the sounds of the animals in a convincing way. Then ask for volunteers to make the sound of an animal for the class to guess.

Heritage Language Learners
Support What They Know Ask heritage learners if they know the tongue twisters on this page. Then encourage them to think of others. Direct the class to write them in their notebooks. The next class period, form two teams and hold a competition to see who can pronounce the tongue twisters the clearest, the fastest, or the slowest.

Lección 2

En resumen
Vocabulario y gramática

Vocabulario

The Extended Family

el apellido	last name
la cuñada	sister-in-law
el cuñado	brother-in-law
la esposa	wife
el esposo	husband
la madrina	godmother
el (la) niño(a)	child
la novia	girlfriend; fiancée
el novio	boyfriend; fiancé
el padrino	godfather
el (la) pariente	relative
la sobrina	niece
el sobrino	nephew
la suegra	mother-in-law
el suegro	father-in-law

Relationships with Others

discutir	to argue
enojarse	to get angry
entenderse (ie) bien	to understand each other well
entenderse (ie) mal	to misunderstand each other
estar orgulloso(a) (de)	to be proud (of)
llevarse bien	to get along well
llevarse mal	to not get along

Personality Characteristics

generoso(a)	generous
impaciente	impatient
paciente	patient
popular	popular
sincero(a)	sincere
tímido(a)	shy

Other Important People

el (la) compañero(a) de equipo	teammate
el (la) entrenador(a) de deportes	coach

Pets

el pájaro	bird
el pez	fish

Doing Errands

el banco	bank
el consultorio	doctor's / dentist's office
el correo	post office
irse	to go; to leave
quedarse	to stay
tener una cita	to have an appointment

Gramática

Notas gramaticales: Possessive adjectives, long form *p. 394*, Comparatives with **más de / menos de** *p. 397*

♻ REPASO — Comparatives

Use the following phrases with an **adjective** to compare *qualities*. Use them with a **noun** to compare *quantities*.

más... que
more . . . than

menos... que
less . . . than

tan... como
as . . . as

Tengo **menos dinero que** Tania.
*I have **less money than** Tania.*

When a comparison does not involve qualities or quantities, use these phrases.

más que...
more than . . .

menos que...
less than . . .

tanto como...
as much as . . .

Viajo **tanto como** tú.
*I travel **as much as** you.*

Superlatives

When you want to say that something has the *most* or the *least* of a certain quality, use a definite article with **más** or **menos**.

el (la) más... los (las) más...	*the most*
el (la) menos... los (las) menos...	*the least*

When the **noun** is part of the superlative phrase, place it *between* the article and the superlative word.

Practice Spanish with Holt McDougal Apps!

Objective
· Review lesson vocabulary and grammar.

DIGITAL SPANISH

Interactive Flashcards Students can hear every target vocabulary word pronounced in authentic Spanish. Flashcards have Spanish on one side, and a picture or a translation on the other.

Review Games Matching, concentration, hangman, and word search are just a sampling of the fun, interactive games students can play to review for the test.

performance space	• **Audio and Video Resources**
News + Networking	• **Interactive Flashcards**
@HOMETUTOR	• **Review Activities**
CuiTURa Interactiva	• **WebQuest**
	• **Conjuguemos.com**

Long-term Retention
Personalize It

Have students write a sentence for each vocabulary word using their own families and friends, or about famous people, as examples.

Comparisons
English Language Connection

Have students check for cognates or to make connections between the lesson vocabulary and English. To get started, point out the cognate **generoso** – *generous*.

Differentiating Instruction

Slower-paced Learners

Peer Study Support Have students work in pairs to review vocabulary and grammar from the lesson. If they have done the Long-term Retention activity above, they can exchange papers with each other and ask questions based on the information they read. For example, ¿Quién es sincero? Mi hermano es sincero.

Inclusion

Cumulative Instruction Bring in pictures of two or three famous actors or musicians that students are likely to know a lot about. Organize the class into small groups to make comparisons between them using as many of the vocabulary words as possible. The team with the most correct sentences wins a prize.

REPASO DE LA LECCIÓN

Objective
· Review lesson grammar and vocabulary.

Core Resources
· *Cuaderno*, pp. 329–340
· Audio Program: TXT CD 8 Track 22

Presentation Strategies
· As students listen to Activity 1, instruct them to pay attention to when a comparison involves only two people and when it involves more than two.
· Review the agreement rules for the long form of possessive adjectives.
· Review may be done in class or given as homework.

STANDARDS
1.2 Understand language, Acts. 1, 2
1.3 Present information, Act. 2

Warm Up Projectable Transparencies, 7-23

Cultura Decide si las siguientes frases son **ciertas** o **falsas**.

1. Los padrinos no tienen muchas responsabilidades.
2. Los padrinos de boda no tienen una relación importante con los novios.
3. Los padrinos de bautizo pueden ser amigos o parientes de los padres.
4. Los padrinos de bautizo se convierten en compadres.
5. El papel de los padrinos no es una parte integral de la cultura latinoamericana.

Answers: 1. falso; 2. falso; 3. cierto; 4. cierto; 5. falso

✓ Ongoing Assessment

Get Help Online
More Practice
my.hrw.com

Intervention/Remediation If students achieve less than 80% accuracy on each activity, direct them to the review pages listed in the margins and to get help online at my.hrw.com.

See Activity answers on p. 411.

410

Lección 2
Repaso de la lección

@HOMETUTOR
my.hrw.com

¡AvanzaRap!
DVD
Sing and Learn

¡LLEGADA!

Now you can
· identify and explain relationships
· compare personalities, attitudes, and appearance
· describe things and people

Using
· long form of possessive adjectives
· comparatives
· comparatives with **más de / menos de**
· superlatives

Audio Progra
TXT CD 8 Track
Audio Script, TE
p. 387B

To review
· comparatives, p. 395
· superlatives, p. 400

AUDIO

1 Listen and understand

Escucha las descripciones de varias personas en la familia de Margarita. ¿Puedes identificarlas? Escribe la letra que corresponde al nombre.

a.   b.   c.   d.   e.   f.   g.   h.

1. Carlos   3. Juan   5. Laura   7. Pique
2. Jorge   4. Daniel   6. Silvia   8. Fufu

To review
· comparatives, p. 395

2 Compare personalities, attitudes and appearance

Escribe comparaciones de las personas y animales.

modelo: A Teresa no le gusta esperar el tren, pero a Luis no le importa esperar. ¿Quién es menos impaciente?
Luis es menos impaciente que Teresa.

1. Gregorio y Carla se entienden bien. Sus cuñados discuten mucho. ¿Quienes se llevan mejor?
2. El pájaro Juanito come mucho más que el otro, Zuzu. ¿Probablemente, cuál es más pequeño?
3. Ana levanta pesas tanto como su entrenadora. ¿Quién es más fuerte?
4. El padrino de Cecilia es cómico pero su padre le hace reír muchísimo. ¿Quién es menos serio?
5. Zacarías tiene cinco años y Nincis tiene dos. ¿Quién es menor?
6. Yo estudio tanto como tú. ¿Quién es más estudioso?

410 Unidad 7 República Dominicana
cuatrocientos diez

Differentiating Instruction

Multiple Intelligences

Visual Learners Instruct students to create a family tree diagram for the relationships described in Activity 2. As they re-state each relationship, they should draw a line between the two people mentioned.

English Learners

Build Background After completing Activity 4, suggest that students discuss pets. What pets do students have or want to have? What pets have they had in the past? How much do they cost to acquire and maintain? Which pets are considered outdoor pets and which indoor, and why?

3 Identify and explain kinship and relationships

o review
long form of possessive adjectives, p. 394

Varias personas describen a parientes suyos. Expresa lo que dicen en otras palabras. Sigue el modelo.

> **modelo:** La esposa de mi hermano es alta.
> La cuñada mía es alta.

1. El esposo de tu madrina es generoso.
2. Los niños de nuestro hermano son impacientes.
3. La madre de su esposo no es tímida.
4. El esposo de tu hermana es sincero.
5. Las hijas de mi hermana son populares.
6. El padre de su esposa es viejo.
7. La esposa de nuestro padrino es paciente.
8. Los padres de mi esposa son orgullosos.

4 Describe things and people

o review
superlatives, p. 400
comparatives with más de / menos de, p. 397

Usa el anuncio de mascotas *(pets)* para contestar las preguntas.

> **modelo:** ¿Qué gato cuesta más de 400 pesos?
> El gato gris cuesta más de 400 pesos.

1. ¿Cuesta un pez más de 40 pesos?
2. ¿Qué cuesta más, el pájaro o el perro grande?
3. ¿Qué cuesta menos que el gato blanco?
4. ¿Los perros cuestan más de 1.000 pesos?
5. ¿Cuál es el mejor precio por una mascota?
6. ¿Cuál es la mascota más cara?
7. ¿Qué mascota es tan cara como los peces?
8. ¿Cuál es el gato menos caro?

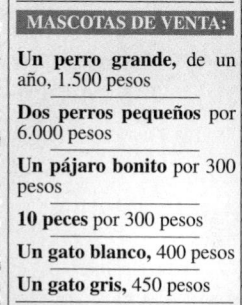

MASCOTAS DE VENTA:

Un perro grande, de un año, 1.500 pesos

Dos perros pequeños por 6.000 pesos

Un pájaro bonito por 300 pesos

10 peces por 300 pesos

Un gato blanco, 400 pesos

Un gato gris, 450 pesos

5 Dominican Republic

o review
La colonia más antigua, p. 363
Comparación cultural, pp. 399, 402
Lectura cultural, pp. 406–407

Comparación cultural

Contesta estas preguntas culturales.

1. ¿Dónde puedes encontrar casas coloniales en la República Dominicana?
2. ¿Cuál es la universidad más antigua de las Américas?
3. ¿Qué libro tiene ilustraciones de Belkis Ramírez? ¿Quién lo escribió?
4. Generalmente, ¿a quiénes escogen los padres dominicanos para ser padrinos de su hijo o hija?

Más práctica Cuaderno *pp. 329–340* Cuaderno para hispanohablantes *pp. 331–340*

Get Help Online my.hrw.com

Differentiating Instruction

Pre-AP

Persuade Ask the students to choose one of the pets featured in Activity 4. Tell the students to write a persuasive letter to their parents. They should identify the pet, say why they want this pet and mention the offer featured in the ad. In the conclusion, instruct the students to state the responsibilities they must take on.

Inclusion

Sequential Organization Have students list kinship relationships in a logical order. They should write them down or create a diagram of a family tree as they say them.

✓ **Ongoing Assessment**

Dictation After students have completed Activity 3, read some of the statements as a dictation. Then have students check their work.

💬 **Answers** Projectable Transparencies, 7-30 and 7-31

Answers for Activities on p. 410.

Activity 1
1. C;
2. D;
3. G;
4. H;
5. F;
6. E;
7. A;
8. B

Activity 2 Answers will vary. Sample answers:
1. Gregorio y Carla se llevan mejor que sus cuñados.
2. Zuzu es más pequeño que Juanito.
3. La entrenadora es tan fuerte como Ana.
4. El padre de Cecilia es menos serio.
5. Nincis es menor que Zacarías.
6. Yo soy tan estudioso como tú.

Activity 3
1. Tu padrino es generoso.
2. Nuestros sobrinos son impacientes.
3. Su suegra no es tímida.
4. Tu cuñado es sincero.
5. Mis sobrinas son populares.
6. Su suegro es viejo.
7. Nuestra madrina es paciente.
8. Mis suegros son orgullosos.

Activity 4
1. No, un pez cuesta menos de 40 pesos.
2. El perro grande cuesta más que el pájaro.
3. Los peces y el pájaro cuestan menos que el gato blanco.
4. Sí, los perros cuestan más de 1.000 pesos.
5. El mejor precio por una mascota es 300 pesos por diez peces.
6. Los dos perros pequeños cuestan más de 2.000 pesos.
7. El peor precio por una mascota es 6.000 pesos por dos perros.
8. Las mascotas más cara son los dos perros pequeños por 6.000 pesos.
9. El pájaro es tan caro como los peces.
10. El gato blanco es menos caro que el gato gris.

Activity 5
1. Las casas coloniales se encuentran en el centro de Santo Domingo.
2. La universidad más antigua de las Américas es La Universidad Autónoma de Santo Domingo (UASD).
3. Las ilustraciones de Belkis Ramírez están en *El cuento del cafecito*. El libro fue escrito por Julia Álvarez.
4. Los padres dominicanos escogen a parientes o amigos suyos para ser los padrinos de su hijo o hija.

COMPARACIÓN CULTURAL

Objectives
- Read three personal accounts about important people in teens' lives.
- Compare one of these important people to someone who is special to you.
- Write a paragraph about a person who is important in your life.

Core Resources
- *Cuaderno*, pp. 341–343
- Video Program: DVD 3
- Audio Program: TXT CD 8 Track 23

Presentation Strategies
- Instruct students to look at the three pictures before reading the accounts and ask them to note any similarities. Then read the title aloud and ask students to guess the topic of each account.
- Play the audio and encourage students to follow it in their text.
- Show the culture video.
- Encourage students to write information about each person the three teens mention. Ask them how these people are similar and how they are different.

STANDARDS
1.2 Understand language
1.3 Present information

 **Creativity and Innovation,** Multiple Intelligences; **Flexibility and Adaptability,** Role-Playing and Skits

---

Communication
Role-Playing and Skits

Ask students to assume the role of one of the three important people mentioned in the accounts: Silvia, Eduardo's godmother, or Luis García. Instruct them to write a paragraph as that person that explains why Anahí, Eduardo, or Pedro is special to him or her.

Connections
Grammar Activity

Instruct students to add two more sentences to each paragraph. One sentence should use a comparative phrase that compares the important person to the teen. The other sentence should use a superlative phrase that compares the important person to a larger group of people.

Comparación cultural

Guatemala Paraguay

República Dominicana

 AUDIO

Una persona importante para mí

Lectura y escritura

WebQuest my.hrw.com

1 **Leer** We all have a special person whom we admire or who is important in our lives. Read the descriptions of people who are special to Anahí, Eduardo, and Pedro.

2 **Escribir** Write a brief paragraph about someone whom you admire or who is important in your life. Use the three descriptions as models.

> **STRATEGY** Escribir
> **Use a star for an important person**
> Draw a star. Use the points of the star to help you write the paragraph about a person who is important to you.

Step 1 At each point, write a fact about the person: name, relationship to you (examples: dad, friend, or favorite teacher), personality, work or hobby, and importance to you.

Step 2 Use the information from the star to write the paragraph. Check your writing by yourself or with help from a friend. Make final additions and corrections.

Compara con tu mundo
Use the paragraph you wrote about a special person and compare it with the description by Anahí, Eduardo, or Pedro. In what ways are the special people alike? In what ways are they different?

Cuaderno *pp. 341–343*   Cuaderno para hispanohablantes *pp. 341–343*

Differentiating Instruction

Multiple Intelligences

Linguistic/Verbal Ask students to write a story involving one of the teens and his or her important person. Have them expand upon the information presented in the paragraph to develop the story, possibly explaining further why the relationship between the two individuals is special.

Slower-paced Learners

Read Before Listening Suggest that students preview the three accounts prior to listening to the audio. Have them determine whether the important person whom each teen is talking about is a friend, a relative, or a mentor. Ask them to think about similar people important to them.

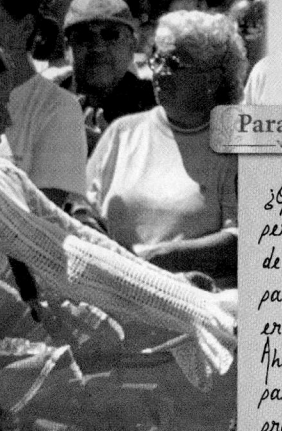

Cultura Interactiva
my.hrw.com
See these pages come alive!

Paraguay
Anahí

¿Qué tal? Soy Anahí y vivo en Asunción. Una persona importante para mí es Silvia, mi compañera de baile. Las dos estudiamos danzas folklóricas paraguayas. Silvia comenzó a tomar clases cuando era muy pequeña y ahora es la mejor de la clase. Ahora estamos aprendiendo los pasos[1] de una polca paraguaya. Es un baile complicado y es necesario que practiquemos todos los días. Por suerte, Silvia me está ayudando. ¡Tiene mucha paciencia!

[1] steps

Guatemala
Eduardo

¡Hola! Me llamo Eduardo y vivo en Guatemala. La persona más querida para mí es mi madrina. Nos entendemos muy bien. A ella no le gusta quedarse mucho en la casa, por eso ella y yo hacemos caminatas largas. Mi madrina no sólo es generosa sino muy inteligente también. Además, a ella le encanta cocinar ¡y a mí me encanta comer!

República Dominicana
Pedro

¡Saludos desde Santo Domingo! Me llamo Pedro. Una persona importante para mí es nuestro entrenador de béisbol. Se llama Luis García y entrena a los muchachos en la escuela. Es una persona muy paciente y sincera, y juega muy bien. Dice que lo más importante en el deporte es divertirse mucho y llevarse bien con los compañeros de equipo.

República Dominicana
cuatrocientos trece **413**

Comparación cultural

Exploring the Theme
The relationships one has with friends, family, and mentors are important in all cultures, but those relationships develop in different circumstances. The relationships presented here evolve against cultural backdrops specific to each country. In Spanish-speaking countries, especially in rural areas, these relationships tend to endure even beyond the circumstances in which they are forged, creating a strong and lasting sense of community.

✓ Ongoing Assessment

Quick Check Ask students quick comprehension questions about each of the three paragraphs. **¿Qué hace Anahí con Silvia? ¿Quién es la persona importante para Eduardo? ¿En qué equipo juega Pedro?**

✓ Ongoing Assessment

Rubric Lectura y escritura

Writing Criteria	Very Good	Proficient	Not There Yet
Content	Paragraph contains a lot of the information.	Paragraph contains some information.	Paragraph lacks information.
Communication	Organized and easy to follow.	Fairly well organized and easy to follow.	Disorganized and hard to follow.
Accuracy	Few mistakes in grammar and vocabulary.	Some mistakes in grammar and vocabulary.	Many mistakes in grammar and vocabulary.

To customize your own rubrics, use the **Generate Success** *Rubric Generator and Graphic Organizers.*

Differentiating Instruction

Inclusion
Synthetic/Analytic Support Direct students to write down any words or phrases in the paragraphs that they do not understand. Then help them decipher the meaning based on the context of the words or phrases that they do understand.

Heritage Language Learners
Writing Skills Encourage students to write a paragraph about someone special to them, using at least five words or phrases from the unit vocabulary and at least one comparative or superlative.

UNIDAD 7

Objective
· Introduce the third challenge of the Gran Desafío contest.

Core Resource
· El Gran Desafío video: DVD 3

Presentation Strategies
· **Previewing** Have students look at the photos and guess what the challenge might be. Ask them to identify all the clues they can see, such as the artist's studio, the man in the wheelchair, the camera, the newspaper article. Then ask a volunteer to read the Desafío summary on p. 414 aloud. Elicit answers to the Antes del video questions on p. 414. Ask students to support their answers with details.

· **Viewing** Review the Toma apuntes questions on p. 415. Encourage students to copy the questions in their notebooks or on a piece of paper, leaving space for the notes they'll write. Play the video, then allow students time to review their notes.

· **Post-viewing** Play the video again. Have volunteers read each of the Después del video questions and elicit answers from the class. Encourage students to say if they agree or disagree with any given answer.

STANDARDS
1.2 Understand language
3.2 Acquire information
5.2 Life-long learners
21st CENTURY Communication, Group Work; **Flexibility and Adaptability,** Heritage Language Learners

Video Summary
@HOMETUTOR
VideoPlus
my.hrw.com

The scene opens with Professor Dávila and the three teams inside a copy shop. In this episode, each team must interview an artist and write an article about his daily life. The professor tells them that they will interview a Mexican painter and potter. The teams visit the artist at his studio, where he works with his wife, also a potter. Only one team succeeds in fulfilling the challenge and has its article published.

414

EL DESAFÍO VIDEO DVD

En el desafío de hoy, cada equipo debe entrevistar a un artista mexicano y luego escribir un artículo sobre su vida en México. No tienen que escribir toda su vida, sólo deben describir su rutina.

Antes del video

1. Describe el lugar donde están Raúl y Mónica. ¿Qué hacen?

2. ¿Qué piensas que están haciendo Ana y Luis?

3. ¿Piensas que le gusta a M estar allí? ¿Por qué?

Unidad 7
414 cuatrocientos catorce

Differentiating Instruction

Slow-paced Learners

Read Before Listening Some students will benefit from being able to read the script before viewing the video. Have them review the Toma apuntes questions on p. 415, then read the script on pp. 74–75 in URB 7. After they have read it, encourage them to ask questions about anything that is unclear to them.

Pre-AP

Sequence Information Before they view the video, tell students that they are going to write a chronicle of the events in the video. After viewing, have them describe the events in chronological order and in as much detail as possible. Then have them work in pairs and critique each other's work.

Después del desafío

Analyze In groups of three, have students analyze how each team behaved during the interview with Don Alberto. What do their actions tell us about them? Then ask students to share their results with the class, and see if there is a general consensus about each team.

Mira el video: Toma apuntes

- ¿Por qué quiere Ana llamar al profesor?
- Escribe cómo es la rutina de don Alberto.
- ¿Por qué no terminan Marta y Carlos su entrevista?
- ¿Entrevistan Ana y Luis a don Alberto? ¿Qué están haciendo?
- Describe los diferentes tipos de arte que ves en el estudio de don Alberto.

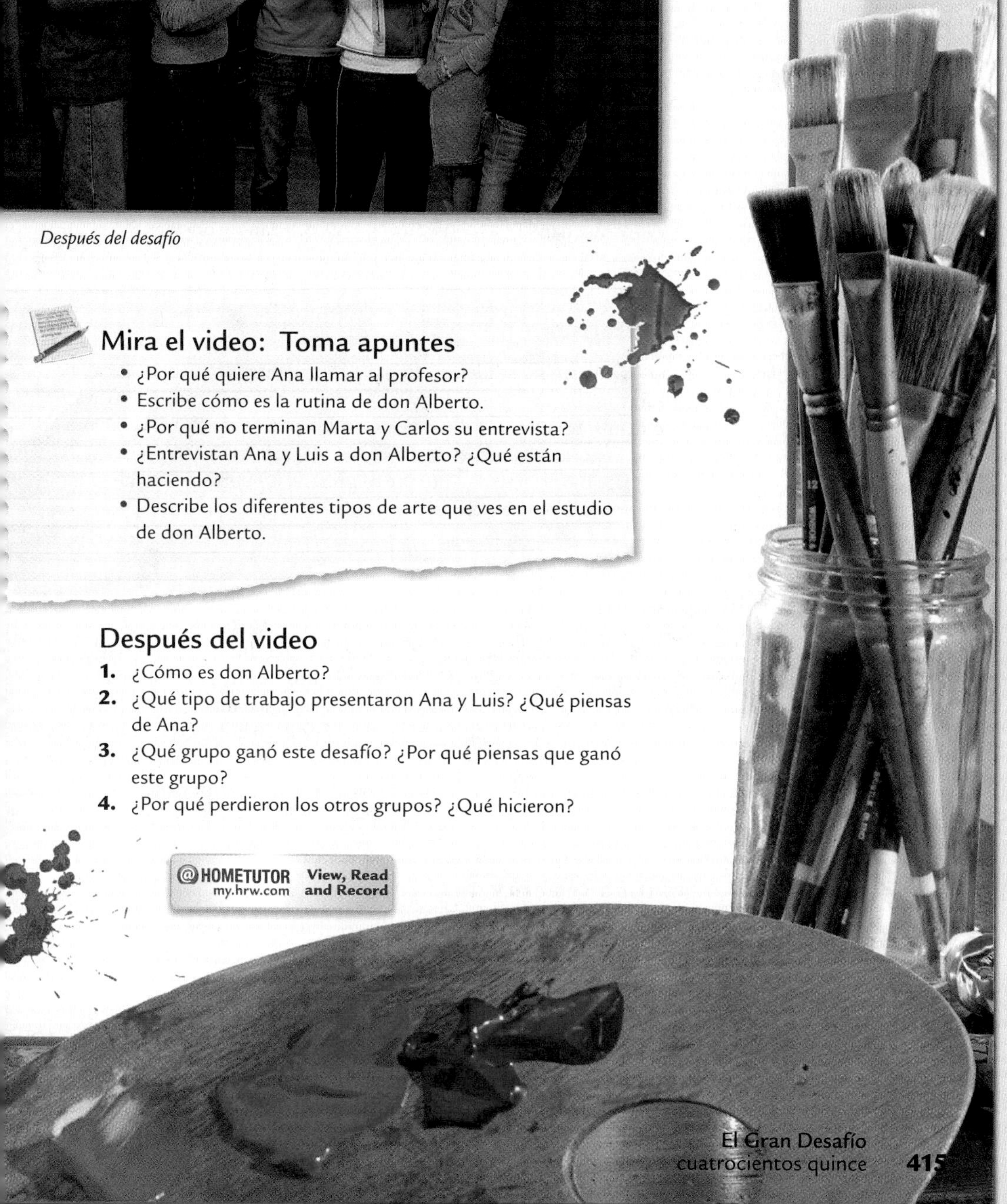

Después del video

1. ¿Cómo es don Alberto?
2. ¿Qué tipo de trabajo presentaron Ana y Luis? ¿Qué piensas de Ana?
3. ¿Qué grupo ganó este desafío? ¿Por qué piensas que ganó este grupo?
4. ¿Por qué perdieron los otros grupos? ¿Qué hicieron?

@HOMETUTOR View, Read and Record
my.hrw.com

Communication
Group Work

Group Work In groups of three or four, ask students to identify and discuss at least two ideas that Don Alberto Monagas expresses in the video, such as **«Creo que las personas pueden discutir su punto de vista sin enojarse.»** or **«Puede ser divertido, pero no es fácil.»** Have them say whether they agree or disagree with each concept, and give reasons why.

Differentiating Instruction

Multiple Intelligences

Visual Learners Ask students to describe Don Alberto's studio—both the building and the art within it. Have them say what they like and/or dislike. Ask them to describe their ideal studio.

Heritage Language Learners

Writing Skills Have students write interview questions they would ask if they were to interview Don Alberto. Then in pairs, have them role-play the interview, taking turns playing the part of Don Alberto and the interviewer.

Answers

Después del video
Answers will vary. Sample answers:
1. Don Alberto es inteligente, simpático y serio.
2. Ana y Luis presentaron un trabajo fotográfico. Pienso que Ana es...
3. Mónica y Raúl ganaron este desafío. Creo que lo ganaron porque escribieron el único artículo que describió la rutina del artista.
4. Los otros grupos no describieron la rutina del artista. Ana y Luis sólo presentaron unas fotos, y el artículo de Marta y Carlos sólo dió la opinión de ellos.

415

REPASO INCLUSIVO

Objective
· Cumulative review

Core Resource
· Audio Program: TXT CD 8 Track 24

Review Sequence
· **Activity 1:** Open-ended practice: listening
· **Activities 2, 3:** Open-ended practice:speaking
· **Activity 4:** Open-ended practice: writing
· **Activity 5:** Open-ended practice: speaking and writing
· **Activity 6:** Open-ended practice: writing and speaking.
· **Activity 7:** Open-ended practice: reading and writing

STANDARDS

1.1 Engage in conversation, Acts. 2, 3
1.2 Understand language, Acts. 1, 7
1.3 Present information, Acts. 2, 3, 4, 5, 6, 7

21ST CENTURY Collaboration, Act. 5; **Creativity and Innovation,** Act. 4; **Flexibility and Adaptability,** Act. 3; **Information Literacy,** Spanish in the Community

---

Communication
Reluctant Speakers

Have student practice debating both sides of the topic for Activity 2 in small groups. Then hold a more formal debate in which you divide the class into two teams and assign a point of view to each team. Give the teams a few minutes to organize themselves before starting. Remind students that each team must present a point for the other team to respond to before introducing the next point. Every member of each team must speak before anyone can speak again.

Communication
Humor/Creativity

Activity 4 Have students write the celebrity article about a member of the class or one of the teachers at school. The article can be humorous or sincere. The best articles could be collected into a student magazine.

Repaso inclusivo
♻ Options for Review

Digital performance space

¡AvanzaRap! DVD Sing and Learn

1 | Listen, understand, and compare

Escuchar

Listen to this portion of a children's educational radio program in the Dominican Republic and then answer the following questions.

1. ¿Cuántos apellidos tienen muchos niños en la República Dominicana?
2. ¿Qué quieren decir apellidos que terminan en -ez, -iz o -az?
3. ¿Cuál es un ejemplo de un apellido que describe a una persona?
4. ¿De dónde vienen los apellidos Calle, Toledo y De la Costa?
5. ¿Cuál es un apellido que describe el trabajo del padre?

What is your last name? Do you know about its meaning or origin?

2 | Debate an issue

Hablar

In groups of four to six students, choose a topic or issue to debate. It can be an issue in your school, community, or something in the news. Then divide into two teams. Each team will argue one side of the issue. Work with your team to brainstorm arguments and write down reasons that support them. Finally, debate the other team. Be sure to present supporting facts and explain your points of view clearly.

3 | Talk on a radio show

Hablar

Role-play a conversation between a caller and a talk show host on a radio advice program. As the caller, think of a unique or funny problem that might exist between real or imaginary family members. Then make a call to the radio show to describe the problem and the family members involved. As the host of the show, offer your opinion and give advice to the caller. Remember to use phrases related to telephone conversations in your role-play.

4 | Write for a celebrity magazine

Escribir

Write a feature article on a celebrity of your choice, using photos you can find on the Internet or from magazines. Make up a story about an interesting past event in the celebrity's life, such as a vacation or premiere. Talk about his or her home, family, and interests. Show your celebrity in a photo with other people and describe how they get along. Include a catchy headline and captions for your photos.

Differentiating Instruction

Multiple Intelligences

Linguistic/Verbal After listening to the audio for Activity 1, work with the class to generate a list of questions about last names. Then in pairs, have students ask each other their questions and report their findings to the class. Compare their answers to those in Activity 1.

Inclusion

Synthetic/Analytic Support Encourage students to discuss each aspect of the newspaper they are going to produce for Activity 5 before starting to write. Suggest that they write each portion of the paper in pairs. Each pair should edit another pair's article. As a group, they should vote on the appropriate photos for each article. The paper activity should be a genuine team effort.

5 | Publish a class newspaper

ablar
cribir

Your group will be publishing the first edition of a class newspaper. Together think of a name for your newspaper and decide on a job for each of you: editor, photographer, writer, and reporter. Your newspaper should include an editorial, an interview of students, news stories about the school or community, and some photos or illustrations. Use the computer to produce as much as possible. Display your newspaper in the classroom.

6 | Create a list of awards

cribir
ablar

Write a list of awards for places or products in your community. Include categories such as the best and worst bank, the most and least popular restaurant, the most and least expensive store, or the most or least delicious sandwiches. Present your list to the class with explanations for each award comparing the places or products.

7 | Enter a contest to win a pet

Leer
cribir

Read the following ad about a pet shop that is giving away a pet to the person with the best composition. Write a paragraph explaining why it is important or necessary for you to have a pet **(una mascota).** Include what is good about having a pet, what's bad about not having one, and which animal it is preferable to have. Post your entries around the classroom and vote on the winning entry.

MUNDO DE ANIMALES

¡VEN A NUESTRA TIENDA PARA LAS MEJORES GANGAS!
TENEMOS TODO PARA EL ANIMAL EN TU VIDA. ¡PRECIOS BARATÍSIMOS!

Casitas para tu pájaro por sólo	Comida para tu pez por sólo	Collares para gatos y perros por sólo
RD$1.160,00	RD$1.16,20	RD$99.80

¡Competencia para jóvenes! Escríbenos una carta y puedes ganar un gato, perro, pájaro o pez. Explica qué animal quieres ganar y da tu opinión sobre por qué es importante tenerlo. Llámanos para más información.

República Dominicana
cuatrocientos diecisiete **417**

Differentiating Instruction

Multiple Intelligences

Kinesthetic Hold a television awards show based on the format of the Academy Awards. Divide the class into teams of two or three to present each award. They should present some visual related to the winner, and the announcer should clearly explain why the prize was awarded to them.

Inclusion

Clear Structure Have students write an outline of the essay they are going to submit to the pet contest in Activity 7. They should include an opening statement, each supporting statement, and additional details for each. Model an outline form for students to help them organize their ideas in a logical sequence before writing their essay.

Communication
Presentational Mode

Have students practice their radio show to present it in class.

Communities
Spanish in the Community

Write an article about an important Spanish speaker in your community. Find out a bit about his or her history, what he or she has achieved, and what contributions he or she has made or is making to the community.

✓ Ongoing Assessment

Integrated Performance Assessment
Rubric Oral Activities 2, 3, 5, 6
Written Activities 4, 5, 6, 7

Very Good	Proficient	Not There Yet
The student thoroughly develops all requirements of the task.	The student develops most of the requirements of the task.	The student does not develop the requirements of the task.
The student demonstrates excellent control of verb forms.	The student demonstrates good to fair control of verb forms.	The student demonstrates poor control of verb forms.
Good variety of appropriate vocabulary.	Adequate variety of appropriate vocabulary.	The vocabulary is not appropriate.
Pronunciation is excellent to very good.	Pronunciation is good to fair.	Pronunciation is poor.

To customize your own rubrics, use the *Generate Success* Rubric Generator and *Graphic Organizers.*

Answers

Activity 1
1. Muchas personas en la República Dominicana tienen dos apellidos.
2. Los sufijos –ez, iz y –az quieren decir «hijo de».
3. Algunos apellidos descriptivos son Moreno, Rubio, y Hermoso.
4. Los apellidos Calle, Toledo y De la Costa vienen de lugares.
5. Un apellido que describe una profesión es «Panadero».

Activities 2–7 Answers will vary.

Proyectos adicionales

❧ Art Project

Environmental Issues and the Galápagos Islands The students will create posters illustrating evironmental issues that affect the Galápagos Islands.

1. Ask groups of 3 or 4 students to identify and research a current threat to the flora and fauna of the Galápagos Islands, e.g., changes in global climate, increased tourism, oil spills and contaminants, and natural disasters.

2. Allow students time for research in the library and suggest that they use environmental atlases, books, magazines and online resources to find information on their chosen topic. They should research the problem they are investigating along with potential solutions for the problem.

3. Their posters should include a map of the Galápagos Islands, drawings or photographs of endangered species, and anything representative of the area that relates to their topic. All text will be in Spanish and students should be encouraged to use new vocabulary from Unidad 8 Lección 1 or the Expansión de vocabulario on p. R16.

When finished, one person per group will briefly present their poster. They can then hang their posters in the classroom.

PACING SUGGESTION: Two 50-minute class periods (one for research and one for creating posters) after Lección 1.

 Creativity and Innovation; Information Literacy (Health Literacy)

❧ (Virtual) Bulletin Board

En el futuro . . . Have students look through newspapers and magazines to find stories predicting the future. Tell students to focus on the environment/climate; transportation/space travel; health/medicine; the design/look of cities; lifestyle; trade/economy/finance; and arts/entertainment. Instruct students to print out or photocopy what they find, and write captions that give their opinion or prediction of the future. After you've created the bulletin board, go around the classroom and have each student elaborate on their captions. As a tech alternative, you may wish to have students create their projects on a class wiki page.

PACING SUGGESTION: One 50-minute class period at the end of Lección 2.

 Communication; Critical Thinking and Problem Solving

❧ Web Research

The Wreck of the *Jessica* Explain to students that on January 16, 2001, the tanker *Jessica* ran aground off the Galápagos Islands, spilling oil into the surrounding waters. Have students conduct online research about the spill and its aftermath. Guide students' research by having them answer these questions:

• Why did the *Jessica* run aground? How much oil did it spill?
• How were the initial clean-up efforts carried out? What environmental circumstances helped or hurt the attempts at cleaning up? How successful was the clean-up attempt?
• What was the immediate effect on wildlife? Which animals were harmed the most? Do scientists predict there will be long-term effects from the spill?

Have students report what they have learned. Encourage them to print out interesting things they found online.

PACING SUGGESTION: One 90-minute class period at the end of Lección 1.

 **Technology Literacy (Health Literacy)**

✤ Storytelling

¿Qué profesión me gustaría tener algún día?

After reviewing the vocabulary from Lección 2, use the picture to model a mini-story that students will revise, retell, and expand:

No sé qué profesión me gustaría tener en el futuro. No puedo ser **diseñador(a)** porque no soy muy artístico(a). No puedo ser **bombero(a)** porque no soy muy fuerte. No me interesa ser **científico(a)** porque no soy muy estudioso(a). Tampoco puedo ser **veterinario(a)** porque los animales me dan miedo. ¡Lo sé!.....Seré **un agente de bolsa** porque ¡a mí me encanta el dinero!

As you give your model, be sure to pause as the story is being told so that students may fill in words and act out gestures. Students should then write, narrate, and read aloud a longer main story. This new version should include vocabulary from Lección 1. Students can write, illustrate, and act out additional new stories based on this storytelling experience.

> **PACING SUGGESTION:** One 50-minute class period at the end of Lección 2.

✤ Games

¿Quién soy?

On small slips of paper, write each of the careers and professions from the vocabulary on page 465. Hand one to each student (or pair) and tell them to keep their profession a secret. Give them a few minutes to come up with some clues about their profession. Select one student to go first. He or she can state clues about the profession or use actions; the first student to guess then gives their clues, until everyone has had a turn.

> **PACING SUGGESTION:** 20 to 30 minutes of class time to review vocabulary during Lección 2.

¡AvanzaRap! DVD

- Video animations of all **¡AvanzaRap!** songs (with Karaoke track)
- Teaching Suggestions
- **¡AvanzaRap!** Activity Masters
- **¡AvanzaRap!** Video Scripts and Answers

   Also available on the **Teacher One Stop**

✤ Music

Jorge Saade-Scaff is an Ecuadorian violinist who is famous for his interpretation of European classical music. When he was just six years old, he began studying at Guayaquil's National Conservatory of Music and went on to achieve international recognition as a musician and diplomat.

Have students research and investigate some of Saade-Scaff's accomplishments. What awards has he won? What are some things critics have said about him? How has he represented Ecuador internationally? If any of the students play the violin, they may want to play excerpts from some of his favorite pieces for the class.

> **PACING SUGGESTION:** One 50-minute period of class period at the end of Lección 2.

✤ Recipe

Quimbolitos are sweet biscuits made with corn flour, wrapped in leaves, and steamed. The traditional recipe calls for achira leaves, which are not available in the U.S. Plantain leaves have been substituted here, but you could use bamboo leaves, corn husks, or wax paper.

Quimbolitos

Ingredientes
2 tazas de harina de maíz tostado
1 cucharadita de polvo de hornear
1 taza de mantequilla
1 taza de jugo de naranja
1 cucharadita de esencia de vainilla
1 taza de leche
2 huevos
1 taza de azúcar
1 taza de uvas pasas
12 hojas de plátano

Instrucciones
Mezcle la harina con el polvo de hornear, la mantequilla, el jugo de naranja, la esencia de vainilla y la leche. Separe los huevos. Bata las claras a punto de nieve. Agregue el azúcar y las yemas. Mezcle las dos preparaciones anteriores hasta formar una masa suave y homogénea. Lave las hojas de plátano y coloque la masa en el centro de cada una. Luego añada las uvas pasas. Cierre las hojas. Cocine los quimbolitos al vapor por 20 minutos.

Tiempo de preparación: 30 minutos
Tiempo total: 50 minutos

UNIT THEME
Our future

UNIT STANDARDS
COMMUNICATION
· Express what is true and not true
· Discuss environmental problems and solutions
· Point out specific people and things
· Talk about future actions or events
· Talk about professions
· Predict future events and people's actions or reactions
· Ask and respond to questions about the future

CULTURES
· Parks in Ecuador
· Protecting wildlife in Ecuador and Venezuela
· Nature represented through art
· Volunteer programs in Ecuador
· Interscholastic competitions in Ecuador
· Artist Eduardo Kingman
· Ecuadorian mountain climber Iván Vallejo
· The news in Ecuador and Venezuela
· Professions in Ecuador, Honduras, and Venezuela

CONNECTIONS
· Science: Research and write a report on animals of the Amazon region
· Geography: Name three rivers in the Amazon region; explain where they begin, end, and pass through
· Physical Education: Explain physical training needed to go on an adventure trip
· Health: How does the destruction of the rainforest affect human health?

COMPARISONS
· The Spanish **p** and the English *p*
· Incorporating traditional crafts in art
· Fire stations; firefighters and how they dress
· Spanish suffixes **-ción** and **-cción** and the English /s/ of *city* and /ks/ of *accent*
· Points of view in art
· Uncommon professions and personal achievements

COMMUNITIES
· Local communities presented on Spanish newscasts

UNIDAD **8**

Ecuador
Nuestro futuro

Venezuela

Colombia

Islas Galápagos

Ecuador

Lección 1
Tema: **El mundo de hoy**

Lección 2
Tema: **En el futuro...**

Océano
Pacífico

Perú

Bolivia

«*¡Hola!*
  Nosotros somos Nicolás y Renata. Somos de Ecuador.»

Chile

Paraguay

Océano
Pacífico

Otavalo
Quito
Ecuador
Ambato
Chimborazo
Guayaquil
Cuenca
Loja

Argentina

Uruguay

Población: 13.927.650

Área: 109.483 millas cuadradas

Capital: Quito

Moneda: el dólar estadounidense, desde el año 2000

Idiomas: español, quechua y otras lenguas indígenas

Comida típica: llapingachos, fritada, locro

Llapingachos

Gente famosa: Oswaldo Guayasamín (artista), Gilda Holst (escritora), Julio Jaramillo (cantante), Jefferson Pérez (atleta), Diego Serrano (actor)

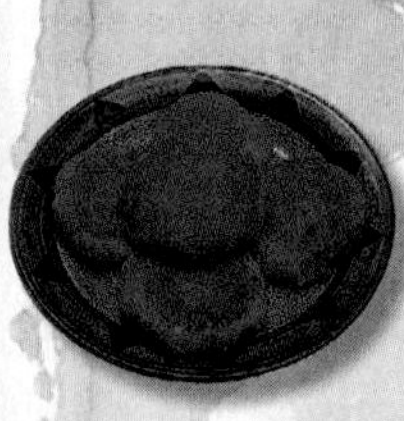

418   cuatrocientos dieciocho

Cultural Geography

Setting the Scene
· En tu opinión, ¿cuántos años tienen Nicolás y Renata?
· ¿Piensas que su futuro tiene algo en común con el tuyo? ¿Qué?

Teaching with Maps
· ¿En qué continente está Ecuador? (América del Sur) ¿Con qué países tiene fronteras? (Colombia y Perú)
· ¿Cómo se llaman las islas que forman parte de Ecuador? (Las Galápagos)
· ¿Cuántas islas puedes contar? (Hay trece islas mayores, seis más pequeñas y cientos de islitas.)

Cultura Interactiva
my.hrw.com
See these pages come alive!

Celebración de las artes, Plaza Santo Domingo, Quito

◄ **Agosto: el mes de las artes** Durante el mes de agosto se puede ver en Quito muchos eventos culturales por toda la ciudad. Se presenta al público lo mejor del cine, del teatro, del baile, de la música, del arte y de las artesanías. *¿Hay alguna celebración de las artes en tu escuela o comunidad?*

Las islas Galápagos Muchos turistas y científicos van a estas islas fascinantes para ver sus raras especies de animales, como las tortugas gigantes *(giant tortoises)* y los pingüinos de las Galápagos. Charles Darwin empezó sus estudios sobre el origen de las especies aquí, observando las 14 especies de piqueros *(finches)* que viven en las islas. *¿Qué animales son típicos de tu región?* ►

Iguana marina en la Isla Isabela

Una máscara de Aya Uma

◄ **Inti Raymi y Aya Uma** Cada junio en Ecuador se celebra el Inti Raymi, o la Fiesta del Sol. El líder de los bailes es el Aya Uma, un espíritu de la naturaleza. El participante que hace el papel se pone una máscara de dos caras que representan el día y la noche. La máscara tiene unos ornamentos encima que pueden representar los meses del año o las plantas de la cosecha *(harvest)*. *¿Hay un festival especial en tu comunidad? ¿Cuál?*

Ecuador
cuatrocientos diecinueve **419**

Cultura Interactiva
my.hrw.com

Cultura Interactiva Send your students to my.hrw.com to explore authentic Ecuadorian culture. Tell them to click Cultura interactiva to see these pages come alive!

Culture

About the Photos
Pasacalle The **Pasacalle** is an Ecuadorian music genre, popular for dancing because of its strong beat. **El pasillo** is more mellow, played with the guitar and a multipipe instrument called a **rondin**. **Yarabi** is a romantic, indigenous musical style popular throughout the Andes.

Reptiles The iguana pictured here is unique because unlike other species of iguanas, this one dives into the ocean to feed on seaweed.

Inti Raymi is celebrated among many of the Andean highlands' indigenous populations: tribes descended from the Inca Empire who usually speak Quechua, in Ecuador as well as in Perú and Bolivia.

Expanded Information
Ecuadorian Music is a rich mixture of indigenous influences blended with Spanish and African because of the African slaves who worked on coastal sugar plantations in the 1500s. The marimba is a Western instrument which is now part of Ecuadorian culture. Its wooden bars are struck with mallets.

The Galápagos Islands In addition to giant tortoises and penguins, the Galápagos Islands are home to sea lions, flamingos, and eighty-five other bird species.

Population Ecuador has one of the highest indigenous populations of South America. Approximately 40 percent of the country's total population is part of a native tribe.

Bridging Cultures

Heritage Language Learners
Support What They Know Have students share what they know about any interesting plant or animal species that are found in their family's country of origin. Is there any concern for the welfare or survival of the plant or animal?

English Learners
Build Background When discussing **el mes de las artes,** remind students that many different categories fall under the term *art*: theater, dance, film, music, etc. Ask students what types of art are popular in their countries of origin. Is their country known for a particular style or genre of art, such as a regional dance or traditional handicraft?

Lesson Overview

Culture at a Glance ❋

Topic & Activity	Essential Question
El Parque Suecia in Quito, Ecuador pp. 420–421	¿Puedes describir un parque bonito que visitaste?
Endangered species, p. 429	¿Cómo pueden los países proteger los animales?
Art and nature, p. 433	¿Cómo puede expresar una pintura la relación entre el hombre y la naturaleza?
Volunteer programs in Ecuador, pp. 438–439	¿Qué trabajo voluntario hay en Ecuador?
Culture review, p. 443	¿Cómo son las culturas de Ecuador y Venezuela?

COMPARISON COUNTRIES  Ecuador  Honduras  Venezuela

Practice at a Glance ❋

	Objective	Activity & Skill
Vocabulary	Natural resources, recycling	1: Writing; 2: Reading/Speaking; 4: Writing/Speaking; 8: Reading/Writing; 11: Listening; 16: Listening/Reading; 18: Speaking; 19: Reading/Listening/Speaking; Repaso 3: Writing
	Environmental issues and responsibilities	1: Writing; 2: Reading/Speaking; 3: Listening/Reading; 4: Writing/Speaking; 5: Speaking/Writing; 6: Speaking/Writing; 7: Speaking/Writing; 16: Listening/Reading; 17: Listening/Reading; 20: Writing; Repaso 1: Listening
Grammar	Spelling change or **-ger** verbs	4: Writing/Speaking; 11: Listening; 18: Speaking; 20: Writing; Repaso 2: Writing
	Other impersonal expressions	5: Speaking/Writing; 6: Speaking/Writing; 7: Speaking/Writing; 8: Reading/Writing; 10: Speaking; 18: Speaking; Repaso 2: Writing; Repaso 3: Writing
	Future tense of regular verbs	12: Speaking/Writing; 13: Speaking/Writing; 14: Speaking/Writing; 15: Reading/Speaking; 18: Speaking; 20: Writing; Repaso 1: Listening; Repaso 4: Writing
Communication	Express what is true and not true	5: Speaking/Writing; 6: Speaking/Writing; 7: Speaking/Writing; 9: Listening/Reading; 10: Speaking; Repaso 3: Writing
	Discuss environmental problems and solutions	8: Reading/Writing; 11: Listening; 16: Listening/Reading; 17: Listening/Reading; 18: Speaking; 19 Reading/Listening/Speaking; Repaso 1: Listening
	Talk about future actions or events	12: Speaking/Writing; 13: Speaking/Writing; 14: Speaking/Writing; 15: Reading/Speaking; 20: Writing; Repaso 4: Writing
	Pronunciation: The letter p	*Pronunciación: La letra p,* p. 428: Listening/Speaking
Recycle	Expressions of frequency	14: Speaking/Writing
	Vacation activities	15: Reading/Speaking

Student Text Audio Scripts

The following presentations are recorded in the Audio Program for *¡Avancemos!*

- **¡A responder!** *page 423*
- **11: Puntos de vista** *page 431*
- **19: Integración** *page 437*
- **Repaso de la lección** *page 442*
  1: Listen and Understand

For **¡AvanzaRap!** scripts, see the **¡AvanzaRap! DVD.**

¡A responder! TXT CD 9 track 2

1. Nosotros usamos muchos recursos naturales.
2. Hay un programa de reciclaje en nuestra ciudad.
3. Hay mucho smog en las ciudades.
4. Aquí protegemos las especies en peligro de extinción.
5. Trabajamos de voluntarios recogiendo basura en las calles.
6. Muchas personas están comprando vehículos híbridos.
7. Hay mucha contaminación en el aire y el agua.
8. La deforestación está dañando muchos bosques en el mundo.

11 | Puntos de vista TXT CD 9 track 6

—Mi nombre es Diana. Me encanta la naturaleza. No es cierto que nuestros niños vayan a tener un mundo tan bonito como el nuestro si no lo protegemos nosotros hoy. ¿Y qué hago yo? Trabajo de voluntaria para limpiar las calles.
—Me llamo Rubén Cárdenas. En mi opinión, hay muchos problemas en este mundo. Es cierto que el medio ambiente es importante. Pero, hay otros problemas más importantes que la destrucción de la capa de ozono.
—Soy Antonio. No pienso mucho en el medio ambiente. Sólo tengo 16 años y me interesan otras cosas. No es verdad que todos tengamos la responsabilidad de proteger el medio ambiente. Es la responsabilidad de las personas mayores.
—Me llamo Dolores. Es verdad que todos necesitamos respirar aire puro y beber agua limpia. Por eso, es malo que las compañías grandes dañen la naturaleza. Y es importante que todos reciclemos.
—Mi nombre es Ricardo. Para mí, es sumamente importante conservar los recursos naturales. No es verdad que haya bastantes bosques y selvas en el mundo. Poco a poco los estamos perdiendo por la deforestación.

19 | Integración TXT CD 9 tracks 8, 9

Fuente 2, Anuncio
Es verdad que hay un gran problema de basura en el mundo, pero no es verdad que tú no puedas ayudar. Si hay artículos de cartón, papel, vidrio, plástico o metal en tu basurero, ¡sácalos! Puedes llevarlo todo a un centro de reciclaje. Y hay cosas más fáciles que puedes hacer. Por ejemplo, en tu próxima fiesta, no compres platos ni vasos de papel o de plástico que terminarán en la basura. Compra platos y vasos que usarás muchas veces. Y si recibes regalos, no pongas el papel de regalo en la basura. Úsalo para envolver algún regalo en otra ocasión. Sé inteligente y responsable. ¡Conserva los recursos naturales!

Repaso de la lección TXT CD 9 track 11

1 Listen and understand

1. El smog daña la capa de ozono.
2. Hay especies en peligro de extinción.
3. Es importante conservar los recursos naturales.
4. Los incendios forestales son una de las causas de la deforestación.
5. Hay mucha contaminación por la basura que la gente produce en las calles, parques y selvas.

Everything you need to ...

Plan

TEACHER ONE STOP

✓ Lesson Plans
✓ Teacher Resources
✓ Audio and Video

Present

INTERACTIVE WHITEBOARD LESSONS

TEACHER ONE STOP WITH PROJECTABLE TRANSPARENCIES

POWER PRESENTATIONS

ANiMaTeDGRaMMaR

Assess

 **ONLINE ASSESSMENT**

✓ Assessments for on-level, modified, pre-AP, and heritage learners
✓ Create customized tests with **Examview Assessment Suite**
✓ **performance))space**
✓ *Generate Success* Rubric Generator

 **Print**

Plan	Present	Practice	Assess
URB 8 • Video Scripts pp. 70–72 • Family Letter p. 92 • Absent Student Copymasters pp. 94–101 **Best Practices Toolkit**	**URB 8** • Video Activities pp. 50–57	• *Cuaderno* pp. 344–366 • *Cuaderno para hispanohablantes* pp. 344–366 • *Lecturas para todos* pp. 73–77 • *Lecturas para hispanohablantes* • *¡AvanzaCómics! El misterio de Tikal,* Episodio 3 **URB 8** • Practice Games pp. 30–37 • Audio Scripts pp. 76–79 • Map/Culture Activities pp. 84–85 • Fine Art Activities pp. 87–88	**Differentiated Assessment Program** **URB 8** • Did you get it? Reteaching and Practice Copymasters pp. 1–11

 **Projectable Transparencies** (Teacher One Stop, my.hrw.com)

Culture	Presentation and Practice	Classroom Management
• Atlas Maps 1–6 • Map: Ecuador 1 • Fine Art Transparencies 2, 3	• Vocabulary Transparencies 6, 7 • Grammar Presentation Transparencies 10, 11	• Warm Up Transparencies 16–19 • Student Book Answer Transparencies 24–27

Audio and Video

Audio	Video	¡AvanzaRap! DVD
• Student Book Audio CD 9 Tracks 1–11 • Workbook Audio CD 4 Tracks 21–30 • Assessment Audio CD 2 Tracks 19–20 • Heritage Learners Audio CD 2 Tracks 25–28, CD 4 Tracks 19–20 • *Lecturas para todos* Audio CD 1 Track 13, CD 2 Tracks 1–7 • Sing-along Songs Audio CD	• Vocabulary Video DVD 3 • *Telehistoria* DVD 3 • *Telehistoria, Escena 1* • *Telehistoria, Escena 2* • *Telehistoria, Escena 3* • *Telehistoria, Completa*	• Video animations of all ¡AvanzaRap! songs (with Karaoke track) • Interactive DVD Activities • Teaching Suggestions • ¡AvanzaRap! Activity Masters • ¡AvanzaRap! video scripts and answers

Online and Media Resources

Student	Teacher
Available online at my.hrw.com • Online Student Edition • News+ Networking • performance space • @HOMETUTOR • CULTURA Interactiva • WebQuests • Interactive Flashcards • Review Games • Self-Check Quiz **Student One Stop** **Holt McDougal Spanish Apps**	**Teacher One Stop (also available at my.hrw.com)** • Interactive Teacher's Edition • All print, audio, and video resources • Projectable Transparencies • Lesson Plans • TPRS • Examview Assessment Suite **Available online at my.hrw.com** *Generate Success* Rubric Generator and Graphic Organizers **Power Presentations**

Differentiated Assessment

On-level	Modified	Pre-AP	Heritage Learners
• Vocabulary Recognition Quiz p. 354 • Vocabulary Production Quiz p. 355 • Grammar Quizzes pp. 356–357 • Culture Quiz p. 358 • On-level Lesson Test pp. 359–365	• Modified Lesson Test pp. 278–284	• Pre-AP Lesson Test pp. 278–284	• Heritage Learners Lesson Test pp. 284–290

Core Pacing Guide

50 Minute (9 Day)

	Objectives/Focus	Teach	Practice	Assess/HW Options
DAY 1	**Culture:** learn about the culture of Ecuador **Vocabulary:** words relating to environmental conservation • Warm Up OHT 16 **5 min**	Unit Opener pp. 418–419 Lesson Opener pp. 420–421 **Presentación de vocabulario** pp. 422–423 • Read A–D • View video DVD 3 • Play audio TXT CD 9 track 1 • *¡A responder!* TXT CD 9 track 2 **25 min**	Lesson Opener pp. 420–421 **Práctica de vocabulario** p. 424 • Acts. 1, 2 **15 min**	**Assess:** *Para y piensa* p. 424 **5 min** **Homework:** *Cuaderno* pp. 344–346 @HomeTutor
DAY 2	**Communication:** talk to your classmates about what you do to protect nature • Warm Up OHT 16 • Check Homework **5 min**	**Vocabulario en contexto** pp. 425–426 • *Telehistoria escena 1* DVD 3 • *Nota gramatical:* spelling change **g** to **j** **20 min**	**Vocabulario en contexto** pp. 425–426 • Act. 3 TXT CD 9 track 3 • Act. 4 **20 min**	**Assess:** *Para y piensa* p. 426 **5 min** **Homework:** *Cuaderno* pp. 344–346 @HomeTutor
DAY 3	**Grammar:** use verbs in the present tense or subjunctive with impersonal expressions about truth • Warm Up OHT 17 • Check Homework **5 min**	**Presentación de gramática** p. 427 • Other impersonal expressions **Práctica de gramática** pp. 428–429 • *Pronunciación* TXT CD 9 track 4 **20 min**	**Práctica de gramática** pp. 428–429 • Acts. 5, 6, 7, 8 **20 min**	**Assess:** *Para y piensa* p. 429 **5 min** **Homework:** *Cuaderno* pp. 347–349 @HomeTutor
DAY 4	**Communication:** say what is important, true, or untrue about your life and the environment • Warm Up OHT 17 • Check Homework **5 min**	**Gramática en contexto** pp. 430–431 • *Telehistoria escena 2* DVD 3 **15 min**	**Gramática en contexto** pp. 430–431 • Act. 9 TXT CD 9 track 5 • Act. 10 • Act. 11 TXT CD 9 track 6 **25 min**	**Assess:** *Para y piensa* p. 431 **5 min** **Homework:** *Cuaderno* pp. 347–349 @HomeTutor
DAY 5	**Grammar:** learn how to form the future tense of regular verbs • Warm Up OHT 18 • Check Homework **5 min**	**Presentación de gramática** p. 432 • Future tense of regular verbs **Culture:** *El artista y la naturaleza* **15 min**	**Práctica de gramática** pp. 433–434 • Acts. 12, 13, 14, 15 **25 min**	**Assess:** *Para y piensa* p. 434 **5 min** **Homework:** *Cuaderno* pp. 350–352 @HomeTutor
DAY 6	**Communication:** Culmination: talk about environmental solutions for the Earth's future • Warm Up OHT 18 • Check Homework **5 min**	**Todo junto** pp. 435–437 • *Escenas 1, 2: Resumen* • *Telehistoria completa* DVD 3 **20 min**	**Todo junto** pp. 435–437 • Acts. 16, 17 TXT CD 9 tracks 3, 5, 7 • Act. 18 • Act. 19 TXT CD 9 tracks 8, 9 • Act. 20 **20 min**	**Assess:** *Para y piensa* p. 437 **5 min** **Homework:** *Cuaderno* pp. 353–354 @HomeTutor
DAY 7	**Reading:** Website: Bello Ecuador Foundation **Connections:** The sciences • Warm Up OHT 19 • Check Homework **5 min**	**Lectura** pp. 438–439 • *Sitio web: Fundación Bello Ecuador* TXT CD 9 track 10 **Conexiones** p. 440 • *Las ciencias* **15 min**	**Lectura** pp. 438–439 • *Sitio web: Fundación Bello Ecuador* **Conexiones** p. 440 • *Proyectos* 1, 2, 3 **25 min**	**Assess:** *Para y piensa* p. 439 **5 min** **Homework:** *Cuaderno* pp. 358–360 @HomeTutor
DAY 8	**Review:** Lesson review • Warm Up OHT 19 **5 min**	**Repaso de la lección** pp. 442–443 **15 min**	**Repaso de la lección** pp. 442–443 • Act. 1 TXT CD 9 track 11 • Acts. 2, 3, 4, 5 **25 min**	**Assess:** *Repaso de la lección* **5 min** pp. 442–443 **Homework:** *En resumen* p. 441; *Cuaderno* pp. 355–357, 361–366 (optional) Review Games Online @HomeTutor
DAY 9	**Assessment**			**Assess:** Lesson 1 test **50 min**

	Objectives/Focus	Teach	Practice	Assess/HW Options
DAY 1	**Culture:** learn about the culture of Ecuador **Vocabulary:** words relating to environmental conservation • Warm Up OHT 16 5 min	Unit Opener pp. 418–419 Lesson Opener pp. 420–421 **Presentación de vocabulario** pp. 422–423 • Read A–D • View video DVD 3 • Play audio TXT CD 9 track 1 • *¡A responder!* TXT CD 9 track 2 20 min	Lesson Opener pp. 420–421 **Práctica de vocabulario** p. 424 • Acts. 1, 2 20 min	**Assess:** *Para y piensa* p. 424 5 min
	Communication: talk to your classmates about what you do to protect nature 5 min	**Vocabulario en contexto** pp. 425–426 • *Telehistoria escena 1* DVD 3 • *Nota gramatical:* spelling change **g** to **j** 15 min	**Vocabulario en contexto** pp. 425–426 • Act. 3 TXT CD 9 track 3 • Act. 4 15 min	**Assess:** *Para y piensa* p. 426 5 min **Homework:** *Cuaderno* pp. 344–346 @HomeTutor
DAY 2	**Grammar:** verbs in the present tense/subjunctive w/ impersonal expressions about truth • Warm Up OHT 17 • Check Homework 5 min	**Presentación de gramática** p. 427 • Other impersonal expressions **Práctica de gramática** pp. 428–429 • *Pronunciación* TXT CD 9 track 4 20 min	**Práctica de gramática** pp. 428–429 • Acts. 5, 6, 7, 8 15 min	**Assess:** *Para y piensa* p. 429 5 min
	Communication: use impersonal expressions to say what is important/true/untrue about your life, the environment 5 min	**Gramática en contexto** pp. 430–431 • *Telehistoria escena 2* DVD 3 20 min	**Gramática en contexto** pp. 430–431 • Act. 9 TXT CD 9 track 5 • Act. 10 • Act. 11 TXT CD 9 track 6 15 min	**Assess:** *Para y piensa* p. 431 5 min **Homework:** *Cuaderno* pp. 347–349 @HomeTutor
DAY 3	**Grammar:** learn how to form the future tense of regular verbs • Warm Up OHT 18 • Check Homework 5 min	**Presentación de gramática** p. 432 • Future tense of regular verbs **Culture:** *El artista y la naturaleza* 15 min	**Práctica de gramática** pp. 433–434 • Acts. 12, 13, 14, 15 20 min	**Assess:** *Para y piensa* p. 434 5 min
	Communication: Culmination: talk about environmental solutions for the Earth's future 5 min	**Todo junto** pp. 435–437 • *Escenas 1, 2: Resumen* • *Telehistoria completa* DVD 3 15 min	**Todo junto** pp. 435–437 • Acts. 16, 17 TXT CD 9 tracks 3, 5, 7 • Acts. 18, 20 • Act. 19 TXT CD 9 tracks 8, 9 20 min	**Assess:** *Para y piensa* p. 437 5 min **Homework:** *Cuaderno* pp. 350–352, 353–354 @HomeTutor
DAY 4	**Reading:** Website: Bello Ecuador Foundation • Warm Up OHT 19 • Check Homework 5 min	**Lectura** pp. 438–439 • *Sitio web: Fundación Bello Ecuador* TXT CD 9 track 10 15 min	**Lectura** pp. 438–439 • *Sitio web: Fundación Bello Ecuador* 15 min	**Assess:** *Para y piensa* p. 439 5 min
	Review: Lesson review 5 min	**Repaso de la lección** pp. 442–443 15 min	**Repaso de la lección** pp. 442–443 • Act. 1 TXT CD 9 track 11 • Acts. 2, 3, 4, 5 25 min	**Assess:** *Repaso de la lección* 5 min pp. 442–443 **Homework:** *En resumen* p. 441 *Cuaderno* pp. 355–366 (optional) Review Games Online @HomeTutor
DAY 5	**Assessment**			**Assess:** Lesson 1 test 45 min
	Connections: Sciences	**Conexiones** p. 440 • *Las ciencias* 20 min	**Conexiones** p. 440 • *Proyectos* 1, 2, 3 25 min	

Objectives

- Introduce lesson theme: **El mundo de hoy**
- **Culture:** The environment and conservation

Presentation Strategies

- Identify video characters: Nicolás, Renata.
- Discuss environmental concerns and solutions.

⟨ STANDARDS

1.1 Engage in conversation
4.2 Compare cultures
21ST CENTURY Communication, English Learners/Pre-AP; **Creativity and Innovation,** Multiple Intelligences; **Social and Cross-Cultural Skills,** Heritage Language Learners

💻 **Warm Up** Projectable Transparencies, 8-16

Ecuador Escribe **cierta** o **falsa** por cada oración.

1. Charles Darwin estudió varias especies de píqueros en las islas Galápagos.
2. La moneda que se usa en Ecuador es el dólar americano.
3. Llapingachos son un tipo de árbol que sólo existe en Ecuador.
4. El mes de las artes tiene lugar en Quito cada septiembre.
5. Inti Raymi significa *Fiesta del Sol*.

Answers: 1. cierto; 2. cierto; 3. falso; 4. falso; 5. cierto.

Comparación cultural

Exploring the Theme

Ask the following:

1. What environmental organizations do you know?
2. How do we keep our cities and parks clean?
3. Do you know any art that reflects your environment or culture?

¿Qué ves? Possible answers include:

- Hay cuatro jóvenes y muchas plantas.
- Veo una escultura y las montañas.
- Limpian el jardín.
- Están trabajando.

UNIDAD 8
Ecuador

Lección 1

Tema:
El mundo de hoy

¡AVANZA! **In this lesson you will learn to**

- express what is true and not true
- discuss environmental problems and solutions
- talk about future actions or events

using

- spelling change of **-ger** verbs
- other impersonal expressions
- future tense of regular verbs

♻ *¿Recuerdas?*

- expressions of frequency
- vacation activities

Comparación cultural

In this lesson you will learn about

- protecting wildlife in Ecuador and Venezuela
- nature represented through art
- volunteer programs in Ecuador

Compara con tu mundo

Los chicos en la foto están en un parque en Quito, Ecuador. ¿Puedes describir un parque bonito que visitaste? ¿Era como éste o era diferente?

¿Qué ves?

Mira la foto
¿Qué ves en el parque?
¿Qué ves en la distancia?
¿Qué hacen los chicos?
¿Están jugando o trabajando?

420 cuatrocientos veinte

Differentiating Instruction

English Learners

Increasing Interaction Have students discuss how the environment influences their lives (**¿Cómo influye el medio ambiente en tu vida?**), bringing up topics that interest them and writing them on the board. Use this mind map as a foundation for the discussion and Unit vocabulary.

Heritage Language Learners

Support What They Know Encourage Spanish speakers to share with the class the kinds of plants and trees found in their heritage country and compare them to the ones in the photo. Ask them: **¿Existe alguna planta o animal que no se encuentra aquí?** Students can describe the differences found in these species.

El Parque Suecia
Quito, Ecuador

Ecuador
cuatrocientos veintiuno   **421**

Differentiating Instruction

Multiple Intelligences

Visual Learners Hand out a blank sheet of paper to each student. Have students design an ecologically sound city park (e.g., botanical gardens, art). Ask them to answer the following: **¿Cómo se llama tu parque? ¿Qué se hace para conservar la naturaleza? ¿Hay algo único en este parque?**

Pre-AP

Expand and Elaborate Have students describe the different parks or recreational facilities they have visited in their city or state. Ask, **¿Qué ofrece el parque para los visitantes? ¿Qué tipo de actividades haces?** Have students write a few sentences telling when, where, and how often they frequent parks.

🌐 **DIGITAL SPANISH**

TEACHER TOOLS
• Interactive Whiteboard Lessons
• Generate Success!

ALSO AVAILABLE...
• Online Workbook
• Spanish InterActive Reader

SPANISH ON THE GO!
• Performance Space
• Holt McDougal Spanish Apps
• ¡Avancemos! eTextbook

Using the Photo

Location Information

Quito, founded in 1534, is surrounded by four volcanoes: Pichincha, Cotopaxi, Antizana, and Cayambe. Quito is a blend of the modern and the colonial. In 1978, it was declared by UNESCO as a World Heritage Site for having "the best-preserved, least altered historic centre in Latin America."

Expanded Information

Parque Suecia is a small park in a modern area of Quito called Quito Tenis. Some larger parks in Quito include: **Parque Alameda,** in the city center, the oldest metropolitan park. Known to the local population as "**chuquihuada,**" meaning the spear's tip, the park features an astrological observatory and many botanical species. **Parque Metropolitano** hosts approximately 20,000–30,000 visitors each weekend. With 557 acres, the park boasts 10 varieties of hummingbirds and 70 bird species. Additional features include camping facilities, soccer, basketball and volleyball courts, and a skating rink.

Population The 1.5 million residents of the city of Quito are known as **Quiteños.** They are an ethnically mixed population, which includes indigenous, Spanish, mestizo, and African heritage. Ecuador has over 40 indigenous nations, enriching the nation's linguistic and social makeup.

Objetives

- Present vocabulary: environmental conservation, problem and solutions.
- Check for recognition.

Core Resources

- Video Program: DVD 3
- Audio Program: TXT CD 9 Tracks 1, 2

Presentation Strategies

- Draw attention to the photos in the text. Ask students questions to check for comprehension.
- Read the text as a class and then listen to the audio.

STANDARD
1.2 Understand language

Communication
Regionalisms

In places outside Ecuador, **el cubo de basura** would be a more common way to refer to a trash can, while **basurero** would refer to the person who collects the trash. In Mexico, **el bote de basura** would be used.

Communication
Common Error Alert

Pronunciation Students are likely to revert to English phonetics when they encounter cognates such as **vehículo, híbrido, petróleo, contaminación, deforestación, cartón** and **especies.** Alert them to this tendency ahead of time, reminding them to pay extra attention to their pronunciation when reading cognates.

422

✹ Presentación de VOCABULARIO

> **¡AVANZA!** **Goal:** Learn words relating to environmental conservation. Then use these words to discuss environmental problems and solutions. *Actividades 1–2*

VIDEO
DVD

AUDIO

A ¡Hola! Soy Nicolás y estoy **trabajando de voluntario** en el parque. Los otros **voluntarios** y yo queremos **proteger la naturaleza,** entonces estamos limpiando el parque. Mi amiga Renata está **recogiendo** la basura y poniéndola en **el basurero.**

el árbol

los voluntarios

el basurero

B El **smog** es una de las causas de **la destrucción** de **la capa de ozono.** Por el smog no **respiramos aire puro.** Algunos **consumidores** quieren ser más **responsables** y usan **vehículos híbridos.** Estos coches usan menos **petróleo** y no **dañan** tanto **el medio ambiente.**

Más vocabulario

el bosque *forest; woods*
el medio ambiente *environment*
apenas *barely*
Expansión de vocabulario p. R16
Ya sabes p. R16

el smog

el vehículo híbrido

el petróleo

422 Unidad 8 Ecuador
cuatrocientos veintidós

Differentiating Instruction

English Learners

Build Background Talk about the word **el smog** with the class, asking if students can guess the origin of the word (*smoke* + *fog*). For students who might not know what *smog* means in English, draw on the board a car emitting exhaust. Then draw skyscrapers around it, and show the exhaust hovering over the city. Ask students to think of cities that probably have a lot of smog.

Multiple Intelligences

Naturalist Ask, **¿Cuál es el símbolo para el reciclaje?** Have students identify the recycling symbol on p. 423, and examine any disposable materials they have with them: juice cans, water bottles, and so forth. Ask, **¿Podemos reciclar esta botella?** (Point to the item.) Have them answer **sí** or **no,** based on whether or not the bottle has the symbol on it.

C Es importante que no usemos todos **los recursos naturales** del **mundo. Conservar**los es **la responsabilidad** de todos. Para conservar, nosotros reciclamos. ¡**El reciclaje** es fácil!

reciclar

la contaminación

la deforestación

el cartón   el vidrio

D Es **sumamente** importante que protejamos **las selvas** y **las especies en peligro de extinción.** **Poco a poco** el mundo pierde sus bosques por la deforestación y **los incendios forestales.** ¿Qué puedes hacer tú para ayudar?

la selva

las especies en peligro de extinción

La tortuga verde

El ocelote

@**HOMETUTOR**
my.hrw.com
Interactive Flashcards

¡**A responder!**   Escuchar 🎧

Escribe una **P** en un lado del papel para **problema.** Escribe una **S** en el otro lado del papel para **solución.** Escucha las siguientes pistas y levanta la **P** si lo que escuchas es un problema para el medio ambiente. Levanta la **S** si es una solución que ayuda a la naturaleza.

Lección 1
cuatrocientos veintitrés   **423**

Long-term Retention
Connect to Previous Learning

Have students recall how they talk about responsibilities around the house. Remind them of the construction **tengo que** + infinitive. Ask why students don't see that same construction being used to talk about environmental responsibility on either of these two pages. Talk about how, as stated in Caption C, **es la responsabilidad de todos.** Ask what form (**yo, tú,** etc.) students see the most of on pp. 422 and 423. (More verbs are in **nosotros** than any other form.)

TEACHER **to** TEACHER
Fatima Hicks
Palm Beach County, FL

Tips for Presenting Vocabulary

"*I simplify vocabulary lists by doing a variation of a K-W-L activity before presenting new terms. Based on their knowledge of cognates and word deviation, I ask students to speculate on the meaning of the new words. I place the words that students recognize in the Known list. I place any differences in usage of derivates, changes in pronunciation or spelling of cognates in the Want-to-know list. Finally, I am left with a simplified version of the new vocabulary list. I reinforce these words through bingo, tic-tac-toe, and concentration games.*"

Go online for more tips!

Communication
Interpersonal Mode

Ask students some questions to gauge comprehension:
1. ¿Qué están haciendo Renata y Nicolás?
2. ¿Por qué son buenos los vehículos híbridos?
3. ¿Por qué es sumamente importante que protejamos las selvas?

Suggested Answers:
1. Están trabajando de voluntarios, recogiendo basura.
2. Usan menos petróleo y no dañan tanto el medio ambiente.
3. Porque poco a poco estamos perdiendo los bosques, y allí viven muchas especies en peligro de extinción.

📖 **Answers** Projectable Transparencies, 8-24

¡**A responder!** Audio Script, TE p. 419B
Students should hold up the piece of paper with the letter *P* on it for numbers 1, 3, 7, 8 and *S* for numbers 2, 4, 5, 6.

423

Differentiating Instruction

Inclusion

Synthetic/Analytic Support Copy chart onto the board for students to complete.

Verbo	Sustantivo	Adjetivo
deforestar		deforestado
extinguir		extinto
	reciclaje	reciclado
contaminar		

Slower-paced Learners

Yes/No Questions To gauge recognition, ask questions such as ¿**Es el ocelote una comida? ¿Podemos reciclar (el vidrio, el papel, etc.)? ¿La deforestación afecta los árboles?**

Objective
- Practice vocabulary: environmental conservation.

Core Resource
- *Cuaderno*, pp. 344–346

Practice Sequence
- **Activity 1:** Vocabulary recognition: categorize
- **Activity 2:** Vocabulary recognition: environmental survey

STANDARDS
1.2 Understand language, Act. 2
1.3 Present information, Act. 1

Long-term Retention
Interest Inventory

Write on the board environmental concerns named in the text (e.g., **la destrucción de la capa de ozono, el smog**). Have students resequence the list, in the order of importance to themselves. Then have them compare lists with a classmate.

✓ Ongoing Assessment

🌐 **Get Help Online**
More Practice
my.hrw.com

PARA Y PIENSA **Quick Check** After students have completed the Para y Piensa, have them correct their work while you go over the answers as a class. Ask students if they understood the questions. If not, provide clarification and give them a few more minutes to revise their answers. For additional practice, use Reteaching & Practice Copymasters URB 8, pp. 1, 2.

💻 Answers Projectable Transparencies, 8-24

Activity 1
1. recurso natural	8. problema
2. problema	9. recurso natural
3. solución	10. solución
4. problema	11. solución
5. recurso natural	12. recurso natural
6. problema	13. recurso natural
7. solución	

Activity 2 Answers vary. Their sum is used to categorize each student.

Para y piensa
1. el papel, el cartón, el vidrio
2. Possible answers: la contaminación, el smog, la deforestación…

🌸 Práctica de VOCABULARIO

1 El medio ambiente

Escribir Decide cuál es la categoría apropiada para las siguientes palabras.

modelo: el aire puro

Recursos naturales	Problemas	Soluciones
el aire puro		

1. el árbol
2. la deforestación
3. los voluntarios
4. los incendios forestales
5. el bosque
6. el smog
7. el reciclaje
8. la destrucción de la capa de ozono
9. el petróleo
10. conservar
11. los vehículos híbridos
12. la selva
13. la naturaleza

Expansión
Choose one natural resource from the chart and write two sentences linking it to the corresponding problem and solution.

2 La encuesta

Leer Hablar Completa la encuesta *(survey)* para determinar si proteges el medio ambiente.

Respuestas: A. siempre   B. a veces   C. nunca
1. Recojo la basura en las calles y la pongo en los basureros.
2. Reciclo el vidrio, el cartón y el papel.
3. Leo artículos sobre la deforestación y la destrucción de la capa de ozono.
4. Escribo cartas al editor del periódico sobre los problemas de la contaminación.
5. Mi familia usa un vehículo híbrido.
6. Trabajo de voluntario(a) para limpiar los parques.
7. Participo en programas para proteger las especies en peligro de extinción.
8. Creo que todos los consumidores tienen la responsabilidad de conservar los recursos naturales del mundo.

Puntos	Clave	
A = 4	20–32:	Eres sumamente responsable.
B = 2	10–19:	Eres bastante responsable.
C = 0	0–9:	El medio ambiente apenas te importa.

Expansión: Teacher Edition Only
Have students predict the answers of a classmate and then find out if they guessed correctly.

Más práctica Cuaderno *pp. 344–346* Cuaderno para hispanohablantes *pp. 344–347*

🌐 **Get Help Online**
my.hrw.com

PARA Y PIENSA **¿Comprendiste?** ¿Cuáles son… ?
1. tres materiales que se pueden reciclar
2. tres problemas del medio ambiente

Differentiating Instruction

Pre-AP

Determine Cause and Effect Replay the audio clip from ¡A responder! on p. 423 up to three times, as students take down the statements as dictation. Then, for each problem stated, have students suggest a solution. For each solution listed, ask students to state the problem in their own words.

Multiple Intelligences

Kinesthetic Ask students to volunteer to come to the front of the room and act out a sentence from Activity 2 as a charade while the rest of the class guesses what they're trying to represent.

 # VOCABULARIO en contexto

¡AVANZA! **Goal:** Listen to Nicolás and Renata talk about some environmental problems in Ecuador. Then talk to your classmates about what you do to protect nature. *Actividades 3–4*

Telehistoria escena 1

 **@HOMETUTOR** my.hrw.com — **View, Read and Record**

STRATEGIES

Cuando lees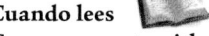
Group concepts with a mind map
In the center circle, write **el medio ambiente.** Write key concepts (e.g. **el agua**) in attached circles and write information related to concepts (**el agua: limpia**) in outside circles.

Cuando escuchas
Ponder problems and predict
While listening, list the specific environmental problems and predict whether Nicolás and Renata will get to speak with Sr. Andrade to discuss them.

VIDEO DVD

AUDIO

Nicolás
Policía
Renata

Renata films Nicolás outside the headquarters of the Compañía Petrolera Ecuatoriana.

Nicolás: Hace muchos años, los bosques ecuatorianos estaban bien conservados. La gente bebía agua limpia y respiraba aire puro. Pero hoy día, la deforestación de la selva es un problema, y muchas especies están en peligro de extinción...

A policewoman approaches.

Policía: ¿Qué están haciendo, jóvenes?

Renata: Estamos haciendo una película sobre cómo esta compañía daña el medio ambiente. ¡Vamos a hablar con el presidente de la compañía, el señor Andrade, y decirle que es sumamente importante proteger la naturaleza!

Policía: ¿Quién les dio permiso para filmar aquí?

Nicolás: Pues, nadie.

Policía: Entonces no pueden proteger el medio ambiente en esta esquina. Lo siento mucho.

The policewoman is distracted; the teens run into the building.

Continuará... p. 430

También se dice

Ecuador Para hablarles a los chicos, la policía los llama **jóvenes.** En otros países:
· **México** chavos
· **muchos países** muchachos

Differentiating Instruction

Slower-paced Learners

Peer Study Support In groups, have students take turns reading a sentence from the dialog and choosing two or three words as most important, telling why. For example: **años, bosques,** and **conservados** are important because they tell that forests were protected long ago. There are no right or wrong answers, but mixed-level grouping helps students get the main ideas.

Inclusion

Metacognitive Support Help students find context clues to assist in understanding. What might a police officer ask two teenagers standing outside an office building with a video camera? What cognates (**compañía, presidente, permiso**) and vocabulary words (**deforestación, extinción, medio ambiente...**) do students recognize, and what clues do these provide towards what is being said?

· Understand dialog about environmental problems in Ecuador.

Core Resources

· Video Program: DVD 3
· Audio Program: TXT CD 9 Track 3

Presentation Strategies

· Ask students to read the Telehistoria, take notes, and make predictions about its outcome.
· Show the video and/or play the audio.
· Ask students to save their predictions to see if they were correct upon viewing the final scene.

STANDARDS

1.2 Understand language
4.1 Compare languages
21st **Critical Thinking and Problem Solving,** Cuando escuchas

 **Warm Up** Projectable Transparencies, 8-16

El medio ambiente Escribe *B* por *buena idea* o *M* por *mala idea* después de leer cada solución abajo.

1. El mar está contaminado. Solución: Tirar la basura en el bosque en vez del mar.
2. El ocelote está en peligro de extinción. Solución: Cazar ocelotes.
3. El aire está contaminado. Solución: Usar un vehículo híbrido.
4. El aluminio es caro y difícil de sacar de la tierra. Solución: Reciclarlo.
5. El smog hace difícil la respiración. Solución: Encender un incendio forestal.

Answers: 1. M; 2. M; 3. B; 4. B; 5. M

 **@HOMETUTOR** **VideoPlus** my.hrw.com

Video Summary

Renata and Nicolás film an exposé about an Ecuadorian oil company. A police woman approaches them and tells them to leave. She gets distracted and they sneak into the building.

Objective
· Practice using vocabulary in context: environmental problems.

Core Resource
· Audio Program: TXT CD 9 Track 3

Practice Sequence
· Activity 3: Telehistoria comprehension
· Activity 4: Transitional practice: ask and answer questions

STANDARDS
1.1 Engage in conversation, Act. 4
1.2 Understand language, Act. 3
1.3 Present information, Act. 4

21st CENTURY Flexibility and Adaptability, Heritage Language Learners; **Social and Cross-Cultural Skills**, English Learners

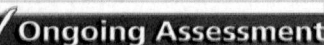

Get Help Online
More Practice
my.hrw.com

✓ Ongoing Assessment

PARA Y PIENSA **Quick Check** Have students use the two verbs from the Nota gramatical (**proteger** and **recoger**) as a way to teach a younger sibling about protecting the environment. For additional practice, use Reteaching & Practice Copymasters URB 8, pp. 1, 3.

 **Answers** Projectable Transparencies, 8-24

Activity 3
1. Falsa. En Ecuador hace muchos años la gente bebía agua limpia.
2. Falsa. Nicolás dice que hoy hay más especies en peligro de extinción que antes.
3. Falsa. La película es sobre como la compañía no protege el medio ambiente.
4. Falsa. El señor Andrade no les dio permiso a los jóvenes para hacer su película.
5. Cierta.

Activity 4 Answers will vary.
1. Yo (no) protejo las especies en peligro de extinción. ¿Proteges las especies en peligro de extinción?... Sí / No...
2. (No) protejo los bosques. ¿Tú proteges los bosques?... Sí / No...
3. (No) protejo las selvas. ¿Tú proteges las selvas?... Sí / No...
4. Yo (no) recojo el vidrio para reciclar. ¿Tú recoges el vidrio?... Sí / No...
5. Yo (no) recojo el cartón para reciclar. ¿Tú recoges el cartón?... Sí / No...

Para y piensa
1. Sí (No, no) protejo los recursos naturales.
2. Sí (No, no) recojo basura en las calles. Es bueno que lo haga.

426

---

3 | Comprensión del episodio   ¿Cierto o falso?

Escuchar Leer

Decide si la oración es cierta o falsa según el video. Corrige las falsas.

1. En Ecuador hace muchos años la gente bebía agua sucia.
2. Nicolás dice que hoy no hay tantas especies en peligro de extinción como antes.
3. La película es sobre cómo la compañía protege el medio ambiente.
4. El señor Andrade les dio permiso a los jóvenes para hacer su película.
5. La policía dice que no pueden filmar en esa esquina.

Expansión:
Teacher Edition Only
Teacher Edition Only Have students write what they think Señor Andrade's response would be to each statement.

Nota gramatical

Remember that sometimes you need to change the spelling of certain verb forms to keep the pronunciation of the verb stem the same. The verbs **recoger** and **proteger** change the **g** to **j** before the vowels **o** and **a** to keep the soft /j/ sound.

¿**Recoges** basura en las calles?   **Protegemos** los árboles en el parque.

Sí, yo la **recojo**.   Es importante que **protejamos** los animales.

4 | ¿Proteges el medio ambiente?

Escribir Hablar

Decide qué cosas **recoges** y cuáles **proteges**. Escribe oraciones completas diciendo si lo haces y luego pregúntale a tu compañero(a) si lo hace también.

modelo: Yo recojo la basura.

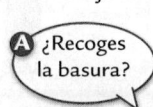 **A** ¿Recoges la basura?

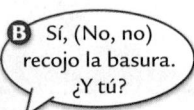 **B** Sí, (No, no) recojo la basura. ¿Y tú?

1.
2.
3.
4.
5.

Expansión
Write your opinion about your classmate's responses. **No es bueno que Julio no recoja la basura.**

Get Help Online
my.hrw.com

 **PARA Y PIENSA**

¿Comprendiste? Contesta las preguntas en frases completas.
1. ¿Proteges los recursos naturales?
2. ¿Recoges basura en las calles? ¿Es bueno que (no) lo hagas?

Unidad 8 Ecuador
426 cuatrocientos veintiséis

Differentiating Instruction

Heritage Language Learners

Writing Skills Have students choose a character from the Telehistoria and write out a journal entry from his or her point of view, written on the day of Nicolás and Renata's encounter with the policewoman. Ask why that character might think that his or her point of view was the only correct one.

English Learners

Build Background Talk about different activities that the students' town requires a permit for: holding a garage sale, blocking off a street for a block party, doing construction on a building. Ask students from other countries if they are aware of similar requirements in their places of origin.

Presentación de GRAMÁTICA

¡AVANZA! **Goal:** Learn when to use verbs in the present tense or subjunctive with impersonal expressions about truth. Then use these expressions to say what is true and not true about environmental issues. *Actividades 5–8*

English Grammar Connection: In English, all impersonal expressions about truth, whether affirmative or negative, are followed by verbs in the **present tense**. In Spanish, some negative impersonal expressions about truth are followed by verbs in the **subjunctive**.

It's not true that he **sings** well.   No es cierto que él **cante** bien.

Other Impersonal Expressions

ANIMATEDGRAMMAR
my.hrw.com

You have learned that the **subjunctive** is used after some **impersonal expressions** to show uncertainty. If an impersonal expression deals with *certainty*, however, the verbs that follow are in the **present tense**.

Here's how:

Impersonal expressions with the words **cierto** and **verdad** express certainty in the **affirmative** and are followed by the **present tense**.

> **Es cierto que respiramos** aire puro.
> *It's true that we breathe clean air.*

> **Es verdad que trabajan** de voluntarios.
> *It's true that they work as volunteers.*

When these expressions are made **negative,** they imply doubt or disbelief. The impersonal expressions **No es cierto que** and **No es verdad que** are followed by verbs in the **present subjunctive**.

> **No es cierto que respiremos** aire puro.
> *It's not true that we breathe clean air.*

> **No es verdad que trabajen** de voluntarios.
> *It's not true that they work as volunteers.*

Más práctica
Cuaderno *pp. 347–349*
Cuaderno para hispanohablantes *pp. 348–350*

@HOMETUTOR my.hrw.com
Leveled Practice

Lección 1
cuatrocientos veintisiete   **427**

Differentiating Instruction

Slower-paced Learners

Personalize It Have students write a celebrity's name on a piece of paper, and exchange it with a classmate, who will write five true/false statements about him/her. Return papers to the original writer, who will write impersonal statements confirming or correcting the statements.

Multiple Intelligences

Interpersonal Put all students' chairs in a circle. Say something about yourself in the present tense: **Yo voy a la Florida todos los veranos.** Have a volunteer say **Es cierto** or **No es cierto,** and help the student finish the sentence (**...que va / vayas a Nueva York todos los veranos**). If the student is correct, continue the process. If the student is wrong, (s)he takes over your role.

¡AVANZA! **Objective**
· Present impersonal expressions.

Core Resource
· *Cuaderno, pp. 347–349*

Presentation Strategies
· Read through grammar point, pausing for comprehension checks.
· Have students take notes and repeat example statements after you.

STANDARD
4.1 Compare languages

Warm Up Projectable Transparencies, 8-17

Telehistoria Pon en orden los eventos de la Telehistoria.
a. Renata dice que quieren filmar al presidente de la compañía.
b. Los jóvenes entran al edificio.
c. La policía pregunta qué están haciendo los jóvenes.
d. Nicolás hace la introducción de la película.
e. Nicolás contesta que nadie les dio permiso.
f. La policía quiere saber quién les dio permiso para filmar.

Answers: d; c; a; f; e; b

Comparisons
English Grammar Connection

Explain that the phrase *impersonal expression* does not refer to the tone of the statement (as *impersonal* generally means in English: cold, unfriendly, uninviting), but to the fact that there is no person acting as subject in the sentence. The subject would be *it* in English.

Long-term Retention
Recycle

Remind students how to form the present subjunctive: take the present-tense **yo** form, drop the **-o,** and add the opposite ending. Walk students through this process with several different verbs by listing the verbs on the board.

427

Objectives
- Practice using impersonal expressions.
- Practice using the subjunctive.
- Pronunciation: The letter *p*
- **Culture:** Endangered species

Core Resources
- *Cuaderno*, pp. 347–349
- Audio Program TXT CD 9 Track 4

Practice Sequence
- **Activity 5:** Controlled practice: the subjunctive
- **Activity 6:** Transitional practice: judgments about truth
- **Activity 7:** Transitional practice: problems and solutions
- **Activity 8:** Open-ended practice: opinions
- **Pronunciation:** Oral distinction and production of the unaspirated letter **p**.

STANDARDS
1.2 Understand language, Acts. 6, 8
1.3 Present information, Acts. 5, 6
3.1 Knowledge of other disciplines, Act. 8
4.1 Pronunciación, Acts. 5, 6
4.2 Compare cultures, Act. 8

21st CENTURY Information Literacy, Pre-AP/English Learners (Health Literacy); **Technology Literacy,** Multiple Intelligences (Health Literacy)

 Answers Projectable Transparencies, 8-24 and 8-25

Activity 5
1. recoja
2. podemos
3. quieran
4. tiene
5. mueren
6. es
7. conserven
8. daña

Activity 6
1. (No) es verdad que hay (haya) destrucción de la capa de ozono.
2. (No) es verdad que hay (haya) programas de reciclaje en todas las comunidades.
3. (No) es cierto que respiramos (respiremos) aire puro en nuestra comunidad.
4. (No) es cierto que todas las compañías son (sean) sumamente responsables.
5. (No) es verdad que la gente quiere (quiera) proteger el medio ambiente.
6. (No) es verdad que necesitamos (necesitemos) las selvas y la naturaleza.
7. (No) es cierto que los incendios forestales son (sean) un problema grande.

428

❈ Práctica de GRAMÁTICA

5 | Opiniones

Hablar Escribir

A Renata y a Nicolás les gusta expresar sus opiniones sobre el medio ambiente. ¿Qué dicen? Usa el subjuntivo o el presente del verbo.

modelo: No es verdad que los voluntarios no **sean** importantes. (ser)

1. No es verdad que la gente siempre _____ la basura. (recoger)
2. Es cierto que todos nosotros _____ reciclar. (poder)
3. No es cierto que todos _____ proteger la naturaleza. (querer)
4. Es cierto que el mundo _____ muchas especies en peligro de extinción. (tener)
5. Es verdad que estas especies _____ por la contaminación y la deforestación. (morir)
6. Es verdad que nuestra película _____ un poco controversial. (ser)
7. No es cierto que los consumidores _____ los recursos naturales. (conservar)
8. Es cierto que la compañía del señor Andrade _____ el medio ambiente. (dañar)

> **Expansión**
> Tell whether or not you agree with each statement.

6 | ¡No es verdad!

Hablar Escribir

Expresa tu punto de vista sobre el medio ambiente.

> (No) Es verdad que...
> (No) Es cierto que...

modelo: Todos los consumidores reciclan.
No es cierto que todos los consumidores reciclen.

1. Hay destrucción de la capa de ozono.
2. Hay programas de reciclaje en todas las comunidades.
3. Respiramos aire puro en nuestra comunidad.
4. Todas las compañías son sumamente responsables.
5. La gente quiere proteger el medio ambiente.
6. Necesitamos las selvas y la naturaleza.
7. Los incendios forestales son un problema grande.

> **Expansión:**
> **Teacher Edition Only**
> Have students compare their own answers with a classmate's and highlight any differences of opinion.

🎧 AUDIO | **Pronunciación** La letra p

The letter **p** in Spanish is similar to the *p* in English, except that it is pronounced without the little burst of air that the English *p* has. Hold your hand an inch in front of your mouth as you say the word *paper* to feel the burst of air. You should not feel this as you listen to and pronounce the following words.

papel **profesión** **alpinista** **político** **puro**

Differentiating Instruction

Pre-AP

Relate Opinions Have advanced students find out how much of the local municipal budget is spent on environmental protection and in what way. Then have them each write an editorial column either praising the local government for their wise allocation of funds, or arguing for a change. Have them use at least five impersonal statements of truth in the article.

Inclusion

Frequent Review/Repetition In order to give students more oral rehearsal of impersonal truth statements, opt to have them begin and then review activities in mixed-ability pairs. Have them confer with their partners on the first one or two items and then complete each activity on their own. Then have the partners take turns reading each answer aloud.

7 Problemas y soluciones

Hablar Escribir

Identifiquen el problema y recomienden una solución.

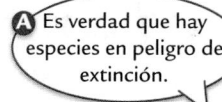

A Es verdad que hay especies en peligro de extinción.

B Es importante que protejamos los bosques y las selvas.

Estudiante A

Problemas

1. las especies en peligro de extinción
2. la basura en muchos lugares
3. la deforestación
4. la contaminación del agua
5. la destrucción de la capa de ozono
6. mucho vidrio y cartón en la basura
7. el smog

Estudiante B

Soluciones

reciclar
respirar aire puro
proteger los bosques y las selvas
recoger la basura
limpiar el agua
usar vehículos híbridos

Expansión:
Teacher Edition Only
Ask students to form sentences from the B column using (No) Es verdad que.

8 Los animales

Leer Escribir

Comparación cultural

Especies en peligro de extinción

¿Cómo pueden los países proteger los animales?
La Estación Científica Charles Darwin, en las Islas Galápagos de **Ecuador,** tiene programas para proteger las tortugas gigantes *(giant tortoises).* Estas tortugas pueden pesar *(weigh)* más de 400 libras *(pounds)* y vivir más de cien años. La organización FUDENA de **Venezuela** trabaja para proteger el oso de anteojos *(spectacled bear).* Este oso, el único en Sudamérica, está en peligro por la deforestación y la caza. Estos problemas también afectan al jaguar, que vive en las selvas de Centroamérica y Sudamérica.

El oso de anteojos

La tortuga gigante

Compara con tu mundo *¿Conoces algunas especies en peligro de extinción en Estados Unidos? ¿Cuáles?*

Escribe sobre estas especies y da tus opiniones.

Pistas: (No) Es verdad, (No) Es cierto, Es bueno, Es necesario

modelo: Es bueno que haya programas para proteger...

Expansión:
Teacher Edition Only
Have students write the opposite of two of their opinions.

Más práctica Cuaderno *pp. 347–349* Cuaderno para hispanohablantes *pp. 348–350*

PARA Y PIENSA

Get Help Online
my.hrw.com

¿Comprendiste? Completa las oraciones.
1. No es verdad que todos los consumidores _____ (ser) responsables.
2. Es cierto que nosotros _____ (necesitar) proteger el medio ambiente.

Differentiating Instruction

Multiple Intelligences

Naturalist Have students do Internet research on the difference between endangered species and threatened species. Have them explain the criteria for each title and give several examples of each.

English Learners

Build Background Have students research the species that make up a certain habitat in their country of origin and present their findings on a poster, highlighting any endangered species. Encourage them to include pictures and descriptions of plants or animals that are familiar in their home culture but not widely known in the United States.

Comparación cultural

Essential Question

Suggested Answer Los países pueden dar más dinero a los grupos locales para la conservación. Pueden investigar más sobre las especies y educar a la gente sobre ellas. El ecoturismo puede ayudar a traer dinero al país y a dar información a las personas que visitan.

Background Information

Conservation The Galápagos Islands Conservation Education Program is supported by several conservation and research organizations and eight high schools. One hundred students and teachers are chosen to camp in Galápagos National Park and participate in field research under the direction of the Charles Darwin Research Station.

✓ Ongoing Assessment

Get Help Online
More Practice
my.hrw.com

PARA Y PIENSA

Peer Assessment Have students exchange papers to check each other's work on the Para y piensa questions. For additional practice, use Reteaching & Practice Copymasters URB 8, pp. 4, 5.

Answers Projectable Transparencies, 8-25

Activity 7 Answers will vary. Sample answers:
1. (see model.)
2. —Es verdad que hay basura en muchos lugares.
   —Es necesario que recojamos la basura.
3. —Es cierto que hay deforestación.
   —Es bueno que protejamos los bosques y las selvas.
4. —Es cierto que hay agua contaminada.
   —Es importante que limpiemos el agua.
5. —Es verdad que partes de la capa de ozono están destruidas.
   —Es bueno que usemos vehículos híbridos.
6. —Es cierto que hay mucho vidrio y cartón en la basura.
   —Es necesario que reciclemos.
7. —Es cierto que hay smog en la ciudad.
   —Es importante que respiremos aire puro.

Activity 8 Answers will vary. Sentences should follow this pattern:
—Es importante que protejamos el cocodrilo americano.

Para y piensa
1. sean; 2. necesitamos

Objective
· Practice using impersonal statements.

Core Resources
· Video Program: DVD 3
· Audio Program: TXT CD 9 Tracks 5, 6

Presentation Strategies
· Read the Telehistoria for the main idea.
· Listen to the audio for details.
· Play the video as students read along.

Practice Sequence
· **Activity 9:** Telehistoria comprehension
· **Activity 10:** Transitional practice: generalizations
· **Activity 11:** Open-ended practice: determine attitudes

STANDARDS
1.1 Engage in conversation, Act. 10
1.2 Understand language, Acts. 9, 11
4.1 Compare languages, Act. 10

Communication, Pre-AP; Flexibility and Adaptability, Role-Playing and Skits

Warm Up Projectable Transparencies, 8-17

¿Verdad o no? Usa expresiones impersonales para indicar si las oraciones siguientes son verdaderas o no.
1. Hoy día, la deforestación de la selva ecuatoriana es un problema.
2. Renata y Nicolás quieren ver a la policía.
3. La compañía del señor Andrade siempre protege el medio ambiente.
4. Los jóvenes no tienen permiso para filmar.
5. Al final los jóvenes vuelven a casa.

Answers: 1. Es cierto que la deforestación de la selva ecuatoriana es un problema; 2. No es cierto que quieran ver a la policía; 3. No es verdad que la compañía del señor Andrade siempre proteja el medio ambiente; 4. Es verdad que no tienen permiso para filmar; 5. No es cierto que al final los jóvenes vuelvan a casa.

Video Summary

Renata and Nicolás meet señor Andrade's receptionist, who insists that he is unavailable. She accidentally names the restaurant where señor Andrade is meeting.

430

GRAMÁTICA en contexto

¡AVANZA! **Goal:** Focus on how Nicolás and Renata communicate urgency. Then use impersonal expressions to say what is important and true or untrue about your life and the environment. *Actividades 9–11*

 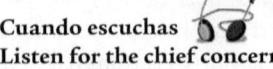

Telehistoria escena 2

STRATEGIES

Cuando lees
Look for types of persuasion
In this scene, Renata and Nicolás try two types of persuasion. Which do you think is more effective? How does the receptionist respond at first, then later?

Cuando escuchas
Listen for the chief concern
"Protecting" is the concern here. What do the teenagers want to protect? Whom does the receptionist want to protect? Listen for how they each try to do this.

VIDEO DVD

AUDIO

Recepcionista

Nicolás and Renata enter the offices of Compañía Petrolera Ecuatoriana.

Nicolás: Quisiéramos hablar con el señor Andrade.

Recepcionista: ¿Ustedes tienen una cita? ¿El señor Andrade sabe que están aquí?

Nicolás: No señorita, pero es muy importante que hablemos con él. Estamos haciendo una película sobre el reciclaje y queremos saber qué hace esta compañía para proteger el medio ambiente.

Recepcionista: Lo siento, pero el señor Andrade no va a estar hoy en su oficina.

Renata: ¡No puede ser! ¡No es cierto que el señor Andrade no esté aquí hoy! Estamos en Quito sólo un día y tenemos que filmar nuestra película. Es necesario que lo veamos hoy. Sabemos que su compañía trabaja mucho por conservar los recursos naturales.

Nicolás: Simplemente queremos entrevistar al señor Andrade.

Recepcionista: Es imposible. El señor Andrade tiene hoy una cita en el Restaurante Independencia. *(Nicolás and Renata smile and head for the door.)* ¿Por qué les dije dónde va a estar?

Continuará... p. 435

Differentiating Instruction

Slower-paced Learners

Read Before Listening Go over the Cuando lees strategy before reading the Telehistoria. Ask what Nicolás and Renata might be trying to persuade the receptionist to do. Having a main-idea hypothesis as they read will help students focus their attention. Call on volunteers to read, stopping them intermittently to ask questions.

Heritage Language Learners

Literacy Skills After applying the Cuando escuchas strategy, write students' questions on the board. **1. Explica cómo sabrán Nicolás y Renata que la recepcionista quiere proteger al señor Andrade. 2. ¿Se nota un cambio en el tono de la recepcionista? 3. ¿Por qué crees que les dice dónde va a estar?**

9 Comprensión del episodio   ¿Tienen una cita?

Escuchar Leer

Empareja cada descripción con la(s) persona(s) correcta(s).

1. Quiere entrevistar al señor Andrade.
2. No va a estar en la oficina hoy.
3. Está en Quito sólo un día.
4. Tiene una cita en un restaurante.

a. el señor Andrade
b. Renata
c. Nicolás

Expansión:
Teacher Edition Only
Have students add an item describing the receptionist.

10 Es verdad que...

Hablar

Expresen sus opiniones sobre estas cuestiones. Usen estas expresiones:
(no) es cierto, (no) es verdad, (no) es bueno, (no) es importante.

modelo: Los jóvenes ayudan mucho en la casa.

A No es verdad que ayudemos mucho. Yo apenas ayudo en la casa.

B Es cierto que algunos jóvenes se quedan siempre en su cuarto, pero yo hago muchos quehaceres. Por ejemplo...

C Es bueno que tú hagas quehaceres, pero muchos...

1. Los estudiantes necesitan hacer más ejercicio y comer mejor.
2. Los jóvenes discuten mucho con sus padres.
3. Las chicas hablan más que los chicos.
4. Los chicos son más estudiosos que las chicas.
5. Los estudiantes necesitan tomar exámenes para aprender.

Expansión
Bring up another issue and express your viewpoints.

11 Puntos de vista

Escuchar

Escucha los diferentes puntos de vista de estas personas. Escribe (+) si la persona tiene una actitud positiva y (–) si tiene una actitud negativa hacia *(toward)* la protección del medio ambiente.

Audio Program
TXT CD 9 Track 6
Audio Script, TE p. 419B

1.  **Diana**
2.  **Rubén**
3.  **Antonio**
4.  **Dolores**
5.   **Ricardo**

Get Help Online
my.hrw.com

PARA Y PIENSA

¿Comprendiste? Cambia estas oraciones positivas en oraciones negativas.

1. Es cierto que el señor Andrade está en su oficina hoy.
2. Es verdad que Renata y Nicolás tienen una cita con el señor Andrade.

Lección 1
cuatrocientos treinta y uno   **431**

Communication
Role-Playing and Skits

Have students pair up and role-play the conversation that señor Andrade might have with his receptionist after getting back to the office. Have them assume that señor Andrade asks how Nicolás and Renata found him. Afterwards, ask how each pair ended the conversation. Did the receptionist tell the truth? Was she scolded? Fired? Given a promotion?

Get Help Online
More Practice
my.hrw.com

✓ Ongoing Assessment

PARA Y PIENSA **Intervention** If students have trouble forming negative statements in Para y Piensa, direct them to p. 427 to review the process and, if necessary, to orally review Activity 5 on p. 428 with a classmate. For additional practice, use Reteaching & Practice.

Answers Projectable Transparencies, 8-25 and 8-26

Activity 9
1. b, c   **3.** b, c
2. a   **4.** a

Activity 10 Answers will vary and should expand on true/false judgement statements, as in the example below. The subjunctive should be used with negative statements or any containing **es bueno que** or **es importante que.**
   1. Es cierto que los jóvenes necesitan hacer más ejercicio y comer mejor. La obesidad es un problema serio para los jóvenes. Miramos la tele demasiado y comemos mucho azúcar y pocas verduras.

Activity 11
1. positiva; **2.** negativa; **3.** negativa;
4. positiva; **5.** positiva

Para y piensa
   1. No es cierto que el señor Andrade esté en su oficina hoy.
   2. No es verdad que Nicolás y Renata tengan una cita con el señor Andrade.

Differentiating Instruction

Inclusion

Cumulative Instruction Remind students that impersonal expressions that do not indicate truth or assurance are in the subjunctive, even if they're not negative. For example, this sentence does not require the subjunctive: **Es cierto que hablamos;** this one does: **Es bueno que hablemos.** Write truth statements side-by-side with other impersonal expressions to highlight the difference.

Pre-AP

Persuade Dictate to advanced students a negative statement from the Activity 11 script and then have them write an email to the speaker, trying to get him to volunteer for a park cleanup day. Encourage students to try to address the specific issues that the speaker has with environmental preservation efforts.

Objective

· Present the future tense of regular verbs.

Core Resource

· *Cuaderno,* pp. 350–352

Presentation Strategies

· Have students repeat examples of the structure.

STANDARD

4.1 Compare languages

Warm Up Projectable Transparencies, 8-18

Expresiones impersonales Un(a) compañero(a) que no sabe mucho sobre los asuntos medioambientales hace las declaraciones siguientes. Usa las expresiones impersonales para expresar tu desacuerdo.

1. Ecuador no necesita usar más dinero para el medio ambiente.
2. La basura en los parques no daña a nadie.
3. Las compañías grandes ya protegen la naturaleza.
4. No hay contaminación de agua en este continente.
5. Es bueno que tengamos mucha industria al lado de los ríos.

Answers: (will vary slightly): 1. Es necesario que el gobierno use más dinero para el medio ambiente; 2. No es cierto que la basura en el parque no dañe a nadie; 3. No es verdad que todas las compañías ya protejan la naturaleza; 4. No es cierto que no haya contaminación de agua en este continente; 5. No es bueno que tengamos mucha industria al lado de los ríos.

Comparisons

English Grammar Connection

Mention that English also expresses the future in two ways (*I am going to eat* vs. *I will eat*).

Long-term Retention

 Recycle

Have students restate each example sentence using **ir a** + infinitive (**Voy a trabajar...** for **Trabajaré de voluntario para proteger el medio ambiente.**)

✣ Presentación de GRAMÁTICA

¡AVANZA! **Goal:** Learn how to form the future tense of regular verbs. Then talk about future actions or events. *Actividades 12–15*

♲ *¿Recuerdas?* Expressions of frequency p. R8, vacation activities pp. 60, R3

English Grammar Connection: In English, you form the **future tense** with the word *will* before an infinitive, minus the word *to.* In Spanish, you also form the **future tense** with the infinitive, but with a verb ending attached.

> We **will dance.** Nosotros **bailaremos.**

Future Tense of Regular Verbs

You have learned one way to talk about future actions in Spanish using **ir a** + *infinitive.* Spanish also has a **future tense.** How do you form it?

Here's how:

You attach **endings** to the infinitive to form the **future tense** of regular verbs. These endings are the same for **-ar, -er,** and **-ir** verbs.

Infinitive		Future Tense Endings	
trabajar		-é	-emos
recoger	+	-ás	-éis
escribir		-á	-án

Trabajaré de voluntario para proteger el medio ambiente.
I will volunteer to protect the environment.

¿**Recogerán** la basura en el parque mañana?
Will they pick up trash in the park tomorrow?

Escribiremos un artículo sobre la deforestación.
We will write an article about deforestation.

Notice that all future tense endings have accents except **nosotros.**

Más práctica
Cuaderno *pp. 350–352*
Cuaderno para hispanohablantes *pp. 351–354*

@**HOMETUTOR** my.hrw.com
Leveled Practice
🌐 Conjuguemos.com

Differentiating Instruction

Inclusion

Synthetic/Analytic Support Write each future-tense ending on a separate piece of paper and set them on the chalk ledge. Then list infinitives on the board (avoid irregulars). Make a simple statement in the future tense and have a volunteer go to the board and hold the ending you used up to the end of the corresponding infinitive.

English Learners

Provide Comprehensible Input Draw a calendar on the board. On today's date, write a sentence in the present tense, such as **Camino en el bosque.** On tomorrow's date, write a sentence in the future, using the same verb, such as **Caminaré en la playa.** Have volunteers repeat the process with their own sentences.

Práctica de GRAMÁTICA

12 | ¡A trabajar!

Hablar Escribir

Tú y tu clase son voluntarios en un proyecto ecológico. ¿Cómo ayudarán?

modelo: nosotros: limpiar la comunidad
Nosotros **limpiaremos** la comunidad.

1. yo: traer muchos basureros
2. nosotros: recoger toda la basura
3. mi amigo: escribir un artículo
4. el fotógrafo: tomar fotos
5. los periodistas: entrevistar a la gente
6. nosotros: trabajar mucho

Expansión:
Teacher Edition Only
Have students write two more sentences, using the verbs **proteger** and **ayudar**.

13 | ¿Cómo será el futuro?

Hablar Escribir

Renata escribe una introducción para el video. Completa su párrafo con los verbos apropiados en el futuro.

compartir	respirar
encontrar	ser
hablar	ver
perder	vivir

Nicolás y yo estamos preocupados por el futuro de nuestro mundo. La contaminación **1.** un problema horrible si no hacemos algo ahora. Por el smog, muchas personas **2.** aire sucio y el mundo **3.** poco a poco la capa de ozono. Las personas **4.** en un mundo muy diferente si no ayudamos. Con nuestra película tú **5.** como puedes ayudar. Los personajes de la película te **6.** de cómo conservar y proteger los recursos naturales. Si trabajamos todos, **7.** las soluciones a tiempo y **8.** un mundo mejor.

Expansión:
Teacher Edition Only
Have students add variety to the introduction by rewriting three sentences using **ir + a + infinitive**.

Comparación cultural

El artista y la naturaleza

Selva y Hombres (1946), Galo Galecio

¿Cómo puede expresar una pintura la relación entre el hombre y la naturaleza? El artista Galo Galecio, de **Ecuador**, hizo pinturas, esculturas y grabados *(prints)*. En sus grabados, representa la vida en los pueblos de la costa ecuatoriana y el paisaje tropical de la zona. La fuerza expresiva y el estilo dramático de Galecio se ven en este grabado, que se titula *Selva y hombres*. El grabado muestra a los hombres que habitan la selva, rodeados *(surrounded)* por los animales y plantas que también viven allí. ¿Qué relación hay entre los dos grupos de habitantes?

Compara con tu mundo *¿Cómo ves la relación entre el hombre y la naturaleza, y cómo la representarías en una pintura?*

Lección 1
cuatrocientos treinta y tres **433**

Objectives
· Practice using the future tense.
· **Culture:** Art and nature

Practice Sequence
· **Activity 12:** Controlled practice: the future tense
· **Activity 13:** Controlled practice: verbs in the future tense

STANDARDS
1.3 Present information, Acts. 12, 13
2.2 Products and perspectives, CC
4.2 Compare cultures, CC
21st CENTURY Communication, Compara con tu mundo

Comparación cultural

Essential Question

Suggested Answer Muchas veces los artistas de un país incorporan la naturaleza de ese país a su arte. El arte puede representar la relación entre el hombre y la naturaleza.

Differentiating Instruction

Multiple Intelligences

Visual Learners Challenge students to create a collage that highlights the relationship between man and nature as Galecio's prints do. Direct students to local museums or museum websites for ideas. Have them add to the piece, by either painting or drawing their own additions to it.

Pre-AP

Communicate Preferences Call on advanced students to tell if they prefer abstract art to more traditional compositions, and why.

Answers Projectable Transparencies, 8-26

Activity 12
1. Yo traeré muchos basureros.
2. Nosotros recogeremos toda la basura.
3. Mi amigo escribirá un artículo.
4. El fotógrafo tomará fotos.
5. Los periodistas entrevistarán a la gente.
6. Nosotros trabajaremos mucho.

Activity 13
1. será
2. respirarán
3. perderá
4. vivirán
5. verás
6. hablarán
7. encontraremos
8. compartiremos

Objectives
· Practice the future tense.
· Recycle: expressions of frequency, vacation activities

Core Resource
· *Cuaderno,* pp. 350–352

Practice Sequence
· **Activity 14:** Transitional practice: the future tense; Recycle: Expressions of frequency
· **Activity 15:** Open-ended practice: the future vacation plans; Recycle: Vacation activities

STANDARDS
1.1 Engage in conversation, Acts. 14, 15
1.2 Understand language, Act. 15
1.3 Present information, Act. 14

Get Help Online
More Practice
my.hrw.com

✓**Ongoing Assessment**

PARA Y PIENSA **Alternative Strategy** After discussing their vacation plans, have students list their activities on paper and hand them in. For additional practice, use Reteaching & Practice Copymasters URB 8, pp. 7–8, 10–11.

Activity 14 Answers will vary slightly.
1. ¿Leerás durante el verano? Sí, leeré todos los días.
2. ¿Viajarán tus padres? Sí, viajaran una o dos veces.
3. ¿Acampará tu familia? No, no acamparemos.
4. ¿Montará a caballo tu hermano? No, él no montará a caballo.
5. ¿Irás a pescar? No, yo no iré a pescar.
6. ¿Mirarán la televisión tú y tus amigos? Sí, miraremos la televisión un poco.
7. ¿Te acostarás tarde? Sí, me acostaré tarde.
8. ¿Te levantarás tarde? Sí, me levantaré tarde todos los días.

Activity 15 Answers will vary. For example:
—Veremos muchas especies acuáticas. Nadaremos en el océano. Yo iré en bicicleta para visitar las otras partes de la isla.

Para y piensa
1. Trabajaré mucho para conservar los recursos naturales.
2. Mi familia y yo iremos al parque para recoger basura.
3. Muchas personas nos verán en la televisión.

434

---

14 Durante el verano

♻ **¿Recuerdas?** Expressions of frequency p. R8

Hablar Escribir ¿Qué piensan hacer ustedes durante el verano? Hablen de sus planes.

modelo: nadar / tú

1. leer / tú
2. viajar / tus padres
3. acampar / tu familia
4. montar a caballo / tu hermano(a)
5. ir a pescar / tú
6. mirar la televisión / tú y tus amigos
7. acostarse tarde / tú
8. levantarse tarde / tú

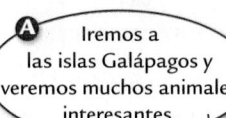

A ¿Nadarás durante el verano?

B Sí, nadaré todos los días.

Expansión
Think of three additional activities you will do this summer and write about them using the future tense.

15 ¡Conoceremos las Galápagos!

♻ **¿Recuerdas?** Vacation activities pp. 60, R3

Leer Hablar Ustedes irán de vacaciones a Ecuador. Lean este anuncio turístico y hablen de sus planes.

A Iremos a las islas Galápagos y veremos muchos animales interesantes.

B ¡Claro que sí! También montaremos en bicicleta.

C Visitaremos muchos lugares interesantes. Tomaré fotos de una...

ISLA SANTA CRUZ ECOTURISMO EN LAS ISLAS GALÁPAGOS

Eco Hotel Isleño

Descubre las islas, disfruta de la naturaleza en un viaje único. Ve las atracciones de las islas Galápagos por día. Descansa y relaja en nuestro alojamiento por noche.

Descubre las islas
· excursiones diarias guiadas a las islas protegidas en barco: Bartolomé, Seymour, Santa Fe y más opciones
· observación de aves
· programa de buceo
· ciclismo de montaña
· caminatas

Descansa en nuestro hotel
· 21 habitaciones cómodas con aire acondicionado
· piscina y jacuzzi
· restaurante cuatro estrellas
· paquetes de 4 a 8 días

¡TU VIAJE AQUÍ SERÁ INOLVIDABLE!

Expansión:
Teacher Edition Only
Have students tell two things that they will NOT do on their vacation.

Más práctica Cuaderno *pp. 350–352* Cuaderno para hispanohablantes *pp. 351–354*

Get Help Online
my.hrw.com

PARA Y PIENSA **¿Comprendiste?** Escribe estas oraciones en el futuro.
1. Trabajo mucho para conservar los recursos naturales.
2. Mi familia y yo vamos al parque para recoger basura.
3. Muchas personas nos ven en la televisión.

434 Unidad 8 Ecuador
cuatrocientos treinta y cuatro

Differentiating Instruction

Multiple Intelligences

Kinesthetic Have students stomp their feet on the stressed syllable of future tense verbs to remember where the accents go. When stating a verb in the **nosotros** form, have them step and rock back, cha-cha style, to remember that no written accent is necessary when stress is on the penultimate syllable.

Heritage Language Learners

Increase Accuracy Stress the necessity of written accents on all future forms except the **nosotros**. Dictate a number of future tense verbs to students. Then have them get in a small group to go over their spelling, practicing spelling words in Spanish out loud. (Remind them that an accent would be named after the vowel below it.)

❈ Todo junto

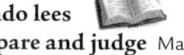

Goal: *Show what you know* Listen as Sr. Andrade talks to Nicolás about his company. Then talk about environmental solutions for the Earth's future. *Actividades 16–20*

Telehistoria completa

 @HOMETUTOR
my.hrw.com | View, Read and Record

STRATEGIES

Cuando lees
Compare and judge Make a table to compare Nicolás's accusations (left column) and Sr. Andrade's defense (right column). Be the judge and decide who wins.

Cuando escuchas
Listen for the argument style Consider how Nicolás and Sr. Andrade make their arguments. What words and tones do they use? Who is more convincing?

 **Escena 1** *Resumen*
Renata y Nicolás están filmando un documental sobre cómo las compañías dañan el medio ambiente. Una policía les dice que no pueden filmar en la esquina.

 **Escena 2** *Resumen*
Los jóvenes entran en la oficina para entrevistar al señor Andrade. La recepcionista les dice que él tiene una cita en un restaurante.

Escena 3

VIDEO
DVD

AUDIO

Sr. Andrade

Nicolás pretends to be a waiter while Renata operates the camera.

Nicolás: ¿Quiere más agua, señor? *(Sr. Andrade nods.)* ¡Un momento, señor! Antes de beber, usted debe saber que esta agua viene de la selva y que hay mucha contaminación en esa selva. ¿Todavía tiene sed?

Sr. Andrade: ¿Perdón?

Nicolás: Pues, su compañía es responsable por esa contaminación. Señor Andrade, es cierto que su compañía daña muchos bosques cada año, ¿no?

Sr. Andrade: ¡No! No es verdad que hagamos eso. Somos responsables.

Nicolás: Sí, es cierto que ustedes son responsables. Son responsables por el smog que vemos en el aire y por la destrucción de la capa de ozono. ¿Cuándo respiraremos aire puro otra vez, señor Andrade?

Sr. Andrade: Escuche... ¿usted, cómo se llama?

Nicolás: Yo soy Nicolás Callejas Montalvo.

Sr. Andrade: Escuche, Nicolás, yo sé que está enojado por la contaminación del medio ambiente. Yo también. Hace dos años que soy presidente de esta compañía, y hoy en día las cosas son muy diferentes. Por ejemplo, este año comenzó nuestro nuevo programa de reciclaje. Así protegemos más el aire, el agua y los bosques. Por favor, pasen por mi oficina mañana. Allí hablaremos y yo responderé a todas sus preguntas. ¿Qué les parece?

Renata: ¡Allí estaremos!

Lección 1
cuatrocientos treinta y cinco **435**

Differentiating Instruction

English Learners

Increase Interaction After reading the Telehistoria script at least once, listening to the audio, and viewing the video, have students form groups of three and each choose a character to play. Give English learners and at-risk students a chance to ask questions about pronunciation before they begin to read their part in their small group.

Slower-paced Learners

Peer-study Support Put students into groups of three and give each group a set of six index cards. Instruct them to write on each card a different, memorable quote, or paraphrase from any of the three Telehistoria episodes. Then have them shuffle the cards and give them to another group to sequence according to the storyline.

<avanza> **Objective**
· Integrate lesson content.

Core Resources
· Video Program: DVD 3
· Audio Program: TXT CD 9 Track 7

Presentation Strategies
· Review the first two parts of the Telehistoria.
· Show the video, replaying as necessary.
· Ask students to refer back to their predictions from Escena 1. Ask them if their predictions were correct.

❈❈ **STANDARD**
1.2 Understand language

🖥 **Warm Up** Projectable Transparencies, 8-18

El futuro En su diario, Oswaldo Viteri escribe planes para mañana. Completa las oraciones.

1. Yo _____ (ir) al mercado para comprar más artesanías.
2. El artesano y yo _____ (hablar) de los muñecos de trapo.
3. Luego yo _____ (llegar) al lugar donde venden la ropa.
4. Seguramente, las mujeres me _____ (vender) algo bonito.
5. Al final, yo _____ (volver) a casa para empezar el trabajo.

Answers: 1. iré; 2. hablaremos; 3. llegaré; 4. venderán; 5. volveré

 @HOMETUTOR
VideoPlus
my.hrw.com

Video Summary

Nicolás pretends to be a waiter in order to talk to señor Andrade. After Renata films a few of Nicolás's accusations, señor Andrade explains that the company's policies have changed since he became president. He invites Nicolás and Renata to come to his office so he can answer questions.

▶❙ ❙❙

435

Objective
· Practice using and integrating lesson vocabulary and grammar.

Core Resources
· *Cuaderno*, pp. 353–354
· Audio Program: TXT CD 9 Tracks 3, 5, 7, 8, 9

Practice Sequence
· **Activities 16, 17:** Telehistoria comprehension
· **Activity 18:** Open-ended practice: speaking
· **Activity 19:** Open-ended practice: reading, listening, speaking
· **Activity 20:** Open-ended practice: writing

STANDARDS
1.1 Engage in conversation, Act. 18
1.2 Understand language, Acts. 16, 19
1.3 Present information, Acts. 17, 20
Flexibility and Adaptability, Act. 18; **Initiative and Self-Direction,** Heritage Language Learners; **Leadership and Responsibility,** Pre-AP: Integration

Communication
Motivating with Music

The **¡AvanzaRap!** song for this unit targets vocabulary from Lección 1. To reinforce these concepts, play the **¡AvanzaRap!** animated video song for students and have them complete the Activity Master for this unit.

Answers Projectable Transparencies, 8-26

Activity 16 Answers may vary slightly.
1. Nicolás dice que hay **mucha...**
2. Nicolás dice que **la compañía...**
3. El señor Andrade está de acuerdo con **una parte de...**
4. ...es responsable por **el smog y la destrucción de la capa de ozono.**
5. Nicolás está **enojado...**
6. ...un programa de **reciclaje.**
7. **No es cierto que** el señor Andrade **diga...**
8. ...hablarán más el **próximo día.**

Activity 17 Answers will vary. Samples:
1. Nicolás y Renata piensan que al señor Andrade no le importa el medio ambiente....
2. El señor Andrade explica que para él es importante que protejamos la naturaleza....

Activity 18 Answers will vary.

436

---

16 | Comprensión de los episodios ¡A corregir!

Escuchar Leer

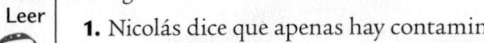

Corrige los errores en estas oraciones.

1. Nicolás dice que apenas hay contaminación en la selva.
2. Nicolás dice que los consumidores dañan muchos bosques.
3. El señor Andrade está de acuerdo con lo que dice Nicolás.
4. Nicolás piensa que la compañía del señor Andrade es responsable por los incendios forestales.
5. Nicolás está enfermo por la contaminación del medio ambiente.
6. Ahora la compañía tiene un programa de voluntarios.
7. El señor Andrade dice que quieren dañar el mundo.
8. Nicolás, Renata y el señor Andrade hablarán más el próximo domingo.

> **Expansión:**
> Teacher Edition Only
> Have students write two more false statements about the Telehistoria.

17 | Comprensión de los episodios ¿Qué opinan?

Escuchar Leer

Contrasta las dos perspectivas, escribiendo detalles de los tres episodios. Escribe por lo menos tres frases para cada uno.

1. Nicolás y Renata piensan que...
2. El señor Andrade explica que...

> **Expansión:**
> Teacher Edition Only
> Have students state two broad misconceptions about the environment, beginning with **Mucha gente piensa que...**

18 | Candidato para presidente

Hablar

> **STRATEGY Hablar**
> **Use a problem-solution chart for brainstorming** To prepare for the interview, organize your candidate's ideas into a two-column chart. On the left, list the environmental problems. On the right, list solutions corresponding to each problem. Use the written information to guide the interview.

Uno de ustedes quiere ser el presidente y los otros en el grupo son periodistas. Primero, hagan una lista de las ideas importantes del candidato sobre el medio ambiente y los planes para el futuro.
Luego hagan una entrevista para la televisión usando verbos en el futuro.

Pistas: investigar problemas, proteger el medio ambiente, empezar un programa de reciclaje

modelo: **Periodista A:** ¿Cómo protegerá usted el medio ambiente?
Candidato(a): Es importante que nosotros protejamos nuestro mundo. Reciclaremos y conservaremos más en este país.
Periodista B: ¿Investigará usted los problemas del smog?

> **Expansión**
> Write a summary of the candidate's positions.

Differentiating Instruction

Pre-AP

Expand and Elaborate Ask students to think about how they would begin their conversation the next day with señor Andrade if they were Nicolás or Renata. Have students write Nicolás and Renata's explanation of why they did and said what they did and include more questions they would like Señor Andrade to answer.

Heritage Language Learners

Writing Skills Have students write a paragraph using the future tense about how to promote environmental awareness in their heritage country. Remind them to check their paragraph for spelling and accents.

19 Integración

Leer
Escuchar
Hablar

Digital
performance space

Lee los consejos en una página web y escucha el anuncio. Luego dales consejos a las personas en tu casa sobre lo que pueden hacer para conservar.

Fuente 1 Página web ecológica

HTTP://www.econet.ec2

EcoNet

Hay algunas cosas fáciles que puedes hacer en tu casa para proteger el medio ambiente:

| Apaga las luces que no estás usando. | Usa menos agua cuando te cepillas los dientes y te duchas. | Usa detergentes biodegradables para lavar la ropa y los platos. | Usa productos naturales como vinagre blanco, bicarbonato de soda y limón para limpiar la casa. Son baratos y efectivos. |

Fuente 2 Anuncio

Listen and take notes
· ¿Qué problema hay en el mundo?
· ¿Qué puedes reciclar?
· ¿Qué puedes hacer si recibes un regalo?

modelo: Es cierto que hay mucho que podemos hacer para conservar. Primero...

🎧 **Audio Program**
TXT CD 9
Tracks 8, 9
Audio Script, TE
p. 419B

20 Nuestro mundo

Escribir

Digital
performance space

Escribe un artículo sobre el medio ambiente para el periódico. Describe tres problemas y ofrece soluciones para cada problema.

modelo: Hoy vivimos en un mundo bello con recursos naturales e importantes. Sin embargo, el futuro será diferente si no protegemos la naturaleza. Es necesario que...

Writing Criteria	Excellent	Good	Needs Work
Content	Your article is detailed, with lesson vocabulary, future verbs, and impersonal expressions.	Your article includes some details and vocabulary words, future verbs, and impersonal expressions.	Your article has few details, vocabulary words, future verbs, and impersonal expressions.
Communication	Most of your article is organized and easy to follow.	Parts of your article are organized and easy to follow.	Your article is disorganized and hard to follow.
Accuracy	Your article has few mistakes in grammar and vocabulary.	Your article has some mistakes in grammar and vocabulary.	Your article has many mistakes in grammar and vocabulary.

Expansión
Exchange papers with a partner and compare your problems and solutions. Make suggestions on how to improve each of your articles.

Más práctica Cuaderno pp. 353–354 Cuaderno para hispanohablantes pp. 355–356

PARA Y PIENSA

🌐 **Get Help Online**
my.hrw.com

¿Comprendiste? Completa las oraciones.
1. No es verdad que todos _____ (reciclar).
2. Mañana nosotros _____ (recoger) todo el vidrio y el papel en la casa.

Differentiating Instruction

Multiple Intelligences

Intrapersonal Have students skim the lesson for ideas on personal resolutions regarding conservation. Ask for eight sentences, but encourage them to only write down actions they intend to do. If they don't have eight resolutions, have them explain why. For example: **No reciclaré el cartón porque mi pueblo no tiene programa de reciclaje de cartón.**

Inclusion

Clear Structure Have the class brainstorm environmental concerns to use as a topic for an essay for Activity 20. Then have at-risk students choose three problems and use them to create a problem-solution chart similar to the one in Activity 18. Encourage students to write an introduction, a conclusion, and transitions between ideas. Finally, have students engage in peer editing.

Long-term Retention

Pre-AP **Integration**

Activity 19 Have students brainstorm ways to get their community involved in recycling and cleaning up public places. Then have them write a radio announcement that includes some of their favorite ideas; for example, a community beautification day.

✓ Ongoing Assessment

Rubric Activity 19

Listening /Speaking

Proficient	Not There Yet
Student takes detailed notes and mentions most or all of the environmental actions recommended in the two sources.	Student takes few notes and only mentions a few of the environmental actions recommended.

To customize your own rubrics, use the **Generate Success** *Rubric Generator and Graphic Organizers.*

✓ Ongoing Assessment

🌐 **Get Help Online**
More Practice
my.hrw.com

PARA Y PIENSA **Quick Check** This Para y piensa integrates the two grammar points from the lesson. Ask students to identify the context clues in each statement that determines the verb tense used. For review, see Reteaching and Practice Copymasters URB 8, pp. 7, 9.

💻 **Answers** Projectable Transparencies, 8-26 and 8-27

Activity 19 Answers will vary. Sample answers include:

Para conservar, hay que reciclar y usar menos recursos naturales como el papel y el agua.

Activity 20 Articles will vary, but should include three environmental problems and solutions.

Para y piensa
1. reciclemos
2. recogeremos

437

- Read about a community service organization in Ecuador.
- Discuss volunteer options.
- Practice reading.
- Answer reading comprehension questions.

Core Resource

- Audio Program: TXT CD 9 Track 10

Presentation Strategies

- Have students read aloud in groups of three and decide on the main idea.
- Have students use the Strategy to organize information.
- Conduct a whole-class reading and/or discussion of the text.
- Have students answer Para y piensa questions.

STANDARDS

1.2 Understand language
2.1 Practices and perspectives
21ST CENTURY Communication, Multiple Intelligences; **Leadership and Responsibility,** Using Spanish as a Volunteer; **Technology Literacy,** English Learners

 Warm Up Projectable Transparencies, 8-19

Planes futuros Describe los planes de las siguientes personas.

1. Nosotros _____ (trabajar) para organizar un día de reciclaje para toda la escuela.
2. Nicolás _____ (ir) a su nuevo trabajo en la oficina del señor Andrade.
3. La policía _____ (comprar) uniformes.
4. La recepcionista _____ (buscar) un nuevo trabajo.
5. El señor Andrade y su compañía _____ (ganar) mucho dinero como resultado de su nueva imagen.

Answers: 1. trabajaremos; 2. irá; 3. comprará; 4. buscará; 5. ganarán

Cultura

Expanded Information

The Web site presented here is fictitious, but it is a composite of many nonprofit organizations that aid Ecuador. Without them, many Ecuadorians could not meet their basic needs. More than half of Ecuador lives below the poverty line.

 ## Lectura

¡AVANZA! **Goal:** Read about a community service organization in Ecuador. Then discuss the kinds of volunteer work offered and those that interest you.

 AUDIO

Sitio web: Fundación Bello Ecuador

Lee este sitio web sobre una organización que ofrece oportunidades para trabajar de voluntario.

STRATEGY Leer
Make a mind map Create a mind map showing the objective and the programs of the Fundación Bello Ecuador. Add as many details as you can with circles and lines.

Objetivo de la FBE
_____

Programa 1   Programa 2

http://www.fbe.org.ec

Programas De Voluntarios
En Ecuador

| Información y programas | Cómo ayudarnos | Formulario[1] para programas | Galería de fotos | Contáctenos |

Entrenamiento en temas ecológicos

Información general sobre Ecuador

¡Nuevo! Participa en un proyecto cultural y económico en los Andes y aprende sobre las culturas y artesanías indígenas.

Haz clic aquí para más información

Fundación Bello Ecuador (FBE) es una organización privada sin fines lucrativos[2]. Contamos con[3] donaciones y voluntarios para realizar[4] nuestros programas.

Nuestro objetivo es mejorar[5] la vida para toda la gente ecuatoriana. Trabajamos con varias organizaciones sociales en proyectos de educación, de desarrollo[6] rural, social, cultural y económico y de conservación del medio ambiente.

---

[1] application form [2] **sin...** non-profit [3] **Contamos...** We count on
[4] to fulfill, make happen [5] to improve [6] development

 438
Unidad 8 Ecuador
cuatrocientos treinta y ocho

Differentiating Instruction

English Learners

Build Background Have English learners go on the Web and see if they can find a site about a similar organization in their country of origin, and/or written in their native language. If such an organization exists, have them compare it with Fundación Bello Ecuador.

Slower-paced Learners

Yes/No Questions Ask a volunteer to read the selection. Stop often to ask comprehension questions. Rephrase questions to allow for an either/or or a yes/no response if some students are reluctant to participate. Ask questions that draw their attention to the main idea.

http://www.fbe.org.ec

Programas De Voluntarios En Ecuador

| Información y programas | Cómo ayudarnos | Formulario para programas | Galería de fotos | Contáctenos |

Otros enlaces[7]

Clases de quechua y otros idiomas[8] indígenas

Entrenamiento[9] en temas ecológicos

Información general sobre Ecuador

¡Nuevo! Participa en proyecto cultural y económico en los Andes y aprende sobre las culturas y artesanías indígenas.

Haz clic aquí para más información

Aquí hay algunos de los trabajos que ofrecemos

Programas de reforestación y conservación de plantas amazónicas: Trabaja en las selvas y jardines botánicos.

Investigaciones biológicas y programas de protección de especies en peligro de extinción: Ayuda a investigar los problemas de los animales de la selva amazónica o en las Galápagos. También ayuda a buscarles soluciones.

Programas de educación sobre el medio ambiente: Da clases de biología, ecología, conservación y reciclaje a niños y adultos de varias comunidades.

Programas de desarrollo rural: Trabaja en el campo para la construcción de escuelas y el desarrollo de la infraestructura y el sistema de agricultura.

Programas de salud: Trabaja en clínicas y hospitales o en programas de educación sobre la salud.

[7] links   [8] languages   [9] Training

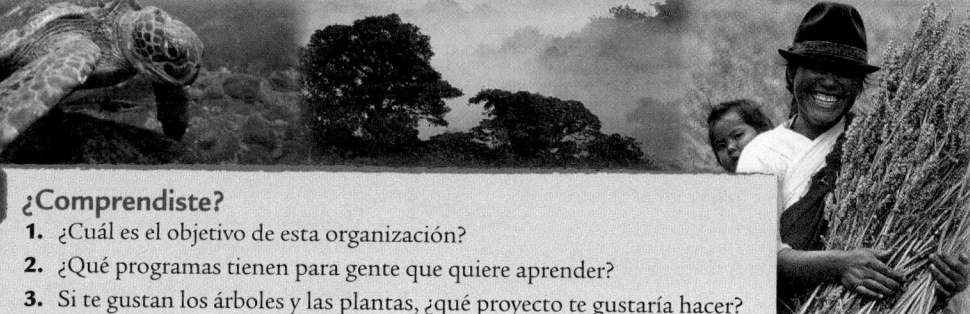

PARA Y PIENSA

¿Comprendiste?
1. ¿Cuál es el objetivo de esta organización?
2. ¿Qué programas tienen para gente que quiere aprender?
3. Si te gustan los árboles y las plantas, ¿qué proyecto te gustaría hacer? ¿Y si te gustan los animales?
4. Si a alguien le interesa enseñar, ¿cuáles de los programas le gustarían?

¿Y tú?
¿Te gustaría trabajar de voluntario(a) en Ecuador? ¿Qué te gustaría hacer?

Lección 1
cuatrocientos treinta y nueve   **439**

Differentiating Instruction

Multiple Intelligences

Interpersonal For each of the service areas described, have students write the name of someone they think would do a great job there, and why. They should describe the people using adjectives, likes, or experiences that would make them a good fit. Encourage them to choose from friends, family members, teachers, and neighbors, not forgetting to include themselves.

Pre-AP

Summarize Have advanced students summarize the content of this Web site. They can add their summary to the link from a conservation and sustainable living site that they are designing.

Communities
Using Spanish as a Volunteer

Use the Internet to find out if there is an international volunteer organization in your area that would send someone to your class. Ask them to talk about the kind of work that they do, where they do it, and how knowledge of Spanish is valued by their staff. Convey to the class the value of trying to make a difference in the lives of individuals and whole communities while learning about the Latino world first-hand. Have students write their impressions on the presentation. Display their pieces in the classroom or, if possible, the hallway.

Communication
Pair Work

Role playing Ask students to choose a program to participate in next summer. In pairs, students can ask and answer questions about what they will do in the program and why they chose it.

Answers

Para y piensa

¿Comprendiste? Answers may vary.
1. Su objetivo es mejorar la vida para toda la gente ecuatoriana.
2. Tienen programas de educación sobre el medio ambiente.
3. Me gustaría hacer un programa de reforestación y conservación de plantas amazónicas. Un programa de protección de especies en peligro de extinción.
4. Le gustaría el programa de educación sobre el medio ambiente.

¿Y tú? Answers will vary. Sample answer: Me gustaría trabajar de voluntaria en Ecuador. Me gustaría hacer investigaciones biológicas.

Objective

· **Culture:** Learn about national parks and reserves in Ecuador.

Presentation Strategies

· Have groups of students take turns reading the text and noting the main idea of each paragraph.
· Have students examine the map legend, noting the number of volcanoes.
· Discuss what impact so many volcanoes might have on a country and its people.

STANDARDS

1.2 Understand language
1.3 Present information
3.1 Knowledge of other disciplines
21st CENTURY Information Literacy, Heritage Language Learners (Global Awareness)

Connections

El lenguaje

Students may be familiar with the word **tortuga** for turtle, but do they know the word **galápago,** for tortoise? The Galápagos Islands' name came from the writings of their discoverer, Tomás de Berlanga, who in 1535 stumbled across the islands by accident en route to Perú. He was impressed by the giant **galápagos,** which can live up to 150 years!

Cultura

Some sources say that the land of the **Yasuní National Park** has now been handed to transnational oil companies, who pay large sums of money to drill there. Indigenous groups who live in Yasuní such as the Huaorani (*Wow-rah-nee*) people visited Washington, D.C. to stop the drilling, which threatens their health, culture, and the rainforest.

Answers

Proyecto 1 Answers will vary. Sample answer: El río Coca empieza en la región de los Andes y baja hasta llegar al río Napo. El río Napo pasa por Ecuador y Perú donde termina en el río Amazonas.

Proyecto 2 Answers will vary. Sample answer: En los parques nacionales de Ecuador, puedes caminar, tomar fotos, o subir las montañas o los volcanes. Si vas a subir una montaña, debes llevar ropa de invierno para el frío y gafas de sol para proteger tus ojos. Para prepararte debes caminar mucho y entrenarte para la altura.

Proyecto 3 Answers will vary.

440

❖ Conexiones *Las ciencias*

Los parques nacionales de Ecuador

Ecuador tiene 33 reservas y parques nacionales. Estos parques tienen un área total de 12,7 millones de acres—18 por ciento del área total de Ecuador. El parque más famoso es el archipiélago de Colón, o las Islas Galápagos. Pero el parque más grande es el parque Yasuní, en la región amazónica, que tiene 2,4 millones de acres. El Yasuní también tiene muchos tipos de fauna: unas 500 especies de pájaros; más de 200 especies de anfibios y reptiles, incluyendo 62 serpientes y 43 ranas (*frogs*) de árbol, y 81 especies de murciélagos (*bats*).

Busca información y escribe un reporte sobre los animales de la región amazónica. ¿Por qué piensas que allí viven tantos (*so many*) animales? ¿Cómo es el clima (*climate*)? ¿Qué tipos de flora encuentras allí? ¿Qué efectos causan los seres humanos (*human beings*) en la región?

Los parques nacionales y las reservas de Ecuador

Islas Galápagos
COLOMBIA
Leyenda
▲ Volcán activo
▲ Volcán inactivo
▲ Volcán apagado
☐ Cordillera de los Andes
OCÉANO PACÍFICO
Cotopaxi
Río Coca
Río Napo
Yasuní
ECUADOR
Chimborazo
Río Pastaza
Sangay
PERÚ
Río Santiago
0   50   100 millas
0   50   100 kilómetros

Una rana de árbol

Proyecto 1 *La geografía*

Aunque el parque nacional Yasuní está en la región amazónica, el río Amazonas no pasa por Ecuador. Mira el mapa y escribe los nombres de tres ríos de la región amazónica. Después explica dónde empiezan, por dónde pasan y dónde terminan estos ríos.

Proyecto 2 *La educación física*

Mucha gente va a los parques nacionales de Ecuador para dar caminatas por las montañas y los volcanes. Busca un parque de Ecuador con montañas o volcanes y planea un viaje allí. ¿Qué deportes o actividades vas a hacer? ¿Qué debes llevar contigo? ¿Cómo debes prepararte físicamente?

Proyecto 3 *La salud*

La selva amazónica es muy importante para la conversión de dióxido de carbono a oxígeno. Sin embargo, la gente ha cortado (*have cut*) tantos árboles que el área de la selva hoy es mucho más pequeña que antes. Escribe tres párrafos sobre los efectos de la destrucción de la selva en la salud del ser humano.

El río Tigre

Differentiating Instruction

Heritage Language Learners

Support What They Know Ask students of Latino heritage if they know anything about any indigenous people who inhabited their country of origin before the arrival of Columbus. Are these groups struggling to maintain their cultural identities or their land? Encourage students to seek out more information from family members and independent research.

English Learners

Increase Interaction Explain that Quito has an altitude of more than 9,300 feet and that visitors often experience symptoms of altitude sickness, such as headache, dizziness, and nausea. Group students based on the climate and geography that they are most familiar with. Have each group come up with suggestions for travelers visiting their place of origin.

En resumen
Vocabulario y gramática

ANiMaTeDGRaMMaR
Interactive Flashcards
my.hrw.com

Vocabulario

The Environment and Conservation

Natural Resources		Recycling		Environmental Responsibilities	
el aire puro	clean air	el basurero	trash can	conservar	to conserve
el árbol	tree	el cartón	cardboard	proteger	to protect
el bosque	forest; woods	el (la) consumidor(a)	consumer	reciclar	to recycle
la naturaleza	nature			recoger	to pick up
el petróleo	oil	el reciclaje	recycling	la responsabilidad	responsibility
los recursos naturales	natural resources	los vehículos híbridos	hybrid vehicles	responsable	responsible
la selva	jungle	el vidrio	glass		

Environmental Issues

				Expressing Truth and Doubt	
la capa de ozono	ozone layer	los incendios forestales	forest fires	Es cierto que...	It is true that . . .
la contaminación	contamination; pollution	el medio ambiente	environment	Es verdad que...	It is true that . . .
dañar	to damage	el mundo	world	No es cierto que...	It is not true that . . .
la deforestación	deforestation	respirar	to breathe	No es verdad que...	It is not true that . . .
la destrucción	destruction	el smog	smog		
las especies en peligro de extinción	endangered species				

Community Service		Other Words and Phrases	
trabajar de voluntario(a)	to volunteer	apenas	barely
el (la) voluntario(a)	volunteer	poco a poco	little by little
		sumamente	extremely

Gramática

Nota gramatical: Spelling change of **-ger** verbs *p. 426*

Other Impersonal Expressions

- Impersonal expressions with the words **cierto** and **verdad** express certainty in the **affirmative** and are followed by the **present tense.**

  Es cierto que respiramos aire puro.
  It's true that we breathe clean air.

- When these expressions are made **negative,** they imply doubt or disbelief and are followed by verbs in the **subjunctive.**

  No es cierto que respiremos aire puro.
  It's not true that we breathe clean air.

Future Tense of Regular Verbs

You attach **endings** to the infinitive to form the **future tense** of regular verbs. These endings are the same for **-ar, -er,** and **-ir** verbs.

Infinitive		Future Tense Endings	
trabajar		-é	-emos
recoger	+	-ás	-éis
escribir		-á	-án

¿**Recoger**án la basura en el parque mañana?
Will they pick up trash in the park tomorrow?

Practice Spanish with Holt McDougal Apps!

Lección 1
cuatrocientos cuarenta y uno   **441**

Multiple Intelligences

Visual Learners Have students create picture dictionaries on sheets of 11 x 17 paper or poster board. Show them an example: a marker drawing including jungle, park, smoggy city in the distance, with vocabulary items labeled as possible. Include people with speech bubbles using impersonal expressions and the future tense. Have students represent and label at least twenty terms.

Pre-AP

Timed Answer Write the following questions on the board and let students respond to one for ten minutes.

- ¿**Por qué es importante el desarrollo del ecoturismo en Ecuador?**
- ¿**Cuál es el problema más serio del medio ambiente y por qué?**

REPASO DE LA LECCIÓN

Objective
· Review lesson grammar and vocabulary.

Core Resources
· *Cuaderno,* pp. 355–366
· Audio Program: TXT CD 9 Track 11

Presentation Strategies
· Before assigning Activity 2, ask students for the spelling changes of **-ger** verbs.
· Review the format and endings used for regular verbs in the future tense.
· Ask students to generate three additional questions to ask their classmates for Activity 5.

STANDARDS

1.2 Understand language, Act. 1
1.3 Present information, Acts. 1, 2, 3, 4
2.2 Products and perspectives, Act. 5
3.1 Knowledge of other disciplines, Act. 5

Technology Literacy, Heritage Language Learners

Warm Up Projectable Transparencies, 8-19

¿Recuerdas? Corrige las oraciones siguientes, usando la información que se encuentra en la página 440.

1. Ecuador tiene 18 reservas y parques nacionales.
2. El parque más grande es las Islas Galápagos.
3. El parque Yasuní contiene aproximadamente 50 especies de pájaros.
4. El río Amazonas pasa por Ecuador.
5. Es importante que tengamos árboles para convertir el oxígeno en dióxido de carbono.

Answers: 1. Ecuador tiene **33** reservas y parques nacionales; 2. El parque más grande es **el parque Yasuní**; 3. El parque Yasuní contiene aproximadamente **500** especies de pájaros; 4. El río Amazonas **no** pasa por Ecuador; 5. Es importante que tengamos árboles para convertir **el dióxido de carbono en oxígeno.**

✓ Ongoing Assessment

Alternative Strategy Have students write a letter to their parents, after coming home very late and getting grounded. They should say that while it is true they were late, it is not true that they are irresponsible. Finally, they should use the future tense to explain how they are going to change their behavior.

See Activity answers on p. 443.

442

Repaso de la lección

@HOMETUTOR
my.hrw.com

¡LLEGADA!

Now you can
· express what is true and not true
· discuss environmental problems and solutions
· talk about future actions or events

Using
· spelling change of **-ger** verbs
· other impersonal expressions
· future tense of regular verbs

Audio Progr.
TXT CD 9 Trac
Audio Script, T
p. 419B

To review
· future tense of regular verbs, p. 432

AUDIO

1 | Listen and understand

La maestra presenta problemas que afectan el medio ambiente. Escoge una solución y escribe lo que podemos hacer en el futuro para ayudar.

recoger la basura	reciclar el cartón y el vidrio
tomar el autobús o el tren	proteger los bosques y las selvas
comprar vehículos híbridos	no dañar los lugares donde viven

modelo: 1. Nosotros...
Nosotros compraremos vehículos híbridos.

1. Nosotros...
2. La gente...
3. Yo...
4. Nosotros...
5. Los voluntarios...

To review
· spelling changes of **-ger** verbs, p. 426

2 | Discuss environmental problems and solutions

Escribe oraciones que describen consideraciones importantes para proteger el medio ambiente.

modelo: (importante) La gente protege el medio ambiente.
Es importante que la gente proteja el medio ambiente.

1. (bueno) Yo recojo el cartón para reciclarlo.
2. (necesario) Los consumidores protegen la capa de ozono.
3. (importante) Nosotros protegemos los recursos naturales.
4. (preferible) Tú recoges la basura en el parque.
5. (bueno) Ustedes protegen unas especies en peligro de extinción.
6. (importante) La gente recoge los papeles en la calle.

Differentiating Instruction

Inclusion

Frequent Review/Repetition Allow at-risk students to hear the audio for Activity 1 twice. First let them listen to all items. Then have them read through the activity bank, and on a second hearing, encourage them to indicate with a line or number which items they will combine into sentences. Finally, give them time to write their sentences.

Pre-AP

Determine Cause and Effect Require advanced students to expand on answers in Activity 2 using **porque** as a conjunction. For example, **Es preferible que tú recojas la basura en el parque hoy porque yo la recogeré mañana.**

review
other impersonal
expressions,
p. 427

3 | Express what is true and not true

Describe tu comunidad usando oraciones con **(no) es cierto que** y **(no) es verdad que.**

modelo: Hay Es verdad que hay incendios forestales.

1. No hay .

4. Hay  .

2. Recogemos en las calles.

5. Todos reciclan  .

3. Protegemos  .

6. La contaminación del es un problema.

review
future tense
of regular verbs,
p. 432

4 | Talk about future actions or events

¿Qué harán estas personas en el verano para proteger el mundo?

modelo: ustedes / reciclar el cartón y el vidrio
Ustedes reciclarán el cartón y el vidrio.

1. Mis amigos y yo / trabajar de voluntario
2. Mis padres / comprar un vehículo híbrido
3. Tú / escribir un artículo sobre la deforestación
4. Los consumidores / leer sobre la destrucción de la capa de ozono
5. Nosotros / respirar aire puro
6. La gente / recoger la basura

review
Las Galápagos,
Inti Raymi, p. 419
Comparación
cultural, pp. 429,
433

5 | Ecuador and Venezuela

Comparación cultural

Contesta estas preguntas culturales.

1. ¿Qué animales puedes ver en las Galápagos?
2. ¿Cómo son las máscaras del festival Inti Raymi? ¿Qué representan?
3. ¿Cuáles son algunos lugares u organizaciones en Latinoamérica que protegen a las especies en peligro de extinción?
4. ¿Qué representa el artista Galo Galecio en sus grabados?

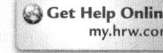 Get Help Online
my.hrw.com

más práctica Cuaderno pp. 355–366 Cuaderno para hispanohablantes pp. 357–366

Differentiating Instruction

Slower-paced Learners

Frequent Review/Repetition Have students identify five words from the lesson that they find difficult to spell. Refer them to p. 441 if necessary. On a separate piece of paper, have them copy down the correct spelling of the five words and spell them from memory. Repeat the process until they correctly spell all five words.

Heritage Language Learners

Literacy Skills Have students look up Web sites in Spanish that focus on environmental issues. Have them write down three sites they found, then choose one to read. Ask students to write a review of the Web site and explain whether they recommend it and why.

✓ **Ongoing Assessment**

Get Help Online
More Practice
my.hrw.com

Intervention and Remediation
More than one mistake in any activity indicates that a student should revisit the indicated pages, and/or visit my.hrw.com for additional practice.

💻 **Answers** Projectable Transparencies, 8-27

Answers continued from p. 442.

Activity 1 Answers will vary. Sample answers:
1. Nosotros tomaremos el autobús o el tren más que ir en coche.
2. La gente no dañará los lugares donde viven.
3. Reciclaré el cartón y el vidrio.
4. Nosotros protegeremos los bosques y las selvas.
5. Los voluntarios recogerán la basura.

Activity 2
1. Es bueno que yo recoja el cartón.
2. Es necesario que los consumidores protejan la capa de ozono.
3. Es importante que nosotros protejamos los recursos naturales.
4. Es preferible que tú recojas la basura en el parque.
5. Es bueno que ustedes protejan unas especies en peligro de extinción.
6. Es importante que la gente recoja los papeles en la calle.

Activity 3 Answers will vary. Sample answers:
1. Es cierto que hay especies en peligro de extinción.
2. Es verdad que recogemos la basura en las calles.
3. No es verdad que protejamos los bosques.
4. Es cierto que hay smog.
5. No es verdad que todos reciclen el cartón y las botellas.
6. Es verdad que la contaminación del agua es un problema.

Activity 4
1. Mis amigos y yo trabajaremos de voluntarios.
2. Mis padres comprarán un vehículo híbrido.
3. Tú escribirás un artículo sobre la deforestación.
4. Los consumidores leerán sobre la destrucción de la capa de ozono.
5. Nosotros respiraremos aire puro.
6. La gente recogerá la basura.

Activity 5 Answers will vary.
1. Puedo ver las iguanas y las tortugas gigantes.
2. Las máscaras tienen unos ornamentos encima que pueden representar los meses del año o las plantas de la cosecha.
3. La Estación Científica Charles Darwin y la organización FUDENA protegen a las especies en peligro de extinción.
4. Representa la vida en los pueblos de la costa ecuatoriana y el paisaje tropical de la zona.

443

Lesson Overview

Culture at a Glance

Topic & Activity	Essential Question
A fire station in Quito, pp. 444–445	¿Visitaste una estación de bomberos?
The art of Eduardo Kingman, p. 453	¿Cómo expresan los artistas su punto de vista en su arte?
Academic competitions, p. 458	¿Cuál es el beneficio de las competencias académicas para los estudiantes?
Unique professions, pp. 462–463	¿Qué profesiones hay y cuáles te interesan?
Newscasts in Ecuador and Venezuela, p. 464	¿Cómo nos afectan las noticias de otros países?
Culture review, p. 467	¿Cómo son las culturas de Ecuador y Venezuela?

COMPARISON COUNTRIES  Ecuador  Honduras   Venezuela

Practice at a Glance

	Objective	Activity & Skill
Vocabulary	Careers and professions	1: Speaking/Writing; 2: Reading/Writing; 3: Listening/Reading; 5: Speaking/Writing; 7: Writing/ Speaking; 8: Listening/Reading; 18: Speaking; 20: Writing; Repaso 1: Listening
	Scientific advances, career choices, pastimes	2: Reading/Writing; 3: Listening/Reading; 4: Reading/Speaking; 9: Listening/Writing; 15: Writing; 16: Listening/Reading; 19: Reading/Listening/Speaking
Grammar	Impersonal **se**	4: Reading/Speaking; Repaso 2: Writing
	Future tense of irregular verbs	5: Speaking/Writing; 6: Speaking; 7: Writing/ Speaking; 8: Listening/Reading; 9: Listening/Writing; 8: Listening/Reading; 10: Speaking; 14: Reading/Speaking; 15: Writing; 18: Speaking; 20: Writing; Repaso 1: Listening; Repaso 3, 4: Writing
	Pronouns	11: Speaking/Writing; 12: Speaking/Writing; 13: Speaking/Writing; 14: Reading/Speaking; Repaso 4: Writing
Communication	Talk about professions	4: Reading/Speaking; 9: Listening/Writing; 15: Writing; 16: Listening/Reading; 18: Speaking; Repaso 3: Writing
	Predict future events and people's actions or reactions	5: Speaking/Writing; 7: Writing/ Speaking; 8: Listening/Reading; 10: Speaking; Repaso 1: Listening; Repaso 3: Writing
	Ask and respond to questions about the future	6: Writing; 14: Reading/Speaking; 17: Listening/Reading; 19: Reading/ Listening/Speaking; Repaso 4: Writing
	Pronunciation: Words ending in **-ción** and **-cción**	*Pronunciación: Palabras que terminan en -ción y -cción*, p. 452: Listening/ Speaking
Recycle	Clothing	11: Speaking/Writing
	Telling time, daily routines	15: Writing

Student Text Audio Scripts

The following presentations are recorded in the Audio Program for *¡Avancemos!*

- **¡A responder!** *page 447*
- **9: Entrevista** *page 455*
- **19: Integración** *page 461*
- **Repaso de la lección** *page 466*
  - **1: Listen and Understand**
- **Repaso inclusivo** *page 472*
  - **1: Listen, understand, and compare**

For **¡AvanzaRap!** scripts, see the **¡AvanzaRap! DVD**.

¡A responder! TXT CD 9 track 13

1. Le gusta escalar montañas.
2. Ayuda a los animales enfermos.
3. Lo llamas si hay un incendio en tu casa.
4. Te trae las tarjetas postales que te mandan tus amigos.
5. Vas a su consultorio si tienes problemas con los dientes.
6. Estas dos personas te ayudan si estás en el hospital.
7. Ellos buscan nuevos conocimientos y curas.
8. Si hay un secreto que quieres descubrir, esta persona te puede ayudar a investigarlo.

9 | Entrevista TXT CD 9 track 17

Toni: Gracias por la entrevista, Mariela.

Mariela: De nada, Toni. Encantada.

Toni: ¿Qué piensas hacer en el futuro? ¿Siempre trabajarás como actriz?

Mariela: No, Toni. Me encanta el trabajo del cine, pero algún día me gustaría ser política.

Toni: ¿Ah, sí? ¿Y crees que puedes ganarte la vida como política?

Mariela: El dinero ya no me importa. Como política podré mejorar la vida de todos. Haré todo lo posible para proteger el medio ambiente.

Toni: ¿Querrás tener una familia?

Mariela: ¡Claro que sí! Mi esposo y yo tendremos tres hijos.

Toni: ¡Me parece que estarás muy ocupada! ¿Tendrán tiempo libre?

Mariela: ¡Claro que sí: los fines de semana! Me encantan las montañas y también la playa. Así que todos seremos alpinistas un fin de semana y el otro seremos buceadores.

Toni: Eso me parece muy divertido. Ojala que todos aprendan a escalar montañas y a bucear.

19 | Integración TXT CD 9 tracks 19, 20

Fuente 2 Las noticias

Periodista: ¿Cómo será el futuro? Este verano, científicos e ingenieros de Ecuador y de todo el mundo responderán a esta pregunta en la Expo Internacional de Robots. El profesor Ramón Aguilera presentará un robot-policía que puede investigar situaciones peligrosas. Aguilera nos habló:

Profesor Aguilera: En el futuro los robots serán sumamente importantes para todos. Habrá uno en cada calle, casa y oficina.

Periodista: Pero no todos están de acuerdo. Una estudiante de la universidad nos habló:

Estudiante: La Expo será divertida, pero es ciencia ficción. Los robots nunca harán todo lo que hacen ahora las personas.

Periodista: ¿Quién tiene la razón? Lo sabremos en junio. Patricia Vera, Quito.

Repaso de la lección TXT CD 9 track 22

1 Listen and understand

1. Yo sabré descubrir nuevas curas para ayudar a los enfermos. Haré algo que se necesita para mejorar la salud.
2. Paco buscará a personas perdidas en las montañas. Tendrá que saber escalar las montañas.
3. En tu profesión habrá muchos animales...perros, gatos y pájaros en tu consultorio. Serás doctora para animales.
4. Tú podrás construir edificios nuevos. Si se necesita una casa nueva, la construirás.
5. La gente me necesitará para mandar cosas a otras personas. Yo saldré de la oficina de correos y llevaré cartas, tarjetas postales y más a la gente y los negocios.
6. Isabel se pondrá un traje especial para protegerse cuando apague los incendios.

Repaso inclusivo TXT CD 9 track 24

1 Listen, understand, and compare

Para escoger una profesión, tienes que pensar en el futuro, o el mundo de mañana. Por eso organizamos Profesiones para mañana. Es necesario que las personas tengan conocimientos de las ciencias, las matemáticas y las idiomas para poder trabajar en los oficios del futuro. Nuestro servicio te ayudará a descubrir las posibilidades numerosas para el trabajo. También te ayudará a decidir qué clases debes tomar para poder hacer los trabajos del futuro.

¿Qué profesión te gustaría tener? ¿Todavía no sabes? Nosotros tenemos pruebas de personalidad que ayuda a las personas a escoger una profesión. Es importante que tengas una profesión que corresponda a tu personalidad. Te ayudaremos. Profesiones para mañana te ayudará a tomar la decisión. Para saber más información, llámanos hoy o mándanos un correo electrónico. Es importante que pienses en todas las posibilidades antes de comenzar la universidad.

Everything you need to ...

Plan

TEACHER ONE STOP

✓ Lesson Plans
✓ Teacher Resources
✓ Audio and Video

Present

INTERACTIVE WHITEBOARD LESSONS

TEACHER ONE STOP WITH PROJECTABLE TRANSPARENCIES

POWER PRESENTATIONS

ANiMATeDGRaMMaR

Assess

 ONLINE ASSESSMENT

✓ Assessments for on-level, modified, pre-AP, and heritage learners
✓ Create customized tests with **Examview Assessment Suite**
✓ **performance))space**
✓ *Generate Success* Rubric Generator

 Print

Plan	Present	Practice	Assess
URB 8 • Video Scripts pp. 73–75 • Family Involvement Activity p. 93 • Absent Student Copymasters pp. 102–112 **Best Practices Toolkit**	**URB 8** • Video Activities pp. 58–67	• *Cuaderno* pp. 367–392 • *Cuaderno para hispanohablantes* pp. 367–392 • *Lecturas para todos* pp. 78–83 • *Lecturas para hispanohablantes* • *¡AvanzaCómics! El misterio de Tikal, Episodio 3* **URB 8** • Practice Games pp. 38–45 • Audio Scripts pp. 80–83 • Fine Art Activities pp. 89–90	**Differentiated Assessment Program** **URB 8** • Did you get it? Reteaching and Practice Copymasters pp. 12–22

 **Projectable Transparencies** (Teacher One Stop, my.hrw.com)

Culture	Presentation and Practice	Classroom Management
• Atlas Maps 1–6 • Map: Ecuador 1 • Fine Art Transparencies 4, 5	• Vocabulary Transparencies 8, 9 • Grammar Presentation Transparencies 12, 13 • Situational Transparencies and Label Overlay 14, 15 • Situational Student Copymasters 1–2	• Warm Up Transparencies 20–23 • Student Book Answer Transparencies 28–31

 **Audio and Video**

Audio	Video	¡AvanzaRap! DVD
• Student Book Audio CD 9 Tracks 12–24 • Workbook Audio CD 4 Tracks 31–40 • Assessment Audio CD 2 Tracks 21–26 • Heritage Learners Audio CD 2 Tracks 29–32, CD 4 Tracks 21–26 • *Lecturas para todos* Audio CD 1 Track 14, CD 2 Tracks 1–7 • Sing-along Songs Audio CD	• Vocabulary Video DVD 3 • *Telehistoria* DVD 3 • *Telehistoria, Escena 1* • *Telehistoria, Escena 2* • *Telehistoria, Escena 3* • *Telehistoria, Completa* • Culture Video DVD 3 • *El Gran Desafío,* DVD 3	• Video animations of all **¡AvanzaRap!** songs (with Karaoke track) • Interactive DVD Activities • Teaching Suggestions • **¡AvanzaRap!** Activity Masters • **¡AvanzaRap!** video scripts and answers

 Online and Media Resources

Student	Teacher
Available online at my.hrw.com • Online Student Edition • **News** Networking • **performance space** • **@HOMETUTOR** • **Cultura** Interactiva • WebQuests • Interactive Flashcards • Review Games • Self-Check Quiz **Student One Stop** **Holt McDougal Spanish Apps**	**Teacher One Stop (also available at my.hrw.com)** • Interactive Teacher's Edition • All print, audio, and video resources • Projectable Transparencies • Lesson Plans • TPRS • Examview Assessment Suite **Available online at my.hrw.com** *Generate Success* Rubric Generator and Graphic Organizers **Power Presentations**

✓ **Differentiated Assessment**

On-level	Modified	Pre-AP	Heritage Learners
• Vocabulary Recognition Quiz p. 371 • Vocabulary Production Quiz p. 372 • Grammar Quizzes pp. 373–374 • Culture Quiz p. 375 • On-level Lesson Test pp. 376–382 • On-level Unit Test pp. 388–394 • On-level Final Exam pp. 400–409	• Modified Lesson Test pp. 290–296 • Modified Unit Test pp. 302–308 • Modified Final Exam pp. 314–323	• Pre-AP Lesson Test pp. 290–296 • Pre-AP Unit Test pp. 302–308 • Pre-AP Final Exam pp. 314–323	• Heritage Learners Lesson Test pp. 296–302 • Heritage Learners Unit Test pp. 308–314 • Heritage Learners Final Exam pp. 320–329

Core Pacing Guide

	Objectives/Focus	Teach	Practice	Assess/HW Options
DAY 1	**Culture:** learn about the culture of Ecuador **Vocabulary:** words that describe professions and hobbies • Warm Up OHT 20 5 min	Lesson Opener pp. 444–445 **Presentación de vocabulario** pp. 446–447 • Read A–E • View video DVD 3 • Play audio TXT CD 9 track 12 • ¡A responder! TXT CD 9 track 13 25 min	Lesson Opener pp. 444–445 **Práctica de vocabulario** p. 448 • Acts. 1, 2 15 min	**Assess:** Para y piensa p. 448 **5 min** **Homework:** Cuaderno pp. 367–369 @HomeTutor
DAY 2	**Communication:** learn how to read and write classified ads using the impersonal **se** • Warm Up OHT 20 • Check Homework 5 min	**Vocabulario en contexto** pp. 449–450 • Telehistoria escena 1 DVD 3 • Nota gramatical: impersonal **se** 20 min	**Vocabulario en contexto** pp. 449–450 • Act. 3 TXT CD 9 track 14 • Act. 4 20 min	**Assess:** Para y piensa p. 450 **5 min** **Homework:** Cuaderno pp. 367–369 @HomeTutor
DAY 3	**Grammar:** future tense of irregular verbs • Warm Up OHT 21 • Check Homework 5 min	**Presentación de gramática** p. 451 • Future tense of irregular verbs **Práctica de gramática** pp. 452–453 **Culture:** El artista y su comunidad • Pronunciación: TXT CD 9 track 15 20 min	**Práctica de gramática** pp. 452–453 • Acts. 5, 6, 7 20 min	**Assess:** Para y piensa p. 453 **5 min** **Homework:** Cuaderno pp. 370–372 @HomeTutor
DAY 4	**Communication:** discuss people's future plans, guess classmates' future plans • Warm Up OHT 21 • Check Homework 5 min	**Gramática en contexto** pp. 454–455 • Telehistoria escena 2 DVD 3 15 min	**Gramática en contexto** pp. 454–455 • Acts. 8, 9 TXT CD 9 tracks 16, 17 • Act. 10 25 min	**Assess:** Para y piensa p. 455 **5 min** **Homework:** Cuaderno pp. 370–372 @HomeTutor
DAY 5	**Grammar:** direct object, indirect object, and reflexive pronouns • Warm Up OHT 22 • Check Homework 5 min	**Presentación de gramática** p. 456 • Review of pronouns 15 min	**Práctica de gramática** pp. 457–458 • Acts. 11, 12, 13, 14, 15 25 min	**Assess:** Para y piensa p. 458 **5 min** **Homework:** Cuaderno pp. 373–375 @HomeTutor
DAY 6	**Communication:** Culmination: predict future plans, role play a parent-teen conversation about professions • Warm Up OHT 22 • Check Homework 5 min	**Todo junto** pp. 459-461 • Escenas 1, 2: Resumen • Telehistoria completa DVD 3 15 min	**Todo junto** pp. 460–461 • Acts. 16, 17 TXT CD 9 tracks 14, 16, 18 • Act. 19 TXT CD 9 tracks 19, 20 • Acts. 18, 20 25 min	**Assess:** Para y piensa p. 461 **5 min** **Homework:** Cuaderno pp. 376–377 @HomeTutor
DAY 7	**Reading:** Two unique professions **Review:** Lesson review • Warm Up OHT 23 • Check Homework 5 min	**Lectura cultural** pp. 462–463 • Dos profesiones únicas TXT CD 9 track 21 **Repaso de la lección** pp. 466–467 20 min	**Lectura cultural** pp. 462–463 • Dos profesiones únicas **Repaso de la lección** pp. 466–467 • Act. 1 TXT CD 9 track 22 • Acts. 2, 3, 4, 5 20 min	**Assess:** Para y piensa p. 463 **5 min** Repaso de la lección pp. 466–467 **Homework:** En resumen p. 465; Cuaderno pp. 378–389 (optional) Review Games Online @HomeTutor
DAY 8	**Assessment**			**Assess:** Lesson 2 test or Unit 8 test **50 min**
DAY 9	**Unit Culmination**	**Comparación cultural** pp. 468–469 • TXT CD 9 track 23 • Culture video DVD 3 **Repaso inclusivo** pp. 472–473 • El Gran Desafío pp. 470–471 • Show video DVD 3 20 min	**Comparación cultural** pp. 468–469 **Repaso inclusivo** pp. 472–473 • Act. 1 TXT CD 9 track 24 • Acts. 2, 3, 4, 5, 6, 7 25 min	**Homework:** Cuaderno **5 min** pp. 390–392

	Objectives/Focus	Teach	Practice	Assess/HW Options
DAY 1	**Culture:** learn about the culture of Ecuador **Vocabulary:** words that describe professions and hobbies • Warm Up OHT 20 **5 min**	Lesson Opener pp. 444–445 **Presentación de vocabulario** pp. 446–447 • Read A–E • View video DVD 3 • Play audio TXT CD 9 track 12 • *¡A responder!* TXT CD 9 track 13 **20 min**	Lesson Opener pp. 444–445 **Práctica de vocabulario** p. 448 • Acts. 1, 2 **20 min**	**Assess:** *Para y piensa* p. 448 **5 min**
	Communication: learn how to read and write classified ads using the impersonal **se** **5 min**	**Vocabulario en contexto** pp. 449–450 • *Telehistoria escena 1* DVD 3 • *Nota gramatical:* impersonal **se** **15 min**	**Vocabulario en contexto** pp. 449–450 • Act. 3 TXT CD 9 track 14 • Act. 4 **15 min**	**Assess:** *Para y piensa* p. 450 **5 min** **Homework:** *Cuaderno* pp. 367–369 @HomeTutor
DAY 2	**Grammar:** future tense of irregular verbs • Warm Up OHT 21 • Check Homework **5 min**	**Presentación de gramática** p. 451 • Future tense of irregular verbs **Práctica de gramática** pp. 452–453 **Culture:** *El artista y su comunidad* • *Pronunciación:* TXT CD 9 track 15 **20 min**	**Práctica de gramática** pp. 452–453 • Acts. 5, 6, 7 **15 min**	**Assess:** *Para y piensa* p. 453 **5 min**
	Communication: discuss people's future plans, guess classmates' future plans **5 min**	**Gramática en contexto** pp. 454–455 • *Telehistoria escena 2* DVD 3 **20 min**	**Gramática en contexto** pp. 454–455 • Acts. 8, 9 TXT CD 9 tracks 16, 17 • Act. 10 **15 min**	**Assess:** *Para y piensa* p. 455 **5 min** **Homework:** *Cuaderno* pp. 370–372 @HomeTutor
DAY 3	**Grammar:** review pronouns • Warm Up OHT 22 • Check Homework **5 min**	**Presentación de gramática** p. 456 • Review of pronouns **15 min**	**Práctica de gramática** pp. 457–458 • Acts. 11, 12, 13, 14, 15 **20 min**	**Assess:** *Para y piensa* p. 458 **5 min**
	Communication: Culmination: predict future plans, role play a parent-teen conversation **5 min**	**Todo junto** pp. 459–461 • *Escenas 1, 2: Resumen* • *Telehistoria completa* DVD 3 **15 min**	**Todo junto** pp. 460–461 • Acts. 16, 17 TXT CD 9 tracks 14, 16, 18 • Act. 19 TXT CD 9 tracks 19, 20 • Acts. 18, 20 **20 min**	**Assess:** *Para y piensa* p. 461 **5 min** **Homework:** *Cuaderno* pp. 373–375, 376–377 @HomeTutor
DAY 4	**Reading:** Two unique professions • Warm Up OHT 23 • Check Homework **5 min**	**Lectura cultural** pp. 462–463 • *Dos profesiones únicas* TXT CD 9 track 21 **15 min**	**Lectura cultural** pp. 462–463 • *Dos profesiones únicas* **15 min**	**Assess:** *Para y piensa* p. 463 **10 min**
	Review: Lesson review **5 min**	**Repaso de la lección** pp. 466–467 **15 min**	**Repaso de la lección** pp. 466–467 • Act. 1 TXT CD 9 track 22 • Acts. 2, 3, 4, 5 **20 min**	**Assess:** *Repaso de la lección* pp. 466–467 **5 min** **Homework:** *En resumen* p. 465; *Cuaderno* pp. 378–389 (optional) Review Games Online @HomeTutor
DAY 5	**Assessment**			**Assess:** Lesson 2 test or Unit 8 test **45 min**
	Unit Culmination	**Comparación cultural** pp. 468–469 • TXT CD 9 track 23 • Culture video DVD 3 **Repaso inclusivo** pp. 472–473 **15 min**	**Comparación cultural** pp. 468–469 **Repaso inclusivo** pp. 472–473 • Act. 1 TXT CD 9 track 24 • Acts. 2, 3, 4, 5, 6, 7 **25 min**	**Homework:** *Cuaderno* pp. 390–392 **5 min**

Objectives

- Introduce lesson theme: **En el futuro...**
- **Culture:** Compare firefighters and fire stations

Presentation Strategies

- Have students brainstorm a list of professions they already know in Spanish.
- Review with students how they would talk about a future event using *ir + a +* infinitive.
- Ask students to make a list of careers they would like to learn about in Spanish.

STANDARD

4.2 Compare cultures

21st CENTURY Information Literacy, Pre-AP

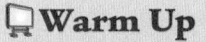 **Warm Up** Projectable Transparencies, 8-20

Verbos Completa las oraciones con la forma correcta del verbo apropiado.

tener	ser	recoger
ayudar	poder	

1. Es necesario que alguien _____ la basura para no contaminar la naturaleza.
2. Es bueno que los alumnos _____ una feria de reciclaje.
3. No es cierto que tú no _____ ayudar.
4. Es importante que todos nosotros _____.
5. No es verdad que la contaminación _____ inevitable.

Answers: 1. recoja; 2. tengan; 3. puedas; 4. ayudemos; 5. sea

Comparación cultural

Exploring the Theme

Ask the following:
1. What is the role of the fire department in your town or city?
2. What are some other professions that are essential for the protection and safety of the community?
3. How do these people help others in times of need?

¿Qué ves? Possible answers include:
- Renata le está preguntando algo al bombero.
- Nicolás les está filmando.
- Tal vez quieren saber más sobre cómo es la vida de un bombero.
- El edificio es de piedra.

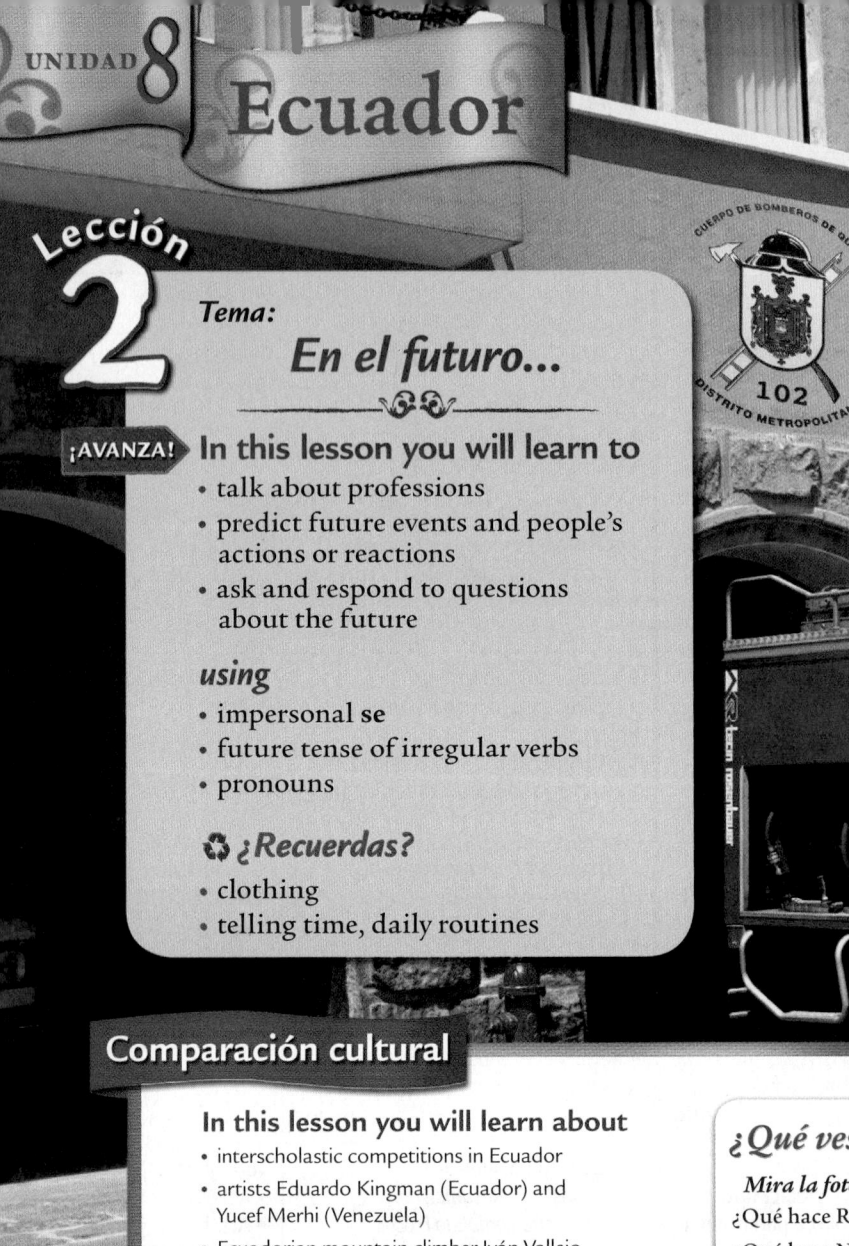

UNIDAD 8
Ecuador

Lección 2

Tema:
En el futuro...

¡AVANZA! **In this lesson you will learn to**

- talk about professions
- predict future events and people's actions or reactions
- ask and respond to questions about the future

using

- impersonal **se**
- future tense of irregular verbs
- pronouns

♻ *¿Recuerdas?*

- clothing
- telling time, daily routines

Comparación cultural

In this lesson you will learn about

- interscholastic competitions in Ecuador
- artists Eduardo Kingman (Ecuador) and Yucef Merhi (Venezuela)
- Ecuadorian mountain climber Iván Vallejo
- professions in Ecuador, Honduras, and Venezuela

Compara con tu mundo

Los chicos en la foto están delante de una estación de bomberos *(fire station)* en Quito, Ecuador. *¿Visitaste una estación de bomberos? ¿Conoces a algunos bomberos? ¿Cómo se visten?*

¿Qué ves?

Mira la foto

¿Qué hace Renata?

¿Qué hace Nicolás?

¿Puedes imaginar por qué filman al hombre?

¿Es el edificio de madera o de piedra?

Differentiating Instruction

Multiple Intelligences

Interpersonal Have students write a journal entry about someone who is especially helpful to their community; this could be a teacher, principal or custodian at school, a crossing guard, a businessperson, a coach, and so forth. Have students tell how they have benefited from their helpfulness.

Inclusion

Cumulative Instruction As a class, brainstorm routine activities firefighters might do and list them on the board. Then write a time and read it aloud: **Son las seis y media de la mañana.** Have a volunteer link it to one of the activities listed. (**A las seis y media de la mañana se levantan.**) Repeat the process a few times, then pair up students to practice the activity on their own.

DIGITAL SPANISH my.hrw.com
ONLINE STUDENT EDITION with...

performance space

News Networking

@HOMETUTOR

CULTURA Interactiva

- Audio and Video Resources
- Interactive Flashcards
- Review Activities
- WebQuest
- Conjuguemos.com

PRACTICE SPANISH WITH HOLT MCDOUGAL APPS!

Una estación de bomberos
Quito, Ecuador

Ecuador
cuatrocientos cuarenta y cinco **445**

DIGITAL SPANISH

TEACHER TOOLS
- Interactive Whiteboard Lessons
- Generate Success!

ALSO AVAILABLE...
- Online Workbook
- Spanish InterActive Reader

SPANISH ON THE GO!
- Performance Space
- Holt McDougal Spanish Apps
- ¡Avancemos! eTextbook

Using the Photo

Location Information
Quito is the oldest South American capital, settled by groups of indigenous people prior to 1,000 A.D. One of these groups was called the Quitu people; hence the name of the city.

The city stands at an elevation of 9,350 feet (2,850 meters), which keeps its temperature moderate all year long, despite Quito's proximity to the equator.

Expanded Information
Historic Preservation Despite damage incurred by an earthquake in 1917, the city of Quito boasts the best-preserved historic center in all of Latin America.

Guayaquil While Quito is still the social and political center in Ecuador, for the last century Guayaquil has been Ecuador's center of commerce, because of its port and its proximity to an abundance of natural resources.

Connections
Geography

Ask students what U.S. cities are known for their historic areas. Have they ever visited one of these cities? How has history been preserved?

Differentiating Instruction

Heritage Language Learners

Support What They Know Share with the class that people from Quito are called **quiteños.** Ask students from Latino families if there is a name for people from their city of origin, or from other regions or cities with which they are familiar.

Pre-AP

Sequence Information Have students do more in-depth research on the history of Quito and present it as a timeline, extending from at least the year 1487 (when Quito was added to the Inca Empire) to the present.

Objectives

Objectives
- Present vocabulary: professions and hobbies.
- Check for recognition.

Core Resources
- Video Program: DVD 3
- Audio Program: TXT CD 9 Tracks 12, 13

Presentation Strategies
- Have students predict what they will be learning based on the photos.
- Draw students' attention to the fact that many of these words are cognates, or similar to their English equivalents.
- Read the text as a class before beginning the audio or video, making sure to go over any non-boldfaced words that students don't understand.

STANDARD
1.2 Understand language

21st CENTURY Creativity and Innovation, Humor and Creativity

Communication
Common Error Alert

Point out that **piloto** does not take a different ending when it is feminine. Similarly, **artista, dentista,** and **policía** do not take different endings when they refer to males.

Connections
Word Origins

Students will notice that many of the vocabulary words presented are cognates, words that have a common origin. Many of these words and their English counterparts are derived from Latin. Share the following examples with students: *Dentist* and *dentista* are both derived from the root *"dens"*, meaning *"tooth"*. *Veterinarian* and *veterinario* both come from the word *"veterinarius"*, which means *"of or having to do with beasts"*. *Enfermera*, similar to the English word *infirmary*, a place that treats the ill, comes from the Latin word *"infirmus"*, meaning *"weak or frail"*. *Architect* and *arquitecto* come from *"architectus"*, meaning *"master builder"*. *Police* and *policía* come from *"polita"*, meaning *"civil administration"*.

✸ Presentación de VOCABULARIO

Goal: Learn to talk about professions and hobbies. Then, identify people's professions by their appearances or descriptions. *Actividades 1–2*

VIDEO DVD

AUDIO

A Hola, soy Renata. ¿Qué **profesión** tendré **en el futuro**? Me gusta viajar en avión, así que puedo ser **piloto.** O tal vez puedo ser **profesora** y enseñar a los jóvenes. ¿Y tú? Aquí hay unas posibilidades si quieres ayudar a los enfermos.

¿Qué profesión te gustaría tener?

el doctor

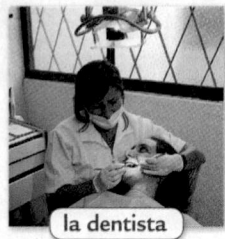
la dentista

el veterinario

la enfermera

B Si eres creativo, tal vez una de estas profesiones te puede interesar. En todas tienes que saber dibujar y usar tu imaginación. Por ejemplo **el arquitecto** dibuja edificios y **el carpintero** los construye con la madera.

el artista

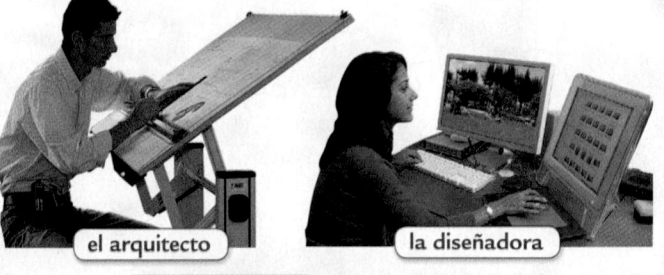
el arquitecto · la diseñadora · el carpintero

Más vocabulario

el (la) abogado(a) *lawyer*	el (la) ingeniero(a) *engineer*
el (la) agente de bolsa *stockbroker*	el (la) político(a) *politician*
el hombre de negocios *businessman*	el (la) programador(a) *programmer*
la mujer de negocios *businesswoman*	

Expansión de vocabulario p. R17

Ya sabes p. R17

Differentiating Instruction

Slower-paced Learners

Yes/No Questions Ask students yes/no questions to help reinforce new vocabulary. When pointing to different professions, ask questions such as **¿Trabaja con animales?, ¿Trabaja con madera?, ¿Necesita ropa especial?**

English Learners

Build Background Describe the professions in the Más Vocabulario box. Don't forget that sometimes, as in the case of **político,** an example might prove more helpful than an explanation.

C Si te gusta ayudar a la gente e investigar los problemas, puedes ser **detective** o **policía.** O puedes ser **bombero** y apagar los incendios. También puedes ser **cartero**: es menos peligroso ¡si no tienes miedo de los perros!

el policía

la bombera

el cartero

D ¿Te parece divertido ser **alpinista** y **escalar montañas**? ¿O tal vez trabajar de **buceador** y **descubrir** peces en el mar? Es difícil **ganarse la vida** con estos **oficios.** Pero es importante que te interese tu profesión.

el alpinista

la buceadora

En Ecuador se dice...

En Ecuador **un(a) alpinista** se llama **un(a) andinista** porque la persona escala las montañas de los Andes.

E El mundo va a ser muy diferente en el futuro. **Algún día los robots** van a hacer muchos trabajos. **Los científicos** van a descubrir **conocimientos** importantes, como **curas** para **mejorar** la salud de la gente. ¡Tal vez mi amigo Nicolás y yo podemos ser científicos!

el robot

los científicos

@HOMETUTOR my.hrw.com **Interactive Flashcards**

¡A responder! Escuchar

Escucha las descripciones de las profesiones e indica la foto que corresponde a cada una.

Lección 2
cuatrocientos cuarenta y siete **447**

Differentiating Instruction

Pre-AP

Vary Vocabulary Help students think of more specific alternatives to **artista,** such as **pintor(a), escultor(a), escritor(a), músico(a), bailarín(ina).**

Inclusion

Frequent Review/Repetition Review **saber** vs. **conocer.** Ask, **¿Sabes cuál es la diseñadora?** and let students point her out in their books. Then ask **¿Conoces a una diseñadora?** Let students supply names such as Calvin Klein and Oscar de la Renta. Repeat with other professions.

Objective
· Practice vocabulary: professions and hobbies.

Core Resource
· *Cuaderno*, pp. 367–369

Practice Sequence
· **Activity 1:** Vocabulary recognition: people's career plans
· **Activity 2:** Vocabulary recognition: professions

STANDARD
1.2 Understand language, Act. 2

21st Century Collaboration, Heritage Language Learners; **Media Literacy**, Multiple Intelligences (Business Literacy)

Get Help Online
More Practice
my.hrw.com

✓ **Ongoing Assessment**

 Alternative Strategy Give students a sampling of professions as verbs (**ser enfermero**) as well as activities such as **jugar a detective** or **leer sobre veterinarios.** Have students separate the phrases into **profesiones** and **pasatiempos.** For additional practice, use Reteaching & Practice Copymasters URB 8, pp. 12, 13.

💻 **Answers** Projectable Transparencies, 8-28

Activity 1
1. Algún día, Alicia será enfermera.
2. Algún día, Ana será mujer de negocios.
3. Algún día, Alonso será cartero.
4. Algún día, Saúl será bombero.
5. Algún día, José será veterinario.
6. Algún día, Marisol será policía.

Activity 2 Answers will vary.
1. Es agente de bolsa o ingeniero.
2. Es alpinista o buceador.
3. Es arquitecto o científico.
4. Es detective o científico.
5. Es diseñador o carpintero.
6. Es piloto.
7. Es abogado o político.
8. Es arquitecto o diseñador.

Para y piensa
1. artista (buceador, alpinista)
2. Answers will vary. Possible answer: Me gustaría ser detective porque me interesan los misterios y me encanta investigar.

❖ Práctica de VOCABULARIO

1 Algún día
Hablar
Escribir

¿Qué piensan ser estas personas en el futuro?

modelo: Hugo
Algún día Hugo será carpintero.

bombero(a)	mujer de negocios
carpintero(a)	policía
cartero(a)	veterinario(a)
enfermero(a)	

1. Alicia   **2.** Ana   **3.** Alonso   **4.** Saúl   **5.** José   **6.** Marisol

     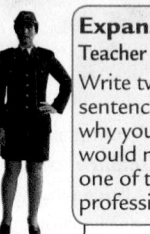

Expansión:
Teacher Edition Only
Write two sentences about why you would or would not enjoy one of the professions shown.

2 ¿Cuál es su oficio?
Leer
Escribir

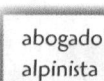

Identifica el oficio según la descripción.

modelo: Busca soluciones a los problemas tecnológicos.
Es ingeniero o científico.

abogado(a)	agente de bolsa	científico(a)	ingeniero(a)
alpinista	arquitecto(a)	detective	carpintero(a)
piloto	buceador(a)	diseñador(a)	político(a)

1. Tiene talento para las matemáticas.
2. Pasa mucho tiempo afuera.
3. Sabe de ciencias.
4. Se gana la vida investigando.

5. Usa algunas herramientas.
6. Sabe de aviones.
7. Las personas le piden ayuda y les dice qué deben hacer.
8. Tiene talento para dibujar.

Expansión
Write descriptions of three professions not matched in this activity.

Más práctica Cuaderno *pp. 367–369* Cuaderno para hispanohablantes *pp. 367–370*

Get Help Online
my.hrw.com

 PARA Y PIENSA

¿Comprendiste? ¿Cuál es una profesión que...?
1. alguien puede tener para ganarse la vida o pasar el tiempo libre
2. te gustaría tener y por qué

448 Unidad 8 Ecuador
cuatrocientos cuarenta y ocho

Differentiating Instruction

Heritage Language Learners

Writing Skills Have native speakers work together to create a career almanac for the guidance department to use as a resource for Spanish-speaking students and their families. For each career, have them write a one-line job description and outline the classes that students should take as preparation. Encourage students to use multiple resources in their research.

Multiple Intelligences

Logical/Mathematical Bring in Spanish-language newspapers (downloaded if necessary) and have students look at the classified section. Have them keep a tally of the jobs that seem to be most in demand (likely: **camarero, cocinero, cajero, carpintero**).

❊ VOCABULARIO en contexto

¡AVANZA! **Goal:** Identify the professions that the characters discuss. Then learn how to use the impersonal **se** to read and write classified ads. *Actividades 3–4*

Telehistoria escena 1

 **@HOMETUTOR** my.hrw.com View, Read and Record

STRATEGIES

Cuando lees
Predict what the person will say School counselor Sra. Gutiérrez listens to Nicolás's and Renata's desire to become professional filmmakers. Do you think she hears that idea often? How do you think she'll respond?

Cuando escuchas
Listen for likes and dislikes
Listen to Renata's and Nicolás's responses to each suggestion from the counselor. Which suggestions does each person like and not like? How do you know?

Sra. Gutiérrez | Renata | Nicolás

Renata and Nicolás meet with their career counselor, Sra. Gutiérrez.

Sr. Andrade: *(on video)* «Creo que podremos dar otros cien mil dólares para el proyecto de reciclaje.»

Renata shuts off the video.

Sra. Gutiérrez: ¡Es un documental muy bueno! Pero, como ustedes saben, es muy difícil ganarse la vida con este tipo de trabajo.

Renata: ¡Pero, ésa es la profesión que nos gusta!

Sra. Gutiérrez: La semana que viene es «La semana de profesiones y oficios». Pueden visitar dos o tres lugares de trabajo diferentes.

Nicolás: ¿Como qué, por ejemplo?

Sra. Gutiérrez: Renata, tú eres muy inteligente y trabajadora. ¿Piensas ser doctora, o veterinaria o profesora tal vez?

Renata: ¡No me gusta la medicina, ni los perros, ni los gatos! Pero a mí me gusta la escuela. Hmmm... ¡Podré ser profesora!

Sra. Gutiérrez: Nicolás, ¿te gustaría ganarte la vida como abogado o agente de bolsa?

Nicolás: No. No quiero ponerme una corbata todos los días para ir al trabajo.

Sra. Gutiérrez: ¡Entonces tengo una muy buena idea para ustedes!

Continuará... p. 454

También se dice

 Ecuador La señora Gutiérrez habla de trabajos para **ganarse la vida.** En otros países:
• **Puerto Rico** ganarse las habichuelas
• **Perú** ganarse los frijoles
• **España, Argentina** ganarse el pan

Differentiating Instruction

Slower-paced Learners

Sentence Completion Prompt students with questions that suggest the structure for an answer. For example: **¿Qué tipo de trabajo recomienda la señora Gutiérrez para Renata? ¿Le recomienda ser actriz?** If students cannot construct sentences on their own, provide sentence stems and have them complete the rest. **(Le recomiendo ser...).**

Pre-AP

Relate Opinions Ask students to summarize the advice given to the main characters by Señora Gutierrez, and have students talk about whether it's better to aim for a career that will earn a good living, or to do work that they find enjoyable. Have them write a three-paragraph essay explaining and supporting their opinion.

¡AVANZA! ## Objective
• Understand career vocabulary in context.

Core Resources
• Video Program: DVD 3
• Audio Program: TXT CD 9 Track 14

Presentation Strategies
• Have students scan the Telehistoria, noting any words they don't understand. Make a list of those words on the board for students to refer to as they read or listen to it.
• Choose students to play the roles of the characters in the Telehistoria. Ask students to emphasize the tone of voice of each of the characters, as well as their expressions and gestures.
• After students have watched or listened to the Telehistoria, have them make predictions about Sra. Gutiérrez's comment at the end. What do they think her idea is?

❊ STANDARDS
1.2 Understand language
4.1 Compare languages
21ST CENTURY Communication, Pre-AP

🖥 **Warm Up** Projectable Transparencies, 8-20

Profesiones Empareja cada profesión con la ropa apropiada.

1. Casco rojo y traje protectivo
2. Chaqueta blanca y estetoscopio
3. Traje y sombrero de azul marino
4. Pantalones y una camiseta
5. Pantalones, camisa y corbata

a. carpintera
b. ingeniera
c. bombero
d. doctor
e. policía

Answers: 1. c; **2.** d; **3.** e; **4.** a; **5.** b

 **@HOMETUTOR** VideoPlus my.hrw.com

Video Summary

Renata and Nicolás show their video to their career counselor, telling her that they would like to become professional filmmakers. She likes the video, but suggests more traditional fields. She mentions that they will visit different workplaces during career week.

▶ Ⅱ

VOCABULARIO

Objectives

· Practice using vocabulary in context.
· Talk about jobs.

Core Resource

· Audio Program: TXT CD 9 Track 14

Practice Sequence

· **Activity 3:** Telehistoria comprehension
· **Activity 4:** Vocabulary production: classified advertisements

STANDARDS

1.1 Engage in conversation, Act. 4
1.2 Understand language, Acts. 3, 4
21ST CENTURY Flexibility and Adaptability, Ongoing Assessment

Nota gramatical

Remind students that **se** is a reflexive pronoun used with reflexive verbs in the third person. Students can use this information to remember to conjugate impersonal **se** in the third person.

✓ Ongoing Assessment

Get Help Online
More Practice
my.hrw.com

Alternate Strategy Have pairs of students role-play a discussion of career options between two friends, using vocabulary gleaned from the ad or the unit. For additional practice, use Reteaching & Practice Copymasters URB 8, pp. 12, 14.

💻 Answers Projectable Transparencies, 8-28

Activity 3
1. Falso. A la señora Gutierrez le gustó el documental.
2. Cierto.
3. Falso. La próxima semana es «La semana de **profesiones y oficios**».
4. Cierto.
5. Falso. A Nicolás **no** le gustaría tener **ninguna profesión donde la gente lleva corbata.**

Activity 4 Answers will vary. For example:
—Se busca piloto. ¿Te gustaría ser piloto?
—Sí. Me encantan los aviones, ¿y tú?...

Para y piensa
1. Aquí se venden robots.
2. Aquí se habla español.
3. En la oficina se usa corbata.
4. Se buscan programadores.

450

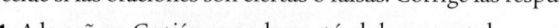

3 | *Comprensión del episodio* ¿Qué piensas ser?

Escuchar
Leer

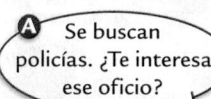

Decide si las oraciones son ciertas o falsas. Corrige las respuestas falsas.

1. A la señora Gutiérrez no le gustó el documental.
2. La señora Gutiérrez dice que es difícil ganarse la vida haciendo películas.
3. La próxima semana es «La semana de vacaciones».
4. A Renata no le gustaría ser veterinaria.
5. A Nicolás le gustaría tener la profesión de abogado o de agente de bolsa.

Expansión:
Teacher Edition Only
Have students write three more false statements about the Telehistoria for a classmate to correct.

Nota gramatical

The **impersonal se** can be used with a verb when the subject of a sentence does not refer to any specific person.

Aquí **se** habla español.
Spanish is spoken here.

Se buscan profesores.
Professors are needed.

¿Cómo **se** dice...?
How does one say . . . ?

4 | Anuncios clasificados

Leer
Hablar

Lee los anuncios y pregúntale a tu compañero(a) si le interesa cada uno. Cambien de papel.

Ⓐ Se buscan policías. ¿Te interesa ese oficio?

Ⓑ Sí, (No, no) me gustaría ser policía porque...

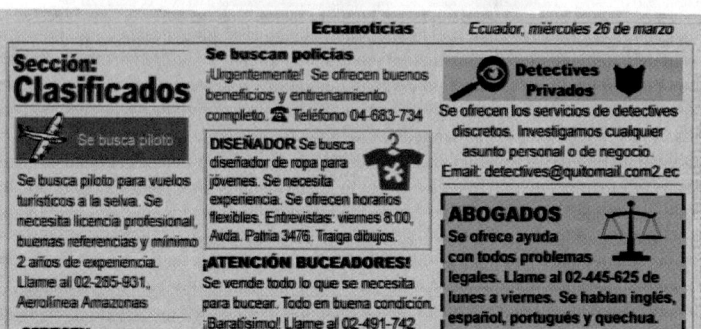

Expansión
Work together to write an ad for a job opening, a service, or something for sale.

Get Help Online
my.hrw.com

PARA Y PIENSA

¿Comprendiste? Escribe estas oraciones otra vez usando el **se impersonal.**
1. Aquí vendemos robots.
2. Aquí las personas hablan español.
3. En la oficina todos usan corbata.
4. Buscamos programadores.

Differentiating Instruction

English Learners

Build Background Ask English learners how people in their place of origin find out about available jobs. Are they advertised in the paper, as here? Posted on the Internet? Does the government help people find jobs?

Inclusion

Synthetic/Analytic Support Have students make a chart showing different endings that often signify jobs, such as —or(a) (**diseñador(a), doctor(a)**); –ista (**artista, dentista**); and –ero(a) (**enfermero(a), bombero(a)**). Students may add a fourth column for words that don't fall into any of these categories (**científico(a), arquitecto(a), veterinario(a)**).

Presentación de GRAMÁTICA

¡AVANZA! **Goal:** Learn how to form the future tense of some irregular verbs. Then ask and respond to questions about the future. *Actividades 5–7*

English Grammar Connection: In English, there are no irregular verbs in the future tense because the future-tense form is the same for all verbs. In Spanish, some verbs have irregular stems in the future tense.

Future Tense of Irregular Verbs

ANIMATED GRAMMAR my.hrw.com

Irregular verbs in the future tense use the same endings as regular verbs, but the infinitive stem changes.

Here's how: Some infinitives lose a letter.

saber *becomes* sabr-

saber	*to know*
sabré	sabremos
sabrás	sabréis
sabrá	sabrán

The verbs **haber, poder,** and **querer** also follow this pattern.

haber → habr-
poder → podr-
querer → querr-

¿Qué **podrá** hacer la doctora?
*What **will** the doctor **be able** to do?*

Some infinitives change a letter.

poner *becomes* pondr-

poner	*to put, to place*
pondré	pondremos
pondrás	pondréis
pondrá	pondrán

The verbs **salir, tener,** and **venir** also follow this pattern.

salir → saldr-
tener → tendr-
venir → vendr-

Algún día, **tendremos** más curas.
*Some day, **we will have** more cures.*

Decir and **hacer** do not follow either pattern.

decir → dir-   hacer → har-

Más práctica
Cuaderno *pp. 370–372*
Cuaderno para hispanohablantes *pp. 371–373*

@HOMETUTOR my.hrw.com
Leveled Practice
Conjuguemos.com

Lección 2
cuatrocientos cincuenta y uno **451**

Differentiating Instruction

Multiple Intelligences

Linguistic/Verbal Have pairs of students take turns reciting conjugations for all of the verbs listed. If they have trouble, have them write down conjugation charts as guides.

Slower-paced Learners

Memory Aids Point out that all of the future tense's irregular verbs lose a syllable because of their irregular conjugation. Personify these verbs as "excited about the future." (They can't wait to get there, so they are trying to say what they need to quickly).

¡AVANZA! **Objective**
· Present the future tense of irregular verbs.

Core Resource
· *Cuaderno,* pp. 370–372

Presentation Strategies
· Review the endings for regular verbs in the future tense with students before presenting the irregular verbs. As students recite them, write them on the board.
· Have students scan the grammar box. What do they notice about the endings for the irregular verbs? Do they look different than the endings on the board?

 STANDARD
4.1 Compare languages

Warm Up Projectable Transparencies, 8-21

Telehistoria Pon en orden los eventos siguientes, refiriendo a la Telehistoria.
 a. La señora Gutiérrez dice que los jóvenes visitarán varios sitios de trabajo.
 b. Nicolás dice que no se pondrá una corbata para ir al trabajo.
 c. El señor Andrade indica que podrá dar mucho dinero al proyecto de reciclaje.
 d. Señora Gutiérrez dice que será difícil ganarse la vida con los documentales.
 e. Renata dice, «¡Podré ser profesora!»
Answers: 1. c; 2. d; 3. a; 4. e; 5. b

Communication
Grammar Activity

After introducing the material in the grammar box, write the irregular stems on the board. Toss a hacky sack to individual students, giving each an infinitive and a subject pronoun. Have students conjugate the verb accordingly, paying attention to the irregular stems.

TEACHER to TEACHER
Dael Chapman
Amherst Regional High School

Tips for Presenting Grammar

"My students remember the irregular forms better when they can memorize them to a familiar tune. To "Row, row, row your boat...," we sing: **Diré, diré, diré, haré, cabré, habré, sabrá; podré, pondré, querré, valdrá; tendremos, vendremos, saldrán."**

Go online for more tips!

Objectives
- Practice using irregular verbs in the future.
- Pronunciation: words ending in **–ción** and **–cción**.
- Culture: The artwork of Eduardo Kingman.

Core Resources
- *Cuaderno*, pp. 370–372
- Audio Program: TXT CD 9 Track 15

Practice Sequence
- **Activity 5:** Controlled practice: present-tense sentences into the future
- **Activity 6:** Transitional practice: future predictions
- **Activity 7:** Transitional practice: make predictions

STANDARDS
1.1 Engage in conversation, Acts. 6, 7
1.3 Present information, Act. 7
2.2 Products and perspectives, CC
4.1 Compare languages, Pronunciación

21st CENTURY Communication, Compara con tu mundo; **Information Literacy,** Pre-AP (Global Awareness)/Multiple Intelligences

---

Answers Projectable Transparencies, 8-28 and 8-29

Activity 5
1. ...sabrán cómo mejorar el mundo.
2. ...podrán descubrir todas las curas.
3. ...no pondremos tantas especies de animales en peligro de extinción.
4. ...muchas personas tendrán vehículos híbridos.
5. ...no vendrán a la escuela con tantos libros.
6. ...no haremos la tarea con papel y lápiz.
7. ...no saldremos de la ciudad para respirar aire puro.
8. ...muchas personas querrán trabajar de voluntarios.

Activity 6
1. —¿Vendrás a esta escuela?/Sí, (No, no) vendré a esta escuela.
2. —¿Querrás visitar a tus amigos?/Sí, (No, no) querré visitar a mis amigos.
3. —¿Tendrás que trabajar todos los días?/Sí, (No, no) tendré que trabajar todos los días.
4. —¿Te pondrás ropa elegante para el trabajo?/Sí, (No, no) me pondré ropa elegante para el trabajo.
5. —¿Saldrás mucho con tu familia?/Sí, (No, no) saldré mucho con mi familia.
6. —¿Harás tu cama todos los días?/Sí, (No, no) haré mi cama todos los días.
7. —¿Podrás acostarte muy tarde?/Sí, (No, no) me podré acostar muy tarde.
8. —¿Sabrás más en cinco años que hoy?/Sí, (No, no) sabré más en cinco años que hoy.

452

❊ Práctica de GRAMÁTICA

5 | Un futuro mejor

Hablar Escribir

Renata piensa que el futuro será mejor. ¿Qué dice?

modelo: Hoy hay muchos problemas con el medio ambiente.
En el futuro no **habrá** tantos problemas con el medio ambiente.

1. Hoy los políticos no saben cómo mejorar el mundo.
2. Hoy los científicos no pueden descubrir todas las curas.
3. Hoy ponemos muchas especies de animales en peligro de extinción.
4. Hoy pocas personas tienen vehículos híbridos.
5. Hoy los estudiantes vienen a la escuela con muchos libros.
6. Hoy hacemos la tarea con papel y lápiz.
7. Hoy salimos de la ciudad para respirar aire puro.
8. Hoy pocas personas quieren trabajar de voluntarios.

> **Expansión**
> Tell whether you agree or disagree with the statements about the future, and why.

6 | En cinco años

Hablar

Hablen de cómo serán sus vidas dentro de cinco años.

modelo: decir siempre la verdad

A ¿Dirás siempre la verdad?

B Sí, (No, no) diré siempre la verdad.

1. venir a esta escuela
2. querer visitar a tus amigos
3. tener que trabajar todos los días
4. ponerse ropa elegante para el trabajo
5. salir mucho con tu familia
6. hacer tu cama todos los días
7. poder acostarse muy tarde
8. saber más en cinco años que hoy

> **Expansión:**
> Teacher Edition Only
> Have students make five more predictions about their life using verbs from the activity.

🎧 AUDIO

Pronunciación Palabras que terminan en -ción y -cción

The letter **c** in Spanish words that end in **-ción** is pronounced like the /s/ of the English word *city*. Listen and repeat.

| nación | extinción | contaminación | deforestación |

If a word ends in **-cción** the double c (**cc**) sounds like the /ks/ of the English word *accent*. Listen and repeat.

| lección | acción | destrucción | dirección |

452 Unidad 8 Ecuador
cuatrocientos cincuenta y dos

Differentiating Instruction

Inclusion
Metacognitive Support Have the whole class brainstorm words that end in **-ción** or **-cción**. On the board, use them in sentences and see if anyone can see what they have in common. (They are all nouns and they are all feminine.)

Heritage Language Learners
Increase Accuracy Students may not know correct future-tense forms of irregular verbs. Help them to realize how few there are by having them write the irregulars on a 4 x 6 index card. They may only need to write one form of each verb as an example.

7 | En el futuro

Escribir Hablar

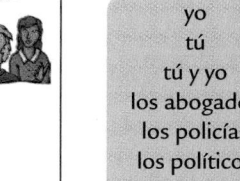
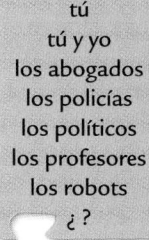

Escribe oraciones sobre el futuro de estas personas. Luego, tú y tu compañero(a) van a hacerse preguntas sobre lo que escribieron.

yo
tú
tú y yo
los abogados
los policías
los políticos
los profesores
los robots
¿ ?

ponerse
querer
salir
tener
venir
poder
decir
ganarse
hacer
usar

la vida como...
muchos quehaceres
la corbata todos los días
el trabajo de
por Internet
los vehículos híbridos
muchas responsabilidades
¿ ?

Expansión:
Teacher Edition Only
Have students write three sentences in the form of questions and have their partners answer them.

A ¿Qué harás en el futuro?

B Yo tendré que ir a la escuela todos los días porque seré profesor(a).

Comparación cultural

El artista y su comunidad
¿Cómo expresan los artistas su punto de vista en su arte? Eduardo Kingman es un artista importante de **Ecuador**. Una característica de sus pinturas es la presencia de personas con manos grandes. Muchas veces las manos de las personas en sus obras son tan expresivas como sus caras. Con frecuencia, Kingman representa la dificultad de la vida indígena, como en *La lavadera*. ¿Por qué crees que son importantes las manos en esta obra?

Compara con tu mundo ¿Cuáles son los trabajos más difíciles de tu comunidad? ¿Qué se necesita para hacer esos trabajos?

La lavadera (1973), Eduardo Kingman

Más práctica Cuaderno *pp. 370–372* Cuaderno para hispanohablantes *pp. 371–373*

Get Help Online
my.hrw.com

PARA Y PIENSA

¿Comprendiste? Da la forma correcta de los verbos en el futuro.
1. Nosotros (saber) dibujar.
2. Tú (venir) a la oficina conmigo.
3. El dentista me (decir) cómo están mis dientes.
4. Yo (poder) escalar montañas algún día.

Lección 2
cuatrocientos cincuenta y tres **453**

Differentiating Instruction

Pre-AP
Expand and Elaborate Eduardo Kingman's artwork often represents the plight of Ecuador's indigenous people. Have students research other examples of Kingman's work to compare with *La lavadera*. What do the works have in common? What themes do they share?

Multiple Intelligences
Naturalist Eduardo Kingman was born in Loja, Ecuador. Have students research the natural attractions that surround the city of Loja and plan an ecotouristic excursion in the province. Then have them create a brochure using a few sentences with the future tense to describe rainforest and cloud forest adventures, as well as hikes to Las Lagunas del Compadre and other points of interest in Parque Nacional Podocarpus.

¡AVANZA! ### Objective

- Practice using the future tense in context.

Core Resources

- Video Program: DVD 3
- Audio Program: TXT CD 9 Tracks 16, 17

Presentation Strategies

- Have students look at the photo and ask: What do they think Sra. Gutiérrez's idea was? Do Renata and Nicolás look happy to be at the site?
- Play the audio and ask students to raise their hands every time they hear a "profession" word.

Practice Sequence

- **Activity 8:** Controlled practice: Telehistoria comprehension
- **Activity 9:** Transitional practice: Reporting information from an audio clip
- **Activity 10:** Open-ended practice: Making original inquiries about the future

STANDARDS

1.1 Engage in conversation, Act. 10
1.2 Understand language, Acts. 8, 9
1.3 Present information, Act. 9

21st CENTURY Communication, Spanish in the Marketplace (Business Literacy)/Pre-AP; **Critical Thinking and Problem Solving,** Cuando lees

Warm Up Projectable Transparencies, 8-21

El futuro Descifra las palabras en negritas.
1. Mañana nosotros **srrqemueo** ayudar con el proyecto.
2. No **áharb** tanta contaminación en el río dentro de diez años.
3. ¿**ednnráv** los políticos también?
4. Yo **rénopd** un anuncio en los anuncios clasificados.
5. ¿Qué **rasáh** tú?

Answers: 1. querremos; 2. habrá; 3. Vendrán; 4. pondré; 5. harás

Video Summary **@HOMETUTOR** VideoPlus my.hrw.com

Neither Renata nor Nicolás is happy with their assignments for career week at school. Renata is glad she has another year to decide what to do after high school. Nicolás says he will study business next year, but is doubtful whether he will enjoy it.

454

 # GRAMÁTICA en contexto

¡AVANZA! **Goal:** Focus on the future tense verbs that Nicolás and Renata use to talk about their careers. Then discuss people's future plans and guess your classmates' future careers. *Actividades 8–10*

Telehistoria escena 2 ___

 @HOMETUTOR my.hrw.com View, Read and Record

STRATEGIES

 **Cuando lees**
Make an inference After reading this conversation, try to infer (guess intelligently based on information) how much Nicolás and Renata like their counselor. There are several clues.

 Cuando escuchas
Concentrate on words for professions Before listening, recall words for professions from **Escena 1.** Listen for more "profession" words in this scene. After listening, practice saying and writing all the profession words you know.

VIDEO DVD

AUDIO

Renata and Nicolás are visiting a house construction site.

Nicolás: ¿Por qué piensa la señora Gutiérrez que querremos ser carpinteros?

Renata: ¡Porque así no tendremos que llevar ropa elegante al trabajo!

Nicolás: ¿Adónde irás mañana?

Renata: *(not happy)* Haré mi primera visita al consultorio de un dentista.

Nicolás: *(also not happy)* Yo estaré con los bomberos. ¿Y el jueves?

Renata: Creo que acompañaré al cartero.

Nicolás: Yo tengo que observar el trabajo de un ingeniero. Pero no iré.

Renata: La señora Gutiérrez se enojará. ¿Qué le vas a decir?

Nicolás: Le diré que ser ingeniero me parece aburrido.

Renata: ¡Qué bueno que tengo un año más de colegio! Pero tú, ¿qué harás el año próximo?

Nicolás: Estudiaré para ser hombre de negocios, como mi papá. Pero realmente no sé si me gustará. Lo sabré el año que viene.

Renata: ¡Tendrás que ponerte corbata! Pero trabajar en una oficina tranquila será fantástico, ¿no? **Continuará...** p. 459

Differentiating Instruction

English Learners

Increase Interaction Ask students to think about what a fireman's or engineer's day is like. Have them discuss the idea of a career week and how they think it would be received by students in their school. Ask students if they would feel the same way as the main characters, and why.

Inclusion

Multisensory Input Encourage students to trace the text with a finger in their book as they listen to the audio version of the Telehistoria. Add an element of fun on a second hearing by offering a token incentive to the first student who is able to complete the sentence of the person speaking, when you pause the audio from time to time.

8 | Comprensión del episodio ¿Quién es?

Escuchar Leer

Empareja las descripciones con las personas.

1. Piensa que los chicos querrán ser carpinteros.
2. Hará una visita al consultorio de un dentista.
3. Estará con los bomberos.
4. Acompañará al cartero.
5. No irá a observar el trabajo de un ingeniero.
6. Se enojará si Nicolás no va al trabajo.
7. Dirá que ser ingeniero le parece aburrido.
8. Estudiará para ser hombre de negocios.

a. la señora Gutiérrez
b. Nicolás
c. Renata

> **Expansión:**
> Teacher Edition Only
> Have students write a sentence to describe the work of each professional mentioned.

9 | Entrevista

Escuchar Escribir

Escucha la entrevista con una joven estrella de cine y completa la información que falta.

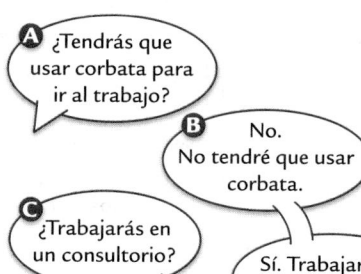

Entrevista a una **estrella**

Futura profesión:
Lo que hará en su trabajo: mejorar la vida de todos
Futura familia:
Cómo pasará su tiempo libre:

> 🎧 **Audio Program**
> TXT CD 9 Track 17
> Audio Script, TE p. 443B

> **Expansión:**
> Teacher Edition Only
> Have students write a description of what they imagine Mariela to look like.

10 | ¡A jugar! Diez preguntas

Hablar

Decide qué profesión tendrás en el futuro y escríbela en un papel secreto. Tus compañeros te harán preguntas para descubrirla. No podrán preguntar directamente «¿Serás dentista?» Si alguien sabe el oficio, puede decirlo. Si no tiene razón, no puede jugar más en el turno. Si tiene razón, el turno termina y todos cambian de papel.

A ¿Tendrás que usar corbata para ir al trabajo?

B No. No tendré que usar corbata.

C ¿Trabajarás en un consultorio?

Sí. Trabajaré en un consultorio...

> **Expansión:**
> Teacher Edition Only
> Have students make a tally sheet to keep track of the professions that were chosen by the class.

> 🌐 **Get Help Online**
> my.hrw.com

PARA Y PIENSA

¿Comprendiste? Usa la forma correcta de los verbos **ponerse, salir** y **tener** en el futuro.

1. El abogado _____ a las cinco.
2. Tú _____ que trabajar mucho para ganarte la vida.
3. El científico no _____ una corbata.

Lección 2
cuatrocientos cincuenta y cinco **455**

Differentiating Instruction

Pre-AP

Persuade Talk about Nicolás's plan to skip the appointment that Señora Gutierrez set up for him with the engineer. Write on the board a list of the pro's and con's. If students conclude that he should go, have them write a persuasive email to convince Nicolás. If they conclude that he should not go, have them write a persuasive email convincing Señora Gutierrez to cancel the meeting.

Heritage Language Learners

Writing Skills Ask students to think of careers in which being bilingual would be an advantage. Have them imagine themselves in one of the careers and write a journal entry expressing what they might like or dislike about it.

Communities
Spanish in the Marketplace

Invite a school guidance counselor in to talk to the class about different career opportunities in which fluent knowledge of Spanish would be a great asset. After (or as an alternative to) having the guidance counselor in to talk about careers that use Spanish, invite any students whose parents use Spanish in their jobs to come talk about it. Have students brainstorm questions: *Do all of your coworkers speak Spanish? How often do you use the language? In what way does it give you an advantage?*

> 🌐 **Get Help Online**
> **More Practice**
> my.hrw.com

✓ Ongoing Assessment

PARA Y PIENSA

Quick Check Write the following sentences on the board and have students rewrite them using the future tense, beginning with the word **Mañana**.

1. No puedo levantarme temprano.
2. Los compañeros vienen para jugar a videojuegos por la tarde.
3. Decimos que no tenemos sueño a la medianoche.

For additional practice, use Reteaching & Practice Copymasters URB 8, pp. 15, 17.

🖥 Answers Projectable Transparencies, 8-29 and 8-30

Activity 8

1. a	**4.** c	**7.** b
2. c	**5.** b	**8.** b
3. b	**6.** a	

Activity 9
Futura profesión: política
Futura familia: esposo y tres hijos
Cómo pasará su tiempo libre: bucear y escalar montañas con la familia

Activity 10 Questions and answers will vary, following this pattern:
—¿Te pondrás uniforme para ir al trabajo?
—No, no me pondré uniforme.
—¿Tendrás que asistir a la universidad para poder trabajar en este oficio?
—Sí, tendré que asistir a la universidad...

Para y piensa
1. saldrá
2. tendrás
3. se pondrá

¡AVANZA! ## Objective

· Review reflexive pronouns and direct and indirect object pronouns.

Core Resource

· *Cuaderno,* pp. 374–375

Presentation Strategies

· Review the concept of reflexive verbs with students. What do the reflexive pronouns tell us about the action being performed?
· Review the difference between a direct object and an indirect object with students. Have them give examples of each.

STANDARD

4.1 Compare languages

21st CENTURY Flexibility and Adaptability, Recycle

Warm Up Projectable Transparencies, 8-22

El futuro Convierte estas oraciones al futuro.
1. Voy a tener que ponerme corbata.
2. No voy a saber por qué estoy allí.
3. Los ingenieros no van a querer entretenerme todo el día.
4. Vamos a salir del trabajo a las cinco o tal vez más tarde.
5. La señora Gutiérrez va a decir que fue una buena idea.

Answers: 1. Tendré; 2. sabré; 3. querrán; 4. Saldremos; 5. dirá

Long-term Retention

 Recycle

Draw students' attention to the difference between **tú** and **usted** commands by asking them to compare Activity 12 with Activity 11 or 13. Once they realize that **usted** is used instead of **tú,** have them list people in the politician's life who might address him less formally. Have students take the parts of these people and give him some different advice.

Answers Projectable Transparencies, 8-30

Activity 11
1. No, no las lleves. (Sí, llévalas.)
2. No, no lo compres. (Sí, cómpralo.)
3. No, no la uses. (Sí, úsala.)
4. No, no las lleves. (Sí, llévalas.)
5. Sí, cómpralo. (No, no lo compres.)
6. —Sí, póntelo. (No, no lo pongas.)

Answers continued on p. 457.

456

✦ Presentación de GRAMÁTICA

¡AVANZA! **Goal:** Review direct object, indirect object, and reflexive pronouns. Then use them to give advice and discuss future routines. *Actividades 11–15*

♻ *¿Recuerdas?* Clothing pp. 61, 144, telling time p. R12, daily routines p. 114

English Grammar Connection: Pronouns act as substitutes for nouns. In English, the kinds of pronouns that receive the action of the verb are **direct object, indirect object,** and **reflexive.**

♻ REPASO **Pronouns**

ANIMATED GRAMMAR
my.hrw.com

In Spanish, **reflexive pronouns,** indirect object pronouns, and **direct object pronouns** all function in relation to the action of the verb in a sentence.

Here's how: **Pronouns**

Reflexive		Indirect Object		Direct Object	
me	nos	me	nos	me	nos
te	os	te	os	te	os
se	se	le	les	lo/la	los/las

Note that only the **usted/él/ella** *and* **ustedes/ellos/ellas** *forms are different.*

Reflexive pronouns appear with **reflexive verbs.** Together, they refer to the same person, place, or thing as the subject.

> Él **se gana** la vida como carpintero.

Indirect object pronouns answer *to whom?* or *for whom?* about the verb.

> La ingeniera **le** habla al **arquitecto.**
> La ingeniera **le** habla.

Direct objects pronouns answer *whom?* or *what?* about the verb.

> El enfermero hizo **los exámenes.**
> El enfermero **los** hizo.

When both object pronouns appear in the same sentence, the **indirect object** goes first. When both pronouns start with **l,** change the **indirect object** to **se.**

> Delsi **le** explica **la tarea** a **Juan.**
> Delsi **se la** explica.

Attach pronouns to **affirmative commands.** Place them before **negative commands.**

> **Dímelo** más tarde.
> **No me lo digas** ahora.

Más práctica
Cuaderno *pp. 373–375*
Cuaderno para hispanohablantes *pp. 374–377*

@HOMETUTOR my.hrw.com
Leveled Practice

456 Unidad 8 Ecuador
cuatrocientos cincuenta y seis

Differentiating Instruction

Multiple Intelligences

Musical/Rhythmic Tell the story of professionals working on a house. For example: **el arquitecto** (**dibuja la casa por él** or **se la dibuja**); **la carpintera** (**se la construye**); **el robot** (**se la limpia**); etc. Start a clapping rhythm and have students say what each person's job is after you say their title. For example: **El pintor... Se la pinta.**

English Learners

Provide Comprehensible Input Review pronoun placement through TPR. Ask students to place an object on their head. Then tell them to remove it. (**Toma el lápiz. Póntelo en la cabeza...**) Continue mixing negative commands with positive ones, and varying the gender of objects you choose.

Práctica de GRAMÁTICA

11 Muchas decisiones ♻️ *¿Recuerdas?* Clothing pp. 61, 144

Hablar Escribir

Tu compañero(a) va a una entrevista para un trabajo en un banco. Contesta sus preguntas.

modelo: ¿Debo comprar un abrigo nuevo para la entrevista?
Sí, cómpra**lo**. (No, no **lo** compres.)

1. ¿Puedo llevar sandalias?
2. ¿Necesito comprar un reloj?
3. ¿Puedo usar una gorra?
4. ¿Debo llevar muchas joyas?
5. ¿Necesito comprar un traje?
6. ¿Necesito ponerme un cinturón?

> **Expansión**
> Repeat the activity, giving the opposite instructions for a job outdoors.

12 ¿Qué les doy?

Hablar Escribir

Un político tiene que responder a los problemas de las personas en la comunidad. Hagan los papeles del político y de su consejero *(advisor)*.

modelo: los bomberos/una nueva estación

1. la doctora Márquez / ayuda para mejorar su clínica
2. los científicos de la universidad / dinero para buscar curas
3. los carteros / nuevos uniformes
4. el profesor Sánchez / más libros para la escuela
5. los policías / más dinero para proteger a la gente
6. las familias de la calle Nogales / una piscina pública en el parque

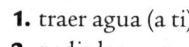

Político Los bomberos pidieron una nueva estación. ¿Qué **les** doy?

Consejero **Dé**les la estación. Es importante que la tengan.

> **Expansión:**
> **Teacher Edition Only**
> It turns out there are no funds and all requests are being denied. Have students go back and make all of their responses negative.

13 ¡Necesito consejos!

Hablar Escribir

Tu hermano es carpintero. Pregúntale cómo lo puedes ayudar.

modelo: dar las fotos de la casa (a la señora)

1. traer agua (a ti)
2. pedir los nuevos planes (de la arquitecta)
3. llevar estas herramientas (a esos hombres)
4. buscar más madera (para ti)
5. comprar nuevos lápices (para ustedes)
6. dar esta tiza (al hombre con la camisa roja)
7. mandar un correo electrónico (a las diseñadoras)
8. pedir pizza (para nosotros)

Tú ¿Le doy las fotos de la casa a la señora?

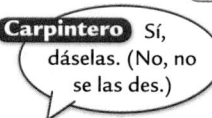

Carpintero Sí, dáselas. (No, no se las des.)

> **Expansión:**
> **Teacher Edition Only**
> Have students come back and report what they did, according to their instructions. (Modelo: Te lo traje.)

Differentiating Instruction

Slower-paced Learners

Personalize It Have students tell a partner something that they have too much of, (homework, clothing, responsibilities, etc.) and have the partner give a suggestion for what to do with it, using at least one pronoun. (For example, **tarea: Hazla durante la hora del almuerzo.**)

Inclusion

Clear Structure Have students write an instruction checklist for someone taking care of their pet (real or fictional) for the weekend. After they call the pet by name, instruct them to use pronouns to refer to it. Have students make a mind map before writing, if necessary, to include all the different aspects of the pet's care, and later organize the tasks chronologically.

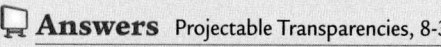

Objectives

· Practice using direct, indirect, and reflexive pronouns.
· Culture: academic competitions in Ecuador
· Recycle: telling time, daily routines

Core Resource

· *Cuaderno*, pp. 373–375

Practice Sequence

· Activity 14: Transitional practice: Talking about preparing for an academic contest
· Activity 15: Open-ended practice: ideal work schedules; Recycle: telling time, daily routines

STANDARDS

1.1 Engage in conversation, Act. 14
1.2 Understand language, Act. 14
1.3 Present information, Acts. 14, 15
2.1 Practices and perspectives, Act. 14

Comparación cultural

Essential Question

Suggested Answer Las competencias académicas les dan a los jóvenes motivación nueva en varias asignaturas y los preparan para el futuro.

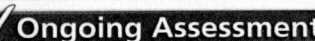

Get Help Online
More Practice
my.hrw.com

✓ Ongoing Assessment

PARA Y PIENSA **Intervention** If students have difficulty answering the Para y piensa questions, direct them to my.hrw.com. For additional practice, use Reteaching & Practice Copymasters URB 8, pp. 18, 19, 22.

🖥 Answers Projectable Transparencies, 8-30

Activity 14 Answers will vary. Sample answers:
—¿Te acostarás temprano?
—Sí, me acostaré temprano.

Activity 15 Paragraphs will vary.
Terminaré mis estudios y seré veterinario en el campo. Tendré que acostarme temprano y levantarme temprano, porque en el campo se empieza el día muy temprano. Me vestiré muy informalmente. . .

Para y piensa
1. Sí (No, no) se los mandaré.
2. Sí (No, no) se la daré.
3. Sí, me lo tendré que poner.

458

---

14 Listos para el concurso

Leer Hablar

Comparación cultural

Los concursos intercolegiales

¿Cuál es el beneficio de las competencias académicas para los estudiantes? Muchos estudiantes en **Ecuador** participan en concursos intercolegiales, que son competencias contra otras escuelas. Compiten en muchas asignaturas *(subjects)* como música, poesía *(poetry)*, oratoria *(speech)*, ciencias, arte y matemáticas. Los estudiantes pueden ganar trofeos, medallas o becas *(scholarships)*. Todos ganan experiencia, tal vez para sus profesiones en el futuro.

Compara con tu mundo *¿Participaste en algún concurso similar? Descríbelo.*

Un estudiante del Colegio Internacional compite en un concurso de oratoria en Guayaquil, Ecuador.

Pregúntale a tu compañero(a) sobre qué hará para prepararse para un concurso.

Pistas: acostarse temprano, leer el libro de... , explicar las reglas (a tus amigos), hablar (a tu maestro), comer un desayuno nutritivo, tocar la guitarra

A ¿Leerás el libro de ciencias?

B Sí, lo leeré. (No, no lo leeré.)

15 Mi futura rutina ♻ ¿Recuerdas? Telling time p. R12, daily routines p. 114

Escribir

Describe el trabajo que harás en el futuro y tu rutina ideal para un día típico en ese trabajo.

Pistas: ser, trabajar, ayudar, levantarse, vestirse, quedarse, irse, acostarse

modelo: Algún día seré artista. No tendré que levantarme a las seis. Podré levantarme a las once si quiero. Me quedaré en casa todo el día. No tendré que ir a ninguna oficina. Pintaré retratos de mis amigos y se los regalaré. Después de pintar todo el día, me acostaré muy tarde: a la una o las dos de la mañana.

Más práctica Cuaderno *pp. 373–375*   Cuaderno para hispanohablantes *pp. 374–377*

Get Help Online
my.hrw.com

PARA Y PIENSA **¿Comprendiste?** Contesta las preguntas usando los pronombres *(pronouns)* correctos.
1. ¿Mandarás correos electrónicos a tus clientes en tu futuro trabajo?
2. ¿Darás información a las personas enfermas si eres doctor(a)?
3. ¿Tendrás que ponerte uniforme para ser bombero(a)?

Differentiating Instruction

Heritage Language Learners

Writing Skills Have students write down as many professions as they can think of in ten minutes. Have them check their papers in pairs, focusing on correct spelling and accent placement. Then do a final review as a group, asking students to record any words they wrote incorrectly in their personal word list.

Pre-AP

Expand and Elaborate Have students tell more about their future profession in the format of a college admission essay. Ask them to also use past and present to tell how they became interested in the field. Have them share some educational and career goals and tell how they have met them.

Todo junto

¡AVANZA! **Goal:** *Show what you know* Listen and discover what Renata and Nicolás will do in the future. Then predict future events and role play a conversation between a teenager and parents about professions. *Actividades 16–20*

Telehistoria completa

 **HOMETUTOR** my.hrw.com **View, Read and Record**

STRATEGIES

Cuando lees

Identify pronouns While reading, write down examples of direct object pronouns, indirect object pronouns, and reflexive pronouns from this scene. Pay attention to the word order.

Cuando escuchas

Listen to reactions Listen to Nicolás's and Renata's reactions to the career possibilities that are mentioned. What do they each choose for a profession?

 **Escena 1** *Resumen*
Renata y Nicolás hablan con la guía de carreras de su colegio, la señora Gutiérrez. Ella les dice que es difícil ganarse la vida en el cine y que deben investigar otras carreras.

Escena 2 *Resumen*
La señora Gutiérrez manda a los jóvenes a un sitio de construcción para ver el trabajo de los carpinteros. Allí, ellos hablan de varias carreras que podrán tener.

 VIDEO DVD / AUDIO

Escena 3

Renata is reading a book and falling asleep when Nicolás approaches.

Nicolás: Despiértate. ¿Qué estás leyendo?

Renata: Estoy leyendo un libro: *Cómo encontrar la profesión perfecta.*

Nicolás: Entonces dime: ¿qué serás en el futuro? ¿Policía? ¿Artista? ¿Buceadora?

Renata: ¡Ninguna de esas profesiones! ¡Y sabes muy bien que no puedo ganarme la vida como buceadora! Tal vez seré científica.

Nicolás: *(laughs)* ¿Tú? ¿Científica?

Renata: ¡Sí! Algún día, voy a hacer un robot que me ayudará a peinarme el pelo.

Nicolás: ¿Te gustaría hacer películas conmigo?

Renata: Nicolás, ¿qué dices? Tú vas a ser un hombre de negocios.

Nicolás: ¿Ah sí? Pues... Los hombres de negocios... ¡no van a la escuela de cine! *(holds up a letter)*

Renata: ¿Qué es? ¡Dámelo!

Nicolás: Es del Instituto de Cine. Me invitan a estudiar allí. ¡Empezaré en septiembre!

Renata: ¿Pero no se enojará tu papá?

Nicolás: Pues, con el tiempo nos entenderemos.

Renata: ¡Felicidades! ¡Creo que serás un excelente director de cine!

Nicolás: Y yo creo que serás la amiga de un excelente director de cine. ¡Vamos a decírselo a la señora Gutiérrez!

Differentiating Instruction

Multiple Intelligences

Logical/Mathematical Have students make a chart to show the pros and cons of two different professions. The chart should have two columns headed **Ventajas** and **Desventajas.** List the professions presented on pp. 446–447 and ask students to fill in the columns with their opinions. Divide students into groups. Have one group create a bar graph of the advantages and the other the disadvantages. Discuss the results as a class.

English Learners

Increase Interaction Put students into groups of three to role-play a conference between Nicolás, one of his parents, and Señora Gutierrez. Have groups determine what the different characters' points of view will be as they discuss Nicolás's acceptance into film school. Then give students time to plan some points to bring up, and begin the meeting.

¡AVANZA! **Objective**
· Integrate lesson content.

Core Resources
· Video Program: DVD 3
· Audio Program: TXT CD 9 Track 18

Presentation Strategies
· Ask students to predict what will happen in the last episode.
· After viewing the video, have students write a short dialog between Renata and Nicolás and Sra. Gutiérrez, concentrating on her reaction to their choices.

STANDARD

1.2 Understand language

21st CENTURY **Flexibility and Adaptability,** English Learners

 Warm Up Projectable Transparencies, 8-22

Pronombres Completa las oraciones siguientes con los pronombres apropiados.
1. (Amigo #1) Oye, perdí mi lápiz en el pasillo. ¿_____ puedes buscar?
2. (Tú) Está bien. _____ traeré.
3. (Amigo #2) Pues, mi calculadora está en el gimnasio. ¿_____ buscas?
4. (Tú) ¿Por qué no? _____ buscaré.

Answers: 1. Me lo; 2. Te lo; 3. Me la; 4. Te la

Communication
Regionalisms

Renata congratulates Nicolás by saying **¡Felicidades!** This phrase, like **¡Qué bueno!,** or **¡Enhorabuena!** is a way of offering congratulations in many Spanish-speaking countries. Young people in the Dominican Republic might say **'ta jevi,** meaning *that's cool.* The slang term is said to have come from the North American phrase *heavy duty.*

 **HOMETUTOR** VideoPlus my.hrw.com

Video Summary

Nicolás finds Renata falling asleep. She says that she is thinking about becoming a scientist. Nicolás reveals that he has been accepted into film school. Renata is excited for him, but worried about what his father will say. Nicolás is unconcerned.

Objective
· Practice using and integrating lesson vocabulary and grammar.

Core Resources
· *Cuaderno,* pp. 376–377
· Audio Program: TXT CD 9
  Tracks 14, 16, 18, 19, 20

Practice Sequence
· **Activities 16, 17:** Telehistoria comprehension
· **Activity 18:** Open-ended practice: speaking
· **Activity 19:** Open-ended practice: reading, listening, and speaking
· **Activity 20:** Open-ended practice: writing

STANDARDS
1.1 Engage in conversation, Act. 18
1.2 Understand language, Acts. 16, 17, 19
1.3 Present information, Acts. 18, 19, 20
21st CENTURY Communication, Act. 20; **Flexibility and Adaptability,** Act. 18

Answers Projectable Transparencies, 8-30 and 8-31

Activity 16
1. ...como **buceadora.**
2. ...ayudará a **peinarse el pelo.**
3. Nicolás invita a Renata a hacer **películas.**
4. Va a estudiar en **el Instituto de Cine.**
5. Nicolás recibió **una carta** importante.
6. ...se **entenderán** con el tiempo.

Activity 17 Some answers will vary.
1. La señora Gutierrez no les recomienda porque será difícil ganarse la vida así.
2. Nicolás y Renata visitan a unos carpinteros, un cartero, un dentista, los bomberos, y (o tal vez no) un ingeniero.
3. Nicolás piensa estudiar para ser hombre de negocios porque lo hizo su padre.
4. Nicolás está contento porque le aceptaron al Instituto de Cine. Él estudiará para ser director.

Activity 18
Hija: Como me encanta la naturaleza y el ejercicio, naturalmente seré alpinista.
Padre: ¿Cómo esperas ganarte la vida escalando montañas?
Madre: No podrás tener una familia, además. ¿No te importa la familia?
Hija: No será para siempre; podré tener una familia después. Y puedo ganarme la vida en el ecoturismo.
Padre: Será peligroso, sobre todo para una chica.
Hija: Ya no soy chica, Papá, sino adulta...

460

---

16 | *Comprensión de los episodios* ¡A corregir!

Escuchar Leer

Corrige los errores en estas oraciones.

1. Renata no puede ganarse la vida como científica.
2. Algún día Renata hará un robot que la ayudará a vestirse.
3. Nicolás invita a Renata a hacer la tarea con él en el futuro.
4. Nicolás va a estudiar en la escuela de arte.
5. Nicolás recibió un correo electrónico importante.
6. Nicolás dice que él y su papá se enojarán con el tiempo.

Expansión:
Teacher Edition Only
Have students write two more false statements about the last Telehistoria episode.

17 | *Comprensión de los episodios* La profesión perfecta

Escuchar Leer

Contesta las preguntas.

1. La señora Gutiérrez no les recomienda a los chicos una profesión en el cine. ¿Por qué?
2. ¿Qué visitas harán Nicolás y Renata durante «La semana de profesiones y oficios»?
3. ¿Por qué piensa Nicolás estudiar para ser hombre de negocios?
4. ¿Por qué está contento Nicolás en el último episodio? ¿Qué hará en septiembre?

Expansión:
Teacher Edition Only
Write future career predictions, one for Nicolás and one for Renata. Explain your predictions.

18 | ¡Se enojarán!

Hablar

Digital performance space

STRATEGY Hablar
Consider pros and cons Before the conversation, think of at least five careers. Make them as interesting and varied as possible. Which ones might parents prefer and why? Which ones might their children prefer and why? Make a list of pros and cons of each career from different family members' viewpoints.

Hagan los papeles de tres miembros de una familia: padre, madre e hijo(a). Hablen de los planes profesionales. Cambien de papel.

Hijo: Algún día pienso ser artista. Dibujaré retratos y haré pinturas muy bonitas.
Madre: ¡Ay, hijo! No sé. ¿Podrás ganarte la vida con eso?
Hijo: ¡Cómo no! Yo venderé todo muy caro.
Padre: No, hijo. Trabajarás conmigo en nuestra tienda. Serás hombre de negocios, como yo...

Expansión
Act out one of your scenarios for the class.

Differentiating Instruction

Slower-paced Learners

Sentence Completion If slower-paced students have trouble completing Activity 17, form the answer sentences for them, leaving out the solicited information. In some cases, this just involves turning a **¿Por qué?** into a **porque** and placing it at the opposite end of the sentence. Have the student repeat the whole answer in the end, to be sure that (s)he is absorbing the sentence structure.

Pre-AP

Draw Conclusions Have advanced students act as mediators when groups present dialog in Activity 18. Have them take notes on each role-play, indicating who has a good argument in each, and why. Also have them reason out why certain arguments might be illogical or irrelevant. Remind them to use the subjunctive with phrases like **"No es cierto que..."** or **"Es importante que..."**.

19 Integración

Leer
Escuchar
Hablar

Lee el póster y escucha las noticias. Invita a alguien a ir contigo a la exposición, describe qué podrán ver allí y da tu opinión sobre los robots. ¿Cuáles otros inventarán?

Audio Program
TXT CD 9
Tracks 19, 20
Audio Script,
TE p. 443B

Fuente 1 Póster

¿Sabías que...
...algún día los robots podrán limpiar tu casa?
...y cocinarán tus cenas?
Descubrirás mucho más si vienes a la...
EXPO INTERNACIONAL DE ROBOTS
Del **12** de junio al **28** de agosto
Universidad de Quito

Fuente 2 Las noticias

Listen and take notes
· ¿Quiénes vienen a presentar en la Expo?
· ¿Qué presentará Ramón Aguilera?
· ¿Está de acuerdo la estudiante con el señor Aguilera? ¿Por qué?

modelo: Habrá una Expo de robots en la Universidad de Quito. Allí podremos ver...

20 Mi futuro

Digital performance space

Escribir

Haz una descripción de tu futura vida para el anuario *(yearbook)*. Describe tus estudios, tu profesión, tu horario y tu familia del futuro.

modelo: Me llamo Laura Serrano. En el futuro iré a la universidad y estudiaré para ser arquitecta. Después...

Writing Criteria	Excellent	Good	Needs Work
Content	Your description uses the future, pronouns, and a good range of vocabulary.	Your description has some use of the future, pronouns, and vocabulary.	Your description has little use of the future, pronouns, and vocabulary.
Communication	Most of your description is organized and easy to follow.	Parts of your description are organized and easy to follow.	Your description is disorganized and hard to follow.
Accuracy	Your description has few mistakes in grammar and vocabulary.	Your description has some mistakes in grammar and vocabulary.	Your description has many mistakes in grammar and vocabulary.

Expansión
Prepare your description with a picture of yourself for a class publication.

Más práctica Cuaderno *pp. 376–377*   Cuaderno para hispanohablantes *pp. 378–379*

PARA Y PIENSA

Get Help Online
my.hrw.com

¿Comprendiste? ¿Qué harán estas personas en el futuro?
1. tú   2. los científicos   3. los robots

Differentiating Instruction

Inclusion

Cumulative Instruction As students prepare to write their yearbook predictions in Activity 20, help at-risk students to examine the rubric and itemize the required language elements. Give examples of a few verbs in the future tense for reference, as well as sentences employing reflexive and direct and indirect object pronouns.

Multiple Intelligences

Interpersonal After completing predictions for themselves, ask students to write on their papers **No lo comparta** if they don't want the prediction shared with the class. Then read some approved selections aloud and see if the class can guess to whom each one corresponds.

Long-term Retention

Pre-AP Integration

Activity 19 Have students discuss how careers have changed because of technology. What jobs have been eliminated because of technological advances? Ask students to imagine a job that no longer exists, or one that won't exist until the technology is available.

✓ Ongoing Assessment

Rubric Activity 19

Listening/Speaking	
Proficient	**Not There Yet**
Student takes notes and expresses ideas clearly.	Student takes few notes and does not express ideas clearly.

To customize your own rubrics, use the **Generate Success** *Rubric Generator and Graphic Organizers.*

✓ Ongoing Assessment

**Get Help Online
More Practice**
my.hrw.com

PARA Y PIENSA
Intervention If students have trouble completing the Para y piensa, have them review p. 451. For additional practice, use Reteaching & Practice Copymasters URB 8 pp. 18, 20.

Answers Projectable Transparencies, 8-31

Activity 19 Invitations will vary. Example: Harán una exposición de robots en la Universidad de Quito la semana que viene. Dicen que los robots nos limpiarán las casas y nos cocinarán la cena en el futuro...

Activity 20 Descriptions will vary. Model: Soy Cristina Alcántara y en el futuro pienso ser profesora. Tendré que estudiar en la universidad por un mínimo de cuatro años y luego buscaré un trabajo en la ciudad. Les enseñaré matemáticas a mis estudiantes durante la mañana...

Para y piensa Answers will vary. Examples:
1. Yo seré bombero.
2. Los científicos descubrirán la cura para el cáncer.
3. Los robots harán los quehaceres de la casa.

- Learn about unusual professionals in Ecuador and Venezuela.
- Build vocabulary with new terms about uncommon professions and what students want to achieve in the future.

Core Resource
- Audio Program: TXT CD 9 Track 21

Presentation Strategy
- Ask students to read the title of the selection and look at the photos to get an idea of the topic of the reading.
- Have students read the strategy, scan the reading, and fill in the chart before diving into the selection.
- Play the audio as students follow the text in their books.

✿ STANDARDS
1.2 Understand language
2.2 Products and perspectives
3.1 Knowledge of other disciplines
21st CENTURY **Critical Thinking and Problem Solving**, Critical Thinking; **Information Literacy**, Heritage Language Learners

💻 **Warm Up** Projectable Transparencies, 8-23

¿Probable o no? Lee las opiniones siguientes e indica si cada una es **probable** o **improbable**.
1. La profesión que paga mejor será la más interesante.
2. Serás el jefe de una compañía después de terminar la universidad.
3. Es importante que te guste lo que haces en el trabajo.
4. No es necesario que te levantes antes de las diez para muchas profesiones.
5. Si trabajas mucho, tendrás éxito en tu profesión.

Answers: 1. improbable; 2. improbable; 3. probable; 4. improbable; 5. probable

Comparación cultural

Background Information
The stretch between mountain ranges where Vallejo grew up is called **La Avenida de los volcanes.** This name was conceived by Alexander Von Humboldt, as he attempted unsuccessfully to climb Chimborazo in 1802. He believed Chimborazo to be the highest mountain in the world.

❈ Lectura cultural

¡AVANZA! **Goal:** Read about two South Americans with uncommon professions. Then discuss what they have achieved and what you want to achieve in the future.

Comparación cultural

AUDIO

Dos profesiones únicas

STRATEGY Leer

Analyze the achievements
Create a chart to understand each of the two men and their achievements. In Column 1 list at least four categories of information (see below). Complete the empty boxes in Columns 2 and 3.

Categorías	Iván Vallejo	Yucef Merhi
País		
Profesión		
¿Qué hizo?		
¿Por qué es una persona única?		

Ecuador

Iván Vallejo en la cima de Dhaulagiri, Nepal

Iván Vallejo es un andinista famoso de Ambato, Ecuador. Cuando tenía siete años veía el volcán de Tungurahua desde su ciudad y soñaba con[1] escalarlo. Años después trabajaba durante los veranos para comprarse su equipo[2] de andinismo. Empezó a escalar las montañas de la región. Comenzó con las más pequeñas y terminó con la más alta de Ecuador: el Chimborazo.

Mientras tanto[3] seguía sus estudios. Estudió en la universidad para ser ingeniero químico[4]. Luego fue profesor de matemáticas en la Politécnica de Quito y escalaba montañas en los veranos. Escaló varias montañas de los Andes, los Alpes y finalmente los Himalayas. Fue el primer ecuatoriano que alcanzó la cima[5] del Everest y uno de pocos alpinistas que lo hicieron sin oxígeno suplementario, algo muy difícil de lograr[6]: solamente lo logra un seis por ciento de las personas que lo intentan.

[1] **soñaba...** dreamed of   [2] gear   [3] **Mientras...** Meanwhile   [4] chemical   [5] **alcanzó...** reached the summit   [6] achieve

---

Differentiating Instruction

Heritage Language Learners
Writing Skills Assign native speakers to write a research report on how to train to become a world-class mountain climber. Have them reference the experience of a famous climber, such as Iván Vallejo, Sir Edmund Hillary, or Tenzig Norgay (Hillary's sherpa, a hero in his own right). Remind them how to cite sources in a research report, and require citations for all facts presented.

Multiple Intelligences
Interpersonal Have students form groups of three to four. Ask each group to discuss the professions mentioned in the reading and then describe unique professions that interest them. Ask each group to give an informal oral report to the class.

Escalando el Broad Peak, Pakistán

Yucef Merhi es artista, poeta y programador. Es de Caracas, Venezuela. Cuando tenía ocho años en 1985 empezó a experimentar con la tecnología y el arte: le añadió un teclado a su consola de videojuego Atari 2600 para transformarla en computadora primitiva. Con ella programó películas digitales.

Ahora sigue usando la tecnología para crear[7] y presentar su arte y poesía. Usa computadoras, videojuegos, el Internet, telescopios y muchas otras cosas en sus exposiciones internacionales. En 2005 estrenó su Super Atari Poetry 2005, una máquina interactiva. Las personas se sientan[8] en frente de tres consolas de videojuego conectadas a tres televisores. Las consolas están programadas para crear poemas que cambian de colores. También inventó un Reloj Poético que transforma el tiempo en poesía y crea 86.400 poemas al día.

Merhi no sólo trabaja como artista-poeta-programador, sino también como consultor de informática[9] y diseñador de sitios Web para varias compañías.

---

[7] create   [8] **se...** sit   [9] **consultor...** IT consultant

PARA Y PIENSA

¿Comprendiste?
1. ¿Cuándo empezó Iván Vallejo a pensar en escalar montañas?
2. ¿Qué le hace un alpinista—o andinista— especial?
3. ¿Quién es Yucef Merhi? ¿Cuál es su profesión?
4. ¿Qué hizo cuando tenía ocho años? ¿Y qué hace ahora?

¿Y tú?
¿Qué te gustaría hacer en el futuro? ¿Es algo muy único o difícil?

Lección 2
cuatrocientos sesenta y tres   **463**

Objective

- **Culture:** Research news in Ecuador and Venezuela.

Presentation Strategies

- Break students into pairs to complete the project. Students will share in the writing, as well as the presentation of their newscasts.
- Have students view a newscast that has two presenters as preparation for the assignment. How do they divide the duties? How do they work together?

STANDARDS

1.2 Understand language
1.3 Present information
3.1 Knowledge of other disciplines
5.1 Spanish in the community
5.2 Life-long learners

21st CENTURY **Media Literacy,** En tu comunidad; **Technology Literacy,** Proyectos 1, 2

Connections
Social Studies

Make sure you have prepared by reading through the major articles of a recent Ecuadorian paper, such as the Quito *Diario Hoy* or *El Comercio.* After all reporting groups have had time to research current events in Ecuador, regroup and talk about what news items they have found, so you can eliminate confusion or misunderstandings. (This will help students feel more confident and promote a sense of fairness, since headline news may be more difficult to understand than the weather.)

Comparación cultural

Essential Question

Suggested Answer Es importante saber de los eventos que ocurren en otros países y otras partes del mundo. Estos acontecimientos pueden afectar nuestra vida aquí en Estados Unidos en muchas maneras, entre ellas, la seguridad nacional, la economía, y los negocios y comercio.

464

❋ Proyectos culturales

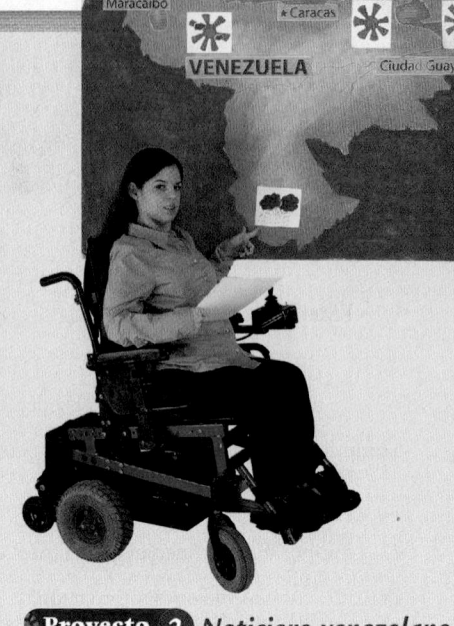

Comparación cultural

Noticias de Ecuador y Venezuela

¿Cómo nos afectan las noticias de otros países? Cuando ves un noticiero *(newscast)* en la televisión, normalmente ves solamente los presentadores y reporteros. Pero también hay, entre otros, los camarógrafos, los escritores y los productores. Todas estas personas trabajan para presentar un reportaje bien investigado y preparado. Si sigues las noticias, serás una persona informada.

Proyecto 1 *Noticiero ecuatoriano*

Ecuador En este proyecto, buscarás información sobre los eventos de Ecuador. Luego, presentarás los resultados de tu búsqueda a tu clase. Harás una presentación simulando un noticiero televisado.

Instrucciones para tu noticiero ecuatoriano
1. Busca información sobre los eventos de Ecuador. Usa Internet para encontrar las noticias más recientes.
2. Prepara una emisión *(broadcast)* de cinco minutos, presentando los titulares de las noticias de Ecuador y otros eventos de importancia internacional.
3. Si tienes una cámara de video, filma tu presentación. Si no la tienes, haz tu presentación delante de la clase.

Proyecto 2 *Noticiero venezolano*

Venezuela Después de completar el primer proyecto, sabrás cómo buscar información sobre los eventos de otros países. Esta vez, tu emisión será un reporte sobre el tiempo de Venezuela.

Instrucciones para tu noticiero venezolano
1. En Internet, busca información sobre el pronóstico *(forecast)* meteorológico de una ciudad de Venezuela.
2. Prepara una presentación de predicciones del tiempo para los próximos cinco días en esa ciudad.
3. Presenta tu información a la clase.

En tu comunidad

La televisión en español llega a casi todas partes de Estados Unidos. ¿Presentan noticias de tu comunidad en español?

Differentiating Instruction

Inclusion

Frequent Review/Repetition Review weather terminology by playing charades. Encourage students to act out activities that they would engage in according to different weather conditions (putting on sunscreen, opening an umbrella, holding their ears during a thunderstorm). List conditions on the board as students guess them.

Pre-AP

Use Transitions Challenge advanced students to connect the different news items that they present, with thoughtful transitions. For example, instead of **Ahora hablaremos de las noticias internacionales,** opt for **Y fuera de Ecuador, se encuentran dificultades parecidas...**

464

En resumen

Vocabulario y gramática

ANiMaTeDGRaMMaR
Interactive Flashcards
my.hrw.com

Vocabulario

Careers and Professions

el (la) abogado(a)	*lawyer*	el (la) piloto	*pilot*
el (la) agente de bolsa	*stockbroker postwoman*	el (la) policía	*policeman / policewoman*
el (la) científico(a)	*scientist*	el (la) político(a)	*politician*
el (la) dentista	*dentist*	el (la) profesor(a)	*teacher; professor*
el (la) detective	*detective*	el (la) programador(a)	*programmer*
el (la) diseñador(a)	*designer*	el (la) veterinario(a)	*veterinarian*
el (la) doctor(a)	*doctor*		
el (la) enfermero(a)	*nurse*		
el hombre / la mujer de negocios	*businessman / businesswoman*		
el (la) ingeniero(a)	*engineer*		

Pastimes

el (la) alpinista	*mountain climber*
el (la) buceador(a)	*scuba diver*
escalar montañas	*to climb mountains*

Talk About the Future

Algún día...	*Some day . . .*
En el futuro...	*In the future . . .*

Discuss Career Choices

ganarse la vida como...	*to earn a living as . . .*
el oficio	*occupation*
la profesión	*profession*
¿Qué profesión te gustaría tener?	*What do you want to be?*

Discuss Scientific Advances

el conocimiento	*knowledge*
la cura	*cure*
descubrir	*to discover*
mejorar	*to improve*
el robot	*robot*

Gramática

Nota gramatical: Impersonal **se** *p. 450*

Future Tense of Irregular Verbs

Irregular verbs in the future tense use the same endings as regular verbs, but the infinitive stem changes.

- Some infinitives lose a letter.

  saber *becomes* ➤ sabr-

- Some infinitives change a letter.

  poner *becomes* ➤ pondr-

saber	*to know*
sabré	sabremos
sabrás	sabréis
sabrá	sabrán

poner	*to put; to place*
pondré	pondremos
pondrás	pondréis
pondrá	pondrán

♻ REPASO Pronouns

Pronouns

Reflexive		Indirect Object		Direct Object	
me	nos	me	nos	me	nos
te	os	te	os	te	os
se	se	le	les	lo/la	los/las

- **Reflexive pronouns** appear with **reflexive verbs.** Together, they refer to the same person, place, or thing as the subject.
- **Indirect object pronouns** answer *to whom?* or *for whom?* about the verb.
- **Direct objects pronouns** answer *whom?* or *what?* about the verb.

Practice Spanish with Holt McDougal Apps!

Multiple Intelligences

Kinesthetic Put students in pairs and have them create gestures to represent each vocabulary item: a lawyer pacing the courtroom floor with hands on hips, a detective examining clues, and so on. Have them test the gestures on each other until they are able to guess them all on the first try. Finally, have each pair share one of their gestures with the class.

Heritage Language Learners

Literacy Have native speakers look in several of the papers accessed in the activity on p. 464 to find the classified section, and find three authentic uses of the impersonal **se** to share with the class.

Objective

· Review lesson vocabulary and grammar.

🌐 DIGITAL SPANISH

Interactive Flashcards Students can hear every target vocabulary word pronounced in authentic Spanish. Flashcards have Spanish on one side, and a picture or a translation on the other.

Review Games Matching, concentration, hangman, and word search are just a sampling of the fun, interactive games students can play to review for the test.

performance)space

News ➕ Networking

@HOMETUTOR

CuLTuRa Interactiva

- **Audio and Video Resources**
- **Interactive Flashcards**
- **Review Activities**
- **WebQuest**
- **Conjuguemos.com**

Long-term Retention
Study Tip

Provide students with copies of the photos on pp. 446 and 447 with the captions blanked out. Also allow them extra time in class to cut these photos into review cards (mounting onto cardstock if possible), with job titles written on the reverse side. Not only does this give students sets of vocabulary flashcards, but it is better to teach students to associate a vocabulary word with its meaning rather than its translation.

✓ Ongoing Assessment

Peer Assessment Pair up students of similar abilities. Have them turn to p. 451 and take turns finishing the sentence **En el futuro...** with a subject of their choice and an irregular future verb, until they have made up sentences for every verb on the page. For example, **En el futuro, la clase sabrá muy bien el español**.

REPASO DE LA LECCIÓN

Objective
· Review lesson grammar and vocabulary.

Core Resources
· *Cuaderno*, pp. 378–389
· Audio Program: TXT CD 9 Track 22

Presentation Strategies
· Before students complete Activity 1, play the audio for them. With their books closed, have them try to guess what professions are being described.
· Before doing Activity 2, have students identify the images presented.
· Have students think of two questions for their classmates to add to Activity 4, concentrating on the correct formation of the future tense.

STANDARDS
1.2 Understand language, Act. 1
1.3 Present information, Acts. 2, 3, 4
2.1 Practices and perspectives, Act. 5
2.2 Products and perspectives, Act. 5
3.1 Knowledge of other disciplines, Act. 5

Warm Up Projectable Transparencies, 8-23

Los titulares Identifica la sección del periódico donde se encuentra cada titular.

1. Caerán lluvia y granizo sobre la ciudad todo el día.
2. Los pilotos están en huelga y seguirán así hasta el lunes.
3. Se busca arquitecto para diseñar un banco.
4. El nuevo presidente es puro político: dos meses y no hace nada.

a. noticias
b. tiempo
c. editorial
d. clasificado

Answers: 1. b; 2. a; 3. d; 4. c

Answers Projectable Transparencies, 8-31

Activity 1
1. c   3. g   5. a
2. f   4. b   6. e

Activity 2 Answers will vary. Examples:
1. Se habla español.
2. Se venden perros y gatos.
3. Se busca arquitecto(a).
4. Se alquilan DVDs.
5. Se estrena nueva película.
6. Se construyen robots.
7. Se enseña la pintura/el arte.
8. Se venden flores.

466

Repaso de la lección

@HOMETUTOR
my.hrw.com

¡AvanzaRap!
DVD
Sing and Learn

¡LLEGADA!

Now you can
· talk about professions
· predict future events and people's actions or reactions
· ask and respond to questions about the future

Using
· impersonal **se**
· future tense of irregular verbs
· pronouns

To review
· future tense of irregular verbs, p. 451

AUDIO

1 Listen and understand

Los estudiantes hablan de lo que harán en el futuro durante una clase sobre oficios y profesiones. Escoge la profesión que corresponde a cada descripción.

Audio Program
TXT CD 9 Track 22
Audio Script, TE p. 443B

a. el/la cartero(a)
b. el/la carpintero(a)
c. el/la científico(a)
d. el/la agente de bolsa

e. el/la bombero(a)
f. el/la alpinista
g. el/la veterinario(a)
h. el/la doctor(a)

To review
· impersonal **se**, p. 450

2 Talk about professions

¿Qué se dice en las ventanas de los negocios en el centro? Escribe una expresión con el **se** impersonal.

modelo: comprar
Se compran joyas.

1. hablar

«¡Hola! ¡Bienvenidos!»

2. vender

3. buscar

4. alquilar

5. estrenar

6. construir

7. enseñar

8. vender

466 Unidad 8 Ecuador
cuatrocientos sesenta y seis

Differentiating Instruction

Slower-paced Learners

Read Before Listening Before playing the audio for Activity 1, have students read the response options and write one or two key words for each option. For instance, a key word for *a.* might be **correo** or **traer**, while *b.* might be **madera** or **construir**. Previewing the options will make it easier for students to recognize critical information when they hear it.

Pre-AP

Circumlocution Tell students that the advertisements in Activity 2 were published in the newspaper's classified section for a week, and that the wording of each advertisement now has to be changed, since renewals cost more than new advertisements in the local paper. For example, **«Se hablan varios idiomas»** or **«Se habla castellano»** in item 1.

3 | Predict future events and people's actions or reactions

review
future tense of
irregular verbs,
p. 451

Escribe predicciones sobre cómo será el mundo en el año 2050.

modelo: los profesores: (casi nunca / frecuentemente) hacer las clases por Internet
Los profesores frecuentemente harán las clases por Internet.

1. los doctores: saber curar (más / menos) enfermedades
2. haber (más / menos) smog
3. tú: tener robots para limpiar la casa
4. (más / menos) estudiantes: salir de la escuela hablando español
5. los políticos: (generalmente / apenas) decir la verdad
6. yo: querer vivir (aquí / en otra cuidad)
7. nosotros: poder mejorar (mucho / poco) el medio ambiente
8. la gente: poner computadoras en (muchos / ningunos) cuartos de sus casas

4 | Ask and respond to questions about the future

review
future tense of
irregular verbs,
p. 451
pronouns, p. 456

Contesta las preguntas sobre tu futuro con pronombres.

modelo: ¿Te pondrás uniforme cuando trabajas?
Sí, me lo pondré. (No, no me lo pondré.)

1. ¿Protegerás el medio ambiente?
2. ¿Tendrás hijos?
3. ¿Les darás dinero a los científicos que buscan curas?
4. ¿Harás un viaje a otro país?
5. ¿Les escribirás correos electrónicos a tus amigos?
6. ¿Estudiarás las ciencias?
7. ¿Le dirás tu opinión al editor del periódico?
8. ¿Te darán dinero tus padres?
9. ¿Te ganarás la vida como ingeniero(a)?
10. ¿Escalarás montañas?

5 | Ecuador and Venezuela

review
Quito en agosto,
p. 419
Comparación
cultural, pp. 453,
458
Lectura cultural,
pp. 462–463

Comparación cultural

Contesta estas preguntas culturales.

1. ¿Qué hay en Quito durante el mes de agosto? ¿Por qué?
2. ¿Qué ves en la pintura *La lavadera* de Eduardo Kingman?
3. ¿Qué son concursos intercolegiales? ¿Qué pueden ganar los estudiantes?
4. ¿De dónde son Iván Vallejo y Yucef Merhi? Describe sus profesiones.

Más práctica Cuaderno *pp. 378–389* Cuaderno para hispanohablantes *pp. 380–389*

Get Help Online
my.hrw.com

Answers Projectable Transparencies, 8-31

Activity 3 Some answers may vary.
1. Los doctores sabrán curar más enfermedades.
2. Habrá menos smog.
3. Tendrás robots para limpiar la casa.
4. Más estudiantes saldrán de la escuela hablando español.
5. Los políticos generalmente dirán la verdad.
6. Yo querré vivir aquí.
7. Nosotros podremos mejorar mucho el medio ambiente.
8. La gente pondrá computadoras en muchos cuartos de sus casas.

Activity 4
1. Sí, (No, no) lo protegeré.
2. Sí, (No, no) los tendré.
3. Sí, (No, no) se lo daré.
4. Sí, (No, no) lo haré.
5. Sí, (No, no) se los escribiré.
6. Sí, (No, no) las estudiaré.
7. Sí, (No, no) se la diré.
8. Sí, (No, no) me lo darán.
9. Sí, (No, no) me la ganaré como ingeniero(a).
10. Sí, (No, no) las escalaré.

Activity 5
1. Durante el mes de agosto en Quito hay música, baile, pintura y escultura, películas y obras de teatro. Agosto es el Mes de las artes en Quito.
2. En *La lavadera* se ve dos manos gigantes muy expresivas.
3. Los concursos intercolegiales son competiciones académicas entre varias escuelas en Ecuador. Los estudiantes pueden ganar medallas, trofeos y becas universitarias.
4. Iván Vallejo es ecuatoriano. Yucef Merhi es venezolano. Iván es alpinista. Yucef es artista/poeta.

Differentiating Instruction

Inclusion

Metacognitive Support Have students take five minutes to look over each of the culture notes (pp. 453, 458, 462, 463) writing a one- or two- sentence main-idea summary of each reading selection. Then put students in heterogeneous pairs to go over their summaries together and check to see that they agree on what the main points are.

Multiple Intelligences

Linguistic/Verbal Have students write, illustrate, and "publish" (bind a final copy of) a children's book about what the future will be like. Require that it include use of the future tense and examples of direct and indirect object pronouns as well as reflexives.

Objectives

- Read three personal accounts about different professions, the environment, and volunteer opportunities.
- Compare one of the three professions with students' paragraphs.
- Write a paragraph about a profession that would help others or protect the environment.

Core Resources

- *Cuaderno,* pp. 390–392
- Video Program: Culture Video: DVD 3
- Audio Program: TXT CD 9 Track 23

Presentation Strategies

- Have students listen to the audio as they follow it in their text.
- Show the culture video.
- Ask for three volunteers to read one of the paragraphs. Ask students if they are interested in the professions mentioned or if they volunteer.

STANDARDS

1.2 Understand language
4.2 Compare cultures

21st CENTURY **Information Literacy,** Pre-AP

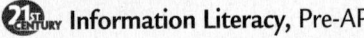

Communication

Interpretive Mode

Copy one of the three paragraphs onto a separate sheet of paper. Whenever a verb is used in the future tense, leave a blank. Ask students to close their books. Distribute copies of the paragraph to class. Tell students that you will read aloud the paragraph and they must fill in the correct form of the verb they hear.

Comparación cultural

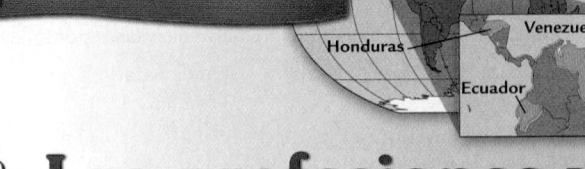

Honduras • Venezuela • Ecuador

AUDIO

Las profesiones y el mundo de hoy

Lectura y escritura

WebQuest
my.hrw.com

1 **Leer** Many people choose professions that allow them to help others or protect the environment. Read the descriptions of different professions by Mario, Roberto, and Tania.

2 **Escribir** Write a brief paragraph about a profession that would allow you to help others or protect the environment. Use the descriptions as models.

STRATEGY Escribir

Analyze with a chart Use a chart to help you write a paragraph about a profession in which you could help others or protect the environment.

Profesión	Qué se hace	Cómo ayuda	Por qué me gusta

Step 1 In the chart, write the profession (examples: teacher, police officer), what people do in this profession, how it helps others or protects the environment, and why you like it.

Step 2 Use the information from the chart to help you write the paragraph. Check your writing by yourself or with help from a friend. Make final additions and corrections.

Compara con tu mundo

Use the paragraph you wrote about a profession and compare it with that of Mario, Roberto, or Tania. In what ways are they alike? In what ways are they different?

Cuaderno pp. 390–392 *Cuaderno para hispanohablantes pp. 390–392*

Differentiating Instruction

Heritage Language Learners

Increase Accuracy Help students to avoid writing run-on sentences. Have them use conjunctions such as **y, porque, pero** to connect two ideas in one sentence. Write this sentence on the board: **Daniel quiere cenar en casa, su amigo quiere salir.** Ask if each part of the sentence can stand alone. Have students use a conjunction to connect them: **Daniel quiere cenar en casa pero su amigo quiere salir.**

Slower-paced Learners

Yes/No Questions If questions like **¿Cómo es Mario?** or even **¿Dónde vive Mario?** elicit raised hands from the same handful of students every time, alternate open-ended questions with yes/no alternatives that give slower-paced students the confidence to participate. Try **¿A Mario le importa el medio ambiente? ¿Sí o no? ¿Vive cerca de la costa de Ecuador?**

CULTURA Interactiva
my.hrw.com
See these pages come alive!

Unidad 8
COMPARACIÓN CULTURAL

Ecuador
Mario

¡Hola! Soy Mario y vivo en la región de la selva amazónica ecuatoriana. En mis ratos libres trabajo de voluntario en una reserva natural. Mi sueño[1] es ser científico y descubrir cómo conservar el medio ambiente de la selva. Aquí hay una gran variedad de plantas y animales y es necesario protegerlos. Es cierto que existen leyes para proteger los bosques y evitar[2] la deforestación, pero no es cierto que sean suficientes. Todos nosotros tenemos la responsabilidad de hacer algo más.

[1] dream   [2] avoid

Venezuela
Roberto

¡Saludos desde Venezuela! Me llamo Roberto y me encantan los animales. Yo seré veterinario. Trabajaré principalmente con el ganado[3] y con los perros y gatos. Pero en mi opinión, los veterinarios deben atender no solamente a los animales domésticos sino también a los animales de la selva, como serpientes, pájaros y monos[4]. Yo ayudaré a proteger las especies en peligro de extinción.

[3] cattle   [4] monkeys

Honduras
Tania

¿Qué tal? Mi nombre es Tania y vivo en Honduras. Quisiera ayudar a mi país en los momentos de crisis. En 1998, Honduras sufrió[5] un gran desastre natural, el huracán Mitch. La destrucción fue increíble. Muchas casas, escuelas, universidades y hospitales fueron destruidos. Todavía hoy se ven los daños[6]. Por eso en la universidad estudiaré para ser arquitecta. Construiré casas más fuertes que soportarán[7] el paso de un huracán.

[5] suffered   [6] damages   [7] will withstand

Ecuador
cuatrocientos sesenta y nueve   **469**

Comparación cultural

Exploring the Theme

Hurricane Mitch was one of the most powerful hurricanes on record, but most of the damage that it inflicted on Honduras was because of its widespread, torrential flooding rather than its strong winds. Many bridges were taken out and one third of the highways in the country were impassable because of the relentless rain; some areas saw 25 inches of rain fall in 36 hours. Thousands of lives were lost, and many more people were reported missing.

✓ Ongoing Assessment

Rubric Lectura y escritura

Writing Criteria	Very Good	Proficient	Not There Yet
Content	Paragraph contains a lot of the information.	Content contains some information.	Paragraph lacks information.
Communication	Organized and easy to follow.	Fairly well organized and easy to follow.	Disorganized and hard to follow.
Accuracy	Few mistakes in grammar and vocabulary.	Some mistakes in grammar and vocabulary.	Many mistakes in grammar and vocabulary.

To customize your own rubrics, use the *Generate Success* Rubric Generator and Graphic Organizers.

Differentiating Instruction

Pre-AP

Determine Cause and Effect Have advanced students research the recovery of Honduras after Hurricane Mitch, and explain one of the significant, lasting effects of the storm in a three-paragraph essay. (New architecture, changes in economic outlook, effects on wildlife, etc.)

Inclusion

Clear Structure As a class, brainstorm a list of professions that interest students and ask them to explain why it interests them. Ask them to copy the chart from p. 468 in their notebooks. Based on the list generated, help students fill in the chart before they write their paragraph.

Objective
· Introduce the fourth and final challenge of the Gran Desafío.

Core Resource
· El Gran Desafío video: DVD 3

Presentation Strategies
· **Previewing** Have students look at the photos and discuss who looks serious about this challenge, and who does not. Have them look at the drawing on p. 471 and guess what it might represent. Then ask a volunteer to read the Desafío summary on p. 470 aloud. Elicit answers to the Antes del video questions on p. 471. Ask students to support their answers with details.
· **Viewing** Review the Toma apuntes questions on p. 471. Encourage students to copy the questions in their notebooks or on a piece of paper, leaving space for the notes they'll write. Play the video, then allow students time to review their notes.
· **Post-viewing** Play the video again. Have volunteers read each of the Después del video questions and elicit answers from the class. Encourage students to say if they agree or disagree with any given answer.

STANDARDS
1.2 Understand language
3.2 Acquire information
5.2 Life-long learners
21ST CENTURY Critical Thinking and Problem Solving, Multiple Intelligences

Video Summary
@ **HOMETUTOR**
VideoPlus
my.hrw.com

Professor Dávila explains this fourth, and final, challenge: The teams must discover the profession of each of the four people at the table. The volunteers will give the teams a clue, and then each team may ask only one yes/no question of each person. They cannot ask about a profession directly, such as **¿Eres policía?** While one team poses their questions, the others must wear headphones, so they can't hear the answers. Marta and Carlos attempt to eavesdrop on the volunteers, with dire results. One team guesses all four professions correctly, and wins.

▶ ‖

EL GRAN DESAFÍO
MÉXICO

EL DESAFÍO
VIDEO DVD

Los equipos están empatados. En este último desafío, los equipos tendrán que descubrir la profesión de unas personas. Sólo les pueden hacer una pregunta, y ellos sólo pueden contestar sí o no.

Antes del video

1. ¿Qué piensas que está haciendo Marta?

2. Mientras el profesor habla, ¿qué está haciendo Raúl?

3. ¿Qué piensas que están haciendo Ana y Luis? Haz predicciones sobre qué equipo va a ganar.

Unidad 8
470 cuatrocientos setenta

Differentiating Instruction

Slower-paced Learners

Yes/No Questions Check that students understand the rules of the challenge and the clues the volunteers have given by asking yes/no questions, such as: **¿Los equipos les podrán hacer dos o tres preguntas a los voluntarios? ¿Es importante que no hagan preguntas directas?**

Multiple Intelligences

Logical/Mathematical Have students, in pairs, consider the clues the volunteers give in the video and make a list of all the possible professions those volunteers might have. Have them chart these, using a graphic organizer such as a cluster/word web or an If/Then/Because frame.

Los grupos preparan sus preguntas.

Mira el video: Toma apuntes

- ¿Por qué es mejor que Mónica haga las preguntas?
- Escribe sobre Ana y Luis. ¿Cómo son sus preguntas?
- Describe lo que hace Marta. ¿Qué piensa Carlos?
- ¿Por qué no pueden hacer sus preguntas Carlos y Marta?
- Escribe las profesiones de los voluntarios.

Después del video

1. ¿Qué equipo pensabas que iba a ganar?
2. ¿Qué grupo pasará al próximo desafío? ¿Por qué piensas que ganaron?
3. Piensa en los tres equipos. Escribe las características buenas y malas de cada equipo.

@HOMETUTOR View, Read
my.hrw.com and Record

El Gran Desafío
cuatrocientos setenta y uno **471**

Long-term Retention
Critical Thinking

Conceptualize Stop the video after the four professionals have given clues about what they do. Ask students to postulate what their professions may be, and write these on the board.

Long-term Retention
Critical Thinking

Evaluate Place students in groups of four to discuss what they think of Marta and Carlos's strategy of eavesdropping. Did they deserve to be disqualified?

Communication
Role-Playing

Divide students into teams of four and tell them that they are going to role-play a similar contest. Have them choose four professions and decide what clues they will give the other teams. The other teams get to ask each "professional" one indirect question, then they have to write down their guesses. At the end, write the professions on the board and poll the results.

Differentiating Instruction

Pre-AP

Draw Conclusions In pairs, have students analyze the questions the two teams asked. Which questions were the best, and why? Then ask them to write what questions they would ask.

Inclusion

Cumulative Instruction In pairs, ask students to list information they can recall about the previous three challenges: what the challenge was, the locations of each, and how each team performed. Ask them to describe each team member. Then ask them to recall one funny thing that happened in each episode.

Answers

Después del video
Answers will vary. Sample answers:
1. Pensaba que .... iba a ganar.
2. Luis y Ana pasarán al próximo desafío. Ganaron porque sólo ellos descubrieron las profesiones de todas las personas.
3. (Answers will vary. Make sure students describe both the positive and negative characteristics of each team.)

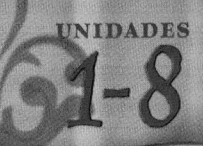

UNIDADES
1-8

¡AvanzaRap!
DVD
Sing and Learn

Repaso inclusivo
♻ Options for Review

Digital
performance space

1 | Listen, understand, and compare

Escuchar

Listen to this radio advertisement and then answer the following questions.

1. Para poder trabajar en los oficios del futuro, ¿qué necesitas tener?
2. ¿Qué es *Profesiones para mañana*?
3. ¿Es necesario saber qué profesión quieres para *Profesiones para mañana*?
4. ¿Qué hace *Profesiones para mañana* para los estudiantes?
5. Si quieres hablar con *Profesiones para mañana*, ¿qué tienes que hacer?

What professions are you most interested in and why? Have you ever had the opportunity to speak with someone who has a profession that interests you? What did you learn from them? How will knowing Spanish help you in the professions that interest you?

🎧 **Audio Program**
TXT CD 9 Track 24
Audio Script, TE
p. 443B

2 | Create a poster and ad for a can and bottle drive

Hablar
Escribir

Organize a can and bottle recycling drive in your school. Create a poster to put up in the school to announce the collection. Explain details such as what you are collecting, when, and where. Include what group is organizing the drive and for what reason. Also write an ad for the newspaper announcing the can and bottle collection. In your ad, provide information on the drive and also the reason for doing it.

3 | Discuss career options

Hablar

Role-play a conversation between a guidance counselor and a student. As the student, you are unsure about what you will do after high school. Ask the counselor for advice and give your opinion about the counselor's suggestions. As the guidance counselor, ask about the student's interests. Also ask about any jobs he or she is already familiar with, perhaps because of a parent, relative, or a friend's parent. Discuss whether the student needs further education for that particular job or career, and make suggestions for reaching their career goal.

Differentiating Instruction

Heritage Language Learners

Writing Skills Have native speakers take the role of a teacher or guidance counselor who has been asked to write a recommendation for a student's college admission application. Remind writers to begin and end their letter with an introduction and conclusion, and to support statements in the body of the letter with their own observations and examples.

Multiple Intelligences

Naturalist Have students research and outline the steps for composting organic waste for a community newspaper article. Suggest that they list the different kinds of garbage that can be used to improve soil quality: **frutas y verduras, huevos, café,** and so on. Advise them to use **usted** commands and object pronouns in their instructions.

472

4 Predict the future

Hablar
Escribir

What will life be like 500 years from now? With a partner, discuss your predictions for the future. What will technology be like? What will people wear? What will homes be like? What will people do for fun? Present your predictions in a poster with illustrations and write catchy headlines in the future tense for each image.

5 Teach young students

Hablar

Your group has been asked by your school principal to give a talk at the local elementary school. You are to talk to the children about protecting the environment. Talk about the basics: why it is important to throw trash in the trash can and not on the ground, why it is necessary to recycle, and whether it is better to ride bikes or ask their parents to drive them. Present your talk to the class.

6 Talk about your life

Escribir

Write two paragraphs about the following statement: **Mi vida hoy es mejor que hace diez años.** In the first paragraph, describe what your life was like ten years ago and compare it to your life today. In the second paragraph, tell whether the statement is true or not true and give reasons why.

7 Nominate someone for an award

Leer
Escribir

Read the following ad that appears in your local newspaper for nominations for a community service award. Respond to the letter with a recommendation of someone you know or a person you make up.

¡Se buscan recomendaciones!

Hay muchas personas en nuestra comunidad que hacen muchas cosas buenas para la comunidad. Nuestro periódico quiere saber quiénes son estas personas y el trabajo voluntario que hacen. Se buscan las recomendaciones de ustedes porque nos gustaría conocer a estas personas y darles las gracias. Les daremos un premio a los voluntarios que hacen una diferencia para toda nuestra comunidad.

Differentiating Instruction

Pre-AP

Expand and Elaborate Have students form groups of three to produce a human-interest segment for the news, regarding a winner of the community service award described in Activity 7. Have the three students work on a script or a role-play outline, and then designate a camera person and a reporter, as well as the person to be interviewed.

Slower-paced Learners

Peer-study Support Pair students up for this project, and give them at least ten minutes to brainstorm a list of ideas for what they might present, thinking at the same time of interesting and/or humorous ways to teach it to a class. Require that their presentation repeat the target phrase(s) at least five times, and that the class be required to repeat and practice it as well.

Long-term Retention

Recycle

Before beginning Activity 6, ask students if they recall the two different ways to talk about the past in Spanish. Draw a timeline marked with a long, shaded area (imperfect), as well as precise points—dots or arrows—(preterite) to remind students of the difference. Ask which they will use more in a paragraph about what life was like in the past. Have them give examples of descriptive sentences in the imperfect. **(Tenía el pelo muy corto; me bañaba en las noches antes de acostarme...)**

✓ Ongoing Assessment

Rubric Integrated Performance Assessment
Oral Activities 2, 3, 4, 5
Written Activities 2, 4, 6, 7

Very Good	Proficient	Not There Yet
The student thoroughly develops all requirements of the task.	The student develops most requirements of the task.	The student does not develop the requirements of the task.
The student demonstrates excellent control of verb forms.	The student demonstrates good-to-fair control of verb forms.	The student demonstrates poor control of verb forms.
Good variety of appropriate vocabulary.	Adequate variety of appropriate vocabulary.	Vocabulary is not appropriate.
Pronunciation is excellent to very good.	Pronunciation is good to fair.	Pronunciation is poor.

To customize your own rubrics, use the **Generate Success** Rubric Generator and Graphic Organizers.

¿?Entre dos

Pair Activities

Objectives
· Discuss travel preparations

Core Resources
· Conversation cards, Teacher One Stop

STANDARDS
1.1 Engage in conversation

Possible Answer

A: ¿Adónde vas?

B: Voy a España.

A: ¿Cómo vas a viajar?

B: Voy a viajar por avión.

A: ¿Qué necesitas hacer?

B: Necesito pedir mi pasaporte, hacer la maleta y comprar mi boleto.

B: ¿Adónde vas?

A: Voy a Texas.

B: ¿Cómo vas a viajar?

A: Voy a viajar por tren.

B: ¿Qué necesitas hacer?

A: Necesito hacer la maleta, ir a la estación en taxi, y mirar la pantalla de salidas.

Answer:
Los dos necesitan hacer la maleta.

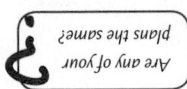
Are any of your plans the same?

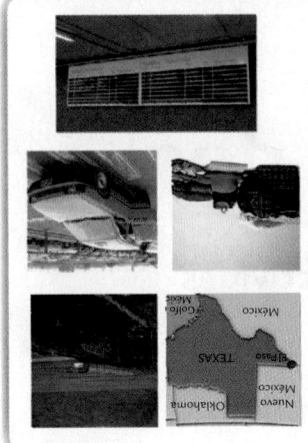

Estudiante A

You and your partner are going on vacation. Ask your partner where he or she will go, how he or she will travel, and three things he or she needs to do. Then, use the photos to answer your partner's questions about your plans.

Estudiante A: **¿Adónde vas?**

Estudiante B: **Voy a...**

Estudiante A: **¿Cómo vas a viajar?**

Estudiante B: **Voy a viajar en/por...**

Estudiante A: **¿Qué necesitas hacer?**

Estudiante B: **Necesito...**

De viaje

De viaje

You and your partner are going on vacation. Ask your partner where he or she will go, how he or she will travel, and three things he or she needs to do. Then, use the photos to answer your partner's questions about your plans.

Estudiante A: **¿Adónde vas?**

Estudiante B: **Voy a...**

Estudiante A: **¿Cómo vas a viajar?**

Estudiante B: **Voy a viajar en/por...**

Estudiante A: **¿Qué necesitas hacer?**

Estudiante B: **Necesito...**

Estudiante B

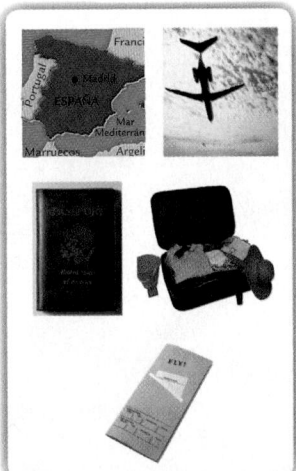

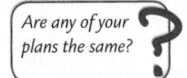
Are any of your plans the same?

Differentiating Instruction – Lección 1

Inclusion

Frequent Review/Repetition Before beginning the activity, have students review prepositions and possessions. You might also have them review activities from Level 1 that they could do on vacation (sports and so on).

Inclusion

Clear Structure Before starting the activity, have students read the direction lines and write out the three questions they need to ask on their own paper. Students should also take the time to review their images and make sure they understand how they are going to respond to their partner's questions.

Long-term Retention

Personalize It

Instead of having students use the locations featured in the images, have them brainstorm other areas of the Spanish-speaking world they would like to visit.

Entre dos • Lección 2

Estudiante A

Alicia

¿Do Rafael and Alicia plan to do any of the same activities on their vacation?

De vacaciones

Use the clues in the box below to ask your partner about what Rafael will do on vacation. Then, use the drawings to answer your partner's questions about Alicia's vacation plans.

Estudiante A: ¿Va a ... Rafael?
Estudiante B: Sí (No), Rafael (no) va a...

Las vacaciones de Rafael
fish
bargain in the open-air market
take photos
ride a horse
go on a day trip
camp

De vacaciones

Use the drawings to answer your partner's questions about what Rafael will do on vacation. Then, use the clues in the box to ask your partner about Alicia's vacation plans.

Estudiante A: ¿Va a ... Rafael?
Estudiante B: Sí (No), Rafael (no) va a...

Las vacaciones de Alicia
send postcards
hike
swim
visit a museum
bargain in the open-air market
ride a horse

Estudiante B

Rafael

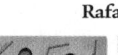

 Do Rafael and Alicia plan to do any of the same activities on their vacation?

Unidad 1 Entre dos · Lección 2
cuatrocientos setenta y siete **477**

Differentiating Instruction – Lección 2

Heritage Language Learners

Support What They Know Before students do the activity, ask them what determines whether or not they will do something. As they complete the activity, have them offer a possible explanation for why Rafael and Alicia do or don't participate in the activities pictured. Were the reasons they gave similar to the reasons they stated for themselves?

Multiple Intelligences

Kinesthetic Learners Instead of asking their partner about a certain vacation activity, have students act out the activity for their partners to guess. Students should say in Spanish whether Rafael and Alicia are participating in each activity.

Objectives
· Say where you went and what you did on vacation

Core Resources
· Conversation cards, Teacher One Stop

STANDARDS
1.1 Engage in conversation

Possible Answer

A: ¿Va a pescar Rafael?

B: Sí, Rafael va a pescar.

A: ¿Va a regatear en el mercado al aire libre Rafael?

B: No, Rafael no va a regatear en el mercado al aire libre.

A: ¿Va a tomar fotos Rafael?

B: No, Rafael no va a tomar fotos.

A: ¿Va a montar a caballo Rafael?

B: Sí.

A: ¿Va a hacer una excursión Rafael?

B: Sí, Rafael va a hacer una excursión.

A: ¿Va a acampar Rafael?

B: Sí.

B: ¿Va a mandar tarjetas postales Alicia?

A: Sí, Alicia va a mandar tarjetas postales.

B: ¿Va a dar una caminata Alicia?

A: Sí, Alicia va a dar una caminata.

B: ¿Va a nadar Alicia?

A: No, Alicia no va a nadar.

B: ¿Va a visitar un museo Alicia?

A: No, Alicia no va a visitar un museo.

B: ¿Va a regatear en el mercado al aire libre Alicia?

A: Sí, Alicia va a regatear en el mercado al aire libre.

B: ¿Va a montar a caballo Alicia?

A: Sí, Alicia va a montar a caballo.

Answer:
Los dos van a montar a caballo.

477

Objectives
· Discuss travel preparations

Core Resources
· Conversation cards, Teacher One Stop

STANDARDS
1.1 Engage in conversation

Possible Answer

A: ¿Qué hiciste ayer, el ciclismo o el ejercicio?

B: Ayer hice el ciclismo. Y tú, ¿qué hiciste el martes pasado, ejercicios o correr?

A: Yo corrí. ¿Qué hiciste el lunes pasado, seguir una dieta balanceada o correr?

B: Yo seguí una dieta balanceada. Y tú, ¿qué hiciste el jueves pasado, jugar al fútbol en equipo o mirarlo en la televisión?

A: Lo jugué en equipo en el parque. ¿Qué hiciste el viernes pasado, tomar agua o tomar refrescos?

B: Yo tomé agua. Y tú, ¿qué hiciste el domingo pasado, jugar al fútbol o hacer el ciclismo?

A: Jugué al fútbol.

Answer:
No, no hicieron las mismas actividades.

Estudiante A

(Contenido invertido en la página:)

¿Did you and your partner do any of the same activities?

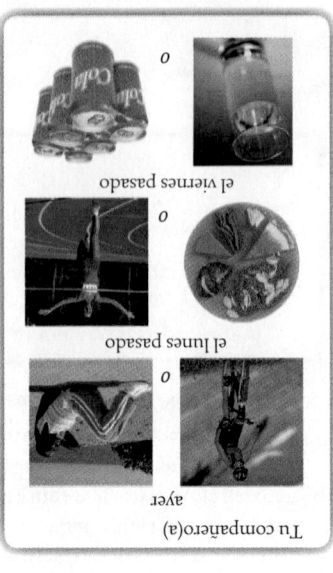

Tu compañero(a)

el viernes pasado

o

el lunes pasado

o

ayer

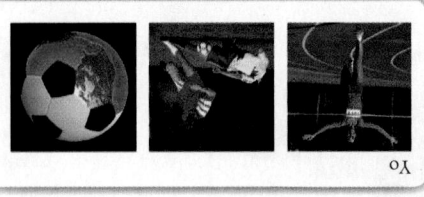

Yo

o

You and your partner are talking about sports and what he or she does to stay healthy. Use the photos below to answer your partner's questions. Then, use the photos to the right to ask your partner what he or she did in the past week.

Estudiante A: ¿Qué hiciste..., ... o ...?

Estudiante B: Ayer... ¿Qué hiciste..., ... o ...?

Una vida sana

Una vida sana

Estudiante B

You and your partner are talking about sports and what he or she does to stay healthy. Use the photos below to answer your partner's questions. Then, use the photos to the right to ask your partner what he or she did in the past week.

Estudiante A: ¿Qué hiciste..., ... o ...?

Estudiante B: Ayer... ¿Qué hiciste..., ... o ...?

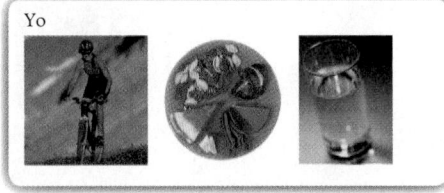

Tu compañero(a)

el martes pasado

o

el jueves pasado

o

el domingo pasado

o

Yo

Did you and your partner do any of the same activities?

Differentiating Instruction – Lección 1

Slower-paced Learners

Personalize It Before completing the activity, have students brainstorm a list of three sports they enjoy and three things they do to try and stay healthy. Have students complete the activity with their own brainstormed responses rather than the images provided.

Multiple Intelligences

Mathematical-Logical After students have completed their activities, have them circulate around the class and ask them to identify the most popular sports and/or healthful activities. Have students identify the percentage of students who gave the most popular responses. Students could organize the class' responses into a chart.

Entre dos • Lección 2

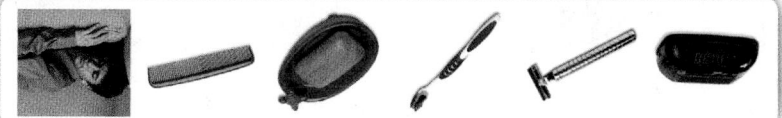

¿ Do Eduardo and Julia do any of the same things at the same time?

Julia

7:00 7:10 7:20 7:30 7:40 11:00

Eduardo

Estudiante B: ... a las....
Estudiante A: ¿A qué hora...?
Then, answer your partner's questions about Julia's routine.
routines. Ask your partner what Eduardo does and at what time.
You and your partner are comparing Eduardo's and Julia's daily

La rutina

Estudiante A

La rutina

Estudiante B

You and your partner are comparing Eduardo's and Julia's daily routines. Answer your partner's questions about Eduardo's routine. Then, ask your partner what Julia does and at what time.

Estudiante A: ¿A qué hora...?
Estudiante B: ... a las...

Julia

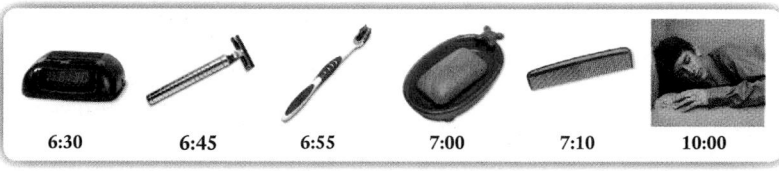

Eduardo

6:30 6:45 6:55 7:00 7:10 10:00

Do Eduardo and Julia do any of the same things at the same time?

Objectives
· Discuss your daily routine
· Reflexive verbs

Core Resources
· Conversation cards, Teacher One Stop

STANDARDS
1.1 Engage in conversation

Possible Answer

A: ¿A qué hora se despierta Eduardo?

B: A las 6:30 de la mañana. ¿A qué hora se lava Julia la cara?

A: A las 7:00 de la mañana. ¿A qué hora se afeita Eduardo?

B: A las 6:45. ¿A qué hora se lava Julia el pelo?

A: A las 7:10. ¿A qué hora se cepilla Eduardo los dientes?

B: A las 6:55. ¿A qué hora se seca Julia el pelo?

A: A las 7:20. ¿A qué hora se lava Eduardo la cara?

B: A las 7:00. ¿A qué hora se maquilla Julia?

A: A las 7:30. ¿A qué hora se peine Eduardo el pelo?

B: A las 7:10. ¿A qué hora se viste Julia?

A: A las 7:40 ¿A qué hora se duerme Eduardo?

B: A las 10:00 de la noche. ¿A qué hora se acuesta Julia?

A: A las 11:00 de la noche.

Answer:
Se lavan la cara a las 7:00.

Differentiating Instruction – Lección 2

Heritage Learners

Writing Skills Have students use the prompt images for either Student A or Student B to write a journal about their daily routines. They should include their normal daily activities, the times they usually do these daily activities, and they should incorporate sequence words as appropriate.

Pre-AP

Expand and Elaborate Have students complete this activity as outlined by comparing Eduardo's and Julia's routines. Then, have them complete the activity again as themselves, changing the pronouns and verbs as needed. Finally, have students imagine that they are comparing two family routines, using the **nosotros** form of the verbs to complete the activity.

Objectives
· Talk about clothing, shopping, and personal needs

Core Resources
· Conversation cards, Teacher One Stop

✿ STANDARDS
1.1 Engage in conversation

Possible Answer

A: ¿Adónde vas?

B: Voy a la joyería.

A: ¿Qué vas a comprar?

B: Voy a comprar un anillo. ¿Adónde vas?

A: Voy a la joyería también.

B: ¿Qué vas a comprar?

A: Voy a comprar una pulsera. ¿Adónde vas?

B: Voy a la zapatería.

A: ¿Qué vas a comprar?

B: Voy a comprar unas botas. ¿Adónde vas?

A: Voy a la panadería.

B: ¿Qué vas a comprar?

A: Voy a comprar pan para la cena. ¿Adónde vas?

B: Voy a la librería.

A: ¿Qué vas a comprar?

B: Voy a comprar un libro. ¿Adónde vas?

A: Voy a la farmacia.

B: ¿Qué vas a comprar?

A: Voy a comprar champú. ¿Adónde vas?

B: Voy a la farmacia también.

A: ¿Qué vas a comprar?

B: Voy a comprar crema de afeitar. ¿Adónde vas?

A: Voy al almacén.

B: ¿Qué vas a comprar?

A: Voy a comprar una gorra. ¿Adónde vas?

B: Voy al almacén también.

A: ¿Qué vas a comprar?

B: Voy a comprar una falda.

Answer:
Los dos van a ir a la joyería, a la farmacia y al almacén. No van a comprar las mismas cosas.

Estudiante A

Take turns asking where your partner needs to go and what he or she needs to buy and complete the chart below, writing your answers on a separate sheet of paper.

Estudiante A: **¿A dónde vas?**

Estudiante B: **Voy a...**

Estudiante A: **¿Qué vas a comprar?**

Estudiante B: **Voy a comprar...**

La tienda	Compro	Mi compañero(a) compra

Vamos de compras

Do you and your partner plan to go to any of the same stores? Will you buy any of the same things? ¿

Estudiante B

Vamos de compras

Take turns asking where your partner needs to go and what he or she needs to buy and complete the chart below, writing your answers on a separate sheet of paper.

Estudiante A: **¿A dónde vas?**

Estudiante B: **Voy a...**

Estudiante A: **¿Qué vas a comprar?**

Estudiante B: **Voy a comprar...**

La tienda	Compro	Mi compañero(a) compra

Do you and your partner plan to go to any of the same stores? Will you buy any of the same things? ¿

Differentiating Instruction – Lección 1

Inclusion

Clear Structure Before students begin the activity, have them list the names of the images on a separate sheet of paper. Next to each image, have them write the name of each store they need to visit to purchase the item. Allow students to use these notes to complete the activity. Have them use their paper to check off the stores and the items that they have in common with their partners.

Heritage Learners

Regional Variations Have students look at the items they are going to buy and share the names they know for each product with the class. Have them complete the conversation using the words they know.

Entre dos • Lección 2

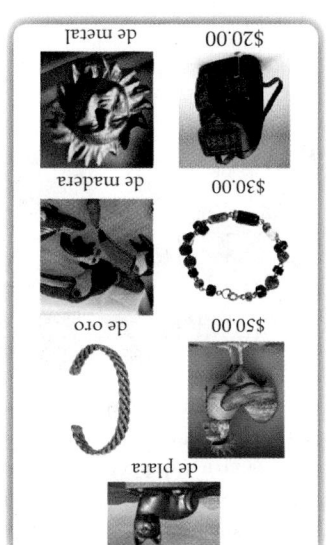

$20.00 de metal

$30.00 de madera

$50.00 de oro

de plata

Estudiante A

En el mercado

You're shopping in the open-air market in Ponce. You and your partner are talking about the items and their prices. Complete your conversation based on the photos.

Estudiante A: ¿Cuánto cuesta ...?
Estudiante B: Cuesta ... dólares. ¡Es una ganga!
Estudiante A: ¡Voy a comprarla/lo!
(No voy a comprarla/lo.)

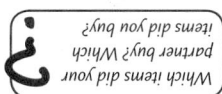

Which items did your partner buy? Which items did you buy?

En el mercado

You're shopping in the open-air market in Ponce. You and your partner are talking about the items and their prices. Complete your conversation based on the photos.

Estudiante A: ¿Cuánto cuesta ...?
Estudiante B: Cuesta ... dólares. ¡Es una ganga!
Estudiante A: ¡Voy a comprarla/lo!
(No voy a comprarla/lo.)

Which items did your partner buy? Which items did you buy?

Estudiante B

$200.00

de cerámica $2.00

de piedra $5.00

de cuero $15.00

Unidad 3 Entre dos · Lección 2
cuatrocientos ochenta y uno **481**

Differentiating Instruction – Lección 2

Inclusion

Cumulative Instruction Before beginning the activity, review the names of items that could be for sale in a marketplace. Then, review the names of materials those items could be made of. Finally, review expressions for asking the price of an object before students do the activity.

Pre-AP

Relate Opinions As students complete the activity, have them not only tell whether or not they are going to buy the item but also have them share their opinion of each item. Encourage them to compare different items and be creative in their responses.

Objectives
· Ask for and talk about items at a marketplace

Core Resources
· Conversation cards, Teacher One Stop

STANDARDS
1.1 Engage in conversation

Possible Answer

A: ¿Cuánto cuesta la pulsera de oro?
B: Cuesta dos dólares. ¡Es una ganga!
A: ¡Voy a comprarla!
B: ¿Cuánto cuesta el artículo de cerámica?
A: Cuesta cincuenta dólares. El precio es caro.
B: No voy a comprarlo.
A: ¿Cuánto cuesta el artículo de plata?
B: Cuesta doscientos dólares. El precio es caro.
A: No voy a comprarlo.
B: ¿Cuánto cuesta el collar de piedra?
A: Cuesta treinta dólares. ¡Es una ganga!
B: ¡Voy a comprarlo!
A: ¿Cuánto cuesta el artículo de madera?
B: Cuesta cinco dólares. ¡Es una ganga!
A: ¡Voy a comprarlo!
B: ¿Cuánto cuesta el artículo de cuero?
A: Cuesta veinte dólares. ¡Es una ganga!
B: ¡Voy a comprarlo!
A: ¿Cuánto cuesta el artículo de metal?
B: Cuesta quince dólares. ¡Es una ganga!
A: ¡Voy a comprarlo!
Answers will vary.

Communication
Presentational Mode

Have students research online to find out more about open-air markets in Ponce. They should organize their findings into a brief report and present it orally to the class.

UNIDAD 3

Objectives
· Narrate past events and activities
· Describe people, places, and things
· Preterite and imperfect

Core Resources
· Conversation cards, Teacher One Stop

STANDARDS
1.1 Engage in conversation

Possible Answer

A: Había una vez un emperador que vivía en un palacio. ¿Cómo era el emperador?

B: Era valiente. ¿Qué le pasó?

A: Peleó en una gran batalla. ¿Cómo terminó?

B: Ganó la batalla.

B: Había una vez un dios que vivía en una pirámide. ¿Cómo era el dios?

A: Era fuerte. ¿Qué le pasó?

B: Se enamoró de la princesa. ¿Cómo terminó?

A: La princesa se transformó en una diosa.

A: Había una vez un guerrero que vivía en la montaña. ¿Cómo era el guerrero?

B: Era muy alto. ¿Qué le pasó?

A: Se entrenó para una batalla importante. ¿Cómo terminó?

B: Fue el héroe de la batalla.

B: Había una vez una princesa y un guerrero que vivían en el Caribe. ¿Cómo eran?

A: Eran famosos. ¿Qué les pasó a la princesa y al guerrero?

B: La princesa llevó al guerrero al palacio. ¿Cómo terminó?

A: Ellos se casaron.

Communication
Pair Work

Ask pairs or groups of students to pick one of the stories and act it out for the class. They can create additional dialogue and add details as is appropriate.

482

Habían una vez...

Estudiante A

You and your partner each have different clues to four short stories.
Take turns asking and answering questions to tell the complete stories.
Remember to use both the preterite and the imperfect.

Estudiante A: Había una vez un emperador que vivía en un palacio.
¿Cómo... el emperador?

Estudiante B: El emperador...

Historia	quién (vivir) dónde	cómo (ser)	qué (pasar)	cómo (terminar)
el palacio			pelear en una gran batalla	
la pirámide		fuerte		transformarse en una diosa
la montaña	el guerrero		entrenarse para una batalla importante	
el Caribe		famoso		casarse

Now, without asking the questions, tell each of the stories to another pair of students.

Habían una vez...

Estudiante B

You and your partner each have different clues to four short stories.
Take turns asking and answering questions to tell the complete stories.
Remember to use both the preterite and the imperfect.

Estudiante A: Había una vez un emperador que vivía en un palacio.
¿Cómo... el emperador?

Estudiante B: El emperador...

Historia	quién (vivir) dónde	cómo (ser)	qué (pasar)	cómo (terminar)
el palacio		valiente		ganar la batalla
la pirámide	el dios		enamorarse de la princesa	
las montañas		muy alto		ser el héroe de la batalla
el Caribe	la princesa y el guerrero		llevar al guerrero al palacio	

Now, without asking the questions, tell each of the stories to another pair of students.

Differentiating Instruction – Lección 1

Pre-AP

Summarize When students have completed the activity, have them select one set of story events and retell the story. They should summarize the events and present them in logical order, adding as much detail as needed to make the story logical.

Inclusion

Sequential Organization Have students look at the column heads for their table. Have them use the prompts to write out four complete questions. Students should use their complete prompts to ask their partners questions about the stories. You might also complete one story as a class to make sure students understand their task.

Entre dos • Lección 2

5. Museo
4. Hotel Alemán
3. Plaza
2. Oficina de turismo
1. Ruinas

9. Estación de tren
8. café
7. Catedral
6. Hotel Torres

Compare your routes. Who traveled the farthest?

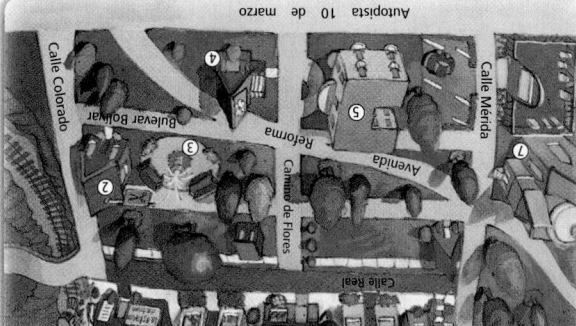

Estudiante A

En México

You and your partner will work at a tourist office this summer and need to practice giving directions. Tell your partner how to get to the **cathedral** from the tourist office, then to the **café**, and then to the **train station.** Then, follow your partner's directions to see where you end up.

Estudiante A: Primero dobla a la.... ¿Dónde estás?
Estudiante B: ¿Estoy en ...?

UNIDAD 4

En México

You and your partner will work at a tourist office this summer and need to practice giving directions. Follow your partner's directions to see where you end up. Then, tell your partner how to get to the **ruins** from the tourist office, then to the **Hotel Torres,** and then to the **museum.**

Estudiante A: Primero dobla a la... ¿Dónde estás?
Estudiante B: ¿Estoy en ...?

Estudiante B

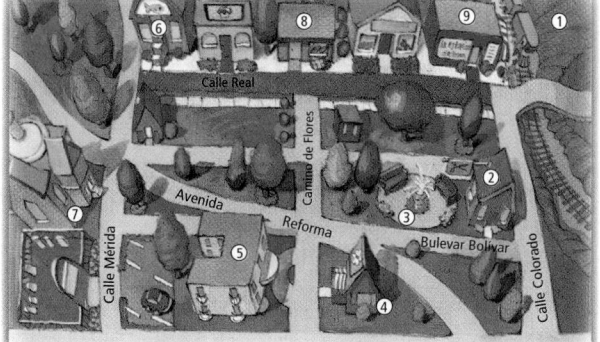

1. Ruinas
2. Oficina de turismo
3. Plaza
4. Hotel Alemán
5. Museo

6. Hotel Torres
7. Catedral
8. café
9. Estación de tren

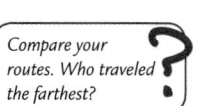

Compare your routes. Who traveled the farthest?

Differentiating Instruction – Lección 2

Inclusion

Personalize It As an alternative to this activity, bring in a map from a large amusement park or locate one on the Internet. Review the names of the different rides and attractions. Have students give each other directions to their favorite ones.

Slower-paced Learners

Yes/No Questions As an alternative to this activity, have students look at the map while you ask them yes or no questions related to directions from the various locations. If students have answered most of your questions correctly, have them complete the communicative portion of the activity with their partners.

Objectives
· Ask for and give directions

Core Resources
· Conversation cards, Teacher One Stop

STANDARDS
1.1 Engage in conversation

Possible Answer

A: Estás en la oficina de turismo. Primero, dobla a la izquierda en el Bulevar Bolívar. Sigue derecho hasta llegar al lugar donde La Avenida Reforma cruza el Bulevar Bolívar. Sigue derecho en la Avenida Reforma hasta llegar a la Calle Mérida. Cruza la calle. En la esquina hay un edificio. ¿Dónde estás?

B: Estoy en la Catedral.

A: De la Catedral, sigue derecho (hacia el norte) en la Calle Mérida hasta llegar a la Calle Real. Dobla a la derecha y sigue derecho hasta el Camino de las Flores. A la izquierda hay un edificio. ¿Dónde estás?

B: Estoy en el café.

A: Del café sigue derecho en la Calle Real hasta llegar a la Calle Colorado. En la esquina (a la izquierda) hay un edificio. ¿Dónde estás?

B: Estoy en la estación de tren. Ahora, estás en la oficina de turismo. Dobla a la derecha en la Calle Colorado. Sigue derecho hasta llegar a la Calle Real. Vas a ver los trenes. Dobla a la derecha. Frente a la estación hay un lugar. ¿Dónde estás?

A: Estoy en las ruinas.

B: De las ruinas, cruza la Calle Colorado y sigue derecho en la Calle Real hasta llegar a la Calle Mérida. A la derecha hay un edificio. ¿Dónde estás?

A: Estoy en el Hotel Torres.

B: Del hotel dobla a la izquierda en la Calle Mérida. Sigue derecho hasta el Bulevar Bolívar. Dobla a la izquierda en el Bulevar Bolívar. Frente a la Catedral hay un edificio. ¿Dónde estás?

A: Estoy en el Museo.

Answers will vary.

483

Objectives
· Talk about food
· Adjectives ending in ísimo

Core Resources
· Conversation cards, Teacher One Stop

STANDARDS
1.1 Engage in conversation

Possible Answer

A: ¿Te gustan los huevos?

B: Sí, ¡son riquísimos! ¿Te gustan las fresas?

A: Sí, ¡son dulcísimas! ¿Te gustan las zanahorias?

B: Sí, ¡son sabrosísimas! ¿Te gustan las espinacas?

A: Sí, ¡son sabrosísimas! ¿Te gusta la lechuga?

B: No, ¡qué asco! ¿Te gusta la cebolla?

A: Sí, ¡es buenísima! ¿Te gusta la mayonesa?

B: Sí, ¡es riquísima! ¿Te gusta la mostaza?

A: No, ¡qué asco! ¿Te gustan las fresas?

B: Sí, ¡son fresquísimas! ¿Te gustan las hamburguesas?

A: No, ¡qué asco!

Answer:
A los dos les gustan las fresas.

Ask students to research online local restaurants that serve foods from a Spanish-speaking country. Do they recognize any of the dishes listed on the menu? If possible, have students visit the restaurant and order something in Spanish. They should report back to the class with a summary of their experience.

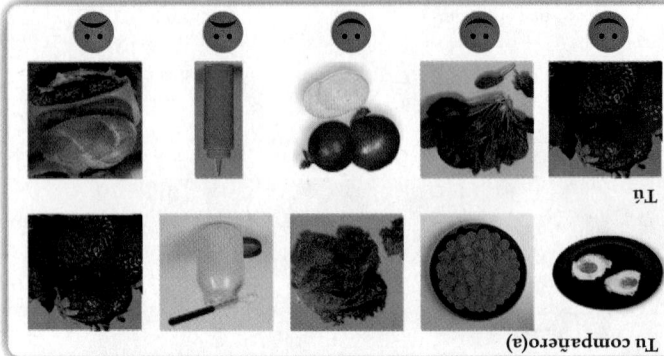

¿Cuáles de las comidas les gustan o no les gustan a ustedes dos?

Estudiante B: Sí, ¡está(n) ...! o No, ¡...!

Estudiante A: ¿Te gusta(n) el (la/los/las)... comidas. Contesten según las pistas.

Tu compañero(a) y tú están hablando de las comidas que les gustan o no les gustan. Túrnense para preguntarse si les gustan las siguientes

Estudiante A

¿Te gusta(n)?

¿Te gusta(n)?

Estudiante B

Tu compañero(a) y tú están comiendo en la cafetería y hablando de las comidas que les gustan o no les gustan. Túrnense para preguntarse si les gustan las siguientes comidas. Contesten según las pistas.

Estudiante A: ¿Te gusta(n) el (la, los, las)...

Estudiante B: Sí, ¡está(n) ...! o No, ¡...!

Tú

Tu compañero(a)

¿Cuáles de las comidas les gustan o no les gustan a ustedes dos?

Differentiating Instruction – Lección 1

Multiple Intelligences

Kinesthetic After students have completed the activity, review each of the items pictured and take a poll. Call out an item and have students stand if they like it or remain seated if they don't. Ask volunteers to count and record the results for each item. Which one did everyone like the most? The least?

Inclusion

Frequent Review/Repetition After students have completed the activity, have them continue the communicative task using items available in their school cafeteria. They can make a list of items available from the menu or vending machines.

Entre dos • Lección 2

UNIDAD 5

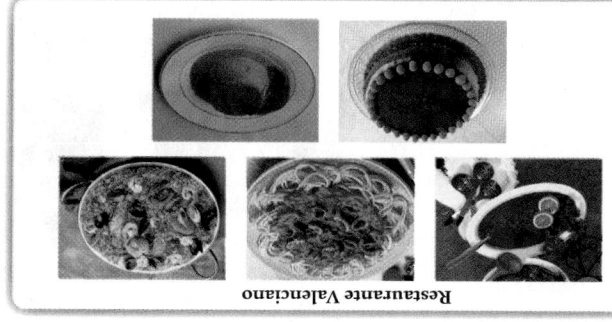

Estudiante A

Café Toledo

Entremeses
ensalada

Las especialidades
chuletas de cerdo
filete a la parrilla

De postre
Flan
helado

Tu compañero(a) y tú van a comer, pero no saben a qué restaurante ir. Conoces el Café Toledo y tu compañero(a) conoce el Restaurante Valenciano. Usa las fotos para preguntarle qué sirven en el Restaurante Valenciano. Después, contesta las preguntas de tu compañero(a) según el menú.

Estudiante A: ¿Puedo pedir... allí?

Estudiante B: Sí, (No, no) puedes pedirlo(a)(s).

¡Vamos a comer!

¿Qué restaurante sirve algo que les gusta a ustedes dos?

Restaurante Valenciano

¡Vamos a comer!

Estudiante B

Tu compañero(a) y tú van a comer, pero no saben a qué restaurante ir. Conoces el Restaurante Valenciano y tu compañero(a) conoce el Café Toledo. Usa las fotos para preguntarle qué sirven en el Café Toledo. Después, contesta las preguntas de tu compañero(a) según el menú.

Estudiante A: ¿Puedo pedir... allí?
Estudiante B: Sí, (No, no) puedes pedirlo(a)(s).

Café Toledo

Restaurante Valenciano

Entremeses
gazpacho

Las especialidades
espaguetis
paella

De postre
flan
pasteles

¿Qué restaurante sirve algo que les gusta a ustedes dos?

Unidad 5 Entre dos · Lección 2
cuatrocientos ochenta y cinco **485**

Objectives

· Order meals in a restaurant
· Talk about meals and dishes

Core Resources

· Conversation cards, Teacher One Stop

STANDARDS

1.1 Engage in conversation
1.2 Understand language

Possible Answer

A: ¿Puedo pedir el gazpacho en el Restaurante Valenciano?

B: Sí, puedes pedirlo.

A: También me gustan los espaguetis. ¿Puedo pedirlos allí?

B: Sí, es una de las especialidades.

A: ¿Puedo pedir la paella allí?

B: Sí, es una de las especialidades.

A: ¿Puedo pedir la tarta de chocolate allí?

B: No, no puedes pedirla.

A: ¿Puedo pedir el flan allí?

B: Sí, puedes pedirlo. ¿Puedo pedir el pollo asado en el Café Toledo?

A: No, no puedes pedirlo.

B: También me gustan las chuletas de cerdo. ¿Puedo pedirlas allí?

A: Sí, es una de las especialidades.

B: ¿Puedo pedir el filete a la parrilla allí?

A: Sí, es una de las especialidades.

B: ¿Puedo pedir el flan allí?

A: Sí, puedes pedirlo.

B: ¿Puedo pedir la tarta de chocolate allí?

A: No, no puedes pedirla.

Answers will vary.

Differentiating Instruction – Lección 2

Multiple Intelligences

Musical/Rhythmic For more practice with food items, present the ¡AvanzaRap! song for Unit 5. See if students can add a few lines to the lyrics and perform them for the class.

Multiple Intelligences

Visual Learners Have students create and illustrate their own menus, listing all the menu items in Spanish. Have students use their own menus to complete the activity, pointing to the various menu items as they complete the activity.

Objectives
· Talk about movies and how they affect you

Core Resources
· Conversation cards, Teacher One Stop

STANDARDS
1.1 Engage in conversation

Possible Answer

A: ¿Qué tipo de película quieres hacer?

B: Prefiero una película de terror porque me da miedo. ¿Y tú?

A: Yo prefiero una comedia porque me hace reír.

B: Está bien. ¿Quién va a ser el director?

A: Andrés va a ser el director. ¿Quién va a ser la actríz?

B: Marta va a ser la actríz. ¿Quién va a ser el camarógrafo?

A: Álex va a ser el camarógrafo. ¿Quién va a ponerles el maquillaje?

B: Roberta va a ponerles el maquillaje.

Possible Answer:
Nuestra película va a tener éxito.

Communication
Presentational Mode

Ask students to present their plan for their movie to the class as if they were trying to pitch it to a movie studio executive. They should offer details about the script, the budget, and why they think it will be successful.

UNIDAD **6**   # Entre dos • Lección 1

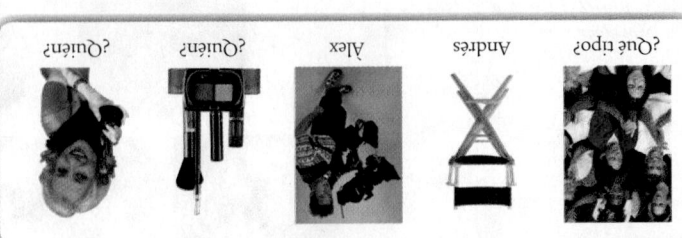

(Estudiante A — texto invertido)

Somos directores

Estudiante A

El club internacional hace una película para una competencia local. Pregúntale a tu compañero(a) qué tipo de película deben hacer. Después, túrnense para preguntar y decir qué papeles van a hacer sus amigos.

Estudiante A: ¿Qué tipo de película quieres hacer?

Estudiante B: Prefiero una... porque... ¿Y tú?

Estudiante A: Prefiero una... porque...

Estudiante B: Está bien. ¿Quién va a ser...?

¿Qué tipo?   Andrés   Álex   ¿Quién?   ¿Quién?

¿Creen que su película va a tener éxito o que va a fracasar?

Somos directores

Estudiante B

El club internacional hace una película para una competencia local. Pregúntale a tu compañero(a) qué tipo de película deben hacer. Después, túrnense para preguntar y decir qué papeles van a hacer sus amigos.

Estudiante A: ¿Qué tipo de película quieres hacer?

Estudiante B: Prefiero una... porque... ¿Y tú?

Estudiante A: Prefiero una... porque...

Estudiante B: Está bien. ¿Quién va a ser...?

¿Qué tipo?   ¿Quién?   ¿Quién?   Roberta   Marta

¿Creen que su película va a tener éxito o que va a fracasar?

Differentiating Instruction – Lección 1

Pre-AP

Expand and Elaborate Have students create a movie poster that includes the details presented in the activity. Students should include a title of the movie and they should try to convince their audience to see the film.

Inclusion

Multisensory Input/Output Have students listen to recordings of different movie themes and identify the title and genre for each movie. Have them tell in Spanish why they liked or disliked each movie. You could also show a picture of a movie character or movie location as an alternative prompt.

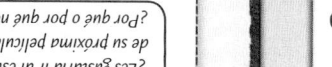

Entre dos • Lección 2

Estudiante A

Las estrellas

Tu compañero(a) y tú están hablando de una entrevista con sus estrellas favoritas en una revista popular. Túrnense para contestar las preguntas de lo que hacen normalmente las estrellas.

Estudiante A: ¿Cómo...?

Estudiante B: ...

- vestirse
- hablar con sus amigos
- invitar a sus amigos a un estreno
- ponerse
- pasar los fines de semana
- estar

¿Les gustaría ir al estreno de su próxima película? ¿Por qué o por qué no?

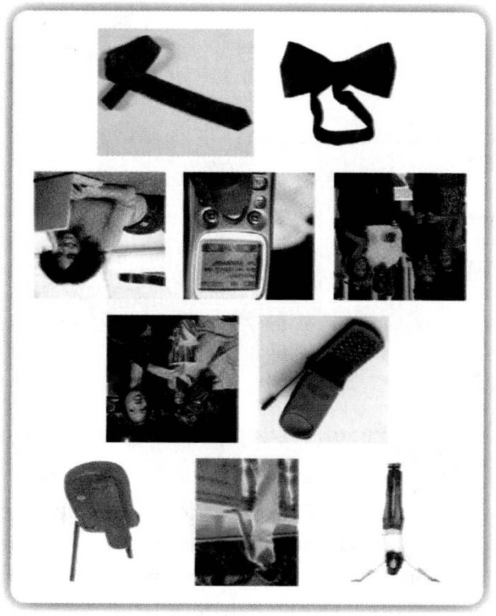

Las estrellas

Estudiante B

Tu compañero(a) y tú están hablando de una entrevista con sus estrellas favoritas en una revista popular. Túrnense para contestar las preguntas de lo que hacen normalmente las estrellas.

Estudiante A: ¿Cómo...?

Estudiante B: ...

- vestirse
- hablar con sus amigos
- invitar a sus amigos a un estreno
- ponerse
- pasar los fines de semana
- estar

¿Les gustaría ir al estreno de su próxima película? ¿Por qué o por qué no?

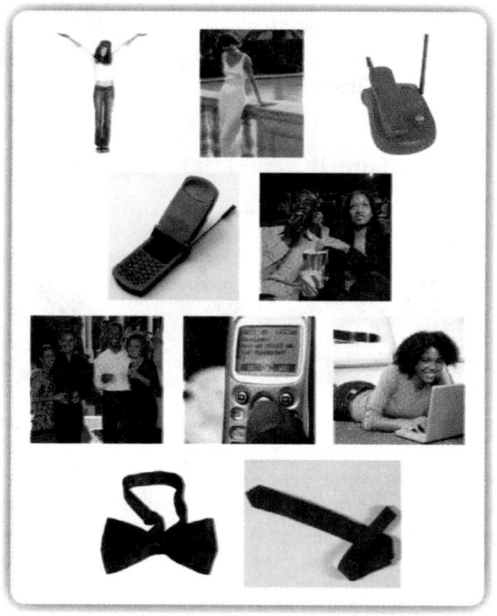

UNIDAD 6

Differentiating Instruction – Lección 2

Heritage Language Learners

Writing Skills Have students write an interview between a movie star and a magazine reporter. Students should try to incorporate as much vocabulary as they can from the lesson, and be conscious of the register and tone of the interview.

Inclusion

Clear Structure Before students begin the activity, review the photos and show how they represent the different ways celebrities could do things. Work through the first pair of photos together as a class so that students have very clear idea of how to phrase their questions. Then, have students complete the activity.

Objectives

- Extend and respond to invitations
- Talk about technology

Core Resources

- Conversation cards, Teacher One Stop

STANDARDS

1.1 Engage in conversation
1.2 Understand language

Possible Answer

A: ¿Cómo se viste, con ropa cómoda o ropa elegante?

B: Se viste con ropa elegante. ¿ Cómo habla con sus amigos, por teléfono o teléfono celular?

A: Habla con sus amigos por teléfono celular. ¿ Cómo invita a alguien a un estreno, por mensajero instantáneo o en línea?

B: Invita a alguien a un estreno por mensajero instantáneo. ¿Cómo pasa los sábados, en una gala o en el cine?

A: Pasa los sábados en el cine. ¿Cómo pasa los domingos, comiendo en el aire libre o mirando la televisión?

B: Pasa los domingos mirando la televisión.

Answers will vary.

Objectives
· Discuss school-related issues

Core Resources
· Conversation cards, Teacher One Stop

STANDARDS
1.1 Engage in conversation

Possible Answer

A: ¿Quién escribe los artículos?

B: Roberto es el escritor. ¿Quién saca las fotos?

A: Tania es la fotógrafa. ¿Quién entrevista a diferentes personas?

B: Laura es la periodista. ¿Quién edita las noticias y los anuncios?

A: Yo soy el (la) editor(a).

B: ¿Quién escribe los titulares?

A: Víctor escribe los titulares.

Possible Answer:
Presentamos entrevistas y opiniones de la comunidad escolar, publicamos noticias y anuncios e investigamos las ideas.

Entre dos • Lección 1

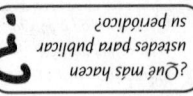

El periódico

Estudiante A

Ustedes piensan trabajar para su periódico escolar. Conoces a algunos estudiantes que trabajan para el periódico y tu compañero(a) conoce a otros. Túrnense para preguntarse qué hacen los estudiantes para el periódico y para contestar.

Estudiante A: ¿Quién...?

Estudiante B: ... es el (la)... ¿Quién...?

¿Qué más hacen ustedes para publicar su periódico?

El periódico

Estudiante B

Ustedes piensan trabajar para su periódico escolar. Conoces a algunos estudiantes que trabajan para el periódico y tu compañero(a) conoce a otros. Túrnense para preguntarse qué hace cada estudiante.

Estudiante A: ¿Quién...?

Estudiante B: ... es el (la)... ¿Quién...?

Roberto   Laura

¿Qué más hacen ustedes para publicar su periódico?

Differentiating Instruction – Lección 1

Pre-AP

Support Ideas with Details Have students create their own "front page" for a class newspaper. Ask them to outline the top three stories before writing them. What is the main idea of each story? What details do they need to include to support that idea? Have them work in groups to refine and present their outlines.

Slower-paced Learners

Personalize It Have students think of four items they would like to include in a school newspaper. In groups of four, have them interview each other about their papers and assign responsibilities to each student, modeling their conversations on the prompts provided.

Communities

Spanish in the Media

Have students research some Spanish-speaking newspapers online. Can they identify any differences between articles in the Spanish-speaking newspapers and papers available in their hometown?

Entre dos • Lección 2

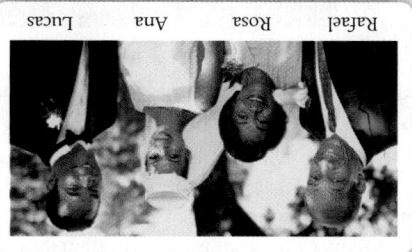

Julio

Los parientes de tu compañero(a)

Rafael   Rosa   Ana   Lucas

Estudiante A

Tus parientes

¿Qué tienen en común tu compañero(a) y tú?

Estudiante A: Se llama...

Estudiante B: Tu... parece ser muy...
¿Cómo se llama?

Estudiante A: Éste es mi hermano Lucas, y su esposa...

Tu compañero(a) y tú están mirando fotos de sus parientes. Túrnense para describir e identificar las personas de las fotos.

Te presento a mi familia

Te presento a mi familia

Tu compañero(a) y tú están mirando fotos de sus parientes. Túrnense para describir e identificar las personas de las fotos.

Estudiante A: Éste es mi hermano Lucas, y su esposa...

Estudiante B: Tu... parece ser muy...
¿Cómo se llama?

Estudiante A: Se llama...

¿Qué tienen en común tu compañero(a) y tú?

Los parientes de tu compañero(a)

Estudiante B

Lucas

Tus parientes

Toño   Yolanda   Julio   Monica

Differentiating Instruction – Lección 2

Heritage Learners

Expand and Elaborate After students have completed the activity, have them write an e-mail to a friend describing the family they learned about. They should include the names of the family members, the relationships between them, and all the details they can remember about each one.

Multiple Intelligences

Visual Learners Create a family tree using pictures cut out of magazines and make copies for students. Have them interview one another about the families, describing the various people and surmising what they must be like. Have them label all the people included in each photo.

Objectives
· Identify and explain relationships
· Describe things and people

Core Resources
· Conversation cards, Teacher One Stop

STANDARDS
1.1 Engage in conversation

Possible Answer

A: Éste es mi hermano Lucas y los padres de su esposa.

B: Tu cuñada parece ser muy divertida. ¿Cómo se llama?

A: Se llama Ana.

B: El suegro de Lucas parece orgulloso. ¿Cómo se llama?

A: Se llama Rafael.

B: La suegra de Lucas parece paciente. ¿Cómo se llama?

A: Se llama Rosa.

B: Ésta es la familia de mi hermano Julio.

A: Tu cuñada parece ser sincera. ¿Cómo se llama?

B: Se llama Yolanda.

A: Tu sobrino parece tímido. ¿Cómo se llama?

B: Se llama Toño.

A: Tu sobrina parece simpática. ¿Cómo se llama?

B: Se llama Mónica.

Possible answer:
Nosotros(as) dos tenemos hermanos jóvenes y casados.

489

Objectives

· Discuss environmental problems and solutions

Core Resources

· Conversation cards, Teacher One Stop

STANDARDS

1.1 Engage in conversation

Possible Answer

A: ¿Cuántos estudiantes creen que el smog es un problema?

B: Dieciséis estudiantes creen que el smog es un problema. ¿Cuántos estudiantes creen que no proteger las especies en peligro de extinción es un problema?

A: Dieciocho estudiantes creen que no protejar las especies en peligro de extinción es un problema. ¿Cuántos estudiantes creen que la deforestación es un problema?

B: Ocho estudiantes creen que la deforestación es un problema. ¿Cuántos estudiantes creen que no proteger los bosques es un problema?

A: Ocho estudiantes creen que no proteger los bosques es un problema. ¿Cuántos estudiantes creen que usar demasiado petróleo es un problema?

B: Dieciocho estudiantes creen que usar demasiado petróleo es un problema. ¿Cuántos estudiantes creen que la destrucción de la capa de ozono es un problema?

A: Catorce estudiantes creen que la destrucción de la capa de ozono es un problema. ¿Cuántos estudiantes creen que no usar vehículos híbridos es un problema?

B: Veinte estudiantes creen que no usar vehículos híbridos es un problema. ¿Cuántos estudiantes creen que no reciclar es un problema?

A: Veintiséis estudiantes creen que no reciclar es un problema.

Answer:
No reciclar es el problema más grave.
Debemos ser más responsables y reciclar más.

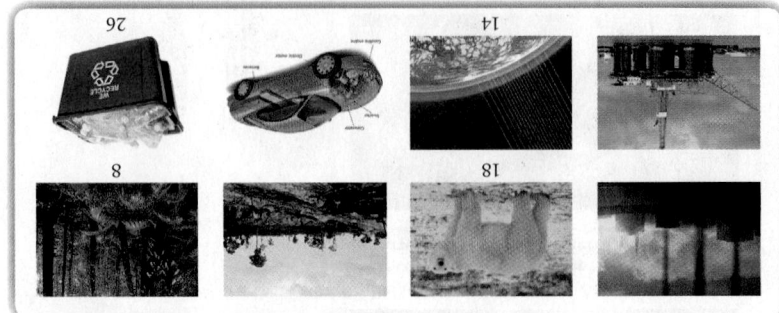

Según la encuesta, ¿cuál es el problema más grave? ¿Qué solución tienen tu compañero(a) y tú?

Estudiante A: **¿Cuántos estudiantes creen que el (la)... es un problema?**

Estudiante B: **... estudiantes creen que el (la)... es un problema.**

Estudiante A

Tu compañero(a) y tú están escribiendo un artículo sobre el medio ambiente. La encuesta abajo indica el número de estudiantes que creen que hay problemas ambientales. Usa los números para contestar las preguntas de tu compañero(a).

El medio ambiente

El medio ambiente

Estudiante B

Tu compañero(a) y tú están escribiendo un artículo sobre el medio ambiente. La encuesta abajo indica el número de estudiantes que creen que hay problemas ambientales. Usa los números para contestar las preguntas de tu compañero(a).

Estudiante A: ¿Cuántos estudiantes creen que el (la)... es un problema?

Estudiante B: ... estudiantes creen que el (la)... es un problema.

16   8
18   20

Según la encuesta, ¿cuál es el problema más grave? ¿Qué solución tienen tu compañero(a) y tú?

Differentiating Instruction – Lección 1

Multiple Intelligences

Mathematical-Logical Have students imagine that there are 30 students in the class. For each problem pictured, have students determine the percentage of students who are concerned that the situation presented is a problem. Ask them to share their findings with the class.

Pre-AP

Relating Opinions Have students examine the photos and select the one problem that is the most important to them. Have them explain the problem and tell why they are concerned about it. Have them offer suggestions for improving the problem.

Entre dos • Lección 2

Describe tres profesiones que no están ilustradas aquí. Tu compañero(a) va a identificar el oficio según tu descripción.

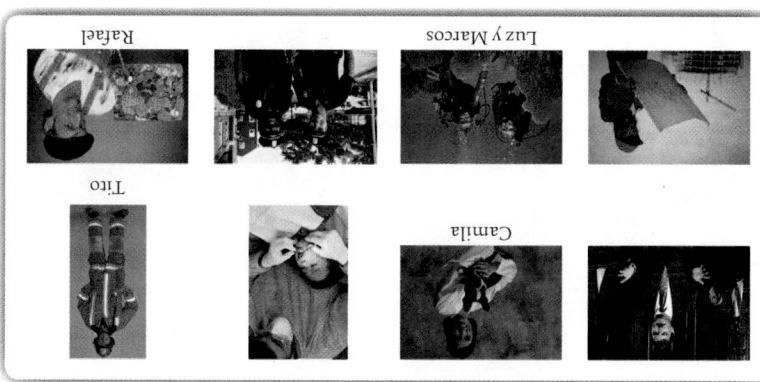

Rafael
Luz y Marcos
Tito
Camila

Estudiante A: ¿Quién será...?
Estudiante B: ... será... ¿Quién será...?

Tu compañero(a) y tú hablan de sus amigos e imaginan qué profesiones tendrán en el futuro. Túrnense para decir qué profesión tendrá cada uno.

Las profesiones

Estudiante A

Las profesiones

Estudiante B

Tu compañero(a) y tú hablan de qué profesiones tendrán sus amigos en el futuro. Túrnense para decir qué profesión tendrá cada uno.
Estudiante A: ¿Quién será...?
Estudiante B: ... será... ¿Quién será...?

Pablo

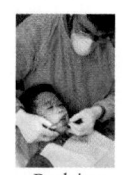
Rodrigo

Susana

Jorge y David

Describe tres profesiones que no están ilustradas aquí. Tu compañero(a) va a identificar el oficio según tu descripción.

Objectives
· Talk about professions
· Future tense

Core Resources
· Conversation cards, Teacher One Stop

 STANDARDS
1.1 Engage in conversation

Possible Answer

A: ¿Quién será abogado?

B: Pablo será abogado. ¿Quién será veterinaria?

A: Camila será veterinaria. ¿Quién será dentista?

B: Rodrigo será dentista. ¿Quién será bombero?

A: Tito será bombero. ¿Quién será arquitecta?

B: Susana será arquitecta. ¿Quiénes serán buceadores?

A: Luz y Marcos serán buceadores. ¿Quiénes serán policías?

B: Jorge y David serán policías. ¿Quién será artista?

A: Rafael será artista.

Possible answer:
sabe de ciencias: científico(a); tiene talento para las investigaciones: detective; sabe hacer cosas de madera: carpintero(a); tiene talento para las matemáticas: ingeniero; sabe de aviones: piloto(a); tiene talento con las computadoras: programador(a), diseñador(a)

Slower-paced Learners

Memory Aids Create an alternative format for the activity. Create sets of cards with the names of the people in the activity and another set of cards with either pictures of the various professions or the names of the professions. As students get the information they need, have them pair the name of the person with the profession. Have them share their results using the cards.

Pre-AP

Draw Conclusions As students complete the activity, have them draw conclusions about what each person must be like, based on the profession each will have.

Recursos

¡Vamos de viaje!

♻ YA SABES

Getting around town

a pie	by foot
la calle	street
en autobús	by bus
en coche	by car
encontrar (ue)	to find
llegar	to arrive
tomar	to take

Possessions

la cosa	thing
el disco compacto	compact disc
el lector DVD	DVD player
el radio	radio
el televisor	television set
el tocadiscos compactos	CD player
los videojuegos	video games

EXPANSIÓN DE VOCABULARIO

Travel documents

el certificado de nacimiento	birth certificate
la inmigración	immigration
la visa	visa

At the airport

casa de cambio	currency exchange office

Airplane travel

aterrizar	to land; to touch down
la escala	stopover; layover
hacer escala en	to stop over in
la ventanilla	window
un vuelo sin escala	direct flight
el pasillo	aisle

Places around town

el campo de golf	golf course
el centro de videojuegos	arcade
el centro recreativo	recreation center
la discoteca	discotheque
la iglesia	church
el municipio	town hall; city hall
la sinagoga	synagogue

Cuéntame de tus vacaciones

♲ YA SABES

Vacation activities

bucear	to scuba dive
el mar	the sea
nadar	to swim
patinar	to skate
patinar en línea	to rollerblade
la playa	the beach
tomar el sol	to sunbathe

Gifts and souvenirs

dar	to give
envolver(ue)	to wrap
nuevo(a)	new
el papel de regalo	wrapping paper
recibir	to receive
el regalo	gift

Interrogatives

adónde	to where
cómo	how
cuál(es)	which (ones)
cuándo	when
cuánto(a)	how much
cuántos(as)	how many
dónde	where
por qué	why
qué	what
quién	who

Describing the past

anoche	last night
ayer	yesterday

EXPANSIÓN DE VOCABULARIO

Vacation activities

el barco	boat
el bote de vela / velero	sailboat
la canoa	canoe
hacer un crucero	to go on a cruise
hacer esquí acuático	to go water skiing
hacer moto acuática	to go jet skiing
hacer el surf de vela	to windsurf
la isla	island

At the amusement park

los autitos chocadores	bumper cars
la montaña rusa	rollercoaster
el parque de diversiones	amusement park
subir a	to ride
el tobogán acuático	water slide
la vuelta al mundo	Ferris wheel

Lodging

la cabaña	cabin
el (la) huésped	guest

La Copa Mundial

♻ YA SABES

Sports

el básquetbol	basketball
el béisbol	baseball
el fútbol americano	football
ganar	to win
la natación	swimming
perder (ie)	to lose
el tenis	tennis
el voleibol	volleyball

Sports equipment

el bate	bat
el casco	helmet
el guante	glove
los patines en línea	rollerblades
la pelota	ball
la raqueta	racket

Sporting events

los aficionados	fans
el campeón, la campeona	champion
el campo	field
la cancha	court
el equipo	team
el (la) ganador(a)	winner
el (la) jugador(a)	player

Staying healthy

doler	to hurt, to ache
fuerte	strong
herido(a)	hurt
la salud	health
sano(a)	healthy

EXPANSIÓN DE VOCABULARIO

Sports equipment

el arco	goal
el cesto; la canasta; el aro	hoop; basket
los esquís	skis
los guantes de boxeo	boxing gloves

Athletes

el (la) arquero(a)	goalkeeper
el (la) bateador(a)	batter
el (la) lanzador(a)	pitcher
el (la) porrista	cheerleader

Sporting events

el árbitro	umpire
batear	to bat
el boxeo	boxing
caerse	to fall
la carrera	race
la gimnasia	gymnastics
hacer un aro	make a basket
la lucha (libre)	wrestling
saltar	to jump

Staying healthy

practicar yoga	to do yoga
perder peso	to lose weight
subir de peso	to gain weight
usar las máquinas para hacer ejercicio	to use exercise machines

Unidad 2
Lección 2

Expansión de vocabulario

¿Qué vamos a hacer?

🔄 YA SABES

Parts of the body

la boca	mouth
el brazo	arm
la cabeza	head
el corazón	heart
el cuerpo	body
el estómago	stomach
la mano	hand
la nariz	nose
el ojo	eye
la oreja	ear
el pelo	hair
el pie	foot
la piel	skin
la pierna	leg
la rodilla	knee
el tobillo	ankle

Expressions with tener

tener	to have
tener ganas de...	to feel like . . .
tener que	to have to

EXPANSIÓN DE VOCABULARIO

Personal care

alisarse el pelo	to straighten one's hair
la base	foundation
la colonia	cologne
cortarse el pelo	to cut one's hair
los cortaúñas	nail clipper
el esmalte	nailpolish
la loción (para después de afeitarse)	aftershave
el perfume	perfume
el pintalabios/el lápiz	lipstick
pintarse el pelo (las uñas)	to color one's hair (nails)
el rímel	mascara
rizarse el pelo	to curl one's hair
la seda dental	dental floss
la sombra de ojos	eye shadow

Parts of the body

los pulmones	lungs

¿Cómo me queda?

♻ YA SABES

Clothing

la blusa	blouse
los calcetines	socks
la camisa	shirt
la camiseta	T-shirt
la chaqueta	jacket
el gorro	winter hat
los jeans	jeans
llevar	to wear
los pantalones	pants
los pantalones cortos	shorts
la ropa	clothing
el sombrero	hat
el vestido	dress
los zapatos	shoes

Colors

amarillo(a)	yellow
anaranjado(a)	orange
azul	blue
blanco(a)	white
marrón	brown
negro(a)	black
rojo(a)	red
verde	green

Store expressions

abrir	to open
cerrar (ie)	to close
comprar	to buy

Preferences and opinions

gustar	to like
necesitar	to need
pensar (ie)	to think
preferir (ie)	to prefer
querer (ie)	to want

EXPANSIÓN DE VOCABULARIO

Clothing

la bata	bathrobe
la bufanda	scarf
los guantes	gloves
la minifalda	miniskirt
los pantalones deportivos	sweat pants
las pantuflas	slippers
el pijama	pajamas
el saco	jacket (of a suit)
la sudadera (con capucha)	(hooded) sweat shirt

Clothing fit

corto(a)	short
largo(a)	long

Shopping

ahorrar	to save
la caja	cash register
la carnicería	butcher shop
el centro de restaurantes de comida rápida	food court
el cheque de pago de sueldo	pay check
la cuenta corriente	checking account
el estipendio	allowance
la juguetería	toy store
la peluquería	hair salon; barbershop
el quiosco	kiosk
el salón de belleza	beauty salon
la tienda de discos	music store

¿Filmamos en el mercado?

♻ YA SABES

Buying at the market

¿Cuánto cuesta(n)?	How much does it (do they) cost?
Cuesta(n)...	It (They) costs . . .
el dinero	money
el dólar	dollar
el euro	euro
pagar	to pay
el precio	price

Expressions of courtesy

Lo siento.	I'm sorry.
perdón	excuse me
por favor	please

Chores

acabar de...	to have just . . .
ayudar	to help
barrer el suelo	to sweep the floor
cocinar	to cook
cortar el césped	to cut the grass
darle de comer al perro	to feed the dog
decir	to say; to tell
hacer	to do; to make
hacer la cama	to make the bed
lavar los platos	to wash the dishes
limpiar la cocina	to clean the kitchen
pasar la aspiradora	to vacuum
planchar la ropa	to iron
poner la mesa	to set the table
los quehaceres	chores
sacar la basura	to take out the trash

EXPANSIÓN DE VOCABULARIO

Buying at the market

delicado(a)	delicate
el (la) comprador(a)	buyer
en venta	on sale
frágil	fragile
ofrecer	to offer
el pago	payment
pedir una rebaja	to ask for a lower price
el puesto	stand
rebajar el precio	to lower the price
el (la) vendedor(a)	seller

To ask for help

¿Me puede ayudar?	Can you help me?
Necesito ayuda.	I need help.

Una leyenda mexicana

♻ YA SABES

Expressions of frequency

de vez en cuando	once in while
muchas veces	often, many times
mucho	a lot
nunca	never
siempre	always
todos los días	every day

Weather expressions

Hace calor.	It is hot.
Hace frío.	It is cold.
Hace sol.	It is sunny.
Hace viento.	It is windy.
Llueve.	It is raining.
Nieva.	It is snowing.
¿Qué tiempo hace?	What is the weather like?

EXPANSIÓN DE VOCABULARIO

Telling a story

amar	to love
el amor	love
el capítulo	chapter
el cuento; la historia	story
de repente	suddenly
la magia	magic
mágico(a)	magical
la novela	novel
romántico(a)	romantic
un suceso	event

Characters in a story

la bruja	witch
el dragón	dragon
el duende	elf
el hada	fairy
el mago	wizard
el monstruo	monster
el (la) protagonista	main character

Expressions of frequency

a menudo	often
jamás	never
por siempre	forever
raras veces	rarely

Unidad 4
Lección 2

Expansión de vocabulario

México antiguo y moderno

YA SABES

Prepositions of location

al lado (de)	next to
cerca (de)	near
debajo (de)	under
delante (de)	in front (of)
dentro (de)	inside (of)
detrás (de)	behind
encima (de)	on (top of)
lejos (de)	far (from)

Describing location

allí	there
aquí	here

Daily activities

correr	to run
descansar	to rest
dibujar	to draw
empezar (ie)	to begin
llegar	to arrive
nadar	to swim
pagar	to pay
pasear	to go for a walk
trabajar	to work

EXPANSIÓN DE VOCABULARIO

Ancient civilizations

la cultura	culture
la emperatriz	empress
los indígenas	indigenous / native people
el líder	leader
el príncipe	prince
la reina	queen
el reino	kingdom
el rey	king
la sociedad	society

Parts of a city

la autopista	highway
el cruce / la intersección	intersection (of streets)
el metro	subway
el puente	bridge
el túnel	tunnel

Prepositions of location

a lo largo (de)	along
adentro	inside
afuera	outside
alrededor (de)	around
hacia	toward
más allá	beyond

¡Qué rico!

♻ **YA SABES**

Food

el agua	water
beber	to drink
la bebida	drink
el brócoli	broccoli
el café	coffee
el cereal	cereal
comer	to eat
la fruta	fruit
la galleta	cookie
el huevo	egg
el jugo de naranja	orange juice
la leche	milk
el pan	bread
la patata	potato
el tomate	tomato
las uvas	grapes
el yogur	yogurt

Describe food

horrible	horrible
nutritivo(a)	nutritious
rico(a)	tasty; delicious

EXPANSIÓN DE VOCABULARIO

Food

el aguacate	avocado
el cacahuate; el maní	peanut
el chicle	gum
los dulces	candy
el durazno	peach
las galletas saladas	crackers
las galletitas	cookies
los guisantes	peas
las habichuelas	green beans
el maíz	corn
las palomitas	popcorn
las papitas	chips
la pera	pear
la piña	pineapple
la salsa picante	hot sauce
la toronja; el pomelo	grapefruit

Food preparation

a gusto	to one's taste
calentar (ie)	to heat
la cucharada	tablespoon
la cucharadita	teaspoon
enfriar	to cool
la harina	flour
una taza	a cup

Describe food

amargo(a)	bitter
el gusto	taste; flavor
saber a	to taste like

Unidad 5 Lección 2

Expansión de vocabulario

¡Buen provecho!

♻ YA SABES

Ordering food

costar (ue)	to cost
la cuenta	bill
el menú	menu
la mesa	table
el plato principal	main course
preparar la comida	to prepare food / a meal
la propina	tip
pedir (i)	to order, to ask for
servir (i)	to serve

Restaurant dishes

el arroz	rice
el bistec	beef
el helado	ice cream
las papas fritas	French fries
el pastel	cake
el sándwich de jamón y queso	ham and cheese sandwich
la sopa	soup

EXPANSIÓN DE VOCABULARIO

Ordering food

¿En qué le(s) puedo servir?	How can I help you?
el anfitrión; la anfitriona	host; hostess
el (la) cocinero(a)	cook

Restaurant dishes

el atún	tuna
el batido	milkshake
la berenjena	eggplant
el churro	fritter; cruller
la empanada	meat or cheese-filled pastry
los fideos	noodles
los mariscos	seafood
el pavo	turkey
el puré de patatas	mashed potatoes
el queso parmesano	Parmesan cheese
la salsa de tomate	tomato sauce

Table setting

la jarra	pitcher
el mantel	tablecloth
el tazón	bowl

Food preparation and taste

bien cocido(a)	done; well-cooked
congelado(a)	frozen
quemado(a)	burnt

¡Luces, cámara, acción!

♻ YA SABES

Movies

alquilar un DVD	to rent a DVD
la película	movie
la ventanilla	ticket window
ver	to see

Telling time

¿A qué hora es... ?	At what time is . . . ?
¿Qué hora es?	What time is it?
A la(s)...	At . . . o'clock.
Es la... / Son las...	It is . . . o'clock.
de la mañana	in the morning
de la tarde	in the afternoon
de la noche	at night
la hora	hour; time
menos	to; before
tarde	late
temprano	early
y cuarto	quarter past
y (diez)	(ten) past
y media	half past

EXPANSIÓN DE VOCABULARIO

Making a movie

la actuación	acting
el disfraz	costume
el escenario	set; stage
el exterior	outdoors
el largometraje	feature-length movie
el rodaje	filming

Editing a movie

los audífonos	headphones
la banda de sonido	soundtrack
el doblaje	dubbing
la orquesta	orchestra
los subtítulos	subtitles

People involved with movies

el (la) cinematógrafo(a)	cinematographer
el (la) sonidista	soundperson
trabajar de extra	to work as an extra

Movie awards

otorgar	to grant; to award
los premios	awards
el reconocimiento	acknowledgment

Unidad 6 Lección 2

Expansión de vocabulario

¡Somos estrellas!

♻ YA SABES

Parties

bailar	to dance
cantar	to sing
celebrar	to celebrate
dar una fiesta	to give a party
las decoraciones	decorations
decorar	to decorate
las entradas	tickets
los invitados	guests
invitar a	to invite
el globo	balloon

Telephone and e-mail

contestar	to answer
escribir correos electrónicos	to write e-mails
hablar por teléfono	to talk on the phone
usar la computadora	to use the computer
¿Cuál es tu /su número de teléfono?	What is your / your (formal) phone number?
Mi número de teléfono es...	My phone number is . . .

Days of the week

el día	day
la semana	week
lunes	Monday
martes	Tuesday
miércoles	Wednesday
jueves	Thursday
viernes	Friday
sábado	Saturday
domingo	Sunday

EXPANSIÓN DE VOCABULARIO

Computer terminology

el apodo	screen name
el archivo adjunto	attachment
bajar música	to download music
el blog	blog
borrar	to delete
la cadena de email	e-mail chain (forward)
charlar en línea	to chat
comenzar / terminar la sesión	to log on/to log off
la contraseña	password
cortar y pegar	to cut and paste
los enlaces	links
escribir a máquina	to type
la sonrisa; la carita feliz (emoticono)	smiley face (emoticon)

Telephone terminology

el correo de voz	voice mail
la doble línea	call waiting
la llamada	phone call

Accepting or declining an invitation

asistir a	to attend
¡Encantado(a)!	I would love to!
Me parece...	That sounds . . .
...genial	. . . great
...fantástico	. . . fantastic
...chévere	. . . cool
...fabuloso	. . . fabulous
Tal vez otro día.	Maybe another day.

Convincing others

Confía en mí.	Trust me.
No estoy bromeando.	I'm not kidding.
Sin duda.	Without a doubt.
Te prometo.	I promise.

Nuestro periódico escolar

♻ YA SABES

School subjects

el arte	art
las ciencias	science
el español	Spanish
la historia	history
el horario	schedule
el inglés	English
las matemáticas	math

Classroom objects

el borrador	eraser
la calculadora	calculator
el cuaderno	notebook
el escritorio	desk
el (la) estudiante	student
el examen	test
el lápiz	pencil
el mapa	map
la mochila	backpack
el papel	paper
el pizarrón	blackboard
la pluma	pen
la silla	chair
la tiza	chalk
la ventana	window

School activities

aprender	to learn
enseñar	to teach
sacar una buena / mala nota	to get a good / bad grade
tomar apuntes	to take notes

EXPANSIÓN DE VOCABULARIO

School-related issues

la asamblea	assembly
la beca	scholarship
los chismes	gossip
la detención	detention
el reglamento de la vestimenta	dress code

School activities

actuar en una obra	to act in a play
el anuario	yearbook
el comité estudiantil	student council
una reunión	meeting
ser miembro de	to be a member of
la sociedad de honor	honor society
tomar parte en	to participate / take part in

School subjects

el álgebra	algebra
la banda	band
la biología	biology
el coro	choir
la educación física	physical education
los estudios sociales	social studies
la geometría	geometry
la hora de estudio	study hall
la orquesta	orchestra
la química	chemistry

After school

el casillero	locker
cuidar niños	to baby-sit
la licencia de manejar	driver's license
manejar	to drive
el permiso de manejar	driver's permit
trabajar a tiempo parcial	to work part-time

Expansión de vocabulario

Somos familia

Family

la abuela	grandmother
el abuelo	grandfather
los abuelos	grandparents
la hermana	sister
el hermano	brother
la hija	daughter
el hijo	son
la madrastra	stepmother
la madre	mother
el padrastro	stepfather
el padre	father
los padres	parents
el (la) primo(a)	cousin
la tía	aunt
el tío	uncle

Characteristics

bueno(a)	good
grande	big
guapo(a)	handsome
joven	young
malo(a)	bad
pequeño(a)	small
viejo(a)	old

Pets

el (la) gato(a)	cat
el (la) perro(a)	dog

Possessive adjectives

mi(s)	my
tu(s)	your (familiar)
su(s)	his, her, its, their, your (formal)
nuestro(a)(s)	our
vuestro (a)(s)	your (familiar pl.)

EXPANSIÓN DE VOCABULARIO

Family

adoptivo(a)	adopted
el (la) bisabuelo(a)	great-grandfather / -grandmother
el (la) biznieto(a)	great-grandson / -granddaughter
los(as) gemelos(as)	twins
el (la) hermanastro(a)	stepbrother / stepsister
el (la) hijastro(a)	stepson / stepdaughter
el matrimonio	marriage
el (la) medio(a) hermano(a)	half brother / half sister
el (la) miembro(a)	member(s)
el (la) nieto(a)	grandson / granddaughter
la pareja	couple

Personality characteristics

animado(a)	animated; upbeat
antipático(a)	disagreeable
atrevido(a)	daring
comprensivo(a)	understanding
extrovertido(a)	outgoing
fiel	faithful
honesto(a)	honest
modesto(a)	modest
motivado(a)	motivated
talentoso(a)	talented
travieso(a)	mischievous
vanidoso(a)	vain

Pets

el conejo	rabbit
el lagarto	lizard
la mascota	pet

Relationships

abrazar	to hug
contar con los demás	to count on others
la cooperación	cooperation

El mundo de hoy

 YA SABES

Environmental responsibilities

compartir	to share
limpio(a)	clean
poder (ue)	to be able; can
el problema	problem
sucio(a)	dirty
vivir	to live

Seasons

la estación	season
el invierno	winter
el otoño	autumn; fall
la primavera	spring
el verano	summer

Useful words

ahora	now
casi	almost
muy	very
otro(a)	other
porque	because
todos(as)	all
un poco	a little
ya	already

EXPANSIÓN DE VOCABULARIO

Community service

los ancianos	the elderly
el centro de rehabilitación	rehabilitation center
el comedor de beneficencia	soup kitchen
la gente sin hogar	the homeless
el hogar para ancianos	nursing home
el hospital	hospital
los necesitados	the unfortunate
la pobreza	poverty

The environment

la amenaza	threat
el clima	climate
el efecto invernadero	greenhouse effect
la erosión	erosion
extinguirse	to become extinct
el planeta	planet
reutilizar	to reuse
la tierra	Earth; land; ground

Nature

el agua dulce	fresh water
la araña	spider
la flor	flower
los insectos	insects
el lago	lake
la mariposa	butterfly
el río	river
la serpiente	snake

Impersonal expressions

Es imposible que...	It's impossible that . . .
Es improbable que...	It's unlikely that . . .
Es lógico que...	It is logical that . . .
Es mejor que...	It is better that . . .
Es peligroso que...	It is dangerous that . . .
Es una lástima que...	It's a shame that . . .

Unidad 8
Lección 2

Expansión de vocabulario

En el futuro...

♻ YA SABES

Careers and professions

el (la) atleta	athlete
la camarera	waitress
el camarero	waiter

Pastimes

andar en patineta	to skateboard
caminar	to walk
levantar pesas	to lift weights
montar en bicicleta	to ride a bike
practicar deportes	to practice / play sports
tocar la guitarra	to play the guitar

Other useful words

antes de	before
después (de)	afterward; after
durante	during
hoy	today
mañana	tomorrow
si	if
tal vez	perhaps; maybe
todavía	still; yet

EXPANSIÓN DE VOCABULARIO

Professions

el (la) autor(a)	author
el (la) banquero(a)	banker
el (la) comediante	comedian
el (la) contador(a)	accountant
el (la) empresario(a)	businessperson
el (la) gerente	manager
el (la) intérprete	interpreter
el (la) juez(a)	judge
el (la) mecánico(a)	mechanic
el (la) músico(a)	musician

Professions CONTINUED

el (la) obrero(a)	laborer
el (la) peluquero(a)	hairdresser
el (la) recepcionista	receptionist
el (la) técnico(a)	technician; repairman
el (la) trabajador(a) social	social worker
el (la) traductor(a)	translator

Remunerations/benefits

beneficios	benefits
días personales	personal days
jubilación privada	pension plan
seguro médico	health insurance
sueldo	salary

Talk about the future

anticipar	anticipate
la ceremonia de graduación	graduation ceremony
la escuela técnica	technical school
especializarse en	to major in
la esperanza	hope
la facultad de derecho / de medicina	law / medical school
graduarse	to graduate
una oportunidad	opportunity
solicitar una beca	to apply for a scholarship
el título	degree
la universidad	university

Para y piensa
Self-Check Answers

Lección preliminar

p. 5
1. Ella, una (la)
2. Tú, el
3. Nosotros, los

p. 9
1. b
2. c
3. a

p. 13
Answers will vary. Possible answers:
A mi amiga le gusta practicar deportes, ir de compras y mirar la televisión.
A mi me gusta mirar la televisión y practicar deportes, pero no me gusta ir de compras.

p. 17
1. a
2. c
3. b

p. 21
1. es
2. es
3. está
4. está

p. 25
1. escribo
2. duerme
3. almorzamos
4. estudias

p. 28
1. vamos a
2. va a
3. voy a
4. Van a

Unidad 1 Costa Rica

Lección 1

p. 38 Práctica de vocabulario
Answers will vary. Possible answers:
hacer la maleta, comprar los boletos, ir a la agencia de viajes, hablar con un(a) agente de viajes, hacer un itinerario, tener un pasaporte, confirmar el vuelo, ir al aeropuerto, hacer cola, facturar el equipaje, pasar por seguridad

p. 40 Vocabulario en contexto
1. Tengo que ir al reclamo de equipaje. Tengo que pasar por la aduana. (Tengo que tomar un taxi. Tengo que ir a la oficina de turismo.)
2. Veo a un(a) auxiliar de vuelo.

p. 43 Práctica de gramática
1. Sí, voy a prepararlo. (Sí, lo voy a preparar.)
2. Sí, los veo.

p. 45 Gramática en contexto
1. Sí, lo tengo.
2. Sí, la necesitas.
3. Sí, los vamos a comprar. (Sí, vamos a comprarlos.)
4. Sí, la llama.

p. 48 Práctica de gramática
1. me
2. les

p. 51 Todo junto
Answers will vary. Possible answers:
El agente de viajes nos hace un itinerario. Los pasajeros hacen cola en el aeropuerto para facturar el equipaje. El auxiliar de vuelo les da sus tarjetas de embarque.

Lección 2

p. 62 Práctica de vocabulario
1. un hotel, un hostal
2. (No) Me gusta regatear.
3. Pago con dinero en efectivo (tarjeta de crédito).
4. montar a caballo, acampar, ir a pescar, dar una caminata, hacer una excursión

p. 64 Vocabulario en contexto
1. Dónde   3. Cuánto
2. Cúales   4. Por qué

p. 67 Práctica de gramática
1. Sí, (No, no) acampamos.
2. Sí, (No, no) visitamos a los abuelos.
3. Sí, (No, no) estudié mucho.
4. Sí, (No, no) tomé fotos.

p. 69 Gramática en contexto
1. descansé   3. viajaron
2. estudió   4. dibujaste

p. 72 Práctica de gramática
1. fue   3. hizo
2. vi   4. diste

p. 75 Todo junto
Answers will vary. Possible answers:
1. Acampé con mi familia.
2. Hicimos una excursión a las montañas.
3. Monté a caballo.

Unidad 2 Argentina

Lección 1

p. 92 Práctica de vocabulario
1. la red
2. el ciclismo
3. el premio

p. 94 Vocabulario en contexto
1. lentamente
2. rápidamente
3. seriamente

p. 97 Práctica de gramática
1. metí   3. perdió
2. recibimos   4. bebieron

p. 99 Gramática en contexto
1. corrieron   4. escribí
2. comiste   5. recibimos
3. vendió   6. salieron

p. 102 Práctica de gramática
1. esta   3. aquellos (aquellas)
2. ese

p. 105 Todo junto
Answers will vary. Possible answers:
Para mantenerse en forma, hay que
seguir una dieta balanceada.
Yo bebí mucha agua. Comí frutas
y verduras. Mi familia y yo
preparamos comidas saludables.

Lección 2

p. 116 Práctica de vocabulario
Possible answer (3, 4, and 5 will vary):
1. b   4. f
2. c   5. a
3. d   6. e

p. 118 Vocabulario en contexto
Answers will vary. Possible answers:
1. Pienso dormir.
2. Pienso salir con mis amigos.
3. Pienso visitar a mis tíos.

p. 121 Práctica de gramática
1. Yo me lavo la cara.
2. Tú te despiertas temprano.
3. Ustedes se acuestan tarde.
4. Nosotros nos entrenamos los
sábados.

p. 123 Gramática en contexto
1. me pongo, ducharme
2. se afeitan
3. te acuestas, te despiertas

p. 126 Práctica de gramática
1. Están jugando.
2. Se está entrenando.
(Está entrenándose.)
3. Está vendiendo.
4. Se está poniendo la ropa.
(Está poniéndose la ropa.)

p. 129 Todo junto
Answers will vary. Possible answer:
Me estoy peinando. Estoy secándome
el pelo. Me estoy poniendo los
zapatos. Pienso salir en diez minutos.

Unidad 3 Puerto Rico

Lección 1

p. 146 Práctica de vocabulario
1. zapatería, número   3. moda
2. bien

p. 148 Vocabulario en contexto
1. nos encantan   2. le interesa

p. 151 Práctica de gramática
hago, conozco, salgo, digo, traigo,
pongo, doy, veo, sé, vengo, tengo

p. 153 Gramática en contexto
1. pongo   3. doy (traigo)
2. traigo (doy)   4. conozco

p. 156 Práctica de gramática
1. conmigo   2. para ti

p. 159 Todo junto
Answers will vary. Possible answers:
1. Tengo un chaleco viejo.
Me queda muy flojo.
2. Tengo una falda de cuadros.
Está de moda y me queda bien.
3. Mis nuevas botas negras me
quedan apretadas.

Lección 2

p. 170 Práctica de vocabulario
Answers will vary. Possible answers:
1. Las botas frecuentemente son de
cuero. Las pulseras son de plata o
de oro (*also:* de metal, de cuero, de
madera). Los lápices normalmente
son de madera. Las casas pueden ser
de madera o de piedra.
2. *Responses:* De nada. No hay de qué.
Apologies: Disculpe. Perdóneme.

p. 172 Vocabulario en contexto
1. ¿Cuánto tiempo hace que tienes ese
reloj?
2. Hace una (dos, tres...) hora(s) que
estoy en la escuela.

p. 175 Práctica de gramática
1. ellos estuvieron, usted supo,
nosotros pusimos
2. ¿Cuánto tiempo hace que viste
una película (viajó)?

p. 177 Gramática en contexto
1. Tuvimos que comprar un regalo
hoy (ayer).
2. No pude encontrar un artículo
hecho a mano.
3. ¿Estuviste en el mercado?

p. 180 Práctica de gramática
1. pidieron   3. serviste
2. me vestí   4. durmió

p. 183 Todo junto
Answers will vary. Possible answer:
Mi amiga y yo estuvimos tres horas
en el mercado de San Juan. No pude
encontrar un cinturón de cuero en mi
talla. Mi amiga no tuvo dinero. Ella
prefirió pagar con tarjeta de crédito.

Para y piensa   Self-Check Answers

Unidad 4 México

Lección 1

p. 200 Práctica de vocabulario
1. Había una vez... Hace muchos siglos...
2. un emperador, una princesa, un enemigo, un guerrero (also: un dios, un héroe, una heroína)

p. 202 Vocabulario en contexto
1. decorados   2. preferida

p. 205 Práctica de gramática
1. peleaban   3. ibas
2. dormíamos   4. leía

p. 207 Gramática en contexto
1. El enemigo tenía celos.
2. La princesa lloraba mucho.
3. El emperador era valiente.
4. Los guerreros peleaban.

p. 210 Práctica de gramática
1. casó
2. era, contaba

p. 213 Todo junto
Answers will vary. Possible answers:
1. El año pasado gané un premio.
2. Siempre jugaba en el jardín con nuestro perro.
3. Mi leyenda favorita es la del Zorro. Era un héroe que se vestía de negro y siempre ayudaba a las personas cuando lo necesitaban.

Lección 2

p. 224 Práctica de vocabulario
Answers will vary. Possible answers:
1. templo, tumba, ruinas, pirámide, monumento, estatua, civilizaciones avanzadas, civilizaciones antiguas, herramientas, calendario, excavación, objeto, tolteca
2. ciudad moderna, edificio, rascacielos, catedral, templo, semáforo, monumento, estatua, avenida, plaza, barrio, cuadro

p. 226 Vocabulario en contexto
1. construyeron   3. construyó
2. leyeron   4. leímos

p. 229 Práctica de gramática
1. apagué   3. comencé
2. practiqué 4. jugué

p. 231 Gramática en contexto
1. busqué   3. almorzó
2. pagué   4. llegamos

p. 234 Práctica de gramática
1. vino   3. dijeron
2. trajeron 4. quisimos

p. 237 Todo junto
Answers will vary. Possible answers:
1. Los toltecas construyeron templos y estatuas grandes.
2. Yo vi herramientas antiguas en el Museo de Antropología.
3. Hay un rascacielos grande cerca de mi casa. Si sales de mi casa, doblas a la derecha y sigues derecho por tres cuadras; lo vas a ver a la izquierda.

Unidad 5 España

Lección 1

p. 256 Práctica de vocabulario
1. dulces   2. probar

p. 258 Vocabulario en contexto
Answers will vary. Possible answers:
1. Las espinacas están fresquísimas.
2. El helado está sabrosísimo.
3. El supermercado es grandísimo.
4. La cocina es bellísima.

p. 261 Práctica de gramática
1. haga, hagan   3. vaya, vayan
2. empiece, empiecen 4. bata, batan

p. 263 Gramática en contexto
Answers will vary. Possible answers:
1. Primero, vayan al supermercado.
2. Compren lechuga fresquísima.
3. En la cocina, mezclen aceite, vinagre y sal.
4. Añadan el aceite y vinagre a la lechuga.
5. Corten un tomate.
6. Sirvan la ensalada.

p. 266 Práctica de gramática
1. Sí, córtelas. / No, no las corte.
2. Sí, bátalos. / No, no los bata.

p. 269 Todo junto
Answers will vary. Possible answers:
1. Hagan una tortilla sabrosa.
2. No añadan demasiada sal.

Lección 2

p. 280 Práctica de vocabulario
1. ¿Cuál es la especialidad de la casa?
2. Gracias por atenderme. (Muy amable. Usted es muy atento.)

p. 282 Vocabulario en contexto
1. un tenedor, un cuchillo
2. una cuchara

p. 285 Práctica de gramática
1. nadie   4. nada
2. siempre 5. ni... ni
3. algún   6. tampoco

p. 287 Gramática en contexto
1. No voy a pedir nada frito.
2. Alguien me dio una buena propina.

p. 290 Práctica de gramática
1. no se las voy a servir; no voy a servírselas.
2. te lo voy a traer; voy a traértelo.

p. 293 Todo junto
Answers will vary. Possible answers:
Frases:
 Gracias por atenderme. Muy amable. ¡Excelente! Me gustaría...
Preguntas:
 ¿Cuál es la especialidad de la casa? ¿Me puede traer...? ¿Tienen algún...? ¿Cómo preparan...?

Unidad 6 Estados Unidos

Lección 1

p. 312 Práctica de vocabulario
1. La película **tuvo éxito.**
2. La película **me hizo llorar.**

p. 314 Vocabulario en contexto
Answers will vary. Possible answers:
1. ¡Vamos a ver un drama!
2. ¡Vamos a filmar una película de aventuras!
3. ¡Vamos a escribir un guión!
4. ¡Vamos a buscar el software!

p. 317 Práctica de gramática
1. Aprende bien el papel.
2. Ven aquí a las siete.
3. Ponte este sombrero.
4. Cuéntale el argumento a la actriz.

p. 319 Gramática en contexto
Answers will vary. Possible answers:
1. Ve a ver la nueva comedia de Antonia Reyes este fin de semana.
2. Compra las entradas en Internet. No llegues tarde. Después, llámame para decirme si te gustó.

p. 322 Práctica de gramática
1. No hables.   3. No tengas miedo.
2. No corras.   4. No te duermas.

p. 325 Todo junto
Answers will vary. Possible answers:
1. Tamara, haz bien tu papel. No nos hagas reír.
2. Gilberto, termina de editar la película. No estés nervioso.

Lección 2

p. 336 Práctica de vocabulario
1. Sí, me encantaría. ¡Claro que sí! ¡Cómo no!
2. Te lo aseguro. Te lo juro. ¡Te digo la verdad! ¡Estoy convencido(a)!
3. ¿Aló? ¿Bueno? ¿Diga?

p. 338 Vocabulario en contexto
1. el teclado, el ratón (*also, from* Lección 1: el software; *from* Unidad 1: la pantalla)
2. hago clic, mando correos electrónicos, uso el mensajero instantáneo, estoy en línea (*also possible:* mando invitaciones, busco algo en Internet)

3. una corbata, un corbatín (ropa elegante)
4. *Answers will vary. Sample answer:* miguelf@correo2.com, daly@web1.com.cu

p. 341 Práctica de gramática
1. vengas   2. paguen

p. 343 Gramática en contexto
1. Ojalá que él tenga mensajero instantáneo.
2. Ojalá que tú pagues mi entrada para el cine.
3. Ojalá que todos se pongan ropa elegante.
4. Ojalá que la gala empiece temprano.

p. 346 Práctica de gramática
1. pidamos   3. vayas
2. estén   4. sepa

p. 349 Todo junto
1. Cómo no (Claro que sí)
2. lástima
3. elegante
4. corbatín

Unidad 7 República Dominicana

Lección 1

p. 368 Práctica de vocabulario
Answers will vary. Possible answers:
1. Escritor: escribe los artículos
2. Fotógrafo: toma fotos para el periódico
3. Periodista: investiga las noticias, entrevista a la gente
4. Editor: corrige errores, decide qué artículos van a publicar

p. 370 Vocabulario en contexto
1. las noticias   3. escolar
2. la amistad

p. 373 Práctica de gramática
1. publiquemos   2. se vistan

p. 375 Gramática en contexto
1. Es importante que el fotógrafo tome fotos interesantes.
2. No es necesario que el editor esté de acuerdo con las opiniones.

p. 378 Práctica de gramática
1. para   3. por
2. para   4. por

p. 381 Todo junto
Answers will vary. Possible answers:
1. Para mí, es malo que tengamos que levantarnos tan temprano.
2. Es preferible que las clases empiecen más tarde.
3. Por la mañana me gustaría dormir más y desayunar tranquilamente.
4. Es bueno que salgamos a las tres, pero podemos salir a las cuatro si empezamos más tarde por la mañana.

Lección 2

p. 392 Práctica de vocabulario
Answers will vary. Possible answers:
1. Mi abuela es muy generosa. Mis padrinos son sinceros. Mi hermano es impaciente.
2. Un pájaro, un pez (un perro, un gato, un ratón)

p. 394 Vocabulario en contexto
1. tuyas   2. generosa

p. 397 Práctica de gramática
Answers will vary. Possible answers:
1. Rebeca es tan estudiosa como Carlos.
2. Hay menos de 20 estudiantes en la clase.

p. 399 Gramática en contexto
1. menos inteligente que el pájaro
2. tanto como su hermano

p. 402 Práctica de gramática
Answers will vary. Possible answers:
1. Mi mamá es la más paciente de la familia.
2. Mi Ranchito es el mejor restaurante de la comunidad.

p. 405 Todo junto
Answers will vary. Possible answers:
1. Mi sobrino es el más joven de la familia.
2. Mi pájaro es el más bello del mundo.

Unidad 8 Ecuador

Lección 1

p. 424 Práctica de vocabulario
1. el papel, el cartón, el vidrio (*also:* el metal)
2. *Possible answers:* la contaminación, el smog, la deforestación, los incendios forestales, la destrucción de la capa de ozono, la basura

p. 426 Vocabulario en contexto
1. Sí (No, no) protejo los recursos naturales.
2. Sí (No, no) recojo basura en las calles. Es bueno que lo haga.

p. 429 Práctica de gramática
1. sean
2. necesitamos

p. 431 Gramática en contexto
1. No es cierto que el señor Andrade esté en su oficina hoy.
2. No es verdad que Nicolás y Renata tengan una cita con el señor Andrade.

p. 434 Práctica de gramática
1. Trabajaré mucho para conservar los recursos naturales.
2. Mi familia y yo iremos al parque para recoger basura.
3. Muchas personas nos verán en la televisión.

p. 437 Todo junto
1. reciclemos; reciclen
2. recogeremos

Lección 2

p. 448 Práctica de vocabulario
1. artista (buceador, alpinista)
2. *Answers will vary. Possible answer:* Me gustaría ser detective porque me interesan los misterios y me encanta investigar.

p. 450 Vocabulario en contexto
1. Aquí se venden robots.
2. Aquí se habla español.
3. En la oficina se usa corbata.
4. Se buscan programadores.

p. 453 Práctica de gramática
1. Nosotros sabremos dibujar.
2. Tú vendrás a la oficina conmigo.
3. El dentista me dirá cómo están mis dientes.
4. Yo podré escalar montañas algún día.

p. 455 Gramática en contexto
1. saldrá
2. tendrás
3. se pondrá

p. 458 Práctica de gramática
1. Sí (No, no) se los mandaré.
2. Sí (No, no) se la daré.
3. Sí, me lo tendré que poner.

p. 461 Todo junto
Answers will vary. Possible answers:
1. Yo seré bombero.
2. Los científicos descubrirán la cura para el cáncer.
3. Los robots harán los quehaceres de la casa.

Resumen de gramática

Nouns, Articles, and Pronouns

Nouns

Nouns identify people, animals, places, things, and feelings. All Spanish nouns, even if they refer to objects, are either **masculine** or **feminine.** They are also either **singular** or **plural.** Nouns ending in **-o** are usually masculine; nouns ending in **-a** are usually feminine.

To form the **plural** of a noun, add **-s** if the noun ends in a vowel; add **-es** if it ends in a consonant.

Singular Nouns		Plural Nouns	
Masculine	**Feminine**	**Masculine**	**Feminine**
abuelo	abuela	abuelos	abuelas
chico	chica	chicos	chicas
hombre	mujer	hombres	mujeres
papel	pluma	papeles	plumas
zapato	blusa	zapatos	blusas

Articles

Articles identify the class of a noun: masculine or feminine, singular or plural. **Definite articles** are the equivalent of the English word *the.* **Indefinite articles** are the equivalent of *a, an,* or *some.*

Definite Articles	**Masculine**	**Feminine**		Indefinite Articles	**Masculine**	**Feminine**
Singular	**el** chico	**la** chica		**Singular**	**un** chico	**una** chica
Plural	**los** chicos	**las** chicas		**Plural**	**unos** chicos	**unas** chicas

Pronouns

Pronouns take the place of nouns. The pronoun used is determined by its function or purpose in a sentence.

Subject Pronouns		Direct Object Pronouns		Indirect Object Pronouns	
yo	nosotros(as)	me	nos	me	nos
tú	vosotros(as)	te	os	te	os
usted	ustedes	lo, la	los, las	le	les
él, ella	ellos(as)				

Nouns, Articles, and Pronouns (continued)

Pronouns After Prepositions

mí	nosotros(as)
ti	vosotros(as)
usted	ustedes
él, ella	ellos(as)

Reflexive Pronouns

me	nos
te	os
se	se

Adjectives

Adjectives describe nouns. In Spanish, adjectives match the **gender** and **number** of the nouns they describe. To make an adjective plural, add **-s** if it ends in a vowel; add **-es** if it ends in a consonant. The adjective usually comes after the noun in Spanish.

Adjectives

	Masculine	Feminine
Singular	el chico alt**o**	la chica alt**a**
	el chico inteligente	la chica inteligente
	el chico joven	la chica joven
	el chico trabajador	la chica trabajador**a**
Plural	los chicos alto**s**	las chicas alta**s**
	los chicos inteligente**s**	las chicas inteligente**s**
	los chicos jóven**es**	las chicas jóven**es**
	los chicos trabajador**es**	las chicas trabajador**as**

Sometimes adjectives are shortened when they are placed in front of a masculine singular noun.

Shortened Forms

alguno	**algún** chico
bueno	**buen** chico
malo	**mal** chico
ninguno	**ningún** chico
primero	**primer** chico
tercero	**tercer** chico

Adjectives (continued)

Possessive adjectives indicate who owns something or describe a relationship between people or things. They agree in number with the nouns they describe. **Nuestro(a)** and **vuestro(a)** must also agree in gender with the nouns they describe.

Possessive adjectives also have long forms that follow the noun for emphasis. Expressed without the noun, they act as pronouns.

	Masculine Short Form		Masculine Long Form	
Singular	**mi** amigo	**nuestro** amigo	amigo **mío**	amigo **nuestro**
	tu amigo	**vuestro** amigo	amigo **tuyo**	amigo **vuestro**
	su amigo	**su** amigo	amigo **suyo**	amigo **suyo**
Plural	**mis** amigos	**nuestros** amigos	amigos **míos**	amigos **nuestros**
	tus amigos	**vuestros** amigos	amigos **tuyos**	amigos **vuestros**
	sus amigos	**sus** amigos	amigos **suyos**	amigos **suyos**

	Feminine Short Form		Feminine Long Form	
Singular	**mi** amiga	**nuestra** amiga	amiga **mía**	amiga **nuestra**
	tu amiga	**vuestra** amiga	amiga **tuya**	amiga **vuestra**
	su amiga	**su** amiga	amiga **suya**	amiga **suya**
Plural	**mis** amigas	**nuestras** amigas	amigas **mías**	amigas **nuestras**
	tus amigas	**vuestras** amigas	amigas **tuyas**	amigas **vuestras**
	sus amigas	**sus** amigas	amigas **suyas**	amigas **suyas**

Demonstrative Adjectives and Pronouns

Demonstrative adjectives and pronouns describe the location of a person or a thing in relation to the speaker. Their English equivalents are *this, that, these,* and *those.*

Demonstrative Adjectives

Demonstrative adjectives agree in gender and number with the noun they describe.

Demonstrative Adjectives

	Masculine	Feminine
Singular	**este** chico	**esta** chica
	ese chico	**esa** chica
	aquel chico	**aquella** chica
Plural	**estos** chicos	**estas** chicas
	esos chicos	**esas** chicas
	aquellos chicos	**aquellas** chicas

Demonstrative Adjectives and Pronouns (continued)

Demonstrative Pronouns

Demonstrative pronouns agree in gender and number with the noun they replace.

Demonstrative Pronouns

	Masculine	Feminine
Singular	éste	ésta
	ése	ésa
	aquél	aquélla
Plural	éstos	éstas
	ésos	ésas
	aquéllos	aquéllas

Comparatives and Superlatives

Comparatives

Comparatives are used to compare two people or things.

Comparatives

	más (+)	menos (–)	tan, tanto(s), tanto (=)
with adjectives	**más** serio **que...**	**menos** serio **que...**	**tan** serio **como...**
with nouns	**más** cosas **que...**	**menos** cosas **que...**	**tantas** cosas **como...**
with verbs	Me gusta leer **más que** pasear.	Me gusta pasear **menos que** leer.	Me gusta hablar **tanto como** escuchar.

There are a few irregular comparative words. When talking about the age of people, use **mayor** and **menor.** When talking about qualities, use **mejor** and **peor.**

Age	Quality
mayor	mejor
menor	peor

When comparing numbers, use **de** instead of **que.**

más de cinco...

menos de cinco...

Superlatives

Superlatives are used to set apart one item from a group. They describe which item has the most or least of a quality.

Superlatives

	Masculine	Feminine
Singular	**el más** caro	**la más** cara
	el anillo **más** caro	**la** blusa **más** cara
	el menos caro	**la menos** cara
	el anillo **menos** caro	**la** blusa **menos** cara
Plural	**los más** caros	**las más** caras
	los anillos **más** caros	**las** blusas **más** caras
	los menos caros	**las menos** caras
	los anillos **menos** caros	**las** blusas **menos** caras

The ending **-ísimo(a)** can be added to an adjective to intensify it.

Singular	caldo riqu**ísimo**	sopa riqu**ísima**
Plural	huevos riqu**ísimos**	tortillas riqu**ísimas**

Adverbs

Adverbs tell *when, where, how, how long,* or *how much.* They can be formed by adding **-mente** to the singular feminine form of an adjective.

Adjective		Adverb
alegre	→	alegre**mente**
fácil	→	fácil**mente**
general	→	general**mente**
normal	→	normal**mente**
triste	→	triste**mente**
lento(a)	→	lenta**mente**
activo(a)	→	activa**mente**
rápido(a)	→	rápida**mente**
serio(a)	→	seria**mente**
tranquilo(a)	→	tranquila**mente**

Affirmative and Negative Words

Affirmative or negative words are used to talk about indefinite or negative situations.

Affirmative Words	Negative Words
algo	nada
alguien	nadie
algún/alguno(a)	ningún/ninguno(a)
o... o	ni... ni
siempre	nunca
también	tampoco

Verbs: Regular Verbs

Regular verbs ending in **-ar**, **-er**, or **-ir** always have regular endings.

Simple Indicative Tenses

-ar Verbs

Infinitive	Present Participle	Past Participle
hablar	hablando	hablado

Present	hablo	hablamos	
	hablas	habláis	
	habla	hablan	
Preterite	hablé	hablamos	
	hablaste	hablasteis	
	habló	hablaron	
Imperfect	hablaba	hablábamos	
	hablabas	hablabais	
	hablaba	hablaban	
Future	hablaré	hablaremos	
	hablarás	hablaréis	
	hablará	hablarán	

-er Verbs

Infinitive	Present Participle	Past Participle
vender	vendiendo	vendido

Present	vendo	vendemos	
	vendes	vendéis	
	vende	venden	
Preterite	vendí	vendimos	
	vendiste	vendisteis	
	vendió	vendieron	
Imperfect	vendía	vendíamos	
	vendías	vendíais	
	vendía	vendían	
Future	venderé	venderemos	
	venderás	venderéis	
	venderá	venderán	

-ir Verbs

Infinitive	Present Participle	Past Participle
compartir	compartiendo	compartido

Present	comparto	compartimos
	compartes	compartís
	comparte	comparten
Preterite	compartí	compartimos
	compartiste	compartisteis
	compartió	compartieron
Imperfect	compartía	compartíamos
	compartías	compartíais
	compartía	compartían
Future	compartiré	compartiremos
	compartirás	compartiréis
	compartirá	compartirán

Command Forms

		tú Commands	**usted** Commands	**ustedes** Commands
-ar Verbs	+	habla	hable	hablen
	−	no hables	no hable	no hablen
-er Verbs	+	vende	venda	vendan
	−	no vendas	no venda	no vendan
-ir Verbs	+	comparte; no	comparta; no	compartan; no
	−	compartas	comparta	compartan

Subjunctive Forms

-ar Verbs	hable	hablemos
	hables	habléis
	hable	hablen
-er Verbs	venda	vendamos
	vendas	vendáis
	venda	vendan
-er Verbs	comparta	compartamos
	compartas	compartáis
	comparta	compartan

Stem-Changing Verbs

Present Tense

Stem-changing verbs in the present tense change in all forms except **nosotros(as)** and **vosotros(as)**.

e → ie

pensar	pienso	pensamos
	piensas	pensáis
	piensa	piensan

Other **e → ie** stem-changing verbs are **cerrar, comenzar, despertarse, empezar, encender, entender, hervir, perder, preferir, querer** and **recomendar.**

o → ue

poder	puedo	podemos
	puedes	podéis
	puede	pueden

Other **o → ue** stem-changing verbs are **acostarse, almorzar, costar, doler, dormir, encontrar, envolver, probar** and **volver.**

e → i

servir	sirvo	servimos
	sirves	servís
	sirve	sirven

Other **e → i** stem-changing verbs are **competir, freír, pedir, seguir** and **vestirse.**

u → ue

jugar	juego	jugamos
	juegas	jugáis
	juega	juegan

Jugar is the only verb with a **u → ue** stem-change.

Preterite Tense

Stem-changing **-ir** verbs in the present tense also change stems in some forms of the preterite.

e → i

pedir	pedí	pedimos
	pediste	pedisteis
	pidió	pidieron

o → u

dormir	dormí	dormimos
	dormiste	dormisteis
	durmió	durmieron

Present Subjunctive

Stem-changing **-ar** and **-er** verbs in the present tense also change stems in the same forms of the subjunctive.

e → ie

pensar	piense	pensemos
	pienses	penséis
	piense	piensen

o → ue

poder	pueda	podamos
	puedas	podáis
	pueda	puedan

u → ue

jugar	juegue	juguemos
	juegues	juguéis
	juegue	jueguen

Stem-changing **-ir** verbs in the present tense change stems in *all* forms of the subjunctive.

e → ie, i

preferir	prefiera	prefiramos
	prefieras	prefiráis
	prefiera	prefieran

o → ue, u

dormir	duerma	durmamos
	duermas	durmáis
	duerma	duerman

e → i

pedir	pida	pidamos
	pidas	pidáis
	pida	pidan

Present Participles

Some verbs have stem changes as present participles.

decir	→	diciendo
dormir	→	durmiendo
pedir	→	pidiendo
poder	→	pudiendo
servir	→	sirviendo
venir	→	viniendo
vestir	→	vistiendo

Verbs: Spelling Changes

The following verbs undergo spelling changes in some forms to maintain their pronunciation.

c → qu	Preterite	Subjunctive	Command
buscar			
yo	bus**qu**é	bus**qu**e	
tú	buscaste	bus**qu**es	no bus**qu**es
usted/él/ella	buscó	bus**qu**e	bus**qu**e
nosotros(as)	buscamos	bus**qu**emos	
vosotros(as)	buscasteis	bus**qu**éis	
ustedes/ellos(as)	buscaron	bus**qu**en	bus**qu**en

like **buscar**: explicar, pescar, practicar, publicar, sacar, secar(se), tocar

g → gu	Preterite	Subjunctive	Command
jugar (ue)			
yo	ju**gu**é	jue**gu**e	
tú	jugaste	jue**gu**es	no jue**gu**es
usted/él/ella	jugó	jue**gu**e	jue**gu**e
nosotros(as)	jugamos	ju**gu**emos	
vosotros(as)	jugasteis	ju**gu**éis	
ustedes/ellos(as)	jugaron	jue**gu**en	jue**gu**en

like **jugar**: apagar, investigar, llegar, pagar

z → c	Preterite	Subjunctive	Command
almorzar (ue)			
yo	almor**c**é	almuer**c**e	
tú	almorzaste	almuer**c**es	no almuer**c**es
usted/él/ella	almorzó	almuer**c**e	almuer**c**e
nosotros(as)	almorzamos	almor**c**emos	
vosotros(as)	almorzasteis	almor**c**éis	
ustedes/ellos(as)	almorzaron	almuer**c**en	almuer**c**en

like **almorzar**: cazar, comenzar, cruzar, empezar

Verbs: Spelling Changes (continued)

i → y	Present	Preterite
construir		
yo	construyo	construí
tú	construyes	construiste
usted/él/ella	construye	construyó
nosotros(as)	construimos	construyeron
vosotros(as)	construís	construisteis
ustedes/ellos(as)	construyen	construyeron

present participle: construyendo

g → j	Present	Subjunctive	Command
proteger			
yo	protejo	proteja	
tú	proteges	protejas	no protejas
usted/él/ella	protege	proteja	proteja
nosotros(as)	protegemos	protejamos	
vosotros(as)	protegéis	protejáis	
ustedes/ellos(as)	protegen	protejan	protejan

like **proteger**: recoger

Verbs: Irregular Verbs

The following verbs are irregular in some forms. The irregular forms are **boldface.**

conocer

Present	**conozco,** conoces, conoce, conocemos, conocéis, conocen

dar

Present	**doy,** das, da, damos, dais, dan
Preterite	**di, diste, dio, dimos, disteis, dieron**
Subjunctive	**dé, des, dé, demos, deis, den**
Commands	da (tú), **no des** (neg. tú), **dé** (usted), **den** (ustedes)

decir

Present	**digo,** dices, dice, decimos, decís, dicen
Preterite	**dije, dijiste, dijo, dijimos, dijisteis, dijeron**
Future	**diré, dirás, dirá, diremos, diréis, dirán**
Commands	**di** (tú), no digas (neg. tú), diga (usted), digan (ustedes)

estar

Present	**estoy, estás, está,** estamos, estáis, **están**
Preterite	**estuve, estuviste, estuvo, estuvimos, estuvisteis, estuvieron**
Subjunctive	**esté, estés, esté,** estemos, estéis, **estén**
Commands	está (tú), **no estés** (neg. tú), **esté** (usted), **estén** (ustedes)

hacer

Present	**hago,** haces, hace, hacemos, hacéis, hacen
Preterite	**hice, hiciste, hizo, hicimos, hicisteis, hicieron**
Future	**haré, harás, hará, haremos, haréis, harán**
Commands	**haz** (tú), no hagas (neg. tú), haga (usted), hagan (ustedes)

ir

Present	**voy, vas, va, vamos, vais, van**
Preterite	**fui, fuiste, fue, fuimos, fuisteis, fueron**
Imperfect	**iba, ibas, iba, íbamos, ibais, iban**
Subjunctive	**vaya, vayas, vaya, vayamos, vayáis, vayan**
Commands	**ve** (tú), **no vayas** (neg. tú), **vaya** (usted), **vayan** (ustedes)

Verbs: Irregular Verbs (continued)

leer

Preterite	leí, **leíste, leyó, leímos, leísteis, leyeron**
Progressive	**leyendo**

poder

Preterite	**pude, pudiste, pudo, pudimos, pudisteis, pudieron**
Future	**podré, podrás, podrá, podremos, podréis, podrán**

poner

Present	**pongo,** pones, pone, ponemos, ponéis, ponen
Preterite	**puse, pusiste, puso, pusimos, pusisteis, pusieron**
Future	**pondré, pondrás, pondrá, pondremos, pondréis, pondrán**
Commands	**pon** (tú), no pongas (neg. tú), ponga (usted), pongan (ustedes)

querer

Preterite	**quise, quisiste, quiso, quisimos, quisisteis, quisieron**
Future	**querré, querrás, querrá, querremos, querréis, querrán**

saber

Present	**sé,** sabes, sabe, sabemos, sabéis, saben
Preterite	**supe, supiste, supo, supimos, supisteis, supieron**
Future	**sabré, sabrás, sabrá, sabremos, sabréis, sabrán**
Subjunctive	**sepa, sepas, sepa, sepamos, sepáis, sepan**
Commands	sabe (tú), **no sepas** (neg. tú), **sepa** (usted), **sepan** (ustedes)

salir

Present	**salgo,** sales, sale, salimos, salís, salen
Future	**saldré, saldrás, saldrá, saldremos, saldréis, saldrán**
Commands	**sal** (tú), no salgas (neg. tú), salga (usted), salgan (ustedes)

ser

Present	**soy, eres, es, somos, sois, son**
Preterite	**fui, fuiste, fue fuimos, fuisteis, fueron**
Imperfect	**era, eras, era, éramos, erais, eran**
Subjunctive	**sea, seas, sea, seamos, seáis, sean**
Commands	**sé** (tú), **no seas** (neg. tú), **sea** (usted), **sean** (ustedes)

Verbs: Irregular Verbs (continued)

tener

Present	**tengo, tienes, tiene,** tenemos, tenéis, **tienen**
Preterite	**tuve, tuviste, tuvo, tuvimos, tuvisteis, tuvieron**
Future	**tendré, tendrás, tendrá, tendremos, tendréis, tendrán**
Commands	**ten** (tú), no tengas (neg. tú), tenga (usted), tengan (ustedes)

traer

Present	**traigo,** traes, trae, traemos, traéis, traen
Preterite	**traje, trajiste, trajo, trajimos, trajisteis, trajeron**

venir

Present	**vengo, vienes, viene,** venimos, venís, **vienen**
Preterite	**vine, viniste, vino, vinimos, vinisteis, vinieron**
Future	**vendré, vendrás, vendrá, vendremos, vendréis, vendrán**
Commands	**ven** (tú), no vengas (neg. tú), venga (usted), vengan (ustedes)

ver

Present	**veo,** ves, ve, vemos, veis, ven
Preterite	**vi, viste, vio, vimos, visteis, vieron**
Imperfect	**veía, veías, veía, veíamos, veíais, veían**

Glosario
español-inglés

This Spanish-English glossary contains all the active vocabulary words that appear in the text as well as passive vocabulary lists.

A

a to, at
  A la(s)... At... o'clock. **I**
  a pie on foot **I**
¿A qué hora es/son...? At what time is/are...? **I**
a veces sometimes **2.2**
abierto(a) open
  Está abierto(a). It's open. **3.1**
el (la) abogado(a) lawyer **8.2**
abordar to board **1.1**
el abrigo coat **3.1**
abril April **I**
abrir to open **I**
la abuela grandmother **I**
el abuelo grandfather **I**
los abuelos grandparents **I**
aburrido(a) boring **I**
acabar de... to have just... **I**
acampar to camp **I, 1.2**
la acción (pl. las acciones) action
el aceite (cooking) oil **5.1**
la aceituna olive
la acera sidewalk **4.2**
acercarse to approach
acompañar to accompany; to go or come with
  ¿Quieres acompañarme a...? Would you like to come with me to...? **I**
el acontecimiento event, happening
acostarse (ue) to go to bed **I, 2.2**
  Pienso acostarme temprano. I plan to go to bed early.
la actitud attitude
la actividad activity **I**
activo(a) active **2.1**
el actor actor **6.1**
la actriz (pl. las actrices) actress **6.1**
el acuario aquarium **I**

acuerdo: estar/no estar de acuerdo con to agree/disagree with **7.1**
además de besides, in addition to
Adiós. Goodbye. **I**
adivinar to guess
adjunto(a) attached
¿Adónde? (To) Where? **I**
  ¿Adónde vas? Where are you going? **I**
adquirir to acquire
la aduana customs
  pasar por la aduana to go through customs **1.1**
el aeropuerto airport **1.1**
afectar to affect
afeitarse to shave oneself **I, 2.2**
el (la) aficionado(a) fan, sports fan **I**
la agencia de viajes travel agency **1.1**
el (la) agente agent
  el (la) agente de bolsa stockbroker **8.2**
  el (la) agente de viajes travel agent **1.1**
agosto August **I**
el (la) agricultor(a) farmer **4.2**
la agricultura agriculture **4.2**
agrio(a) sour **5.1**
el agua (fem.) water **I**
  las aguas termales hot springs
el (la) ahijado(a) godchild
ahogado(a) stifled, choked
ahora now **I**
el aire air
  al aire libre outside; open-air **I**
  el aire puro clean air **8.1**
el ajo garlic **5.1**
al to the **I**
  al aire libre outside; open-air **I**
  al lado (de) next to **I**
  al revés upside down
el ala (fem.) wing
alado(a) winged
alegre happy; upbeat
la alfombra rug **I**

algo something **I, 5.2**
alguien someone **I, 5.2**
algún some **5.2**
  Algún día... Some day... **8.2**
alguno(a) some, any **I, 5.2**
allí there **I**
el almacén (pl. los almacenes) department store **3.1**
almorzar (ue) to eat lunch **I**
el almuerzo lunch **I**
¿Aló? Hello? (on telephone) **I, 6.2**
el alojamiento lodging **1.2**
el (la) alpinista mountain climber **8.2**
alquilar to rent **I**
  alquilar un DVD to rent a DVD **I**
alto(a) tall **I**
la altura height
amable kind
  Muy amable. Very kind. **5.2**
amarillo(a) yellow **I**
el ambiente setting
ambos(as) both
el (la) amigo(a) friend **I**
la amistad friendship **7.1**
el amor love
anaranjado(a) orange (color) **I**
andar: andar en patineta to skateboard **I**
el anillo ring **I, 1.2**
la animación animation **6.1**
el ánimo spirit
anoche last night **I**
la anotación (pl. las anotaciones) annotation, entry
anteayer the day before yesterday **I, 1.2**
antes (de) before **I**
antiguo(a) ancient **4.2**; old
el anuario yearbook
el anuncio advertisement **7.1**; announcement
añadir to add **5.1**

el año year **I**

¿Cuántos años tienes? How old are you? **I**

el Año Nuevo New Year

el año pasado last year **I, 1.2**

tener... años to be... years old **I**

apagar to turn off

apagar la luz to turn off the light **2.2**

apagarse to go out, to burn out

el apartamento apartment **I**

el apellido last name **7.2**

apenas barely **8.1**

apoyar to support

aprender to learn **I**

aprender el español to learn Spanish **I**

apretado(a) tight (clothing)

los apuntes notes **I**

tomar apuntes to take notes **I**

aquel(aquella) that (over there) **I, 2.1**

aquél(aquélla) that one (over there) **2.1**

aquellos(as) those (over there) **I, 2.1**

aquéllos(as) those (over there) **2.1**

aquí here **I**

el árbol tree **8.1**

el árbol de Navidad Christmas tree

el archivo file

la arena sand

el arete earring **I, 1.2**

el argumento plot **6.1**

el armario closet; armoire **I**

el aro hoop, ring

el arpa folkórica folk harp

el (la) arquitecto(a) architect **8.2**

la arquitectura architecture

el arrecife (de coral) (coral) reef

arreglarse to get ready **2.2**

la arroba at sign (in e-mail address)

el arroz rice **I**

el arte art **I**

el arte interpretativo performance art

las artes marciales martial arts

las bellas artes fine arts

las artesanías handicrafts **I, 1.2**

el (la) artesano(a) artisan, craftsperson

el artículo article **7.1**

los artículos goods, articles **I, 3.2**

los artículos deportivos sporting goods

el (la) artista artist **8.2**

artístico(a) artistic **I**

el asado barbecue

asado(a) roasted

el ascensor elevator **1.2**

el asco disgust

¡Qué asco! How disgusting! **5.1**

asegurar to assure

Te lo aseguro. I assure you. **6.2**

así this way, like this

la asignatura subject (in school)

la aspiradora vacuum cleaner **I**

pasar la aspiradora to vacuum **I**

atender (ie) to attend

atento(a) attentive

Muy atento(a). Very attentive. **5.2**

aterrorizar to terrify, to frighten

el (la) atleta athlete **I**

atlético(a) athletic **I**

las atracciones attractions, sights

ver las atracciones to go sightseeing **1.2**

atraer (atraigo) to attract

el aula (fem.) classroom

aumentar to increase

los autitos chocadores bumper cars **I**

el autobús (pl. los autobuses) bus **I**

en autobús by bus **I**

la autoestima self-esteem

el (la) auxiliar de vuelo flight attendant **1.1**

avancemos let's advance, let's move ahead

¡Avanza! Advance!, Move ahead!

avanzado(a) advanced **4.2**

avanzar to advance, to move ahead

la avenida avenue **4.2**

la aventura adventure

el avión (pl. aviones) airplane **I**

en avión by plane **I**

¡Ay, por favor! Oh, please! **2.1**

ayer yesterday **I**

la ayuda help

ayudar to help **I**

azteca Aztec **4.1**

el azúcar sugar **5.1**

azul blue **I**

la bahía bay

los bailaores flamenco dancers

bailar to dance **I**

el baile dance

bajar to descend **I**

bajo(a) short (height) **I**

el bajo bass guitar

la balsa raft

la banana banana **I**

el banco bank **7.2**

la bandera flag

el bandoneón a type of accordion

bañarse to take a bath **I, 2.2**

el baño bathroom **I**

barato(a) inexpensive **I, 3.2**

el barco boat **I**

en barco by boat **I**

barrer to sweep **I**

barrer el suelo to sweep the floor **I**

el barrio neighborhood **4.2**

el barro mud

el básquetbol basketball (the sport) **I**

bastante quite

la basura trash, garbage **I**

el basurero trash can **8.1**

la batalla battle **4.1**

el bate (baseball) bat **I**

batido(a) beaten **5.2**

batir to beat **5.1**

el bautismo baptism

beber to drink **I**

la bebida beverage, drink **I**

la beca scholarship

el béisbol baseball (the sport) **I**

la belleza beauty

bello(a) beautiful; nice **1.2**

el beneficio benefit

la biblioteca library **I**

el (la) bibliotecario(a) librarian

la bicicleta bicycle **I**

bien well, fine **I**

Bien. ¿Y tú/usted? Fine. And you? (familiar/formal) **I**

Muy bien. ¿Y tú/usted? Very well. And you? (familiar/formal) **I**

bienvenido(a) welcome

el bistec beef **I**

blanco(a) white **I**

el bloqueador de sol sunscreen **I**

la blusa blouse **I**
la boca mouth **I**
la boda wedding
el boleto ticket **I**, **1.1**
   el boleto de ida y vuelta roundtrip ticket **1.1**
los bolos: jugar a los bolos to go bowling
la bolsa bag; stock market
el (la) bombero(a) firefighter **8.2**
bonito(a) pretty **I**
el boquerón (*pl.* **los boquerones)** anchovy
el borrador eraser **I**
borrar to erase
el bosque forest; woods **8.1**
   el bosque lluvioso rain forest
   el bosque nuboso cloud forest
la bota boot **3.1**
el bote boat
¡Bravo! Bravo! **2.1**
el brazo arm **I**
brillante brilliant
el brócoli broccoli **I**
el bronce bronze
el (la) buceador(a) scuba diver **8.2**
bucear to scuba-dive **I**
bueno(a) good **I**
   Bueno, ... Well, ...
   ¿Bueno? Hello? (on phone) **6.2**
   Buenos días. Good morning. **I**
   Buenas noches. Good evening; Good night. **I**
   Buenas tardes. Good afternoon. **I**
   ¡Buen provecho! Enjoy! **5.2**
   Es bueno (que...) It's good (that...) **2.1**, **7.1**
buscar to look for **I**

el caballero knight
el caballo horse **I**
   montar a caballo to ride a horse **I**
la cabeza head **I**
cada each; every
la cadera hip
caer (caigo) to fall
caerse (me caigo) to fall down
el café coffee; café **I**
el cafetal coffee farm
la cafetería cafeteria **I**
el (la) cafetero(a) coffee worker
la caja box

el calamar squid
el calcetín (*pl.* **los calcetines)** sock **I**
la calculadora calculator **I**
el caldo broth **5.2**
el calendario calendar **4.2**
la calidad quality **I**
cálido(a) warm
caliente hot (temperature) **5.1**
la calle street **I**
el calor heat **I**
   Hace calor. It is hot. **I**
   tener calor to feel hot **I**
la cama bed **I**
   hacer la cama to make the bed **I**
la cámara camera **I**
   la cámara de cine movie camera **6.1**
   la cámara de video video camera **6.1**
   la cámara digital digital camera **I**, **6.1**
el (la) camarero(a) (food) server **I**
el (la) camarógrafo(a) cameraman/ camerawoman **6.1**
cambiar to change
   cambiar de papel to change roles
el cambio change
caminar to walk **I**
la caminata hike **I**
   dar una caminata to hike **I**, **1.2**
la camisa shirt **I**
la camiseta T-shirt **I**
el campeón (*pl.* **los campeones), la campeona** champion **I**
el campeonato championship **2.1**
el campo field (sports); the country, countryside **I**
la cancha court (sports) **I**
la canción song
cansado(a) tired **I**
el cantante singer
cantar to sing **I**
el canto chant, song
la capa de ozono ozone layer **8.1**
captar to capture
la cara face **2.2**
la carne meat **I**
caro(a) expensive **I**, **1.2**
   ¡Qué caro(a)! How expensive! **I**
el (la) carpintero(a) carpenter **8.2**
la carrera race **I**
el carrete reel
el carro car
la carta letter

el (la) cartero(a) mail carrier; postman/postwoman **8.2**
el cartón cardboard **8.1**
la casa house **I**
casarse to get married **4.1**
la cascada waterfall
la cáscara shell
el casco helmet **I**
casi almost **I**
castaño(a) brown (hair) **I**
las castañuelas castanets
la catedral cathedral **4.2**
catorce fourteen **I**
cazar to hunt **4.2**
la cebolla onion **5.1**
celebrar to celebrate **I**
los celos jealousy **4.1**
   tener celos (de) to be jealous (of) **4.1**
la cena dinner **I**
cenar to dine, to have dinner **5.1**
las cenizas ashes
el centro center, downtown **I**
   el centro comercial shopping center, mall **I**
cepillar to brush
   cepillarse los dientes to brush one's teeth **I**, **2.2**
el cepillo brush **I**, **2.2**
   el cepillo de dientes toothbrush **I**, **2.2**
la cerámica ceramics; ceramic **I**
   de cerámica (made of) ceramic **3.2**
cerca (de) near (to) **I**
el cerdo pork
   la chuleta de cerdo pork chop **5.2**
el cereal cereal **I**
cero zero **I**
cerrado(a) closed
   Está cerrado(a). It's closed. **3.1**
cerrar (ie) to close **I**
el césped grass, lawn **I**
   cortar el césped to cut the grass **I**
el chaleco vest **3.1**
el champú shampoo **I**, **2.2**
la chaqueta jacket **I**
el charango small guitar-like instrument
¡Chau! Bye!
la chica girl **I**
el chico boy **I**
el ciclismo bicycle racing, cycling **2.1**

el ciclo cycle
  el ciclo de vida life cycle
cien one hundred **I**
la ciencia ficción science fiction
las ciencias science **I**
el (la) científico(a) scientist **8.2**
cierto(a) true
  (No) Es cierto que... It is (not) true that... **8.1**
la cima peak
cinco five **I**
cincuenta fifty **I**
el cine movie theater; the movies **I**
  la estrella de cine movie star **6.1**
el cinturón (*pl.* **los cinturones**) belt **3.1**
la cita appointment
  tener una cita to have an appointment **7.2**
la ciudad city **I, 4.2**
  la ciudad universitaria campus
la civilización (*pl.* **las civilizaciones**) civilization **4.2**
Claro. Of course.
  ¡Claro que sí! Of course! **I, 6.2**
la clase class, classroom **I**; kind, type
los claves percussion sticks
el clima climate; weather
el coche car **I**; carriage
  en coche by car **I**
  el coche tirado por caballos horse-drawn carriage
el cochinillo suckling pig
cocido(a) cooked **5.2**
la cocina kitchen **I**
cocinar to cook **I**
el codo elbow **2.2**
la cola tail
  hacer cola to get in line **1.1**
el colegio high school
colgar (ue) to hang
el collar necklace **I, 1.2**
el color color
  ¿De qué color es/son...? What color is/are...?
colorido(a) colorful
el columpio swing, swingset
la comedia comedy **6.1**
el comedor dining room **I**
comenzar (ie) to begin **I**
comer to eat **I**
  comer al aire libre to picnic, to eat outside **I**

cómico(a) funny **I**
la comida meal; food **I**
como as, like; since
¿Cómo...? How...? **I**
  ¿Cómo? What?
  ¿Cómo eres? What are you like? **I**
  ¿Cómo está usted? How are you? (formal) **I**
  ¿Cómo estás? How are you? (familiar) **I**
  ¿Cómo llego a...? How do I get to...? **4.2**
  ¿Cómo me queda(n)? How does it (do they) fit me? **3.1**
  ¡Cómo no! Of course! **6.2**
  ¿Cómo se llama? What's his/her/your (formal) name? **I**
  ¿Cómo te llamas? What's your name? (familiar) **I**
la cómoda dresser **I**
los compadres godparents and parents, in relation to each other
el (la) compañero(a) companion, partner
  el (la) compañero(a) de equipo teammate **7.2**
la compañía company, business
comparar to compare
compartir to share **I**
la competencia competition **2.1**
competir (i, i) to compete **2.1**
comprar to buy **I**
comprender to understand **I**
  ¿Comprendiste? Did you understand?
la computación computer studies
la computadora computer **I**
común common
la comunidad community **7.1**
con with **I**
  Con mucho gusto. With pleasure. **3.2**
  Con permiso. Excuse me. **3.2**
el concierto concert **I**
el concurso contest
conectar to connect **I**
  conectar a Internet to connect to the Internet **I**
confirmar: confirmar el vuelo to confirm a flight **1.1**
conmigo with me **I, 3.1**
conocer (conozco) to know, to be familiar with; to meet **I**
conocido(a) known
  muy conocido(a) well-known

el conocimiento knowledge **8.2**
conseguir (i, i) (consigo) to manage, to get
el (la) consejero(a) adviser
los consejos advice
conservar to conserve **8.1**; to keep
considerar to consider
construir to build **4.2**
el (la) consultor(a) consultant
  el (la) consultor(a) de informática IT consultant
el consultorio doctor's/dentist's office **7.2**
el (la) consumidor(a) consumer **8.1**
la contaminación contamination; pollution **8.1**
contar (ue) to tell (a story) **4.1**
  contar con to count on
contento(a) happy **I**
contestar to answer **I**
contigo with you (familiar) **I, 3.1**
contra against
el contrabajo double bass
la contraseña password
el contraste contrast
convencer to convince
  ¡Estoy convencido(a)! I'm convinced! **6.2**
convertirse en to turn into
la Copa Mundial World Cup **2.1**
el corazón (*pl.* **los corazones**) heart **I**
la corbata tie, necktie **6.2**
el corbatín (*pl.* **los corbatines**) bow tie **6.2**
el cordero lamb
la cordillera mountain range
corregir (i, i) (corrijo) to correct
el correo post office **7.2**
el correo electrónico e-mail **I**
correr to run **I**
el corrido Mexican ballad
cortar to cut **I**
  cortar el césped to cut the grass **I**
el cortejo courtship
la cortina curtain **I**
corto(a) short (length) **I**
la cosa thing **I**
la costa coast
costar (ue) to cost **I**
  ¿Cuánto cuesta(n)? How much does it (do they) cost? **I**
  Cuesta(n)... It (They) cost(s)... **I**

crear to create
crecer (crezco) to grow; to grow up
creer to believe, to think
  Creo que sí/no. I think/don't think so. **3.1**
la crema de afeitar shaving cream **2.2**
criar to raise, to bring up
el crimen crime
la crítica review **6.2**
crudo(a) raw **5.2**
la cruz (*pl.* **las cruces)** cross
cruzar to cross **4.2**
el cuaderno notebook **I**
la cuadra city block **4.2**
el cuadro square; painting
  de cuadros plaid **3.1**
¿Cuál es la especialidad de la casa? What is the specialty of the house? **5.2**
¿Cuál(es)? Which?; What? **I**
  ¿Cuál es la fecha? What is the date? **I**
  ¿Cuál es tu/su número de teléfono? What is your phone number? (familiar/formal) **I**
cualquier any
cuando when **I**
¿Cuándo? When? **I**
cuánto(a) how much **I**
  ¿Cuánto cuesta(n)? How much does it (do they) cost? **I**
cuántos(as) how many **I**
  ¿Cuántos(as)...? How many...? **I**
  ¿Cuántos años tienes? How old are you? **I**
cuarenta forty **I**
cuarto quarter **I**
el cuarto room; bedroom **I**
  ...y cuarto quarter past... (the hour) **I**
cuarto(a) fourth **I**
cuatro four **I**
cuatrocientos(as) four hundred **I**
la cuchara spoon **5.2**
el cuchillo knife **5.2**
el cuello neck **2.2**
la cuenta bill (in a restaurant) **I**
el cuero leather
  de cuero (made of) leather **3.2**
el cuerpo body **I**
la cuestión (*pl.* **las cuestiones)** question, issue **7.1**
la cueva cave
cuidar to care for, to take care of
el cultivo cultivation

la cultura culture
el cumpleaños birthday **I**
  ¡Feliz cumpleaños! Happy birthday! **I**
la cuñada sister-in-law **7.2**
el cuñado brother-in-law **7.2**
la cura cure **8.2**
curar to cure
curioso(a) curious

D

¡Dale! Come on! **2.1**
la danza dance
  la danza folklórica folk dance
dañar to damage **8.1**
el daño damage
dar (doy) to give **I**
  dar lo mismo to be all the same
  dar una caminata to hike **I, 1.2**
  darle de comer al perro to feed the dog **I**
  dar una fiesta to give a party **I**
  Me da miedo. It scares me. **6.1**
  Quisiera darle las gracias a... I would like to thank... **6.2**
los datos information
de of, from **I**
  de la mañana in the morning (with a time) **I**
  de madera/oro/plata (made of) wood/gold/silver **I**
  de la noche at night (with a time) **I**
  de la tarde in the afternoon (with a time) **I**
  de moda in style, fashionable
  De nada. You're welcome. **3.2**
  de vacaciones on vacation **I**
  ¿De veras?, ¿De verdad? Really?
  de vez en cuando once in a while **I**
debajo (de) underneath, under **I**
deber should, ought to **I**
décimo(a) tenth **I**
decir to say **I**
  ¿Diga? Hello? (on phone) **6.2**
  también se dice... you can also say...
  ¡Te digo la verdad! I'm telling you the truth! **6.2**
la decoración (*pl.* **las decoraciones)** decoration **I**
decorar to decorate **I**

el dedo finger **2.2**
  el dedo del pie toe **2.2**
la deforestación deforestation **8.1**
dejar to leave
  dejar de to stop, to leave off
  dejar un mensaje to leave a message **I, 6.2**
  Le dejo... en... I'll give... to you for... (a price) **I, 1.2**
  ¿Me deja ver? May I see? **I, 3.2**
del (de la) of, from the **I**
delante (de) in front (of) **I**
delgado(a) thin
delicioso(a) delicious **5.1**
demasiado too; too much **I, 1.2**
el (la) dentista dentist **8.2**
dentro (de) inside (of) **I**
los deportes sports **I**
el (la) deportista sportsman/woman **2.1**
deportivo(a) sports, sporting
deprimido(a) depressed **I**
derecho straight
  seguir derecho to go straight **4.2**
el derecho law (as subject, career)
derecho(a) right (direction)
  doblar a la derecha to turn right **4.2**
el desarrollo development
el desastre disaster
desayunar to have breakfast **5.1**
el desayuno breakfast **I**
descansar to rest **I**
descargar to download
describir to describe **7.1**
descubrir to discover **8.2**
desde from **4.2**; since
desear to wish, to want
el deseo desire
el desfile parade
deslizarse to slide
el desodorante deodorant **2.2**
desorganizado(a) disorganized **I**
despertarse (ie) to wake up **I, 2.2**
después (de) afterward; after **I**
el destino destination
la destrucción destruction **8.1**
destruir to destroy
el detalle detail
el (la) detective detective **8.2**
detenerse to stop
detrás (de) behind **I**

el día day **I**
   Algún día... Some day... **8.2**
   Buenos días. Good morning. **I**
   los días festivos holidays
   ¿Qué día es hoy? What day is today? **I**
   todos los días every day **I**
diario(a) daily
dibujar to draw **I**
el dibujo drawing
diciembre December **I**
diecinueve nineteen **I**
dieciocho eighteen **I**
dieciséis sixteen **I**
diecisiete seventeen **I**
el diente tooth **2.2**
la dieta diet
   seguir una dieta balanceada to follow a balanced diet **2.1**
diez ten **I**
diferente different
difícil difficult **I**
¿Diga? Hello? (phone)
el dinero money **I**
   el dinero en efectivo cash **1.2**
el dios god **4.1**
la diosa goddess **4.1**
la dirección (*pl.* las direcciones) address **I**
   la dirección electrónica e-mail address **I, 6.2**
las direcciones directions
el (la) director(a) principal **I**; director **6.1**
el disco compacto compact disc **I**
   quemar un disco compacto to burn a CD **I**
Disculpe. Excuse me; I'm sorry. **3.2**
discutir to argue **7.2**
el (la) diseñador(a) designer **8.2**
el diseño design
el disfraz (*pl.* los disfraces) costume
disfrutar (de) to enjoy
distinto(a) distinct, different
divertido(a) fun **I**
   ¡Qué divertido! How fun! **I**
doblar to turn **4.2**; to fold
   doblar a la derecha/a la izquierda to turn right/left **4.2**
doce twelve **I**
el (la) doctor(a) doctor **8.2**
el documental documentary **6.1**
el dólar dollar **I**
doler (ue) to hurt, to ache **I**

domingo Sunday **I**
donde where
¿Dónde? Where? **I**
   ¿De dónde eres? Where are you from? (familiar) **I**
   ¿De dónde es? Where is he/she from? **I**
   ¿De dónde es usted? Where are you from? (formal) **I**
   Por favor, ¿dónde queda...? Can you please tell me where ... is? **1.1**
dorado(a) golden
dormir (ue, u) to sleep **I**
dormirse (ue, u) to fall asleep **I, 2.2**
dos two **I**
doscientos(as) two hundred **I**
el drama drama **6.1**
la ducha shower
ducharse to take a shower **I, 2.2**
dulce sweet **5.1**
durante during **I**
durar to last
el DVD DVD **I**

el ecoturismo ecotourism
el edificio building **4.2**
editar to edit **6.1**
el (la) editor(a) editor **7.1**
la educación education
los efectos especiales special effects **6.1**
el ejemplo example
el ejercicio exercise
   hacer ejercicio to exercise **2.1**
el ejército army **4.1**
él he; him **I, 3.1**
el elemento element
ella she; her **I, 3.1**
ellos(as) they; them **I, 3.1**
emocionado(a) excited **I**
   Estoy muy emocionado(a). I'm overcome with emotion. **6.2**
emparejar to match
empatado(a) tied (a score)
   estar empatado to be tied **2.1**
el emperador emperor **4.1**
empezar (ie) to begin **I**

en in **I**; on
   en autobús by bus **I**
   en avión by plane **I**
   en barco by boat **I**
   en coche by car **I**
   en línea online **I**
   en tren by train **I**
enamorado(a) in love
   estar enamorado(a) de to be in love with **4.1**
encantado(a) magical, enchanted
   Encantado(a). Delighted; Pleased to meet you. **I**
encantar to delight **3.1**
   Me encanta... I love...
   Sí, me encantaría. Yes, I would love to. **6.2**
encender (ie) to light; to turn on
   encender (ie) la luz to turn on the light **2.2**
encima (de) on top (of) **I**
encontrar (ue) to find **I**
encontrarse (ue) to find oneself
la encuesta survey
el (la) enemigo(a) enemy **4.1**
enero January **I**
la enfermedad sickness, disease
el (la) enfermero(a) nurse **8.2**
enfermo(a) sick **I**
el enlace link
en línea online **I**
   estar en línea to be online **I, 6.2**
enojado(a) angry **I**
enojarse to get angry **7.2**
enorme huge, enormous
la ensalada salad **I**
enseñar to teach **I**
entender (ie) to understand **I**
entenderse (ie) to understand each other **7.2**
   entenderse bien understand each other well **7.2**
   entenderse mal misunderstand each other **7.2**
entonces then; so **I, 2.2**
la entrada ticket **I**
entrar to enter
entre between **4.2**
el entremés (*pl.* los entremeses) appetizer **5.2**
el (la) entrenador(a) coach
el (la) entrenador(a) de deportes coach **7.2**
el entrenamiento training
entrenarse to train **2.2**

la entrevista interview **7.1**
entrevistar to interview **7.1**
envolver (ue) to wrap **I**
el equipaje luggage **1.1**
  facturar el equipaje to check one's luggage **1.1**
el equipo team **I**
escalar montañas to climb mountains **8.2**
la escalera stairs **I**
la escena scene **6.1**
el escenario set, movie set
escoger (escojo) to choose
escolar school, school-related **7.1**
escribir to write **I**
  escribir correos electrónicos to write e-mails **I**
el (la) escritor(a) writer **7.1**
el escritorio desk **I**
la escritura writing
escuchar to listen (to) **I**
  escuchar música to listen to music **I**
la escuela school **I**
  la escuela secundaria high school
la escultura sculpture **3.2**
ese(a) that... (there) **I, 2.1**
ése(a) that one (there) **2.1**
esos(as) those... (there) **I, 2.1**
ésos(as) those (there) **2.1**
la espada sword
los espaguetis spaghetti **5.2**
el español Spanish **I**
el espanto fright, terror
especial special
la especialidad specialty **5.2**
  la especialidad de la casa specialty of the house **5.2**
la especie species
  las especies en peligro de extinción endangered species **8.1**
el espejo mirror **I**
esperar to wait (for) **I, 6.1**
las espinacas spinach **5.1**
el espíritu spirit
la esposa wife **7.2**
el esposo husband **7.2**
esquiar to ski
la esquina corner
  en la esquina on the corner **4.2**
el establecimiento establishment
la estación (*pl.* **las estaciones**) season **I**; station
  la estación de tren train station **1.1**
el estadio stadium **I**
la estancia ranch

el estante shelf
estar to be **I**
  ¿Está...? Is... there? **I, 6.2**
  Está abierto(a)/cerrado(a). It's open/closed. **3.1**
  ¿Está bien? OK?
  estar de vacaciones to be on vacation **1.2**
  estar en línea to be online **I, 6.2**
  estar/no estar de acuerdo con to agree/disagree with **7.1**
  No, no está. No, he's/she's not here. **I, 6.2**
la estatua statue **4.2**
la estatuilla statuette
el este east
este(a) this... (here) **I, 2.1**
éste(a) this one **2.1**
el estilo style
el estómago stomach **I**
estos(as) these... (here) **I, 2.1**
éstos(as) these **2.1**
estrecho(a) narrow
la estrella star
  la estrella de cine movie star **6.1**
estremecerse to shudder
estrenar to premiere **6.2**
el estreno premiere **6.2**
el estuco stucco
el (la) estudiante student **I**
  el (la) estudiante de intercambio exchange student
estudiar to study **I**
el estudio study
estudioso(a) studious **I**
eterno(a) eternal
el euro euro **I**
evitar to avoid
el examen (*pl.* **los exámenes**) test, exam **I**
la excavación (*pl.* **las excavaciones**) excavation **4.2**
Excelente! Excellent! **5.2**
la excursión (*pl.* **las excursiones**) day trip; tour
  hacer una excursión to go on a day trip **1.2**
el éxito success
  tener éxito to be successful **6.1**
explicar to explain **7.1**
expresar to express
la extinción extinction

la fachada facade, front of a building
fácil easy **I**
fácilmente easily
facturar el equipaje to check one's luggage **1.1**
la falda skirt **3.1**
falso(a) false
la familia family **I**
famoso(a) famous **6.1**
la fantasía fantasy
la farmacia pharmacy, drug store **3.1**
el faro lighthouse
favorito(a) favorite **I**
febrero February **I**
la fecha date **I**
  ¿Cuál es la fecha? What is the date? **I**
  la fecha de nacimiento birth date **I**
¡Felicidades! Congratulations!
feliz happy
  ¡Feliz cumpleaños! Happy birthday! **I**
feo(a) ugly **I**
la feria fair **I**
fiesta party; holiday
  la fiesta de sorpresa surprise party **I**
  la fiesta nacional national holiday
el filete al la parrilla grilled steak **5.2**
filmar to film **6.1**
el fin end
  el fin de semana weekend **I, 6.2**
  por fin finally **I, 2.2**
  sin fines lucrativos nonprofit
fino(a) fine, of high quality **3.2**
el flan custard **5.2**
la flauta flute
flojo(a) loose (clothing)
la flor flower
el follaje foliage
el fondo back; bottom
fortalecer to strengthen
la foto photo, picture **I**
  tomar fotos to take photos **I, 1.2**
el (la) fotógrafo(a) photographer **7.1**
fracasar to fail **6.1**
el fracaso failure
la frecuencia frequency
frecuente frequent
frecuentemente frequently **2.2**

freír (i) to fry **5.1**
el frente front
  en frente de in front of
  frente a across from **4.2**
la fresa strawberry **5.1**
fresco(a) fresh **5.1**
los frijoles beans **I**
el frío cold **I**
  Hace frío. It is cold. **I**
  tener frío to be cold (person) **I**
frito(a) fried **5.2**
la fruta fruit **I**
el fuego fire
  los fuegos artificiales fireworks
la fuente source; fountain
fuerte strong **I**
el (la) fundador(a) founder
fundar to found
el fútbol soccer (the sport) **I**
  el fútbol americano football
    (the sport) **I**
el futuro future
  En el futuro... In the future... **8.2**
futuro(a) future

la gala gala; formal party **6.2**
la galleta cookie **I**
el (la) ganadero(a) cattle rancher
el ganado cattle
ganador(a) winning
el (la) ganador(a) winner **I**
ganar to win **I**
  ganarse la vida como... to earn
    a living as... **8.2**
el gancho hook
(una) ganga bargain (a) **3.2**
la garganta throat **2.2**
el (la) gato(a) cat **I**
el gazpacho cold tomato soup **5.2**
generalmente generally; in
  general **2.2**
el género genre
generoso(a) generous **7.2**
la gente people **6.1**
la gimnasia gymnastics
el gimnasio gymnasium **I**
el glaciar glacier
el globo balloon **I**
el gol goal (in sports)
golpear to hit
la goma rubber
la gorra cap **3.1**
el gorro winter hat **I**

el grabado sobre madera wood
  engraving
Gracias. Thank you. **I**
  Gracias por atenderme. Thank
    you for your service. **5.2**
  Muchas gracias. Thank you very
    much. **I**
  Quisiera darle las gracias a... I
    would like to thank... **6.2**
la gramática grammar
grande big, large **I**
el grupo group
el guante glove **I**
guapo(a) good-looking **I**
guardar to put way, to keep
la guerra war **4.1**
el (la) guerrero(a) warrior **4.1**
el (la) guía guide
el guión (pl. los guiones)
  screenplay **6.1**
el (la) guionista screenwriter **6.1**
el güiro a scored gourd-like
  instrument played with a music
  fork or a percussion stick
el guisante pea
la guitarra guitar **I**
el guitarrón acoustic bass guitar
gustar to like **I**
  Me gusta... I like... **I**
  Me gustaría... I would like... **I, 1.2**
  No me gusta... I don't like... **I**
  **¿Qué profesión te gustaría
    tener?** What do you want to
    be? **8.2**
  ¿Qué te gusta hacer? What do
    you like to do? **I**
  ¿Te gusta...? Do you like...? **I**
  ¿Te gustaría...? Would you
    like...? **I**
el gusto pleasure **I**
  Con mucho gusto. With
    pleasure. **3.2**
  El gusto es mío. The pleasure is
    mine. **I**
  Mucho gusto. Nice to meet
    you. **I**

haber to have
  ha habido... there has/have
    been...
  Había una vez... Once upon a
    time there was/were... ... **4.1**

No hay de qué. Don't mention
  it. **3.2**
la habitación (pl. las habitaciones)
  hotel room **1.2**
  la habitación doble double
    room **1.2**
  la habitación individual single
    room **1.2**
hablar to talk, to speak **I**
  hablar por teléfono to talk on
    the phone **I**
  ¿Puedo hablar con...? May I
    speak to...? **I, 6.2**
hacer (hago) to make, to do
  Hace calor. It is hot. **I**
  Hace frío. It is cold. **I**
  Hace muchos siglos... Many
    centuries ago...
  Hace sol. It is sunny. **I**
  Hace viento. It is windy. **I**
  hacer clic en to click on **I, 6.2**
  hacer cola to get in line **1.1**
  hacer ejercicio to exercise **2.1**
  hacer esquí acuático to water-
    ski **I**
  hacer la cama to make the bed **I**
  hacer la maleta to pack a
    suitcase **1.1**
  hacer la tarea to do homework **I**
  hacer surf de vela to windsurf **I**
  hacer surfing to surf, to go
    surfing **I**
  hacer un papel to play a role **6.1**
  hacer un viaje to take a trip **I, 1.1**
  hacer una excursión to go on a
    day trip **1.1**
  hecho(a) a mano handmade **3.2**
  Me hace llorar. It makes me
    cry. **6.1**
  Me hace reír. It makes me
    laugh. **6.1**
  ¿Qué hicieron ustedes? What
    did you do? (pl., formal) **I**
  ¿Qué hiciste? What did you do?
    (sing., familiar) **I**
  ¿Qué tiempo hace? What is the
    weather like? **I**
hacerse (me hago) to become
el hambre hunger
  tener hambre to be hungry **I**
la hamburguesa hamburger **I**
la harina flour
hasta to **4.2**; until
  Hasta luego. See you later. **I**
  Hasta mañana. See you
    tomorrow. **I**

hay... there is/are... **I**

hay que... one has to..., one must... **I**

la heladería ice cream shop **5.2**

el helado ice cream **I**

la herencia heritage

herido(a) hurt **I**

la hermana sister **I**

el hermano brother **I**

los hermanos brothers, brother(s) and sister(s) **I**

hermoso(a) handsome; pretty **4.1**

el héroe hero **4.1**

heroico(a) heroic **4.1**

la heroína heroine **4.1**

la herramienta tool **4.2**

hervido(a) boiled **5.2**

hervir (ie) to boil **5.1**

la hierba herb

la hija daughter **I**

el hijo son **I**

los hijos children, son(s) and daughter(s) **I**

la historia history **I**; story

histórico(a) historic; historical **4.1**

Hola. Hello., Hi. **I**

el hombre man **I**

el hombre de negocios businessman **8.2**

el hombro shoulder **2.2**

el homenaje homage

honrar to honor

la hora hour; time **I**

¿A qué hora es/son...? At what time is/are...? **I**

¿Qué hora es? What time is it? **I**

el horario schedule **I**

horrible horrible **I**

el hostal hostel; inn **1.2**

el hotel hotel **I, 1.2**

hoy today **I**

hoy en día nowadays

¿Qué día es hoy? What day is today? **I**

Hoy es... Today is . . . **I**

la huella footprint

el huevo egg **I**

húmedo(a) humid

el huracán (*pl.* los huracanes) hurricane

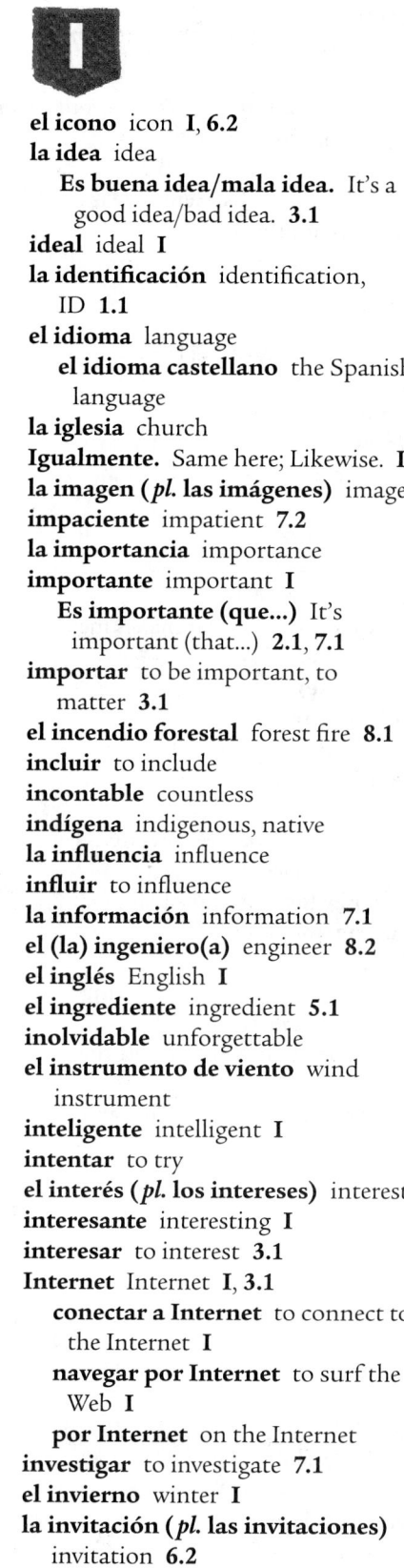

el icono icon **I, 6.2**

la idea idea

Es buena idea/mala idea. It's a good idea/bad idea. **3.1**

ideal ideal **I**

la identificación identification, ID **1.1**

el idioma language

el idioma castellano the Spanish language

la iglesia church

Igualmente. Same here; Likewise. **I**

la imagen (*pl.* las imágenes) image

impaciente impatient **7.2**

la importancia importance

importante important **I**

Es importante (que...) It's important (that...) **2.1, 7.1**

importar to be important, to matter **3.1**

el incendio forestal forest fire **8.1**

incluir to include

incontable countless

indígena indigenous, native

la influencia influence

influir to influence

la información information **7.1**

el (la) ingeniero(a) engineer **8.2**

el inglés English **I**

el ingrediente ingredient **5.1**

inolvidable unforgettable

el instrumento de viento wind instrument

inteligente intelligent **I**

intentar to try

el interés (*pl.* los intereses) interest

interesante interesting **I**

interesar to interest **3.1**

Internet Internet **I, 3.1**

conectar a Internet to connect to the Internet **I**

navegar por Internet to surf the Web **I**

por Internet on the Internet

investigar to investigate **7.1**

el invierno winter **I**

la invitación (*pl.* las invitaciones) invitation **6.2**

los invitados guests **I**

invitar to invite **I**

invitar a (alguien) to invite (someone) **I**

Te invito. I invite you; I'll treat you. **I**

ir to go **I**

ir a... to be going to... **I**

ir de compras to go shopping **I**

ir de vacaciones to go on vacation **1.1**

Vamos a... Let's... **I**

irse to go; to leave **7.2**

la isla island

el itinerario itinerary **1.1**

izquierdo(a) left (direction)

doblar a la izquierda to turn left **4.2**

el jabón (*pl.* los jabones) soap **I, 2.2**

el jamón ham **I**

el jarabe syrup

el jardín (*pl.* los jardines) garden **I**

los jardines botánicos botanical gardens

los jeans jeans **I**

joven (*pl.* jóvenes) young **I**

el (la) joven (*pl.* los jóvenes) young man/woman **4.1**

las joyas jewelry **I, 1.2**

la joyería jewelry store **3.1**

el juego game

los Juegos Olímpicos Olympic Games **2.1**

los Juegos Panamericanos Panamerican Games **2.1**

jueves Thursday **I**

el (la) jugador(a) player **I**

jugar (ue) to play (sports or games) **I**

jugar a los bolos to go bowling

jugar al fútbol to play soccer **I**

jugar en equipo to play on a team **2.1**

el jugo juice **I**

el jugo de naranja orange juice **I**

julio July **I**

junio June **I**

junto(a) together

jurar to swear (an oath)

¡Te lo juro! I swear to you! **6.2**

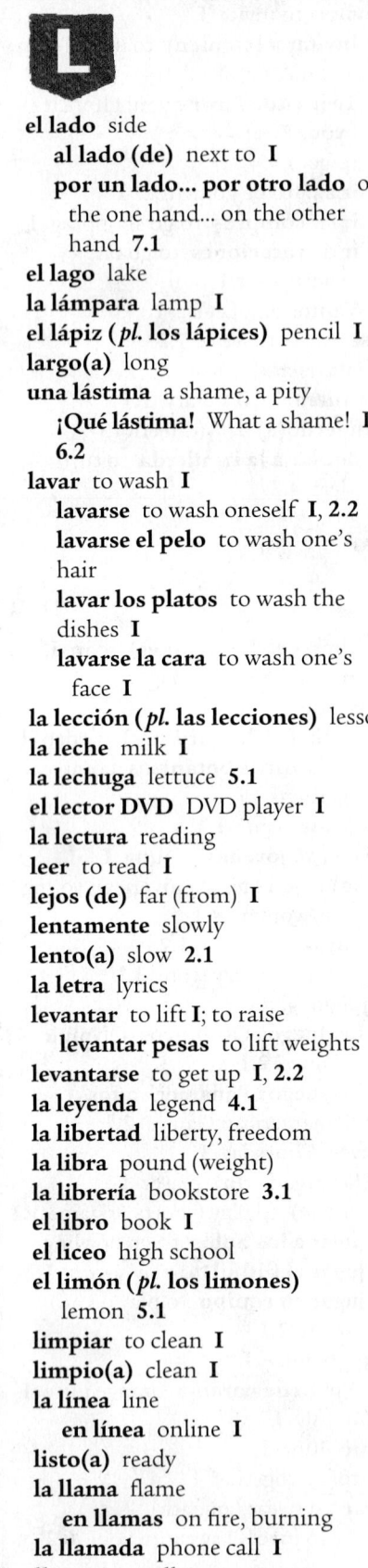

L

el lado side
  al lado (de) next to **I**
  por un lado... por otro lado on the one hand... on the other hand **7.1**
el lago lake
la lámpara lamp **I**
el lápiz (*pl.* **los lápices**) pencil **I**
largo(a) long
una lástima a shame, a pity
  ¡Qué lástima! What a shame! **I, 6.2**
lavar to wash **I**
  lavarse to wash oneself **I, 2.2**
  lavarse el pelo to wash one's hair
  lavar los platos to wash the dishes **I**
  lavarse la cara to wash one's face **I**
la lección (*pl.* **las lecciones**) lesson
la leche milk **I**
la lechuga lettuce **5.1**
el lector DVD DVD player **I**
la lectura reading
leer to read **I**
lejos (de) far (from) **I**
lentamente slowly
lento(a) slow **2.1**
la letra lyrics
levantar to lift **I**; to raise
  levantar pesas to lift weights **I**
levantarse to get up **I, 2.2**
la leyenda legend **4.1**
la libertad liberty, freedom
la libra pound (weight)
la librería bookstore **3.1**
el libro book **I**
el liceo high school
el limón (*pl.* **los limones**) lemon **5.1**
limpiar to clean **I**
limpio(a) clean **I**
la línea line
  en línea online **I**
listo(a) ready
la llama flame
  en llamas on fire, burning
la llamada phone call **I**
llamar to call
  llamar a alguien to call someone (by phone) **I, 1.1**

llamarse to be called
  ¿Cómo se llama? What's his/her/your (formal) name? **I**
  ¿Cómo te llamas? What's your name? (familiar) **I**
  Me llamo... My name is... **I**
  Se llama... His/Her name is . . . **I**
el llano prairie, plain
la llave key **1.2**
la llegada arrival **1.1**
llegar to arrive **I**
  ¿Cómo llego a...? How do I get to...? **4.2**
llenar to fill (up)
llevar to take, to carry **4.1**; to wear **I**
llevarse
  llevarse bien to get along well **7.2**
  llevarse mal not to get along **7.2**
llorar to cry **4.1**
  Me hace llorar. It makes me cry. **6.1**
llover (ue) to rain **I**
la lluvia rain
Lo siento. I'm sorry. **I**
lograr to achieve
luego later; then **I, 2.2**
  Hasta luego. See you later. **I**
el lugar place **I**
  tener lugar to take place
la luna moon
lunes Monday **I**
el lunfardo an Argentine slang
la luz (*pl.* **las luces**) light
  apagar la luz to turn off the light **2.2**
  encender la luz to turn on the light **2.2**

M

la madera wood **I**
  de madera (made of) wood **I, 3.2**
la madrastra stepmother **I**
la madre mother **I**
la madrina godmother **7.2**
la madrugada dawn
el (la) maestro(a) teacher **I**
el maíz corn
mal badly
  Mal. ¿Y tú/usted? Bad. And you? (familiar/formal) **I**
la maleta suitcase **1.1**
  hacer la maleta to pack a suitcase **1.1**

malo(a) bad **I**
  Es malo que... It's not good that... **7.1**
mañana tomorrow **I**
  Hasta mañana. See you tomorrow. **I**
  Mañana es... Tomorrow is ... **I**
la mañana morning **I**
  de la mañana in the morning (with a time) **I**
mandar to send **I**
  mandar tarjetas postales to send postcards **1.2**
el mandato command
la manga sleeve
la mano hand **I**
  (estar) hecho(a) a mano (to be) handmade **3.2**
mantener (ie) to maintain, to keep
  mantenerse en forma to stay in shape **2.1**
la manzana apple **I**
el mapa map **I**
el maquillaje makeup **6.1**
maquillarse to put on makeup **I, 2.2**
la máquina machine
el mar sea **I**
la marímbula wooden box with metal keys
la mariposa butterfly
los mariscos shellfish
marrón (*pl.* **marrones**) brown **I**
martes Tuesday **I**
marzo March **I**
más more **I**; plus, in addition to
  más de... more than (with numbers) **7.2**
  Más o menos. ¿Y tú/usted? So-so. And you? (familiar/formal) **I**
  más que... more than... **I, 7.2**
  más... que more... than **I, 7.2**
  más tarde later (on) **I, 2.2**
la máscara mask; masquerade
la mascota pet
las matemáticas math **I**
la materia subject (in school)
el matrimonio marriage
mayo May **I**
la mayonesa mayonnaise **5.1**
mayor older **I, 7.2**
la medalla medal
  la medalla de oro/plata/bronce gold/silver/bronze medal
el (la) médico(a) doctor
el medio medium
  en medio de in the middle of

medio(a) half

el medio ambiente environment **8.1**
    ... y media half past... (the
    hour) **I**

mejor better **I, 7.2**

mejorar to improve **8.2**

la memoria memory

menor younger **I, 7.2**

menos less
    ...menos (diez) (ten) to/before...
    (the hour) **I**
    menos de... less than... (with
    numbers) **7.2**
    menos que... less than... **I, 7.2**
    menos... que less... than **I, 7.2**

el mensaje lesson; message **4.1**
    dejar un mensaje to leave a
    message **I, 6.2**
    mensaje instantáneo instant
    message

el mensajero instantáneo instant
    messaging **I, 6.2**

el menú menu **I**

el mercado market **I**
    el mercado al aire libre open-
    air market **1.2**

la merienda afternoon snack **5.1**

el mes month **I**
    el mes pasado last month **1.2**

la mesa table **I**
    poner la mesa to set the table **I**

la meta goal

el metal metal, brass section
    de metal (made of) metal **3.2**

meter: meter un gol to score a
    goal **2.1**

el metro subway; meter

la mezcla mixture

mezclado(a) mixed **5.2**

mezclar to mix **5.1**

mi my **I**

mí me **I, 3.1**

el micrófono microphone **6.1**

el miedo fear **I**
    Me da miedo. It scares me. **6.1**
    ¡Qué miedo! How scary! **I**
    tener miedo to be afraid **I**

la miel honey

el miembro member

mientras tanto meanwhile

miércoles Wednesday **I**

mil thousand, one thousand **I**

el milagro miracle

el (la) militar soldier

millón: un millón (de) million, one
    million **I**

el minuto minute **I**

mirar to watch **I**; to look (at)
    mirar la televisión to watch
    television **I**

mismo(a) same

la mochila backpack **I**

la moda style, fashion
    estar de moda to be in style **3.1**

moderno(a) modern **4.2**

molido(a) ground (up) **5.2**

el momento moment
    Un momento. One moment. **I**

el mono monkey

la montaña mountain **4.1**
    la montaña rusa roller coaster **I**

montar to ride **I**
    montar a caballo to ride a
    horse **I, 1.2**
    montar en bicicleta to ride a
    bike **I**

el monumento monument **4.2**

morir (ue, u) to die **4.1**

la mostaza mustard **5.1**

mostrar (ue) to show

la muchacha girl

el muchacho boy

mucho a lot **I**
    Mucho gusto. Nice to meet you. **I**

muchos(as) many **I**
    muchas veces often, many times **I**

mudarse to move, to relocate

los muebles furniture **I**

la mujer woman **I**
    la mujer de negocios
    businesswoman **8.2**

el (la) mulo(a) mule

mundial world, of the world

el mundo world **8.1**

la muñeca wrist **2.2**

musculoso(a) muscular **2.1**

el museo museum **I**

la música music **I**
    la música folklórica folk music
    la música rock rock music **I**

el músico musician

muy very **I**
    Muy bien. ¿Y tú/usted? Very well.
    And you? (familiar/formal) **I**

N

nacer (nazco) to be born

el nacimiento birth

nada nothing **I, 5.2**
    De nada. You're welcome. **I, 3.2**

nadar to swim **I**

nadie no one, nobody **I, 5.2**

la naranja orange (fruit) **I**

la nariz (*pl.* **las narices)** nose **I**

la narración narration **4.1**

la natación swimming **I**

la naturaleza nature **8.1**

navegar por Internet to surf the
    Web **I**

la Navidad Christmas

la neblina fog

necesario(a) necessary
    Es necesario (que...) It's necessary
    (that...) **2.1, 7.1**

necesitar to need **I**

el negocio business
    el hombre/la mujer de negocios
    businessman/businesswoman **8.2**

negro(a) black **I**

nervioso(a) nervous **I**

nevar (ie) to snow **I**

ni... ni neither... nor **I, 5.2**

la nieve snow

la niñez childhood

ningún none, not any **5.2**

ninguno(a) none, not any **I, 5.2**

el (la) niño(a) child **7.2**

el nivel level

no no **I**
    no sólo... sino también... not
    only... but also... **7.1**

la noche night; evening **I**
    Buenas noches. Good evening;
    Good night. **I**
    de la noche at night (with a time) **I**

el nombre name

normalmente normally; usually **I, 2.2**

el norte north

nosotros(as) we; us **I, 3.1**

la nota grade (on a test) **I**
    sacar una buena/mala nota to
    get a good/bad grade **I**

las noticias news **7.1**

novecientos(as) nine hundred **I**

la novela novel

noveno(a) ninth **I**

noventa ninety **I**

la novia girlfriend; fiancée **7.2**

noviembre November **I**

el novio boyfriend; fiancé **7.2**

nuestro(a) our **I**

nueve nine **I**

nuevo(a) new **I**

el número number **I**; shoe size **3.1**
    el número de teléfono phone
    number **I**

nunca never **I, 5.2**
nutritivo(a) nutritious **I**

o or **I**
    o... o either... or **I, 5.2**
el objeto object, item **4.2**
el oblivio oblivion
la obra work (of art)
el océano ocean
ocho eight **I**
ochocientos(as) eight hundred **I**
octavo(a) eighth **I**
octubre October **I**
ocupado(a) busy **I**
el oeste west
la oficina office **I**
    la oficina del (de la) director(a)
      principal's office **I**
    la oficina de turismo tourist
      office **1.1**
el oficio occupation **8.2**
ofrecer (ofrezco) to offer **I**
    Le puedo ofrecer... I can offer
      you... (a price) **I**
el oído ear, inner ear (hearing) **2.2**
¡Ojalá! I hope so! **6.2**
el ojo eye **I**
oloroso(a) fragrant
once eleven **I**
la opinión (*pl.* **las opiniones**)
    opinion **7.1**
    En mi opinión... In my
      opinion... **3.1**
la oración (*pl.* **las oraciones**)
    sentence
la oreja ear, outer ear **I**
organizado(a) organized **I**
el orgullo pride
orgulloso(a) proud
    estar orgulloso(a) (de) to be
      proud (of) **7.2**
originarse to originate
el oro gold
    de oro (made of) gold **I**
el otoño autumn, fall **I**
otorgar to award
otro(a) other **I**

paciente patient **7.2**
el padrastro stepfather **I**
el padre father **I**
los padres parents **I**
el padrino godfather **7.2**
la paella traditional Spanish rice
    dish **5.2**
pagar to pay **I**
la página page
    la página web Web page
el país country, nation **I**
el pájaro bird **7.2**
el palacio palace **4.1**
las palmas handclapping
el pan bread **I**
la panadería bakery **3.1**
la pantalla monitor; screen **I, 1.1**
los pantalones pants **I**
    los pantalones cortos shorts **I**
la papa potato **I**
    las papas fritas French fries **I**
el papel paper **I**; role, part **6.1**
    cambiar de papel to change roles
    de papel (made of) paper
    hacer un papel to play a role **6.1**
    el papel de regalo wrapping
      paper **I**
para for; in order to **I**
    Y para comer/beber... And to
      eat/drink... **5.2**
parada: la parada de autobús bus
    stop **1.1**
parar to stop
    Para y piensa. Stop and think.
parecer to seem
    Me parece que... It seems to
      me... **3.1**
    ¿Qué les parece...? What do
      you think of ...?
la pared wall
la pareja pair, couple
el (la) pariente relative **7.2**
el parque park **I**
    el parque de diversiones
      amusement park **I**
    el parque nacional national
      park
el párrafo paragraph
la parrilla grill
    el filete a la parrilla grilled
      steak **5.2**

la parrillada barbecue **I**
    hacer una parrillada to
      barbecue **I**
la parte part
el partido game (in sports) **I**
el pasado the past
pasado(a) past **I**; last (in time
    expressions)
    el año/mes pasado last year/
      month **I, 1.2**
    la semana pasada last week **I, 1.2**
el (la) pasajero(a) passenger **1.1**
el pasaporte passport **1.1**
pasar to happen; to pass, to come in
    pasar la aspiradora to vacuum **I**
    pasar por la aduana to go
      through customs **1.1**
    pasar por seguridad to go
      through security **1.1**
    pasar un rato con los amigos to
      spend time with friends **I**
    Pase. Go ahead. **3.2**
    ¿Qué pasa? What's happening? **I**
    ¿Qué te pasa (a ti)? What's the
      matter (with you)?
el pasatiempo pastime
pasear to go for a walk **I**
el pasillo hall **I**
el paso step; passage
    el paso de baile dance step
la pasta de dientes toothpaste **I, 2.2**
el pastel cake **I**
la pastelería pastry shop **5.2**
la patata potato **I**
patinar to skate **I**
    patinar en línea to in-line
      skate **I**
los patines en línea in-line skates **I**
la patineta skateboard
    andar en patineta to
      skateboard **I**
el patio patio **I**
pedir (i, i) to order, to ask for **I**
peinarse to comb one's hair **I, 2.2**
el peine comb **I, 2.2**
pelado(a) hairless
pelear to fight **4.1**
la película... ...movie **I**
    ...de aventuras action... **6.1**
    ...de ciencia ficción science
      fiction... **6.1**
    ...de fantasía fantasy... **6.1**
    ...de terror horror... **6.1**
el peligro danger
peligroso(a) dangerous **I**

pelirrojo(a) red-haired **I**
el pelo hair **I**
  el pelo castaño/rubio brown/blond hair **I**
la pelota ball **I**
la pena trouble, suffering
  (no) valer la pena to (not) be worth the trouble
pensar (ie) to think; to plan **I**
peor worse **I, 7.2**
pequeño(a) little, small **I**
perder (ie) to lose **I**
Perdón. Excuse me. **I**
Perdóneme. Forgive me. **3.2**
perdurar to endure
perezoso(a) lazy **I**
el periódico newspaper **7.1**
  el periódico escolar student newspaper
el (la) periodista reporter **7.1**
el permiso permission
  Con permiso. Excuse me. **3.2**
pero but **I**
el (la) perro(a) dog **I**
la persona person **I**
el personaje character (in a story) **4.1**
pertenecer (pertenezco) to belong
pesado(a) heavy
pesar to weigh
el pescado fish (as food) **I**
pescar to fish **1.2**
el petróleo oil, petroleum **8.1**
el pez (pl. los peces) fish (the animal) **7.2**
picante hot, spicy **5.1**
el pie foot **I**
  a pie on foot **I**
  el dedo del pie toe **2.2**
la piedra stone
  ser de piedra to be made of stone **3.2**
la piel skin **I**
la pierna leg **I**
la píldora pill
el (la) piloto pilot **8.2**
la pimienta pepper, black pepper **5.1**
pintar to paint
el (la) pintor(a) painter
la pintura painting **3.2**
la pirámide pyramid **4.2**
la piscina swimming pool **I**
el piso floor (of a building) **I**
  primer piso second floor (first floor above ground floor) **I**
la pista track (in sports) **2.1**; clue

el pizarrón (pl. los pizarrones) chalkboard, board **I**
la pizza pizza **I**
el placer pleasure
planchar to iron **I**
la planta plant
la planta baja first floor, ground floor **I**
la plata silver **I**
  de plata (made of) silver **I**
el plato plate; dish; course
  el plato principal main course **I**
  el plato vegetariano vegetarian dish **5.2**
la playa beach **I**
la plaza plaza, square **4.2**
la pluma pen **I**
un poco a little **I**
  poco a poco little by little **8.1**
pocos(as) few
poder (ue) to be able, can **I**
  Le puedo ofrecer... I can offer you... **I**
  ¿Podría ver...? Could I see...? **1.2**
  ¿Puedo hablar con...? May I speak to...? **I, 6.2**
la poesía poetry
el (la) poeta poet
el (la) policía police officer, policeman/policewoman **8.2**
el (la) político(a) politician **8.2**
el pollo chicken **I**
  el pollo asado roasted chicken **5.2**
poner (pongo) to put, to place **I**
  poner la mesa to set the table **I**
ponerse (me pongo) to put on
  ponerse la ropa to put one's clothes on, to get dressed **I, 2.2**
popular popular **7.2**
por for, per
  por eso for that reason, that's why **7.1**
  Por favor. Please. **I**
  por fin finally **I, 2.2**
  por un lado... por otro lado on the one hand... on the other hand **7.1**
  ¿Por qué? Why? **I**
por ciento percent
porque because **I**
poseer to possess
la posibilidad possibility
el postre dessert **I**
  de postre for dessert **I**

practicar to practice **I**
  practicar deportes to play or practice sports **I**
el precio price **I**
preferible: Es preferible que... It's preferable that... **7.1**
preferido(a) favorite
preferir (ie, i) to prefer **I**
la pregunta question
el premio prize; award **2.1**
preparar to prepare **I**
  preparar la comida to prepare food, to make a meal **I**
presentar to introduce **I**; to present **7.1**
  Te/Le presento a... Let me introduce you to... (familiar/formal) **I**
la presión: la presión de grupo peer pressure **7.1**
la primavera spring **I**
primero first **2.2**
primero(a) first **I**
  el primero de... the first of... (date) **I**
el (la) primo(a) cousin **I**
los primos cousins **I**
la princesa princess **4.1**
la prisa: tener prisa to be in a hurry **2.2**
probar (ue) to taste **5.1**
el problema problem **I**
la profesión (pl. las profesiones) profession **8.2**
  ¿Qué profesión te gustaría tener? What do you want to be? **8.2**
el (la) profesor(a) teacher; professor **8.2**
el programa program
el (la) programador(a) programmer **8.2**
programar to program
la propina tip (in a restaurant) **I**
proteger (protejo) to protect **8.1**
el (la) próximo(a) the next **6.2**
proyectar to project
publicar to publish **7.1**
el pueblo town
la puerta door **I**; gate **1.1**
pues well, well then
la pulsera bracelet **3.1**
el punto dot (in e-mail address)
  punto de vista point of view **7.1**

Q

¿Qué? What? **I**
   ¡Qué asco! How disgusting! **5.1**
   ¡Qué bárbaro! Fantastic!; How cool!
   ¡Qué bello(a)! How beautiful! **1.2**
   ¡Qué caro(a)! How expensive! **1.2**
   ¿Qué día es hoy? What day is today? **I**
   ¡Qué divertido! How fun! **I**
   ¿Qué es esto? What is this? **I**
   ¿Qué hicieron ustedes? What did you do? (*pl.*, formal) **I**
   ¿Qué hiciste tú? What did you do? (*sing.*, familiar) **I**
   ¿Qué hora es? What time is it? **I**
   ¡Qué lástima! What a shame! **I**, **6.2**
   ¡Qué miedo! How scary! **I**
   ¿Qué pasa? What's happening? **I**
   ¿Qué tal? How's it going? **I**
   ¿Qué te gusta hacer? What do you like to do? **I**
   ¿Qué tiempo hace? What is the weather like? **I**
quedar
   ¿Cómo me queda(n)? How does it (do they) fit me? **3.1**
   Por favor, ¿dónde queda...? Can you please tell me where ... is? **1.1**
   quedar apretado(a) to fit tight **3.1**
   quedar bien to fit well **3.1**
   quedar flojo(a) to fit loose **3.1**
   quedar mal to fit badly **3.1**
quedarse (en) to stay (in) **I**, **7.2**
los quehaceres chores **I**
quemar to burn
   quemar un disco compacto to burn a CD **I**
la quena Andean flute
querer (ie) to want **I**
   Quisiera darle las gracias a... I would like to thank... **6.2**
querido(a) beloved **4.1**
el queso cheese **I**
¿Quién(es)? Who? **I**
   ¿Quién es? Who is he/she/it? **I**

quince fifteen **I**
quinientos(as) five hundred **I**
quinto(a) fifth **I**

R

el radio radio **I**
la rama branch
la ranchera Mexican "country" music
el rapero rapper
rápidamente rapidly
rápido(a) fast **2.1**
la raqueta racket (in sports) **I**
el rascacielos (*pl.* **los rascacielos**) skyscraper **4.2**
rato (un) a while; a short time
el ratón (*pl.* **los ratones**) mouse **I**, **6.2**
la raya stripe
   de rayas striped **3.1**
la razón (*pl.* **las razones**) reason
   tener razón to be right **I**
la realidad reality
realizar to fulfill, to make happen
la recepción (*pl.* **las recepciones**) reception desk **1.2**
la receta recipe **5.1**
recibir to receive **I**
el reciclaje recycling **8.1**
reciclar to recycle **8.1**
el reclamo de equipaje baggage claim **1.1**
recoger (recojo) to pick up **8.1**
recomendar (ie) to recommend **3.1**
reconocido(a) well-known
recordar (ue) to remember
   ¿Recuerdas? Do you remember?
el recreo recess
el recuerdo souvenir **I**, **1.2**
el recurso wile, way
   el recurso natural natural resource **8.1**
la red net **2.1**; network
reflejar to reflect
el refresco soft drink **I**
regalar to give (a gift)
el regalo present, gift **I**
regatear to bargain **I**, **1.2**
registrar to record
la regla rule
regresar to return **4.1**
regular: Regular. ¿Y tú/usted? OK. And you? (familiar/formal) **I**

reír to laugh
   Me hace reír. It makes me laugh. **6.1**
relajarse to relax
la religión (*pl.* **las religiones**) religion **4.2**
rellenar to stuff
el reloj wristwatch **3.1**; clock **I**
el repaso review
repetir (i, i) to repeat
el repollo cabbage
rescatar to rescue
la reserva reserve
   la reserva natural nature reserve
la reservación (*pl.* **las reservaciones**) reservation
   hacer/tener una reservación to make/to have a reservation **1.2**
respirar to breathe **8.1**
responder to reply
la responsabilidad responsibility **8.1**
responsable responsible **8.1**
la respuesta answer
el restaurante restaurant **I**
restaurar to restore
el resultado result
el resumen summary
   en resumen in summary
el retrato portrait **3.2**
reunirse to get together
rico(a) tasty, delicious **I**; rich
el río river
el ritmo beat, rhythm
el robot (*pl.* **los robots**) robot **8.2**
rocoso(a) rocky; (made of) rock
la rodilla knee **I**
rojo(a) red **I**
la ropa clothing **I**
   la ropa elegante formalwear **6.2**
   ponerse la ropa to put on clothes **2.2**
rubio(a) blond **I**
las ruinas ruins **4.2**
la rutina routine **I**, **2.2**

S

sábado Saturday **I**
saber (sé) to know (a fact, how to do something) **I**
el sabor flavor **5.1**
sabroso(a) tasty **5.1**

sacar to take out
  sacar la basura to take out the trash **I**
  sacar una buena/mala nota to get a good/bad grade **I**
la sal salt **5.1**
la sala living room **I**
salado(a) salty **5.1**; salted
el salar salt mine
el salero saltshaker
la salida departure **1.1**
salir (salgo) to leave, to go out **I**
la salud health **I**
saludable healthy; healthful **2.1**
¡Saludos! Greetings!
  Saludos desde... Greetings from...
la sandalia sandal **3.1**
el sándwich sandwich **I**
sano(a) healthy **I**
el (la) santo(a) saint
sazonado(a) seasoned
el secador de pelo hair dryer **I, 2.2**
secar to dry
  secarse to dry oneself **I, 2.2**
  secarse el pelo to dry one's hair **I**
seco(a) dry
el secreto secret **I**
la sed thirst
  tener sed to be thirsty **I**
seguir (i, i) (sigo) to follow
  seguir derecho to go straight **4.2**
  seguir una dieta balanceada to follow a balanced diet **2.1**
según according to
segundo(a) second **I**
la seguridad security
  pasar por seguridad to go through security
seguro(a) secure, safe
seis six **I**
seiscientos(as) six hundred **I**
seleccionar to select
la selva jungle **8.1**
el semáforo traffic light **4.2**
la semana week **I**
  el fin de semana weekend **I**
  la semana pasada last week **I, 1.2**
Señor (Sr.) ... Mr. ... **I**
Señora (Sra.) ... Mrs. ... **I**
Señorita (Srta.) ... Miss ... **I**
sentarse (ie) to sit
sentir (ie, i) to feel
  Lo siento. I'm sorry. **I**

septiembre September **I**
séptimo(a) seventh **I**
ser to be **I**
  Es de... He/She is from... **I**
  Es el... de... It's the... of... (day and month) **I**
  Es la.../Son las... It is... o'clock. **I**
  ser de madera/oro/plata to be made of wood/gold/silver **3.2**
  Soy de... I'm from... **I**
serio(a) serious **I**
la serpiente snake
la servilleta napkin **5.2**
servir (i, i) to serve **I**; to be useful
sesenta sixty **I**
setecientos seven hundred **I**
setenta seventy **I**
sexto(a) sixth **I**
si if **I**
sí yes **I**
  ¡Claro que sí! Of course! **I, 6.2**
  Sí, me encantaría. Yes, I would love to. **I, 6.2**
siempre always **I**
siete seven **I**
el siglo century
significar to mean
siguiente following **I**
la silla chair **I**
el sillón (*pl.* los sillones) armchair **I**
simpático(a) nice, friendly **I**
sin without
sin embargo however **7.1**
sincero(a) sincere **7.2**
el sitio site
  el sitio arqueológico archaelogical site
el sitio web Web site **I**
el smog smog **8.1**
sobre about, concerning **4.1**; on
el sobrenombre nickname
la sobrina niece **7.2**
el sobrino nephew **7.2**
la sociedad society
el sofá sofa, couch **I**
el software software **6.1**
el sol sun **I**
  el bloqueador de sol sunscreen **I**
  Hace sol. It is sunny. **I**
  tomar el sol to sunbathe **I**
solamente only
sólo only
  no sólo... sino también... not only... but also... **7.1**
solo(a) alone
el sombrero hat **I**

soñar con to dream about
el sonido sound **6.1**
la sopa soup **I**
soportar to withstand
sorprender to surprise
la sorpresa surprise **I**
su his, her, its, their, your (formal) **I**
subir to go up **I**
  subir a la vuelta al mundo/la montaña rusa to ride the Ferris wheel/roller coaster **I**
sucio(a) dirty **I**
la suegra mother-in-law **7.2**
el suegro father-in-law **7.2**
los suegros in-laws **7.2**
el sueldo salary
el suelo floor (of a room) **I**
el sueño dream; sleep
  tener sueño to be sleepy **2.2**
la suerte luck
  tener suerte to be lucky **I**
el suéter sweater **3.1**
sufrir to suffer
la sugerencia suggestion
sumamente extremely **8.1**
el supermercado supermarket **5.1**
el sur south
el susto fright, scare

tal vez maybe **I**
la talla clothing size **3.1**; carving
el taller workshop
el tamaño size
también also, too **I**
  no sólo... sino también... not only... but also... **7.1**
  también se dice... you can also say...
el tambor drum
tampoco neither **I, 5.2**
tan as
  tan... como as... as **I, 7.2**
tanto as much
  tanto como... as much as... **I, 7.2**
  tanto(a)... como as much... as **7.2**
  tantos(as)... como as many... as **7.2**
tanto(a) so much; as much
tantos(as) so many; as many
tarde late **I**

la tarde afternoon **I**
  Buenas tardes. Good afternoon. **I**
  de la tarde in the afternoon (with a time) **I**
  más tarde later (on) **I**, **2.2**
la tarea homework **I**
la tarjeta card
  mandar tarjetas postales to send postcards **1.2**
  la tarjeta de crédito credit card **1.2**
  la tarjeta de embarque boarding pass **1.1**
  la tarjeta postal postcard **1.2**
la tarta cake
  la tarta de chocolate chocolate cake **5.2**
el taxi taxi
el té tea **5.2**
el teatro theater **I**
el teclado keyboard **I**, **6.2**
el (la) técnico(a) technician
la tela fabric
el teléfono telephone **I**
  ¿Cuál es tu/su número de teléfono? What is your phone number? (familiar/formal) **I**
  el teléfono celular cellular phone **I**, **6.2**
  Mi número de teléfono es... My phone number is ... **I**
la telenovela soap opera
la televisión television **I**
el televisor television set **I**
el tema theme
el templo temple **4.2**
la temporada season
temprano early **I**
el tenedor fork **5.2**
tener to have **I**
  tener calor to feel hot **I**
  tener éxito be successful **6.1**
  tener frío to be cold (person) **I**
  tener ganas de... to feel like... **I**
  tener hambre to be hungry **I**
  tener lugar to take place
  tener miedo to be afraid **I**
  tener prisa to be in a hurry **2.2**
  tener que to have to **I**
  tener razón to be right **I**
  tener sed to be thirsty **I**
  tener sueño to be sleepy **2.2**

tener suerte to be lucky **I**
tener... años to be... years old **I**
  ¿Cuántos años tienes? How old are you? **I**
el tenis tennis **I**
la teología theology
tercero(a) third **I**
las termas hot springs
terminar to end **I**
el (la) testigo witness
ti you (*sing.*, familiar) **I**, **3.1**
la tía aunt **I**
el tiempo weather; time **I**
  el tiempo libre free time **I**, **1.2**
  ¿Qué tiempo hace? What is the weather like? **I**
la tienda store **I**
la tierra land, soil, earth
los timbales typical salsa drum set
tímido(a) shy **7.2**
el tío uncle **I**
los tíos uncles, uncle(s) and aunt(s) **I**
típico(a) typical
el tipo type
tirar to pull
las tiras cómicas comic strips
el titular headline **7.1**
el título title
la toalla towel **I**, **2.2**
el tobillo ankle **I**
el tocadiscos compactos CD player **I**
tocar to play (an instrument) **I**; to touch **I**
todavía still; yet **I**
todo junto all together
todos(as) all **I**
  todos los días every day **I**
los toltecas Toltecs **4.2**
tomar to take **I**
  tomar apuntes to take notes **I**
  tomar el sol to sunbathe **I**
  tomar fotos to take photos **I**, **1.2**
  tomar un taxi to take a taxi **1.1**
el tomate tomato **I**
el torneo tournament
la tortilla omelet (in Spain) **5.1**
  la tortilla de patatas potato omelet **5.1**
la tortuga gigante giant tortoise
trabajador(a) hard-working **I**
trabajar to work **I**
  trabajar de voluntario to volunteer **8.1**

traer (traigo) to bring **I**
  ¿Me puede traer...? Can you bring me...? **5.2**
el traje suit **3.1**
  el traje de baño bathing suit **1.1**
tranquilo(a) calm **I**
transformar to transform **4.1**
tratar: tratar de ... to try to....
travieso(a) mischievous
trece thirteen **I**
treinta thirty **I**
treinta y uno thirty-one **I**
el tren train **I**
  en tren by train **I**
tres three **I**
el tres small guitar
trescientos(as) three hundred **I**
triste sad **I**
el triunfo triumph
el trofeo trophy
tu your (*sing.*, familiar) **I**
tú you (*sing.*, familiar) **I**
la tumba tomb **4.2**
el turismo tourism
  la oficina de turismo tourist office **1.1**
el (la) turista tourist **1.2**

último(a) last
la uña nail (fingernail or toenail) **2.2**
único(a) unique **3.2**; only
la unidad unit
unificar to unify
el uniforme uniform **2.1**
unirse to join
uno one **I**
usar to use **I**; to wear **I**
usted you (*sing.*, formal) **I**, **3.1**
ustedes you (*pl.*, formal) **I**, **3.1**
útil useful
la uva grape **I**
¡Uy! Ugh! **2.1**

las vacaciones vacation **I**
  (estar) de vacaciones (to be) on vacation **I**, **1.2**
  ir de vacaciones to go on vacation **1.1**

¡Vale! OK!
valiente brave **4.1**
el valle valley
el valor value
variar to vary
la variedad variety
varios(as) various
la vasija container
el vaso glass **5.2**
vegetariano(a) vegetarian
el vehículo híbrido hybrid vehicle **8.1**
veinte twenty **I**
veintiuno twenty-one **I**
el (la) vendedor(a) salesclerk **I**
vender to sell **I**
venir to come **I**
la venta sale
la ventana window **I**
la ventanilla ticket window **I**
ver to see **I**
   ¿Me deja ver? May I see? **I, 3.2**
   Nos vemos allí. See you there.
   ver las atracciones to go sightseeing **1.2**
el verano summer **I**
la verdad truth
   ¿De verdad? Really?
   (No) Es verdad que... It is (not) true that... **8.1**
   ¡Te digo la verdad! I'm telling you the truth! **6.2**
   ¿Verdad? Really? Right? **I**
verde green **I**
las verduras vegetables **I**
el vestido dress **I**
vestirse (i, i) to get dressed **I, 3.1**

el (la) veterinario(a) veterinarian **8.2**
la vez (*pl.* **las veces**) time
   a veces sometimes **2.2**
   de vez en cuando once in a while **I**
   muchas veces often, many times **I**
   tal vez maybe **I**
viajar to travel **1.1**
el viaje trip, journey
   hacer un viaje to take a trip **I**
la vida life **7.1**; a living
   el ciclo de vida life cycle
   ganarse la vida como... to earn a living as... **8.2**
el videojuego video game **I**
el vidrio glass **8.1**
viejo(a) old **I**
el viento wind
   Hace viento. It is windy. **I**
viernes Friday **I**
la vihuela small guitar with five strings
el vinagre vinegar **5.1**
visitar to visit
   visitar un museo to visit a museum **1.2**
vivir to live **I**
vivo(a) bright (colors)
el vocabulario vocabulary
el volcán (*pl.* **los volcanes**) volcano **4.1**
el voleibol volleyball (the sport) **I**
el (la) voluntario(a) volunteer **8.1**
   trabajar de voluntario to volunteer **8.1**

volver (ue) to return, to come back **I**
vosotros(as) you (*pl.*, familiar) **I, 3.1**
la voz (*pl.* **las voces**) voice
el vuelo flight **1.1**
   confirmar el vuelo to confirm a flight **1.1**
la Vuelta a Francia Tour de France **2.1**
la vuelta al mundo Ferris wheel **I**
vuestro(a) your (familiar) **I**

y and
   ... y (diez) (ten) past... (the hour) **I**
   ... y cuarto quarter past... (the hour) **I**
   ... y media half past... (the hour) **I**
ya already **I**
yo I **I**
el yogur yogurt **I**

la zampoña Andean panpipe
la zanahoria carrot **5.1**
la zapatería shoe store **3.1**
el zapateado a type of tap dancing
el zapateo footwork; dance performed with high heels
el zapato shoe **I**
el zoológico zoo **I**

Glosario inglés-español

This English-Spanish glossary contains all the active vocabulary words that appear in the text as well as passive vocabulary lists.

A

about sobre **4.1**
to accompany acompañar
according to según
to ache doler (ue) **I**
to achieve lograr
to acquire adquirir
across from frente a **4.2**
action la acción (*pl.* las acciones)
active activo(a) **2.1**
activity la actividad **I**
actor el actor **6.1**
actress la actriz (*pl.* las actrices) **6.1**
to add añadir **5.1**
address la dirección (*pl.* las direcciones) **I**
  e-mail address la dirección electrónica **I, 6.2**
to advance avanzar
advanced avanzado(a) **4.2**
adventure la aventura
advertisement el anuncio **7.1**
advice los consejos
adviser el (la) consejero(a)
to affect afectar
afraid: to be afraid tener miedo **I**
after después (de) **I**
afternoon la tarde **I**
  Good afternoon. Buenas tardes. **I**
  in the afternoon de la tarde **I**
afterward después **I**
against contra
agent el (la) agente
ago: Many centuries ago... Hace muchos siglos...
agree: to agree/disagree with estar/no estar de acuerdo con **7.1**
agriculture la agricultura **4.2**
air el aire
  clean air el aire puro **8.1**

airplane el avión (*pl.* aviones) **I**
  by plane en avión **I**
airport el aeropuerto **1.1**
all todos(as) **I**
all together todo junto
almost casi **I**
alone solo(a)
already ya **I**
also también **I**
  not only... but also... no sólo... sino también... **7.1**
always siempre **I**
anchovy el boquerón (*pl.* los boquerones)
ancient antiguo(a) **4.2**
and y
angry enojado(a) **I**
  to get angry enojarse **7.2**
animation la animación **6.1**
ankle el tobillo **I**
annotation la anotación (*pl.* las anotaciones)
announcement el anuncio
answer la respuesta
to answer contestar **I**
any alguno(a) **I**; cualquier
  not any ninguno(a) **I, 5.2**; ningún **5.2**
apartment el apartamento **I**
appetizer el entremés (*pl.* los entremeses) **5.2**
apple la manzana **I**
appointment la cita
  to have an appointment tener una cita **7.2**
to approach acercarse
April abril **I**
aquarium el acuario **I**
architect el (la) arquitecto(a) **8.2**
architecture la arquitectura
to argue discutir **7.2**
arm el brazo **I**
armchair el sillón (*pl.* los sillones) **I**
armoire el armario **I**
army el ejército **4.1**

arrival la llegada **1.1**
to arrive llegar **I**
art el arte **I**
  fine arts las bellas artes
  martial arts las artes marciales
  performance art el arte interpretativo
article el artículo **3.2, 7.1**
artisan el (la) artesano(a)
artist el (la) artista **8.2**
artistic artístico(a) **I**
as como
  as... as tan... como **I, 7.2**
  as many... as tantos(as) como **7.2**
  as much as... tanto como... **7.2**
  as much... as tanto(a)... como **7.2**
ashes las cenizas
to ask for pedir (i, i) **I**
to assure asegurar
  I assure you. Te lo aseguro. **6.2**
at a
  at night de la noche **I**
  At what time is/are...? ¿A qué hora es/son...? **I**
  At... o'clock. A la(s)... **I**
at sign (in e-mail address) la arroba
athlete el (la) atleta **I**
athletic atlético(a) **I**
attached adjunto(a)
to attend atender (ie)
attentive atento(a)
  Very attentive. Muy atento(a). **5.2**
attitude la actitud
to attract atraer (atraigo)
attractions, sights las atracciones
August agosto **I**
aunt la tía **I**
autumn el otoño **I**
avenue la avenida **4.2**
to avoid evitar
award el premio **2.1**
to award otorgar
Aztec azteca **4.1**

B

back el fondo
backpack la mochila **I**
bad malo(a) **I**
badly mal
bag la bolsa
baggage claim el reclamo de equipaje **1.1**
bakery la panadería **3.1**
ball la pelota **I**
balloon el globo **I**
banana la banana **I**
bank el banco **7.2**
baptism el bautismo
barbecue la parrillada **I**; el asado **I**
barely apenas **8.1**
a bargain una ganga **3.2**
to bargain regatear **I, 1.2**
baseball el béisbol **I**
    (baseball) bat el bate **I**
basketball el básquetbol **I**
bath: to take a bath bañarse **2.2**
bathing suit el traje de baño **1.1**
bathroom el baño **I**
battle la batalla **4.1**
bay la bahía
to be ser; estar **I**
    to be able poder (ue) **I**
    to be called llamarse
    to be afraid tener miedo **I**
    to be cold tener frío **I**
    to be familiar with conocer (conozco) **I**
    to be hot tener calor **I**
    to be hungry tener hambre **I**
    to be important importar **3.1**
    to be in a hurry tener prisa **2.2**
    to be lucky tener suerte **I**
    to be on vacation estar de vacaciones **1.2**
    to be online estar en línea **I, 6.2**
    to be right tener razón **I**
    to be sleepy tener sueño **2.2**
    to be thirsty tener sed **I**
    to be useful servir (i, i)
    to be... years old tener... años **I**
    Is... there? ¿Está...? **6.2**
    No, he's/she's not here. No, no está. **6.2**
    What do you want to be? ¿Qué profesión te gustaría tener? **8.2**
beach la playa **I**
beans los frijoles **I**
to beat batir **5.1**

beaten batido(a) **5.2**
beautiful bello(a) **1.2**
beauty la belleza
because porque **I**
to become hacerse (me hago)
bed la cama **I**
    to go to bed acostarse (ue) **I, 2.2**
    to make the bed hacer la cama **I**
bedroom el cuarto **I**
beef el bistec **I**
before antes (de); menos **I**
to begin empezar (ie); comenzar (ie) **I**
behind detrás (de) **I**
to believe creer
to belong pertenecer (pertenezco)
beloved querido(a) **4.1**
belt el cinturón (*pl.* los cinturones) **3.1**
benefit el beneficio
besides además de
better mejor **I, 7.2**
between entre **4.2**
beverage la bebida **I**
bicycle la bicicleta **I**
    bicycle racing el ciclismo **2.1**
big grande **I**
bill la cuenta (in a restaurant) **I**
bird el pájaro **7.2**
birth el nacimiento
    birth date la fecha de nacimiento **I**
birthday el cumpleaños **I**
    Happy birthday! ¡Feliz cumpleaños! **I**
black negro(a) **I**
block: city block la cuadra **4.2**
blond rubio(a) **I**
blouse la blusa **I**
blue azul **I**
board el pizarrón (*pl.* los pizarrones) **I**
to board abordar **1.1**
boarding pass la tarjeta de embarque **1.1**
boat el barco **I**; el bote **I**
    by boat en barco **I**
body el cuerpo **I**
to boil hervir (ie) **5.1**
boiled hervido(a) **5.2**
book el libro **I**
bookstore la librería **3.1**
boot la bota **3.1**
boring aburrido(a) **I**
both ambos(as)
bottom el fondo
bow tie el corbatín (*pl.* los corbatines) **6.2**
bowling: to go bowling jugar a los bolos

box la caja
boy el chico **I**; el muchacho
boyfriend el novio **7.2**
bracelet la pulsera **3.1**
branch la rama
brave valiente **4.1**
Bravo! ¡Bravo! **2.1**
bread el pan **I**
breakfast el desayuno **I**
    to have breakfast desayunar **5.1**
to breathe respirar **8.1**
bright (colors) vivo(a)
brilliant brillante
to bring traer (traigo) **I**
    Can you bring me...? ¿Me puede traer...? **5.2**
    to bring up criar
broccoli el brócoli **I**
bronze el bronce
broth el caldo **5.2**
brother el hermano **I**
brother-in-law el cuñado **7.2**
brown marrón (*pl.* marrones) **I**
    brown hair el pelo castaño **I**
brush el cepillo **I, 2.2**
to brush cepillar
    to brush one's teeth cepillarse los dientes **I, 2.2**
to build construir **4.2**
building el edificio **4.2**
bumper cars los autitos chocadores **I**
burn: to burn a CD quemar un disco compacto **I**
bus el autobús (*pl.* los autobuses) **I**
    by bus en autobús **I**
bus stop la parada de autobús **1.1**
business el negocio
businessman el hombre de negocios **8.2**
businesswoman la mujer de negocios **8.2**
busy ocupado(a) **I**
but pero **I**
butterfly la mariposa
to buy comprar **I**
Bye! ¡Chau!

cabbage el repollo
café el café **I**
cafeteria la cafetería **I**
cake el pastel **I**; la tarta
    chocolate cake la tarta de chocolate **5.2**

calculator la calculadora **I**

calendar el calendario **4.2**

call la llamada **I**

to call llamar **I**

    to call someone (by phone) llamar a alguien **1.1**

calm tranquilo(a) **I**

camera la cámara **I**

    digital camera la cámara digital **I, 6.1**

    movie camera la cámara de cine **6.1**

    video camera la cámara de video **6.1**

cameraman el camarógrafo **6.1**

camerawoman la camarógrafa **6.1**

to camp acampar **I, 1.2**

campus la ciudad universitaria

can (to be able) poder (ue) **I**

    Could I see...? ¿Podría ver...? **1.2**

    I can offer you... Le puedo ofrecer... **I**

cap el gorro **I**; la gorra **3.1**

to capture captar

car el coche **I**; el carro

    by car en coche **I**

card la tarjeta

    credit card la tarjeta de crédito **1.2**

cardboard el cartón **8.1**

to care for cuidar

carpenter el (la) carpintero(a) **8.2**

carriage el coche

    horse-drawn carriage el coche tirado por caballos

carrot la zanahoria **5.1**

to carry llevar **4.1**

carving la talla

cash el dinero en efectivo **1.2**

cat el (la) gato(a) **I**

cathedral la catedral **4.2**

cattle el ganado

    cattle rancher el (la) ganadero(a)

cave la cueva

CD player el tocadiscos compactos **I**

to celebrate celebrar **I**

cellular phone el teléfono celular **I, 6.2**

center el centro **I**

century el siglo

ceramic la cerámica

    (to be) made of ceramic (ser) de cerámica **3.2**

ceramics la cerámica **I**

cereal el cereal **I**

chair la silla **I**

chalk la tiza **I**

chalkboard el pizarrón (*pl.* los pizarrones) **I**

champion el campeón (*pl.* los campeones), la campeona **I**

championship el campeonato **2.1**

change el cambio

to change cambiar

    to change roles cambiar de papel

chant el canto

character (in a story) el personaje **4.1**

check: to check one's luggage facturar el equipaje **1.1**

cheese el queso **I**

chicken el pollo **I**

    roasted chicken el pollo asado **5.2**

child el (la) niño(a) **7.2**

childhood la niñez

children los hijos **I**

to choose escoger (escojo)

chores los quehaceres **I**

Christmas la Navidad

    Christmas tree el árbol de Navidad

church la iglesia

city la ciudad **I, 4.2**

    city block la cuadra **4.2**

civilization la civilización (*pl.* las civilizaciones) **4.2**

class la clase **I**

classroom la clase **I**; el aula

clean limpio(a) **I**

to clean limpiar **I**

to click on hacer clic en **I, 6.2**

climate el clima

climb: to climb mountains escalar montañas **8.2**

clock el reloj **I**

to close cerrar (ie) **I**

closed cerrado(a)

    It's closed. Está cerrado(a). **3.1**

closet el armario **I**; el clóset

clothing la ropa **I**

    to put on clothes ponerse la ropa **2.2**

clue la pista

coach el (la) entrenador(a) de deportes **7.2**

coast la costa

coat el abrigo **3.1**

coffee el café **I**

    coffee farm el cafetal

    coffee worker el (la) cafetero(a)

cold el frío **I**

    It is cold. Hace frío. **I**

    to be cold tener frío **I**

color el color

    What color is/are...? ¿De qué color es/son...?

colorful colorido(a)

comb el peine **I, 2.2**

    to comb one's hair peinarse **I, 2.2**

to come venir **I**

    to come back volver (ue) **I**

    to come in pasar

    to come with acompañar

Come on! ¡Dale! **2.1**

comedy la comedia **6.1**

comic strips las tiras cómicas

command el mandato

common común

community la comunidad **7.1**

compact disc el disco compacto **I**

companion compañero(a)

company la compañía

to compare comparar

to compete competir (i, i) **2.1**

competition la competencia **2.1**

computer la computadora **I**

computer studies la computación

concert el concierto **I**

to confirm confirmar

    to confirm a flight confirmar el vuelo **1.1**

Congratulations! ¡Felicidades!

to connect conectar **I**

    to connect to the Internet conectar a Internet **I**

to conserve conservar **8.1**

to consider considerar

consultant el (la) consultor(a)

    IT consultant el (la) consultor(a) de informática

consumer el (la) consumidor(a) **8.1**

container la vasija

contamination la contaminación **8.1**

contest el concurso

contrast el contraste

to convince convencer

    I'm convinced! ¡Estoy convencido(a)! **6.2**

to cook cocinar **I**

cooked cocido(a) **5.2**

cookie la galleta **I**

coral reef el arrecife de coral

corn el maíz

corner la esquina

    on the corner en la esquina **4.2**

to correct corregir (i, i) (corrijo)
to cost costar (ue) **I**
    How much does it (do they) cost? ¿Cuánto cuesta(n)? **I**
    It (They) cost(s)... Cuesta(n)... **I**
costume el disfraz (*pl.* los disfraces)
couch el sofá **I**
count: to count on contar con
countless incontable
country el campo; el país **I**
course el plato
    main course el plato principal **I**
court la cancha **I**
cousin el (la) primo(a) **I**
craftsperson el (la) artesano(a)
to create crear
credit card tarjeta de crédito **1.2**
crime el crimen
cross la cruz (*pl.* las cruces)
to cross cruzar **4.2**
to cry llorar **4.1**
    It makes me cry. Me hace llorar. **6.1**
cultivation el cultivo
culture la cultura
cure la cura **8.2**
to cure curar
curious curioso(a)
curtain la cortina **I**
custard el flan **5.2**
customs la aduana
    to go through customs pasar por la aduana **1.1**
to cut cortar **I**
    to cut the grass cortar el césped **I**
cycle el ciclo
    life cycle el ciclo de vida
cycling el ciclismo **2.1**

daily diario(a)
damage el daño
to damage dañar **8.1**
dance el baile; la danza
    folk dance la danza folklórica
to dance bailar **I**
danger el peligro
dangerous peligroso(a) **I**
date la fecha **I**
    birth date la fecha de nacimiento **I**
    What is the date? ¿Cuál es la fecha? **I**

daughter la hija **I**
dawn la madrugada
day el día **I**
    the day before yesterday anteayer **I, 1.2**
    every day todos los días **I**
    Some day... Algún día... **8.2**
    What day is today? ¿Qué día es hoy? **I**
day trip la excursión (*pl.* las excursiones)
December diciembre **I**
to decorate decorar **I**
decoration la decoración (*pl.* las decoraciones) **I**
deforestation la deforestación **8.1**
delicious rico(a) **I**; delicioso(a) **5.1**
to delight encantar **3.1**
    Delighted. Encantado(a). **I**
dentist el (la) dentista **8.2**
deodorant el desodorante **2.2**
department store el almacén (*pl.* los almacenes) **3.1**
departure la salida **1.1**
depressed deprimido(a) **I**
to descend bajar **I**
to describe describir **7.1**
design el diseño
designer el (la) diseñador(a) **8.2**
desire el deseo
desk el escritorio **I**
dessert el postre **I**
    for dessert de postre **I**
destination el destino
to destroy destruir
destruction la destrucción **8.1**
detail el detalle
detective el (la) detective **8.2**
development el desarrollo
to die morir (ue, u) **4.1**
diet la dieta
    to follow a balanced diet seguir una dieta balanceada **2.1**
different distinto(a), diferente
difficult difícil **I**
to dine cenar **5.1**
dining room el comedor **I**
dinner la cena **I**
    to have dinner cenar **5.1**
directions las direcciones
director el (la) director(a) **6.1**
dirty sucio(a) **I**
disaster el desastre
to discover descubrir **8.2**
disgust el asco

How disgusting! ¡Qué asco! **5.1**
dish el plato
    vegetarian dish el plato vegetariano **5.2**
disorganized desorganizado(a) **I**
distinct distinto(a)
to do hacer (hago) **I**
doctor el (la) doctor(a) **8.2**; el (la) médico(a)
documentary el documental **6.1**
dog el (la) perro(a) **I**
dollar el dólar **I**
door la puerta **I**
dot (in e-mail address) el punto
double room la habitación doble **1.2**
to download descargar
downtown el centro **I**
drama el drama **6.1**
to draw dibujar **I**
drawing el dibujo
dream el sueño
    to dream about soñar con
dress el vestido **I**
dresser la cómoda **I**
drink la bebida **I**
to drink beber **I**
dry seco(a)
to dry secar
    to dry one's hair secarse el pelo **I**
    to dry oneself secarse **I, 2.2**
during durante **I**
DVD el DVD **I**
    DVD player el lector DVD **I**

each cada
ear la oreja **I**
    inner ear (hearing) el oído **2.2**
early temprano **I**
earn: to earn a living as... ganarse la vida como... **8.2**
earring el arete **I, 1.2**
earth la tierra
easily fácilmente
east el este
easy fácil **I**
to eat comer **I**
    to eat lunch almorzar (ue) **I**
    to eat outside comer al aire libre **I**
ecotourism el ecoturismo
to edit editar **6.1**
editor el (la) editor(a) **7.1**

education la educación
egg el huevo **I**
eight ocho **I**
eight hundred ochocientos(as) **I**
eighteen dieciocho **I**
eighth octavo(a) **I**
either tampoco **5.2**
   either... or o... o **I, 5.2**
   neither tampoco **I**
elbow el codo **2.2**
element el elemento
elevator el ascensor **1.2**
eleven once **I**
e-mail el correo electrónico **I**
   e-mail address la dirección
    electrónica **I, 6.2**
emperor el emperador **4.1**
end el fin
to end terminar **I**
to endure perdurar
enemy el (la) enemigo(a) **4.1**
engineer el (la) ingeniero(a) **8.2**
English el inglés **I**
to enjoy disfrutar (de)
   Enjoy! Buen provecho! **5.2**
enormous enorme
to enter entrar
environment el medio ambiente **8.1**
to erase borrar
eraser el borrador **I**
establishment el establecimiento
eternal eterno(a)
euro el euro **I**
evening la noche **I**
   Good evening. Buenas noches. **I**
event el acontecimiento
every cada
   every day todos los días **I**
exam el examen (*pl.* los exámenes) **I**
example el ejemplo
excavation la excavación (*pl.* las
   excavaciones) **4.2**
Excellent! Excelente! **5.2**
excited emocionado(a) **I**
excuse
   Excuse me. Perdón **I**; Con
    permiso. **3.2**
   Excuse me; I'm sorry. Disculpe.
    3.2
exercise el ejercicio
to exercise hacer ejercicio **2.1**
expensive caro(a) **I, 1.2**
   How expensive! ¡Qué caro(a)! **I**
to explain explicar **7.1**
to express expresar

extinction la extinción
extremely sumamente **8.1**
eye el ojo **I**

fabric la tela
facade la fachada
face la cara **2.2**
to fail fracasar **6.1**
failure el fracaso
fair la feria **I**
fall el otoño **I**
to fall caer (caigo)
   to fall asleep dormirse (ue, u) **I,
    2.2**
   to fall down caerse (me caigo)
false falso(a)
family la familia **I**
famous famoso(a) **6.1**
fan el (la) aficionado(a) **I**
Fantastic! ¡Qué bárbaro!
fantasy la fantasía
far (from) lejos (de) **I**
farmer el (la) agricultor(a) **4.2**
fashion la moda
fast rápido(a) **2.1**
father el padre **I**
father-in-law el suegro **7.2**
favorite favorito(a) **I**; preferido(a) **I**
fear el miedo **I**
February febrero **I**
to feed darle(s) de comer **I**
to feel sentir (ie, i)
   to feel like... tener ganas de... **I**
Ferris wheel la vuelta al mundo **I**
few pocos(as)
fiancé el novio **7.2**
fiancée la novia **7.2**
field el campo **I**
fifteen quince **I**
fifth quinto(a) **I**
fifty cincuenta **I**
to fight pelear **4.1**
file el archivo
to fill (up) llenar
to film filmar **6.1**
...film la película...
   action... ...de aventuras **6.1**
   fantasy... ...de fantasía **6.1**
   horror... ...de terror **6.1**
   science fiction... ...de ciencia
    ficción **6.1**
finally por fin **I, 2.2**

to find encontrar (ue) **I**
   to find oneself encontrarse (ue)
fine fino(a) **3.2**
finger el dedo **2.2**
fire el fuego
   on fire en llamas
firefighter el (la) bombero(a) **8.2**
fireworks los fuegos artificiales
first primero **2.2** primero(a) **I**
   the first of... el primero de... **I**
fish el pescado **I**; el pez (*pl.* los
   peces) **7.2**
to fish pescar **1.2**
to fit... quedar...
   ...badly ...mal **3.1**
   ...loose ...flojo(a) **3.1**
   ...tight ...apretado(a) **3.1**
   ...well ...bien **3.1**
   How does it (do they) fit
    me? ¿Cómo me queda(n)? **3.1**
five cinco **I**
five hundred quinientos(as) **I**
flag la bandera
flame la llama
flavor el sabor **5.1**
flight el vuelo **1.1**
   to confirm a flight confirmar el
    vuelo **1.1**
flight attendant el (la) auxiliar de
   vuelo **1.1**
floor el piso; el suelo **I**
   first or ground floor la planta
    baja **I**
   second floor (first above
    ground) el primer piso **I**
flour la harina
flower la flor
fog la neblina
to fold doblar
foliage el follaje
to follow seguir (i, i) (sigo)
   to follow a balanced diet seguir
    una dieta balanceada **2.1**
following siguiente **I**
food la comida **I**
food server el (la) camarero(a) **I**
foot el pie **I**
   on foot el a pie **I**
football el fútbol americano **I**
footprint la huella
for para **I**; por
forest el bosque **8.1**
   cloud forest el bosque nuboso
   forest fire el incendio forestal **8.1**
   rain forest el bosque lluvioso
Forgive me. Perdóneme. **3.2**

fork el tenedor **5.2**
formalwear la ropa elegante **6.2**
forty cuarenta **I**
to found fundar
founder el (la) fundador(a)
fountain la fuente
four cuatro **I**
four hundred cuatrocientos(as) **I**
fourteen catorce **I**
fourth cuarto(a) **I**
fragrant oloroso(a)
free time el tiempo libre **I, 1.2**
French fries las papas fritas **I**
frequency la frecuencia
frequent frecuente
frequently frecuentemente **2.2**
fresh fresco(a) **5.1**
Friday viernes **I**
fried frito(a) **5.2**
friend el (la) amigo(a) **I**
    to spend time with friends pasar
      un rato con los amigos **I**
friendship la amistad **7.1**
fright el susto; el espanto
from de **I**; desde **4.2**
front el frente
    in front of delante de **I**; en frente de
fruit la fruta **I**
to fry freír (i) **5.1**
to fulfill realizar
fun divertido(a) **I**
    How fun! ¡Qué divertido! **I**
funny cómico(a) **I**
furniture los muebles **I**
future futuro(a)
the future el futuro
    In the future... En el futuro... **8.2**

gala la gala **6.2**
game el partido **I**
garbage la basura **I**
garden el jardín (*pl.* los jardines) **I**
    botanical gardens los jardines
      botánicos
garlic el ajo **5.1**
gate la puerta **1.1**
generally generalmente **I, 2.2**
generous generoso(a) **7.2**
to get
    not to get along llevarse mal **7.2**
    to get along well llevarse bien **7.2**
    to get angry enojarse **7.2**

to get dressed vestirse (i, i) **I, 3.1**
to get in line hacer cola **1.1**
to get married casarse **4.1**
to get ready arreglarse **2.2**
to get together reunirse
to get up levantarse **I, 2.2**
    How do I get to...? ¿Cómo llego
      a...? **4.2**
gift el regalo **I**
girl la chica **I**; la muchacha **I**
girlfriend la novia **7.2**
to give dar (doy) **I**; regalar
    I'll give... to you for... Le dejo...
      en... **1.2**
glacier el glaciar
glass el vaso **5.2**; el vidrio **8.1**
glove el guante **I**
to go ir **I**; irse **7.2**
    Go ahead. Pase. **3.2**
    to be going to... ir a... **I**
    to go bowling jugar a los bolos
    to go for a walk pasear **I**
    to go on vacation ir de
      vacaciones **1.1**
    to go out salir (salgo) **I**
    to go shopping ir de compras **I**
    to go sightseeing ver las
      atracciones **1.2**
    to go straight seguir derecho **4.2**
    to go through customs pasar por
      la aduana **1.1**
    to go through security pasar por
      seguridad **1.1**
    to go to bed acostarse (ue) **I, 2.2**
    to go up subir **I**
    to go with acompañar
goal la meta; el gol
god el dios **4.1**
godchild el (la) ahijado(a)
goddess la diosa **4.1**
godfather el padrino **7.2**
godmother la madrina **7.2**
godparents los padrinos
gold el oro
    (to be) made of gold (ser) de
      oro **I, 3.2**
golden dorado(a)
good bueno(a) **I**
    Good afternoon. Buenas tardes. **I**
    Good evening. Buenas noches. **I**
    Good morning. Buenos días. **I**
    Good night. Buenas noches. **I**
    It's good (that...) Es bueno
      (que...) **2.1, 7.1**
    It's not good that... Es malo
      que... **7.1**

Goodbye. Adiós. **I**
good-looking guapo(a) **I**
goods los artículos **I, 3.2**
    sporting goods los artículos
      deportivos
grade la nota **I**
    to get a good/bad grade sacar
      una buena/mala nota **I**
grammar la gramática
grandfather el abuelo **I**
grandmother la abuela **I**
grandparents los abuelos **I**
grape la uva **I**
grass el césped **I**
    to cut the grass cortar el césped **I**
green verde **I**
Greetings! ¡Saludos!
    Greetings from... Saludos desde...
grill la parrilla
    grilled steak el filete a la
      parrilla **5.2**
ground (up) molido(a) **5.2**
group el grupo
to grow crecer (crezco)
    to grow up crecer (crezco)
to guess adivinar
guests los invitados **I**
guide el (la) guía
guitar la guitarra **I**
gymnasium el gimnasio **I**
gymnastics la gimnasia

H

hair el pelo **I**
    brown/blond hair el pelo
      castaño/rubio **I**
hair dryer el secador de pelo **I, 2.2**
hairless pelado(a)
half medio(a)
    half past... ... y media **I**
hall el pasillo **I**
ham el jamón **I**
hamburger la hamburguesa **I**
hand la mano **I**
    on the one hand... on the other
    hand por un lado... por otro
     lado **7.1**
handicrafts las artesanías **I, 1.2**
handmade: (to be)
    handmade (estar) hecho(a) a
      mano **3.2**
handsome hermoso(a) **4.1**
to hang colgar (ue)

to happen pasar
  What's happening? ¿Qué pasa? **I**

happy contento(a) **I**; feliz; alegre
  Happy birthday! ¡Feliz cumpleaños! **I**

hard-working trabajador(a) **I**

hat el sombrero **I**
  winter hat el gorro **I**

to have tener **I**; haber
  one has to... hay que... **I**
  there have been... ha habido...
  to have just... acabar de... **I**
  to have to tener que **I**

he él **I**

head la cabeza **I**

headline el titular **7.1**

health la salud **I**

healthful saludable **2.1**

healthy sano(a) **I**; saludable **2.1**

heart el corazón (*pl.* los corazones) **I**

heat el calor **I**

heavy pesado(a)

height la altura

Hello. Hola. **I**

Hello? ¿Aló? ¿Bueno? ¿Diga? **6.2**

helmet el casco **I**

help la ayuda

to help ayudar **I**

her su **I**; ella **I, 3.1**

herb la hierba

here aquí **I**
  No, he's/she's not here. No, no está. **6.2**

heritage la herencia

hero el héroe **4.1**

heroic heroico(a) **4.1**

heroine la heroína **4.1**

Hi. Hola. **I**

high school el colegio, la escuela secundaria, el liceo

hike la caminata **I**

to hike dar una caminata **1.2**

him él **I, 3.1**

hip la cadera

his su **I**

historic(al) histórico(a) **4.1**

history la historia **I**

to hit golpear

holidays los días festivos

homage el homenaje

homework la tarea **I**

honey la miel

to honor honrar

hook el gancho

hoop el aro

hope: I hope so! ¡Ojalá!

horrible horrible **I**

horse el caballo **I**
  to ride a horse montar a caballo **I**

hostel el hostal **1.2**

hot caliente; picante **5.1**
  It is hot. Hace calor. **I**
  to be hot tener calor **I**

hotel el hotel **I, 1.2**
  hotel room la habitación (*pl.* las habitaciones) **1.2**

hour la hora **I**

house la casa **I**

How? ¿Cómo? **I**
  How...! ¡Qué...! **1.2**
  How are you? ¿Cómo estás? (familiar); ¿Cómo está usted? (formal) **I**
  How beautiful! ¡Qué bello(a)! **1.2**
  How cool! ¡Qué bárbaro!
  How disgusting! ¡Qué asco! **5.1**
  How do I get to...? ¿Cómo llego a...? **4.2**
  How does it (do they) fit me? ¿Cómo me queda(n)? **3.1**
  How expensive! ¡Qué caro(a)! **1.2**
  How fun! ¡Qué divertido! **I**
  How many...? ¿Cuántos(as)...? **I**
  How much does it (do they) cost? ¿Cuánto cuesta(n)? **I**
  How old are you? ¿Cuántos años tienes? **I**
  How's it going? ¿Qué tal? **I**
  how many cuántos(as) **I**

how much cuánto(a) **I**

however sin embargo **7.1**

huge enorme

humid húmedo(a)

hunger el hambre
  hungry: to be hungry tener hambre **I**

to hunt cazar **4.2**

hurricane el huracán (*pl.* los huracanes)

hurry: to be in a hurry tener prisa **2.2**

hurt herido(a) **I**

to hurt doler (ue) **I**

husband el esposo **7.2**

hybrid vehicle el vehículo híbrido **8.1**

I yo **I**
  I love... Me encanta...
  I'm sorry. Lo siento. **I**
  I would like... Me gustaría... **1.2**

ice cream el helado **I**

ice cream shop la heladería **5.2**

icon el icono **I, 6.2**

idea la idea
  It's a good idea/bad idea. Es buena idea/mala idea. **3.1**

ideal ideal **I**

identification la identificación **1.1**

if si **I**

image la imagen (*pl.* las imágenes)

impatient impaciente **7.2**

importance la importancia

important importante **I**
  It's important (that...) Es importante (que...) **2.1, 7.1**

to improve mejorar **8.2**

in en **I**
  in front (of) delante (de) **I**
  in order to para **I**
  in the afternoon de la tarde **I**
  in the morning de la mañana **I**

to include incluir

to increase aumentar

indigenous indígena

inexpensive barato(a) **I, 3.2**

influence la influencia

to influence influir

information la información **7.1**; los datos

ingredient el ingrediente **5.1**

in-laws los suegros **7.2**

to in-line skate patinar en línea **I**

in-line skates los patines en línea **I**

inn el hostal **1.2**

inside (of) dentro (de) **I**

instant message el mensaje instantáneo

instant messaging el mensajero instantáneo **I, 6.2**

intelligent inteligente **I**

interest el interés (*pl.* los intereses)

to interest interesar **3.1**

interesting interesante **I**

Internet Internet **I, 3.1**
  on the Internet por Internet **I**
  to connect to the Internet conectar a Internet **I**

interview la entrevista **7.1**

to interview entrevistar **7.1**
to introduce presentar **I**
  Let me introduce you to... Te/Le presento a... (familiar/formal) **I**
to investigate investigar **7.1**
invitation la invitación (*pl.* las invitaciones) **6.2**
to invite invitar **I**
  I invite you. Te invito. **I**
to iron planchar **I**
island la isla
itinerary el itinerario **1.1**
its su **I**

jacket la chaqueta **I**
January enero **I**
  jealous: to be jealous (of) tener celos (de) **4.1**
jealousy los celos **4.1**
jeans los jeans **I**
jewelry las joyas **I, 1.2**
jewelry store la joyería **3.1**
to join unirse
journey el viaje
juice el jugo **I**
  orange juice el jugo de naranja **I**
July julio **I**
June junio **I**
jungle la selva **8.1**

to keep guardar; conservar
key la llave **1.2**
keyboard el teclado **I, 6.2**
kind amable
  Very kind. Muy amable. **5.2**
kind (type) la clase
kitchen la cocina **I**
knee la rodilla **I**
knife el cuchillo **5.2**
knight el caballero
to know
  (a fact, how to do something) saber (sé) **I**
  (a person) conocer (conozco) **I**
knowledge el conocimiento **8.2**
known conocido(a)
  well-known muy conocido(a)

lake el lago
lamb el cordero
lamp la lámpara **I**
land la tierra
language el idioma
  the Spanish language el idioma castellano
large grande **I**
last pasado(a); último(a)
  last night anoche **I**
  last week la semana pasada **I, 1.2**
  last year/month el año/mes pasado **I, 1.2**
to last durar
late tarde **I**
  later (on) más tarde **I, 2.2**
later luego **I, 2.2**
  See you later. Hasta luego. **I**
to laugh reír
  It makes me laugh. Me hace reír. **6.1**
law el derecho
lawn el césped **I**
lawyer el (la) abogado(a) **8.2**
lazy perezoso(a) **I**
to learn aprender **I**
leather el cuero
  (to be) made of leather (ser) de cuero **3.2**
to leave salir (salgo) **I**; irse **7.2**; dejar
  to leave a message dejar un mensaje **6.2**
left izquierdo(a)
  to turn left doblar a la izquierda **4.2**
leg la pierna **I**
legend la leyenda **4.1**
lemon el limón (*pl.* los limones) **5.1**
less menos
  less than... menos que... **I, 7.2**
  less... than menos... que **I, 7.2**
  less than... (with numbers) menos de... **7.2**
lesson la lección (*pl.* las lecciones); el mensaje **4.1**
Let's... Vamos a... **I**
letter la carta
lettuce la lechuga **5.1**
level el nivel
liberty la libertad
librarian el (la) bibliotecario(a)
library la biblioteca **I**

life la vida **7.1**
  life cycle el ciclo de vida
to lift levantar **I**
  to lift weights levantar pesas **I**
light la luz (*pl.* las luces)
  to turn on the light encender la luz **2.2**
lighthouse el faro
like como
to like gustar **I, I**
  Do you like...? ¿Te gusta...? **I**
  I like/don't like... (No) Me gusta... **I**
  I would like... Me gustaría...; Quisiera... **I**
  I would like to thank... Quisiera dar las gracias a... **6.2**
  What do you like to do? ¿Qué te gusta hacer? **I**
  Would you like...? ¿Te gustaría...? **I**
line la línea
  to get in line hacer cola **1.1**
link el enlace
to listen (to) escuchar **I**
little pequeño(a) **I**
a little un poco **I**
  little by little poco a poco **8.1**
to live vivir **I**
a living la vida
  to earn a living as... ganarse la vida como... **8.2**
living room la sala **I**
lodging el alojamiento **1.2**
long largo(a)
to look (at) mirar
  to look for buscar **I**
loose flojo(a)
to lose perder (ie) **I**
a lot mucho **I**
love el amor
  in love enamorado(a)
  to be in love with estar enamorado(a) de **4.1**
  Yes, I would love to. Sí, me encantaría. **6.2**
luck la suerte
  to be lucky tener suerte **I**
luggage el equipaje **1.1**
  to check one's luggage facturar el equipaje **1.1**
lunch el almuerzo **I**
  to eat lunch almorzar (ue) **I**

M

machine la máquina
mail carrier el (la) cartero(a) **8.2**
to maintain mantener (ie)
to make hacer (hago)
   (to be) handmade (estar) hecho(a) a mano **3.2**
   It makes me cry. Me hace llorar. **6.1**
   It makes me laugh. Me hace reír. **6.1**
   to be made of... ser de... **3.2**
   to make the bed hacer la cama **I**
makeup el maquillaje **6.1**
   to put on makeup maquillarse **I**
mall el centro comercial **I**
man el hombre **I**
to manage conseguir (i, i) (consigo)
many muchos(as) **I**
many times muchas veces **I**
map el mapa **I**
March marzo **I**
market el mercado **I**
   open-air market el mercado al aire libre **1.2**
marriage el matrimonio
marry: to get married casarse **4.1**
mask la máscara
to match emparejar
math las matemáticas **I**
may
   May I see? ¿Me deja ver? **3.2**
   May I speak to...? ¿Puedo hablar con... ? **6.2**
May mayo **I**
maybe tal vez **I**
mayonnaise la mayonesa **5.1**
me mí **I, 3.1**
meal la comida **I**
to mean significar
meanwhile mientras tanto
meat la carne **I**
medal la medalla
   gold/silver/bronze medal la medalla de oro/plata/bronce
medium el medio
to meet conocer (conozco) **I**
   Nice to meet you. Mucho gusto. **I**
member el miembro
memory la memoria
mention: Don't mention it. No hay de qué. **3.2**

menu el menú **I**
message el mensaje **I**
   instant message el mensaje instantáneo
   to leave a message dejar un mensaje **I, 6.2**
metal el metal
   (to be) made of metal (ser) de metal **3.2**
meter el metro
microphone el micrófono **6.1**
middle: in the middle of en medio de
milk la leche **I**
million un millón (de) **I**
minute el minuto **I**
miracle el milagro
mirror el espejo **I**
mischievous travieso(a)
Miss ... Señorita (Srta.) ... **I**
to mix mezclar **5.1**
mixed mezclado(a) **5.2**
mixture la mezcla
modern moderno(a) **4.2**
moment el momento
   One moment. Un momento. **I, 6.2**
Monday lunes **I**
money el dinero **I**
monitor la pantalla **1.1**
monkey el mono
month el mes **I**
   last month el mes pasado **1.2**
monument el monumento **4.2**
moon la luna
more más **I**
   more than... más que... **I, 7.2**
   more... than más... que **I, 7.2**
more than (with numbers) más de... **7.2**
morning la mañana **I**
   Good morning. Buenos días. **I**
   in the morning de la mañana **I**
mother la madre **I**
mother-in-law la suegra **7.2**
mountain la montaña **4.1**
   mountain climber el (la) alpinista **8.2**
   mountain range la cordillera
mouse el ratón (*pl.* los ratones) **I, 6.2**
mouth la boca **I**
to move (relocate) mudarse
movie la película **I**
   movie star la estrella de cine **6.1**
   movie theater el cine **I**
   the movies el cine **I**

Mr. ... Señor (Sr.) ... **I**
Mrs. ... Señora (Sra.) ... **I**
mud el barro
mule el (la) mulo(a)
muscular musculoso(a) **2.1**
museum el museo **I**
music la música **I**
   folk music la música folklórica
   rock music la música rock
must: one must... hay que... **I**
mustard la mostaza **5.1**
my mi **I**

N

nail (of finger, toe) la uña **2.2**
name el nombre
   His/Her name is . . . Se llama... **I**
   last name el apellido **7.2**
   My name is... Me llamo... **I**
   What's his/her/your (formal) name? ¿Cómo se llama? **I**
   What's your (familiar) name? ¿Cómo te llamas? **I**
napkin la servilleta **5.2**
narration la narración **4.1**
narrow estrecho(a)
native indígena
natural resource el recurso natural **8.1**
nature la naturaleza **8.1**
near (to) cerca (de) **I**
necessary necesario(a)
   It's necessary (that...) Es necesario (que...) **2.1, 7.1**
neck el cuello **2.2**
necklace el collar **I, 1.2**
necktie la corbata **6.2**
to need necesitar **I**
neighborhood el barrio **4.2**
neither tampoco **I, 5.2**
   neither... nor ni... ni **I, 5.2**
nephew el sobrino **7.2**
nervous nervioso(a) **I**
net la red **2.1**
network la red
never nunca **I, 5.2**
new nuevo(a) **I**
   New Year el Año Nuevo
news las noticias **7.1**
newspaper el periódico **7.1**
   student newspaper el periódico escolar
the next el (la) próximo(a) **6.2**

next to al lado (de) **I**
nice simpático(a) **I**; bello(a) **1.2**
    Nice to meet you. Mucho gusto. **I**
nickname el sobrenombre
niece la sobrina **7.2**
night la noche **I**
    at night de la noche **I**
    Good night. Buenas noches. **I**
    last night anoche **I**
nine nueve **I**
nine hundred novecientos(as) **I**
nineteen diecinueve **I**
ninety noventa **I**
ninth noveno(a) **I**
no no **I**
no one nadie **I, 5.2**
none ninguno(a) **I, 5.2**; ningún **5.2**
nonprofit sin fines lucrativos
normally normalmente **I, 2.2**
north el norte
nose la nariz (*pl.* las narices) **I**
not: not only... but also... no sólo... sino también... **7.1**
notebook el cuaderno **I**
notes los apuntes **I**
    to take notes tomar apuntes **I**
nothing nada **I, 5.2**
novel la novela
November noviembre **I**
now ahora **I**
nowadays hoy en día
number el número **I**
    phone number el número de teléfono **I**
nurse el (la) enfermero(a) **8.2**
nutritious nutritivo(a) **I**

o'clock: It is... o'clock. Es la.../Son las... **I**
object el objeto **4.2**
oblivion el oblivio
occupation el oficio **8.2**
ocean el océano
October octubre **I**
of de **I**
    Of course. Claro.
    Of course! ¡Claro que sí!, ¡Cómo no! **I, 6.2**
to offer ofrecer (ofrezco) **I**
    I can offer you... Le puedo ofrecer... **I**
office la oficina **I**

doctor's/dentist's office el consultorio **7.2**
principal's office la oficina del (de la) director(a) **I**
tourist office la oficina de turismo **1.1**
often muchas veces **I**
oh: Oh, please! ¡Ay, por favor! **2.1**
oil el aceite **5.1**; el petróleo **8.1**
OK regular **I**
    OK? ¿Está bien?
    OK! ¡Vale!
    OK. And you? Regular. ¿Y tú/ usted? (familiar/formal) **I**
old viejo(a) **I**; antiguo(a)
    How old are you? ¿Cuántos años tienes? **I**
    to be... years old tener... años **I**
older mayor **I, 7.2**
olive la aceituna
Olympic Games los Juegos Olímpicos **2.1**
omelet la tortilla **5.1**
    potato omelet la tortilla de patatas **5.1**
on en; sobre
    on foot a pie **I**
    on the one hand... on the other hand por un lado... por otro lado **7.1**
    on top (of) encima (de) **I**
    on vacation de vacaciones **I**
once
    once in a while de vez en cuando **I**
    Once upon a time there was .../ were... Había una vez... **4.1**
one uno **I**
one hundred cien **I**
onion la cebolla **5.1**
online en línea **I**
    to be online estar en línea **6.2**
only sólo, solamente; único(a)
    not only... but also... no sólo... sino también... **7.1**
open abierto(a)
    It's open. Está abierto(a). **3.1**
to open abrir **I**
open-air al aire libre **I**
opinion la opinión (*pl.* las opiniones) **7.1**
    In my opinion... En mi opinión... **3.1**
or o **I**
orange (color) anaranjado(a) **I**
orange (fruit) la naranja **I**

to order pedir (i, i) **I**
organized organizado(a) **I**
to originate originarse
other otro(a) **I**
ought to deber **I**
our nuestro(a) **I**
outside al aire libre
ozone layer la capa de ozono **8.1**

P

to pack: to pack a suitcase hacer la maleta **1.1**
page la página
    Web page la página web
to paint pintar
painter el (la) pintor(a)
painting la pintura **3.2**; el cuadro
pair la pareja
palace el palacio **4.1**
Pan American Games los Juegos Panamericanos **2.1**
pants los pantalones **I**
paper el papel **I**
    (made of) paper de papel
    wrapping paper el papel de regalo **I**
parade el desfile
paragraph el párrafo
parents los padres **I**
park el parque **I**
    amusement park el parque de diversiones **I**
    national park el parque nacional
part la parte
partner compañero(a)
party fiesta
    surprise party la fiesta de sorpresa **I**
to pass pasar
passage el paso
passenger el (la) pasajero(a) **1.1**
passport el pasaporte **1.1**
password la contraseña
past pasado(a) **I**
    half past... ... y media **I**
    quarter past... ... y cuarto **I**
the past el pasado
pastime el pasatiempo
pastry shop la pastelería **5.2**
patient paciente **7.2**
patio el patio **I**
to pay pagar **I**
pea el guisante

peak la cima
pen la pluma **I**
pencil el lápiz (*pl.* los lápices) **I**
people la gente **6.1**
pepper (black) la pimienta **5.1**
percent por ciento
perhaps tal vez **I**
permission el permiso
person la persona **I**
pet la mascota
pharmacy la farmacia **3.1**
phone el teléfono **I**
    phone call la llamada **I**
    What is your phone number?
      ¿Cuál es tu/su número de
      teléfono? (familiar/formal) **I**
    My phone number is... Mi
      número de teléfono es... **I**
photo la foto **I**
    to take photos tomar fotos **I**
photographer el (la) fotógrafo(a) **7.1**
to pick up recoger (recojo) **8.1**
to picnic comer al aire libre **I**
picture la foto **I**
pill la píldora
pilot el (la) piloto **8.2**
pizza la pizza **I**
place el lugar **I**
to place poner (pongo) **I**
    to take place tener lugar
plaid de cuadros **3.1**
to plan pensar (ie) **I**
plant la planta
plate el plato
to play
    (an instrument) tocar **I**
    (games) jugar (ue) **I**
    (sports) jugar (ue), practicar **I**
    to play a role hacer un papel **6.1**
    to play on a team jugar en
      equipo **2.1**
player el (la) jugador(a) **I**
plaza la plaza **4.2**
Please. Por favor. **I**
    Pleased to meet you.
      Encantado(a). **I**
pleasure el gusto **I**; el placer
    The pleasure is mine. El gusto
      es mío. **I**
    With pleasure. Con mucho
      gusto. **3.2**
plot el argumento **6.1**
plus más
poet el (la) poeta

poetry la poesía
point of view el punto de vista **7.1**
police officer el (la) policía
policeman/policewoman el (la)
    policía **8.2**
politician el (la) político(a) **8.2**
pollution la contaminación **8.1**
pool la piscina **I**
popular popular **7.2**
pork el cerdo
    pork chop la chuleta de cerdo **5.2**
portrait el retrato **3.2**
to possess poseer
possibility la posibilidad
post office el correo **7.2**
postcard la tarjeta postal **1.2**
    to send postcards mandar
      tarjetas postales **1.2**
postman/postwoman el (la)
    cartero(a) **8.2**
potato la papa; la patata **I**
pound (weight) la libra
to practice practicar **I**
prairie el llano
to prefer preferir (ie, i) **I**
preferable preferible
    It's preferable that... Es
      preferible que... **7.1**
premiere el estreno **6.2**
to premiere estrenar **6.2**
to prepare preparar **I**
present el regalo **I**
to present presentar **7.1**
pressure la presión
    peer pressure la presión de
      grupo **7.1**
pretty bonito(a) **I**; hermoso(a) **4.1**
price el precio **I**
pride el orgullo
princess la princesa **4.1**
principal el (la) director(a) **I**
prize el premio **2.1**
problem el problema **I**
profession la profesión (*pl.* las
    profesiones) **8.2**
professor el (la) profesor(a) **8.2**
program el programa
to program programar
programmer el (la) programador(a)
    8.2
to project proyectar
to protect proteger (protejo) **8.1**
proud orgulloso(a)
    to be proud (of) estar
      orgulloso(a) (de) **7.2**

to publish publicar **7.1**
to pull tirar
to put poner (pongo) **I**
    to put on (clothes) ponerse (me
      pongo) (la ropa) **I, 2.2**
    to put on makeup maquillarse **I**
to put away guardar
pyramid la pirámide **4.2**

quality la calidad **I**
quarter cuarto **I**
    quarter past... ... y cuarto **I**
question la pregunta; la cuestión
    (*pl.* las cuestiones) **7.1**
quite bastante

race la carrera **I**
racket la raqueta **I**
radio el radio **I**
raft la balsa
rain la lluvia
to rain llover (ue) **I**
to raise levantar; criar
ranch la estancia
rapidly rápidamente
raw crudo(a) **5.2**
to read leer **I**
reading la lectura
ready listo(a)
    to get ready arreglarse **2.2**
reality la realidad
Really? ¿Verdad? **I**; ¿De veras? ¿De
    verdad?
reason la razón
    for that reason por eso **7.1**
to receive recibir **I**
reception desk la recepción (*pl.* las
    recepciones) **1.2**
recess el recreo
recipe la receta **5.1**
to recommend recomendar (ie) **3.1**
to record registrar
to recycle reciclar **8.1**
recycling el reciclaje **8.1**
red rojo(a) **I**
red-haired pelirrojo(a) **I**
reef: (coral) reef el arrecife (de
    coral)

reel el carrete
to reflect reflejar
relative el (la) pariente **7.2**
to relax relajarse
religion la religión (*pl.* las religiones) **4.2**
to remember recordar (ue)
to rent alquilar **I**
to repeat repetir (i, i)
to reply responder
reporter el (la) periodista **7.1**
to rescue rescatar
reservation la reservación (*pl.* las reservaciones)
   to make/to have a reservation hacer/tener una reservación **1.2**
reserve la reserva
   nature reserve la reserva natural
responsibility la responsabilidad **8.1**
responsible responsable **8.1**
to rest descansar **I**
restaurant el restaurante **I**
to restore restaurar
result el resultado
to return volver (ue) **I**; regresar **4.1**
review la crítica **6.2**; el repaso
rice el arroz **I**
rich rico(a)
to ride montar **I**; subir a **I**
   to ride a bike montar en bicicleta **I**
   to ride a horse montar a caballo **I**, **1.2**
   to ride the Ferris wheel/roller coaster subir a la vuelta al mundo/la montaña rusa **I**
right derecho(a)
   Right? ¿Verdad? **I**
   to be right tener razón **I**
   to turn right doblar a la derecha **4.2**
ring el anillo **I**, **1.2**
river el río
roasted asado(a)
robot el robot (*pl.* los robots) **8.2**
rocky rocoso(a)
role el papel **6.1**
   to play a role hacer un papel **6.1**
roller coaster la montaña rusa **I**
room el cuarto **I**; la habitación (*pl.* las habitaciones) **1.2**
routine la rutina **I**, **2.2**
rubber la goma
rug la alfombra **I**
ruins las ruinas **4.2**
rule la regla
to run correr **I**

S

sad triste **I**
safe seguro(a)
saint el (la) santo(a)
salad la ensalada **I**
salary el sueldo
sale la venta
salesclerk el (la) vendedor(a) **I**
salt la sal **5.1**
   salt mine el salar
saltshaker el salero
salty salado(a) **5.1**
same mismo(a)
   Same here. Igualmente. **I**
   to be all the same dar lo mismo
sand la arena
sandal la sandalia **3.1**
sandwich el sándwich **I**
Saturday sábado **I**
to say decir **I**
scare: It scares me. Me da miedo. **6.1**
scary: How scary! ¡Qué miedo! **I**
scene la escena **6.1**
schedule el horario **I**
scholarship la beca
school la escuela **I**
   high school el colegio, la escuela secundaria, el liceo
school, school-related escolar **7.1**
science las ciencias **I**
   science fiction la ciencia ficción **6.1**
scientist el (la) científico(a) **8.2**
score: to score a goal meter un gol **2.1**
screen la pantalla **I**, **1.1**
screenplay el guión (*pl.* los guiones) **6.1**
screenwriter el (la) guionista **6.1**
scuba diver el (la) buceador(a) **8.2**
to scuba-dive bucear **I**
sculpture la escultura **3.2**
sea el mar **I**
season la estación (*pl.* las estaciones) **I**; la temporada
seasoned sazonado(a)
second segundo(a) **I**
secret el secreto **I**
secure seguro(a)
security la seguridad
   to go through security pasar por seguridad **1.1**

to see ver **I**
   May I see...? ¿Me deja ver...? **I**, **3.2**
   See you later. Hasta luego. **I**
   See you there. Nos vemos allí.
   See you tomorrow. Hasta mañana. **I**
to seem parecer
   It seems to me... Me parece que... **3.1**
to select seleccionar
self-esteem la autoestima
to sell vender **I**
to send mandar **I**
   to send postcards mandar tarjetas postales **1.2**
sentence la oración (*pl.* las oraciones)
September septiembre **I**
serious serio(a) **I**
to serve servir (i, i) **I**
set: movie set el escenario
set: to set the table poner la mesa **I**
setting el ambiente
seven siete **I**
seven hundred setecientos **I**
seventeen diecisiete **I**
seventh séptimo(a) **I**
seventy setenta **I**
a shame una lástima
   What a shame! ¡Qué lástima! **I**, **6.2**
shampoo el champú **I**, **2.2**
to share compartir **I**
to shave oneself afeitarse **I**, **2.2**
shaving cream la crema de afeitar **2.2**
she ella **I**
shelf el estante
shell la cáscara
shellfish los mariscos
shirt la camisa **I**
shoe el zapato **I**
shoe store la zapatería **3.1**
shop: to go shopping ir de compras **I**
shopping center el centro comercial **I**
short (height) bajo(a) **I**
shorts los pantalones cortos **I**
should deber **I**
shoulder el hombro **2.2**
to show mostrar (ue)
shower la ducha
   to take a shower ducharse **I**, **2.2**
to shudder estremecerse
shy tímido(a) **7.2**
sick enfermo(a) **I**
sickness la enfermedad
side el lado
sidewalk la acera **4.2**

sights las atracciones
    to go sightseeing ver las atracciones **1.2**
silver la plata **I**
    (to be) made of silver (ser) de plata **I, 3.2**
since como; desde
sincere sincero(a) **7.2**
to sing cantar **I**
single room la habitación individual **1.2**
sister la hermana **I**
sister-in-law la cuñada **7.2**
to sit sentarse (ie)
site el sitio
    archaelogical site sitio arqueológico
    Web site el sitio web **I**
six seis **I**
six hundred seiscientos(as) **I**
sixteen dieciséis **I**
sixth sexto(a) **I**
sixty sesenta **I**
size el tamaño
    clothing size la talla **3.1**
    shoe size el número **3.1**
to skate patinar **I**
    to in-line skate patinar en línea **I**
skateboard la patineta
    to skateboard andar en patineta **I**
to ski esquiar
skin la piel **I**
skirt la falda **3.1**
skyscraper el rascacielos (*pl.* los rascacielos) **4.2**
sleep el sueño
    to be sleepy tener sueño **2.2**
to sleep dormir (ue, u) **I**
sleeve la manga
to slide deslizarse
slow lento(a) **2.1**
slowly lentamente
small pequeño(a) **I**
smog el smog **8.1**
    snack: afternoon snack la merienda **5.1**
snake la serpiente
snow la nieve
to snow nevar (ie) **I**
so entonces **I, 2.2**
    so many tantos(as)
    so much tanto(a)
soap el jabón (*pl.* los jabones) **I, 2.2**
    soap opera la telenovela

soccer el fútbol **I**
society la sociedad
sock el calcetín (*pl.* los calcetines) **I**
sofa el sofá **I**
soft drink el refresco **I**
software el software **6.1**
soil la tierra
soldier el (la) militar
some alguno(a) **I, 5.2** ; algún **5.2**
    Some day... Algún día... **8.2**
someone alguien **I, 5.2**
something algo **I, 5.2**
sometimes a veces **2.2**
son el hijo **I**
sorry
    I'm sorry. Lo siento. **I**
    I'm sorry; Excuse me. Disculpe. **3.2**
So-so. And you? Más o menos. ¿Y tú/usted? (familiar/formal) **I**
sound el sonido **6.1**
soup la sopa **I**
sour agrio(a) **5.1**
source la fuente
south el sur
souvenir el recuerdo **I, 1.2**
spaghetti los espaguetis **5.2**
Spanish el español **I**
to speak hablar **I**
    May I speak to...? ¿Puedo hablar con...? **I, 6.2**
special especial
    special effects los efectos especiales **6.1**
to spend: to spend time with friends pasar un rato con los amigos
specialty la especialidad **5.2**
    specialty of the house la especialidad de la casa **5.2**
species la especie
    endangered species las especies en peligro de extinción **8.1**
spicy picante **5.1**
spinach las espinacas **5.1**
spirit el espíritu; el ánimo
spoon la cuchara **5.2**
sports los deportes **I**
sporting deportivo(a)
sportsman/woman el (la) deportista **2.1**
spring la primavera **I**
square la plaza **4.2**; el cuadro
squid el calamar
stadium el estadio **I**

stairs la escalera **I**
star la estrella
    movie star la estrella de cine **6.1**
station la estación (*pl.* las estaciones)
    train station la estación de tren **1.1**
statue la estatua **4.2**
statuette la estatuilla
to stay quedarse **7.2**
    to stay in... quedarse en... **I**
    to stay in shape mantenerse en forma **2.1**
steak: grilled steak el filete al la parrilla **5.2**
step el paso
stepfather el padrastro **I**
stepmother la madrastra **I**
still todavía **I**
stock market la bolsa
stockbroker el (la) agente de bolsa **8.2**
stomach el estómago **I**
stone la piedra
    (to be) made of stone (ser) de piedra **3.2**
to stop parar; detenerse; dejar de
store la tienda **I**
story la historia
straight: to go straight seguir derecho **4.2**
strawberry la fresa **5.1**
street la calle **I**
to strengthen fortalecer
stripe la raya
striped de rayas **3.1**
strong fuerte **I**
stucco el estuco
student el (la) estudiante **I**
    exchange student el (la) estudiante de intercambio
studious estudioso(a) **I**
study el estudio
to study estudiar **I**
to stuff rellenar
style el estilo; la moda
    to be in style estar de moda **3.1**
subject (in school) la materia, la asignatura
subway el metro
success el éxito
    be successful tener éxito **6.1**
to suffer sufrir
sugar el azúcar **5.1**
suggestion la sugerencia
suit el traje **3.1**

suitcase la maleta **1.1**
   to pack a suitcase hacer la maleta **1.1**
summary el resumen
   in summary en resumen
summer el verano **I**
sun el sol **I**
to sunbathe tomar el sol **I**
Sunday domingo **I**
sunny: It is sunny. Hace sol. **I**
sunscreen el bloqueador de sol **I**
supermarket el supermercado **5.1**
to support apoyar
to surf hacer surfing **I**
   to surf the Web navegar por Internet **I**
surprise la sorpresa **I**
to surprise sorprender
survey la encuesta
to swear jurar
   I swear to you! ¡Te lo juro! **6.2**
sweater el suéter **3.1**
to sweep barrer **I**
sweet dulce **5.1**
to swim nadar **I**
swimming la natación **I**
swimming pool la piscina **I**
swing el columpio
sword la espada
syrup el jarabe

T

table la mesa **I**
   to set the table poner la mesa **I**
tail la cola
to take tomar **I**; llevar **4.1**
   to take a bath bañarse **I, 2.2**
   to take a shower ducharse **I, 2.2**
   to take a taxi tomar un taxi **1.1**
   to take a trip hacer un viaje **I, 1.1**
   to take notes tomar apuntes **I**
   to take out the trash sacar la basura **I**
   to take photos tomar fotos **I, 1.2**
   to take place tener lugar
to talk hablar **I**
   to talk on the phone hablar por teléfono **I**
tall alto(a) **I**
to taste probar (ue) **5.1**
tasty rico(a) **I**; sabroso(a) **5.1**
taxi el taxi
tea el té **5.2**

to teach enseñar **I**
teacher el (la) maestro(a) **I**; el (la) profesor(a) **8.2**
team el equipo **I**
teammate el (la) compañero(a) de equipo **7.2**
technician el (la) técnico(a)
telephone el teléfono **I**
   cellular phone el teléfono celular **I, 6.2**
television la televisión **I**
television set el televisor **I**
to tell contar (ue) **4.1**
   I'm telling you the truth! ¡Te digo la verdad! **6.2**
temple el templo **4.2**
ten diez **I**
tennis el tenis **I**
tenth décimo(a) **I**
to terrify aterrorizar
test el examen (*pl.* los exámenes) **I**
to thank
   I would like to thank... Quisiera dar las gracias a... **6.2**
   Thank you. Gracias. **I**
   Thank you for your service. Gracias por atenderme. **5.2**
that
   that... (there) ese(a) **I, 2.1**
   that one (there) ése(a) **2.1**
   that... (over there) aquel(aquella) **I, 2.1**
   that one (over there) aquél (aquélla) **2.1**
theater el teatro **I**
their su **I**
them ellos(as) **I, 3.1**
theme el tema
then luego; entonces **I, 2.2**
theology la teología
there allí **I**
   there is/are... hay... **I**
   Is... there? ¿Está...? **6.2**
therefore por eso
these
   these... (here) estos(as) **I, 2.1**; éstos(as) **2.1**
they ellos(as) **I**
thin delgado(a)
thing la cosa **I**
to think pensar (ie) **I**; creer
   I think/don't think so. Creo que sí /no. **3.1**
   What did you think of...? ¿Qué les parece...?
third tercero(a) **I**

thirst la sed
   to be thirsty tener sed **I**
thirteen trece **I**
thirty treinta **I**
thirty-one treinta y uno **I**
this
   this... (here) este(a) **I, 2.1**
   this one (here) éste(a) **2.1**
those
   those... (there) esos(as) **I, 2.1**; ésos(as) **2.1**
   those... (over there) aquellos(as) **I, 2.1**; aquéllos(as) **2.1**
thousand mil **I**
three tres **I**
three hundred trescientos(as) **I**
throat la garganta **2.2**
Thursday jueves **I**
ticket la entrada **4.2**; el boleto **I, 1.1**
   roundtrip ticket el boleto de ida y vuelta **1.1**
tie la corbata **6.2**
tied: to be tied (in sports) estar empatado **2.1**
tight (clothing) apretado(a)
time la hora **I**; la vez (*pl.* las veces); el tiempo
   At what time is/are...? ¿A qué hora es/son...? **I**
   free time el tiempo libre **I, 1.2**
   What time is it? ¿Qué hora es? **I**
tip la propina **I**
tired cansado(a) **I**
title el título
to a **I**; menos **I**; hasta **4.2**
today hoy **I**
   Today is... Hoy es... **I**
   What day is today? ¿Qué día es hoy? **I**
toe el dedo del pie **2.2**
together junto(a)
   all together todo junto
   to get together reunirse
Toltecs los toltecas **4.2**
tomato el tomate **I**
tomb la tumba **4.2**
tomorrow mañana **I**
   See you tomorrow. Hasta mañana. **I**
   Tomorrow is... Mañana es... **I**
too también **I**; demasiado **1.2**
too much demasiado **I, 1.2**
tool la herramienta **4.2**
tooth el diente **2.2**
toothbrush el cepillo de dientes **I, 2.2**
toothpaste la pasta de dientes **I, 2.2**

to touch tocar
Tour de France la Vuelta a Francia **2.1**
tourism el turismo
tourist el (la) turista **1.2**
  tourist office la oficina de turismo **1.1**
tournament el torneo
towel la toalla **I, 2.2**
town el pueblo
track (in sports) la pista **2.1**
traffic light el semáforo **4.2**
train el tren **I**
  by train en tren **I**
to train entrenarse **2.2**
training el entrenamiento
to transform transformar **4.1**
trash la basura **I**
  trash can el basurero **8.1**
to travel viajar **1.1**
  travel agency la agencia de viajes **1.1**
  travel agent el (la) agente de viajes **1.1**
tree el árbol **8.1**
trip el viaje
  to go on a day trip hacer una excursión **1.2**
  to take a trip hacer un viaje **I**
triumph el triunfo
trophy el trofeo
trouble: to (not) be worth the trouble (no) valer la pena
true cierto(a)
  It is (not) true that... (No) Es cierto/verdad que... **8.1**
truth la verdad
  I'm telling you the truth! ¡Te digo la verdad! **6.2**
to try intentar
  to try to.... tratar de...
T-shirt la camiseta **I**
Tuesday martes **I**
to turn doblar **4.2**
  to turn into convertirse en
  turn off the light apagar la luz **2.2**
  to turn on the light encender (ie) la luz **2.2**
  turn right/left doblar a la derecha/a la izquierda **4.2**
twelve doce **I**
twenty veinte **I**
twenty-one veintiuno **I**
two dos **I**
two hundred doscientos(as) **I**

type el tipo; la clase
typical típico(a)

Ugh! ¡Uy! **2.1**
ugly feo(a) **I**
uncle el tío **I**
under debajo (de) **I**
underneath debajo (de) **I**
to understand entender (ie), comprender **I**
  Did you understand? ¿Comprendiste?
  to misunderstand each other entenderse mal **7.2**
  to understand each other (well) entenderse (ie) bien **7.2**
unforgettable inolvidable
uniform el uniforme **2.1**
to unify unificar
unique único(a) **3.2**
unit la unidad
until hasta
upside down al revés
us nosotros(as) **I, 3.1**
to use usar **I**
useful útil
usually normalmente **2.2**

vacation las vacaciones **I**
  (to be) on vacation (estar) de vacaciones **I, 1.2**
  to go on vacation ir de vacaciones **1.1**
to vacuum pasar la aspiradora **I**
vacuum cleaner la aspiradora **I**
valley el valle
value el valor
variety la variedad
various varios(as)
to vary variar
vegetables las verduras **I**
vegetarian vegetariano(a)
very muy **I**
  Very well. And you? Muy bien. ¿Y tú/usted? (familiar/formal) **I**
vest el chaleco **3.1**
veterinarian el (la) veterinario(a) **8.2**
video game el videojuego **I**
vinegar el vinagre **5.1**

to visit visitar
  to visit a museum visitar un museo **1.2**
vocabulary el vocabulario
voice la voz (*pl.* las voces)
volcano el volcán (*pl.* los volcanes) **4.1**
volleyball el voleibol **I**
volunteer el (la) voluntario(a) **8.1**
to volunteer trabajar de voluntario **8.1**

to wait (for) esperar **I, 6.1**
to wake up despertarse (ie) **I, 2.2**
to walk caminar **I**
  to go for a walk pasear **I**
wall la pared
to want querer (ie) **I**; desear
war la guerra **4.1**
warm cálido(a)
warrior el (la) guerrero(a) **4.1**
to wash lavar **I**
  to wash oneself lavarse **I, 2.2**
  to wash one's face/hair lavarse la cara/el pelo **I**
watch el reloj **I, 3.1**
to watch mirar **I**
  to watch television mirar la televisión **I**
water el agua (fem.) **I**
waterfall la cascada
to water-ski hacer esquí acuático **I**
we nosotros(as) **I**
to wear llevar **I**; usar
weather el tiempo **I**; el clima
  What is the weather like? ¿Qué tiempo hace? **I**
Web page la página web
Web site el sitio web **I**
wedding la boda
Wednesday miércoles **I**
week la semana **I**
  last week la semana pasada **I, 1.2**
weekend el fin de semana **I, 6.2**
to weigh pesar
welcome bienvenido(a)
  You're welcome. De nada. **I, 3.2**
well bien **I**; pues
  Very well. And you? Muy bien. ¿Y tú/usted? (familiar/formal) **I**
  Well,... Bueno,...

well-known reconocido(a)

west el oeste

what qué

    What? ¿Qué? ¿Cuál? **I**; ¿Cómo?

    What a shame! ¡Qué lástima! **I, 6.2**

    What are you like? ¿Cómo eres? **I**

    What color is/are...? ¿De qué color es/son...?

    What day is today? ¿Qué día es hoy? **I**

    What do you like to do? ¿Qué te gusta hacer? **I**

    What is the date? ¿Cuál es la fecha? **I**

    What is the weather like? ¿Qué tiempo hace? **I**

    What time is it? ¿Qué hora es? **I**

    What's happening? ¿Qué pasa? **I**

    What's his/her/your (formal) name? ¿Cómo se llama? **I**

    What's your (familiar) name? ¿Cómo te llamas? **I**

when cuando **I**

    When? ¿Cuándo? **I**

where donde

    Where? ¿Dónde? **I**

    (To) Where? ¿Adónde? **I**

    Can you please tell me where... is? Por favor, ¿dónde queda...? **1.1**

    Where are you from? ¿De dónde eres (familiar)/es usted (formal)? **I**

    Where are you going? ¿Adónde vas? **I**

    Where is he/she from? ¿De dónde es? **I**

Which? ¿Cuál(es)? **I**

a while un rato

    once in a while de vez en cuando **I**

white blanco(a) **I**

Who? ¿Quién(es)? **I**

    Who is he/she/it? ¿Quién es? **I**

Why? ¿Por qué? **I**

    That's why. Por eso. **7.1**

wife la esposa **7.2**

to win ganar **I**

wind el viento

    It is windy. Hace viento. **I**

window la ventana **I**

    ticket window la ventanilla **I**

to windsurf hacer surf de vela **I**

wing el ala

winged alado(a)

winner el (la) ganador(a) **I**

winning ganador(a)

winter el invierno **I**

to wish desear

with con **I**

    with me conmigo **I, 3.1**

    With pleasure. Con mucho gusto. **3.2**

    with you (familiar) contigo **I, 3.1**

without sin

to withstand soportar

witness el (la) testigo

woman la mujer **I**

wood la madera **I**

    (to be) made of wood (ser) de madera **I, 3.2**

work (of art) la obra

to work trabajar **I**

workshop el taller

world el mundo **8.1**

World Cup la Copa Mundial **2.1**

worse peor **I, 7.2**

to wrap envolver (ue) **I**

wrapping paper el papel de regalo **I**

wrist la muñeca **2.2**

wristwatch el reloj **3.1**

to write escribir **I**

    to write e-mails escribir correos electrónicos **I**

writer el (la) escritor(a) **7.1**

writing la escritura

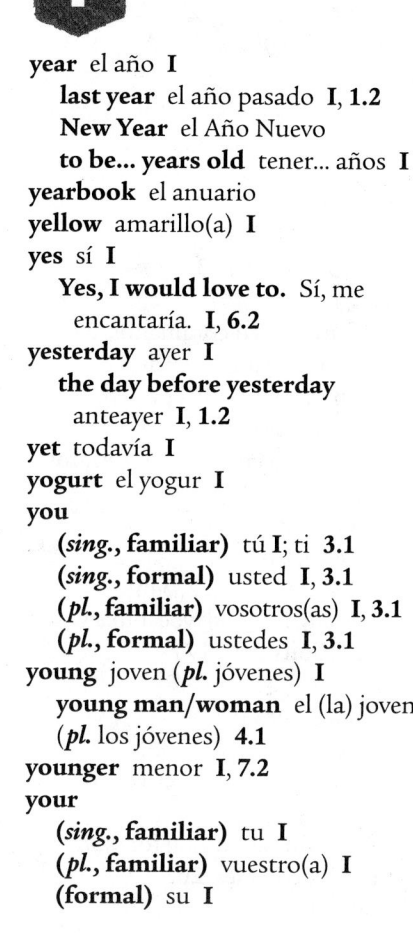

year el año **I**

    last year el año pasado **I, 1.2**

    New Year el Año Nuevo

    to be... years old tener... años **I**

yearbook el anuario

yellow amarillo(a) **I**

yes sí **I**

    Yes, I would love to. Sí, me encantaría. **I, 6.2**

yesterday ayer **I**

    the day before yesterday anteayer **I, 1.2**

yet todavía **I**

yogurt el yogur **I**

you

    (*sing.*, familiar) tú **I**; ti **3.1**

    (*sing.*, formal) usted **I, 3.1**

    (*pl.*, familiar) vosotros(as) **I, 3.1**

    (*pl.*, formal) ustedes **I, 3.1**

young joven (*pl.* jóvenes) **I**

    young man/woman el (la) joven (*pl.* los jóvenes) **4.1**

younger menor **I, 7.2**

your

    (*sing.*, familiar) tu **I**

    (*pl.*, familiar) vuestro(a) **I**

    (formal) su **I**

zero cero **I**

zoo el zoológico **I**

✦ Índice

Índice

Índice

 # Créditos

Acknowledgments

Excerpt from "Oda a la sal," from *Tercer Libro de Odas* by Pablo Neruda. Text copyright © 2012 by Fundación Pablo Neruda. Reproduced by permission of Agencia Literaria Carmen Balcells, S.A.

Excerpt from "Oda al aceite," from *Nuevas Odas Elementales* by Pablo Neruda. Text copyright © 2012 by Fundación Pablo Neruda. Reproduced by permission of Agencia Literaria Carmen Balcells, S.A.

Excerpts from *La casa de los espíritus* by Isabel Allende. Copyright © 1982 by Isabel Allende. Reproduced by permission of Agencia Literaria Carmen Balcells, S.A.

Photography

Photography

Cover *center* Doug Armand/Getty Images; *bottom right* Denis Doyle/AP Images; **Title Page** Denis Doyle/AP Images; **Back Cover** *top left* Steve Dunwell/The Image Bank/Getty Images; *top center* Rodriguez Joseph/Gallery Stock Limited; *top right* Panoramic Images/Getty Images; *bottom left* Doug Armand/Getty Images; *bottom center* David Noton/Photography; *bottom right* P. Pet/zefa/Corbis; **iv** *bottom left* Stuart Ramson/AP Images; *bottom right* Marc Serota/Corbis; **v** *bottom* David Adame/ AP Images; **xxviii** film reel Scott Bowlin/Shutterstock; *light* Elizabeth Tustian/Holt McDougal/Houghton Mifflin Harcourt; **xxx–xxxi** © John Warburton-Lee/Alamy; **xxxi** *top* Ann Summa/Holt McDougal/Houghton Mifflin Harcourt; *center* Allan Penn/Holt McDougal/Houghton Mifflin Harcourt *bottom* Ken Karp/Holt McDougal/Houghton Mifflin Harcourt; **xxxiii** *top* Jay Penni/Holt McDougal/Houghton Mifflin Harcourt; **xxxv** both Michael Goss/Holt McDougal/ Houghton Mifflin Harcourt; **xxxvi** *top lelt* EPA/Corbis *top right* age fotostock/SuperStock; **xxxvii** *top left* ARC-Dominic Favre DF/MR/AA/Reuters; *top right* James Marshall/Corbis; *center right* Simon Hataway/Alamy; **C2** banner, *left to right* Kevork Djansezian/AP Images; © David Young-Wolff/PhotoEdit; Richard Patterson/AP Images; Andres Leighton/AP Images; *bottom left* Marc Serota/Corbis; *right* EPA/Agencia EFE; **C3** *top left* Marc Serota/Corbis; *top right* Ricardo Figueroa/ Agencia EFE; *bottom* Carlos Durán/Agencia EFE; **C4** banner, *left to right* Graciela Portela/NewsCom; Jorge Albán/Holt McDougal/Houghton Mifflin Harcourt; Jordi Camí/age fotostock; Natacha Pisarenko/AP Images; *bottom right* Digital Press Photos/NewsCom; *center left* César De Luca/Agencia EFE; *bottom center* Diego Goldberg/Sygma/Corbis; **C5** *top right* Pablo Corral Vega/National Geographic Image Collection; *bottom right* Enrique Marcarian/NewsCom; *center left* Les Stone/ Zuma Press; **C6** banner, *left to right* Guillermo Arias/AP Images; © DreamPictures/Taxi/Getty Images; Bob Daemmrich/ PhotoEdit; *left* George De Sota/Newsmakers/Getty Images; *bottom* © Blend Images/Alamy; **C7** *top right* Armando Arorizo/ Zuma Press; *bottom* Ann Summa Photography/Getty Images; *left* David Young-Wolff/PhotoEdit; **C8** banner, *left to right* © 2005 United States Postal Service. All rights reserved/AP Images; © Dannielle Hayes/omniphoto.com; Frank Micelotta/ Getty Images; *center* Daniel Aguilar/Reuters; *bottom* José Domínguez/NewsCom/Notimex; **C9** *top left*, *center right* Frank Micelotta/Getty Images; *bottom* Martha Ghigliazza/NewsCom/Notimex; **C10** banner, *left to right* Miguel Rajmil/Agencia EFE; Eduardo Abad/Agencia EFE; Cristina Quicler/Getty Images; *left* Miguel Rajmil/Agencia EFE; *bottom* AL/Agencia EFE; **C11** *top center* Albert Olive/Agencia EFE; *left* J. F. Moreno/Agencia EFE; *bottom right* © Atlantide Phototravel/Corbis; **C12** banner, *left to right* Hector Gabino/NewsCom/MCT; J. Ramirez/Agencia EFE; Roberto Schmidt/Getty Images/NewsCom/ Agence France Presse; Gary Coronado/Palm Beach Post/NewsCom/Zuma Press; *center* Thomas Lohnes/AFP/Getty Images; *bottom* Stuart Ramson/AP Images; **C13** *top* Sergio Pitamitz/Alamy; *center right* Jay Penni/Holt McDougal/Houghton Mifflin Harcourt; *bottom left* © Interstate Music, Ltd./Harlequin CD #27/Photograph by Guy Jarvis/Holt McDougal/ Houghton Mifflin Harcourt; **C14** *bottom right* Pablo Corral Vega/National Geographic Image Collection; banner, *left to right* Patricio Crooker/fotosbolivia/The Image Works; © Mo Fini/Alamy; © Gavin Mather/Alamy; David Mercado/Reuters; *left* Gavin Hellier/Getty Images; **C15** *top* © Paolo Aguilar/epa/Corbis; *right* Luis E. Olivares/NewsCom/Notimex; *bottom* © Anders Ryman/Alamy; **C16** banner, *left to right* Alejandro Ernesto/NewsCom/Notimex; Yessica Sánchez/NewsCom/ Notimex; NewsCom/Reforma Newspaper; Pedro Sánchez/NewsCom/Notimex; *bottom left* SUN/NewsCom; *bottom right* Sun/NewsCom; *bottom center* Michael Bush/NewsCom/VPI Newspictures; **C17** *bottom center* Reforma Newspaper/ NewsCom; *center right* Yessica Sánchez/NewsCom/Notimex; *top left* Jorge Arciga/NewsCom/Notimex; **C18** banner, *left to right* José Luis Magana/AP Images; Pascal Saez/Sipa Press; Ricky Arduengo/AP Images; Paolo Aguilar/Agencia EFE; *bottom right* Guillermo Legaria/Agencia EFE; *left* José Luis Magana/AP Images; **C19** *top left* Quique Fidalgo/Agencia EFE; *top right* Alejandro Pagni-La Nacion/AP Images; *bottom* Armando Arorizo/Agencia EFE; **C20** banner, *left to right* Carlos Duran Araujo/NewsCom; Luis López/NewsCom/Notimex; Barbara Davidson/NewsCom; *left* Alberto Tamargo/Getty Images; *right* José Luis Ramírez/NewsCom/Reforma-EnRed; **C21** *top right* SUN/Newscom; *top left* Helen Montoya/NewsCom/San

AA/Reuters; **137** *center* Sean Gallup/Getty Images; *bottom* Sergey Ponomarev/AP Images; **139** Paulo Whitaker/Reuters/PW Sport Cycling; **140** *flag* Image Club; **141** *top left* James Marshall/Corbis; *bottom left* Heinz Hebeisen/Iberimage; **145** *top center inset* Siede Preis/Getty Images; *center left inset* Comstock Images/Alamy; *center right inset* Comstock; *top right inset* Image Source/PictureQuest; **150** "Don Jose Mas Ferrer" (ca. 1795), Jose Campeche. Campeche y Jordan, Jose (1751–1809). Smithsonian American Art Museum, Washington, DC, Teodoro Vidal Collection. Art Resource, NY; **155** *modelo* VStock/Alamy; *2* Berit Myrekrok/Digital Vision/Getty Images; *3* PhotoDisc/Getty Images; *4* Royalty-Free/Corbis; *5* Burke/Triolo Productions/Getty Images; *6* C Squared Studios/Getty Images; *7* Digital Vision/Getty Images; *8 tan vest* Andreas Pollok/Getty Images; *8 yellow vest* Chaloner Woods/Getty Images; **156** © Stephanie Maze/National Geographic/Getty Images; **159** *boy* C Squared Studios/Getty Images; *girl* PhotoDisc; *watch* PhotoObjects/Jupiterimages Corporation; **162** *bottom right* Alan King/Alamy; *bottom left* Jim Jurica/ShutterStock; **164** *b* Don Smetzer/Stone/Getty Images; *e* Peter M. Fisher/Corbis; *f* Royalty-Free/Corbis; **168** *center right* Suzanne Murphy-Larronde; **169** *silver necklace* Jay Penni/Holt McDougal/Houghton Mifflin Harcourt; *gold necklace* Trip/Alamy; **174** *right* "La Fiesta del Vejigante" (2005), Obed Gómez. Acrylic on canvas, 30" x 40". Courtesy of the artist; **175** *1* David Young-Wolff/PhotoEdit; *2* Royalty-Free/Corbis; *3* Doug Menuez/Getty Images; *4* Hans Zeegers/Imageshop-Zefa Visual Media UK Ltd/Alamy; *5* Tom McCarthy/PhotoEdit; *6* Tony Freeman/PhotoEdit; **179** *modelo rice* Royalty-Free/Corbis; *modelo potato* Comstock; *1 hamburger* Comstock; *1 soup* Jonelle Weaver/Getty Images; *2 orange juice* Judith Collins/Alamy; *2 milk* Comstock; *3 fish* © Tom Grundy/Alamy; *3 chicken* Brian Leatart/FoodPix/Jupiterimages; *4 bread* JupiterMedia/Alamy; *4 grapes* David Toase/PhotoDisc Green/Getty Images; *5 pizza* SuperStock, Inc./SuperStock; *5 salad* Burke/Triolo Productions/Getty Images; *6 cake* Brian Hagiwara/Brand X Pictures/PictureQuest; *6 tomato* Stockbyte Platinum/Alamy; **180** © Amy Toensing/Getty Images; **183** *palitos* C Squared Studios/Getty Images; *cuatro* Mark Bacon/Alamy; **184** *bottom left* Suzanne Murphy-Larronde; *bottom right* © GraficallyMinded/Alamy; **185** *top right* Kevin Schafer/Corbis; **186** *top right* Jay Penni/Holt McDougal/Houghton Mifflin Harcourt; *bottom right* Michel Zabe/Art Resource, NY; **189** *modelo* Jay Penni/Holt McDougal/Houghton Mifflin Harcourt; *2* PhotoObjects/Jupiterimages Corporation; *5* Jacqui Hurst/Corbis; **190–191** Don Couch/Holt McDougal Photo; **191** *bottom* Royalty-Free/Corbis; *center* © 2007 David Dudenhoefer/Odyssey/Chicago; **194** *bottom right* Martha Granger/EDGE Productions/Holt McDougal/Houghton Mifflin Harcourt; *flag* Image Club; **195** *top left* Imagebroker.net/SuperStock; *bottom left,* © Bettmann/CORBIS; *right* Jorge Silva/AFP/Getty Images; **198** *top* Jay Penni/Holt McDougal/Houghton Mifflin Harcourt; **199** *top right* Jay Penni/Holt McDougal/Houghton Mifflin Harcourt; **204** *bottom right* Jamie Carstairs/Alamy; *bottom right inset* Nik Wheeler/Corbis; **209** *modelo, 4* David Young-Wolff/PhotoEdit; *1* Borgschulte/Zefa/Corbis; *3* Zubin Shroff/Getty Images; *5* Holt McDougal/Houghton Mifflin Harcourt; *6* Jack Hollingsworth/Brand X Pictures/Alamy; **210** Bruno Perousse/age fotostock; **211** *bottom left* Alfredo Estrella/AFP/Getty Images; **216** *top left, top right* Corel Corporation; *bottom right* Laurie Proffitt/NewsCom/Chicago Tribune; **222** *center left* Gianni Dagli Orti/Corbis; *bottom left* Kenneth Garrett/National Geographic/Getty Images; *calendar* National Museum of Anthropology; *tools* The Granger Collection, New York; **223** *top right* Dave Pattison/Alamy; **226** *modelo* Charles & Josette Lenars/Corbis; *1, 2, 3, 5* Jay Penni/Holt McDougal/Houghton Mifflin Harcourt; *4* National Museum of Anthropology; *6* Kenneth Garrett/National Geographic/Getty Images; **229** *bottom inset* Catherine Karnow/Corbis; *bottom right* HIRB/Index Stock Imagery; **233** *modelo, 1, 2* National Museum of Anthropology; *3* The Granger Collection, New York; *4* Nicolas Sapieha/Art Resource, NY; *5* National Museum of Anthropology; *6* Gianni Dagli Orti/Corbis; **234** *top* JTB Photo/SuperStock; *bottom* © Chico Sanchez/age fotostock; **238** *bottom left* M. H. De León/Agencia EFE; *bottom right inset* Holt McDougal/Houghton Mifflin Harcourt; **239** *top left* CAMARI; *center right* Owen Franken/Corbis; **240** *top right* Jay Penni/Holt McDougal/Houghton Mifflin Harcourt; **244–245** © 2007 David Dudenhoefer/Odyssey/Chicago; **245** *bottom* John Mitchell/Alamy; *right inset* Amy Wrynn/Holt McDougal/Houghton Mifflin Harcourt; *center* © John Warburton-Lee Photography/Alamy; **246** *background* Allan Penn/Holt McDougal/Houghton Mifflin Harcourt; *professor* Pete Olsen/Holt McDougal/Houghton Mifflin Harcourt; *group* Pete Olsen/Holt McDougal/Houghton Mifflin Harcourt; **247** *background* Allan Penn/Holt McDougal/Houghton Mifflin Harcourt; *all others* Pete Olsen/Holt McDougal/Houghton Mifflin Harcourt; **250** *bottom right* Martha Granger/EDGE Productions/Holt McDougal/Houghton Mifflin Harcourt; *flag* One Mile Up; **251** *center right* "Vista deToledo" (c.1597-99), El Greco (Domenico Theotocopuli). Oil on canvas. Metropolitan Museum of Art, New York. Photograph by Francis G. Mayer/Corbis; *top left* Guy Moberly/Lonely Planet Images; *bottom left* Carlos Navajas/Getty Images; *top left inset* age fotostock/SuperStock; **254** *top left* Flores/Agencia EFE; *bottom right* Martha Granger/EDGE Productions/Holt McDougal/Houghton Mifflin Harcourt; *strawberries* Photospin; *lettuce, spinach* Jay Penni/Holt McDougal/Houghton Mifflin Harcourt; *garlic bulb* PhotoDisc; **258** *modelo* Jay Penni/Holt McDougal/Houghton Mifflin Harcourt; *1* © Houghton Mifflin Harcourt; *2* PhotoDisc; *3* Royalty-Free/Corbis; *5* Comstock; *6* Martha Granger/EDGE Productions/Holt McDougal/Houghton Mifflin Harcourt; **260** "Naturaleza muerta" (ca. 1925), Àngel Planells i Cruanyes. Oil on canvas. Collection J.B. Cendros, Barcelona. Photograph by Bridgeman Art Library; **265** *modelo* Samantha Grandy/ShutterStock; *1* Clay Clifford/ShutterStock; *3* D. Hurst/Alamy; *6* Jay Penni/Holt McDougal/Houghton Mifflin Harcourt; **266** *top* © MBI/Alamy; *center* Leigh Beisch/FoodPix/Jupiterimages; *bottom* Eising Food Photography/StockFood America; **270** *center right* Holt McDougal/Houghton Mifflin Harcourt; *bottom* Kevin Schafer/Corbis; *bottom right*

PhotoObjects/Jupiterimages Corporation; **271** *top* Michael Busselle/Corbis; *center right* PhotoDisc; *center left* Holt McDougal/Houghton Mifflin Harcourt; **272** *bottom right* Pete Saloutos/Corbis; *castanets* PhotoObjects/Jupiterimages Corporation; **275** *2* PhotoDisc; *4* Comstock; **279** *center right* Stacy Morrison/Zefa/Corbis; *center* Stockbyte CORE/PictureQuest/Jupiterimages; **280** *4* Food Features/Alamy; **284** "L'enfant aux pâtisseries" (1921), Maria Blanchard. Oil on canvas. Musée National d'Art Moderne, Centre Pompidou, Paris/Bridgeman Art Library; **285** *top right* Ingolf Pompe/Aurora; **289** *modelo* Ann Stratton/FoodPix/Jupiterimages; *2* Jay Penni/Holt McDougal/Houghton Mifflin Harcourt; *3* © Photodisc/Getty Images; *4* Stockbyte CORE/Picture Quest/Jupiterimages; *5* © Don Couch/Houghton Mifflin Harcourt; **290** *center right* Toby Adamson/Axiom/Aurora; **294** *bottom left* Purple Marbles/Alamy; *bottom right* Marie-Louise Avery/age fotostock; **295** *top* Natacha Pisarenko/AP Images; *center* Kevin Sánchez/Cole Group/Getty Images; **296** *top right* Jay Penni/Holt McDougal/Houghton Mifflin Harcourt; *bottom left* © Michelle Chaplow/Alamy; *bottom right* © Jupiterimages/Getty Images; **300–301** Iván Franco/Agencia EFE; **301** *center* Reuters/Corbis; *bottom* Jean Dominique DALLET/Alamy; **302** *background* Allan Penn/Holt McDougal/Houghton Mifflin Harcourt; *all others* Pete Olsen/Holt McDougal/Houghton Mifflin Harcourt; **303** *background* Allan Penn/Holt McDougal/Houghton Mifflin Harcourt; *top* Pete Olsen/Holt McDougal/Houghton Mifflin Harcourt; **306** *flag* Image Club; *bottom right* Martha Granger/EDGE Productions/Holt McDougal/Houghton Mifflin Harcourt; **307** *top left* Ann Summa; *right* Héctor Mata/Getty Images; *Bernal* Jeff Vespa/WireImage/Getty Images; *Leguizamo* Rodrigo Valera/WireImage/Getty Images; *Ferrera* Gregg DeGuire/WireImage/Getty Images; **310** *make up, bottom right* Jay Penni/Holt McDougal/Houghton Mifflin Harcourt; *digital camera* Juan David Ferrando Subero/ShutterStock; **311** *animation* Nina Frenkel/Getty Images; *comedy* Royalty-Free/Corbis; *science fiction* Michael Jang/Getty Images; **312** *1* Martin Barraud/Getty Images; *4* Royalty-Free/Corbis; *5* The Design Unit/Getty Images; **314** *1, 2* Jay Penni/Holt McDougal/Houghton Mifflin Harcourt; *3* Juan David Ferrando Subero/ShutterStock; **316** *top right* Jay Penni/Holt McDougal/Houghton Mifflin Harcourt; *bottom right* "Returning to Aztlán" (1983), Gilbert Magu Lujan. Serigraph (edition of 200), 37 1/2" x 29". Courtesy of the artist.; **319** *top left, center* Rubberball Productions; *top right* Philip Date/ShutterStock; *bottom center* ijansempoi/ShutterStock; *bottom left* Colin & Linda McKie/ShutterStock; *bottom right* Jason Stitt/ShutterStock; **322** Mike Guastella/WireImage/Getty Images; **325** Jim Arbogast/Corbis; **327** *all images* Neue Constantin/Spring Creek/The Kobal Collection; **328** *center* detail, "The Great Wall of Los Angeles" (1976-present), Judith F. Baca. © SPARC www.sparcmurals.org; *bottom right* SEF/Art Resource, NY; **334** *bottom right* David Young-Wolff/PhotoEdit; **335** *screen top left, top right* Holt McDougal/Houghton Mifflin Harcourt; **338** *bottom left* David Young-Wolff/PhotoEdit; **340** "Official 5th Annual Latin Grammy Awards Artwork" (2004), Patssi Valdez. Oil on canvas, 37" x 29". Painting reproduced with permission of Latin Academy of Recording Arts and Sciences. Photograph by Frank Micelotta/Getty Images; **345** *paperclip* PhotoObjects/Jupiterimages Corporation; **346** *top* Steve Granitz/WireImage/Getty Images; *bottom* Jeffrey Mayer/WireImage/Getty Images; **350** *bottom left* Ric Francis/AP Images; **351** *top inset* Guillermo Ogam/NewsCom/Notimex; *top* Morgana Alhen/NewsCom/Notimex; **352** *top right* Jay Penni/Holt McDougal/Houghton Mifflin Harcourt; *boats, beach* Royalty-Free/Corbis; *bottom left* Allan Penn/Holt McDougal/Houghton Mifflin Harcourt; **356–357** AFP/Getty Images; **357** *bottom* Keith Dannemiller/Corbis; *center* Leonardo Cavallo/La Nación/AP Images; **358** *background* Allan Penn/Holt McDougal/Houghton Mifflin Harcourt; *all others* Pete Olsen/Holt McDougal/Houghton Mifflin Harcourt; **359** *background* Allan Penn/Holt McDougal/Houghton Mifflin Harcourt; *top* Pete Olsen/Holt McDougal/Houghton Mifflin Harcourt; **361** *computer* Risteski Goce/ShutterStock; **362** *flag* Image Club; **363** *top left* James Quine/Alamy ; *right* Kim Karpeles/age fotostock; *bottom left* Doug Scott/age fotostock; **367** *top right* PhotoDisc; **373** *left* Tony Arruza/Corbis; *right* Holt McDougal Photo; **378** Stephanie Maze/Corbis; **381** *top left* Royalty-Free/Corbis; **382** *center* © Photodisc/Getty Images; *bottom left* Allan Penn/Holt McDougal/Houghton Mifflin Harcourt; **383** Allan Penn/Holt McDougal/Houghton Mifflin Harcourt; **384** *top, bottom left* Michael Caulfield/WireImage/Getty Images; *bottom right* Steve Granitz/WireImage/Getty Images; **391** *bottom center* Larry Luxner/DDB Stock Photography Agency; *bottom left* ShelbyImages.com/Alamy; **394** *jeans* C Squared Studios/Getty Images; *T-shirt* Siede Preis/Getty Images; *knit hat* Rebecca Sheehan/ShutterStock; *boots on right* Image Source/PictureQuest; *books* Siede Preis/Getty Images; *all others* PhotoObjects/Jupiterimages Corporation; **399** Beryl Goldberg; **402** "Family Reading" (2001), Belkis Ramírez. Woodcut; **406** Image 100/age fotostock; **407** David Young-Wolff/PhotoEdit; **408** *top right* Jay Penni/Holt McDougal/Houghton Mifflin Harcourt; **412–413** Simon Hataway/Alamy; **413** *bottom* Mario Algaze/The Image Works; *center* © LWA/Dann Tardif/Getty Images; **414** *background* Allan Penn/Holt McDougal/Houghton Mifflin Harcourt; *all others* Pete Olsen/Holt McDougal/Houghton Mifflin Harcourt; **415** *background* Allan Penn/Holt McDougal/Houghton Mifflin Harcourt; *top* Pete Olsen/Holt McDougal/Houghton Mifflin Harcourt; **418** *flag* Image Club; *bottom right* Martha Granger/EDGE Productions/Holt McDougal/Houghton Mifflin Harcourt; **419** *top left* Pablo Corral/Corbis; *right* © Kevin Schafer/NHPA/Photoshot; *bottom left* EPA/Corbis ; *bottom left inset* Jay Penni/Holt McDougal/Houghton Mifflin Harcourt; **422** *bottom right* Jules Frazier/Getty Images; *bottom center* Bryan Mitchell/Getty Images; **423** *top left* Dan Bigelow/Getty Images; *top center* Alan Heartfield/ShutterStock; *bottom center* © Morales/age fotostock; *bottom left* PhotoDisc; *bottom right* Andy Lim/ShutterStock; **426** *modelo* Arunas Klupsas/PictureQuest; *1* © Morales/age fotostock;

Maps and Illustrations